ВЕЛИКАЯ СУДЬБА РОССИИ

ВЕЛИКАЯ СУДЬБА РОССИИ

Алексей ТОЛСТОЙ

ХОЖДЕНИЕ ПО МУКАМ

ХРАНИТЕЛЬ
МОСКВА
2006

УДК 821.161.1
ББК 84(2Рос=Рус)6
Т53

Серия «Великая судьба России» основана в 2002 году

Серийное оформление А.А. Кудрявцева

Художник Ю.Д. Федичкин

Компьютерный дизайн Ю.М. Мардановой

Подписано в печать с готовых диапозитивов заказчика 26.06.06.
Формат 84×108 1/32. Бумага газетная. Печать высокая с ФПФ.
Усл. печ. л. 50,4. Тираж 4000 экз. Заказ 1922.

Толстой, А.Н.

Т53 Хождение по мукам : [трилогия] / Алексей Толстой. — М.: АСТ: АСТ МОСКВА: ХРАНИТЕЛЬ, 2006. — 957, [3] с. — (Великая судьба России).

ISBN 5-17-037946-3 (ООО «Издательство АСТ»)
ISBN 5-9713-3269-4 (ООО Издательство «АСТ МОСКВА»)
ISBN 5-9762-0528-3 (ООО «ХРАНИТЕЛЬ»)

«Хождение по мукам» — уникальная по яркости и масштабу повествования трилогия, на страницах которой перед читателем предстает картина событий, потрясших весь мир.

Выдающееся произведение А.Н. Толстого показывает Россию в один из самых ярких, сложных и противоречивых периодов ее истории — в тревожное предреволюционное время, в суровые годы революционных потрясений и Гражданской войны.

УДК 821.161.1
ББК 84(2Рос=Рус)6

ISBN 985-13-8529-8
(ООО «Харвест»)

КНИГА ПЕРВАЯ

СЕСТРЫ

О, Русская земля!..

Слово о полку Игореве

1

Сторонний наблюдатель из какого-нибудь заросшего липами захолустного переулка, попадая в Петербург, испытывал в минуты внимания сложное чувство умственного возбуждения и душевной придавленности.

Бродя по прямым и туманным улицам, мимо мрачных домов с темными окнами, с дремлющими дворниками у ворот, глядя подолгу на многоводный и хмурый простор Невы, на голубоватые линии мостов с зажженными еще до темноты фонарями, с колоннадами неуютных и нерадостных дворцов, с нерусской, пронзительной высотой Петропавловского собора, с бедными лодочками, ныряющими в темной воде, с бесчисленными барками сырых дров вдоль гранитных набережных, заглядывая в лица прохожих — озабоченные и бледные, с глазами, как городская муть, — видя и внимая всему этому, сторонний наблюдатель — благонамеренный — прятал голову поглубже в воротник, а неблагонамеренный начинал думать, что хорошо бы ударить со всей силой, разбить вдребезги это застывшее очарование.

Еще во времена Петра Первого дьячок из Троицкой церкви, что и сейчас стоит близ Троицкого моста, спускаясь с колокольни, впотьмах, увидел кикимору — худую бабу и простоволосую, — сильно испугался и затем кричал в кабаке: «Петербургу, мол, быть пусту», — за что был схвачен, пытан в Тайной канцелярии и бит кнутом нещадно.

Так с тех пор, должно быть, и повелось думать, что с Петербургом нечисто. То видели очевидцы, как по улице Васильевского острова ехал на извозчике черт. То в полночь, в бурю и высокую воду, сорвался с гранитной скалы и скакал по камням медный император. То к проезжему в карете тайному советнику липнул к стеклу и приставал мертвец — мертвый чиновник. Много таких россказней ходило по городу.

И совсем еще недавно поэт Алексей Алексеевич Бессонов, проезжая ночью на лихаче, по дороге на острова, горбатый мостик, увидал сквозь разорванные облака в бездне неба звезду и, глядя на нее сквозь слезы, подумал, что лихач, и нити фонарей, и весь за спиной его спящий Петербург — лишь мечта, бред, возникший в его голове, отуманенной вином, любовью и скукой.

Как сон, прошли два столетия: Петербург, стоящий на краю земли, в болотах и пусторослях, грезил безграничной славой и властью; бредовыми видениями мелькали дворцовые перевороты, убийства императоров, триумфы и кровавые казни; слабые женщины принимали полубожественную власть; из горячих и смятых постелей решались судьбы народов; приходили ражие парни, с могучим сложением и черными от земли руками, и смело поднимались к трону, чтобы разделить власть, ложе и византийскую роскошь.

С ужасом оглядывались соседи на эти бешеные взрывы фантазии. С унынием и страхом внимали русские люди бреду столицы. Страна питала и никогда не могла досыта напитать кровью своею петербургские призраки.

Петербург жил бурливо-холодной, пресыщенной, полуночной жизнью. Фосфорические летние ночи, сумасшедшие и сладострастные, и бессонные ночи зимой, зеленые столы и шорох золота, музыка, крутящиеся пары за окнами, бешеные тройки, цыгане, дуэли на рассвете, в свисте ледяного ветра и пронзительном завывании флейт — парад войскам перед наводящим ужас взглядом византийских глаз императора. Так жил город.

В последнее десятилетие с невероятной быстротой создавались грандиозные предприятия. Возникали, как из воздуха, миллионные состояния. Из хрусталя и цемента строились банки, мюзик-холлы, скетинги, великолепные кабаки, где люди оглушались музыкой, отражением зеркал, полуобнаженными женщинами, светом, шампанским. Спешно открывались игорные клубы, дома свиданий, театры, кинематографы, лунные парки. Инженеры и капиталисты работали над проектом постройки новой, не виданной еще роскоши столицы, неподалеку от Петербурга, на необитаемом острове.

В городе была эпидемия самоубийств. Залы суда наполнялись толпами истерических женщин, жадно внимающих кровавым и возбуждающим процессам. Все было доступно — роскошь и женщины. Разврат проникал всюду, им был, как заразой, поражен дворец.

И во дворец, до императорского трона, дошел и, глумясь и издеваясь, стал шельмовать над Россией неграмотный мужик с сумасшедшими глазами и могучей мужской силой.

Петербург, как всякий город, жил единой жизнью, напряженной и озабоченной. Центральная сила руководила этим движением, но она не была слита с тем, что можно было назвать духом города: центральная сила стремилась создать порядок, спокойствие и целесообразность, дух города стремился разрушить эту силу. Дух разрушения был во всем, пропитывал смертельным ядом и грандиозные биржевые махинации знаменитого Сашки Сакельмана, и мрачную злобу рабочего на сталелитейном заводе, и вывихнутые мечты модной поэтессы, сидящей в пятом часу утра в артистическом подвале «Красные бубенцы», — и даже те, кому нужно было бороться с этим разрушением, сами того не понимая, делали все, чтобы усилить его и обострить.

То было время, когда любовь, чувства добрые и здоровые считались пошлостью и пережитком; никто не любил, но все жаждали и, как отравленные, припадали ко всему острому, раздирающему внутренности.

Девушки скрывали свою невинность, супруги — верность. Разрушение считалось хорошим вкусом, неврастения — признаком утонченности. Этому учили модные писатели, возникавшие в один сезон из небытия. Люди выдумывали себе пороки и извращения, лишь бы не прослыть пресными.

Таков был Петербург в 1914 году. Замученный бессонными ночами, оглушающий тоску свою вином, золотом, безлюбой любовью, надрывающими и бессильно-чувственными звуками танго — предсмертного гимна, — он жил словно в ожидании рокового и страшного дня. И тому были предвозвестники — новое и непонятное лезло изо всех щелей.

2

— ...Мы ничего не хотим помнить. Мы говорим: довольно, повернитесь к прошлому задом! Кто там у меня за спиной? Венера Милосская? А что — ее можно кушать? Или она способствует ращению волос? Я не понимаю, для чего мне нужна эта каменная туша? Но искусство, искусство, брр! Вам все еще нравится щекотать себя этим понятием? Глядите по сторонам, вперед, под ноги. У вас на ногах американские башмаки! Да здравствуют американские башмаки! Вот искусство: красный автомобиль, гуттаперчевая шина, пуд бензину и сто верст в час. Это возбуждает меня пожирать пространство. Вот искусство: афиша в шестнадцать аршин, и на ней некий шикарный молодой человек в сияющем, как солнце, цилиндре. Это — портной, художник, гений сегодняшнего дня! Я хочу пожирать жизнь, а вы меня потчуете сахарной водицей для страдающих половым бессилием...

В конце узкого зала, за стульями, где тесно стояла молодежь с курсов и университета, раздался смех и хлопки. Говоривший, Сергей Сергеевич Сапожков, усмехаясь влажным ртом, надвинул на большой нос прыгающее пенсне и бойко сошел по ступенькам большой дубовой кафедры.

Сбоку, за длинным столом, освещенным двумя пятисвечными канделябрами, сидели члены общества «Философские вечера». Здесь были и председатель общества, профессор богословия Антоновский, и сегодняшний докладчик — историк Вельяминов, и философ Борский, и лукавый писатель Сакунин.

Общество «Философские вечера» в эту зиму выдерживало сильный натиск со стороны мало кому известных, но зубастых молодых людей. Они нападали на маститых писателей и почтенных философов с такой яростью и говорили такие дерзкие и соблазнительные вещи, что старый особняк на Фонтанке, где помещалось общество, по субботам, в дни открытых заседаний, бывал переполнен.

Так было и сегодня. Когда Сапожков при рассыпавшихся хлопках исчез в толпе, на кафедру поднялся небольшого роста человек с шишковатым стриженым черепом, с молодым скуластым и желтым лицом — Акундин. Появился он здесь недавно, успех, в особенности в задних рядах зрительного зала, бывал у него огромный, и когда спрашивали: откуда и кто такой? — знающие люди загадочно улыбались. Во всяком случае, фамилия его была не Акундин, приехал он из-за границы и выступал неспроста.

Пощипывая редкую бородку, Акундин оглядел затихший зал, усмехнулся тонкой полоской губ и начал говорить.

В это время в третьем ряду кресел, у среднего прохода, подперев кулачком подбородок, сидела молодая девушка, в суконном черном платье, закрытом до шеи. Ее пепельные тонкие волосы были подняты над ушами, завернуты в большой узел и сколоты гребнем. Не шевелясь и не улыбаясь, она разглядывала сидящих за зеленым столом, иногда ее глаза подолгу останавливались на огоньках свечей.

Когда Акундин, стукнув по дубовой кафедре, воскликнул: «Мировая экономика наносит первый удар железного кулака по церковному куполу», — девушка вздохнула не сильно и, приняв кулачок от покрасневшего снизу подбородка, положила в рот карамель.

Акундин говорил:

— ...А вы все еще грезите туманными снами о царствии божием на земле. А *он*, несмотря на все ваши усилия, продолжает спать. Или вы надеетесь, что *он* все-таки проснется и заговорит, как валаамова ослица? Да, *он* проснется, но разбудят его не сладкие голоса ваших поэтов, не дым из кадильниц, — народ могут разбудить только фабричные свистки. Он проснется и заговорит, и голос его будет неприятен для слуха. Или вы надеетесь на ваши дебри и болота? Здесь можно подремать еще с полстолетия, верю. Но не называйте это мессианством. Это не то, что грядет, а то, что уходит. Здесь, в Петербурге, в этом великолепном зале, выдумали русского мужика. Написали о нем сотни томов и сочинили оперы. Боюсь, как бы эта забава не окончилась большой кровью...

Но здесь председатель остановил говорившего. Акундин слабо улыбнулся, вытащил из пиджака большой платок и вытер привычным движением череп и лицо. В конце зала раздались голоса:

— Пускай говорит!

— Безобразие закрывать человеку рот!

— Это издевательство!

— Тише вы, там, сзади!

— Сами вы тише!

Акундин продолжал:

— ...Русский мужик — точка приложения идей. Да. Но если эти идеи органически не связаны с его вековыми желаниями, с его первобытным понятием о справедливости, понятием всечеловеческим, то идеи падают, как семена на камень. И до тех пор, покуда не станут рассматривать русского мужика просто как человека с голодным желудком и натертым работою хребтом, покуда не лишат его, наконец, когда-то каким-то барином придуманных мессианских его особенностей, до тех пор будут трагически существовать два полюса: ваши великолепные идеи, рожденные в темноте кабинетов, и народ, о котором вы ничего не хотите знать... Мы здесь даже и не критикуем вас по существу. Было бы странно терять время на пересмотр этой феноменальной груды — человеческой фантазии. Нет. Мы говорим: спасайтесь, покуда не поздно. Ибо ваши идеи и ваши сокровища будут без сожаления выброшены в мусорный ящик истории...

Девушка в черном суконном платье не была расположена вдумываться в то, что говорилось с дубовой кафедры. Ей казалось, что все эти слова и споры, конечно, очень важны и многозначительны, но самое важное было иное, о чем эти люди не говорили...

За зеленым столом в это время появился новый человек. Он не спеша сел рядом с председателем, кивнул направо и налево, провел покрасневшей рукой по русым волосам, мокрым от снега, и, спрятав под стол руки, выпрямился, в очень узком черном сюртуке: худое матовое лицо, брови дугами, под ними, в тенях, — огромные серые глаза, и волосы, падающие шапкой. Точно таким Алексей Алексеевич Бессонов был изображен в последнем номере еженедельного журнала.

Девушка не видела теперь ничего, кроме этого почти отталкивающе-красивого лица. Она словно с ужасом внимала этим странным чертам, так часто снившимся ей в ветреные петербургские ночи.

Вот он, наклонив ухо к соседу, усмехнулся, и улыбка — простоватая, но в вырезах тонких ноздрей, в слишком женственных бровях, в какой-то особой нежной силе этого лица было вероломство, надменность и еще то, чего она понять не могла, но что волновало ее всего сильнее.

В это время докладчик Вельяминов, красный и бородатый, в золотых очках и с пучками золотисто-седых волос вокруг большого черепа, отвечал Акундину:

— Вы правы так же, как права лавина, когда обрушивается с гор. Мы давно ждем пришествия страшного века, предугадываем торжество вашей правды.

Вы овладеете стихией, а не мы. Но мы знаем, высшая справедливость, на завоевание которой вы скликаете фабричными гудками, окажется грудой обломков, хаосом, где будет бродить оглушенный человек. «Жажду» — вот что скажет он, потому что в нем самом не окажется ни капли божественной влаги. Берегитесь, — Вельяминов поднял длинный, как карандаш, палец и строго через очки посмотрел на ряды слушателей, — в раю, который вам грезится, во имя которого вы хотите превратить человека в живой механизм, в номер такой-то, — человека в номер, — в этом страшном раю грозит новая революция, самая страшная изо всех революций — революция Духа.

Акундин холодно проговорил с места:

— Человека в номер — это тоже идеализм.

Вельяминов развел над столом руками. Канделябр бросал блики на его лысину. Он стал говорить о грехе, куда отпадает мир, и о будущей страшной расплате. В зале покашливали.

Во время перерыва девушка пошла в буфетную и стояла у дверей, нахмуренная и независимая. Несколько присяжных поверенных с женами пили чай и громче, чем все люди, разговаривали. У печки знаменитый писатель, Чернобылин, ел рыбу с брусникой и поминутно оглядывался злыми пьяными глазами на проходящих. Две, средних лет, литературные дамы, с грязными шеями и большими бантами в волосах, жевали бутерброды у буфетного прилавка. В стороне, не смешиваясь со светскими, благообразно стояли батюшки. Под люстрой, заложив руки сзади под длинный сюртук, покачивался на каблуках полуседой человек с подчеркнуто растрепанными волосами — Чирва — критик, ждал, когда к нему кто-нибудь подойдет. Появился Вельяминов; одна из литературных дам бросилась к нему и вцепилась в рукав. Другая литературная дама вдруг перестала жевать, отряхнула крошки, нагнула голову, расширила глаза. К ней подходил Бессонов, кланяясь направо и налево смиренным наклонением головы.

Девушка в черном всей своей кожей почувствовала, как подобралась под корсетом литературная дама. Бессонов говорил ей что-то с ленивой усмешкой. Она всплеснула полными руками и захохотала, подкатывая глаза.

Девушка дернула плечиком и пошла из буфета. Ее окликнули. Сквозь толпу к ней протискивался черноватый истощенный юноша, в бархатной куртке, радостно кивал, от удовольствия морщил нос и взял ее за руку. Его ладонь была влажная, и на лбу влажная прядь волос, и влажные длинные черные глаза засматривали с мокрой нежностью. Его звали Александр Иванович Жиров. Он сказал:

— Вот? Что вы тут делаете, Дарья Дмитриевна?

— То же, что и вы, — ответила она, освобождая руку, сунула ее в муфту и там вытерла о платок.

Он захихикал, глядя еще нежнее:

— Неужели и на этот раз вам не понравился Сапожков? Он говорил сегодня, как пророк. Вас раздражает его резкость и своеобразная манера выражаться. Но самая сущность его мысли — разве это не то, чего мы все втайне хотим, но сказать боимся? А он смеет. Вот:

> Каждый молод, молод, молод.
> В животе чертовский голод,
> Будем лопать пустоту...

Необыкновенно, ново и смело, Дарья Дмитриевна, разве вы сами не чувствуете, — новое, новое прет! Наше, новое, жадное, смелое. Вот тоже и Акундин. Он слишком логичен, но как вбивает гвозди! Еще две-три таких зимы, — и все затрещит, полезет по швам, — очень хорошо!

Он говорил тихим голосом, сладко и нежно улыбаясь. Даша чувствовала, как все в нем дрожит мелкой дрожью, точно от ужасного возбуждения. Она не дослушала, кивнула головой и стала протискиваться к вешалке.

Сердитый швейцар с медалями, таская вороха шуб и калош, не обращал внимания на Дашин протянутый номерок. Ждать пришлось долго, в ноги дуло из пустых с махающими дверями сеней, где стояли рослые, в синих мокрых кафтанах, извозчики и весело и нагло предлагали выходящим:

— Вот на резвой, ваше сясь!

— Вот по пути, на Пески!

Вдруг за Дашиной спиной голос Бессонова проговорил раздельно и холодно:

— Швейцар, шубу, шапку и трость.

Даша почувствовала, как легонькие иголочки пошли по спине. Она быстро повернула голову и прямо взглянула Бессонову в глаза. Он встретил ее взгляд спокойно, как должное, но затем веки его дрогнули, в серых глазах появилась живая влага, они словно подались, и Даша почувствовала, как у нее затрепетало сердце.

— Если не ошибаюсь, — проговорил он, наклоняясь к ней, — мы встречались у вашей сестры?

Даша сейчас же ответила дерзко:

— Да. Встречались.

Выдернула у швейцара шубу и побежала к парадным дверям. На улице мокрый и студеный ветер подхватил ее платье, обдал ржавыми каплями. Даша до глаз закуталась в меховой воротник. Кто-то, перегоняя, проговорил ей над ухом:

— Ай да глазки!

Даша быстро шла по мокрому асфальту, по зыбким полосам электрического света. Из распахнувшейся двери ресторана вырвались вопли скрипок — вальс. И Даша, не оглядываясь, пропела в косматый мех муфты:

— Ну, не так-то легко, не легко, не легко!

3

Расстегивая в прихожей мокрую шубу, Даша спросила у горничной:

— Дома никого нет, конечно?

Великий Могол, — так называли горничную Лушу за широкоскулое, как у идола, сильно напудренное лицо, — глядя в зеркало, ответила тонким голосом, что барыни действительно дома нет, а барин дома, в кабинете, и ужинать будет через полчаса.

Даша прошла в гостиную, села у рояля, положила ногу на ногу и охватила колено.

Зять, Николай Иванович, дома, — значит, поссорился с женой, надутый и будет жаловаться. Сейчас — одиннадцать, и часов до трех, покуда не заснешь, делать нечего. Читать, но что? И охоты нет. Просто сидеть, думать — себе дороже станет. Вот, в самом деле, как жить иногда неуютно.

Даша вздохнула, открыла крышку рояля и, сидя боком, одною рукою начала разбирать Скрябина. Трудновато приходится человеку в таком неудобном возрасте, как девятнадцать лет, да еще девушке, да еще очень и очень неглупой, да еще по нелепой какой-то чистоплотности слишком суровой с теми, — а их было немало, — кто выражал охоту развеивать девичью скуку.

В прошлом году Даша приехала из Самары в Петербург на юридические курсы и поселилась у старшей сестры, Екатерины Дмитриевны Смоковниковой. Муж ее был адвокат, довольно известный; жили они шумно и широко.

Даша была моложе сестры лет на пять: когда Екатерина Дмитриевна выходила замуж, Даша была еще девочкой; последние годы сестры мало виделись, и теперь между ними начались новые отношения: у Даши влюбленные, у Екатерины Дмитриевны — нежно любовные.

Первое время Даша подражала сестре во всем, восхищалась ее красотой, вкусами, уменьем вести себя с людьми. Перед Катиными знакомыми она робела, иным от застенчивости говорила дерзости. Екатерина Дмитриевна старалась, чтобы дом ее был всегда образцом вкуса и новизны, еще не ставшей достоянием улицы; она не пропускала ни одной выставки и покупала футуристические картины. В последний год из-за этого у нее происходили бурные разговоры с мужем, потому что Николай Иванович любил живопись идейную, а Екатерина Дмитриевна со всей женской пылкостью решила лучше пострадать за новое искусство, чем прослыть отсталой.

Даша тоже восхищалась этими странными картинами, развешанными в гостиной, хотя с огорчением думала иногда, что квадратные фигуры с геометрическими лицами, с большим, чем нужно, количеством рук и ног, глухие краски, как головная боль, — вся эта чугунная, циническая поэзия слишком высока для ее тупого воображения.

Каждый вторник у Смоковниковых, в столовой из птичьего глаза, собиралось к ужину шумное и веселое общество. Здесь были разговорчивые адвокаты, женолюбивые и внимательно следящие за литературными течениями; два или три журналиста, прекрасно понимающие, как нужно вести внутреннюю и внешнюю политику; нервно-расстроенный критик Чирва, подготовлявший очередную литературную катастрофу.

Иногда спозаранку приходили молодые поэты, оставлявшие тетради со стихами в прихожей, в пальто. К началу ужина в гостиной появлялась какая-нибудь знаменитость, шла не спеша приложиться к хозяйке и с достоинством усаживалась в кресло. В средине ужина бывало слышно, как в прихожей с грохотом снимали кожаные калоши и бархатный голос произносил: «Приветствую тебя, Великий Могол!» — и затем над стулом хозяйки склонялось бритое, с отвислыми жабрами, лицо любовника-резонера:

— Катюша, — лапку!

Главным человеком для Даши во время этих ужинов была сестра. Даша негодовала на тех, кто был мало внимателен к милой, доброй и простодушной Екатерине Дмитриевне, к тем же, кто бывал слишком внимателен, ревновала, — глядела на виноватого злыми глазами.

Понемногу она начала разбираться в этом кружащем непривычную голову множестве лиц. Помощников присяжных поверенных она теперь презирала: у них, кроме мохнатых визиток, лиловых галстуков да проборов через всю голову, ничего не было важного за душою. Любовника-резонера она ненавидела: он не имел права сестру звать Катей, Великого Могола — Великим Моголом, не имел никакого основания, выпивая рюмку водки, щурить отвислые глаза на Дашу и приговаривать: «Пью за цветущий миндаль!»

Каждый раз при этом Даша задыхалась от злости. Щеки у нее действительно были румяные, и ничем этот проклятый миндальный цвет согнать было нельзя, и Даша чувствовала себя за столом вроде деревянной матрешки.

На лето Даша не поехала к отцу в пыльную и знойную Самару, а с радостью согласилась остаться у сестры на взморье, в Сестрорецке. Там были те же люди, что и зимой, только все виделись чаще, катались на лодках, купались, ели мороженое в сосновом бору, слушали по вечерам музыку и шумно ужинали на веранде курзала, под звездами.

Екатерина Дмитриевна заказала Даше белое вышитое гладью платье, большую шляпу из белого газа с черной лентой и широкий шелковый пояс, чтобы завязывать большим бантом на спине, и в Дашу неожиданно, точно ему вдруг раскрыли глаза, влюбился помощник зятя — Никанор Юрьевич Куличек.

Но он был из «презираемых». Даша возмутилась, позвала его в лес и там, не дав ему сказать в оправдание ни одного слова (он только вытирался платком, скомканным в кулаке), наговорила, что она не позволит смотреть на себя, как на какую-то «самку», что она возмущена, считает его личностью с развращенным воображением и сегодня же пожалуется зятю.

Зятю она нажаловалась в тот же вечер. Николай Иванович выслушал ее до конца, поглаживая холеную бороду и с удивлением взглядывая на миндальные от негодования Дашины щеки, на гневно дрожащую большую шляпу, на всю тонкую, беленькую Дашину фигуру, затем сел на песок у воды и начал хохотать, вынул платок, вытирал глаза, приговаривая:

— Уйди, Дарья, уйди, умру!

Даша ушла, ничего не понимая, смущенная и расстроенная. Куличек теперь не смел даже глядеть на нее, худел и уединялся. Дашина честь была спасена. Но вся эта история неожиданно взволновала в ней девственно дремавшие чувства. Нарушилось тонкое равновесие, точно во всем Дашином теле, от волос до пяток, зачался какой-то второй человек, душный, мечтательный, бесформенный и противный. Даша чувствовала его всей своей кожей и мучилась, как от нечистоты; ей хотелось смыть с себя эту невидимую паутину, вновь стать свежей, прохладной, легкой.

Теперь по целым часам она играла в теннис, по два раза на дню купалась, вставала ранним утром, когда на листьях еще горели большие капли росы, от лилового, как зеркало, моря шел пар и на пустой веранде расставляли влажные столы, мели сырые песчаные дорожки.

Но, пригревшись на солнышке или ночью в мягкой постели, второй человек оживал, осторожно пробирался к сердцу и сжимал его мягкой лапкой. Его нельзя было ни отодрать, ни смыть с себя, как кровь с заколдованного ключа Синей Бороды.

Все знакомые, а первая — сестра, стали находить, что Даша очень похорошела за это лето и словно хорошеет с каждым днем. Однажды Екатерина Дмитриевна, зайдя утром к сестре, сказала:

— Что же это с нами дальше-то будет?

— А что, Катя?

Даша в рубашке сидела на постели, закручивала большим узлом волосы.

— Уж очень хорошеешь, — что дальше-то будем делать?

Даша строгими, «мохнатыми» глазами поглядела на сестру и отвернулась. Ее щека и ухо залились румянцем.

— Катя, я не хочу, чтобы ты так говорила, мне это неприятно — понимаешь?

Екатерина Дмитриевна села на кровать, щекою прижалась к Дашиной голой спине и засмеялась, целуя между лопатками.

— Какие мы рогатые уродились: ни в ерша, ни в ежа, ни в дикую кошку.

Однажды на теннисной площадке появился англичанин — худой, бритый, с выдающимся подбородком и детскими глазами. Одет он был до того безукоризненно, что несколько молодых людей из свиты Екатерины Дмитриевны впали в уныние. Даше он предложил партию и играл, как машина. Даше казалось, что он за все время ни разу на нее не взглянул, — глядел мимо. Она проиграла и предложила вторую партию. Чтобы было ловчее, засучила рукава белой блузки. Из-под пикейной ее шапочки выбилась прядь волос, она ее не поправляла. Отбивая сильным дрейфом над самой сеткой мяч, Даша думала: «Вот ловкая русская девушка с неуловимой грацией во всех движениях, и румянец ей к лицу».

Англичанин выиграл и на этот раз, поклонился Даше — был он совсем сухой, — закурил душистую папироску и сел невдалеке, спросив лимонаду.

Играя третью партию со знаменитым гимназистом, Даша несколько раз покосилась в сторону англичанина — он сидел за столиком, охватив у щиколотки ногу в шелковом носке, положенную на колено, сдвинув соломенную шляпу на затылок, и, не оборачиваясь, глядел на море.

Ночью, лежа в постели, Даша все это припомнила, ясно видела себя, прыгавшую по площадке, красную, с выбившимся клоком волос, и расплакалась от уязвленного самолюбия и еще чего-то, бывшего сильнее ее самой.

С этого дня она перестала ходить на теннис. Однажды Екатерина Дмитриевна ей сказала:

— Даша, мистер Беильс о тебе справляется каждый день, — почему ты не играешь?

Даша раскрыла рот — до того вдруг испугалась. Затем с гневом сказала, что не желает слушать «глупых сплетен», что никакого мистера Беильса не знает и знать не хочет, и он вообще ведет себя нагло, если думает, будто она из-за него не играет в «этот дурацкий теннис». Даша отказалась от обеда, взяла в карман хлеба и крыжовнику и ушла в лес, и в пахнущем горячею смолою сосновом бору, бродя между высоких и красных стволов, шумящих вершинами, решила, что нет больше возможности скрывать жалкую истину: влюблена в англичанина и отчаянно несчастна.

Так, понемногу поднимая голову, вырастал в Даше второй человек. Вначале его присутствие было отвратительно, как нечистота, болезненно, как разрушение. Затем Даша привыкла к этому сложному состоянию, как привыкают после лета, свежего ветра, прохладной воды — затягиваться зимою в корсет и суконное платье.

Две недели продолжалась ее самолюбивая влюбленность в англичанина. Даша ненавидела себя и негодовала на этого человека. Несколько раз издали видела, как он лениво и ловко играл в теннис, как ужинал с русскими моряками, и в отчаянии думала, что он самый обаятельный человек на свете.

А потом появилась около него высокая, худая девушка, одетая в белую фланель, — англичанка, его невеста, — и они уехали. Даша не спала целую ночь, возненавидела себя лютым отвращением и под утро решила, что пусть это будет ее последней ошибкой в жизни.

На этом она успокоилась, а потом ей стало даже удивительно, как все это скоро и легко прошло. Но прошло не все. Даша чувствовала теперь, как тот второй человек точно слился с ней, растворился в ней, исчез, и она теперь вся другая — и легкая и свежая, как прежде, — но точно вся стала мягче, нежнее, непонятнее, и словно кожа стала тоньше, и лица своего она не узнавала в зеркале, и особенно другими стали глаза, замечательные глаза, посмотришь в них — голова закружится.

В середине августа Смоковниковы вместе с Дашей переехали в Петербург, в свою большую квартиру на Пантелеймоновской. Снова начались вторники, выставки картин, громкие премьеры в театрах и скандальные процессы на суде, покупки картин, увлечение стариной, поездки на всю ночь в «Самарканд», к цыганам. Опять появился любовник-резонер, скинувший на минеральных водах двадцать три фунта весу, и ко всем этим беспокойным удовольствиям прибавились неопределенные, тревожные и радостные слухи о том, что готовится какая-то перемена.

Даше некогда было теперь ни думать, ни чувствовать помногу: утром — лекции, в четыре — прогулка с сестрой, вечером — театры, концерты, ужины, люди — ни минуты побыть в тишине.

В один из вторников, после ужина, когда пили ликеры, в гостиную вошел Алексей Алексеевич Бессонов. Увидев его в дверях, Екатерина Дмитриевна залилась яркой краской. Общий разговор прервался. Бессонов сел на диван и принял из рук Екатерины Дмитриевны чашку с кофе.

К нему подсели знатоки литературы — два присяжных поверенных, но он, глядя на хозяйку длинным, странным взором, неожиданно заговорил о том, что искусства вообще никакого нет, а есть шарлатанство, факирский фокус, когда обезьяна лезет на небо по веревке.

«Никакой поэзии нет. Все давным-давно умерло, — и люди и искусство. А Россия — падаль, и стаи воронов на ней, на вороньем пиру. А те, кто пишет стихи, все будут в аду».

Он говорил негромко, глуховатым голосом. На злом бледном лице его розовели два пятна. Мягкий воротник был помят, и сюртук засыпан пеплом. Из чашечки, которую он держал в руке, лился кофе на ковер.

Знатоки литературы затеяли было спор, но Бессонов, не слушая их, следил потемневшими глазами за Екатериной Дмитриевной. Затем поднялся, подошел к ней, и Даша слышала, как он сказал:

— Я плохо переношу общество людей. Позвольте мне уйти.

Она робко попросила его почитать. Он замотал головой и, прощаясь, так долго оставался прижатым к руке Екатерины Дмитриевны, что у нее порозовела спина.

После его ухода начался спор. Мужчины единодушно высказывались: «Все-таки есть некоторые границы, и нельзя уж так явно презирать наше общество». Критик Чирва подходил ко всем и повторял: «Господа, он был пьян в лоск». Дамы же решили: «Пьян ли был Бессонов или просто в своеобразном настроении, — все равно он волнующий человек, пусть это всем будет известно».

На следующий день, за обедом, Даша сказала, что Бессонов ей представляется одним из тех «подлинных» людей, чьими переживаниями, грехами, вкусами, как отраженным светом, живет, например, весь кружок Екатерины Дмитриевны. «Вот, Катя, я понимаю, от такого человека можно голову потерять».

Николай Иванович возмутился: «Просто тебе, Даша, ударило в нос, что он знаменитость». Екатерина Дмитриевна промолчала. У Смоковниковых Бессонов больше не появлялся. Прошел слух, что он пропадает за кулисами у актрисы Чародеевой. Куличек с товарищами ходили смотреть эту самую Чародееву и были разочарованы: худа, как мощи, — одни кружевные юбки.

Однажды Даша встретила Бессонова на выставке.

Он стоял у окна и равнодушно перелистывал каталог, а перед ним, как перед чучелом из паноптикума, стояли две коренастые курсистки и глядели на него с застывшими улыбками. Даша медленно прошла мимо и уже в другой зале села на стул, — неожиданно устали ноги, и было грустно.

После этого Даша купила карточку Бессонова и поставила на стол. Его стихи, — три белых томика, — вначале произвели на нее впечатление отравы: несколько дней она ходила сама не своя, точно стала соучастницей какого-то злого и тайного дела. Но, читая их и перечитывая, она стала наслаждаться именно этим болезненным ощущением, словно ей нашептывали — забыться, обессилеть, расточить что-то драгоценное, затосковать по тому, чего никогда не бывает.

Из-за Бессонова она начала бывать на «Философских вечерах». Он приезжал туда поздно, говорил редко, но каждый раз Даша возвращалась домой взволнованная и была рада, когда дома — гости. Самолюбие ее молчало.

Сегодня пришлось в одиночестве разбирать Скрябина. Звуки, как ледяные шарики, медленно падают в грудь, в глубь темного озера без дна. Упав, колышут влагу и тонут, а влага приливает и отходит, и там, в горячей темноте, гулко, тревожно ударяет сердце, точно скоро, скоро, сейчас, в это мгновение, должно произойти что-то невозможное.

Даша опустила руки на колени и подняла голову. В мягком свете оранжевого абажура глядели со стен багровые, вспухшие, оскаленные, с выпученными глазами лица, точно призраки первозданного хаоса, жадно облепившие в первый день творения ограду райского сада.

— Да, милостивая государыня, плохо наше дело, — сказала Даша. Слева направо стремительно проиграла гаммы, без стука закрыла крышку рояля, из японской коробочки вынула папироску, закурила, закашлялась и смяла ее в пепельнице.

— Николай Иванович, который час? — крикнула Даша так, что было слышно через четыре комнаты.

В кабинете что-то упало, но не ответили. Появилась Великий Могол и, глядя в зеркало, сказала, что ужин подан.

В столовой Даша села перед вазой с увядшими цветами и принялась их ощипывать на скатерть. Могол подала чай, холодное мясо и яичницу. Появился наконец Николай Иванович в новом синем костюме, но без воротничка. Волосы его были растрепаны, на бороде, отогнутой влево, висела пушинка с диванной подушки.

Николай Иванович хмуро кивнул Даше, сел в конце стола, придвинул сковородку с яичницей и жадно стал есть.

Потом он облокотился о край стола, подпер большим волосатым кулаком щеку, уставился невидящими глазами на кучу оборванных лепестков и проговорил голосом низким и почти ненатуральным:

— Вчера ночью твоя сестра мне изменила.

4

Родная сестра, Катя, сделала что-то страшное и непонятное, черного цвета. Вчера ночью ее голова лежала на подушке, отвернувшись от всего живого, родного, теплого, а тело было раздавлено, развернуто. Так, содрогаясь, чувствовала Даша то, что Николай Иванович назвал изменой. И ко всему, Кати не было дома, точно ее и на свете больше не существует.

В первую минуту Даша обмерла, в глазах потемнело. Не дыша, она ждала, что Николай Иванович либо зарыдает, либо закричит как-нибудь страшно. Но он ни слова не прибавил к своему сообщению и вертел в пальцах подставку для вилок. Взглянуть ему в лицо Даша не смела.

Затем, после очень долгого молчания, он с грохотом отодвинул стул и ушел в кабинет. «Застрелится», — подумала Даша. Но и этого не случилось. С острой и мгновенной жалостью она вспомнила, какая у него волосатая большая рука на столе. Затем он уплыл из ее зрения, и Даша только повторяла: «Что же делать? Что делать?» В голове звенело, — все, все, все было изуродовано и разбито.

Из-за суконной занавески появилась Великий Могол с подносом, и Даша, взглянув на нее, вдруг поняла, что теперь никакого больше Великого Могола не будет. Слезы залили ей глаза, она крепко сжала зубы и выбежала в гостиную.

Здесь все до мелочей было с любовью расставлено и развешано Катиными руками. Но Катина душа ушла из этой комнаты, и все в ней стало диким и нежилым. Даша села на диван. Понемногу ее взгляд остановился на недавно купленной картине. И в первый раз она увидела и поняла, что там было изображено.

Нарисована была голая женщина, гнойно-красного цвета, точно с содранной кожей. Рот — сбоку, носа не было совсем, вместо него — треугольная дырка, голова — квадратная, и к ней приклеена тряпка — настоящая материя. Ноги, как поленья — на шарнирах. В руке цветок. Остальные подробности ужасны. И самое страшное был угол, в котором она сидела раскорякой, — глухой и коричневый. Картина называлась «Любовь». Катя называла ее современной Венерой.

«Так вот почему Катя так восхищалась этой окаянной бабой. Она сама теперь такая же — с цветком, в углу». Даша легла лицом в подушку и, кусая ее, чтобы не кричать, заплакала. Некоторое время спустя в гостиной появился Николай Иванович. Расставив ноги, сердито зачиркал зажигательницей, подошел к роялю и стал тыкать в клавиши. Неожиданно вышел — «чижик». Даша похолодела. Николай Иванович хлопнул крышкой и сказал:

— Этого надо было ожидать.

Даша несколько раз про себя повторила эту фразу, стараясь понять, что она означает. Внезапно в прихожей раздался резкий звонок. Николай Иванович взялся за бороду, но, произнеся сдавленным голосом: «О-о-о!» — ничего не сделал и быстро ушел в кабинет. По коридору простукала, как копытами, Великий Могол. Даша соскочила с дивана, — в глазах было темно, так билось сердце, — и выбежала в прихожую.

Там неловкими от холода пальцами Екатерина Дмитриевна развязывала лиловые ленты мехового капора и морщила носик. Сестре она подставила холодную розовую щеку для поцелуя, но, когда ее никто не поцеловал, тряхнула головой, сбрасывая капор, и пристально серыми глазами взглянула на сестру.

— У вас что-нибудь произошло? Вы поссорились? — спросила она низким, грудным, всегда таким очаровательно милым голосом.

Даша стала глядеть на кожаные калоши Николая Ивановича, они назывались в доме «самоходами» и сейчас стояли сиротски. У нее дрожал подбородок.

— Нет, ничего не произошло, просто я так.

Екатерина Дмитриевна медленно расстегнула большие пуговицы беличьей шубки, движением голых плеч освободилась от нее, и теперь была вся теплая, нежная и усталая. Расстегивая гамаши, она низко наклонилась, говоря:

— Понимаешь, покуда нашла автомобиль, промочила ноги.

Тогда Даша, продолжая глядеть на калоши Николая Ивановича, спросила сурово:

— Катя, где ты была?

— На литературном ужине, моя милая, в честь, ей-богу, даже не знаю кого. Все то же самое. Устала до смерти и хочу спать.

И она пошла в столовую. Там, бросив на скатерть кожаную сумку и вытирая платком носик, спросила:

— Кто это нащипал цветов? А где Николай Иванович, спит?

Даша была сбита с толку: сестра ни с какой стороны не походила на окаянную бабу и была не только не чужая, а чем-то особенно сегодня близкая, так бы ее всю и погладила.

Но все же с огромным присутствием духа, царапая ногтем скатерть в том именно месте, где полчаса тому назад Николай Иванович ел яичницу, Даша сказала:

— Катя!

— Что, миленький?

— Я все знаю.

— Что ты знаешь? Что случилось, ради бога?

Екатерина Дмитриевна села к столу, коснувшись коленями Дашиных ног, и с любопытством глядела на нее снизу вверх.

Даша сказала:

— Николай Иванович мне все открыл.

И не видела, какое было лицо у сестры, что с ней происходило.

После молчания, такого долгого, что можно было умереть, Екатерина Дмитриевна проговорила злым голосом:

— Что же такое потрясающее сообщил про меня Николай Иванович?

— Катя, ты знаешь.

— Нет, не знаю.

Она сказала это «не знаю» так, словно получился ледяной шарик.

Даша сейчас же опустилась у ее ног.

— Так, может быть, это неправда? Катя, родная, милая, красивая моя сестра, скажи, — ведь это все неправда? — И Даша быстрыми поцелуями касалась Катиной нежной, пахнущей духами руки с синеватыми, как ручейки, жилками.

— Ну, конечно, неправда, — ответила Екатерина Дмитриевна, устало закрывая глаза, — а ты и плакать сейчас же. Завтра глаза будут красные, носик распухнет.

Она приподняла Дашу и надолго прижалась губами к ее волосам.

— Слушай, я дура! — прошептала Даша в ее грудь.

В это время громкий и отчетливый голос Николая Ивановича проговорил за дверью кабинета:

— Она лжет!

Сестры быстро обернулись, но дверь была затворена. Екатерина Дмитриевна сказала:

— Иди-ка ты спать, ребенок. А я пойду выяснять отношения. Вот удовольствие, в самом деле, — едва на ногах стою.

Она проводила Дашу до ее комнаты, рассеянно поцеловала, потом вернулась в столовую, где захватила сумочку, поправила гребень и тихо, пальцем, постучала в дверь кабинета:

— Николай, отвори, пожалуйста.

На это ничего не ответили. Было зловещее молчание, затем фыркнул нос, повернули ключ, и Екатерина Дмитриевна, войдя, увидела широкую спину мужа, который, не оборачиваясь, шел к столу, сел в кожаное кресло, взял слоновой кости нож и резко провел им вдоль разгиба книги (роман Вассермана «Сорокалетний мужчина»).

Все это делалось так, будто Екатерины Дмитриевны в комнате нет.

Она села на диван, одернула юбку на ногах и, спрятав носовой платочек в сумку, щелкнула замком. При этом у Николая Ивановича вздрогнул клок волос на макушке.

— Я не понимаю только одного, — сказала она, — ты волен думать все, что тебе угодно, но прошу Дашу в свои настроения не посвящать.

Тогда он живо повернулся в кресле, вытянул шею и бороду и проговорил, не разжимая зубов:

— У тебя хватает развязности называть это моим настроением?

— Не понимаю.

— Превосходно! Ты не понимаешь? Ну, а вести себя, как уличная женщина, кажется, очень понимаешь?

Екатерина Дмитриевна немного только раскрыла рот на эти слова. Глядя в побагровевшее до пота, обезображенное лицо мужа, она проговорила тихо:

— С каких пор, скажи, ты начал говорить со мной неуважительно?

— Покорнейше прошу извинить! Но другим тоном я разговаривать не умею. Одним словом, я желаю знать подробности.

— Какие подробности?

— Не лги мне в глаза.

— Ах, вот ты о чем. — Екатерина Дмитриевна закатила, как от последней усталости, большие глаза. — Давеча я тебе сказала что-то такое... Я и забыла совсем.

— Я хочу знать — с кем это произошло?

— А я не знаю.

— Еще раз прошу не лгать...

— А я не лгу. Охота тебе лгать. Ну, сказала. Мало ли что я говорю со зла. Сказала и забыла.

Во время этих слов лицо Николая Ивановича было как каменное, но сердце его нырнуло и задрожало от радости: «Слава богу, наврала на себя». Зато теперь можно было безопасно и шумно ничему не верить — отвести душу.

Он поднялся с кресла и, шагая по ковру, останавливаясь и разрезая воздух взмахами костяного ножа, заговорил о падении семьи, о растлении нравственности, о священных, ныне забытых обязанностях женщины — жены, матери своих детей, помощницы мужа. Он упрекал Екатерину Дмитриевну в душевной пустоте, в легкомысленной трате денег, заработанных кровью («не кровью, а трепанием языка», — поправила Екатерина Дмитриевна). Нет, больше, чем кровью, — тратой нервов. Он попрекал ее беспорядочным подбором знакомых, беспорядком в доме, пристрастием к «этой идиотке», Великому Моголу, и даже «омерзительными картинами, от которых меня тошнит в вашей мещанской гостиной».

Словом, Николай Иванович отвел душу.

Был четвертый час утра. Когда муж охрип и замолчал, Екатерина Дмитриевна сказала:

— Ничего не может быть противнее толстого и истерического мужчины, — поднялась и ушла в спальню.

Но Николай Иванович теперь даже и не обиделся на эти слова. Медленно раздевшись, он повесил платье на спинку стула, завел часы и с легким вздохом влез в свежую постель, постланную на кожаном диване.

«Да, живем плохо. Надо перестроить всю жизнь. Нехорошо, нехорошо», — подумал он, раскрывая книгу, чтобы для успокоения почитать на сон грядущий. Но сейчас же опустил ее и прислушался. В доме было тихо. Кто-то высморкался, и от этого звука забилось сердце. «Плачет, — подумал он, — ай, ай, ай, кажется, я наговорил лишнего».

И, когда он стал вспоминать весь разговор и то, как Катя сидела и слушала, ему стало ее жалко. Он приподнялся на локте, уже готовый вылезть из-под одеяла, но по всему телу поползла истома, точно от многодневной усталости, он уронил голову и уснул.

Даша, раздевшись в своей чистенько прибранной комнате, вынула из волос гребень, помотала головой так, что сразу вылетели все шпильки, влезла в белую постель и, закрывшись до подбородка, зажмурилась. «Господи, все хорошо! Теперь ни о чем не думать, спать». Из угла глаза выплыла какая-то смешная рожица. Даша улыбнулась, подогнула колени и обхватила подушку. Темный сладкий сон покрыл ее, и вдруг явственно в памяти раздался Катин голос: «Ну, конечно, неправда». Даша открыла глаза. «Я ни одного звука, ничего не сказала Кате, только спросила — правда или неправда. Она же ответила так, точно отлично понимала, о чем идет речь». Сознание, как иглою, прокололо все тело: «Катя меня обманула!» Затем, припоминая все мелочи разговора, Катины слова и движения, Даша ясно увидела: да, действительно обман. Она была потрясена. Катя изменила мужу, но, изменив, согрешив, налгав, стала точно еще очаровательнее. Только слепой не заметил бы в ней чего-то нового, какой-то особой усталой нежности. И лжет она так, что можно с ума сойти — влюбиться. Но ведь она преступница. Ничего, ничего не понимаю.

Даша была взволнована и сбита с толку. Пила воду, зажигала и опять тушила лампочку и до утра ворочалась в постели, чувствуя, что не может ни осудить Катю, ни понять того, что она сделала.

Екатерина Дмитриевна тоже не могла заснуть в эту ночь. Она лежала на спине, без сил, протянув руки поверх шелкового одеяла, и, не вытирая слез, плакала о том, что ей смутно, нехорошо и нечисто, и она ничего не может сделать, чтобы было не так, и никогда не будет такой, как Даша, — пылкой и строгой, и еще плакала о том, что Николай Иванович назвал ее уличной женщиной и сказал про гостиную, что это — мещанская гостиная. И уже горько заплакала о том, что Алексей Алексеевич Бессонов вчера в полночь завез ее на лихом извозчике в загородную гостиницу и там, не зная, не любя, не чувствуя ничего, что было у нее близкого и родного, омерзительно и не спеша овладел ею так, будто она была куклой, розовой куклой, выставленной на Морской, в магазине парижских мод мадам Дюклэ.

5

На Васильевском острове в только что отстроенном доме, по 19-й линии, на пятом этаже, помещалась так называемая «Центральная станция по борьбе с бытом», в квартире инженера Ивана Ильича Телегина.

Телегин снял эту квартиру под «обжитье» на год по дешевой цене. Себе он оставил одну комнату, остальные, меблированные железными кроватями, сосновыми столами и табуретками, сдал с тем расчетом, чтобы поселились жильцы «тоже холостые и непременно веселые». Таких ему сейчас же и подыскал его бывший одноклассник и приятель, Сергей Сергеевич Сапожков.

Это были — студент юридического факультета Александр Иванович Жиров, хроникер и журналист Антошка Арнольдов, художник Валет и молодая девица Елизавета Расторгуева, не нашедшая еще себе занятия по вкусу.

Жильцы вставали поздно, когда Телегин приходил с завода завтракать, и не спеша принимались каждый за свои занятия. Антошка Арнольдов уезжал на трамвае на Невский, в кофейню, где узнавал новости, затем — в редакцию. Валет обычно садился писать свой автопортрет. Сапожков запирался на ключ — работать, — готовил речи и статьи о новом искусстве. Жиров пробирался к Елизавете Киевне и мягким, мяукающим голосом обсуждал с ней вопросы жизни. Он писал стихи, но из самолюбия никому их не показывал. Елизавета Киевна считала его гениальным.

Елизавета Киевна, кроме разговоров с Жировым и другими жильцами, занималась вязанием из разноцветной шерсти длинных полос, не имеющих определенного назначения, причем пела грудным, сильным и фальшивым голосом украинские песни, или устраивала себе необыкновенные прически, или, бросив петь и распустив волосы, ложилась на кровать с книгой, — засасывалась в чтение до головных болей. Елизавета Киевна была красивая, рослая и румяная девушка с близорукими, точно нарисованными глазами и одевавшаяся с таким безвкусием, что ее ругали за это даже телегинские жильцы.

Когда в доме появлялся новый человек, она зазывала его к себе, и начинался головокружительный разговор, весь построенный на остриях и безднах, причем она выпытывала — нет ли у ее собеседника жажды к преступлению? способен ли он, например, убить? не ощущает ли в себе «самопровокации»? — это свойство она считала признаком всякого замечательного человека.

Телегинские жильцы даже прибили на дверях у нее таблицу этих вопросов. В общем, это была неудовлетворенная девушка и все ждала каких-то «переворотов», «кошмарных событий», которые сделают жизнь увлекательной, такой, чтобы жить во весь дух, а не томиться у серого от дождя окошка.

Сам Телегин немало потешался над своими жильцами, считал их отличными людьми и чудаками, но за недостатком времени мало принимал участия в их развлечениях.

Однажды, на рождестве, Сергей Сергеевич Сапожков собрал жильцов и сказал им следующее:

— Товарищи, настало время действовать. Нас много, но мы распылены. До сих пор мы выступали разрозненно и робко. Мы должны составить фалангу и нанести удар буржуазному обществу. Для этого, во-первых, мы фиксируем вот эту инициативную группу, затем выпускаем прокламацию, вот она: «Мы — новые Колумбы! Мы — гениальные возбудители! Мы — семена нового человечества! Мы требуем от заплывшего жиром буржуазного общества отмены всех предрассудков. Отныне нет добродетели! Семья, единственные приличия, браки — отменяются. Мы этого требуем. Человек — мужчина и женщина — должен быть голым и свободным. Половые отношения есть достояние общества. Юноши и девушки, мужчины и женщины, вылезайте из насиженных логовищ, идите, нагие и счастливые, в хоровод под солнце дикого зверя!..»

Затем Сапожков сказал, что необходимо издавать футуристический журнал под названием «Блюдо богов», деньги на который отчасти даст Телегин, остальные нужно вырвать из пасти буржуев — всего три тысячи.

Так была создана «Центральная станция по борьбе с бытом», название, придуманное Телегиным, когда, вернувшись с завода, он до слез хохотал над проектом Сапожкова. Немедленно было приступлено к изданию первого номера «Блюда богов». Несколько богатых меценатов, адвокаты и даже сам Сашка Сакельман дали требуемую сумму — три тысячи. Были заказаны бланки, на оберточной бумаге, с непонятной надписью — «Центрофуга», и приступлено к приглашению ближайших сотрудников и к сбору материала. Художник Валет подал идею, чтобы комната Сапожкова, превращенная в редакцию, была обезображена циничными рисунками. Он нарисовал на стенах двенадцать автопортретов. Долго думали о меблировке. Наконец убрали в комнате все, кроме большого стола, оклеенного золотой бумагой.

После выхода первого номера в городе заговорили о «Блюде богов». Одни возмущались, другие утверждали, что не так-то все это просто и не пришлось бы в недалеком будущем Пушкина отослать в архив. Литературный критик Чирва растерялся — в «Блюде богов» его назвали сволочью. Екатерина Дмитриевна Смоковникова немедленно подписалась на журнал на весь год и решила устроить вторник с футуристами.

Ужинать к Смоковниковым был послан от «Центральной станции» Сергей Сергеевич Сапожков. Он появился в грязном сюртуке из зеленой бумазеи, взятом напрокат в театральной парикмахерской, из пьесы «Манон Леско». Он подчеркнуто много ел за ужином, пронзительно, так что самому было противно, смеялся, глядя на Чирву, обозвал критиков «шакалами, питающимися падалью». Затем развалился и курил, поправляя пенсне на мокром носу. В общем, все ожидали большего.

После выхода второго номера решено было устраивать вечера под названием «Великолепные кощунства». На одно из таких кощунств пришла Даша. Парадную дверь ей отворил Жиров и сразу засуетился, стаскивая с Даши ботики, шубку, снял даже какую-то ниточку с суконного ее платья. Дашу удивило, что в прихожей пахнет капустой. Жиров, скользя бочком за ней по коридору, к месту кощунства, спросил:

— Скажите, вы какими духами душитесь? Замечательно приятные духи.

Затем удивила Дашу «доморощенность» всего этого так нашумевшего дерзновения. Правда, на стенах были разбросаны глаза, носы, руки, срамные фигуры, падающие небоскребы — словом, все, что составляло портрет Василия Веньяминовича Валета, молча стоявшего здесь же с нарисованными зигзагами на щеках. Правда, хозяева и гости, — а среди них были почти все молодые поэты, посещавшие вторники у Смоковниковых, — сидели на неоструганных досках, положенных на обрубки дерева (дар Телегина). Правда, читались преувеличенно наглыми голосами стихи про автомобили, ползущие по небесному своду, про «плевки в старого небесного сифилитика», про молодые челюсти, которыми автор разгрызал, как орехи, церковные купола, про какого-то до головной боли непонятного кузнечика в коверкоте, с бедекером и биноклем, прыгающего из окна на мостовую. Но Даше почему-то все эти ужасы казались убогими. По-настоящему понравился ей только Телегин. Во время разговора он подошел к Даше и спросил с застенчивой улыбкой, не хочет ли она чаю и бутербродов.

— И чай и колбаса у нас обыкновенные, хорошие.

У него было загорелое лицо, бритое и простоватое, и добрые синие глаза, должно быть, умные и твердые, когда нужно.

Даша подумала, что доставит ему удовольствие, если согласится, поднялась и пошла в столовую. Там на столе стояло блюдо с бутербродами и помятый самовар. Телегин сейчас же собрал грязные тарелки и поставил их прямо на пол в угол комнаты, оглянулся, ища тряпку, вытер стол носовым платком, налил Даше чаю и выбрал бутерброд наиболее «деликатный». Все это он делал не спеша, большими сильными руками, и приговаривал, словно особенно стараясь, чтобы Даше было уютно среди этого мусора:

— Хозяйство у нас в беспорядке, это верно, но чай и колбаса первоклассные, от Елисеева. Были конфеты, но съедены, хотя, — он поджал губы и поглядел на Дашу, в синих глазах его появился испуг, затем решимость, — если позволите? — и вытащил из жилетного кармана две карамельки в бумажках.

«С таким не пропадешь», — подумала Даша и тоже, чтобы ему было приятно, сказала:

— Как раз мои любимые карамельки.

Затем Телегин, бочком присев напротив Даши, принялся внимательно глядеть на горчичницу. На его большом и широком лбу от напряжения налилась жила. Он осторожно вытащил платок и вытер лоб.

У Даши губы сами растягивались в улыбку: этот большой красивый человек до того в себе не уверен, что готов спрятаться за горчичницу. У него где-нибудь в Арзамасе, — так ей показалось, — живет чистенькая старушка мать и пишет оттуда строгие письма насчет его «постоянной манеры давать взаймы денежки разным дуракам», насчет того, что только «скромностью и прилежанием получишь, друг мой, уважение среди людей». И он, очевидно, вздыхает над этими письмами, понимая, как далеко ему до совершенства. Даша почувствовала нежность к этому человеку.

— Вы где служите? — спросила она.

Телегин сейчас же поднял глаза, увидел ее улыбку и широко улыбнулся.

— На Балтийском заводе.

— Интересная работа у вас?

— Не знаю. По-моему, всякая работа интересна.

— Мне кажется, рабочие должны вас очень любить.

— Вот не думал никогда об этом. Но, по-моему, не должны любить. За что им меня любить? Я с ними строг. Хотя отношения хорошие, конечно. Товарищеские отношения.

— Скажите, — вам действительно нравится все, что сегодня делалось в той комнате?

Морщины сошли со лба Ивана Ильича, он громко рассмеялся.

— Мальчишки. Хулиганы отчаянные. Замечательные мальчишки. Я своими жильцами доволен, Дарья Дмитриевна. Иногда в нашем деле бывают неприятности, вернешься домой расстроенным, а тут преподнесут чепуху какую-нибудь... На следующий день вспомнишь — умора.

— А мне эти кощунства очень не понравились, — сказала Даша строго, — это просто нечистоплотно.

Он с удивлением посмотрел ей в глаза. Она подтвердила — «очень не понравилось».

— Разумеется, виноват прежде всего я сам, — проговорил Иван Ильич раздумчиво, — я их к этому поощрял. Действительно, пригласить гостей и весь вечер говорить непристойности... Ужасно, что вам все это было так неприятно.

Даша с улыбкой глядела ему в лицо. Она могла бы что угодно сказать этому почти незнакомому ей человеку.

— Мне представляется, Иван Ильич, что вам совсем другое должно нравиться. Мне кажется, — вы хороший человек. Гораздо лучше, чем сами о себе думаете. Правда, правда.

Даша, облокотясь, подперла подбородок и мизинцем трогала губы. Глаза ее смеялись, а ему казались они страшными, — до того были потрясающе прекрасны: серые, большие, холодноватые. Иван Ильич в величайшем смущении сгибал и разгибал чайную ложку.

На его счастье, в столовую вошла Елизавета Киевна, — на ней была накинута турецкая шаль и на ушах бараньими рогами закручены две косы. Даше она подала длинную мягкую руку, представилась:

— Расторгуева, — села и сказала: — О вас много, много рассказывал Жиров. Сегодня я изучала ваше лицо. Вас коробило. Это хорошо.

— Лиза, хотите холодного чаю? — поспешно спросил Иван Ильич.

— Нет, Телегин, вы знаете, что я никогда не пью чаю... Так вот, вы думаете, конечно, что за странное существо говорит с вами? Я — никто. Ничтожество. Бездарна и порочна.

Иван Ильич, стоявший у стола, в отчаянии отвернулся. Даша опустила глаза. Елизавета Киевна с улыбкой разглядывала ее.

— Вы изящны, благоустроены и очень хороши собой. Не спорьте, вы это сами знаете. В вас, конечно, влюбляются десятки мужчин. Обидно думать, что все это кончится очень просто, — придет самец, народите ему детей, потом умрете. Скука.

У Даши от обиды задрожали губы.

— Я и не собираюсь быть необыкновенной, — ответила она, — и не знаю, почему вас так волнует моя будущая жизнь.

Елизавета Киевна еще веселее улыбнулась, глаза же ее продолжали оставаться грустными и кроткими.

— Я же вас предупредила, что я ничтожная как человек и омерзительная как женщина. Переносить меня могут очень немногие, и то из жалости, как, например, Телегин.

— Черт знает, что вы говорите, Лиза, — пробормотал он, не поднимая головы.

— Я ничего от вас не требую, Телегин, успокойтесь. — И она опять обратилась к Даше: — Вы переживали когда-нибудь бурю? Я пережила одну бурю. Был человек, я его любила, он меня ненавидел, конечно. Я жила тогда на Черном море. Была буря. Я говорю этому человеку: «Едем...» От злости он поехал со мной... Нас понесло в открытое море... Вот было весело. Чертовски весело. Я сбрасываю с себя платье и говорю ему...

— Слушайте, Лиза, — сказал Телегин, морща губы и нос, — вы врете. Ничего этого не было, я знаю.

Тогда Елизавета Киевна с непонятной улыбкой поглядела на него и вдруг начала смеяться. Положила локти на стол, спрятала в них лицо и, смеясь, вздрагивала полными плечами. Даша поднялась и сказала Телегину, что хочет домой и уедет, если можно, ни с кем не прощаясь.

Иван Ильич подал Даше шубку так осторожно, точно шубка была тоже частью Дашиного существа, сошел вниз по темной лестнице, все время зажигая спички и сокрушаясь, что так темно, ветрено и скользко, довел Дашу до угла и посадил на извозчичьи санки, — извозчик был старичок, и лошадка его занесена снегом. И долго еще стоял и смотрел, без шапки и пальто, как таяли и расплывались в желтом тумане низенькие санки с сидящей в них фигурой девушки. Потом не спеша вернулся домой, в столовую. Там, у стола, все так же — лицом в руки — сидела Елизавета Киевна. Телегин почесал подбородок и проговорил, морщась:

— Лиза.

Тогда она быстро, слишком быстро, подняла голову.

— Лиза, для чего, простите меня, вы всегда заводите такой разговор, что всем делается неловко и стыдно?

— Влюбился, — негромко проговорила Елизавета Киевна, продолжая глядеть на него близорукими, грустными, точно нарисованными глазами, — сразу вижу. Вот скука.

— Это совершенная неправда. — Телегин побагровел. — Неправда.

— Ну, виновата. — Она лениво встала и ушла, волоча за собой по полу пыльную турецкую шаль.

Иван Ильич походил некоторое время в задумчивости, выпил холодного чаю, потом взял стул, на котором сидела Дарья Дмитриевна, и отнес его в свою комнату. Там примерился, поставил его в угол и, взяв себя всей горстью за нос, проговорил точно с величайшим изумлением:

— Чепуха. Вот ерунда-то!

Для Даши эта встреча была как одна из многих, — встретила очень славного человека, и только. Даша была в том еще возрасте, когда видят и слышат плохо: слух оглушен шумом крови, а глаза повсюду, — будь даже это человеческое лицо, — видят, как в зеркале, только свое изображение. В такое время лишь уродство поражает фантазию, а красивые люди, и обольстительные пейзажи, и скромная красота искусства считаются повседневной свитой королевы в девятнадцать лет.

Не так было с Иваном Ильичом. Теперь, когда с посещения Даши прошло больше недели, ему стало казаться удивительным, как могла незаметно (он с ней не сразу даже и поздоровался) и просто (вошла, села, положила муфту на колени) появиться в их оголтелой квартире эта девушка с нежной, нежно-розовой кожей, в черном суконном платье, с высоко поднятыми пепельными волосами и надменным детским ртом. Непонятно было, как решился он спокойно говорить с ней про колбасу от Елисеева.

А теплые карамелечки вытащил из кармана, предложил съесть? Мерзавец!

Иван Ильич за свою жизнь (ему недавно исполнилось двадцать девять лет) влюблялся раз шесть: еще реалистом, в Казани, — в зрелую девицу, Марусю Хвоеву, дочь ветеринарного врача, давно уже и бесплодно гуляющую, все в одной и той же плюшевой шубке, по главной улице в четыре часа; но Марусе Хвоевой было не до шуток, — Ивана Ильича отвергли, и он без предварительного перехода увлекся гастролершей Адой Тилле, поражавшей казанцев тем, что в опереттах, из какой бы эпохи ни были они, появлялась, по возможности, в костюме для морского купанья, что и подчеркивалось дирекцией в афишах: «Знаменитая Ада Тилле, получившая золотой приз за красоту ног».

Иван Ильич дошел даже до того, что пробрался к ней в дом и поднес букет, нарванный в городском саду. Но Ада Тилле, сунув эти цветы понюхать лохматой собачонке, сказала Ивану Ильичу, что от местной пищи у нее совершенно испорчен желудок, и попросила его сбегать в аптеку. Тем дело и кончилось.

Затем, уже студентом, в Петербурге, он увлекся было медичкой Вильбушевич и даже ходил к ней на свидание в анатомический театр, но как-то само собой из этого ничего не вышло, и Вильбушевич уехала служить в земство.

Однажды Ивана Ильича полюбила до слез, до отчаяния модисточка из большого магазина, Зиночка, и он от смущения и душевной мягкости делал все, что ей хотелось, но, в общем, облегченно вздохнул, когда она вместе с отделением фирмы уехала в Москву, — прошло постоянное ощущение каких-то неисполненных обязательств.

Последнее нежное чувство было у него в позапрошлом году, летом, в июне. На дворе, куда выходила его комната, напротив, в окне, каждый день перед закатом появлялась худенькая бледная девушка и, отворив окно, старательно вытряхивала и чистила щеткой свое, всегда одно и то же, рыженькое платье. Потом надевала его и выходила посидеть в парк.

Там, в парке, Иван Ильич в тихие сумерки разговорился с ней, — и с тех пор каждый вечер они гуляли вместе, хвалили петербургские закаты и беседовали.

Девушка эта, Оля Комарова, была одинокая, служила в нотариальной конторе и все хворала, — кашляла. Они беседовали об этом кашле, о болезни, о том, что по вечерам тоскливо бывает одинокому человеку, и о том, что какая-то ее знакомая, Кира, полюбила хорошего человека и уехала за ним в Крым. Разговоры были скучные. Оля Комарова до того уже не верила в свое счастье, что, не стесняясь, говорила Ивану Ильичу о самых заветных мыслях и даже о том, что иногда рассчитывает, — вдруг он полюбит ее, сойдется, отвезет в Крым.

Иван Ильич очень жалел ее и уважал, но полюбить так и не мог, хотя иногда, после их беседы, лежа на диване в сумерках, думал, — какой он эгоист, бессердечный и плохой человек.

Осенью Оля Комарова простудилась и слегла. Иван Ильич отвез ее в больницу, а оттуда на кладбище. Перед смертью она сказала: «Если я выздоровею, вы женитесь на мне?» — «Честное слово, женюсь», — ответил Иван Ильич.

Чувство к Даше не было похоже на те, прежние. Елизавета Киевна сказала: «Влюбился». Но влюбиться можно было во что-то предполагаемое доступным, и невозможно, например, влюбиться в статую или в облако.

К Даше было какое-то особенное, незнакомое ему чувство, притом малопонятное, потому что и причин-то к нему было мало — несколько минут разговора да стул в углу комнаты.

Чувство это было даже и не особенно острое, но Ивану Ильичу хотелось самому теперь стать тоже особым, начать очень следить за собой. Он часто думал: «Мне скоро тридцать лет, а жил я до сих пор — как трава рос. Запустение страшное. Эгоизм и безразличие к людям. Надо подтянуться, пока не поздно».

В конце марта, в один из тех передовых весенних дней, неожиданно врывающихся в белый от снега, тепло закутанный город, когда с утра заблестит, зазвенит капель с карнизов и крыш, зажурчит вода по водосточным трубам, верхом потекут под ними зеленые кадки, развезет на улицах снег, задымится асфальт и высохнет пятнами, когда тяжелая шуба повиснет на плечах, глядишь, — а уж какой-то мужчина с острой бородкой идет в одном пиджаке, и все оглядываются на него, улыбаются, а поднимешь голову — небо такое бездонное и синее, словно вымыто водами, — в такой день, в половине четвертого, Иван Ильич вышел из технической конторы, что на Невском, расстегнул хорьковую шубу и сощурился от солнца.

«На свете жить все-таки недурно».

И в ту же минуту увидел Дашу. Она медленно шла, в синем весеннем пальто, с краю тротуара и махала левой рукой со сверточком; на синей ее шапочке покачивались белые ромашки; лицо было задумчивое и грустное. Она шла с той стороны, откуда по лужам, по рельсам трамваев, в стекла, в спины прохожим, под ноги им, на спицы и медь экипажей светило из синей бездны огромное солнце, косматое, пылающее весенней яростью.

Даша точно вышла из этой синевы и света и прошла, пропала в толпе. Иван Ильич долго смотрел в ту сторону. Сердце медленно било в грудь. Воздух был густой, пряный, кружащий голову.

Иван Ильич медленно дошел до угла и, заложив за спину руки, долго стоял перед столбом с афишами. «Новые и интересные приключения Джека, потрошителя животов», — прочел он и сообразил, что ничего не понимает и счастлив так, как в жизни с ним еще не бывало.

А отойдя от столба, во второй раз увидел Дашу. Она возвращалась, все так же — с ромашками и сверточком, по краю тротуара. Он подошел к ней, снял шляпу.

— Дарья Дмитриевна, какой день чудесный...

Она чуть-чуть вздрогнула. Затем подняла на него холодноватые глаза, — в них от света блестели зеленые точки, — улыбнулась ласково и подала руку в белой лайковой перчатке, крепко, дружески.

— Вот как хорошо, что я вас встретила. Я даже думала сегодня о вас... Правда, правда думала. — Даша кивнула головой, и на шапочке закивали ромашки.

— У меня, Дарья Дмитриевна, было дело на Невском, и теперь весь день свободный. И день-то какой... — Иван Ильич сморщил губы, собирая все присутствие духа, чтобы они не расплылись в улыбку.

Даша спросила:

— Иван Ильич, вы могли бы меня проводить до дома?

Они свернули в боковую улицу и шли теперь в тени.

— Иван Ильич, вам не будет странно, если я спрошу вас об одной вещи? Нет, конечно, с вами-то я и поговорю. Только вы отвечайте мне сразу. Отвечайте, не раздумывая, а прямо, — как спрошу, так и ответьте.

Лицо ее было озабоченно и брови сдвинуты.

— Раньше мне казалось так, — она провела рукой по воздуху, — есть воры, лгунишки, убийцы... Они существуют где-то в стороне, так же как змеи, пауки, мыши. А люди, все люди — может быть, со слабостями, с чудачествами, но все — добрые и ясные... Вон видите — идет барышня, — ну вот какая она есть, такая и есть. Весь свет мне казался точно нарисованным чудесными красками. Вы понимаете меня?

— Но это прекрасно, Дарья Дмитриевна...

— Подождите. А теперь я точно проваливаюсь в эту картину, в темноту, в духоту... Я вижу, — человек может быть обаятельным, даже каким-то особенно трогательным, прямо на ощупь, и грешить, грешить ужасно при этом. Вы не подумайте, — не пирожки таскать из буфета, а грех настоящий: ложь. — Даша отвернулась, подбородок ее дрогнул. — Человек этот прелюбодей. Женщина — замужняя. Значит, можно? Я спрашиваю, Иван Ильич.

— Нет, нет, нельзя.

— Почему нельзя?

— Этого сейчас сказать не могу, но чувствую, что нельзя.

— А вы думаете, я сама этого не чувствую? С двух часов брожу в тоске. День такой ясный, свежий, а мне представляется, что в этих домах, за занавесками, попрятались черные люди. И я должна быть с ними, вы понимаете?

— Нет, не понимаю, — быстро ответил он.

— Нет, должна. Ах, какая тоска у меня. Значит, просто я — девчонка. А этот город не для девчонок построен, а для взрослых.

Даша остановилась у подъезда и носком высокого башмака стала передвигать взад и вперед по асфальту коробку от папирос, с картинкой — зеленая дама, изо рта дым. Иван Ильич, глядя на лакированный носок Дашиной ноги, чувствовал, как Даша словно тает, уходит туманом. Он бы хотел удержать ее, но какой силой? Есть такая сила, и он чувствовал, как она сжимает ему сердце, стискивает горло. Но для Даши все его чувство, как тень на стене, потому что и он сам не более как «добрый, славный Иван Ильич».

— Ну, прощайте, спасибо вам, Иван Ильич. Вы очень славный и добрый. Мне легче не стало, но все же я вам очень, очень благодарна. Вы меня поняли, правда? Вот какие дела на свете. Надо быть взрослой, ничего не поделаешь. Заходите к нам в свободный часок, пожалуйста. — Она улыбнулась, встряхнула ему руку и вошла в подъезд, пропала там в темноте.

6

Даша растворила дверь своей комнаты и остановилась в недоумении: пахло сырыми цветами, и сейчас же она увидела на туалетном столике корзину с высокой ручкой и синим бантом, подбежала и опустила в нее лицо. Это были пармские фиалки, помятые и влажные.

Даша была взволнована. С утра ей хотелось чего-то неопределимого, а сейчас она поняла, что хотелось именно фиалок. Но кто их прислал? Кто думал о ней сегодня так внимательно, что угадал даже то, чего она сама не понимала? Вот только бант совсем уж здесь не к месту. Развязывая его, Даша подумала: «Хоть и беспокойная, но не плохая девушка. Какими бы вы там грешками ни занимались, — она пойдет своей дорогой. Быть может, думаете, что слишком задирает нос? — Найдутся люди, которые поймут задранный нос и даже оценят».

В банте оказалась засунутой записка на толстой бумаге, два слова незнакомым крупным почерком: «Любите любовь». С обратной стороны: «Цветоводство Ницца». Значит, там, в магазине, кто-то и написал: «Любите любовь». Даша с корзинкой в руках вышла в коридор и крикнула:

— Могол, кто мне принес эти цветы?

Великий Могол посмотрела на корзину и чистоплотно вздохнула, — эти вещи ее ни с какой стороны не касались.

— Екатерине Дмитриевне мальчишка из магазина принес. А барыня вам велела поставить.

— От кого, он сказал?

— Ничего не говорил, только сказал, чтобы передали барыне.

Даша вернулась к себе и стала у окна. Сквозь стекла был виден закат, — слева, из-за кирпичной стены соседнего дома, он разливался по небу, зеленел и линял. Появилась звезда в этой зеленеющей пустоте, переливаясь, сверкала, как вымытая. Внизу, в узкой и затуманившейся теперь улице, сразу во всю ее длину, вспыхнули электрические шары, еще не яркие и не светящие. Близко прокрякал автомобиль, и было видно, как покатил вдоль улицы в вечернюю мглу.

В комнате стало совсем темно, и нежно пахли фиалки. Их прислал тот, с кем у Кати был грех. Это ясно. Даша стояла и думала, что вот она, как муха, попала во что-то, как паутина, — тончайшее и соблазнительное. Это «что-то» было во влажном запахе цветов, в двух словах: «Любите любовь», жеманных и волнующих, и в весеннем очаровании этого вечера.

И вдруг ее сердце сильно и часто забилось. Даша почувствовала, точно прикасается пальцами, видит, слышит, ощущает что-то запретное, скрытое, обжигающее сладостью. Она внезапно, всем духом словно разрешила себе, дала волю. И нельзя было понять, как случилось, что в то же мгновенье она была уже по эту сторону. Строгость, ледяная стеночка растаяла дымкой, такой же, как та, в конце улицы, куда беззвучно унесся автомобиль с двумя дамами в белых шляпах.

Только билось сердце, легко кружилась голова, и во всем теле веселым холодком сама собою пела музыка: «Я живу, люблю. Радость, жизнь, весь свет — мои, мои, мои!»

— Послушайте, моя милая, — вслух проговорила Даша, открывая глаза, — вы — девственница, друг мой, у вас просто несносный характер...

Она пошла в дальний угол комнаты, села в большое мягкое кресло и, не спеша обдирая бумагу с шоколадной плитки, стала припоминать все, что произошло за эти две недели.

В доме ничего не изменилось. Катя даже стала особенно нежной с Николаем Ивановичем. Он ходил веселый и собирался строить дачу в Финляндии. Одна Даша переживала молча эту «трагедию» двух ослепших людей. Заговорить первая с сестрой она не решалась, а Катя, всегда такая внимательная к Дашиным настроениям, на этот раз точно ничего не замечала. Екатерина Дмитриевна заказывала себе и Даше весенние костюмы к пасхе, пропадала у портних и модисток, принимала участие в благотворительных базарах, устраивала по просьбе Николая Ивановича литературный спектакль с негласной целью сбора в пользу комитета левого крыла социал-демократической партии, — так называемых большевиков, — собирала гостей, кроме вторников, еще и по четвергам, — словом, у нее не было ни минуты свободной.

«А вы в это время трусили, ни на что не решались и размышляли над вещами, в которых, как овца, ничего не понимали и не поймете, покуда сами не обожжете крылышки», — подумала Даша и тихо засмеялась. Из того темного озера, куда падали ледяные шарики и откуда нельзя было ожидать ничего хорошего, встал, как часто бывало за эти дни, едкий и злой образ Бессонова. Она разрешила себе, и он овладел ее мыслями. Даша притихла. В темной комнате тикали часики.

Затем далеко в доме хлопнула дверь, и было слышно, как голос сестры спросил:

— Давно вернулась?

Даша поднялась с кресла и вышла в прихожую.

Екатерина Дмитриевна сейчас же сказала:

— Почему ты красная?

Николай Иванович, снимая драповое пальто, отпустил остроту из репертуара любовника-резонера. Даша, с ненавистью поглядев ему на мягкие большие губы, пошла за Катей в ее спальню. Там, присев у туалета, изящного и хрупкого, как все в комнате сестры, она стала слушать болтовню о знакомых, встреченных во время прогулки.

Рассказывая, Екатерина Дмитриевна наводила порядок в зеркальном шкафу, где лежали перчатки, куски кружев, вуальки, шелковые башмачки, — множество маленьких пустяков, пахнущих ее духами. «Оказывается, что Керенский опять проворонил процесс и сидит без денег; встретила его жену, плачется, — очень трудно стало жить. У Тимирязевых корь. Шейнберг опять сошелся со своей истеричкой, передают, что она даже стрелялась у него на квартире. Вот весна-то, весна. А день какой сегодня? Все бродят, как пьяные, по улицам. Да, еще новость, — встретила Акундина, уверяет, что в самом ближайшем времени у нас будет революция. Понимаешь, на заводах, в деревнях — повсюду брожение. Ах, поскорее бы. Николай Иванович до того обрадовался, что повел меня к Пивато, и мы выпили бутылку шампанского, ни с того ни с сего, за будущую революцию».

Даша, молча слушая сестру, открывала и закрывала крышечки на хрустальных флаконах.

— Катя, — сказала она внезапно, — понимаешь, — я такая, какая есть, никому не нужна. — Екатерина Дмитриевна, с шелковым чулком, натянутым на руку, обернулась и внимательно взглянула на сестру. — Главное, я не нужна самой себе такая.

Вроде того, если бы человек решил есть одну сырую морковь и считал бы, что это его ставит гораздо выше остальных людей.

— Не понимаю тебя, — сказала Екатерина Дмитриевна.

Даша поглядела на ее спину и вздохнула.

— Все нехороши, всех я осуждаю. Один глуп, другой противный, третий грязный. Одна я хороша. Я здесь чужая, мне очень тяжело от этого. Я и тебя осуждаю, Катя.

— За что? — не оборачиваясь, тихо спросила Екатерина Дмитриевна.

— Нет, ты пойми. Хожу с задранным носом, — вот и все достоинства. Просто это глупо, и мне надоело быть чужой среди вас всех. Одним словом, понимаешь, мне очень нравится один человек.

Даша проговорила это, опустив голову; засунула палец в хрустальный флакончик и не могла его оттуда вытащить.

— Ну, что же, девочка, слава богу, если нравится. Будешь счастлива. Кому же и счастье, как не тебе. — Екатерина Дмитриевна легонько вздохнула.

— Видишь ли, Катя, все это не так просто. По-моему, — я не люблю его.

— Если нравится, — полюбишь.

— В том-то и дело, что он мне не нравится.

Тогда Екатерина Дмитриевна закрыла дверцу шкафа и остановилась около Даши.

— Ты же только что сказала, что нравится... Вот, действительно...

— Катюша, не придирайся. Помнишь англичанина в Сестрорецке, вот тот и нравился, была даже влюблена. Но тогда я была сама собой... Злилась, пряталась, по ночам ревела. А этот... Я даже не знаю, — он ли это... Нет, он, он, он... Смутил меня... И вся я другая теперь. Точно дыму какого-то нанюхалась... Войди он сейчас ко мне в комнату, — не пошевелюсь... делай что хочешь...

— Даша, что ты говоришь?

Екатерина Дмитриевна присела на стул к сестре, привлекла ее, взяла ее горячую руку, поцеловала в ладонь, но Даша медленно освободилась, вздохнула, подперла голову и долго глядела на синеющее окно, на звезды.

— Даша, как его зовут?

— Алексей Алексеевич Бессонов.

Тогда Катя пересела на стул, рядом, положила руку на горло и сидела не двигаясь. Даша не видела ее лица, — оно все было в тени, — но чувствовала, что сказала ей что-то ужасное.

«Ну, и тем лучше», — отворачиваясь, подумала она. И от этого «тем лучше» стало легко и пусто.

— Почему, скажи, пожалуйста, другие все могут, а я не могу? Два года слышу про шестьсот шестьдесят шесть соблазнов, а всего-то за всю жизнь один раз целовалась с гимназистом на катке.

Она вздохнула громко и замолчала. Екатерина Дмитриевна сидела теперь согнувшись, опустив руки на колени.

— Бессонов очень дурной человек, — проговорила она, — он страшный человек, Дашенька. Ты слушаешь меня?

— Да.

— Он всю тебя сломает.

— Ну что же теперь поделаешь.

— Я не хочу этого. Пусть лучше другие... Но не ты, не ты, милочка.

— Нет, вороненок не хорош, он черен телом и душой, — сказала Даша, — чем же Бессонов плох, скажи?

— Не могу сказать... Не знаю... Но я содрогаюсь, когда думаю о нем.

— А ведь он тебе тоже, кажется, нравился немножко?

— Никогда... Ненавижу!.. Храни тебя господь от него.

— Вот видишь, Катюша... Теперь уж я наверно попаду к нему в сети.

— О чем ты говоришь?.. Мы с ума сошли обе.

Но Даше именно этот разговор и нравился, точно шла на цыпочках по дощечке. Нравилось, что волнуется Катя. О Бессонове она почти уже не думала, но нарочно принялась рассказывать про свои чувства к нему, описывала встречи, его лицо. Все это преувеличивала, и выходило так, будто она ночи напролет томится и чуть ли не сейчас готова бежать к Бессонову. Под конец ей самой стало смешно, захотелось схватить Катю за плечи, расцеловать: «Вот уж кто дурочка, так это ты, Катюша». Но Екатерина Дмитриевна вдруг соскользнула со стула на коврик, обхватила Дашу, легла лицом в ее колени и, вздрагивая всем телом, крикнула как-то страшно даже:

— Прости, прости меня... Даша, прости меня!

Даша перепугалась. Нагнулась к сестре и от страха и жалости сама заплакала, всхлипывая, стала спрашивать, — о чем она говорит, за что ее простить? Но Екатерина Дмитриевна стиснула зубы и только ласкала сестру, целовала ей руки.

За обедом Николай Иванович, взглянув на обеих сестер, сказал:

— Так-с. А нельзя ли и мне быть посвященным в причину сих слез?

— Причина слез — мое гнусное настроение, — сейчас же ответила Даша, — успокойся, пожалуйста, и без тебя понимаю, что не стою мизинчика твоей супруги.

В конце обеда, к кофе, пришли гости. Николай Иванович решил, что по случаю семейных настроений необходимо поехать в кабак. Куличек стал звонить в гараж, Катю и Дашу послали переодеваться. Пришел Чирва и, узнав, что собираются в кабак, неожиданно рассердился:

— В конце концов от этих непрерывных кутежей страдает кто? Русская литература-с. — Но и его взяли в автомобиль вместе с другими.

В «Северной Пальмире» было полно народа и шумно, огромная зала в подвале ярко залита белым светом хрустальных люстр. Люстры, табачный дым, поднимающийся из партера, тесно поставленные столики, люди во фраках и голые плечи женщин, цветные парики на них — зеленые, лиловые и седые, пучки снежных эспри, драгоценные камни, дрожащие на шеях и в ушах снопиками оранжевых, синих, рубиновых лучей, скользящие в темноте лакеи, испитой человек с поднятыми руками и магическая его палочка, режущая воздух перед занавесом малинового бархата, блестящая медь труб, — все это множилось в зеркальных стенах, и казалось, будто здесь, в бесконечных перспективах, сидит все человечество, весь мир.

Даша, потягивая через соломинку шампанское, наблюдала за столиками. Вот перед запотевшим ведром и кожурой от лангуста сидит бритый человек с напудренными щеками. Глаза его полузакрыты, рот презрительно сжат. Очевидно, сидит и думает о том, что в конце концов электричество потухнет и все люди умрут, — стоит ли радоваться чему-нибудь.

Вот заколыхался и пошел в обе стороны занавес. На эстраду выскочил маленький японец с трагическими морщинами, и замелькали вокруг в воздухе пестрые шары, тарелки, факелы. Даша подумала: «Почему Катя сказала — прости, прости?»

И вдруг точно обручем стиснуло голову, остановилось сердце. «Неужели?» Но она тряхнула головой, вздохнула глубоко, не дала даже подумать себе, что — «неужели», и поглядела на сестру.

Екатерина Дмитриевна сидела на другом конце стола такая утомленная, печальная и красивая, что у Даши глаза налились слезами. Она поднесла палец к губам и незаметно дунула на него. Это был условный знак. Катя увидела, поняла и нежно, медленно улыбнулась.

Часов около двух начался спор — куда ехать? Екатерина Дмитриевна попросилась домой. Николай Иванович говорил, что как все, так и он, а «все» решили ехать «дальше».

И тогда Даша сквозь поредевшую толпу увидела Бессонова. Он сидел, положив локоть далеко на стол, и внимательно слушал Акундина, который с полуизжеванной папиросой во рту говорил ему что-то, резко чертя ногтем по скатерти. На этот летающий ноготь Бессонов и глядел. Его лицо было сосредоточенно и бледно. Даше показалось, что сквозь шум она расслышала: «Конец, конец всему». Но сейчас же их обоих заслонил широкобрюхий татарин-лакей. Поднялись Катя и Николай Иванович, Дашу окликнули, и она так и осталась, уколотая любопытством и взволнованная.

Когда вышли на улицу, — неожиданно бодро и сладко пахнуло морозцем. В черно-лиловом небе пылали созвездия. Кто-то за Дашиной спиной проговорил со смешком: «Чертовски шикарная ночь!» К тротуару подкатил автомобиль, сзади, из бензиновой гари, вынырнул оборванный человек, сорвал картуз и, приплясывая, распахнул перед Дашей дверцу мотора. Даша, входя, взглянула — человек был худой, с небритой щетиной, с перекошенным ртом и весь трясся, прижимая локти.

— С благополучно проведенным вечером в храме роскоши и чувственных удовольствий! — бодро крикнул он хриплым голосом, живо подхватил брошенный кем-то двугривенный и салютовал рваной фуражкой. Даша почувствовала, как по ней царапнули его черные свирепые глаза.

Домой вернулись поздно. Даша, лежа на спине в постели, даже не заснула, а забылась, будто все тело у нее отнялось, — такая была усталость.

Вдруг, со стоном сдергивая с груди одеяло, она села, раскрыла глаза. В окно на паркет светило солнце... «Боже мой, что за ужас был только что?!» Было так страшно, что она едва не заплакала, когда же собралась с духом, — оказалось, что забыла все. Только в сердце осталась боль от какого-то отвратительно страшного сна.

После завтрака Даша пошла на курсы, записалась держать экзамен, купила книг и до обеда действительно вела суровую, трудовую жизнь. Но вечером опять пришлось натягивать шелковые чулки (утром решено было носить только нитяные), пудрить руки и плечи, перечесываться. «Устроить бы на затылке шиш, вот и хорошо, а то все кричат: делай модную прическу, а как ее сделаешь, когда волосы сами рассыпаются». Словом, была мука. На новом же синем шелковом платье оказалось спереди пятно от шампанского.

Даше вдруг стало до того жалко этого платья, до того жаль своей пропадающей жизни, что, держа в руке испорченную юбку, она села и расплакалась. В дверь сунулся было Николай Иванович, но, увидев, что Даша в одной рубашке и плачет, позвал жену. Прибежала Катя, схватила платье, воскликнула: «Ну, это сейчас отойдет», — кликнула Великого Могола, которая появилась с бензином и горячей водой.

Платье отчистили, Дашу одели. Николай Иванович чертыхался из прихожей: «Ведь премьера же, господа, нельзя опаздывать». И, конечно, в театр опоздали..

Даша, сидя в ложе рядом с Екатериной Дмитриевной, глядела, как рослый мужчина с наклеенной бородой и неестественно расширенными глазами, стоя под плоским деревом, говорил девушке в ярко-розовом: «Я люблю вас, люблю вас», — и держал ее за руку. И хотя пьеса была не жалобная, Даше все время хотелось плакать, жалеть девушку в ярко-розовом, и было досадно, что действие не так поворачивает. Девушка, как выяснилось, и любит и не любит, на объятие ответила русалочьим хохотом и убежала к мерзавцу, белые брюки которого мелькали на втором плане. Мужчина схватился за голову, сказал, что уничтожит какую-то рукопись — дело его жизни, и первое действие окончилось.

В ложе появились знакомые, и начался обычный торопливо приподнятый разговор.

Маленький Шейнберг, с голым черепом и бритым измятым лицом, словно все время выпрыгивающим из жесткого воротника, сказал о пьесе, что она захватывает.

— Опять проблема пола, но проблема, поставленная остро. Человечество должно, наконец, покончить с этим проклятым вопросом.

На это ответил угрюмый, большой Буров, следователь по особо важным делам, — либерал, у которого на рождестве сбежала жена с содержателем скаковой конюшни:

— Как для кого — для меня вопрос решенный. Женщина лжет самым фактом своего существования, мужчина лжет при помощи искусства. Половой вопрос — просто мерзость, а искусство — один из видов уголовного преступления.

Николай Иванович захохотал, глядя на жену. Буров продолжал мрачно:

— Птице пришло время нести яйца, — самец одевается в пестрый хвост. Это ложь, потому что природный хвост у него серый, а не пестрый. На дереве распускается цветок — тоже ложь, приманка, а суть в безобразных корнях под землей. А больше всего лжет человек. На нем цветов не растет, хвоста у него нет, приходится пускать в дело язык; ложь сугубая и отвратительная — так называемая любовь и все, что вокруг нее накручено. Вещи, загадочные для барышень в нежном возрасте только, — он покосился на Дашу, — в наше время — полнейшего отупения — этой чепухой занимаются серьезные люди. Да-с, Российское государство страдает засорением желудка.

Он с катаральной гримасой нагнулся над коробкой конфет, покопал в ней пальцем, ничего не выбрал и поднял к глазам морской бинокль, висевший у него на ремешке через шею.

Разговор перешел на застой в политике и реакцию. Куличек взволнованным шепотом рассказал последний дворцовый скандал.

— Кошмар, кошмар, — быстро проговорил Шейнберг.

Николай Иванович ударил себя по коленке:

— Революция, господа, революция нужна нам немедленно. Иначе мы просто задохнемся. У меня есть сведения, — он понизил голос, — на заводах очень неспокойно.

Все десять пальцев Шейнберга взлетели от возбуждения на воздух.

— Но когда же, когда? Невозможно без конца ждать.

— Доживем, Яков Александрович, доживем, — проговорил Николай Иванович весело, — и вам портфельчик вручим министра юстиции, ваше превосходительство.

Даше надоело слушать об этих проблемах, революциях и портфелях. Облокотясь о бархат ложи и другою рукою обняв Катю за талию, она глядела в партер, иногда с улыбкой кивая знакомым. Даша знала и видела, что они с сестрой нравятся, и эти удивленные в толпе взгляды — нежные мужские и злые женские, — и обрывки фраз, и улыбки возбуждали ее, как пьянит весенний воздух. Слезливое настроение прошло. Щеку около уха щекотал завиток Катиных волос.

— Катюша, я тебя люблю, — шепотом проговорила Даша.

— И я.

— Ты рада, что я у тебя живу?

— Очень.

Даша раздумывала, что бы ей еще сказать Кате доброе. И вдруг внизу увидела Телегина. Он стоял в черном сюртуке, держал в руках фуражку и афишу и давно уже исподлобья, чтобы не заметили, глядел на ложу Смоковниковых. Его загорелое твердое лицо заметно выделялось среди остальных лиц, либо слишком белых, либо испитых. Волосы его были гораздо светлее, чем Даша их представляла, — как рожь.

Встретясь глазами с Дашей, он сейчас же поклонился, затем отвернулся, но у него упала шапка. Нагибаясь, он толкнул сидевшую в креслах толстую даму, начал извиняться, покраснел, попятился и наступил на ногу редактору эстетического журнала «Хор муз». Даша сказала сестре:

— Катя, это и есть Телегин.

— Вижу, очень милый.

— Поцеловала бы, до чего мил. И если бы ты знала, до чего он умный человек, Катюша.

— Вот, Даша...

— Что?

Но сестра промолчала. Даша поняла и тоже приумолкла. У нее опять защемило сердце, — у себя, в улиточьем дому, было неблагополучно: на минуту забылась, а заглянула опять туда — тревожно-темно.

Когда зал погас и занавес поплыл в обе стороны, Даша вздохнула, сломала шоколадку, положила в рот и внимательно стала слушать.

Человек с наклеенной бородой продолжал грозиться сжечь рукопись, девушка издевалась над ним, сидя у рояля. И было очевидно, что эту девицу поскорее нужно выдать замуж, чем тянуть еще канитель на три акта.

Даша подняла глаза к плафону зала, — там среди облаков летела прекрасная полуобнаженная женщина с радостной и ясной улыбкой. «Боже, до чего похожа на меня», — подумала Даша. И сейчас же увидела себя со стороны: сидит существо в ложе, ест шоколад, врет, путает и ждет, чтобы само собою случилось что-то необыкновенное. Но ничего не случится. «И жизни мне нет, покуда не пойду к нему, не услышу его голоса, не почувствую его всего. А остальное — ложь. Просто — нужно быть честной».

С этого вечера Даша не раздумывала более. Она знала теперь, что пойдет к Бессонову, и боялась этого часа. Одно время она решила было уехать к отцу в Самару, но подумала, что полторы тысячи верст не спасут от искушения, и махнула рукой.

Ее здоровая девственность негодовала, но что можно было поделать со «вторым человеком», когда ему помогало все на свете. И, наконец, было невыносимо оскорбительно так долго страдать и думать об этом Бессонове, который и знать-то ее не хочет, живет в свое удовольствие где-то около Каменноостровского проспекта, пишет стихи об актрисе с кружевными юбками. А Даша вся до последней капельки наполнена им, вся в нем.

Даша теперь нарочно гладко причесывала волосы, закручивая их шишом на затылке, носила старое — гимназическое — платье, привезенное еще из Самары, с тоской, упрямо зубрила римское право, не выходила к гостям и отказывалась от развлечений. Быть честной оказалось нелегко. Даша просто трусила..

В начале апреля, в прохладный вечер, когда закат уже потух и зеленовато-линялое небо светилось фосфорическим светом, не бросая теней, Даша возвращалась с островов пешком.

Дома она сказала, что идет на курсы, а вместо этого проехала в трамвайчике до Елагина моста и бродила весь вечер по голым аллеям, переходила мостики, глядела на воду, на лиловые сучья, распластанные в оранжевом зареве заката, на лица прохожих, на плывущие за мшистыми стволами огоньки экипажей. Она не думала ни о чем и не торопилась.

Было спокойно на душе, и всю ее, словно до костей, пропитал весенний солоноватый воздух взморья. Ноги устали, но не хотелось возвращаться домой. По широкому проспекту Каменноостровского крупной рысью катили коляски, проносились длинные автомобили, с шутками и смехом двигались кучки гуляющих. Даша свернула в боковую улочку.

Здесь было совсем тихо и пустынно. Зеленело небо над крышами. Из каждого дома, из-за опущенных занавесей, раздавалась музыка. Вот разучивают сонату, вот — знакомый-знакомый вальс, а вот в тусклом и красноватом от заката окне мезонина поет скрипка.

И у Даши, насквозь пронизанной звуками, тоже все пело и все тосковало. Казалось, тело стало легким и чистым.

Она свернула за угол, прочла на стене дома номер, усмехнулась и, подойдя к парадной двери, где над медной львиной головой была прибита визитная карточка — «А. Бессонов», сильно позвонила.

7

Швейцар в ресторане «Вена», снимая с Бессонова пальто, сказал многозначительно:

— Алексей Алексеевич, вас дожидаются.

— Кто?

— Особа женского пола.

— Кто именно?

— Нам неизвестная.

Бессонов, глядя пустыми глазами поверх голов, прошел в дальний угол переполненного ресторанного зала. Лоскуткин — метрдотель, повиснув у него за плечом седыми бакенбардами, сообщил о необыкновенном бараньем седле.

— Есть не хочу, — сказал Бессонов, — дадите белого вина, моего.

Он сидел строго и прямо, положив руки на скатерть. В этот час, в этом месте, как обычно, нашло на него привычное состояние мрачного вдохновения. Все впечатления дня сплелись в стройную и осмысленную форму, и в нем, в глубине, волнуемой завыванием румынских скрипок, запахами женских духов, духотой людного зала, — возникала тень этой вошедшей извне формы, и эта тень была — вдохновение. Он чувствовал, что каким-то внутренним, слепым осязанием постигает таинственный смысл вещей и слов.

Бессонов поднимал стакан и пил вино, не разжимая зубов. Сердце медленно билось. Было невыразимо приятно чувствовать всего себя, пронизанного звуками и голосами.

Напротив, у столика под зеркалом, ужинали Сапожков, Антошка Арнольдов и Елизавета Киевна. Она вчера написала Бессонову длинное письмо, назначив здесь свидание, и сейчас сидела красная и взволнованная. На ней было платье из полосатой материи, черной с желтым, и такой же бант в волосах. Когда вошел Бессонов, ей стало душно.

— Будьте осторожны, — прошептал ей Арнольдов и показал сразу все свои гнилые и золотые зубы, — он бросил актрису, сейчас без женщины и опасен, как тигр.

Елизавета Киевна засмеялась, тряхнула полосатым бантом и пошла между столиками к Бессонову. На нее оглядывались, усмехались.

За последнее время жизнь Елизаветы Киевны складывалась совсем уныло, — день за днем без дела, без надежды на лучшее, — словом — тоска. Телегин явно невзлюбил ее, обращался вежливо, но разговоров и встреч наедине избегал. Она же с отчаянием чувствовала, что он-то именно ей и нужен. Когда в прихожей раздавался его голос, Елизавета Киевна пронзительно глядела на дверь. Он шел по коридору, как всегда, на цыпочках. Она ждала, сердце останавливалось, дверь расплывалась в глазах, но он опять проходил мимо. Хоть бы постучал, попросил спичек.

На днях, назло Жирову, с кошачьей осторожностью ругавшему все на свете, она купила книгу Бессонова, разрезала ее щипцами для волос, прочла несколько раз подряд, залила кофеем, смяла в постели и, наконец, за обедом объявила, что он гений... Телегинские жильцы возмутились. Сапожков назвал Бессонова грибком на разлагающемся теле буржуазии. У Жирова вздулась на лбу жила. Художник Валет разбил тарелку. Один Телегин остался безучастным. Тогда у нее произошел так называемый «момент самопровокации», она захохотала, ушла к себе, написала Бессонову восторженное, нелепое письмо с требованием свидания, вернулась в столовую и молча бросила письмо на стол. Жильцы прочли его вслух и долго совещались. Телегин сказал:

— Очень смело написано.

Тогда Елизавета Киевна отдала письмо кухарке, чтобы немедленно опустить в ящик, и почувствовала, что летит в пропасть.

Сейчас, подойдя к Бессонову, Елизавета Киевна проговорила бойко:

— Я вам писала. Вы пришли. Спасибо.

И сейчас же села напротив него, боком к столу, — нога на ногу, локоть на скатерть, — подперла подбородок и стала глядеть на Алексея Алексеевича нарисованными глазами. Он молчал. Лоскуткин подал второй стакан и налил вина Елизавете Киевне. Она сказала:

— Вы спросите, конечно, зачем я вас хотела видеть?

— Нет, этого я спрашивать не стану. Пейте вино.

— Вы правы, мне нечего рассказывать. Вы живете, Бессонов, а я нет. Мне просто — скучно.

— Чем вы занимаетесь?

— Ничем. — Она засмеялась и сейчас же залилась краской. — Сделаться кокоткой — скучно. Ничего не делаю. Я жду, когда затрубят трубы, и — зарево... Вам странно?

— Кто вы такая?

Она не ответила, опустила голову и еще гуще залилась краской.

— Я — химера, — прошептала она.

Бессонов криво усмехнулся. «Дура, вот дура», — подумал он. Но у нее был такой милый девичий пробор в русых волосах, сильно открытые полные плечи ее казались такими непорочными, что Бессонов усмехнулся еще раз — добрее, вытянул стакан вина сквозь зубы, и вдруг ему захотелось напустить на эту простодушную девушку черного дыма своей фантазии. Он заговорил, что на Россию опускается ночь для совершения страшного возмездия. Он чувствует это по тайным и зловещим знакам.

— Вы видели, — по городу расклеен плакат: хохочущий дьявол летит на автомобильной шине вниз по гигантской лестнице... Вы понимаете, что это означает?..

Елизавета Киевна глядела в ледяные его глаза, на женственный рот, на поднятые тонкие брови и на то, как слегка дрожали его пальцы, державшие стакан, и как он пил, — жаждая, медленно. Голова ее упоительно кружилась. Издали Сапожков начал делать ей знаки. Внезапно Бессонов обернулся и спросил, нахмурясь:

— Кто эти люди?

— Это — мои друзья.

— Мне не нравятся их знаки.

Тогда Елизавета Киевна проговорила, не думая:

— Пойдемте в другое место, хотите?

Бессонов взглянул на нее пристально. Глаза ее слегка косили, рот слабо усмехался, на висках выступили капельки пота. И вдруг он почувствовал жадность к этой здоровой близорукой девушке, взял ее большую и горячую руку, лежавшую на столе, и сказал:

— Или уходите сейчас же... Или молчите... Едем. Так нужно...

Елизавета Киевна только вздохнула коротко, щеки ее побледнели. Она не чувствовала, как поднялась, как взяла Бессонова под руку, как они прошли между столиками. И когда садились на извозчика, даже ветер не охладил ее пылающей кожи. Пролетка тарахтела по камням. Бессонов, опираясь о трость обеими руками и положив на них подбородок, говорил:

— Мне тридцать пять лет, но жизнь окончена. Меня не обманывает больше любовь. Что может быть грустнее, когда увидишь вдруг, что рыцарский конь — деревянная лошадка? И вот еще много, много времени нужно тащиться по этой жизни, как труп... —

Он обернулся, губа его приподнялась с усмешкой. — Видно, и мне, вместе с вами, нужно подождать, когда затрубят иерихонские трубы. Хорошо, если бы на этом кладбище вдруг раздалось тра-та-та! И — зарево по всему небу... Да, пожалуй, вы правы...

Они подъехали к загородной гостинице. Заспанный половой повел их по длинному коридору в единственный оставшийся незанятым номер. Это была низкая комната с красными обоями, в трещинах и пятнах. У стены, под выцветшим балдахином, стояла большая кровать, в ногах ее — жестяной рукомойник. Пахло непроветренной сыростью и табачным перегаром. Елизавета Киевна, стоя в дверях, спросила чуть слышно:

— Зачем вы привезли меня сюда?

— Нет, нет, здесь нам будет хорошо, — поспешно ответил Бессонов.

Он снял с нее пальто и шляпу и положил на сломанное креслице. Половой принес бутылку шампанского, мелких яблочков и кисть винограда с пробковыми опилками, заглянул в рукомойник и скрылся все так же хмуро.

Елизавета Киевна отогнула штору на окне, — там среди мокрого пустыря горел газовый фонарь и ехали огромные бочки с согнувшимися под рогожами людьми на козлах. Она усмехнулась, подошла к зеркалу и стала поправлять себе волосы какими-то новыми, незнакомыми самой себе движениями. «Завтра опомнюсь, — сойду с ума», — подумала она спокойно и расправила полосатый бант. Бессонов спросил:

— Вина хотите?

— Да, хочу.

Она села на диван, он опустился у ее ног на коврик и проговорил в раздумье:

— У вас страшные глаза: дикие и кроткие. Русские глаза. Вы любите меня?

Тогда она опять растерялась, но сейчас же подумала: «Нет. Это и есть безумие». Взяла из его рук стакан, полный вина, и выпила, и сейчас же голова медленно закружилась, словно опрокидываясь.

— Я вас боюсь и, должно быть, возненавижу, — сказала Елизавета Киевна, прислушиваясь, как словно издалека звучат ее и не ее слова. — Не смотрите так на меня, мне стыдно.

— Вы странная девушка.

— Бессонов, вы очень опасный человек. Я ведь из раскольничьей семьи, я в дьявола верю... Ах, боже мой, не смотрите же так на меня. Я знаю, зачем я вам понадобилась... Я вас боюсь.

Она громко засмеялась, все тело ее задрожало от смеха, и в руках расплескалось вино из стакана. Бессонов опустил ей в колени лицо:

— Любите меня... Умоляю, любите меня, — проговорил он отчаянным голосом, словно в ней было сейчас все его спасение. — Мне тяжело... Мне страшно... Мне страшно одному... Любите, любите меня...

Елизавета Киевна положила руку ему на голову, закрыла глаза.

Он говорил, что каждую ночь находит на него ужас смерти. Он должен чувствовать около себя близко, рядом живого человека, который бы жалел его, согревал, отдавал бы ему себя. Это наказание, муки... «Да, да, знаю... Но я весь окоченел. Сердце остановилось. Согрейте меня. Мне так мало нужно. Сжальтесь, я погибаю. Не оставляйте меня одного. Милая, милая девушка...»

Елизавета Киевна молчала, испуганная и взволнованная. Бессонов целовал ее ладони все более долгими поцелуями. Стал целовать большие и сильные ее ноги. Она крепче зажмурилась, показалось, что остановилось сердце, — так было стыдно.

И вдруг ее всю обвеял огонек. Бессонов стал казаться милым и несчастным... Она приподняла его голову и крепко, жадно поцеловала в губы. После этого уже без стыда поспешно разделась и легла в постель.

Когда Бессонов заснул, положив голову на ее голое плечо, Елизавета Киевна еще долго вглядывалась близорукими глазами в его желтовато-бледное лицо, все в усталых морщинках — на висках, под веками, у сжатого рта: чужое, но теперь навек родное лицо.

Глядеть на спящего было так тяжело, что Елизавета Киевна заплакала.

Ей казалось, что Бессонов проснется, увидит ее в постели, толстую, некрасивую, с распухшими глазами, и постарается поскорее отвязаться, что никогда никто не сможет ее полюбить, и все будут уверены, будто она развратная, глупая и пошлая женщина, и она нарочно станет делать все, чтобы так думали: что она любит одного человека, а сошлась с другим, и так всегда ее жизнь будет полна мути, мусора, отчаянных оскорблений. Елизавета Киевна осторожно всхлипывала и вытирала глаза углом простыни. И так, незаметно, в слезах, забылась сном.

Бессонов глубоко втянул носом воздух, повернулся на спину и открыл глаза.. Ни с чем не сравнимой кабацкой тоской гудело все тело. Было противно подумать, что нужно начинать заново день. Он долго рассматривал металлический шарик кровати, затем решился и поглядел налево. Рядом, тоже на спине, лежала женщина, лицо ее было прикрыто голым локтем.

«Кто такая?» Он напряг мутную память, но ничего не вспомнил, осторожно вытащил из-под подушки портсигар и закурил. «Вот так черт! Забыл, забыл. Фу, как неудобно».

— Вы, кажется, проснулись, — проговорил он вкрадчивым голосом, — доброе утро. — Она помолчала, не отнимая локтя. — Вчера мы были чужими, а сегодня связаны таинственными узами этой ночи. — Он поморщился, все это выходило пошловато. И, главное, неизвестно, что она сейчас начнет делать — каяться, плакать, или охватит ее прилив родственных чувств? Он осторожно коснулся ее локтя. Он отодвинулся. Кажется, ее звали Маргарита. Он сказал грустно:

— Маргарита, вы сердитесь на меня?

Тогда она села в подушках и, придерживая на груди падающую рубашку, стала глядеть на него выпуклыми, близорукими глазами. Веки ее припухли, полный рот кривился в усмешку. Он сейчас же вспомнил и почувствовал братскую нежность.

— Меня зовут не Маргарита, а Елизавета Киевна, — сказала она. — Я вас ненавижу. Слезьте с постели.

Бессонов сейчас же вылез из-под одеяла и за пологом кровати около вонючего рукомойника оделся кое-как, затем поднял штору и загасил электричество.

— Есть минуты, которых не забывают, — пробормотал он.

Елизавета Киевна продолжала следить за ним темными глазами. Когда он присел с папироской на диван, она проговорила медленно:

— Приеду домой — отравлюсь.

— Я не понимаю вашего настроения, Елизавета Киевна.

— Ну, и не понимайте. Убирайтесь из комнаты, я хочу одеваться.

Бессонов вышел в коридор, где пахло угаром и сильно сквозило. Ждать пришлось долго. Он сидел на подоконнике и курил; потом пошел в самый конец коридора, где из маленькой кухоньки слышались негромкие голоса полового и двух горничных, — они пили чай, и половой говорил:

— Заладила про свою деревню. Тоже Расея. Много ты понимаешь. Походи ночью по номерам — вот тебе и Расея. Все сволочи. Сволочи и охальники.

— Выражайтесь поаккуратнее, Кузьма Иваныч.

— Если я при этих номерах восемнадцать лет состою, — значит, могу выражаться.

Бессонов вернулся обратно. Дверь в его номер была отворена, комната была пуста. На полу валялась его шляпа.

«Ну, что же, тем лучше», — подумал он и, зевнув, потянулся, расправляя кости.

Так начался новый день. Он отличался от вчерашнего тем, что с утра сильный ветер разорвал дождевые облака, погнал их на север и там свалил в огромные побелевшие груды. Мокрый город был залит свежими потоками солнечного света. В нем корчились, жарились, валились без чувств студенистые чудовища, неуловимые глазу, — насморки, кашли, дурные хвори, меланхолические палочки чахотки, и даже полумистические микробы черной неврастении забивались за занавеси, в полумрак комнат и сырых подвалов. По улицам продувал ветерок. В домах протирали стекла, открывали окна. Дворники в синих рубахах подметали мостовые. На Невском порочные девочки с зелеными личиками предлагали прохожим букетики подснежников, пахнущих дешевым одеколоном. В магазинах спешно убирали все зимнее, и, как первые цветы, появились за витринами весенние, веселенькие вещи.

Трехчасовые газеты вышли все с заголовками: «Да здравствует русская весна». И несколько стишков были весьма двусмысленны. Словом, цензуре натянули нос.

И, наконец, по городу, под свист и улюлюканье мальчишек, прошли футуристы от группы «Центральная станция». Их было трое: Жиров, художник Валет и никому тогда еще не известный

Аркадий Семисветов, огромного роста парень с лошадиным лицом.

Футуристы были одеты в короткие, без пояса, кофты из оранжевого бархата с черными зигзагами и в цилиндры. У каждого был монокль, и на щеке нарисованы — рыба, стрела и буква «Р». Часам к пяти пристав Литейной части задержал их и на извозчике повез в участок для выяснения личности.

Весь город был на улицах. По Морской, по набережным и Каменноостровскому двигались сверкающие экипажи и потоки людей. Многим, очень многим казалось, что сегодня должно случиться что-то необыкновенное: либо в Зимнем дворце подпишут какой-нибудь манифест, либо взорвут бомбой совет министров, либо вообще где-нибудь «начнется».

Но опустились синие сумерки на город, зажглись огни вдоль улиц и каналов, отразившись зыбкими иглами в черной воде, и с мостов Невы был виден за трубами судостроительных заводов огромный закат, дымный и облачный. И ничего не случилось. Блеснула в последний раз игла на Петропавловской крепости, и день кончился.

Бессонов много и хорошо работал в этот день. Освеженный после завтрака сном, он долго читал Гёте, и чтение возбудило его и взволновало.

Он ходил вдоль книжных шкафов и думал вслух; подсаживался к письменному столу и записывал слова и строки. Старушка нянька, жившая при его холостой квартире, принесла фарфоровый, дымящийся моккой кофейник.

Бессонов переживал хорошие минуты. Он писал о том, что опускается ночь на Россию, раздвигается занавес трагедии и народ-богоносец чудесно, как в «Страшной мести» казак, превращается в богоборца, надевает страшную личину. Готовится всенародное совершение Черной обедни. Бездна раскрыта. Спасения нет.

Закрывая глаза, он представлял пустынные поля, кресты на курганах, разметанные ветром кровли и вдалеке, за холмами, зарева пожарищ. Обхватив обеими руками голову, он думал, что любит именно такою эту страну, которую знал только по книгам и картинкам. Лоб его покрывался глубокими морщинками, сердце было полно ужаса предчувствий. Потом, держа в пальцах дымящуюся папиросу, он исписывал крупным почерком хрустящие четвертушки бумаги.

В сумерки, не зажигая огня, Бессонов прилег на диван, весь еще взволнованный, с горячей головой и влажными руками. На этом кончался его рабочий день.

Понемногу сердце стало биться ровнее и спокойнее. Теперь надо было подумать, как провести этот вечер и ночь. Брр... Никто не звонил по телефону и не приходил в гости. Придется одному справляться с бесом уныния. Наверху, где жила английская семья, играли на рояле, и от этой музыки поднимались смутные и невозможные желания.

Вдруг в тишине дома раздался звонок с парадного. Нянька прошлепала туфлями. Заносчивый женский голос проговорил:

— Я хочу его видеть.

Затем легкие, стремительные шаги замерли у двери. Бессонов, не шевелясь, усмехнулся. Без стука распахнулась дверь, и в комнату вошла, освещенная сзади из прихожей, стройная, тоненькая девушка, в большой шляпе с дыбом стоящими ромашками.

Ничего не различая со света, она остановилась посреди комнаты; когда же Бессонов молча поднялся с дивана, — попятилась было, но упрямо тряхнула головой и проговорила тем же высоким голосом:

— Я пришла к вам по очень важному делу.

Бессонов подошел к столу и повернул выключатель. Между книг и рукописей засветился синий абажур, наполнивший всю комнату спокойным полусветом.

— Чем могу быть полезен? — спросил Алексей Алексеевич; показав вошедшей на стул, сам спокойно опустился в рабочее кресло и положил руки на подлокотники. Лицо его было прозрачно-бледное, с синевой под веками. Он не спеша поднял глаза на гостью и вздрогнул, пальцы его затрепетали.

— Дарья Дмитриевна, — проговорил он тихо. — Я вас не узнал в первую минуту.

Даша села на стул решительно, так же как и вошла, сложила на коленях руки в лайковых перчатках и насупилась.

— Дарья Дмитриевна, я счастлив, что вы посетили меня. Это большой, большой подарок.

Не слушая его, Даша сказала:

— Вы, пожалуйста, не подумайте, что я ваша поклонница. Некоторые ваши стихи мне нравятся, другие не нравятся, — не понимаю их, просто не люблю. Я пришла вовсе не затем, чтобы разговаривать о стихах... Я пришла потому, что вы меня измучили.

Она низко нагнула голову, и Бессонов увидел, что у нее покраснели шея и руки между перчатками и рукавами черного платья. Он молчал, не шевелился.

— Вам до меня, конечно, нет никакого дела. И я бы тоже очень хотела, чтобы мне было все равно. Но вот, видите, приходится испытывать очень неприятные минуты...

Она быстро подняла голову и строгими, ясными глазами взглянула ему в глаза. Бессонов медленно опустил ресницы.

— Вы вошли в меня, как болезнь. Я постоянно ловлю себя на том, что думаю о вас. Это, наконец, выше моих сил. Лучше было прийти и прямо сказать. Сегодня — решилась. Вот, видите, объяснилась в любви...

Губы ее дрогнули. Она поспешно отвернулась и стала смотреть на стену, где, освещенная снизу, усмехалась стиснутым ртом и закрытыми веками любимая в то время всеми поэтами маска Петра Первого. Наверху, в семействе английского пастора, четыре голоса фуги пели: «Умрем». «Нет, мы улетим». «В хрустальное небо». «В вечную, вечную радость».

— Если вы станете уверять, что испытываете тоже ко мне какие-то чувства, я уйду сию минуту, — торопливо и горячо проговорила Даша. — Вы меня даже не можете уважать — это ясно. Так не поступают женщины. Но я ничего не хочу и не прошу от вас. Мне нужно было только сказать, что я вас люблю мучительно и очень сильно... Я разрушилась вся от этого чувства... У меня даже гордости не осталось...

И она подумала: «Теперь встать, гордо кивнуть головой и выйти». Но продолжала сидеть, глядя на усмехающуюся маску. Ею овладела такая слабость, что — не поднять руки, и она почувствовала теперь все свое тело, его тяжесть и теплоту. «Отвечай же, отвечай», — думала она сквозь сон. Бессонов прикрыл ладонью лицо и стал говорить тихо, как беседуют в церкви, — немного придушенно.

— Всем моим духом я могу только благодарить вас за это чувство. Таких минут, такого благоухания, каким вы меня овеяли, не забывают никогда...

— Не требуется, чтобы вы их помнили, — сказала Даша сквозь зубы.

Бессонов помолчал, поднялся и, отойдя, прислонился спиной к книжному шкафу.

— Дарья Дмитриевна, я вам могу только поклониться низко. Я недостоин был слушать вас. Я никогда, быть может, так не проклинал себя, как в эту минуту. Растратил, размотал, изжил всего себя. Чем я вам отвечу? Приглашением за город, в гостиницу? Дарья Дмитриевна, я честен с вами. Мне нечем любить. Несколько лет назад я бы поверил, что могу еще испить вечной молодости. Я бы вас не отпустил от себя.

Даша чувствовала, как он впускает в нее иголочки. В его словах была затягивающая мука...

— Теперь я только расплескаю драгоценное вино. Вы должны понять, чего мне это стоит. Протянуть руку и взять...

— Нет, нет, — быстро прошептала Даша.

— Нет, да. И вы это чувствуете. Нет слаще греха, чем расточение. Расплескать. За этим вы и пришли ко мне. Расплескать чашу девичьего вина... Вы принесли ее мне...

Он медленно зажмурился. Даша, не дыша, с ужасом глядела в его лицо.

— Дарья Дмитриевна, позвольте мне быть откровенным. Вы так похожи на вашу сестру, что в первую минуту...

— Что? — крикнула Даша. — Что вы сказали?

Она сорвалась с кресла и остановилась перед ним. Бессонов не понял и не так истолковал это волнение. Он чувствовал, что теряет голову. Его ноздри вдыхали благоухание духов и тот почти неуловимый, но оглушающий и различный для каждого запах женской кожи.

— Это сумасшествие... Я знаю... Я не могу... — прошептал он, отыскивая ее руку. Но Даша рванулась и побежала. На пороге оглянулась дикими глазами и скрылась. Сильно хлопнула парадная дверь. Бессонов медленно подошел к столу и застучал ногтями по хрустальной коробочке, беря папиросу. Потом сжал ладонью глаза и со всей ужасающей силой воображения почувствовал, что Белый орден, готовящийся к решительной борьбе, послал к нему эту пылкую, нежную и соблазнительную девушку, чтобы привлечь его, обратить и спасти. Но он уже безнадежно в руках Черных, и теперь спасения нет. Медленно, как яд, текущий в крови, разжигали его неутоленная жадность и сожаление.

8

— Даша, это ты? Можно. Войди.

Екатерина Дмитриевна стояла перед зеркальным шкафом, затягивая корсет. Даше она улыбнулась рассеянно и продолжала деловито повертываться, переступая на ковре тугими туфельками. На ней было легкое белье, в ленточках и кружевцах, красивые руки и плечи напудрены, волосы причесаны пышной короной. Около, на низеньком столике, стояла чашка с горячей водой; повсюду — ножницы для ногтей, пилочки, карандашики, пуховки. Сегодня был пустой вечер, и Екатерина Дмитриевна «чистила перышки», как это называлось дома.

— Понимаешь, — говорила она, пристегивая чулок, — теперь перестают носить корсеты с прямой планшеткой. Посмотри, этот — новый, от мадам Дюклэ. Живот гораздо свободнее и даже чуть-чуть обозначен. Тебе нравится?

— Нет, не нравится, — ответила Даша. Она остановилась у стены и заложила за спину руки. Екатерина Дмитриевна удивленно подняла брови:

— Правда, не нравится? Какая досада. А в нем так удобно.

— Что удобно, Катя?

— Может быть, тебе кружева не нравятся? Можно положить другие. Как все-таки странно, — почему не нравится?

И она опять повернулась и правым и левым боком у зеркала. Даша сказала:

— Ты, пожалуйста, не у меня спрашивай, как нравятся твои корсеты.

— Ну, Николай Иванович совсем в этом деле ничего не понимает.

— Николай Иванович тоже тут ни при чем.

— Даша, ты что?

Екатерина Дмитриевна даже приоткрыла рот от изумления. Только теперь она заметила, что Даша едва сдерживается, говорит сквозь зубы, на щеках у нее горячие пятна.

— Мне кажется, Катя, тебе бы надо бросить вертеться у зеркала.

— Но должна же я привести себя в порядок.

— Для кого?

— Что ты, в самом деле!.. Для самой себя.

— Врешь.

Долго после этого обе сестры молчали. Екатерина Дмитриевна сняла со спинки кресла верблюжий халатик на синем шелку, надела его и медленно завязала пояс. Даша внимательно следила за ее движениями, затем проговорила:

— Ступай к Николаю Ивановичу и расскажи ему все честно.

Екатерина Дмитриевна продолжала стоять, перебирая пояс. Было видно, что у нее по горлу несколько раз прокатился клубочек, точно она проглотила что-то.

— Даша, ты что-нибудь узнала? — спросила она тихо.

— Я сейчас была у Бессонова. (Екатерина Дмитриевна взглянула невидящими глазами и вдруг страшно побледнела, подняла плечи.) Можешь не беспокоиться, — со мной там ничего не случилось. Он вовремя сообщил мне...

Даша переступала с ноги на ногу.

— Я давно догадывалась, что ты... именно с ним... Только слишком все это было омерзительно, чтобы верить... Ты трусила и лгала. Так вот, я в этой мерзости жить не желаю... Пойди к мужу и все расскажи.

Даша не могла больше говорить, — сестра стояла перед ней, низко наклонив голову. Даша ждала всего, но только не этой повинно и покорно склоненной головы.

— Сейчас пойти? — спросила Катя.

— Да. Сию минуту... Ты сама должна понять...

Екатерина Дмитриевна коротко вздохнула и пошла к двери. Там, замедлив, она сказала еще:

— Я не могу, Даша. — Но Даша молчала. — Хорошо, я скажу.

Николай Иванович сидел в гостиной и, поскребывая в бороде костяным ножом, читал статью Акундина в только что полученной книжке журнала «Русские записки».

Статья была посвящена годовщине смерти Бакунина. Николай Иванович наслаждался. Когда вошла жена, он воскликнул:

— Катюша, сядь. Послушай, что он пишет, вот это место... «Даже не в образе мыслей и не в преданности до конца своему делу обаяние этого человека — то есть Бакунина, — а в том пафосе претворенных в реальную жизнь идей, которым было проникнуто каждое его движение, — и бессонные беседы с Прудоном, и мужество, с каким он бросался в самое пламя борьбы, и даже тот романтический жест, когда мимоездом он наводит пушки австрийских повстанцев, еще не зная хорошо, с кем и за что они дерутся. Пафос Бакунина есть прообраз той могучей силы, с какою выступят на борьбу новые классы. Материализация идей — вот задача наступающего века. Не извлечение их из-под груды фактов, подчиненных слепой инерции жизни, не увод их в идеальный мир, а процесс обратный: завоевание физического мира миром идей. Реальность — груда горючего, идеи — искры. Эти два мира, разъединенные и враждебные, должны слиться в пламени мирового переворота...» Нет, подумай. Катюша... Ведь это черным по белому — да здравствует революция. Молодец, Акундин! Действительно, живем, — ни больших идей, ни больших чувств. Правительством руководит только одно — безумный страх за будущее. Интеллигенция обжирается и опивается. Ведь мы только болтаем, болтаем, Катюша, и — по уши в болоте. Народ заживо разлагается. Вся Россия погрязла в сифилисе и водке. Россия сгнила, дунь на нее, — рассыплется в прах. Так жить нельзя... Нам нужно какое-то самосожжение, очищение в огне...

Николай Иванович говорил возбужденным и бархатным голосом, глаза его стали круглыми, нож полосовал воздух. Екатерина Дмитриевна стояла около, держась за спинку кресла. Когда он выговорился и опять принялся разрезать журнал, — она подошла и положила ему руку на волосы:

— Коленька, тебе будет очень больно то, что я скажу. Я хотела скрыть, но вышло так, что нужно сказать...

Николай Иванович освободил голову от ее руки и внимательно вгляделся:

— Да, я слушаю, Катя.

— Помнишь, мы как-то с тобой повздорили, и я тебе сказала со зла, чтобы ты не был очень спокоен на мой счет... А потом отрицала это...

— Да, помню. — Он положил книгу и совсем повернулся в кресле. Глаза его, встретясь с простым и спокойным взором Кати, забегали от испуга.

— Так вот... Я тебе тогда солгала... Я была тебе неверна...

Он жалобно сморщился, стараясь улыбнуться. У него пересохло во рту. Когда молчать уже дольше было нельзя, он проговорил глухо:

— Ты хорошо сделала, что сказала... Спасибо, Катя...

Тогда она взяла его руку, прикоснулась к ней губами и прижала к груди. Но рука выскользнула, и она ее не удерживала. Потом Екатерина Дмитриевна тихо опустилась на ковер и положила голову на кожаный выступ кресла.

— Больше тебе не нужно ничего говорить?

— Нет. Уйди, Катя.

Она поднялась и вышла. В дверях столовой на нее неожиданно налетела Даша, схватила, стиснула и зашептала, целуя в волосы, в шею, в уши:

— Прости, прости!.. Ты дивная, ты изумительная!.. Я все слышала... Простишь ты меня, простишь ты меня, Катя?.. Катя?..

Екатерина Дмитриевна осторожно высвободилась, подошла к столу, поправила морщину на скатерти и сказала:

— Я исполнила твое приказание, Даша.

— Катя, простишь ты меня когда-нибудь?

— Ты была права, Даша. Так лучше, как вышло.

— Ничего я не была права! Я от злости... Я от злости... А теперь вижу, что тебя никто не смеет осуждать. Пускай мы все страдаем, пускай нам будет больно, но ты — права, я это чувствую, ты права во всем. Прости меня, Катя.

У Даши катились крупные, как горох, слезы. Она стояла позади, на шаг от сестры, и говорила громким шепотом:

— Если ты не простишь, — я больше не хочу жить.

Екатерина Дмитриевна быстро повернулась к ней:

— Что ты еще хочешь от меня? Тебе хочется, чтобы все опять стало благополучно и душевно... Так я тебе скажу... Я потому лгала и молчала, что только этим и можно было продлить еще немного нашу жизнь с Николаем Ивановичем... А вот теперь — конец. Поняла? Я Николая Ивановича давно не люблю и давно ему неверна. А Николай Иванович любит меня или не любит — не знаю, но он мне не близок. Поняла? А ты, как зяблик, все голову под мышку прячешь, чтобы не видеть страшных вещей. Я их видела и знала, но жила в этой мерзости, потому что — слабая женщина. Я видела, как тебя эта жизнь тоже затягивает. Я старалась сберечь тебя, запретила Бессонову приезжать к нам... Это было еще до того, как он... Ну, все равно... Теперь всему этому конец...

Екатерина Дмитриевна вдруг подняла голову, прислушиваясь. У Даши со страха похолодела спина. В дверях, из-за портьеры, боком, появлялся Николай Иванович. Руки его были спрятаны за спиной.

— Бессонов? — спросил он, с улыбкой покачивая головой. И продвинулся в столовую.

Екатерина Дмитриевна не ответила. На щеках ее выступили пятна, глаза высохли. Она стиснула рот.

— Ты, кажется, думаешь, Катя, что наш разговор окончен. Напрасно.

Он продолжал улыбаться.

— Даша, оставь нас одних, пожалуйста.

— Нет, я не уйду. — И Даша стала рядом с сестрой.

— Нет, ты уйдешь, если я тебя попрошу.

— Нет, не уйду.

— В таком случае мне придется удалиться из дома.

— Удаляйся, — глядя на него с яростью, ответила Даша.

Николай Иванович побагровел, но сейчас же в глазах мелькнуло прежнее выражение — веселенького сумасшествия.

— Тем лучше, оставайся. Вот в чем дело, Катя... Я сейчас сидел там, где ты меня оставила, и, в сущности говоря, за несколько минут пережил то, что трудно вообще переживаемо... Я пришел к выводу, что мне нужно тебя убить... Да, да.

При этих словах Даша быстро прижалась к сестре, обхватив ее обеими руками. У Екатерины Дмитриевны презрительно задрожали губы.

— У тебя истерика... Тебе нужно принять валерьянку, Николай Иванович ...

— Нет, Катя, на этот раз — не истерика...

— Тогда делай то, за чем пришел, — крикнула она, оттолкнув Дашу, и подошла к Николаю Ивановичу вплоть. — Ну, делай. В лицо тебе говорю — я тебя не люблю.

Он попятился, положил на скатерть вытащенный из-за спины маленький, «дамский» револьвер, запустил концы пальцев в рот, укусил их, повернулся и пошел к двери. Катя глядела ему вслед. Не оборачиваясь, он проговорил:

— Мне больно... Мне больно...

Тогда она кинулась к нему, схватила его за плечи, повернула к себе его лицо:

— Врешь... Ведь врешь... Ведь ты и сейчас врешь...

Но он замотал головой и ушел. Екатерина Дмитриевна присела у стола:

— Вот, Дашенька, — сцена из третьего акта, с выстрелом. Я уеду от него.

— Катюша... Господь с тобой.

— Уйду, не хочу так жить. Через пять лет стану старая, будет уже поздно. Не могу больше жить так... Гадость, гадость!

Она закрыла лицо руками, опустила его в локти на стол. Даша, присев рядом, быстро и осторожно целовала ее в плечо. Екатерина Дмитриевна подняла голову:

— Ты думаешь — мне его не жалко? Мне всегда его жалко. Но ты вот подумай, — пойду сейчас к нему, и будет у нас длиннейший разговор, насквозь фальшивый... Точно бес какой-то всегда между нами кривит, фальшивит. Все равно как играть на расстроенном рояле, так и с Николаем Ивановичем разговаривать... Нет, я уеду... Ах, Дашенька, если бы ты знала, какая у меня тоска!

К концу вечера Екатерина Дмитриевна все же пошла в кабинет.

Разговор с мужем был долгий, говорили оба тихо и горестно, старались быть честными, не щадили друг друга, и все же у обоих осталось такое чувство, что ничего этим разговором не достигнуто, и не понято, и не спаяно.

Николай Иванович, оставшись один, до рассвета сидел у стола и вздыхал. За эти часы, как впоследствии узнала Катя, он продумал и пересмотрел всю свою жизнь. Результатом было огромное письмо жене, которое кончалось так: «Да, Катя, мы все в нравственном тупике. За последние пять лет у меня не было ни одного сильного чувства, ни одного крупного движения. Даже любовь к тебе и женитьба прошли точно впопыхах. Существование — мелкое, полуистерическое; под непрерывным наркозом. Выходов два — или покончить с собой, или разорвать эту лежащую на моих мыслях, на чувствах, на моем сознании душевную пелену. Ни того, ни другого сделать я не в состоянии...»

Семейное несчастье произошло так внезапно и домашний мир развалился до того легко и окончательно, что Даша была оглушена, и думать о себе ей и в голову не приходило; какие уже там девичьи настроения, — чепуха, страшная коза на стене, вроде той, что давным-давно нянька показывала им с Катей.

Несколько раз на дню Даша подходила к Катиной двери и скреблась пальцем. Катя отвечала:

— Дашенька, если можешь, оставь меня одну, пожалуйста.

Николай Иванович в эти дни должен был выступать в суде. Он уезжал рано, завтракал и обедал в ресторане, возвращался ночью. Его речь в защиту жены акцизного чиновника Ладникова, Зои Ивановны, зарезавшей ночью, в постели, на Гороховой улице, своего любовника, сына петербургского домовладельца, студента Шлиппе, потрясла судей и весь зал. Дамы рыдали. Обвиняемая, Зоя Ивановна, билась головой о спинку скамейки и была оправдана.

Николай Иванович, бледный, с провалившимися глазами, был окружен при выходе из суда толпой женщин, которые бросали цветы, взвизгивали и целовали ему руки. Из суда он приехал домой и объяснился с Катей с полной душевной размягченностью.

У Екатерины Дмитриевны оказались сложенными чемоданы. Он по чистой совести посоветовал ей поехать на юг Франции и дал на расходы двенадцать тысяч. Сам же он, тоже во время разговора, решил передать дела помощнику и поехать в Крым — отдохнуть и собраться с мыслями.

В сущности, было неясно и неопределенно — разъезжаются ли они на время или навсегда и кто кого покидает. Эти острые вопросы были старательно заслонены суетой отъезда.

О Даше они забыли. Екатерина Дмитриевна спохватилась только в последнюю минуту, когда, одетая в серый дорожный костюм, в изящной шапочке, под вуалькой, похудевшая, грустная и милая, увидела Дашу в прихожей на сундуке. Даша болтала ногой и ела хлеб с мармеладом, потому что сегодня обед заказать забыли.

— Родной мой Данюша, — говорила Екатерина Дмитриевна, целуя ее через вуальку, — ты-то как же? Хочешь, поедем со мной.

Но Даша сказала, что останется одна в квартире с Великим Моголом, будет держать экзамены и в конце мая поедет на все лето к отцу.

9

Даша осталась одна в доме. Большие комнаты казались ей теперь неуютными и вещи в них — лишними. Даже кубические картины в гостиной с отъездом хозяев перестали пугать и поблекли. Мертвыми складками висели портьеры. И хотя Великий Могол каждое утро молча, как привидение, бродила по комнатам, отряхивая пыль метелкой из петушиных перьев, все же словно иная, невидимая пыль все гуще покрывала дом.

В комнате сестры можно было, как по книге, прочесть все, чем жила Екатерина Дмитриевна. Вот в углу маленький мольбертик с начатой картиночкой, — девушка в белом венке и с глазами в пол-лица. За этот мольбертик Екатерина Дмитриевна уцепилась было, чтобы как-нибудь вынырнуть из бешеной суеты, но, конечно, не удержалась. Вот старинный рабочий столик, в беспорядке набитый начатыми рукоделиями, пестрыми лоскутками, все не окончено и заброшено, — тоже попытка. Такой же беспорядок в книжном шкафу, — видно, что начали прибирать и бросили. И повсюду брошены, засунуты наполовину разрезанные книги. Йоги, популярные лекции по антропософии, стишки, романы. Сколько попыток и бесплодных усилий начать добрую жизнь! На туалетном столе Даша нашла серебряный блокнотик, где было записано: «Рубашек 24, лифчиков 8, лифчиков кружевных 6... Для Керенских билеты на «Дядю Ваню»...» И затем, крупным детским почерком: «Даше купить яблочный торт».

Даша вспомнила — яблочный торт так никогда и не был куплен. Ей до слез стало жалко сестру. Ласковая, добрая, слишком деликатная для этой жизни, она цеплялась за вещи и вещицы, старалась укрепиться, оберечь себя от дробления и разрушения, но нечем и некому было помочь.

Даша вставала рано, садилась за книги и сдавала экзамены, почти все — «отлично». К телефону, без устали звонившему в кабинете, она посылала Великого Могола, которая отвечала неизменно: «Господа уехали, барышня подойти не могут».

Целые вечера Даша играла на рояле. Музыка не возбуждала ее, как прежде, не хотелось чего-то неопределенного и не замирало мечтательное сердце. Теперь, сидя строго и мирно перед тетрадью нот, озаренная с боков двумя свечками, Даша словно очищала себя торжественными звуками, наполнявшими до последних закоулков весь этот пустынный дом.

Иногда среди музыки являлись маленькие враги — непрошеные воспоминания. Даша опускала руки и хмурилась. Тогда в доме становилось так тихо, что было слышно, как потрескивала свеча. Затем Даша шумно вздыхала, и вновь ее руки с силой касались холодных клавиш, а маленькие враги, точно пыль и листья, гонимые ветром, летели из большой комнаты куда-нибудь в темный коридор, за шкафы и картонки... Было навек покончено с той Дашей, которая звонила у подъезда Бессонова и говорила беззащитной Кате злые слова. Ополоумевшая девчонка чуть было не натворила бед. Удивительное дело! Будто один свет в окошке — любовные настроения, и любви-то никакой не было.

Часов в одиннадцать Даша закрывала рояль, задувала свечи и шла спать, — все это делалось без колебаний, деловито. За это время она решила как можно скорее начать самостоятельную жизнь — самой зарабатывать и взять Катю к себе.

В конце мая, едва сдав экзамены, Даша поехала к отцу через Рыбинск по Волге. Вечером, прямо с железной дороги, она села на белый, ярко освещенный среди ночи и темной воды пароход, разобрала в чистенькой каюте вещи, заплела косу, подумала, что самостоятельная жизнь начинается неплохо, и, положив под голову локоть и улыбаясь от счастья, заснула под мерное дрожание машины.

Разбудили ее тяжелые шаги и беготня по палубе. Сквозь жалюзи лился солнечный свет, играя на красном дереве рукомойника жидкими переливами. Ветерок, отдувавший чесучовую штору, пахнул медовыми цветами. Она приоткрыла жалюзи. Пароход стоял у пустынного берега, где, под свежеобвалившейся, в корнях и комьях, невысокой кручей стояли возы с сосновыми ящиками. У воды, расставив худые, с толстыми коленками, ноги, пил коричневый жеребенок. На круче красным крестом торчала маячная веха.

Даша соскочила с койки, развернула на полу тэб и, набрав полную губку воды, выжала ее на себя. Стало до того свежо и боязно, что она, смеясь, начала поджимать к животу колени. Потом надела приготовленные с вечера белые чулки, белое платье и белую шапочку, — все это сидело на ней ловко, — и, чувствуя себя независимой, сдержанная, но страшно счастливая, вышла на палубу.

По всему белому пароходу играли жидкие отсветы солнца, на воду больно было смотреть, — река сияла и переливалась. На дальнем берегу, гористом, белела, по пояс в березах, старенькая колокольня.

Когда пароход отчалил и, описав полукруг, побежал вниз, навстречу ему медленно двигались берега. Из-за бугров, точно завалившись, выглядывали кое-где потемневшие соломенные крыши изб. В небе стояли кучевые облака с синеватыми днищами, и от них в небесно-желтоватую бездну реки падали белые тени.

Даша сидела в плетеном кресле, положив ногу на ногу, обхватив колено, и чувствовала, как сияющие изгибы реки, облака и белые их отражения, березовые холмы, луга и струи воздуха, то пахнущие болотной травой, то сухостью вспаханной земли, медовой кашкой и полынью, текут сквозь нее, — и тихим восторгом ширится сердце.

Какой-то человек медленно подошел, остановился сбоку у перил и, кажется, поглядывал. Даша несколько раз забывала про него, а он все стоял. Тогда она твердо решила не оборачиваться, но у нее был слишком горячий нрав, чтобы спокойно переносить такое разглядывание. Она покраснела и быстро, гневно обернулась. Перед ней стоял Телегин, держась за столбик и не решаясь ни подойти, ни заговорить, ни скрыться.

Даша неожиданно засмеялась, — он ей напомнил что-то неопределенно веселое и доброе. Да и весь Иван Ильич, широкий, в белом кителе, сильный и застенчивый, точно необходимым завершением появился из всего этого речного покоя. Она протянула ему руку. Телегин сказал:

— Я видел, как вы садились на пароход. В сущности, мы ехали с вами в одном вагоне от Петербурга. Но я не решался подойти, — вы были очень озабочены... Я вам не мешаю?

— Садитесь. — Она пододвинула ему плетеное кресло. — Еду к отцу, а вы куда?

— Я-то, в сущности говоря, еще не знаю. Пока — в Кинешму, к родным.

Телегин сел рядом и снял шляпу. Брови его сдвинулись, по лбу пошли морщины. Суженными глазами он глядел на воду, вогнутой, пенящейся дорогой выбегавшую из-под парохода. Над ней за кормой летели острокрылые мартыны, падали на воду, взлетали с хриплыми, жалобными криками и, далеко отстав, кружились и дрались над плывущей хлебной коркой.

— Приятный день, Дарья Дмитриевна.

— Такой день, Иван Ильич, такой день! Я сижу и думаю: как из ада на волю вырвалась! Помните наш разговор на улице?

— Помню до последнего слова, Дарья Дмитриевна.

— После этого такое началось, не дай бог! Я вам как-нибудь расскажу. — Она задумчиво покачала головой. — Вы были единственным человеком, который не сходил с ума в Петербурге, так мне представляется. — Она улыбнулась и положила ему руку на рукав. У Ивана Ильича испуганно дрогнули веки, поджались губы. — Я вам очень доверяю, Иван Ильич. Вы очень сильный? Правда?

— Ну, какой же я сильный.

— И верный человек. — Даша почувствовала, что все мысли ее — добрые, ясные и любовные, и такие же добрые, верные и сильные мысли были у Ивана Ильича. И особая радость была в том, чтобы говорить — выражать прямо эти светлые волны чувств, подходящие к сердцу. — Мне представляется, Иван Ильич, что если вы любите, то мужественно, уверенно. А если чего-нибудь захотите, то не отступитесь.

Не отвечая, Иван Ильич медленно полез в карман, вытащил оттуда кусок хлеба и стал бросать птицам. Целая стая белых мартынов с тревожным криком кинулась ловить крошки. Даша и Иван Ильич поднялись с кресел и подошли к борту.

— Вот этому киньте, — сказала Даша, — смотрите, какой голодный.

Телегин далеко в воздух швырнул остаток хлеба. Жирный головастый мартын скользнул на недвигающихся, распластанных, как ножи, крыльях, налетел и промахнулся, и сейчас же штук десять их понеслось вслед за падающим хлебом до самой воды, теплой пеной бьющейся из-под борта. Даша сказала:

— Мне хочется быть, знаете, какой женщиной? На будущий год кончу курсы, начну зарабатывать много денег, возьму жить к себе Катю. Увидите, Иван Ильич.

Во время этих слов Телегин морщился, удерживался и наконец раскрыл рот, с крепким, чистым рядом крупных зубов, и захохотал так весело, что взмокли ресницы. Даша вспыхнула, но и у нее запрыгал подбородок, и не хотела, а рассмеялась, так же как Телегин, сама не зная чему.

— Дарья Дмитриевна, — проговорил он наконец, — вы замечательная... Я вас боялся до смерти... Но вы прямо замечательная!

— Ну, вот что — идемте завтракать, — сказала Даша сердито.

— С удовольствием.

Иван Ильич велел вынести столик на палубу и, глядя на карточку, озабоченно стал скрести чисто выбритый подбородок.

— Что вы думаете, Дарья Дмитриевна, относительно бутылки легкого белого вина?

— Немного выпью с удовольствием.

— Белого или красного?

Даша так же деловито ответила:

— Или то, или другое.

— В таком случае — выпьем шипучего.

Мимо плыл холмистый берег с атласно-зелеными полосами пшеницы, зелено-голубыми — ржи и розоватыми — зацветающей гречихи. За поворотом, над глинистым обрывом, на навозе, под шапками соломы, стояли приземистые избы, отсвечивая окошечками. Подальше — десяток крестов деревенского кладбища и шестикрылая, как игрушечная, мельница с проломанным боком. Стайка мальчишек бежала вдоль кручи за пароходом, кидая камнями, не долетавшими даже до воды. Пароход повернул, и на пустынном берегу — низкий кустарник и коршуны над ним.

Теплый ветерок поддувал под белую скатерть, под платье Даши. Золотистое вино в граненых больших рюмках казалось божьим даром. Даша сказала, что завидует Ивану Ильичу, — у него есть свое дело, уверенность в жизни, а вот ей еще полтора года корпеть над книгами, и притом такое несчастье, что она — женщина. Телегин, смеясь, ответил:

— А меня ведь с завода выгнали.

— Что вы говорите!

— В двадцать четыре часа, чтобы духу не было. Иначе зачем бы я на пароходе оказался. Вы разве не слышали, какие у нас дела творились?

— Нет, нет...

— Я-то вот дешево отделался. Да... — Он помолчал, положив локти на скатерть. — Вот, подите же, до чего у нас все делается глупо и бездарно — на редкость. И черт знает какая слава о нас идет, о русских. Обидно и совестно. Подумайте, — талантливый народ, богатейшая страна, а какая видимость? Видимость: наглая писарская рожа. Вместо жизни — бумага и чернила. Вы не можете себе представить, сколько у нас изводится бумаги и чернил. Как начали отписываться при Петре Первом, так до сих пор не можем остановиться. И ведь оказывается, кровавая вещь — чернила, представьте себе.

Иван Ильич отодвинул стакан с вином и закурил. Ему, видимо, было неприятно рассказывать все дальнейшее.

— Ну, да что вспоминать. Думать надо, что и у нас когда-нибудь хорошо будет, не хуже, чем у людей.

Весь этот день Даша и Иван Ильич провели на палубе. Постороннему наблюдателю показалось бы, что они говорят чепуху, но это происходило оттого, что они разговаривали шифром. Слова, самые обычные, таинственно и непонятно получали двойной смысл, и, когда Даша, указывая глазами на пухленькую барышню, с отдувающимся за спиной лиловым шарфом, и на сосредоточенно шагающего рядом с ней второго помощника капитана, говорила: «Смотрите, Иван Ильич, у них, кажется, дело идет на лад», — нужно было понимать: «Если бы у нас с вами что-нибудь случилось — было бы совсем не так». Никто из них не мог бы вспомнить по чистой совести, что он говорил, но Ивану Ильичу казалось, что Даша гораздо умнее, тоньше и наблюдательнее его; Даше казалось, что Иван Ильич добрее ее, лучше, умнее раз в тысячу.

Даша собиралась несколько раз с духом, чтобы рассказать ему о Бессонове, но раздумывала; солнце грело колени, ветер касался щеки, плеч, шеи, словно круглыми и ласковыми пальцами. Даша думала: «Нет, расскажу ему завтра. Пойдет дождик — тогда расскажу».

Даша, любившая наблюдать и наблюдательная, как все женщины, знала к концу дня приблизительно всю подноготную про всех едущих на пароходе. Ивану Ильичу казалось это почти чудом.

Про декана Петербургского университета, угрюмого человека в дымчатых очках и крылатке, Даша решила почему-то, что это крупный пароходный шулер. И хотя Иван Ильич знал, что это декан, теперь ему тоже запало подозрение — не шулер ли это? Вообще его представление о действительности пошатнулось за этот день. Он чувствовал не то головокружение, не то сон в яви и, почти не в силах выдерживать время от времени подступающую волну любви ко всему, что видит и слышит, присматривался — хорошо бы сейчас, например, броситься в воду вон за той стриженой девочкой, если она упадет за борт. Вот бы упала!

В первом часу ночи Даша до того сразу и сладко захотела спать, что едва дошла до каюты и, прощаясь в дверях, сказала, зевая:

— Покойной ночи. Смотрите, присматривайте за шулером-то.

Иван Ильич сейчас же пошел в рубку первого класса, где декан, страдающий бессонницей, читал сочинения Дюма-отца, поглядел на него некоторое время, подумал, что это прекрасный человек, несмотря на то что шулер, затем вернулся в ярко освещенный коридор, где пахло машиной, лакированным деревом, духами Даши, на цыпочках прошел мимо ее двери и у себя в каюте, повалившись на спину на койку и закрыв глаза, почувствовал, что весь потрясен, весь полон звуками, запахами, жаром солнца и острой, как боль в сердце, радостью.

В седьмом часу утра его разбудил рев парохода. Подходили к Кинешме. Иван Ильич быстро оделся и выглянул в коридор. Все двери были закрыты, все еще спали. Спала и Даша. «Мне слезть необходимо, иначе получается черт знает что», — подумал Иван Ильич и вышел на палубу, глядя на эту самую некстати подоспевшую Кинешму на крутом и высоком берегу, с деревянными лестницами, с деревянными, точно кое-как нагороженными домишками и яркими по-утреннему, желтовато-зелеными липами городского парка, с неподвижно висящим облаком пыли над возами, тянущимися по городскому спуску. Матрос, твердо ступая по палубе пятками босых ног, появился с рыжим чемоданом Телегина.

— Нет, нет, я передумал, назад несите, — взволнованно проговорил ему Иван Ильич, — я, видите ли, до Нижнего решил ехать. В Кинешму мне и не особенно было нужно. Вот сюда ставьте, под койку. Благодарю вас, голубчик.

В каюте Иван Ильич просидел часа три, придумывая, как объяснить Даше свой, по его пониманию, пошлый и навязчивый поступок, и было ясно, что объяснить невозможно: ни соврать, ни сказать правду. В одиннадцатом часу, раскаиваясь, ненавидя и презирая себя, он появился на палубе, — руки за спиной, походочка какая-то ныряющая, лицо фальшивое, — словом, тип пошляка. Но, обойдя кругом палубу и не найдя Даши, Иван Ильич взволновался, стал заглядывать повсюду. Даши не было нигде. У него пересохло во рту. Очевидно, что-то случилось. И вдруг он прямо наткнулся на нее. Даша сидела на вчерашнем месте, в плетеном кресле, грустная и тихая. На коленях у нее лежали книжка и груша. Она медленно повернула голову к Ивану Ильичу, глаза ее расширились, точно от испуга, залились радостью, на щеки взошел румянец, груша покатилась с колен.

— Вы здесь? Не слезли? — проговорила она тихо.

Иван Ильич проглотил волнение, сел рядом и сказал глухим голосом:

— Не знаю, как вы взглянете на мой поступок, но я намеренно не вылез в Кинешме.

— Как я посмотрю на ваш поступок? Ну, этого я не скажу. — Даша засмеялась и неожиданно, так что у Ивана Ильича снова на весь день, сильнее вчерашнего, пошла кружиться голова, положила ему в ладонь свою руку просто и нежно.

10

На самом деле на механическом заводе произошло следующее. В дождливый вечер, затянувший ветреными облаками фосфорическое небо, в узком переулке, вонючем и грязном той особенной, угольно-железной грязью, какою бывают сплошь залиты прилегающие к большим заводам улицы, в толпе рабочих, идущих после свистка по домам, появился неизвестный человек в резиновом плаще с поднятым капюшоном.

Некоторое время он шел вслед за всеми, затем остановился и направо и налево стал раздавать листки, говоря вполголоса:

— От Центрального комитета... Прочтите, товарищи.

Рабочие на ходу брали листки и прятали в карманы и под шапки.

Когда человек в резиновом плаще роздал почти все листочки, около него, сильно протиснувшись плечом сквозь толпу, появился сторож и, проговорив поспешно: «Погоди-ка», — схватил сзади за плащ. Но человек, мокрый и скользкий, вывернулся и побежал. Раздался резкий свисток, в ответ издалека заверещал другой. По редеющей толпе прошел глухой говор. Но дело было сделано, и человек в плаще исчез.

Дня через два на механическом заводе, неожиданно для администрации, с утра не стал на работу слесарный цех и предъявил требования, не особенно серьезные, но решительные.

По длинным заводским корпусам, мутно освещенным сквозь грязные окна и закопченные стеклянные крыши, полетели, как искорки, неопределенные фразы, замечания и злые словечки. Рабочие, стоя у станков, странно поглядывали на проходящее начальство и в сдержанном возбуждении ждали дальнейших указаний.

Старшему мастеру Павлову, доносчику и нашептывателю, вертевшемуся около гидравлического пресса, нечаянно раздавили всю ступню раскаленной болванкой. Он дико закричал, и тогда по заводу пошел слух, что кого-то убили. В девять часов на заводской двор, как буря, влетел огромный лимузин главного инженера.

Иван Ильич Телегин, придя в обычный час в литейную, огромную постройку в виде цирка, с разбитыми кое-где стеклами, с висящими цепями мостовых кранов, с плавильными горнами у стен и земляным полом, остановился в дверях, передернул плечами от утреннего холодка и за руку весело поздоровался с подошедшим мастером Пунько.

В литейной был получен спешный заказ на моторные станины, и Иван Ильич заговорил с Пунько о предстоящей работе, деловито и вдумчиво советуясь с ним о тех вещах, которые были для них обоих несомненны. Эта маленькая хитрость вела к тому, что Пунько, поступивший в литейную пятнадцать лет тому назад простым чернорабочим, а теперь — старший мастер, очень высоко ставивший свои знания и опыт, остался вполне доволен беседой, самолюбие его было удовлетворено, а Телегин был уверен, что если Пунько доволен, то работа пойдет споро.

Обойдя литейную, Иван Ильич поговорил с литейщиками и формовщиками, с каждым тем полушутливо-товарищеским тоном, который наиболее точно определял их взаимоотношения: мы оба стоим на одной работе, значит — товарищи, но я инженер, вы рабочий, и по существу мы — враги, но так как мы друг друга уважаем, то нам ничего не остается, как подшучивать друг над другом.

К одному из горнов, стуча спускающейся цепью, подкатил кран. Филипп Шубин и Иван Орешников, мускулистые и рослые рабочие, один — черный с проседью и в круглых очках, другой — с кудрявой бородой, со светлыми, повязанными ремешком волосами, голубоглазый и атлетически сильный, принялись: один — ломом отдирать каменную доску с лицевой стороны горна, другой — наводить на белый от жара высокий тигель клещи. Цепь затрещала, тигель подался и, шипя, светясь и роняя корки нагара, поплыл по воздуху к середине мастерской.

— Стоп, — сказал Орешников, — снижай.

Опять загромыхала лебедка, тигель опустился, ослепительная струя бронзы, раскидывая лопающиеся зеленые звезды, озаряя оранжевым заревом шатровый потолок мастерской, полилась под землю. Запахло гарью приторно-сладкой меди.

В это время двустворчатые двери, ведущие в соседний корпус, распахнулись и в литейную быстро и решительно вошел молодой рабочий с бледным и злым лицом.

— Кончай работу... Снимайся! — крикнул он отрывистым, жестким голосом и покосился на Телегина. — Слышали? Али нет?

— Слышали, слышали, не кричи, — ответил Орешников спокойно и поднял голову к лебедке: — Дмитрий, не спи, вытравливай.

— Ну, слышали — понимайте сами, второй раз просить не станем, — сказал рабочий, сунул руки в карманы и, бойко повернувшись, вышел.

Иван Ильич, присев над свежей отливкой, осторожно расковыривал землю куском проволоки. Пунько, сидя на высоком стуле у дверей перед конторкой, быстро начал гладить серую козлиную бородку и сказал, бегая глазами:

— Хочешь не хочешь, значит, а дело бросай. А ребятишек чем кормить, если тебе по шапке дадут с завода, об этом молодцы эти думают али нет?

— Этих делов ты бы лучше не касался, Василий Степаныч, — ответил Орешников густым голосом.

— То есть это как же — не касаться?

— Так это наша каша. Ты-то уж забежишь к начальству, в глаза прыгнешь. По этому случаю — молчи.

— Из-за чего забастовка? — спросил наконец Телегин. — Какие требования?..

Орешников, на которого он взглянул, отвел глаза. Пунько ответил:

— Слесаря забастовали. На прошлой неделе у них шестьдесят станков перевели на сдельную работу, для пробы. Ну, вот и получается, что недорабатывают, сверхурочные часы приходится выстаивать. Да у них целый список в шестом корпусе на двери прибит, требования разные, небольшие.

Он сердито обмакнул перо в пузырек и принялся сводить ведомость. Телегин заложил руки за спину, прошелся вдоль горнов, потом сказал, глядя в круглое отверстие, за которым в белом нестерпимом огне танцевала, ходила змеями кипящая бронза:

— Орешников, как бы штука-то эта у нас не перестоялась, а?

Орешников, не отвечая, снял кожаный фартук, повесил его на гвоздь, надел барашковую шапку и длинный добротный пиджак и проговорил густым, наполнившим всю мастерскую басом:

— Снимайтесь, товарищи. Приходите в шестой корпус, к средним дверям.

И пошел к выходу. Рабочие молча побросали инструменты, кто спустился с лебедки, кто вылез из ямы в полу, и толпою двинулись за Орешниковым. И вдруг в дверях что-то произошло, — раздался срывающийся на визг исступленный голос:

— Пишешь?.. Пишешь, сукин сын?.. На, записывай меня!.. Доноси начальству!.. — Это кричал на Пунько формовщик, Алексей Носов: изможденное, давно не бритое лицо его, с провалившимися мутными глазами, прыгало и перекашивалось, на тонкой шее надулась жила; крича, он бил черным кулаком в край конторки: — Кровопийцы!.. Мучители!.. Найдем и на вас ножик!..

Тогда Орешников схватил Носова за туловище, легко отодрал от конторки и повел к дверям. Тот сразу стих. Мастерская опустела.

К полудню забастовал весь завод. Ходили слухи, что неспокойно на Обуховском и Невском машиностроительном. Рабочие большими группами стояли на заводском дворе и ждали, к чему поведут переговоры администрации со стачечным комитетом.

Заседали в конторе. Администрация струсила и шла на уступки. Задержка теперь была только за дверцей в дощатом заборе, которую рабочие требовали открыть, иначе им приходится обходом месить четверть версты по грязи. Дверца никому, в сущности, была не нужна, но дело пошло на самолюбие, администрация вдруг уперлась, и начались длинные прения. И в это время по телефону из министерства внутренних дел получили приказ: отказать стачечному комитету во всех требованиях и, впредь до особого распоряжения, ни в какие разговоры с ним не вступать.

Приказ этот настолько портил все дело, что старший инженер немедленно умчался в город для объяснений. Рабочие недоумевали, настроение было скорее мирное. Несколько инженеров, выйдя к толпе, объяснялись, разводили руками. Кое-где раздавался даже смех. Наконец на крыльце конторы появился огромный, тучный, седой инженер Бульбин и прокричал на весь двор, что переговоры отложены на завтра.

Иван Ильич, пробыв в мастерской до вечера и видя, что горны все равно погаснут, почесал в затылке и поехал домой. В столовой сидели футуристы и, оказывается, живо интересовались тем, что делается на заводе. Но Иван Ильич ничего рассказывать не стал, задумчиво сжевал подложенные ему Елизаветой Киевной бутерброды и ушел к себе, заперся на ключ и лег спать.

На следующий день, подъезжая к заводу, он еще издали увидал, что дело неладно. По всему переулку стояли кучки рабочих и совещались. Около ворот собралась огромная толпа в несколько сот человек и гудела, как потревоженный улей.

Иван Ильич был в мягкой шляпе и штатском пальто, на него не обращали внимания, и он, прислушиваясь к отдельным кучкам спорящих, узнал, что ночью был арестован весь стачечный комитет, что и сейчас продолжаются аресты среди рабочих, что выбран новый комитет, что требования, предъявленные ими теперь, — уже политические, что весь заводский двор полон казаками, и, говорят, был дан приказ разогнать толпу, но казаки будто бы отказались и что, наконец, Обуховский, Невский судостроительный, Французский и несколько мелких заводов присоединились к забастовке.

Иван Ильич решил пробраться в контору — узнать новости, но с величайшим трудом протискался только до ворот. Там, около знакомого сторожа Бабкина, угрюмого человека, в огромном тулупе, стояли два рослых казака в надвинутых на ухо бескозырках и с бородами на две стороны. Весело и дерзко поглядывали они на невыспавшиеся, нездоровые лица рабочих, были оба румяны, сыты и, должно быть, ловки драться и зубоскалить.

«Да, эти мужики стесняться не станут», — подумал Иван Ильич и хотел было войти во двор, но ближайший к нему казак загородил дорогу и, в упор глядя дерзкими глазами, сказал:

— Куда? Осади!

— Мне нужно пройти в контору, я инженер.

— Осади, говорят!

Тогда из толпы послышались голоса:

— Нехристи! Опричники!

— Мало вами нашей крови пролито!

— Черти сытые! Помещики!

В это время в первые ряды протискался низенький прыщавый юноша с большим и кривым носом, в огромном, не по росту, пальто и неловко надетой высокой шапке на курчавых волосах. Помахивая слабой рукой, он заговорил, картавя:

— Товарищи казаки! Разве мы не все русские? На кого вы поднимаете оружие? На своих же братьев. Разве мы ваши враги, чтобы нас расстреливать? Чего мы хотим? Мы хотим счастья всем русским. Мы хотим, чтобы каждый человек был свободен. Мы хотим уничтожить произвол...

Казак, поджав губы, презрительно оглядел с головы до ног молодого человека, повернулся и зашагал в воротах. Другой ответил внушительно, книжным голосом:

— Никаких бунтов допустить мы не можем, потому что мы присягу принимали.

Тогда первый, очевидно, придумав ответ, крикнул курчавому юноше:

— Братья, братья... Штаны-то подтяни, потеряешь.

И оба казака засмеялись.

Иван Ильич отодвинулся от ворот, движением толпы его понесло в сторону, к забору, где валялся заржавленный чугунный лом. Он попытался было взобраться туда и увидел Орешникова, который, сдвинув на затылок барашковую шапку, спокойно жевал хлеб. Телегину он кивнул бровями и сказал басом:

— Вот дела-то хороши, Иван Ильич.

— Здравствуйте, Орешников. Чем же это все кончится?

— А мы покричим малое время да и шапку снимем. Только и всех бунтов. Пригнали казаков. А чем мы с ними воевать будем? Вот этой разве луковицей кинуть — убить двоих.

В это время по толпе прошел ропот и стих. В тишине у ворот раздался отрывистый командный голос:

— Господа, прошу вас расходиться по домам. Ваши просьбы будут рассмотрены. Прошу вас спокойно разойтись.

Толпа заволновалась, двинулась назад, в сторону. Иные отошли, иные продвинулись. Говор усилился. Орешников сказал:

— Третий раз честью просят.

— Кто это говорит?

— Есаул.

— Товарищи, товарищи, не расходитесь, — послышался взволнованный голос, и сзади Ивана Ильича на гору чугунного лома вскочил бледный, возбужденный человек в большой шляпе, с растрепанной черной бородой, под которой изящный пиджак его был заколот английской булавкой на горле. — Товарищи, ни в коем случае не расходиться, — зычно заговорил он, протянув руки со сжатыми кулаками, — нам достоверно известно, что казаки стрелять отказались. Администрация ведет переговоры через третьих лиц со стачечным комитетом. Мало того, железнодорожники обсуждают сейчас всеобщую забастовку. В правительстве паника.

— Браво! — завопил чей-то исступленный голос.

Толпа загудела, оратор нырнул в нее и скрылся. Было видно, как по переулку подбегали люди.

Иван Ильич поискал глазами Орешникова, но тот стоял уже далеко у ворот. Несколько раз до слуха долетало: «революция, революция».

Иван Ильич чувствовал, как все в нем дрожит испуганно-радостным возбуждением. Взобравшись на чугунный лом, он оглядывал огромную теперь толпу и вдруг в двух шагах от себя увидел Акундина, — он был в очках, в кепке с большим козырьком и в черной накидке. К нему протиснулся господин с дрожащими губами, в котелке. Телегин слышал, как он сказал Акундину:

— Идите, Иван Аввакумович, вас ждут.

— Я не приду, — коротко, зло ответил Акундин.

— Собрался весь комитет. Без вас, Иван Аввакумович, не хотят принимать решения.

— Я остаюсь при особом мнении, это известно.

— Вы с ума сошли. Вы видите, что делается. Я вам говорю, с минуты на минуту начнется расстрел... — У господина в котелке запрыгали губы.

— Во-первых, не кричите, — проговорил Акундин, — ступайте и выносите компромиссное решение. Я в провокации не участвую.

— Черт знает, черт знает, сумасшествие какое-то! — проговорил господин в котелке и протискался в толпу. К Акундину боком пододвинулся вчерашний рабочий, снявший людей в мастерской Телегина. Акундин что-то сказал ему, тот кивнул и скрылся. Затем то же самое — короткая фраза и кивок головы — произошло с другим рабочим.

Но в это время в толпе предостерегающе закричали, и вдруг раздались три коротких сухих выстрела. Сразу настала тишина. И придушенный голос, точно по-нарочному, затянул: «а-а-а».

Толпа подалась и отхлынула от ворот. На разбитой ногами грязи лежал ничком, с подогнутыми к животу коленями, казак. И сейчас же пошел крик по всему народу: «Не надо, не надо». Это отворяли ворота. Но откуда-то сбоку хлопнул четвертый револьверный выстрел, и полетело несколько камней, ударившись о железо. В эту минуту Телегин увидел Орешникова, стоявшего без шапки, с открытым ртом, одного, впереди уже беспорядочно бегущей толпы. Он точно врос от ужаса в землю огромными сапогами. И одновременно полоснули, как удары бича, длинные винтовочные выстрелы — один, два, и залп, — и, мягко осев на колени, повалился навзничь Орешников.

Через неделю было окончено расследование происшествия на заводе. Иван Ильич попал в список лиц, подозреваемых в сочувствии рабочим. Вызванный в контору, он, неожиданно для всех, наговорил резкостей администрации и подписал отставку.

11

Доктор Дмитрий Степанович Булавин, отец Даши, сидел в столовой около большого, валившего паром самовара и читал местную газету — «Самарский листок». Когда папироса догорала до ваты, доктор брал из толсто набитого портсигара новую, закуривал ее об окурок, кашлял, весь багровея, и почесывал под раскрытой рубашкой волосатую грудь. Читая, он прихлебывал с блюдца жидкий чай, сыпал пепел на газету, на рубаху, на скатерть.

Когда за дверью послышался скрип кровати, затопали ноги и в столовую вошла Даша в накинутом на рубашку халатике, вся еще розовая и сонная, Дмитрий Степанович посмотрел на дочь поверх треснувшего пенсне холодными, как у Даши, насмешливыми глазами и подставил ей щеку. Даша поцеловала его и села напротив, пододвинув хлеб и масло.

— Опять ветер, — сказала она. Действительно, второй день дул сильный горячий ветер. Известковая пыль тучей висела над городом, заслоняя солнце. Густые, колючие облака пыли порывами проносились вдоль улиц, и было видно, как спиною к ним поворачивались редкие прохожие. Пыль проникала во все щели, сквозь рамы окон, лежала на подоконниках тонким слоем, хрустела на зубах. От ветра дрожали стекла и громыхала железная крыша. При этом было жарко, душно, и даже в комнатах пахло улицей.

— Эпидемия глазных заболеваний. Недурно, — сказал Дмитрий Степанович.

Даша вздохнула.

Две недели тому назад на сходнях парохода она простилась с Телегиным, проводившим ее в конце концов до Самары, и с тех пор без дела жила у отца в новой, ей незнакомой, пустой квартире, где в зале стояли нераспечатанные ящики с книгами, до сих пор не были повешены занавеси, ничего нельзя найти, некуда приткнуться, как на постоялом дворе.

Помешивая чай в стакане, Даша с тоской глядела, как за окном летят снизу вверх клубы серой пыли. Ей казалось, что вот — прошли два года, как сон, и она опять дома, а от всех надежд, волнений, людской пестроты, — от шумного Петербурга, — остались только вот эти пыльные облака.

— Эрцгерцога убили, — сказал Дмитрий Степанович, переворачивая газету.

— Какого?

— То есть как — какого? Австрийского эрцгерцога убили в Сараеве.

— Он был молодой?

— Не знаю. Налей-ка еще стакан.

Дмитрий Степанович бросил в рот маленький кусочек сахару, — он пил всегда вприкуску, — и насмешливо оглядел Дашу.

— Скажи на милость, — спросил он, поднимая блюдечко, — Екатерина окончательно разошлась с мужем?

— Я же тебе рассказывала, папа.

— Ну, ну...

И он опять принялся за газету. Даша подошла к окну. Какое уныние! И она вспомнила белый пароход и, главное, солнце повсюду, — синее небо, река, чистая палуба, и все, все полно солнцем, влагой и свежестью. Тогда казалось, что этот сияющий путь — широкая, медленно извивающаяся река, и пароход «Федор Достоевский», вместе с Дашей и Телегиным, вольются, войдут в синее, без берегов, море света и радости — счастье.

И Даша тогда не торопилась, хотя понимала, что переживал Телегин, и ничего не имела против этого переживания. Но к чему спешить, когда каждая минута этого пути без того была хороша, и все равно они приплывут к счастью.

Иван Ильич, подъезжая к Самаре, осунулся, перестал шутить. Даша думала — плывем к счастью, и чувствовала на себе его взгляд, такой, точно сильного, веселого человека переехали колесом. Ей было жалко его, но что она могла поделать, как допустить его до себя, хотя бы немножко, если тогда — она это понимала — сразу начнется то, что должно было случиться в конце пути. Они не доплывут до счастья, а на полдороге нетерпеливо разворуют его. Поэтому она была нежна с Иваном Ильичом, и только. Ему же казалось, что он оскорбит Дашу, если хоть словом намекнет на то, из-за чего не спал уже четвертую ночь и чувствовал себя в том особом, наполовину призрачном мире, где все внешнее скользило мимо, как тени в голубоватом тумане, где грозно и тревожно горели серые глаза Даши, где действительностью были лишь запахи, свет солнца и неперестающая боль в сердце.

В Самаре Иван Ильич пересел на другой пароход и уехал обратно. А Дашино сияющее море, куда она так спокойно плыла, исчезло, рассыпалось, поднялось клубами пыли за дребезжащими стеклами.

— А зададут австрияки трепку этим самым сербам, — сказал Дмитрий Степанович, снял с носа пенсне и бросил его на газету. — Ну, а ты что думаешь о славянском вопросе, кошка?

Даша, стоя у окна, пожала плечами.

— Обедать приедешь? — с тоской спросила она.

— Ни под каким видом. У меня скарлатина-с на Постниковой даче.

Дмитрий Степанович не спеша взял со стола, надел манишку, застегнул чесучовый пиджак, осмотрел по карманам — все ли на местах, и сломанным гребешком начал начесывать на лоб седые кудрявые волосы.

— Ну, так как же все-таки насчет славянского вопроса, а?

— Ей-богу, не знаю, папа. Что ты, в самом деле, пристаешь ко мне.

— А я кое-какое имею собственное мнение, Дарья Дмитриевна. — Ему, видимо, очень не хотелось ехать на дачу, да и вообще

Дмитрий Степанович любил поговорить утром за самоваром о политике. — Славянский вопрос, — ты слушаешь меня? — это гвоздь мировой политики. На этом много народу сломает себе шею. Вот почему место происхождения славян, Балканы, не что иное, как европейский аппендицит. В чем же дело? — ты хочешь меня спросить. Изволь. — И он стал загибать толстые пальцы: — Первое, славян более двухсот миллионов, и они плодятся, как кролики. Второе, — славянам удалось создать такое мощное военное государство, как Российская империя. Третье, — мелкие славянские группы, несмотря на ассимиляцию, организуются в самостоятельные единицы и тяготеют к так называемому всеславянскому союзу. Четвертое, — самое главное, — славяне представляют морально совершенно новый и в некотором смысле чрезвычайно опасный для европейской цивилизации тип «богоискателя». И «богоискательство», — ты слушаешь меня, кошка? — есть отрицание и разрушение всей современной цивилизации. Я ищу бога, то есть правды, — в самом себе. Для этого я должен быть абсолютно свободен, и я разрушаю моральные устои, под которыми я погребен, разрушаю государство, которое держит меня на цепи.

— Папочка, поезжай на дачу, — сказала Даша уныло.

— Нет, ищи правду там. — Дмитрий Степанович потыкал пальцем, словно указывая на подполье, но вдруг замолчал и обернулся к двери. В прихожей трещал звонок. — Даша, поди отвори.

— Не могу, я раздета.

— Матрена! — закричал Дмитрий Степанович. — Ах, баба проклятая. — И сам пошел отворять парадное и сейчас же вернулся, держа в руке письмо. — От Катюшки, — сказал он. — Подожди, не хватай из рук, я сначала доскажу... Так вот, — «богоискательство» прежде всего начинает с разрушения, и этот период очень опасен и заразителен. Как раз этот момент болезни Россия сейчас и переживает... Попробуй выйди вечером на главную улицу — только и слышно — орут: «Караууул!» По улице шатаются горчишники, озорство такое, что полиция с ног сбилась. Эти ребята — без всяких признаков морали — «богоискатели». Поняла, кошка? Сегодня они озоруют на главной улице, завтра начнут озоровать во всем государстве Российском. А в целом народ переживает первый фазис «богоискательства» — разрушение основ.

Дмитрий Степанович засопел, закуривая папиросу. Даша вытащила у него из пальцев Катино письмо и ушла к себе. Он же некоторое время еще что-то доказывал, ходил, хлопая дверями, по большой, наполовину пустой, пыльной квартире с крашеными полами, затем уехал на дачу.

«Данюша, милая, — писала Катя, — до сих пор ничего не знаю ни о тебе, ни о Николае. Я живу в Париже. Здесь сезон в разгаре. Носят очень узкие внизу платья, в моде шифон. Париж очень красив. И все решительно, — вот бы тебе посмотреть, — весь Париж танцует танго. За завтраком, между блюд — встают и танцуют, и в пять часов, и за обедом, и так до утра.

Я никуда не могу укрыться от этой музыки, она какая-то печальная, мучительная и сладкая. Мне все кажется, что хороню молодость, что-то невозвратное, когда гляжу на этих женщин с глубокими вырезами платьев, с глазами, подведенными синим, и на их кавалеров. В общем, у меня тоска. Все думается, что кто-то должен умереть. Очень боюсь за папу. Он ведь совсем не молод. Здесь полно русских, все наши знакомые: каждый день собираемся где-нибудь, точно и не уезжала из Петербурга. Кстати, здесь мне рассказали о Николае, что он был близок будто бы с одной женщиной. Она — вдова, у нее двое детей и третий маленький. Понимаешь? Мне было очень больно вначале. А потом почему-то стало ужасно жалко этого маленького... Ах, Данюша, иногда мне хочется иметь ребенка. Но ведь это можно только от любимого человека. Выйдешь замуж, — рожай, слышишь?»

Даша прочла письмо несколько раз, прослезилась, в особенности над этим ни в чем не повинным ребеночком, и села писать ответ, прописала его до обеда, обедала одна, — так, только пощипала что-то, — затем пошла в кабинет и начала рыться в старых журналах, отыскала длиннейший какой-то роман, легла на диван посреди разбросанных книг и читала до вечера. Наконец приехал отец, запыленный и усталый; сели ужинать, отец на все вопросы отвечал «угу»; Даша выведала: оказывается — скарлатинный больной, мальчик трех лет, умер. Дмитрий Степанович, сообщив это, засопел, спрятал пенсне в футляр и ушел спать. Даша легла в постель, закрылась с головой простыней и всласть наплакалась о разных грустных вещах.

Прошло два дня. Пыльная буря кончилась грозой и ливнем, барабанившим по крыше всю ночь, и утро воскресенья настало тихое и влажное — вымытое.

Утром, как Даше встать, зашел к ней старый знакомый, Семен Семенович Говядин, земский статистик — худой и сутулый, всегда бледный мужчина, с русой бородой и зачесанными за уши волосами. От него пахло сметаной; он отвергал вино, табак и мясо и был на счету у полиции. Здороваясь с Дашей, он сказал без всякой причины насмешливым голосом:

— Я за вами, женщина. Едем на Волгу.

Даша подумала: «Итак, все кончилось статистиком Говядиным», — взяла белый зонтик и пошла за Семеном Семеновичем вниз к Волге, к пристани, где стояли лодки.

Между длинных дощатых бараков с хлебом, бунтов леса и целых гор из тюков с шерстью и хлопком бродили грузчики и крючники, широкоплечие, широкогрудые мужики и парни, босые, без шапок, с голыми шеями. Иные играли в орлянку, иные спали на мешках и досках; вдалеке человек тридцать с ящиками на плечах сбегали по зыбким сходням. Между телег стоял пьяный человек, весь в грязи и пыли, с окровавленной щекой, и, придерживая обеими руками штаны, ругался лениво и матерно.

— Этот элемент не знает ни праздников, ни отдыха, — наставительно заметил Семен Семенович, — а вот мы с вами, умные и интеллигентные люди, едем праздно любоваться природой.

И он перешагнул через огромные босые ноги грудастого и губастого парня, лежавшего навзничь; другой сидел на бревне и жевал французскую булку. Даша слышала, как лежащий сказал ей вслед:

— Филипп, вот бы нам такую.

И другой ответил с набитым ртом:

— Чиста очень. Возни много.

По широкой желтоватой реке в зыбких солнечных отсветах двигались силуэты лодочек, направляясь к дальнему песчаному берегу. Одну из таких лодок нанял Говядин; попросил Дашу править рулем, сам сел на весла и стал выгребать против течения. Скоро на бледном лице у него выступил пот.

— Спорт — великая вещь, — сказал Семен Семенович и принялся стаскивать с себя пиджак, стыдливо отстегнул помочи и сунул их под нос лодки. У него были худые, с длинными волосами, слабые руки и гуттаперчевые манжеты. Даша раскрыла зонт и, прищурясь, глядела на воду.

— Простите за нескромный вопрос, Дарья Дмитриевна, — в городе поговаривают, что вы выходите замуж. Правда это?

— Нет, неправда.

Тогда он широко ухмыльнулся, что было неожиданно для его интеллигентного озабоченного лица, и жиденьким голоском попробовал было запеть: «Эх, да вниз по матушке по Волге», — но застыдился и со всей силой ударил в весла.

Навстречу проплыла лодка, полная народу. Три мещанки в зеленых и пунцовых кашемировых платьях грызли семечки и плевали шелухой себе на колени. Напротив сидел совершенно пьяный горчишник, кудрявый, с черными усиками, закатывал, точно умирая, глаза и играл польку на гармонике. Другой шибко греб, раскачивая лодку, третий, взмахнув кормовым веслом, закричал Семену Семеновичу:

— Сворачивай с дороги, шляпа, тудыть твою душу. — И они с криком и руганью проплыли совсем близко.

Наконец лодка с шорохом скользнула по песчаному дну. Даша выпрыгнула на берег. Семен Семенович опять надел помочи и пиджак.

— Хотя я городской житель, но искренне люблю природу, — сказал он, прищурясь, — особенно когда ее дополняет фигура девушки, в этом я нахожу что-то тургеневское. Пойдемте к лесу.

И они побрели по горячему песку, увязая в нем по щиколотку. Говядин поминутно останавливался, вытирая платком лицо, и говорил:

— Нет, вы взгляните, что за очаровательный уголок.

Наконец песок кончился, пришлось взобраться на небольшой обрыв, откуда начинались луга с кое-где уже скошенной травой, вянущей в рядах. Здесь горячо пахло медовыми цветами. По берегу узкого оврага над водой рос кудрявый орешник. В низинке, в сочной траве, журчал ручей, переливаясь в другое озерцо — круглое. На берегу его росли старые липы и корявая сосна с одной, отставленной, как рука, веткой. Дальше, по узкой гривке, цвел белый шиповник.. Это было место, излюбленное вальдшнепами во время перелетов. Даша и Семен Семенович сели на траву. Под их ногами синела небом, зеленела отражением листвы вода по извилистым овражкам. Неподалеку от Даши в кусте прыгали, однообразно посвистывая, две серые птички. И со всей грустью покинутого любовника где-то в чаще дерева ворковал, ворковал, не уставая, дикий голубь. Даша сидела, вытянув ноги, уронив руки на колени, и слушала, как в ветвях покинутый любовник бормотал нежным голосом: «Дарья Дмитриевна, Дарья Дмитриевна, ах, что происходит с вами, — почему вам так грустно, хочется плакать? Ведь ничего еще не случилось, а вы грустите, будто жизнь уж кончена, прошла, пролетела. Вы просто от природы плакса».

— Мне хочется быть с вами откровенным, Дарья Дмитриевна, — проговорил Говядин, — позвольте мне, так сказать, отбросить в сторону условности?..

— Говорите, мне все равно, — ответила Даша и, закинув руки за голову, легла на спину, чтобы видеть небо, а не бегающие глазки Семена Семеновича, который исподтишка поглядывал на ее белые чулки.

— Вы гордая, смелая девушка. Вы молоды, красивы, полны кипучей жизни...

— Предположим, — сказала Даша.

— Неужто вам никогда не хотелось разрушить эту условную мораль, привитую воспитанием и средой? Неужто во имя этой всеми авторитетами уже отвергнутой морали вы должны сдерживать свои красивые инстинкты!

— Предположим, что я не хочу сдерживать свои красивые инстинкты, — тогда что? — спросила Даша и с ленивым любопытством ждала, что он ответит. Ее разогрело солнце, и было так хорошо глядеть в небо, в солнечную пыль, наполнившую всю эту синюю бездну, что не хотелось ни думать, ни шевелиться.

Семен Семенович молчал, ковыряя в земле пальцем. Даша знала, что он женат на акушерке Марье Давыдовне. Раза два в год Марья Давыдовна забирала троих детей и уходила от мужа к матери, живущей напротив, через улицу. Семен Семенович в земской управе объяснял сослуживцам эти семейные разрывы чувственным и беспокойным характером Марьи Давыдовны. Она же в земской больнице объясняла их тем, что муж каждую минуту готов ей изменить с кем угодно, только об этом и думает, и не изменяет по трусости и вялости, что уже совсем обидно, и она больше не в состоянии видеть его длинную вегетарьянскую физиономию. Во время этих размолвок Семен Семенович по нескольку раз в день без шапки переходил улицу. Затем супруги мирились, и Марья Давыдовна с детьми и подушками перебиралась в свой дом.

— Когда женщина остается вдвоем с мужчиной, у нее возникает естественное желание принадлежать, у него — овладеть ее телом, — покашляв, проговорил наконец Семен Семенович. — Я вас зову быть честной, открытой. Загляните в глубь себя, и вы увидите, что среди предрассудков и лжи в вас горит естественное желание здоровой чувственности.

— А у меня сейчас никакого желания не горит, что это значит? — спросила Даша. Ей было смешно и лениво. Над головой, в бледном цветке шиповника, в желтой пыльце ворочалась пчела. А покинутый любовник продолжал бормотать в осиннике: «Дарья Дмитриевна, Дарья Дмитриевна, не влюблены ли вы, в самом деле? Влюблены, влюблены, честное слово, — оттого и горюете». Слушая, Даша тихонько начала смеяться.

— Кажется, у вас забрался песок в туфельки. Позвольте, я вытряхну, — проговорил Семен Семенович каким-то особенным, глуховатым голосом и потянул ее за каблук. Тогда Даша быстро села, вырвала у него туфлю и шлепнула ею Семена Семеновича по щеке.

— Вы — негодяй, — сказала она, — я никогда не думала, что вы такой омерзительный человек.

Она надела туфлю, встала, подобрала зонтик и, не взглянув на Говядина, пошла к реке.

«Вот дура, вот дура, не спросила даже адреса — куда писать, — думала она, спускаясь с обрыва, — не то в Кинешму, не то в Нижний. Вот теперь и сиди с Говядиным. Ах, боже мой». Она обернулась. Семен Семенович шагал по спуску, по траве, подымая ноги, как журавль, и глядел в сторону. «Напишу Кате: "Представь себе, кажется, я полюбила, так мне кажется"». И, прислушиваясь внимательно, Даша повторила вполголоса: «Милый, милый, милый Иван Ильич».

В это время неподалеку раздался голос: «Не полезу и не полезу, пусти, юбку оборвешь». По колена в воде у берега бегал голый человек, пожилой, с короткой бородой, с желтыми ребрами, с черным гайтаном креста на впалой груди. Он был непристоен и злобно, молча тащил в воду унылую женщину. Она повторяла: «Пусти, юбку оборвешь».

Тогда Даша изо всей силы побежала вдоль берега к лодке, — стиснуло горло от омерзения и стыда. Покуда она сталкивала лодку в воду, подбежал запыхавшийся Говядин. Не отвечая ему, не глядя, Даша села на корму, прикрылась зонтом и молчала всю обратную дорогу.

После этой прогулки у Даши каким-то особым, непонятным ей самой путем началась обида на Телегина, точно он был виноват во всем этом унынии пыльного, раскаленного солнцем провинциального города, с вонючими заборами и гнусными подворотнями, с кирпичными, как ящики, домишками, с телефонными и трамвайными столбами вместо деревьев, с тяжелым зноем в полдень, когда по серовато-белой, без теней, улице бредет одуревшая баба со связками вяленой рыбы на коромысле и кричит, глядя на пыльные окошки: «Рыбы воблой, рыбы», но остановится около нее и понюхает рыбу какой-нибудь тоже одуревший и наполовину взбесившийся пес; когда со двора издалека дунайской, сосущей скукой заиграет шарманка.

Телегин виноват был в том, что Даша воспринимала сейчас с особенной чувствительностью весь этот окружавший ее утробный мещанский покой, не намеревающийся, видимо, во веки веков сдвинуться с места, хоть выбеги на улицу и закричи диким голосом: «Жить хочу, жить!»

Телегин был виноват в том, что чересчур уж был скромен и застенчив: не ей же, Даше, в самом деле говорить: «Понимаете, что люблю». Он был виноват в том, что не подавал о себе вестей, точно сквозь землю провалился, а может быть, даже и думать забыл.

И в прибавление ко всему этому унынию в одну из знойных, как в печке, черных ночей Даша увидела сон, тот же, что и в Петербурге, когда проснулась в слезах, и так же, как и тогда, он исчез из памяти, точно дымка с запотевшего стекла. Но ей казалось, что этот мучительный и страшный сон предвещает какую-то беду. Дмитрий Степанович посоветовал Даше впрыскивать мышьяк. Затем было получено второе письмо от Кати. Она писала:

«Милая Данюша, я очень тоскую по тебе, по своим и по России. Мне все сильнее думается, что я виновата и в разрыве с Николаем. Я просыпаюсь и так весь день живу с этим чувством вины и какой-то душевной затхлости. И потом — я не помню, писала ли я тебе, — меня вот уже сколько времени преследует один человек. Выхожу из дому, — он идет навстречу. Поднимаюсь в лифте в большом магазине, — он по пути впрыгивает в лифт. Вчера была в Лувре, в музее, устала и села на скамеечку, и вдруг чувствую, — точно мне провели рукой по спине, — оборачиваюсь, — неподалеку сидит он. Худой, черный, с сильной проседью, борода точно наклеенная на щеках. Руки положил на трость, глядит сурово, глаза ввалившиеся. Он не заговаривает, не пристает ко мне, но я его боюсь. Мне кажется, что он какими-то кругами около меня ходит...»

Даша показала письмо отцу. Дмитрий Степанович на другое утро за газетой сказал между прочим:

— Кошка, поезжай в Крым.

— Зачем?

— Разыщи этого Николая Ивановича и скажи ему, что он разиня. Пускай отправляется в Париж, к жене. А впрочем, как хочет... Это их частное дело...

Дмитрий Степанович рассердился и взволновался, хотя терпеть не мог показывать своих чувств. Даша вдруг обрадовалась: Крым ей представился синим, шумящим волнами, чудесным простором. Длинная тень от пирамидального тополя, каменная скамья, развевающийся на голове шарф, и чьи-то беспокойные глаза следят за Дашей.

Она быстро собралась и уехала в Евпаторию, где купался Николай Иванович.

12

В это лето в Крыму был необычайный наплыв приезжих с севера. По всему побережью бродили с облупленными носами колючие петербуржцы с катарами и бронхитами, и шумные, растрепанные москвичи с ленивой и поющей речью, и черноглазые киевляне, не знающие различия гласных «о» и «а», и презирающие эту российскую суету богатые сибиряки; жарились и обгорали дочерна молодые женщины, и голенастые юноши, священники, чиновники, почтенные и семейные люди, живущие, как и все тогда жило в России, расхлябанно, точно с перебитой поясницей.

В середине лета от соленой воды, жары и загара у всех этих людей пропадало ощущение стыда, городские платья начинали казаться пошлостью, и на прибрежном песке появлялись женщины, кое-как прикрытые татарскими полотенцами, и мужчины, похожие на изображения на этрусских вазах.

В этой необычайной обстановке синих волн, горячего песка и голого тела, лезущего отовсюду, шатались семейные устои. Здесь все казалось легким и возможным. А какова будет расплата потом, на севере, в скучной квартире, когда за окнами дождь, а в прихожей трещит телефон и все кому-то чем-то обязаны, — стоит ли думать о расплате. Морская вода с мягким шорохом подходит к берегу, касается ног, и вытянутому телу на песке, закинутым рукам и закрытым векам — легко, горячо, сладко. Все, все, даже самое опасное, — легко и сладко.

Нынешним летом легкомыслие и шаткость среди приезжих превзошли всякие размеры, словно у этих сотен тысяч городских обывателей каким-то гигантским протуберанцем, вылетевшим в одно июньское утро из раскаленного солнца, отшибло память и благоразумие.

По всему побережью не было ни одной благополучной дачи. Неожиданно разрывались прочные связи. И казалось, самый воздух был полон любовного шепота, нежного смеха и неописуемой чепухи, которая говорилась на этой горячей земле, усеянной обломками древних городов и костями вымерших народов. Было похоже, что к осенним дождям готовится какая-то всеобщая расплата и горькие слезы.

Даша подъезжала к Евпатории после полудня. Незадолго до города, с дороги, пыльной белой лентой бегущей по ровной степи, мимо солончаков, ометов соломы, она увидела против солнца большой деревянный корабль. Он медленно двигался в полуверсте, по степи, среди полыни, сверху донизу покрытый черными, поставленными боком, парусами. Это было до того удивительно, что Даша ахнула. Сидевший рядом с ней в автомобиле армянин сказал, засмеявшись: «Сейчас море увидишь».

Автомобиль повернул мимо квадратных запруд солеварен на песчаную возвышенность, и с нее открылось море. Оно лежало будто выше земли, темно-синее, покрытое белыми длинными жгутами пены. Веселый ветер засвистел в ушах. Даша стиснула на коленях кожаный чемоданчик и подумала: «Вот оно. Начинается».

В это же время Николай Иванович Смоковников сидел в павильоне, вынесенном на столбах в море, и пил кофе с любовником-резонером. Подходили после обеденного отдыха дачники, садились за столики, перекликались, говорили о пользе йодистого лечения, о морском купанье и женщинах. В павильоне было прохладно. Ветром трепало края белых скатертей и женские шарфы. Мимо прошла однопарусная яхта, и оттуда что-то весело кричали. Толпой появились и заняли большой стол москвичи, все — мировые знаменитости. Любовник-резонер поморщился при виде их и продолжал рассказывать содержание драмы, которую задумал написать.

— У меня глубоко продумана вся тема, но написан только первый акт, — говорил он, вдумчиво и благородно глядя в лицо Николаю Ивановичу. — У тебя светлая голова, Коля, ты поймешь мою идею: красивая молодая женщина тоскует, томится, кругом нее пошлость. Хорошие люди, но жизнь засосала, — гнилые чувства и пьянство. Словом, ты понимаешь... И вдруг она говорит: «Я должна уйти, порвать с этой жизнью, уйти туда, куда-то к светлому...» А тут — муж и друг... Оба страдают... Коля, ты пойми, — жизнь засосала... Она уходит, я не говорю, к кому, — любовника нет, все на настроении... И вот двое мужчин сидят в кабаке молча и пьют... Глотают слезы с коньяком... А ветер в каминной трубе завывает, хоронит их... Грустно... Пусто... Темно...

— Ты хочешь знать мое мнение? — спросил Николай Иванович.

— Да. Ты только скажи: «Миша, брось писать, брось», и я брошу.

— Пьеса твоя замечательная. Это — сама жизнь. — Николай Иванович, закрыв глаза, помотал головой. — Да, Миша, мы не умели ценить своего счастья, и оно ушло, и вот мы — без надежды, без воли — сидим и пьем. И воет ветер над нашим кладбищем... Твоя пьеса меня чрезвычайно волнует...

У любовника-резонера задрожали мешочки под глазами, он потянулся и крепко поцеловал Николая Ивановича, затем налил по рюмочке. Они чокнулись, положили локти на стол и продолжали душевную беседу.

— Коля, — говорил любовник-резонер, тяжело глядя на собеседника, — а знаешь ли ты, что я любил твою жену, как бога?

— Да. Мне это казалось.

— Я мучился, Коля, но ты был мне другом... Сколько раз я бежал из твоего дома, клянясь не переступать больше порога... Но я приходил опять и разыгрывал шута... И ты, Николай, не смеешь ее винить. — Он вытянул губы свирепо.

— Миша, она жестоко поступила со мною.

— Может быть... Но мы все перед ней виноваты... Ах, Коля, одного я в тебе не могу понять, — как ты, живя с такой женщиной, — прости меня, — путался в то же время с какой-то вдовой — Софьей Ивановной. Зачем?

— Это сложный вопрос.

— Лжешь. Я ее видел, обыкновенная курица.

— Видишь ли, Миша, теперь дело прошлое, конечно... Софья Ивановна была просто добрым человеком. Она давала мне минуты радости и никогда ничего не требовала. А дома все было слишком сложно, трудно, углубленно... На Екатерину Дмитриевну у меня не хватало душевных сил.

— Коля, но неужели — вот мы вернемся в Петербург, вот настанет вторник, и я приеду к вам после спектакля... И твой дом пуст... Как мне жить?.. Слушай... Где жена сейчас?

— В Париже.

— Переписываешься?

— Нет.

— Поезжай в Париж. Поедем вместе.

— Бесполезно...

— Коля, выпьем за ее здоровье.

— Выпьем.

В павильоне, между столиками, появилась актриса Чародеева, в зеленом прозрачном платье, в большой шляпе, худая, как змея, с синей тенью под глазами. Ее, должно быть, плохо держала спина, — так она извивалась и клонилась. Ей навстречу поднялся редактор эстетического журнала «Хор муз», взял за руку и не спеша поцеловал в сгиб локтя.

— Изумительная женщина, — проговорил Николай Иванович сквозь зубы.

— Нет, Коля, нет, Чародеева — просто падаль. В чем дело?.. Жила три месяца с Бессоновым, на концертах мяукает декадентские стихи... Смотри, смотри, — рот до ушей, на шее жилы. Это не женщина, это — гиена.

Все же, когда Чародеева, кивая шляпкой направо и налево, улыбаясь большим ртом с розовыми губами, приблизилась к столу, любовник-резонер, словно пораженный, медленно поднялся, всплеснул руками, сложил их под подбородком..

— Милая... Ниночка... Какой туалет!.. Не хочу, не хочу... Мне прописан глубокий покой, родная моя...

Чародеева потрепала костлявой рукой его щеку, сморщила нос.

— А что болтал вчера про меня в ресторане?

— Я тебя ругал вчера в ресторане? Ниночка!

— Да еще как!

— Честное слово, меня оклеветали.

Чародеева со смехом положила мизинчик ему на губы: «Ведь знаешь, что не могу на тебя долго сердиться». И уже другим голосом, из какой-то воображаемой светской пьесы, обратилась к Николаю Ивановичу:

— Сейчас проходила мимо вашей комнаты; к вам приехала, кажется, родственница, — прелестная девушка.

Николай Иванович быстро взглянул на друга, затем взял с блюдечка окурок сигары и так принялся его раскуривать, что задымилась вся борода.

— Это неожиданно, — сказал он, — что бы это могло означать?.. Бегу. — Он бросил сигару в море и стал спускаться по лестнице на берег, вертя серебряной тростью, сдвинув шляпу на затылок.

В гостиницу Николай Иванович вошел уже запыхавшись...

— Даша, ты зачем? Что случилось? — спросил он, притворяя за собой дверь.

Даша сидела на полу около раскрытого чемодана и зашивала чулок. Когда вошел зять, она не спеша поднялась, подставила ему щеку для поцелуя и сказала рассеянно:

— Очень рада тебя видеть. Мы с папой решили, чтобы ты ехал в Париж. Я привезла два письма от Кати. Вот. Прочти, пожалуйста.

Николай Иванович схватил у нее письма и сел к окну. Даша ушла в умывальную комнату и оттуда, одеваясь, слушала, как зять шуршит листочками, вздыхает. Затем он затих. Даша насторожилась.

— Ты завтракала? — вдруг спросил он. — Если голодна — пойдем в павильон.

Тогда она подумала: «Разлюбил ее совсем», — обеими руками надвинула на голову шапочку и решила разговор о Париже отложить до завтра.

По дороге к павильону Николай Иванович молчал и глядел под ноги, но, когда Даша спросила: «Ты купаешься?» — он весело поднял голову и заговорил о том, что здесь у них образовалось общество борьбы с купальными костюмами, главным образом преследующее гигиенические цели.

— Представь, за месяц купанья на этом пляже организм поглощает йода больше, нежели за это время можно искусственно ввести его внутрь. Кроме того, ты поглощаешь солнечные лучи и теплоту от нагретого песка. У нас, мужчин, еще терпимо, только небольшой пояс, но женщины закрывают почти две трети тела. Мы с этим решительно начали бороться... В воскресенье я читаю лекцию по этому вопросу.

Они шли вдоль воды по светло-желтому, мягкому, как бархат, песку из плоских, обтертых прибоями раковинок. Неподалеку, там, где на отмель набегали и разбивались кипящей пеной небольшие волны, покачивались, как поплавки, две девушки в красных чепчиках.

— Наши адептки, — сказал Николай Иванович деловито. У Даши все сильнее росло чувство не то возбуждения, не то беспокойства. Это началось с той минуты, когда она увидела в степи черный корабль.

Даша остановилась, глядя, как вода тонкой пеленой взлизывает на песок и отходит, оставляя ручейки, и это прикосновение воды к земле было такое радостное и вечное, что Даша присела и опустила туда руки. Маленький плоский краб шарахнулся боком, пустив облачко песка, и исчез в глубине. Волной замочило руки выше локтя.

— Какая-то с тобой перемена, — проговорил Николай Иванович, прищурясь, — не то ты еще похорошела, не то похудела, не то замуж тебе пора.

Даша обернулась, взглянула на него странно, поднялась и, не обтирая рук, пошла к павильону, откуда любовник-резонер махал соломенной шляпой.

Дашу кормили чебуреками и простоквашей, поили шампанским; любовник-резонер суетился, время от времени впадал в столбняк, шепча словно про себя: «Боже мой, как хороша!» — и подводил знакомить каких-то юношей — учеников драматической студии, говоривших придушенными голосами, точно на исповеди. Николай Иванович был польщен таким успехом «своей Дашурки».

Даша пила вино, смеялась, протягивала кому-то для поцелуев руку и, не отрываясь, глядела на сияющее голубым светом взволнованное море. «Это счастье», — думала она.

После купанья и прогулки пошли ужинать в гостиницу. Было шумно, светло и нарядно. Любовник-резонер много и горячо говорил о любви. Николай Иванович, глядя на Дашу, подвыпил и загрустил. А Даша все время сквозь щель в занавеси окна видела, как невдалеке появляются, исчезают и скользят какие-то жидкие блики. Наконец она поднялась и вышла на берег. Ясная и круглая луна, совсем близкая, как в сказках Шехерезады, висела над чешуйчатой дорогой через все море. Даша засунула пальцы между пальцев и хрустнула ими.

Когда послышался голос Николая Ивановича, она поспешно пошла дальше вдоль воды, сонно лижущей берег. На песке сидела женская фигура и другая, мужская, лежала головой у нее на коленях. Между зыбкими бликами в черно-лиловой воде плавала человеческая голова, и на Дашу взглянули и долго следили за ней два глаза с лунными отблесками. Потом стояли двое, прижавшись; миновав их, Даша услышала вздох и поцелуй.

Издалека звали: «Даша, Даша!» Тогда она села на песок, положила локти на колени и подперла подбородок. Если бы сейчас подошел Телегин, опустился бы рядом, обнял рукой за спину и голосом суровым и тихим спросил: «Моя?» — ответила бы: «Твоя».

За бугорком песка пошевелилась серая, лежащая ничком фигура, села, уронив голову, долго глядела на играющую, точно на забаву детям, лунную дорогу, поднялась и побрела мимо Даши, уныло, как мертвая. И с отчаянно бьющимся сердцем Даша увидела, что это — Бессонов.

Так начались для Даши эти последние дни старого мира. Их осталось немного, насыщенных зноем догорающего лета, радостных и беспечных. Но люди, привыкшие думать, что будущий день так же ясен, как вдалеке синеватые очертания гор, даже умные и прозорливые люди не могли ни видеть, ни знать ничего, лежащего впереди мгновения их жизни. За мгновением, многоцветным, насыщенным запахами, наполненным биением всех соков жизни, лежал непостижимый мрак... Туда ни на волосок не проникали ни взгляд, ни ощущение, ни мысль, и только, быть может, неясным чувством, какое бывает у зверей перед грозой, воспринимали иные то, что надвигалось. Это чувство было как необъяснимое беспокойство. А в это время на землю опускалось невидимое облако, бешено крутящееся какими-то торжествующими, и яростными, и какими-то падающими, и изнемогающими очертаниями. И это было отмечено лишь полосою солнечной тени, зачеркнувшей с юго-востока на северо-запад всю старую, веселую и грешную жизнь на земле.

13

Бессонов целыми днями валялся у моря. Разглядывая лица: женские — смеющиеся, покрытые солнечной пылью загара, и мужские — медно-красные и возбужденные, он с унынием чувствовал, что сердце его ледяным куском лежит в груди. Глядя на море, думал, что вот оно тысячи лет шумит волнами о берег, и берег был когда-то пуст, и вот он населен людьми, и они умрут, и берег опять опустеет, а море будет все так же набегать на песок. Думая, он морщился, сгребал пальцами раковинки в кучку и засовывал в нее потухшую папироску. Затем шел купаться. Затем лениво обедал. Затем уходил спать.

Вчера неподалеку от него быстро села в песок какая-то девушка и долго глядела на лунный свет; от нее слабо пахло фиалками. В оцепеневшем мозгу прошло воспоминание. Бессонов заворочался, подумал: «Ну, нет, на этот крючок не зацепишь, к черту, спать», — поднялся и побрел в гостиницу.

Даша после этой встречи струсила. Ей казалось, что петербургская жизнь — все эти воробьиные ночи — отошла навсегда и Бессонов, непонятно чем занозивший ее воображение, — забыт.

Но от одного взгляда, от этой минутки, когда он черным силуэтом прошел перед светом месяца, в ней все поднялось с новой силой, и не в виде смутных и неясных переживаний, а теперь было точное желание, горячее, как полуденный жар: она жаждала почувствовать этого человека. Не любить, не мучиться, не раздумывать, — а только ощутить.

Сидя в залитой лунным светом белой комнате, на белой постели, она повторяла слабым голосом:

— Ах, боже мой, ах, боже мой, что же это такое?

В седьмом часу утра Даша пошла на берег, разделась, вошла по колена в воду и загляделась. Море было выцветшее, бледно-голубое и только кое-где вдалеке тронутое матовой рябью. Вода не спеша всходила то выше колен, то опускалась ниже. Даша протянула руки, упала на эту небесную прохладу и поплыла. Потом, освеженная и вся соленая, закуталась в мохнатый халат и легла на песок, уже тепловатый.

«Люблю одного Ивана Ильича, — думала она, лежа щекой на локте, пахнущем свежестью, — люблю, люблю Ивана Ильича. С ним чисто, свежо, радостно. Слава богу, что люблю Ивана Ильича. Выйду за него замуж».

Она закрыла глаза и заснула, чувствуя, как рядом, набегая, будто дышит вода в лад с ее дыханием.

Этот сон был сладок. Она, не переставая, чувствовала, как ее телу тепло и легко лежать на песке. И во сне она ужасно любила себя.

На закате, когда солнце сплющенным шаром опускалось в оранжевое безоблачное зарево, Даша встретила Бессонова, сидевшего на камне у тропинки, вьющейся через плоское полынное поле. Даша забрела сюда, гуляя, и сейчас, увидев Бессонова, остановилась, хотела повернуть, побежать, но давешняя легкость опять исчезла, и ноги, отяжелев, точно приросли, и она исподлобья глядела, как он подходил, почти не удивленный встречей, как снял соломенную шляпу и поклонился по-монашески — смиренным наклонением.

— Вчера я не ошибся, Дарья Дмитриевна, — это вы были на берегу?

— Да, я...

Он помолчал, опустив глаза, потом взглянул мимо Даши в глубину степи.

— На этом поле во время заката чувствуешь себя как в пустыне. Сюда редко кто забредет. Кругом — полынь, камни, и в сумерки представляется, что на земле никого уже не осталось.

Бессонов засмеялся, медленно открыв белые зубы. Даша глядела на него, как дикая птица. Потом она пошла рядом с ним по тропинке. С боков и по всему полю росли высокие, горько пахнувшие кустики полыни; от каждого ложилась на сухую землю еще не яркая лунная тень. Над головами, вверх и вниз, неровно и трепеща, летали две мыши, ясно видимые в полосе заката.

— Соблазны, соблазны, никуда от них не скроешься, — проговорил Бессонов, — прельщают, заманивают, и снова попадаешь в обман. Смотрите, до чего лукаво подстроено, — он показал палкой на невысоко висящий шар луны, — всю ночь будет ткать сети, тропинка прикинется ручьем, каждый кустик — населенным, даже труп покажется красивым и женское лицо — таинственным. А может быть, действительно так и нужно: вся мудрость в этом обмане... Какая вы счастливая, Дарья Дмитриевна, какая вы счастливая...

— Почему же это обман? По-моему, совсем не обман. Просто — светит луна, — сказала Даша упрямо.

— Ну, конечно, Дарья Дмитриевна, конечно... «Будьте как дети». Обман в том, что я не верю ничему этому. Но — «будьте так же, как змеи». А как это соединить? Что нужно для этого?.. Говорят, соединяет любовь? А вы как думаете?

— Не знаю. Ничего не думаю.

— Из каких она приходит пространств? Как ее заманить? Каким словом заклясть? Лечь в пыли и взывать: «О господи, пошли на меня любовь!..» — Он негромко засмеялся, показав зубы.

— Я дальше не пойду, — сказала Даша, — я хочу к морю.

Они повернулись и шли теперь по полыни к песчаной возвышенности. Неожиданно Бессонов сказал мягким и осторожным голосом:

— Я до последнего слова помню все, что вы говорили тогда у меня в Петербурге. Я вас спугнул. (Даша, глядя перед собой, шла очень быстро.) Тогда меня потрясло одно ощущение... Не ваша особенная красота, нет... Меня поразила, пронизала всего непередаваемая музыка вашего голоса. Я глядел тогда на вас и думал: здесь мое спасение — отдать сердце вам, стать нищим, смиренным, растаять в вашем свете... А может быть, взять ваше сердце? Стать бесконечно богатым?.. Подумайте, Дарья Дмитриевна, вот вы пришли, и я должен отгадать загадку.

Даша, опередив его, взбежала на песчаную дюну. Широкая лунная дорога, переливаясь, как чешуя, в тяжелой громаде воды, обрывалась на краю моря длинной и ясной полосой, и там, над этим светом, стояло темное сияние. У Даши так билось сердце, что пришлось закрыть глаза. «Господи, спаси меня от него», — подумала она. Бессонов несколько раз вонзил палку в песок.

— Только уж нужно решаться, Дарья Дмитриевна... Кто-то должен сгореть на этом огне... Вы ли... Я ли... Подумайте, ответьте...

— Не понимаю, — отрывисто сказала Даша.

— Когда вы станете нищей, опустошенной, сожженной, — тогда только настанет для вас настоящая жизнь, Дарья Дмитриевна... без этого лунного света соблазна на три копейки. Будет — мудрость. И всего только и нужно для этого развязать девичий поясок.

Бессонов ледяной рукой взял Дашину руку и заглянул ей в глаза. Даша только и могла, что — медленно зажмурилась. Через несколько долгих молчаливых минут он сказал:

— Впрочем, пойдемте лучше по домам — спать. Поговорили, обсудили вопрос со всех сторон, — да и час поздний...

Он довел Дашу до гостиницы, простился учтиво, сдвинул шляпу на затылок и пошел вдоль воды, вглядываясь в неясные фигуры гуляющих. Внезапно остановился, повернул и подошел к высокой женщине, стоящей неподвижно, закутавшись в белую шаль. Бессонов перекинул трость через плечо, взялся за ее концы и сказал:

— Нина, здравствуй.

— Здравствуй.

— Ты что делаешь одна на берегу?

— Стою.

— Почему ты одна?

— Одна, потому что одна, — ответила Чародеева тихо и сердито.

— Неужели все еще сердишься?

— Нет, голубчик. Давно успокоилась.

— Нина, пойдем ко мне.

Тогда она, откинув голову, молчала долго, потом дрогнувшим, неясным голосом ответила:

— С ума ты сошел?

— А ты разве этого не знала?

Он взял ее под руку, но она резко выдернула ее и пошла медленно, рядом с ним, вдоль лунных отсветов, скользящих по маслено-черной воде вслед их шагам.

Наутро Дашу разбудил Николай Иванович, осторожно постучав в дверь:

— Данюша, вставай, голубчик, идем кофе пить.

Даша спустила с кровати ноги и посмотрела на чулки и туфельки, — все в серой пыли. Что-то случилось. Или опять приснился тот омерзительный сон? Нет, нет, было гораздо хуже, не сон. Даша кое-как оделась и побежала купаться.

Но вода утомила ее, и солнце разожгло. Сидя под мохнатым халатом, обхватив голые коленки, она подумала, что здесь ничего хорошего случиться не может.

«И не умна, и трусиха, и бездельница. Воображение преувеличенное. Сама не знаю, чего хочу. Утром одно, вечером другое. Как раз тот тип, какой ненавижу».

Склонив голову, Даша глядела на море, и даже слезы навернулись у нее, — так было смутно и грустно.

«Подумаешь — великое сокровище берегу. Кому оно нужно? — ни одному человеку на свете. Никого по-настоящему не люблю. И выходит — он прав: лучше уж сжечь все, сгореть и стать трезвым человеком. Он позвал, и пойти к нему нынче же вечером, и... Ох, нет!..»

Даша опустила лицо на колени, — так стало жарко. И было ясно, что дальше жить этой двойной жизнью нельзя. Должно прийти, наконец, освобождение от невыносимого дольше девичества. Или уж — пусть будет беда.

Так, сидя в унынии, она раздумывала: «Предположим, уеду отсюда. К отцу. В пыль. К мухам. Дождусь осени. Начнутся занятия. Стану работать по двенадцати часов в сутки. Высохну, стану уродом. Наизусть выучу международное право. Буду носить бумазейные юбки: уважаемая юрист-девица Булавина. Конечно, выход очень почтенный».

Даша стряхнула прилипший к коже песок и пошла в дом. Николай Иванович лежал на террасе, в шелковой пижаме, и читал запрещенный роман Анатоля Франса. Даша села к нему на ручку качалки и, покачивая туфелькой, сказала раздумчиво:

— Вот мы с тобой хотели поговорить насчет Кати.

— Да, да.

— Видишь ли, Николай, женская жизнь вообще очень трудная. Тут, в девятнадцать-то лет, не знаешь, что с собой делать.

— В твои годы, Данюша, надо жить вовсю, не раздумывая. Много будешь думать, — останешься на бобах. Смотрю на тебя, — ужасно ты хороша.

— Так и знала! Николай, с тобой бесполезно разговаривать. Всегда скажешь не то, что нужно, и бестактно. От этого-то и Катя от тебя ушла.

Николай Иванович засмеялся, положил роман Анатоля Франса на живот и закинул за голову толстые руки.

— Начнутся дожди, и птичка сама прилетит в дом. А помнишь, как она перышки чистила?.. Я Катюшу, несмотря ни на что, очень люблю. Ну, что же — мы квиты.

— Ах, ты вот как теперь разговариваешь! А вот я на месте Кати точно так же бы поступила с тобой...

И она сердито отошла к перилам балкона.

— Станешь постарше и увидишь, что слишком серьезно относиться к житейским невзгодам — вредно и неумно, — проговорил Николай Иванович, — это ваша закваска, булавинская, — все усложнять... Проще, проще надо, ближе к природе...

Он вздохнул и замолчал, рассматривая ногти. Мимо террасы проехал потный гимназист на велосипеде, — привез из города почту.

— Пойду в сельские учительницы, — проговорила Даша мрачно.

Николай Иванович переспросил сейчас же:

— Куда?

Но она не ответила и ушла к себе. С почты принесли письма для Даши: одно было от Кати, другое от отца. Дмитрий Степанович писал:

«...Посылаю тебе письмо от Катюшки. Я его читал, и мне оно не понравилось. Хотя — делайте как хотите. У нас все по-старому. Очень жарко. Кроме того, Семена Семеновича Говядина вчера в городском саду избили горчишники, но за что — он скрывает. Вот и все новости. Да, была тебе еще открытка от какого-то Телегина, но я ее потерял. Кажется, он тоже в Крыму, не то еще где-то».

Даша внимательно перечла эти последние строчки, и неожиданно шибко забилось сердце. Потом, с досады, она даже топнула ногой, — извольте радоваться: «Не то в Крыму, не то еще где-то...» Отец действительно кошмарный человек, неряха и эгоист. Она скомкала его письмо и долго сидела у письменного столика, подперев подбородок. Потом стала читать то, что было от Кати:

«Помнишь, Данюша, я писала тебе о человеке, который за мной ходит. Вчера вечером в Люксембургском саду он подсел ко мне. Я вначале струсила, но осталась сидеть. Тогда он мне сказал: «Я вас преследовал, я знаю ваше имя и кто вы такая. Но затем со мною случилось большое несчастье, — я вас полюбил». Я посмотрела на него, — сидит важно, лицо строгое, темное какое-то, обтянутое. «Вы не должны бояться меня, — я старик, одинокий. У меня грудная жаба, каждую минуту я могу умереть. И вот — такое несчастье». У него по щеке потекла слеза. Потом он проговорил, покачивая головой: «О, какое милое, какое милое ваше лицо». Я сказала: «Не преследуйте меня больше». И хотела уйти, но мне стало его жалко, я осталась и говорила с ним... Он слушал и, закрыв глаза, покачивал головой. И представь себе, Данюша, — сегодня получаю от какой-то женщины, кажется от консьержки, где он жил, письмо... Она, «по его поручению», сообщает, что он умер ночью... Ох, как это было страшно... Вот и сейчас — подошла к окну, на улице тысячи, тысячи огней, катятся экипажи, люди идут между деревьями. После дождя — туманно. И мне кажется, что все это уже бывшее, все умерло, эти люди — мертвые, будто я вижу то, что кончилось, а того, что происходит сейчас, когда стою и гляжу, — не вижу, но знаю, что все кончилось. Должно быть, мне совсем плохо. Иногда лягу — и плачу, — жалко жизни, зачем прошла. Было какое ни на есть, но все-таки счастье, любимые люди, — и следа не осталось... И сердце во мне стало сухонькое — высохло. Я знаю, Даша, предстоит еще какое-то большое горе, и все это в расплату за то, что мы все жили дурно».

Даша показала это письмо Николаю Ивановичу.

Читая, он принялся вздыхать, потом заговорил о том, что он всегда чувствовал вину свою перед Катей.

— Я видел, — мы живем дурно, эти непрерывные удовольствия кончатся когда-нибудь взрывом отчаяния. Но что я мог поделать, если занятие моей жизни, и Катиной, и всех, кто нас окружал, — веселиться. Иногда, здесь, гляжу на море и думаю: существует какая-то Россия, пашет землю, пасет скот, долбит уголь, ткет, кует, строит, существуют люди, которые заставляют ее все это делать, а мы — какие-то третьи, умственная аристократия страны, интеллигенты, — мы ни с какой стороны этой России не касаемся. Она нас содержит. Мы — папильоны. Это — трагедия. Попробуй я, например, разводить овощи или еще что-нибудь полезное, — ничего не выйдет. Я обречен до конца дней порхать папильоном. Конечно, мы пишем книги, произносим речи, делаем политику, но это все тоже входит в круг времяпрепровождения, даже тогда, когда гложет совесть. У Катюши эти непрерывные удовольствия кончились душевным опустошением. Иначе и не могло быть... Ах, если бы ты знала, какая это была прелестная, нежная и кроткая женщина! Я развратил ее, опустошил... Да, ты права, нужно к ней ехать...

Ехать в Париж решено было обоим и немедленно, как только получатся заграничные паспорта. После обеда Николай Иванович ушел в город, а Даша принялась переделывать в дорогу соломенную шляпу, но только разорила ее и подарила горничной. Потом написала письмо отцу и в сумерки прилегла на постель, — такая внезапно напала усталость, — положила ладонь под щеку и слушала, как шумит море, все отдаленнее, все приятнее.

Потом показалось, что кто-то наклонился над ней, отвел с лица прядь волос и поцеловал в глаза, в щеки, в уголки губ, легко — одним дыханием. По всему телу разлилась сладость этого поцелуя. Даша медленно пробудилась. В открытое окно виднелись редкие звезды, и ветерок, залетев, зашелестел листками письма. Затем из-за стены появилась человеческая фигура, облокотилась снаружи на подоконник и глядела на Дашу.

Тогда Даша проснулась совсем, села и поднесла руки к груди, где было расстегнуто платье.

— Что вам нужно? — спросила она едва слышно. Человек в окне голосом Бессонова проговорил:

— Я вас ждал на берегу. Почему вы не пришли? Боитесь?

Даша ответила, помолчав:

— Да.

Тогда он перелез через подоконник, отодвинул стол и подошел к кровати:

— Я провел омерзительную ночь, — я хотел повеситься. В вас есть хоть какое-нибудь чувство ко мне?

Даша покачала головой, но губ не раскрыла.

— Слушайте, Дарья Дмитриевна, не сегодня, завтра, через год, — это должно случиться. Я не могу без вас существовать. Не заставляйте меня терять образ человеческий. — Он говорил тихо и хрипло и подошел к Даше совсем близко. Она вдруг глубоко, коротко вздохнула и продолжала глядеть ему в лицо. — Все, что я вчера говорил, — вранье... Я жестоко страдаю... У меня нет силы вытравить память о вас... Будьте моей женой...

Он наклонился к Даше, вдыхая ее запах, положив руку сзади ей на шею, и прильнул к губам. Даша уперлась в грудь ему, но руки ее согнулись. Тогда в оцепеневшем сознании прошла спокойная мысль: «Это то, чего я боялась и хотела, но это похоже на убийство...» Отвернув лицо, она слушала, как Бессонов, дыша вином, бормотал ей что-то на ухо. И Даша подумала: «Точно так же было у него с Катей». И тогда уже ясный, рассудительный холодок поджал все тело, и резче стал запах вина, и омерзительнее бормотанье.

— Пустите-ка, — проговорила она, с силой отстранила Бессонова и, отойдя к двери, застегнула наконец ворот на платье.

Тогда Бессоновым овладело бешенство: схватив Дашу за руки, он притянул ее к себе и стал целовать в горло. Она, сжав губы, молча боролась. Когда же он поднял ее и понес, — Даша проговорила быстрым шепотом:

— Никогда в жизни, хоть умрите...

Она с силой оттолкнула его, освободилась и стала у стены. Все еще трудно дыша, он опустился на стул и сидел неподвижно. Даша поглаживала руки в тех местах, где были следы пальцев.

— Не нужно было спешить, — сказал Бессонов.

Она ответила:

— Вы мне омерзительны.

Он сейчас же положил голову боком на спинку стула. Даша сказала:

— Вы с ума сошли... Уходите же...

И повторила это несколько раз. Он наконец понял, поднялся и тяжело, неловко вылез через окно. Даша затворила ставни и принялась ходить по темной комнате. Эта ночь была проведена плохо.

Под утро Николай Иванович, шлепая босиком, подошел к двери, спросил заспанным голосом:

— У тебя зубы, что ли, болят, Даша?

— Нет.

— А что это за шум был ночью?

— Не знаю.

Он, пробормотав: «Удивительное дело», ушел. Даша не могла ни присесть, ни лечь, — только ходила, ходила от окна до двери, чтобы утомить в себе это острое, как зубная боль, отвращение к себе. Если бы Бессонов совладал с ней, — кажется, было бы лучше. И с отчаянной болью она вспоминала белый, залитый солнцем пароход и еще то, как в осиннике ворковал, бормотал, все лгал, все лгал покинутый любовник, уверяя, что Даша влюблена. Оглядываясь на белевшую в сумраке постель, страшное место, где только что лицо человеческое превращалось в песью морду, Даша чувствовала, что жить с этим знанием нельзя. Какую бы угодно взяла муку на себя, — только бы не чувствовать этой брезгливости. Горела голова, и хотелось точно содрать с лица, с шеи, со всего тела паутину.

Наконец свет сквозь ставни стал совсем яркий. В доме начали хлопать дверьми, чей-то звонкий голос позвал: «Матреша, принеси воды...» Проснулся Николай Иванович и за стеной чистил зубы. Даша ополоснула лицо и, надвинув на глаза шапочку, вышла на берег. Море было — как молоко, песок — сыроватый. Пахло водорослями. Даша повернула в поле и побрела вдоль дороги. Навстречу, поднимая пыльцу колесами, двигалась плетушка об одну лошадь. На козлах сидел татарин, позади него — какой-то широкий человек, весь в белом. Взглянув, Даша подумала, как сквозь сон (от солнца, от усталости слипались глаза): «Вот еще хороший, счастливый человек, ну, и пускай его — и хороший и счастливый», — и она отошла с дороги. Вдруг из плетушки послышался испуганный голос:

— Дарья Дмитриевна!

Кто-то спрыгнул на землю и побежал. От этого голоса у Даши закатилось сердце, ослабли ноги. Она обернулась. К ней подбегал Телегин, загорелый, взволнованный, синеглазый, до того неожиданно родной, что Даша стремительно положила руки ему на грудь, прижалась лицом и громко, по-детски, заплакала.

Телегин твердо держал ее за плечи. Когда Даша срывающимся голосом попыталась что-то объяснить, он сказал:

— Пожалуйста, Дарья Дмитриевна, пожалуйста, потом. Это не важно...

Парусиновый пиджак на груди у него промок от Дашиных слез. И ей стало легче.

— Вы к нам ехали? — спросила она.

— Да, я проститься приехал, Дарья Дмитриевна... Вчера только узнал, что вы здесь, и вот хотел проститься...

— Проститься?

— Призывают, ничего не поделаешь.

— Призывают?

— Разве вы ничего не слыхали?

— Нет.

— Война, оказывается, вот в чем дело-то.

Даша взглянула на него, поморгала и так в эту минуту ничего и не поняла...

14

В кабинете редактора большой либеральной газеты «Слово народа» шло чрезвычайное редакционное заседание, и так как вчера законом спиртные напитки были запрещены, то к редакционному чаю, сверх обычая, были поданы коньяк и ром.

Матерые, бородатые либералы сидели в глубоких креслах, курили табак и чувствовали себя сбитыми с толку. Молодые сотрудники разместились на подоконниках и на знаменитом кожаном диване, оплоте оппозиции, про который один известный писатель выразился неосторожно, что там — клопы.

Редактор, седой и румяный, английской повадки мужчина, говорил чеканным голосом, — слово к слову, — одну из своих замечательных речей, которая должна была и на самом деле дала линию поведения всей либеральной печати.

— ...Сложность нашей задачи в том, что, не отступая ни шагу от оппозиции царской власти, мы должны перед лицом опасности, грозящей целостности Российского государства, подать руку этой власти. Наш жест должен быть честным и открытым. Вопрос о вине царского правительства, вовлекшего Россию в войну, есть в эту минуту вопрос второстепенный. Мы должны победить, а затем судить виновных. Господа, в то время как мы здесь разговариваем, под Красноставом происходит кровопролитное сражение, куда в наш прорванный фронт брошена наша гвардия. Исход сражения еще не известен, но помнить надлежит, что опасность грозит Киеву. Нет сомнения, что война не может продлиться долее трех-четырех месяцев, и какой бы ни был ее исход, — мы с гордо поднятой головой скажем царскому правительству: в тяжелый час мы были с вами, теперь мы потребуем вас к ответу...

Один из старейших членов редакции — Белосветов, пишущий по земскому вопросу, не выдержав, воскликнул вне себя:

— Воюет царское правительство, при чем здесь мы и протянутая рука? Убейте, не понимаю. Простая логика говорит, что мы должны отмежеваться от этой авантюры, а вслед за нами — и вся интеллигенция. Пускай цари ломают себе шеи, — мы только выиграем.

— Да, уж знаете, протягивать руку Николаю Второму, как хотите, — противно, господа, — пробормотал Альфа, передовик, выбирая в сухарнице пирожное, — во сне холодный пот прошибет...

Сейчас же заговорило несколько голосов:

— Нет и не может быть таких условий, которые заставили бы нас пойти на соглашение...

— Что же это такое — капитуляция? — я спрашиваю.

— Позорный конец всему прогрессивному движению?

— А я, господа, все-таки хотел бы, чтобы кто-нибудь объяснил мне цель этой войны.

— Вот когда немцы намнут шею, — тогда узнаете.

— Эге, батенька, да вы, кажется, националист!

— Просто — я не желаю быть битым.

— Да ведь бить-то будут не вас, а Николая Второго.

— Позвольте... А Польша? а Волынь? а Киев?

— Чем больше будем биты, — тем скорее настанет революция.

— А я ни за какую вашу революцию не желаю отдавать Киева...

— Петр Петрович, стыдитесь, батенька...

С трудом восстановив порядок, редактор разъяснил, что на основании циркуляра о военном положении военная цензура закроет газету за малейший выпад против правительства и будут уничтожены зачатки свободного слова, в борьбе за которое положено столько сил.

— ...Поэтому предлагаю уважаемому собранию найти приемлемую точку зрения. Со своей стороны смею высказать, быть может, парадоксальное мнение, что нам придется принять эту войну целиком, со всеми последствиями. Не забывайте, что война чрезвычайно популярна в обществе. В Москве ее объявили второй отечественной, — он тонко улыбнулся и опустил глаза, — государь был встречен в Москве почти горячо. Мобилизация среди простого населения проходит так, как этого ожидать не могли и не смели...

— Василий Васильевич, да вы шутите или нет? — уже совсем жалобным голосом воскликнул Белосветов. — Да ведь вы целое мировоззрение рушите... Идти помогать правительству? А десять тысяч лучших русских людей, гниющих в Сибири?.. А расстрелы рабочих?.. Ведь еще кровь не обсохла.

Все это были разговоры прекраснейшие и благороднейшие, но каждому становилось ясно, что соглашения с правительством не миновать, и поэтому, когда из типографии принесли корректуру передовой статьи, начинавшейся словами: «Перед лицом германского нашествия мы должны сомкнуть единый фронт», —

собрание молча просмотрело гранки, кое-кто сдержанно вздохнул, кое-кто сказал многозначительно: «Дожили-с». Белосветов порывисто застегнул на все пуговицы черный сюртук, обсыпанный пеплом, но не ушел и опять сел в кресло, и очередной номер был сверстан с заголовком: «Отечество в опасности. К оружию!»

Все же в сердце каждого было смутно и тревожно. Каким образом прочный европейский мир в двадцать четыре часа взлетел на воздух и почему гуманная европейская цивилизация, посредством которой «Слово народа» ежедневно кололо глаза правительству и совестило обывателей, оказалась карточным домиком (уж, кажется, выдумали книгопечатание и электричество, и даже радий, а настал час, — и под накрахмаленной рубашкой объявился все тот же звероподобный, волосатый человечище с дубиной), — нет, это редакции усвоить было трудно и признать — слишком горько.

Молча и невесело окончилось совещание. Маститые писатели пошли завтракать к Кюба, молодежь собралась в кабинете заведующего хроникой. Было решено произвести подробнейшее обследование настроения самых разнообразных сфер и кругов. Антошке Арнольдову поручили отдел военной цензуры. Он под горячую руку взял аванс и на лихаче «запустил» по Невскому в Главный штаб.

Заведующий отделом печати, полковник Генерального штаба Солнцев, принял в своем кабинете Антошку Арнольдова и учтиво выслушал его, глядя в глаза ясными, выпуклыми, веселыми глазами. Антошка приготовился встретить какого-нибудь чудо-богатыря, — багрового, с львиным лицом генерала, — бича свободной прессы, но перед ним сидел изящный, воспитанный человек и не хрипел, и не рычал басом, и ничего не готовился давить и пресекать, — все это плохо вязалось с обычным представлением о царских наемниках.

— Так вот, полковник, надеюсь, вы не откажете осветить вашим авторитетным мнением означенные у меня вопросы, — сказал Арнольдов, покосившись на темный, во весь рост, портрет императора Николая Первого, глядевшего неумолимыми глазами на представителя прессы, точно желая сказать ему: «Пиджачишко короткий, башмачишки желтые, нос в поту, вид гнусный, — боишься, сукин сын». — Я не сомневаюсь, полковник, что к Новому году русские войска будут в Берлине, но редакцию интересуют главным образом некоторые частные вопросы...

Полковник Солнцев учтиво перебил:

— Мне кажется, что русское общество недостаточно уясняет себе размеры настоящей войны. Конечно, я не могу не приветствовать ваше прекрасное пожелание нашей доблестной армии войти в Берлин, но опасаюсь, что сделать это труднее, чем вы думаете. Я, со своей стороны, полагаю, что важнейшая задача прессы в настоящий момент — подготовить общество к мысли об очень серьезной опасности, грозящей нашему государству, а также о чрезвычайных жертвах, которые мы все должны принести.

Антошка Арнольдов опустил блокнот и с недоумением взглянул на полковника. Солнцев продолжал:

— Мы не искали этой войны, и сейчас мы пока только обороняемся. Германцы имеют преимущество перед нами в количестве артиллерии и густоте пограничной сети железных дорог. Тем не менее мы сделаем все возможное, чтобы не допустить врага перейти наши границы. Русские войска исполняют возложенный на них долг. Но было бы весьма желательно, чтобы общество, со своей стороны, тоже прониклось чувством долга к отечеству. — Солнцев поднял брови. — Я понимаю, что чувство патриотизма среди некоторых кругов несколько осложнено. Но опасность настолько серьезна, что — я уверен — все споры и счеты будут отложены до лучшего времени. Российская империя даже в двенадцатом году не переживала столь острого момента. Вот все, что я хотел бы, чтобы вы отметили. Затем нужно привести в известность, что имеющиеся в распоряжении правительства военные лазареты не смогут вместить всего количества раненых. Поэтому и с этой стороны обществу нужно быть готовым к широкой помощи...

— Простите, полковник, я не понимаю, какое же может быть количество раненых?

Солнцев опять высоко поднял брови:

— Мне кажется, в ближайшие недели нужно ожидать тысяч двести пятьдесят — триста.

Антошка Арнольдов проглотил слюну, записал цифры и спросил совсем уже почтительно:

— Сколько же нужно считать убитых в таком случае?

— Обычно мы считаем от пяти до десяти процентов от количества раненых.

— Ага, благодарю вас.

Солнцев поднялся, Антошка быстро пожал ему руку и, растворяя дубовую дверь, столкнулся с входившим Атлантом, чахоточным, взлохмаченным журналистом в помятом пиджаке, уже со вчерашнего дня не пившим водки.

— Полковник, я к вам насчет войны, — проговорил Атлант, прикрывая ладонью грязную грудь рубахи. — Ну, как, — скоро берем Берлин?

Из Главного штаба Арнольдов вышел на Дворцовую площадь, надел шляпу и стоял некоторое время, прищурясь.

— Война до победного конца, — пробормотал он сквозь зубы, — держитесь теперь, старые калоши, мы вам покажем «пораженчество».

На огромной, чисто выметенной площади, с гранитным грузным столбом Александра, повсюду двигались кучки бородатых, нескладных мужиков. Слышались резкие выкрики команды. Мужики строились, перебегали, ложились. В одном месте человек пятьдесят, поднявшись с мостовой, закричали нестройно: «уряяя» — и побежали спотыкливой рысью... «Стой! Смирно... Сволочи, сукины дети!..» — перекричал их осипший голос. В другом месте было слышно: «Добегишь — и коли в туловище, штык сломал — бей прикладом».

Это были те самые корявые мужики с бородами веником, в лаптях и рубахах, с проступавшей на лопатках солью, которые двести лет тому назад приходили на эти топкие берега строить город. Сейчас их снова вызвали — поддержать плечами дрогнувший столб империи.

Антошка повернул на Невский, все время думая о своей статье. Посреди улицы, под завывавший, как осенний ветер, свист флейт, шли две роты в полном походном снаряжении, с мешками, котелками и лопатами. Широкоскулые лица солдат были усталые и покрыты пылью. Маленький офицер в зеленой рубашке, с новенькими ремнями — крест-накрест, — поминутно поднимаясь на цыпочки, — оборачивался и выкатывал глаза. «Правой! Правой!» Как сквозь сон, шумел нарядный, сверкающий экипажами и стеклами Невский. «Правой. Правой. Правой». Мерно покачиваясь, вслед за маленьким офицером шли покорные тяжелоногие мужики. Их догнал вороной рысак, брызгая пеной. Широкозадый кучер осадил его. В коляске поднялась красивая дама и глядела на проходивших солдат. Рука ее в белой перчатке стала крестить их.

Солдаты прошли, их заслонил поток экипажей. На тротуарах было жарко и тесно, и все словно чего-то ожидали. Прохожие останавливались, слушали какие-то разговоры и выкрики, протискивались, спрашивали, в возбуждении отходили к другим кучкам.

Беспорядочное движение понемногу определялось, — толпы уходили с Невского на Морскую. Там уже двигались прямо по улице. Пробежали, молча и озабоченно, какие-то мелкорослые парни. На перекрестке полетели шапки, замахали зонтики. «Урра! Урра!» — загудело по Морской. Пронзительно свистели мальчишки. Повсюду в остановленных экипажах стояли нарядные женщины. Толпа валила валом к Исаакиевской площади, разливалась по ней, лезла через решетку сквера. Все окна, и крыши, и гранитные ступени Исаакия были полны народом. И все эти десятки тысяч людей глядели туда, где из верхних окон матово-красного тяжелого здания германского посольства вылетали клубы дыма. За разбитыми стеклами перебегали люди, швыряли в толпу пачки бумаг, и они, разлетаясь, медленно падали. С каждым клубом дыма, с каждой новой вещью, выброшенной из окон, — по толпе проходил рев. Но вот на фронтоне дома, где два бронзовых великана держали под уздцы коней, появились те же хлопотливые человечки. Толпа затихла, и послышались металлические удары молотков. Правый из великанов качнулся и рухнул на тротуар. Толпа завыла, кинулась к нему, началась давка, бежали отовсюду. «В Мойку их! В Мойку окаянных!» Повалилась и вторая статуя. Антошку Арнольдова схватила за плечо полная дама в пенсне и кричала ему: «Всех их перетопим, молодой человек!» Толпа двинулась к Мойке. Послышались пожарные рожки, и вдалеке засверкали медные шлемы. Из-за углов выдвинулась конная полиция. И вдруг среди бегущих и кричащих Арнольдов увидел страшно бледного человека, без шляпы, с неподвижно раскрытыми стеклянными глазами. Он узнал Бессонова и подошел к нему.

— Вы были там? — сказал Бессонов. — Я слышал, как убивали.

— Разве было убийство? Кого убили?

— Не знаю.

Бессонов отвернулся и неровной походкой, как невидящий, пошел по площади. Остатки толпы отдельными кучками бежали теперь на Невский, где начинался разгром кофейни Рейтера.

В тот же вечер Антошка Арнольдов, стоя у конторки в одной из прокуренных комнат редакции, быстро писал на узких полосах бумаги:

«...Сегодня мы видели весь размах и красоту народного гнева. Необходимо отметить, что в погребах германского посольства не было выпито ни одной бутылки вина, — все разбито и вылито в Мойку. Примирение невозможно. Мы будем воевать до победного конца, каких бы жертв это нам ни стоило. Немцы рассчитывали застать Россию спящей, но при громовых словах: «Отечество в опасности» — народ поднялся как один человек. Гнев его будет ужасен. Отечество — могучее, но забытое нами слово. С первым выстрелом германской пушки оно ожило во всей своей девственной красоте и огненными буквами засияло в сердце каждого из нас...»

Антошка зажмурился, мурашки пошли у него по спине. Какие слова приходилось писать! Не то что две недели тому назад, когда ему было поручено составить обзор летних развлечений. И он вспомнил, как в Буффе выходил на эстраду человек, одетый свиньей, и пел: «Я поросенок, и не стыжусь. Я поросенок, и тем горжусь. Моя маман была свинья, похож на маму очень я...»

«...Мы вступаем в героическую эпоху. Довольно мы гнили заживо. Война — наше очищение», — писал Антошка, брызгая пером.

Несмотря на сопротивление пораженцев во главе с Белосветовым, статья Арнольдова была напечатана. Уступку прежнему сделали только в том, что поместили ее на третьей странице и под академическим заглавием: «В дни войны». Сейчас же в редакцию стали приходить письма от читателей, — одни выражали восторженное удовлетворение по поводу статьи, другие — горькую иронию. Но первых было гораздо больше. Антошке прибавили построчную плату и спустя неделю вызвали в кабинет главного редактора, где седой и румяный, пахнущий английским одеколоном Василий Васильевич, предложив Антошке кресло, сказал озабоченно:

— Вам нужно ехать в деревню.

— Слушаюсь.

— Мы должны знать, что думают и говорят мужики. — Он ударил ладонью по большой пачке писем. — В интеллигенции проснулся огромный интерес к деревне. Вы должны дать живое, непосредственное впечатление об этом сфинксе.

— Результаты мобилизации указывают на огромный патриотический подъем, Василий Васильевич.

— Знаю. Но откуда он, черт возьми, у них взялся? Поезжайте, куда хотите, послушайте и поспрошайте. К субботе я жду от вас пятьсот строк деревенских впечатлений.

Из редакции Антошка пошел на Невский, где купил дорожный, военного фасона, костюм, желтые краги и фуражку; переодевшись во все это, поехал завтракать к Донону, где один вытянул бутылку французского шампанского, и пришел к решению, что проще всего поехать ему в деревню Хлыбы, — там у своего брата Кия гостила Елизавета Киевна. Вечером он занял место в купе международного вагона, закурил сигару и, поглядывая на мужественно поскрипывающие желтые гетры, подумал: «Жизнь!»

Деревня Хлыбы, в шестьдесят с лишком дворов, с заросшими крыжовником огородами и старыми липами посреди улицы, с большим, на бугорке, зданием школы, переделанным из помещичьего дома, лежала в низинке, между болотом и речонкой Свинюхой. Деревенский надел был небольшой, земля тощая, — мужики почти все ходили в Москву на промыслы.

Когда Антошка, под вечер, въехал на плетушке в деревню, — его удивила тишина. Только кудахтнула глупая курица, выбежав из-под лошадиных ног, зарычала под амбаром старая собака, да где-то на речке колотил валек, да бодались два барана посреди улицы, стуча рогами.

Антошка расплатился с глухим старичком, привезшим его со станции, и пошел по тропинке туда, где за зеленью берез виднелся старый бревенчатый фасад школы. Там, на крыльце, на полусгнивших ступенях, сидели Кий Киевич — учитель — и Елизавета Киевна и не спеша беседовали. Внизу по лугу протянулись от огромных ветел длинные тени. Переливаясь, летали темным облачком скворцы. Играл вдалеке рожок, собирая стадо. Несколько красных коров вышли из тростника, и одна, подняв морду, заревела. Кий Киевич, очень похожий на сестру, с такими же нарисованными глазами, говорил, кусая соломинку:

— Ты, Лиза, ко всему тому, чрезвычайно неорганизованна в области половой сферы. Типы, подобные тебе, — суть отвратительные отбросы буржуазной культуры.

Елизавета Киевна с ленивой улыбкой глядела туда, где на лугу в свете опускающегося солнца желтели и теплели трава и тени.

— Удивительно тебя скучно слушать, Кий, все ты наизусть выучил, все тебе ясно, как по книжке.

— Каждый человек, Лиза, должен заботиться о том, чтобы привести все свои идеи в порядок, в систему, а не о том, чтобы скучно или не скучно разговаривать.

— Ну, и заботься на здоровье.

Вечер был тих. Неподвижно перед крыльцом висели прозрачные ветви плакучих берез. Тыркал дергач под горою. Кий Киевич грыз травяной стебелек. Елизавета Киевна мечтательно глядела на расплывающиеся в синеватых сумерках деревья. Между ними появился юркий маленький человек с чемоданом.

— Ну, вот и она, — закричал Антошка. — Лиза, здравствуй, красавица...

Елизавета Киевна ужасно ему обрадовалась, стремительно поднялась и обняла.

Кий Киевич поздоровался суховато и продолжал грызть стебелек. Антошка развалился на ступеньках, раскурил сигару.

— А я к вам за информацией, Кий Киевич, расскажите-ка мне поподробнее, что в ваших Хлыбах думают и говорят о войне...

Кий Киевич криво усмехнулся:

— А черт их знает, что они думают... Молчат... Волки тоже молчат, когда собираются в стаи.

— Стало быть, сопротивления мобилизации не было?

— Нет, сопротивления не было.

— Понимают, что немец — враг?

— Нет, тут не в немце дело.

— А в ком же?

Кий Киевич усмехнулся:

— Дело не в немце — дело в винтовке... Винтовочку в руки заполучить. А уж у человека с винтовкой другая психология... Поживем, увидим — в каком, собственно, направлении намерены стрелять винтовки... Так-то...

— Ну, а все-таки, разговаривают они о войне?

— Подите на деревню, послушайте...

В сумерки Антошка и Елизавета Киевна пошли на деревню. Августовские созвездия высыпали по всему холодеющему небу. Внизу, в Хлыбах, было сыровато, пахло еще не осевшей пылью от стада и парным молоком. У ворот стояли распряженные телеги. Под липами, где было совсем темно, скрипел журавель колодца, фыркнула лошадь, и было слышно, как она пила, отдуваясь. На открытом месте, у деревянной амбарушки, накрытой соломенной крышей, на бревнах сидели три девки и напевали негромко. Елизавета Киевна и Антошка подошли и тоже сели в стороне. Девки пели:

Хлыбы-то деревня,
Всем она украшена, —
Стульями, букетами,
Девчоночки патретами...

Одна из них, обернувшись к подошедшим, сказала тихо:

— Что же, девки, спать, что ли, пора?

И они сидели не двигаясь. В амбарушке кто-то возился, потом скрипнула дверца, и наружу вышел лысый мужик в расстегнутом полушубке; кряхтя, долго запирал висячий замок, потом подошел к девкам, положил руки на поясницу, вытянул козлиную бороду.

— Соловьи-птицы, все поете?

— Поем, да не про тебя, дядя Федор.

— А вот я вас сейчас кнутом отсюда... Каки-таки порядки — по ночам песни петь...

— А тебе завидно?

И другая сказала со вздохом:

— Только нам и осталось, дядя Федор, про Хлыбы-то наши петь.

— Да, плохо ваше дело. Осиротели.

Федор присел около девок. Ближняя к нему сказала:

— Народу, нонче козьмодемьянские бабы сказывали, народу на войну забрали — полсвета.

— Скоро, девки, и до вас доберутся.

— Это нас-то на войну?

Девки засмеялись, и крайняя опять спросила:

— Дядя Федор, с кем у нашего царя война?

— С иным царем.

Девки переглянулись, одна вздохнула, другая поправила полушалок, крайняя проговорила:

— Так нам и козьмодемьянские бабы сказывали, что, мол, с иным царем.

Тогда из-за бревен поднялась лохматая голова и прохрипела, натягивая на себя полушубок:

— А ты — будет тебе врать. Какой иной царь, — с немцем у нас война.

— Все может быть, — ответил Федор.

Голова опять скрылась. Антошка Арнольдов, вынув папиросницу, предложил Федору папироску и спросил осторожно:

— А что, скажите, из вашей деревни охотно пошли на войну?

— Охотой многие пошли, господин.

— Был, значит, подъем?

— Да, поднялись. Отчего не пойти? Все-таки посмотрят — как там и что. А убьют — все равно и здесь помирать. Землишка у нас скудная, перебиваемся с хлеба на квас. А там, все говорят, — два раза мясо едят, и сахар, и чай, и табак, — сколько хочешь кури.

— А разве не страшно воевать?

— Как не страшно, конечно, страшно.

15

Телеги, покрытые брезентами, возы с соломой и сеном, санитарные повозки, огромные корыта понтонов, покачиваясь и скрипя, двигались по широкому, залитому жидкой грязью шоссе. Не переставая лил дождь, косой и мелкий. Борозды пашен и канавы с боков дороги были полны водой. Вдали неясными очертаниями стояли деревья и перелески.

Под крики и ругань, щелканье кнутов и треск осей об оси, в грязи и дожде, двигались сплошной лавиной обозы наступающей русской армии. С боков пути валялись дохлые и издыхающие лошади, торчали кверху колесами опрокинутые телеги. Иногда в этот поток врывался военный автомобиль. Начинались крики, кряканье, лошади становились на дыбы, валилась под откос груженая телега, скатывались вслед за ней обозные.

Далее, где прерывался поток экипажей, шли, далеко растянувшись, скользили по грязи солдаты в накинутых на спины мешках и палатках. В нестройной их толпе двигались возы с поклажей, с ружьями, торчащими во все стороны, со скорченными наверху денщиками. Время от времени с шоссе на поле сбегал человек и, положив винтовочку на траву, присаживался на корточки.

Далее опять колыхались возы, понтоны, повозки, городские экипажи с промокшими в них фигурами в офицерских плащах. Этот грохочущий поток то сваливался в лощину, теснился, орал и дрался на местах, то медленно вытягивался в гору и пропадал за перекатом. С боков в него вливались новые обозы с хлебом, сеном и снарядами. По полю, перегоняя, проходили небольшие кавалерийские части.

Иногда в обозы с треском и железным грохотом врезалась артиллерия. Огромные грудастые лошади и ездовые на них, татары, с бородатыми свирепыми лицами, хлеща по лошадям и по людям, как плугом, расчищали шоссе, волоча за собой подпрыгивающие тупорылые пушки. Отовсюду бежали люди, вставали на возах и махали руками. И опять смыкалась река, вливалась в лес, остро пахнущий грибами, прелыми листьями и весь мягко шумящий от дождя.

Далее с обеих сторон дороги торчали из мусора и головешек печные трубы, качался разбитый фонарь, на кирпичной стене развороченного снарядами дома хлопала афиша кинематографа. И здесь же, в телеге без передних колес, лежал раненый австриец, в голубом капоте, — желтое личико, мутные тоскливые глаза.

Верстах в двадцати пяти от этих мест глухо перекатывался по дымному горизонту гром орудий. Туда вливались эти войска и обозы день и ночь. Туда со всей России тянулись поезда, груженные хлебом, людьми и снарядами. Вся страна всколыхнулась от грохота пушек. Наконец настала воля всему, что в запрете и духоте копилось в ней жадного, неутоленного, злого.

Население городов, пресыщенное обезображенной, нечистой жизнью, словно очнулось от душного сна. В грохоте пушек был возбуждающий голос мировой грозы. Стало казаться, что прежняя жизнь невыносима далее. Население со злорадной яростью приветствовало войну.

В деревнях много не спрашивали — с кем война и за что, — не все ли равно. Уж давно злоба и ненависть кровавым туманом застилали глаза. Время страшным делам приспело. Парни и молодые мужики, побросав баб и девок, расторопные и жадные, набивались в товарные вагоны, со свистом и похабными песнями проносились мимо городов. Кончилось старое житье, — Россию, как большой ложкой, начало мешать и мутить, все тронулось, сдвинулось и опьянело хмелем войны.

Доходя до громыхающей на десятки верст полосы боя, обозы и воинские части разливались и таяли. Здесь кончалось все живое и человеческое. Каждому отводилось место в земле, в окопе. Здесь он спал, ел, давил вшей и до одури «хлестал» из винтовки в полосу дождевой мглы.

По ночам по всему горизонту багровыми высокими заревами медленно разливались пожарища, искряные шнуры ракет чертили небо, рассыпались звездами, с настигающим воем налетали снаряды и взрывались столбами огня, дыма и пыли.

Здесь сосало в животе от тошного страха, съеживалась кожа и поджимались пальцы. Близ полночи раздавались сигналы. Пробегали офицеры с перекошенными губами, — руганью, криком, побоями поднимали опухших от сна и сырости солдат. И, спотыкаясь, с матерной бранью и звериным воем бежали нестройные кучки людей по полю, ложились, вскакивали и, оглушенные, обезумевшие, потерявшие память от ужаса и злобы, врывались в окопы врагов.

И потом никогда никто не помнил, что делалось там, в этих окопах. Когда хотели похвастаться геройскими подвигами, — как всажен был штык, как под ударом приклада хрястнула голова, — приходилось врать. От ночного дела оставались трупы.

Наступал новый день, подъезжали кухни. Вялые и прозябшие солдаты ели и курили. Потом разговаривали о дерьме, о бабах и тоже много врали. Искали вшей и спали. Спали целыми днями в этой оголенной, загаженной испражнениями и кровью полосе грохота и смерти.

Точно так же, в грязи и сырости, не раздеваясь и по неделям не снимая сапог, жил и Телегин. Армейский полк, куда он зачислился прапорщиком, наступал с боями. Больше половины офицерского и солдатского состава было выбито, пополнений они не получали, и все ждали только одного: когда их, полуживых от усталости и обносившихся, отведут в тыл.

Но высшее командование стремилось до наступления зимы во что бы то ни стало вторгнуться через Карпаты в Венгрию и опустошить ее. Людей не щадили, — человеческих запасов было много. Казалось, что этим длительным напряжением третий месяц не прекращающегося боя будет сломлено сопротивление отступающих в беспорядке австрийских армий, падут Краков и Вена, и левым крылом русские смогут выйти в незащищенный тыл Германии.

Следуя этому плану, русские войска безостановочно шли на запад, захватывая десятки тысяч пленных, огромные запасы продовольствия, снарядов, оружия и одежды. В прежних войнах лишь часть подобной добычи, лишь одно из этих непрерывных кровавых сражений, где ложились целые корпуса, решило бы участь кампании. И несмотря даже на то, что в первых же битвах погибли регулярные армии, ожесточение только росло. На войну уходили все, от детей до стариков, весь народ. Было что-то в этой войне выше человеческого понимания. Казалось, враг разгромлен, изошел кровью, еще усилие, — и будет решительная победа. Усилие совершалось, но на месте растаявших армий врага вырастали новые, с унылым упрямством шли на смерть и гибли. Ни татарские орды, ни полчища персов не дрались так жестоко и не умирали так легко, как слабые телом, изнеженные европейцы или хитрые русские мужики, видевшие, что они только бессловесный скот, — мясо в этой бойне, затеянной господами.

Остатки полка, где служил Телегин, окопались по берегу узкой и глубокой речки. Позиция была дурная, вся на виду, и окопы мелкие. В полку с часа на час ожидали приказа к наступлению, и пока все были рады выспаться, переобуться, отдохнуть, хотя с той стороны речки, где в траншеях сидели австрийские части, шел сильный обстрел.

Под вечер, когда часа на три, как обычно, огонь затих, Иван Ильич пошел в штаб полка, помещавшийся в покинутом замке, верстах в двух от позиции.

Лохматый туман лежал по всей извивающейся в зарослях речке и вился в прибрежных кустах. Было тихо, сыро и пахло мокрыми листьями. Изредка по воде глухим шаром катился одинокий выстрел.

Иван Ильич перепрыгнул через канаву на шоссе, остановился и закурил. С боков, в тумане, стояли облетевшие огромные деревья, казавшиеся чудовищно высокими. По сторонам их на топкой низине было словно разлито молоко. В тишине жалобно свистнула пулька. Иван Ильич глубоко вздохнул и зашагал по хрустящему гравию, посматривая вверх на призрачные деревья. От этого покоя и оттого, что он один идет и думает, — в нем все отдыхало, отходил трескучий шум дня, и в сердце пробиралась тонкая, пронзительная грусть. Он еще раз вздохнул, бросил папиросу, заложил руки за шею и так шел, словно в чудесном мире, где были только призраки деревьев, его живое, изнывающее любовью сердце и незримая прелесть Даши.

Даша была с ним в этот час отдыха и тишины. Он чувствовал ее прикосновение каждый раз, когда затихали железный вой снарядов, трескотня ружей, крики, ругань, — все эти лишние в божественном мироздании звуки, — когда можно было уткнуться где-нибудь в углу землянки, и тогда прелесть касалась его сердца.

Ивану Ильичу казалось, что если придется умирать, — до последней минуты он будет испытывать это счастье соединения. Он не думал о смерти и не боялся ее. Ничто теперь не могло оторвать его от изумительного состояния жизни, даже смерть.

Этим летом, подъезжая к Евпатории, чтобы в последний раз, как ему казалось, взглянуть на Дашу, Иван Ильич грустил, волновался и придумывал всевозможные извинения. Но встреча по дороге, неожиданные слезы Даши, ее светловолосая голова, прижавшаяся к нему, ее волосы, руки, плечи, пахнущие морем, ее детский рот, сказавший, когда она подняла к нему лицо с зажмуренными мокрыми ресницами: «Иван Ильич, милый, как я ждала вас», — все эти свалившиеся как с неба, несказанные вещи там же, на дороге у моря, перевернули в несколько минут всю жизнь Ивана Ильича. Он сказал, глядя в любимое лицо:

— На всю жизнь люблю вас.

Впоследствии ему даже казалось, что он, быть может, и не выговорил этих слов, только подумал, и она поняла. Даша сняла с его плеч руки, проговорила:

— Мне нужно очень многое вам сообщить. Пойдемте.

Они пошли и сели у воды на песке. Даша взяла горсть камешков и не спеша кидала их в воду.

— Дело в том, что еще вопрос, — сможете ли вы-то ко мне хорошо относиться, когда узнаете про все. Хотя все равно, относитесь, как хотите. — Она вздохнула. — Без вас я очень нехорошо жила, Иван Ильич. Если можете, — простите меня.

И она начала рассказывать все честно и подробно, — о Самаре и о том, как приехала сюда и встретила Бессонова, и у нее пропала охота жить, — так стало омерзительно от всего этого петербургского чада, который снова поднялся, отравил кровь, разжег любопытством...

— До каких еще пор было топорщиться? Захотелось шлепнуться в грязь — туда и дорога. А вот ведь струсила в последнюю минуту... Иван Ильич, милый... — Даша всплеснула руками. — Помогите мне. Не хочу, не могу больше ненавидеть себя... Но ведь не все же во мне погибло... Я хочу совсем другого, совсем другого...

После этого разговора Даша молчала очень долго. Иван Ильич глядел, не отрываясь, на сияющую солнцем зеркальную голубоватую воду, — душа его, наперекор всему, заливалась счастьем.

О том, что началась война и Телегин должен ехать завтра догонять полк, Даша сообразила только потом, когда от поднявшегося ветра волною ей замочило ноги.

— Иван Ильич?

— Да.

— Вы хорошо ко мне относитесь?

— Да.

— Очень?

— Да.

Тогда она подползла ближе к нему по песку на коленях и положила руку ему в руку, так же как тогда на пароходе.

— Иван Ильич, я тоже — да.

Крепко сжав его задрожавшие пальцы, она спросила после молчания:

— Что вы мне сказали тогда, на дороге?.. — Она сморщила лоб. — Какая война? С кем?

— С немцами.

— Ну, а вы?

— Уезжаю завтра.

Даша ахнула и опять замолчала. Издали, по берегу к ним бежал в полосатой пижаме, очевидно только что выскочивший из кровати, Николай Иванович, взмахивая газетным листом, и кричал что-то.

На Ивана Ильича он не обратил внимания. Когда же Даша сказала: «Николай, это мой самый большой друг», — Николай Иванович схватил Телегина за пиджак и заорал в лицо:

— Дожили, молодой человек. А? Вот вам — цивилизация! А? Это — чудовищно! Вы понимаете? Это — бред!

Весь день Даша не отходила от Ивана Ильича, была смирная и задумчивая. Ему же казалось, что этот день, наполненный голубоватым светом солнца и шумом моря, неимоверно велик. Каждая минута будто раздвигалась в целую жизнь.

Телегин и Даша бродили по берегу, лежали на песке, сидели на террасе и были как отуманенные. И, не отвязываясь, всюду за ними ходил Николай Иванович, произнося огромные речи по поводу войны и немецкого засилья.

Под вечер удалось наконец отвязаться от Николая Ивановича. Даша и Телегин ушли одни далеко по берегу пологого залива. Шли молча, ступая в ногу. И здесь Иван Ильич начал думать, что нужно все-таки сказать Даше какие-то слова. Конечно, она ждет от него горячего и, кроме того, определенного объяснения. А что он может пробормотать? Разве словами выразить то, чем он полон весь? Нет, этого не выразишь.

«Нет, нет, — думал он, глядя под ноги, — если я и скажу ей эти слова, — будет бессовестно: она не может меня любить, но, как честная и добрая девушка, согласится, если я предложу ей руку. Но это будет насилие. И тем более не имею права говорить, что мы расстаемся на неопределенное время, и, по всей вероятности, я с войны не вернусь...»

Это был один из приступов самоедства. Даша вдруг остановилась и, опершись о его плечо, сняла с ноги туфельку.

— Ах, боже мой, боже мой, — проговорила она и стала высыпать песок из туфли, потом надела ее, выпрямилась и вздохнула глубоко. — Я буду очень вас любить, когда вы уедете, Иван Ильич.

Она положила руку ему на шею и, глядя в глаза ясными, почти суровыми, без улыбки, серыми глазами, вздохнула еще раз, легко:

— Мы и там будем вместе, да?

Иван Ильич осторожно привлек ее и поцеловал в нежные, дрогнувшие губы. Даша закрыла глаза. Потом, когда им обоим не хватило больше воздуху, Даша отстранилась, взяла Ивана Ильича под руку, и они пошли вдоль тяжелой и темной воды, лижущей багровыми бликами берег у их ног.

Все это Иван Ильич вспоминал с неуставаемым волнением всякий раз в минуты тишины. Бредя сейчас с закинутыми за шею руками, в тумане, по шоссе, между деревьями, он снова видел внимательный взгляд Даши, испытывал долгий ее поцелуй.

— Стой, кто идет? — крикнул грубый голос из тумана.

— Свой, свой, — ответил Иван Ильич, опуская руки в карманы шинели, и повернул под дубы к неясной громаде замка, где в нескольких окнах желтел свет. На крыльце кто-то, увидев Телегина, бросил папироску и вытянулся. «Что, почты не было?» — «Никак нет, ваше благородие, ожидаем». Иван Ильич вошел в прихожую. В глубине ее, над широкой дубовой лестницей, висел старинный гобелен, на нем, среди тонких деревцев, стояли Адам и Ева, она держала в руке яблоко, он — срезанную ветвь с цветами. Их выцветшие лица и голубоватые тела неясно освещала свеча, стоящая в бутылке на лестничной тумбе.

Иван Ильич отворил дверь направо и вошел в пустую комнату с лепным потолком, рухнувшим в углу, там, где вчера в стену ударил снаряд. У горящего камина, на койке, сидели поручик князь Бельский и подпоручик Мартынов. Иван Ильич поздоровался, спросил, когда ожидают из штаба автомобиль, и присел неподалеку на патронные жестянки, щурясь от света.

— Ну что, у вас все постреливают? — спросил Мартынов.

Иван Ильич не ответил, пожал плечами. Князь Бельский продолжал говорить вполголоса:

— Главное — это вонь. Я написал домой, — мне не страшна смерть. За отечество я готов пожертвовать жизнью, для этого я, строго говоря, перевелся в пехоту и сижу в окопах, но вонь меня убивает.

— Вонь — это ерунда, не нравится, не нюхай, — отвечал Мартынов, поправляя аксельбант, — а вот что здесь нет женщины — это существенно. Это — к добру не приведет. Суди сам, — командующий армией — старая песочница, и нам здесь устроили монастырь, — ни водки, ни женщин. Разве это забота об армии, разве это война?

Мартынов поднялся с койки и сапогом стал пихать пылающие поленья. Князь задумчиво курил, глядя на огонь.

— Пять миллионов солдат, которые гадят, — сказал он, — кроме того, гниют трупы и лошади. На всю жизнь у меня останется воспоминание об этой войне как о том, что дурно пахнет. Брр...

На дворе послышалось пыхтенье автомобиля.

— Господа, почту привезли! — крикнул в дверь взволнованный голос.

Офицеры вышли на крыльцо. Около автомобиля двигались темные фигуры, несколько человек бежало по двору. И хриплый голос повторял: «Господа, прошу не хватать из рук».

Мешки с почтой и посылками были внесены в прихожую, и на лестнице, под Адамом и Евой, их стали распаковывать. Здесь была почта за целый месяц. Казалось, в этих грязных парусиновых мешках было скрыто целое море любви и тоски — вся покинутая, милая, невозвратная жизнь.

— Господа, не хватайте из рук, — хрипел штабс-капитан Бабкин, тучный, багровый человек. — Прапорщик Телегин, шесть писем и посылка... Прапорщик Нежный, — два письма...

— Нежный убит, господа...

— Когда?

— Сегодня утром...

Иван Ильич пошел к камину. Все шесть писем были от Даши. Адрес на конвертах написан крупным почерком. Ивана Ильича заливало нежностью к этой милой руке, написавшей такие большие буквы. Нагнувшись к огню, он осторожно разорвал первый конверт. Оттуда пахнуло на него таким воспоминанием, что пришлось на минуту закрыть глаза. Потом он прочел:

«Мы проводили вас и уехали с Николаем Ивановичем в тот же день в Симферополь и вечером сели в петербургский поезд. Сейчас мы на нашей старой квартире. Николай Иванович очень встревожен: от Катюши нет никаких вестей, где она — не знаем. То, что у нас с вами случилось, так велико и так внезапно, что я еще не могу опомниться. Не вините меня, что я вам пишу на «вы». Я вас люблю. Я буду вас верно и очень сильно любить. А сейчас очень смутно, — по улицам проходят войска с музыкой, до того печально, точно счастье уходит вместе с трубами, с этими солдатами. Я знаю, что не должна этого писать, но вы все-таки будьте осторожны на войне».

— Ваше благородие. Ваше благородие. — Телегин с трудом обернулся, в дверях стоял вестовой. — Телефонограмма, ваше благородие... Требуют в роту.

— Кто?

— Подполковник Розанов. Как можно скорей просили быть.

Телегин сложил недочитанное письмо, вместе с остальными конвертами засунул под рубашку, надвинул картуз на глаза и вышел.

Туман теперь стал еще гуще, деревьев не было видно, идти пришлось как в молоке, только по хрусту гравия определяя дорогу, Иван Ильич повторял: «Я буду вас верно и очень сильно любить». Вдруг он остановился, прислушиваясь. В тумане не было ни звука, только падала иногда тяжелая капля с дерева. И вот неподалеку он стал различать какое-то бульканье и мягкий шорох. Он двинулся дальше, бульканье стало явственнее. Он сильно откинулся назад, — глыба земли, оторвавшись из-под ног его, рухнула с тяжелым плеском в воду.

Очевидно, это было то место, где шоссе обрывалось над рекой у сожженного моста. На той стороне, шагах в ста отсюда, он это знал, к самой реке подходили австрийские окопы. И действительно, вслед за плеском воды, как кнутом, с той стороны хлестнул выстрел и покатился по реке, хлестнул второй, третий, затем словно рвануло железо — раздался длинный залп, и в ответ ему захлопали отовсюду заглушенные туманом торопливые выстрелы. Все громче, громче загрохотало, заухало, заревело по всей реке, и в этом окаянном шуме хлопотливо затакал пулемет. Бух! — ухнуло где-то в лесу. Дырявый грохочущий туман плотно висел над землей, прикрывая это обычное и омерзительное дело.

Несколько раз около Ивана Ильича с чавканьем в дерево хлопала пуля, валилась ветка. Он свернул с шоссе на поле и пробирался наугад кустами. Стрельба так же внезапно начала затихать и окончилась. Иван Ильич снял фуражку и вытер мокрый лоб. Снова было тихо, как под водой, лишь падали капли с кустов. Слава богу, Дашины письма он сегодня прочтет. Иван Ильич засмеялся и перепрыгнул через канавку. Наконец совсем рядом он услышал, как кто-то, зевая, проговорил:

— Вот тебе и поспали, Василий, я говорю — вот тебе и поспали.

— Погоди, — ответили отрывисто. — Идет кто-то.

— Кто идет?

— Свой, свой, — поспешно сказал Телегин и сейчас же увидел земляной бруствер окопа и запрокинувшиеся из-под земли два бородатых лица. Он спросил: — Какой роты?

— Третьей, ваше благородие, свои. Что же вы, ваше благородие, по верху-то ходите? Задеть могут.

Телегин прыгнул в окоп и пошел по нему до хода сообщения, ведущего к офицерской землянке. Солдаты, разбуженные стрельбой, говорили:

— В такой туман, очень просто, он речку где-нибудь перейдет.

— Ничего трудного.

— Вдруг — стрельба, гул — здорово живешь... Напугать, что ли, хочет или он сам боится?

— А ты не боишься?

— Так ведь я-то что же? Я ужас пужливый.

— Ребята, Гавриле палец долой оторвало.

— Заверещал, палец вот так кверху держит.

— Вот ведь кому счастье... Домой отправят.

— Что ты! Кабы ему всю руку оторвало. А с пальцем — погниет поблизости, и опять пожалуйте в роту...

— Когда эта война кончится?

— Ладно тебе.

— Кончится, да не мы это увидим.

— Хоть бы Вену, что ли бы, взяли.

— А тебе она на что?

— Так все-таки.

— К весне воевать не кончим, — все равно все разбегутся. Землю кому пахать — бабам? Народу накрошили — полную меру. Будет. Напились, сами отвалимся.

— Ну, енералы скоро воевать не перестанут.

— Это что за разговор?.. Кто это тут говорит?..

— Будет тебе собачиться, унтер... Проходи...

— Енералы воевать не перестанут.

— Верно, ребята. Первое дело, — двойное жалованье идет им, кресты, ордена.. Мне один человек сказывал: за каждого, говорит, рекрута англичане платят нашим генералам по тридцать восемь целковых с полтиной за душу.

— Ах, сволочи! Как скот продают.

— Ладно, потерпим, увидим.

Когда Телегин вошел в землянку, батальонный командир, подполковник Розанов, тучный, в очках, с редкими вихрами, проговорил, сидя в углу под еловыми ветками, на попонах:

— Явился, голубчик.

— Виноват, Федор Кузьмич, сбился с дороги — туман страшный.

— Вот что, голубчик, придется нынче ночью потрудиться...

Он положил в рот корочку хлеба, которую все время держал в грязном кулаке. Телегин медленно стиснул челюсти.

— Штука в том, что нам приказано, милейший Иван Ильич, батенька мой, перебраться на ту сторону. Хорошо бы это дело соорудить как-нибудь полегче. Садитесь рядышком. Коньячку желаете? Вот я придумал, значит, такую штуку... Навести мостик как раз против большой ракиты. Перекинем на ту сторону два взвода...

16

— Сусов!

— Здесь, ваше благородие.

— Подкапывай... Тише, не кидай в воду. Ребята, подавайте, подавайте вперед... Зубцов!

— Здесь, ваше благородие.

— Погоди-ка... Наставляй вот сюда... Подкопни еще... Опускай... Легче...

— Легче, ребята, плечо оторвешь... Насовывай...

— Ну-ка, посунь...

— Не ори, тише ты, сволочь!

— Упирай другой конец... Ваше благородие, поднимать?

— Концы привязали?

— Готово.

— Поднимай...

В облаках тумана, насыщенного лунным светом, заскрипев, поднялись две высокие жерди, соединенные перекладинами, — перекидной мост. На берегу, едва различимые, двигались фигуры охотников. Говорили и ругались торопливым шепотом.

— Ну что — сел?

— Сидит хорошо.

— Опускай... осторожнее...

— Полегоньку, полегоньку, ребята...

Жерди, упертые концами в берег речки, в самом узком месте ее, медленно начали клониться и повисли в тумане над водой.

— Достанет до берега?

— Тише опускай...

— Чижол очень.

— Стой, стой, легче!..

Но все же дальний конец моста с громким всплеском лег на воду. Телегин махнул рукой.

— Ложись!

Неслышно в траве на берегу прилегли, притаились фигуры охотников. Туман редел, но стало темнее, и воздух жестче перед рассветом. На той стороне было тихо. Телегин позвал:

— Зубцов!

— Здесь!

— Лезь, настилай!

Пахнущая едким потом рослая фигура охотника Василия Зубцова соскользнула мимо Телегина с берега в воду. Иван Ильич увидел, как большая рука, дрожа, ухватилась за траву, отпустила ее и скрылась.

— Глыбко, — зябким шепотом проговорил Зубцов откуда-то снизу. — Ребята, подавай доски...

— Доски, доски давай!

Неслышно и быстро, с рук на руки, стали подавать доски. Прибивать их было нельзя, — боялись шума. Наложив первые ряды, Зубцов вылез из воды на мостик и вполголоса приговаривал, стуча зубами:

— Живей, живей подавай... Не спи...

Под мостом журчала студеная вода, жерди колебались. Телегин различал темные очертания кустов на той стороне, и, хотя это были точно такие же кусты, как и на нашем берегу, вид их казался жутким. Иван Ильич вернулся на берег, где лежали охотники, и крикнул резко:

— Вставай!

Сейчас же в беловатых облаках поднялись преувеличенно большие, расплывающиеся фигуры.

— По одному бегом!..

Телегин повернул к мосту. В ту же минуту, словно луч солнца уперся в туманное облако, осветились желтые доски, вскинутая в испуге чернобородая голова Зубцова. Луч прожектора метнулся вбок, в кусты, вызвал оттуда корявую ветвь с голыми сучьями и снова лег на доски. Телегин, стиснув зубы, побежал через мост. И сейчас же словно обрушилась вся эта черная тишина, громом отдалась в голове. По мосту с австрийской стороны стали бить ружейным и пулеметным огнем. Телегин прыгнул на берег и, присев, обернулся. Через мост бежал высокий солдат, — он не разобрал кто, — винтовку прижал к груди, выронил ее, поднял руки и опрокинулся вбок, в воду. Пулемет хлестал по мосту, по воде, по берегу... Пробежал второй, Сусов, и лег около Телегина...

— Зубами заем, туды их в душу!

Побежал второй, и третий, и четвертый, и еще один сорвался и завопил, барахтаясь в воде...

Перебежали все и залегли, навалив лопатами земли немного перед собой. Выстрелы исступленно теперь грохотали по всей реке. Нельзя было поднять головы, — по месту, где залегли охотники, так и поливало, так и поливало пулеметом. Вдруг ширкнуло невысоко — раз, два, — шесть раз, и глухо впереди громыхнули шесть разрывов. Это с нашей стороны ударили по пулеметному гнезду.

Телегин и впереди него Василий Зубцов вскочили, пробежали шагов сорок и легли. Пулемет опять заработал, слева, из темноты. Но было ясно, что с нашей стороны огонь сильнее, — австрийца загоняли под землю. Пользуясь перерывами стрельбы, охотники подбегали к тому месту, где еще вчера перед австрийскими траншеями нашей артиллерией было раскидано проволочное заграждение.

Его опять начали было заплетать за ночь. На проволоках висел труп. Зубцов перерезал проволоку, и труп упал мешком перед Телегиным. Тогда на четвереньках, без ружья, перегоняя остальных, заскочил вперед охотник Лаптев и лег под самый бруствер. Зубцов крикнул ему:

— Вставай, бросай бомбу!

Но Лаптев молчал, не двигаясь, не оборачиваясь, — должно быть, закатилось сердце от страха. Огонь усилился, и охотники не могли двинуться, — прильнули к земле, зарылись.

— Вставай, бросай, сукин сын, бомбу! — кричал Зубцов. — Бросай бомбу! — И, вытянувшись, держа винтовку за приклад, штыком совал Лаптеву в торчащую коробом шинель. Лаптев обернул ощеренное лицо, отстегнул от пояса гранату и вдруг, кинувшись грудью на бруствер, бросил бомбу и, вслед за разрывом, прыгнул в окоп. — Бей, бей! — закричал Зубцов не своим голосом...

Поднялись человек десять охотников, побежали и исчезли под землей, — были слышны только рваные, резкие звуки разрывов.

Телегин метался по брустверу, как слепой, и все не мог отстегнуть гранату, прыгнул наконец в траншею и побежал, задевая плечами за липкую глину, спотыкаясь и крича во весь разинутый рот... Увидел белое, как маска, лицо человека, прижавшегося во впадине окопа, и схватил его за плечи, и человек, будто во сне, забормотал, забормотал...

— Замолчи ты, черт, не трону, — чуть не плача закричал ему в белую маску Телегин и побежал, перепрыгивая через трупы. Но бой уже кончался. Толпа серых людей, побросавших оружие, лезла из траншеи на поле. Их пихали прикладами. А шагах в сорока, в крытом гнезде, все еще грохотал пулемет, обстреливая переправу. Иван Ильич, протискиваясь среди охотников и пленных, кричал:

— Что же вы смотрите, что вы смотрите!.. Зубцов, где Зубцов?

— Здесь я...

— Что же ты, черт окаянный, смотришь!

— Да разве к нему подступишься?

Они побежали.

— Стой!.. Вот он!

Из траншеи узкий ход вел в пулеметное гнездо. Нагнувшись, Телегин побежал по нему, вскочил в блиндаж, где в темноте все тряслось от нестерпимого грохота, схватил кого-то за локти и потащил. Сразу стало тихо, только, борясь, хрипел тот, кого он отдирал от пулемета.

— Сволочь живучая, не хочет, пусти-ка, — пробормотал сзади Зубцов и раза три ударил прикладом тому в череп, и тот, вздрагивая, заговорил: «Бу, бу, бу», — и затих... Телегин выпустил его и пошел из блиндажа.

Зубцов крикнул вдогонку:

— Ваше благородие, он прикованный.

Скоро стало совсем светло. На желтой глине были видны пятна и подтеки крови. Валялось несколько ободранных телячьих кож, жестянки, сковородки, да трупы, уткнувшись, лежали мешками. Охотники, разморенные и вялые, — кто прилег, кто ел консервы, кто обшаривал брошенные австрийские сумки.

Пленных давно уже угнали за реку. Полк переправлялся, занимал позиции, и артиллерия била по вторым австрийским линиям, откуда отвечали вяло. Моросил дождик, туман развеяло. Иван Ильич, облокотившись о край окопа, глядел на поле, по которому они бежали ночью. Поле как поле, — бурое, мокрое, кое-где — обрывки проволок, кое-где — черные следы подкопанной земли да несколько трупов охотников. И речка — совсем близко. И ни вчерашних огромных деревьев, ни жутких кустов. А сколько было затрачено силы, чтобы пройти эти триста шагов!

* * *

Австрийцы продолжали отходить, и русские части, не отдыхая, преследовали их до ночи. Телегину было приказано занять со своими охотниками лесок, синевший на горке, и он после короткой перестрелки занял его к вечеру. Наспех окопались, выставили сторожевое охранение, связались со своей частью телефоном, поели что было в мешках, и под мелким дождем, в темноте и лесной прели, многие заснули, хотя был приказ поддерживать огонь всю ночь.

Телегин сидел на пне, прислонившись к мягкому от мха стволу дерева. За ворот иногда падала капля, и это было хорошо, — не давало заснуть. Утреннее возбуждение давно прошло, и прошла даже страшная усталость, когда пришлось идти верст десять по разбухшим жнивьям, перелезать через плетни и канавы, когда одеревеневшие ноги ступали куда попало и распухла голова от боли.

Кто-то подошел по листьям и голосом Зубцова сказал тихо:

— Сухарик желаете?

— Спасибо.

Иван Ильич взял у него сухарь и стал его жевать, и он был сладок, так и таял во рту. Зубцов присел около на корточки:

— Покурить дозволите?

— Осторожнее только, смотри.

— У меня трубочка.

— Зубцов, ты зря все-таки убил его, а?

— Пулеметчика-то?

— Да.

— Конечно, зря.

— Спать хочешь?

— Ничего, не посплю.

— Если я задремлю, ты меня толкни.

Медленно, мягко падали капли на прелые листья, на руку, на козырек картуза.. После шума, криков, омерзительной возни, после убийства пулеметчика, — падают капли, как стеклянные шарики. Падают в темноту, в глубину, где пахнет прелыми листьями. Шуршат, не дают спать... Нельзя, нельзя... Иван Ильич разлеплял глаза и видел неясные, будто намеченные углем, очертания ветвей... Но стрелять всю ночь — тоже глупость, пускай охотники отдохнут... Восемь убитых, одиннадцать раненых... Конечно, надо бы поосторожней на войне... Ах, Даша, Даша! Стеклянные капельки все примирят, все успокоят...

— Иван Ильич!..

— Да, да, Зубцов, не сплю...

— Разве не зря — убить человека-то... У него, чай, домишко свой, семейство какое ни на есть, а ты ткнул в него штыком, как в чучело, — сделал дело. Я в первый-то раз запорол одного, — потом есть не мог, тошнило... А теперь — десятого или девятого кончаю... Ведь страх-то какой, а? Значит, грех-то этот кто-то уж взял за это за самое?..

— Какой грех?

— Да хотя бы мой... Я говорю — грех-то мой на себя кто-нибудь взял, — генерал какой, или в Петербурге какой-нибудь человек, который всеми этими делами распоряжается...

— Какой же твой грех, когда ты отечество обороняешь?

— Так-то так... я говорю, слушай, Иван Ильич, — кто-нибудь да окажется виновный, — мы разыщем. Кто эту войну допустил — тот и отвечать будет... Жестоко ответят за эти дела...

В лесу гулко хлопнул выстрел. Телегин вздрогнул. Раздалось еще несколько выстрелов с другой стороны.

Это было тем более удивительно, что с вечера враг не находился в соприкосновении. Телегин побежал к телефону. Телефонист высунулся из ямы:

— Аппарат не работает, ваше благородие.

По всему лесу теперь кругом слышались частые выстрелы, и пули чиркали по сучьям. Передовые посты подтягивались, отстреливались. Около Телегина появился охотник Климов, степным каким-то, дурным голосом проговорил: «Обходят, ваше благородие!» — схватился за лицо и сел на землю, — лег ничком.. И еще кто-то закричал в темноте:

— Братцы, помираю!

Телегин различал между стволами рослые, неподвижные фигуры охотников. Они все глядели в его сторону, — он это чувствовал. Он приказал, чтобы все, рассыпавшись поодиночке, пробивались к северной стороне леса, должно быть, еще не окруженной. Сам же он с теми, кто захочет остаться, задержится, насколько можно, здесь в окопах.

— Нужно пять человек. Кто желающий?

От деревьев отделились и подошли к нему Зубцов, Сусов и Колов — молодой парень. Зубцов крикнул, обернувшись:

— Еще двоих! Рябкин, иди!

— Что ж, я могу...

— Пятого, пятого.

С земли поднялся низкорослый солдат в полушубке, в мохнатой шапке:

— Ну вот я, что ли.

Шесть человек залегли шагах в двадцати друг от друга и открыли огонь. Фигуры за деревьями исчезли. Иван Ильич выпустил несколько пачек и вдруг с отчетливой ясностью увидел, как завтра поутру люди в голубых капотах перевернут на спину его оскаленный труп, начнут обшаривать, и грязная рука залезет за рубаху.

Он положил винтовку, разгреб рыхлую сырую землю и, вынув Дашины письма, поцеловал их, положил в ямку и засыпал, запорошил сверху прелыми листьями.

«Ой, ой, братцы!» — услышал он голос Сусова слева. Осталось две пачки патронов, Иван Ильич подполз к Сусову, уткнувшемуся головой, лег рядом и брал пачки из его сумки. Теперь стреляли только Телегин да еще кто-то направо. Наконец патроны кончились. Иван Ильич подождал, оглядываясь, поднялся и начал звать по именам охотников. Ответил один голос: «Здесь», — и подошел Колов, опираясь о винтовку. Иван Ильич спросил:

— Патронов нет?

— Нету.

— Остальные не отвечают?

— Нет, нет.

— Ладно. Идем. Беги!

Колов перекинул винтовку через спину и побежал, хоронясь за стволами. Телегин же не прошел и десяти шагов, как сзади в плечо ему ткнул тупой железный палец.

17

Все представления о войне как о лихих кавалерийских набегах, необыкновенных маршах и геройских подвигах солдат и офицеров — оказались устарелыми. Знаменитая атака кавалергардов, когда три эскадрона, в пешем строю, прошли без одного выстрела проволочные заграждения, имея во главе командира полка князя Долгорукова, шагающего под пулеметным огнем с сигарой во рту и, по обычаю, ругающегося по-французски, была сведена к тому, что кавалергарды, потеряв половину состава убитыми и ранеными, взяли две тяжелых пушки, которые оказались заклепанными и охранялись одним пулеметом.

Есаул казачьей сотни говорил по этому поводу: «Поручили бы мне, я бы с десятью казаками взял это дерьмо».

С первых же месяцев выяснилось, что доблесть прежнего солдата, — огромного, усатого и геройского вида человека, умеющего скакать, рубить и не кланяться пулям, — бесполезна. На главное место на войне были выдвинуты техника и организация тыла. От солдат требовалось упрямо и послушно умирать в тех местах, где указано на карте. Понадобился солдат, умеющий прятаться, зарываться в землю, сливаться с цветом пыли. Сентиментальные постановления Гаагской конференции, — как нравственно и как безнравственно убивать, — были просто разорваны. И вместе с этим клочком бумаги разлетелись последние пережитки никому уже более не нужных моральных законов.

Так в несколько месяцев война завершила работу целого века. До этого времени еще очень многим казалось, что человеческая жизнь руководится высшими законами добра. И что в конце концов добро должно победить зло, и человечество станет совершенным. Увы, это были пережитки средневековья, они расслабляли волю и тормозили ход цивилизации. Теперь даже закоренелым идеалистам стало ясно, что добро и зло суть понятия чисто философские и человеческий гений — на службе у дурного хозяина...

Это было время, когда даже малым детям внушали, что убийство, разрушение, уничтожение целых наций — доблестные и святые поступки. Об этом твердили, вопили, взывали ежедневно миллионы газетных листков. Особые знатоки каждое утро предсказывали исходы сражений. В газетах печатались предсказания знаменитой провидицы, мадам Тэб. Появились во множестве гадальщики, составители гороскопов и предсказатели будущего. Товаров не хватало. Цены росли. Вывоз сырья из России остановился. В три гавани на севере и востоке — единственные оставшиеся продухи в замурованной насмерть стране — ввозились только снаряды и орудия войны. Поля обрабатывались дурно. Миллиарды бумажных денег уходили в деревню, и мужики уже с неохотой продавали хлеб.

В Стокгольме на тайном съезде членов Оккультной ложи антропософов основатель ордена говорил, что страшная борьба, происходящая в высших сферах, перенесена сейчас на землю, наступает мировая катастрофа и Россия будет принесена в жертву во искупление грехов. Действительно, все разумные рассуждения потонули в океане крови, льющейся на огромной полосе в три тысячи верст, опоясавшей Европу. Никакой разум не мог объяснить, почему железом, динамитом и голодом человечество упрямо уничтожает само себя. Изливались какие-то вековые гнойники. Переживалось наследие прошлого. Но и это ничего не объясняло.

В странах начинался голод. Жизнь повсюду останавливалась. Война начинала казаться лишь первым действием трагедии.

Перед этим зрелищем каждый человек, еще недавно «микрокосм», гипертрофированная личность, — умалялся, превращался в беспомощную пылинку. На место его к огням трагической рампы выходили первобытные массы.

Тяжелее всего было женщинам. Каждая, соразмерно своей красоте, очарованию и уменью, раскидывала паутинку, — нити тонкие и для обычной жизни довольно прочные. Во всяком случае, тот, кому назначено, попадался в них и жужжал любовно.

Но война разорвала и эти сети. Плести заново — нечего было и думать в такое жестокое время. Приходилось ждать лучших времен. И женщины ждали терпеливо, а время уходило, и считанные женские годы шли бесплодно и печально.

Мужья, любовники, братья и сыновья — теперь нумерованные и совершенно отвлеченные единицы — ложились под земляные холмики на полях, на опушках лесов, у дорог. И никакими усилиями нельзя было согнать новых и новых морщинок с женских стареющих лиц.

18

— Я говорю брату, — ты начетчик, ненавижу социал-демократов, у вас людей пытать будут, если кто в слове одном ошибется. Я ему говорю, — ты астральный человек. Тогда он все-таки выгнал меня из дому. Теперь — в Москве, без денег. Страшно забавно. Пожалуйста, Дарья Дмитриевна, попросите Николая Ивановича. Мне бы все равно какое место, — лучше всего, конечно, в санитарном поезде.

— Хорошо, я ему скажу.

— Здесь у меня — никого знакомых. А помните нашу «Центральную станцию»? Василий Веньяминович Валет — чуть ли не в Китай уехал... Сапожков где-то на войне. Жиров на Кавказе, читает лекции о футуризме. А где Иван Ильич Телегин, — не знаю. Вы, кажется, были с ним хорошо знакомы?

Елизавета Киевна и Даша медленно шли между высокими сугробами по переулку. Падал снежок, похрустывал под ногами. Извозчик на низеньких санках, высунув из козел заскорузлый валенок, протрусил мимо и прикрикнул:

— Барышни, зашибу!

Снега было очень много в эту зиму. Над переулком висели ветви лип, покрытые снегом. И все белесое снежное небо было полно птиц. С криком, растрепанными стаями церковные галки взлетали над городом, садились на башню, на купола, уносились в студеную высоту.

Даша остановилась на углу и поправила белую косынку. Котиковая шубка ее и муфта были покрыты снежинками. Лицо ее похудело, глаза были больше и строже.

— Иван Ильич пропал без вести, — сказала она, — я о нем ничего не знаю.

Даша подняла глаза и глядела на птиц. Должно быть, голодно было галкам в городе, занесенном снегом. Елизавета Киевна с застывшей улыбкой очень красных губ стояла, опустив голову в ушастой шапке. Мужское пальто на ней было тесно в груди, меховой воротник слишком широк, и короткие рукава не прикрывали покрасневших рук. На ее желтоватой шее таяли снежинки.

— Я сегодня же поговорю с Николаем Ивановичем, — сказала Даша.

— Я на всякую работу пойду. — Елизавета Киевна посмотрела под ноги и покачала головой. — Страшно любила Ивана Ильича, страшно, страшно любила. — Она засмеялась, и ее близорукие глаза налились слезами. — Значит, завтра приду. До свидания.

Она простилась и пошла, широко шагая в валеных калошах и по-мужски засунув озябшие руки в карманы.

Даша глядела ей вслед, потом сдвинула брови и, свернув за угол, вошла в подъезд особняка, где помещался городской лазарет. Здесь, в высоких комнатах, отделанных дубом, пахло йодоформом, на койках лежали и сидели раненые, стриженые и в халатах. У окна двое играли в шашки. Один ходил из угла в угол мягко, в туфлях. Когда появилась Даша, он живо оглянулся на нее, сморщил низкий лоб и лег на койку, закинув за голову руки.

— Сестрица, — позвал слабый голос. Даша подошла к одутловатому большому парню с толстыми губами. — Поверни, Христа ради, на левый бочок, — проговорил он, охая через каждое слово. Даша обхватила его, изо всей силы приподняла и повернула, как мешок. — Температуру мне ставить время, сестрица. — Даша встряхнула градусник и засунула ему под мышку. — Рвет меня, сестрица, крошку съем, — все долой. Мочи нет.

Даша покрыла его одеялом и отошла. На соседних койках улыбались, один сказал:

— Он, сестрица, только ради вас рассолодел, а сам здоровый, как боров.

— Пускай его, пускай помается, — сказал другой голос, — он никому не вредит, — сестрице забота, и ему томно.

— Сестрица, а вот Семен вас что-то спросить хочет, робеет.

Даша подошла к сидящему на койке мужику с круглыми, как у галки, веселыми глазами и медвежьим маленьким ртом; огромная — веником — борода его была расчесана. Он выставил бороду, вытянул губы навстречу Даше.

— Смеются они, сестрица, я всем доволен, благодарю покорно.

Даша улыбнулась. От сердца отлегла давешняя тяжесть. Она присела на койку к Семену и, отогнув рукав, стала осматривать перевязку. И он стал подробно описывать, как и где у него мозжит.

В Москву Даша приехала в октябре, когда Николай Иванович, увлекаемый патриотическими побуждениями, поступил в московский отдел Городского союза, работающего на оборону. Петербургскую квартиру он передал англичанам из военной миссии и в Москве жил с Дашей налегке — ходил в замшевом френче, ругал мягкотелую интеллигенцию и работал, по его выражению, как лошадь.

Даша читала уголовное право, вела маленькое хозяйство и каждый день писала Ивану Ильичу. Душа ее была тиха и прикрыта. Прошлое казалось далеким, точно из чужой жизни. И она жила словно в половину дыхания, наполненная тревогой, ожиданием вестей и заботой о том, чтобы сохранить себя Ивану Ильичу в чистоплотности и строгости.

В начале ноября, утром за кофе, Даша развернула «Русское слово» и в списках пропавших без вести прочла имя Телегина. Список занимал два столбца петитом. Раненые — такие-то, убитые — такие-то, пропавшие без вести — такие-то, и в конце — Телегин, Иван Ильич, прапорщик.

Так было отмечено это, затмившее всю ее жизнь, событие, — строчка петита.

Даша почувствовала, как эти мелкие буквы, сухие строчечки, столбцы, заголовки наливаются кровью. Это была минута неописуемого ужаса, — газетный лист превращался в то, о чем там было написано, — в зловонное и кровавое месиво. Оттуда дышало смрадом, ревело беззвучными голосами.

Дашу трясло ознобом. Даже ее отчаяние тонуло в этом животном ужасе и омерзении. Она легла на диван и прикрылась шубкой.

К обеду пришел Николай Иванович, сел в ногах у Даши и молча гладил ее ноги.

— Ты подожди, главное — подожди, Данюша, — говорил Николай Иванович. — Он пропал без вести, — очевидно, в плену... Я знаю тысячу подобных примеров.

Ночью ей приснилось: в пустой узкой комнате, с окном, затянутым паутиной и пылью, на железной койке сидит человек в солдатской рубашке. Серое лицо его обезображено болью. Обеими руками он ковыряет свой лысый череп, лупит его, как яйцо, и то, что под кожурой, берет и ест, запихивает в рот пальцами.

Даша так закричала среди ночи, что Николай Иванович, в накинутом на плечо одеяле, очутился около ее постели и долго не мог добиться, что случилось. Потом накапал в рюмочку валерьянки, дал выпить Даше и выпил сам.

Даша, сидя в постели, ударяла себя в грудь сложенными щепоткой пальцами и говорила тихо и отчаянно:

— Понимаешь, не могу жить больше. Ты понимаешь, Николай, не могу, не хочу.

Жить после того, что случилось, было очень трудно, а жить так, как Даша жила до этого, — нельзя.

Война только коснулась железным пальцем Даши, и теперь все смерти и все слезы были также и ее делом. И когда прошли первые дни острого отчаяния, Даша стала делать то единственное, что могла и умела: прошла ускоренный курс сестер милосердия и работала в лазарете.

Вначале было очень трудно. С фронта прибывали раненые, по многу дней не менявшие перевязок; от марлевых бинтов шел такой запах, что сестрам становилось дурно. Во время операций Даше приходилось держать почерневшие ноги и руки, с которых кусками отваливалось налипшее на ранах, и она узнала, как сильные люди скрипят зубами и тело у них трепещет беспомощно.

Этих страданий было столько, что не хватило бы во всем свете милосердия пожалеть о них. Даше стало казаться, что она теперь навсегда связана с этой обезображенной и окровавленной жизнью и другой жизни нет. Ночью в дежурной комнате горит зеленый абажур лампочки, за стеной кто-то бормочет в бреду, от проехавшего автомобиля зазвенели склянки на полочке. Это уныние и есть частица истинной жизни.

Сидя в ночные часы у стола в дежурной комнате, Даша припоминала прошлое, и оно все яснее казалось ей как сон. Жила на высотах, откуда не было видно земли; жила, как и все там жили, влюбленная в себя, высокомерная. И вот пришлось упасть с этих облаков в кровь, в грязь, в этот лазарет, — где пахнет больным телом, где тяжело стонут во сне, бредят, бормочут. Сейчас вот умирает татарин-солдат, и через десять минут нужно идти впрыскивать ему морфий.

Сегодняшняя встреча с Елизаветой Киевной разволновала Дашу. День был трудный, из Галиции привезли раненых в таком виде, что одному пришлось отнимать кисть руки, другому — руку по плечо, двое предсмертно бредили. Даша устала за день, и все же из памяти не выходила Елизавета Киевна, с красными руками, в мужском пальто, с жалкой улыбкой и кроткими глазами.

Вечером, присев отдохнуть, Даша глядела на зеленый абажур и думала, что вот бы уметь так плакать на перекрестке, говорить постороннему человеку — «страшно, страшно любила Ивана Ильича...».

Даша усаживалась в большом кресле то боком, то поджав ноги, раскрыла было книгу — отчет за три месяца «деятельности Городского союза», — столбцы цифр и совершенно непонятных слов, — но в книжке не нашла утешения. Взглянула на часы, вздохнула, пошла в палату.

Раненые спали, воздух был тяжелый. Высоко под дубовым потолком, в железном кругу люстры, горела несветлая лампочка. Молодой татарин-солдат, с отрезанной рукой, бредил, мотаясь бритой головой на подушке. Даша подняла с пола пузырь со льдом, положила ему на пылающий лоб и подоткнула одеяло. Потом обошла все койки и присела на табуретке, сложив руки на коленях.

«Сердце не наученное, вот что, — подумала она, — любило бы только изящное и красивое. А жалеть, любить нелюбимое — не учено».

— Что, ко сну морит, сестрица? — услышала она ласковый голос и обернулась. С койки глядел на нее Семен — бородатый. Даша спросила:

— Ты что не спишь?

— Днем наспался.

— Рука болит?

— Затихла... Сестрица!

— Что?

— Личико у тебя махонькое, — ко сну морит? Пошла бы вздремнула! Я посмотрю, — если нужно, позову.

— Нет, спать я не хочу.

— Свои-то у тебя есть на войне?

— Жених.

— Ну, бог сохранит.

— Пропал без вести.

— Ай, ай, — Семен замотал бородой, вздыхая. — У меня брательник без вести пропал, а потом письмо от него пришло, — в плену. И человек хороший твой-то?

— Очень, очень хороший человек.

— Может, я слыхал про него. Как зовут-то?

— Иван Ильич Телегин.

— Слыхал. Постой, постой. Слыхал. Он в плену, сказывали... Какого полка?

— Казанского.

— Ну, самый он. В плену. Жив. Ах, хороший человек! Ничего, сестрица, потерпи. Снега тронутся — войне конец, — замиримся. Сынов еще ему народишь, ты мне поверь.

Даша слушала, и слезы подступали к горлу, — знала, что Семен все выдумывает, Ивана Ильича не знает, и была благодарна ему. Семен сказал тихо:

— Ах ты, милая...

Снова сидя в дежурной комнате, лицом к спинке кресла, Даша почувствовала, словно ее, чужую, приняли с любовью, — живи с нами. И ей казалось, что она жалеет сейчас всех больных и спящих. И, жалея и думая, она вдруг представила с потрясающей ясностью, как Иван Ильич тоже где-то на узкой койке, так же как и эти, — спит, дышит...

Даша начала ходить по комнате. Вдруг затрещал телефон. Даша сильно вздрогнула — так резок в этой сонной тишине и груб был звонок. Должно быть, опять привезли раненых с ночным поездом.

— Я слушаю, — сказала она, и в трубку поспешно проговорил нежный женский взволнованный голос:

— Пожалуйста, попросите к телефону Дарью Дмитриевну Булавину.

— Это я, — ответила Даша, и сердце ее страшно забилось. — Кто это?.. Катя?.. Катюша!.. Ты?.. Милая!..

19

— Ну, вот, девочки, мы и опять все вместе, — говорил Николай Иванович, одергивая на животе замшевый френч, взял Екатерину Дмитриевну за подбородок и сочно поцеловал в щеку. —

С добрым утром, душенька, как спала? — Проходя за стулом Даши, поцеловал ее в волосы. — Нас с ней, Катюша, теперь водой не разольешь, молодец девушка — работница.

Он сел за стол, покрытый свежей скатертью, пододвинул фарфоровую рюмочку с яйцом и ножом стал срезать ему верхушку.

— Представь, Катюша, я полюбил яйца по-английски — с горчицей и маслом, необыкновенно вкусно, советую тебе попробовать. А вот у немцев-то выдают по одному яйцу на человека два раза в месяц. Как это тебе понравится?

Он открыл большой рот и засмеялся.

— Вот этим самым яйцом ухлопаем Германию всмятку. У них, говорят, уже дети без кожи начинают родиться. Бисмарк им, дуракам, говорил, что с Россией нужно жить в мире. Не послушали, пренебрегли нами, — теперь пожалуйте-с — два яйца в месяц.

— Это ужасно, — сказала Екатерина Дмитриевна, опуская глаза, — когда дети рождаются без кожи, — это все равно ужасно, у кого рождаются — у нас или у немцев.

— Прости, Катюша, ты несешь чепуху.

— Я только знаю, — когда ежедневно убивают, убивают, это так ужасно, что не хочется жить.

— Что же поделаешь, моя милая, приходится на собственной шкуре начать понимать, что такое государство. Мы только читали у разных Иловайских, как какие-то там мужики воевали землю на разных Куликовых и Бородинских полях.. Мы думали — ах, какая Россия большая! — взглянешь на карту. А вот теперь потрудитесь дать определенный процент жизней для сохранения целости того самого, что на карте выкрашено зеленым через всю Европу и Азию. Невесело. Вот если ты говоришь, что государственный механизм у нас плох, — тут я могу согласиться. Теперь, когда я иду умирать за государство, я прежде всего спрашиваю, — а вы, те, кто посылаете меня на смерть, вы — во всеоружии государственной мудрости? Могу я спокойно пролить свою кровь за отечество? Да, Катюша, правительство еще продолжает по старой привычке коситься на общественные организации, но уже ясно, что без нас ему теперь не обойтись. Дудки-с! А мы сначала за пальчик, потом и за руку схватимся. Я очень оптимистически настроен. — Николай Иванович поднялся, взял с камина спички, стоя закурил и бросил догоревшую спичку в скорлупу от яйца. — Кровь не будет пролита даром. Война кончится тем, что у государственного руля встанет наш брат, общественный деятель. То, чего не могли сделать «Земля и воля», революционеры и марксисты, — сделает война. Прощайте, девочки. — Он одернул френч и вышел, со спины похожий на переодетую полную женщину.

Екатерина Дмитриевна вздохнула и села у окна с вязаньем. Даша присела к ней на подлокотник кресла и обняла сестру за плечи. Обе они были в черных закрытых платьях и теперь, сидя молча и тихо, очень походили друг на друга. За окном медленно падал снежок, и снежный, ясный свет лежал на стенах комнаты. Даша прижалась щекой к Катиным волосам, чуть-чуть пахнущим незнакомыми духами.

— Катюша, как ты жила это время? Ты ничего не рассказываешь.

— О чем же, котик, рассказывать? Я тебе писала.

— Я все-таки, Катюша, не понимаю, — ты красивая, прелестная, добрая. Таких, как ты, я больше не знаю. Но почему ты несчастлива? Всегда у тебя грустные глаза.

— Сердце, должно быть, несчастливое.

— Нет, я серьезно спрашиваю.

— Я об этом, девочка, сама думаю все время. Должно быть, когда у человека есть все, — тогда он по-настоящему и несчастлив. У меня — хороший муж, любимая сестра, свобода... А живу, как в мираже, и сама — как призрак... Помню, в Париже думала, — вот бы жить мне где-нибудь сейчас в захолустном городишке, ходить за птицей, за огородом, по вечерам бегать к милому другу за речку... Нет, Даша, моя жизнь кончена.

— Катюша, не говори глупостей...

— Знаешь, — Катя потемневшими, пустыми глазами взглянула на сестру, — *этот* день я чувствую... Иногда ясно вижу полосатый тюфяк, сползшую простыню, таз с желчью... Я лежу мертвая, желтая, седая...

Опустив шерстяное вязанье, Екатерина Дмитриевна глядела на падающие в безветренной тишине снежинки. Вдалеке под островерхой кремлевской башней, под раскоряченным золотым орлом, кружились галки, как облако черных листьев.

— Я помню, Дашенька, я встала рано, рано утром. С балкона был виден Париж, весь в голубоватой дымке, и повсюду поднимались белые, серые, синие дымки. Ночью был дождик, — пахло свежестью, зеленью, ванилью. По улице шли дети с книжками, женщины с корзинками, открывались съестные лавки. Казалось — это прочно и вечно. Мне захотелось сойти туда, вниз, смешаться с толпой, встретить какого-то человека с добрыми глазами, положить ему руки на грудь. А когда я спустилась на Большие бульвары, — весь город был уже сумасшедший. Бегали газетчики, повсюду — взволнованные кучи людей. Во всех газетах — страх смерти и ненависть. Началась война. С этого дня только и слышу — смерть, смерть... На что же еще надеяться?..

Помолчав, Даша спросила:

— Катюша...

— Что, родненькая?

— Как ты с Николаем?

— Не знаю, кажется — мы простили друг друга. Смотри, уж вот три дня прошло, — он со мной очень нежен. Какие там женские счеты. Страдай, сойди с ума, — кому сейчас это нужно? Так, пищишь, как комар, и себя-то едва слышно. Завидую старухам — у них все просто: скоро смерть, к ней и готовься.

Даша поворочалась на подлокотнике кресла, вздохнула несколько раз глубоко и сняла руку с Катиных плеч. Екатерина Дмитриевна сказала нежно:

— Дашенька, Николай Иванович мне сказал, что ты невеста. Правда это? Бедненькая. — Она взяла Дашину руку, поцеловала и, положив на грудь, стала гладить. — Я верю, что Иван Ильич жив. Если ты его очень любишь, — тебе больше ничего, ничего на свете не нужно.

Сестры опять замолчали, глядя на падающий за окном снег. По улице, среди сугробов, скользя сапогами, прошел взвод юнкеров с вениками и чистым бельем под мышками. Юнкеров гнали в баню. Проходя, они запели одной глоткой, с присвистом:

Взвейтесь, соколы, орлами,
Полно горе горевать...

Пропустив несколько дней, Даша снова начала ходить в лазарет. Екатерина Дмитриевна оставалась одна в квартире, где все было чужое: два скучных пейзажа на стене — стог сена и талая вода между голыми березами; над диваном в гостиной — незнакомые фотографии; в углу — сноп пыльного ковыля.

Екатерина Дмитриевна пробовала ездить в театр, где старые актрисы играли Островского, на выставки картин, в музеи, — все это казалось ей бледным, выцветшим, полуживым и сама она себе — тенью, бродящей по давно всеми оставленной жизни.

Целыми часами Екатерина Дмитриевна просиживала у окна, у теплой батареи отопления, глядела на снежную тихую Москву, где в мягком воздухе, сквозь опускающийся снег, раздавался печальный колокольный звон, — служили панихиду либо хоронили привезенного с фронта. Книга валилась из рук, — о чем читать? о чем мечтать? Мечты и прежние думы, — как это все теперь ничтожно!

Время шло от утренней газеты до вечерней. Екатерина Дмитриевна видела, как все окружающие ее люди жили только будущим, какими-то воображаемыми днями победы и мира, — все, что укрепляло эти ожидания, переживалось с повышенной радостью, от неудач все мрачнели, вешали головы. Люди, как маньяки, жадно ловили слухи, отрывки фраз, невероятные сообщения и воспламенялись от газетной строчки.

Екатерина Дмитриевна решилась наконец и поговорила с мужем, прося пристроить ее на какое-нибудь дело. В начале марта она начала работать в том же лазарете, где служила и Даша.

В первое время у нее, так же как у Даши, было отвращение к грязи и страданию. Но она преодолела себя и понемногу втянулась в работу. Это преодоление было радостно. Впервые она почувствовала близость жизни вокруг себя. Она полюбила грязную и трудную работу и жалела тех, для кого работала. Однажды она сказала Даше:

— Почему это выдумано было, что мы должны жить какой-то необыкновенной, утонченной жизнью? В сущности, мы с тобой такие же бабы, — нам бы мужа попроще, да детей побольше, да к травке поближе...

* * *

На страстной сестры говели у Николы на Курьих Ножках, что на Ржевском. Екатерина Дмитриевна возила святить лазаретские пасхи и разговлялась вместе с Дашей в лазарете. У Николая Ивановича в эту ночь было экстренное заседание, и он заехал за сестрами в третьем часу ночи на автомобиле. Екатерина Дмитриевна сказала, что они с Дашей спать не хотят, а просят повезти их кататься. Это было нелепо, но шоферу дали стакан коньяку и поехали на Ходынское поле...

Было чуть-чуть морозно, — холодило щеки. Небо — безоблачно, в редких, ясных звездах. Под колесами хрустел ледок. Катя и Даша, обе в белых платочках, в серых шубках, тесно прижались друг к другу в глубоком сиденье автомобиля. Николай Иванович, сидевший с шофером, оглядывался на них, — обе были темнобровые, большеглазые.

— Ей-богу, не знаю, — какая из вас моя жена, — сказал он тихо. И кто-то из них ответил:

— Не угадаешь, — и обе засмеялись.

Над огромным смутным полем начинало чуть у краев зеленеть небо, и вдалеке проступали черные очертания Серебряного бора.

Даша сказала тихо:

— Катюша, любить очень хочется. — Екатерина Дмитриевна слабо сжала ей руку. Над лесом, в зеленоватой влаге рассвета, сияла большая звезда, переливаясь, точно дыша.

— Я и забыл сказать, Катюша, — проговорил Николай Иванович, поворачиваясь на сиденье всем телом, — только что приехал наш уполномоченный Чумаков, рассказывает, что в Галиции, оказывается, положение очень серьезное. Немцы лупят нас таким ураганным огнем, что под гребенку уничтожают целые полки. А у нас снарядов, изволите ли видеть, не хватает... Черт знает что такое!..

Катя не ответила, только подняла глаза к звездам. Даша прижалась щекой к ее плечу. Николай Иванович чертыхнулся еще раз и велел шоферу поворачивать домой.

На третий день праздника Екатерина Дмитриевна почувствовала себя плохо, не пошла на дежурство и слегла. У нее оказалось воспаление легких, — должно быть, простудилась на сквозняках.

20

— Такие у нас дела — сказать страшно.

— Будет тебе на огонь пучиться, ложись спать.

— Такие дела... Эх, братцы мои, пропадет Россия!

У глиняной стены сарая, крытого высокой, как омет, соломенной крышей, у тлеющего костра сидело трое солдат. Один развесил на колышках сушить портянки, поглядывал, чтобы не задымились; другой подшивал заплату на штаны, осторожно тянул нить; третий, сидя на земле, подобрав ноги и засунув руки глубоко в карманы шинели, рябой и носатый, с черной редкой бородкой, глядел на огонь запавшими, сумасшедшими глазами.

— Все продано, вот какие дела, — говорил он негромко. — Чуть наши перевес начинают брать, — сейчас приказ — отойти. Только и знаем, что жидов на сучках вешать, а измена, гляди, на самом верху гнездится.

— Так надоела мне эта война, ни в одной газете не опишут, — сказал солдат, сушивший портянки, и осторожно положил хворостинку на угли. — Пошли наступать, отступили, опять наступление, ах, пропасти на них нет! — и тем же порядком опять возвращаемся на свое место. Безрезультатно! — выговорил он и сплюнул в огонь.

— Давеча ко мне подходит поручик Жадов, — с усмешкой, не поднимая головы, проговорил солдат, штопавший штаны, — ну, хорошо. Со скуки, что ли, черти ему покоя не дают. Начинает придираться. Отчего дыра на портках? Да — как стоишь? Я молчу. И кончился наш разговор очень просто, — хлысть меня в зубы.

Солдат, сушивший портянки, ответил:

— Ружьев нет, стрелять нечем. На нашей батарее снарядов — семь штук на орудие. Одно остается — по зубам чесать.

Штопавший штаны с удивлением взглянул на него, покачал головой, — ну, ну! Черный, страшноглазый солдат сказал:

— Весь народ подняли, берут теперь до сорока трех лет. С такой бы силой свет можно пройти. Разве мы отказываемся? Только уж и ты свое исполняй, — мы свое исполним.

Штопавший штаны кивнул:

— Правильно...

— Видел я поле под Варшавой, — говорил черный, — лежат на нем тысяч пять али шесть сибирских стрелков. Все побитые лежат, как снопы. Зачем? Отчего? А вот отчего... На военном совете стали решать, что, мол, так и так, и сейчас же один генерал выходит оттудова и тайком — телеграмму в Берлин. Понял? Два сибирских корпуса прямым маршем с вокзала — прямо на это поле — и попадают под пулеметы. Что ты мне говоришь — в зубы дали. Отец мой, бывало, не так хомут засупонишь, — подойдет и бьет меня по лицу, и правильно, — учись, страх знай. А за что сибирских стрелков, как баранов, положили? Я вам говорю, ребята, пропала Россия, продали нас. И продал нас наш же мужик, односельчанин мой, села Покровского, бродяга. Имени-то его и говорить не хочу... Неграмотный он, озорник, сладкомордый, отбился от работы, стал лошадей красть, по скитам шататься, привык к бабам, к водке сладкой... А теперь в Петербурге за царя сидит, министры, генералы кругом его так и крутятся. Нас бьют, тысячами в сырую землю ложимся, а у них в Петербурге электричество так и пышет. Пьют, едят, от жира лопаются.

Он вдруг замолчал. Было тихо и сыро, в сарае похрустывали лошади, одна глухо ударила в стену. Из-за крыши на огонь скользнула ночная птица и пропала, жалобно крикнув. И в это время вдалеке, в небе, возник рев, надрывающий, приближающийся, точно с неимоверной быстротой летел зверь, разрывая рылом темноту, и ткнулся где-то, и вдалеке за сараем рванул разрыв, затрепетала земля. Забились лошади, звеня недоуздками. Солдат, зашивавший штаны, проговорил опасливо:

— Вот это так двинуло!

— Ну и пушка!

— Подожди!

Все трое подняли головы. В беззвездном небе вырастал второй звук, длился, казалось, минуты две, и где-то совсем близко, за сараем, по эту сторону сарая, громыхнул второй разрыв, выступили конусы елей, и опять затрепетала земля. И сейчас же стал слышен полет третьего снаряда. Звук его был захлебывающийся, притягивающий... Слушать было так нестерпимо, что останавливалось сердце. Черный солдат поднялся с земли и начал пятиться. И сверху дунуло, — скользнула точно черная молния, и с рваным грохотом взвился черно-огненный столб.

Когда столб опустился, — от места, где был костер и люди, осталась глубокая воронка. Над развороченной стеной сарая загорелась и повалила желтым дымом соломенная крыша. Из пламени, храпя, вылетела гривастая лошадь и шарахнулась к выступавшим из темноты соснам.

А уж за зубчатым краем равнины мигали зарницы, рычали орудия, поднимались длинными червями ракеты, и огни их, медленно падая, озаряли темную сырую землю. Небо буравили, рыча и ревя, снаряды.

21

Этим же вечером, неподалеку от сарая, в офицерском убежище, по случаю получения капитаном Теткиным сообщения о рождении сына, офицерами одной из рот Усольского полка был устроен «бомбаус». Глубоко под землей, под тройным накатом, в низком погребе, освещенном пучками вставленных в стаканы стеариновых свечей, сидели у стола восемь офицеров, доктор и три сестры милосердия из летучего лазарета.

Выпито было сильно. Счастливый отец, капитан Теткин, спал, уткнувшись в тарелку с объедками, грязная кисть руки его висела над лысым черепом. От духоты, от спирта, от мягкого света свечей сестры казались очень хорошенькими; они были в серых платьях и в серых косынках. Одну звали Мушка, на висках ее были закручены два черных локона; не переставая, она смеялась, показывая беленькое горло, в которое впивались тяжелыми взглядами два ее соседа и двое сидящих напротив. Другая, Марья Ивановна, полная, с румянцем до бровей, необыкновенно пела цыганские романсы. Слушатели, вне себя, стучали по столу, повторяя: «Эх, черт! Вот была жизнь!» Третьей у стола сидела Елизавета Киевна. В глазах у нее дробились, лучились огоньки свечей, лица белели сквозь дым, а одно лицо соседа, поручика Жадова, казалось страшным и прекрасным. Он был широкоплечий, русый, бритый, с прозрачными глазами. Сидел он прямо, туго перетянутый ремнем, пил много и только бледнел. Когда рассыпалась смешком черноволосая Мушка, когда Марья Ивановна брала гитару, скомканным платочком вытирала лицо и запевала грудным басом: «Я в степях Молдавии родилась», — Жадов медленно улыбался углом прямого рта и подливал себе спирту.

Елизавета Киевна глядела близко ему в чистое, без морщин, лицо. Он занимал ее приличным и незначительным разговором, рассказал, между прочим, что у них в полку есть штабс-капитан Мартынов, про которого ходит слава, будто он фаталист; действительно, когда он выпьет коньяку, то выходит ночью за проволоку, приближается к неприятельским окопам и ругает немцев на четырех языках; на днях он поплатился за свое честолюбие раной в живот. Елизавета Киевна, вздохнув, сказала, что, значит, штабс-капитан Мартынов — герой. Жадов усмехнулся:

— Извиняюсь, есть честолюбцы и есть дураки, но героев нет.

— Но когда вы идете в атаку, — разве это не геройство?

— Во-первых, в атаку не ходят, а заставляют идти, и те, кто идут, — трусы. Конечно, есть люди, рискующие своей жизнью без принуждения, но это те, у кого — органическая жажда убивать. — Жадов постучал жесткими ногтями по столу. — Если хотите, — то это люди, стоящие на высшей ступени современного сознания.

Он, легко приподнявшись, взял с дальнего края стола большую коробку с мармеладом и предложил Елизавете Киевне.

— Нет, нет, не хочу, — сказала она и чувствовала, как стучит сердце, слабеет тело. — Ну, скажите, а вы?

Жадов наморщил кожу на лбу, лицо его покрылось мелкими неожиданными морщинами, стало старое.

— Что — а вы? — повторил он резко. — Вчера я застрелил жида за сараем. Хотите знать — приятно это или нет? Какая чепуха!

Он стиснул острыми зубами папиросу и чиркнул спичку, и плоские пальцы, державшие ее, были тверды, но папироса так и не попала в огонек, не закурилась.

— Да, я пьян, извиняюсь, — сказал он и бросил спичку, догоревшую до ногтей.. — Пойдемте на воздух.

Елизавета Киевна поднялась, как во сне, и пошла за ним к узкому лазу из убежища. Вдогонку закричали пьяные, веселые голоса, и Марья Ивановна, рванув гитару, затянула басом: «Дышала ночь восторгом сладострастья...»

На воле остро пахло весенней прелью, было темно и тихо. Жадов быстро шел по мокрой траве, засунув руки в карманы. Елизавета Киевна шла немного позади него, не переставая улыбаться. Вдруг он остановился и отрывисто спросил:

— Ну, так что же?

У нее запылали уши. Сдержав спазму в горле, она ответила едва слышно:

— Не знаю.

— Пойдемте. — Он кивнул в сторону темнеющей крыши сарая. Через несколько шагов он опять остановился и крепко взял Елизавету Киевну за руку ледяной рукой. — Я сложён, как бог, — проговорил он с неожиданной горячностью. — Я рву двугривенные. Каждого человека я вижу насквозь, как стеклянного... Ненавижу! — Он запнулся, точно вспомнив о чем-то, и топнул ногой. — Эти все хи-хи, ха-ха, пенье, трусливые разговоры — мерзость! Они все, как червяки в теплом навозе... Я их давлю... Слушайте... Я вас не люблю, не могу! Не буду любить... Не обольщайтесь... Но вы мне нужны... Мне отвратительно это чувство зависимости... Вы должны понять... — Он сунул руки свои под локти Елизаветы Киевны, сильно привлек ее и прижался к виску губами, сухими и горячими, как уголь.

Она рванулась, чтобы освободиться, но он так стиснул ее, что хрустнули кости, и она уронила голову, тяжело повисла на его руках.

— Вы не такая, как те, как все, — проговорил он, — я вас научу... — Он вдруг замолчал, поднял голову. В темноте вырастал резкий, сверлящий звук. — А, черт! — сказал Жадов сквозь зубы.

Сейчас же вдалеке грохнул разрыв. Елизавета Киевна опять рванулась, но Жадов еще сильнее сжал ее. Она проговорила отчаянно:

— Пустите же меня!

Разорвался второй снаряд. Жадов продолжал что-то бормотать, и вдруг совсем рядом за сараем взлетел черно-огненный столб, грохотом взрыва швырнуло высоко горящие пучки соломы.

Елизавета Киевна рванулась из его рук и побежала к убежищу.

Оттуда, из лаза, поспешно выходили офицеры, оглядываясь на пылающий сарай, рысцой побежали по черно-изрытой от косого света земле: одни — налево к леску, где были окопы, другие — направо — в ход сообщения, ведущий к предмостному укреплению. За рекой, далеко за холмами, грохотали немецкие батареи. Обстрел начался с двух мест: били направо — по мосту, и налево — по переправе, которая вела к фольварку, недавно занятому на той стороне реки ротой Усольского полка. Часть огня была сосредоточена на русских батареях.

Елизавета Киевна видела, как Жадов, без шапки, засунув руки в карманы, шагал прямо через поле к пулеметному гнезду. И вдруг на месте его высокой фигуры вырос косматый, огненно-черный круг. Елизавета Киевна закрыла глаза. Когда она опять взглянула, — Жадов шел левее, все так же раздвинув локти. Капитан Тетькин, стоявший с биноклем около Елизаветы Киевны, крикнул сердито:

— Говорил я — на какой нам черт этот фольварк! Теперь, пожалуйте, глядите, — всю переправу разворочали. Ах, сволочи! — И опять уставился в бинокль. — Ах, сволочи, лупят прямо по фольварку! Пропала шестая рота. Эх! — Он отвернулся и шибко поскреб голый затылок. — Шляпкин!

— Здесь, — быстро ответил маленький носатый человек в папахе.

— Говорили с фольварком?

— Сообщение прервано.

— Передайте в восьмую роту, чтобы послали подкрепление на фольварк.

— Слушаюсь, — ответил Шляпкин, отчетливо отнимая руку от виска, отошел два шага и остановился.

— Поручик Шляпкин! — свирепо опять позвал капитан.

— Здесь.

— Потрудитесь исполнить приказание.

— Слушаюсь. — Шляпкин отошел подальше и, нагнув голову, стал тросточкой ковырять землю.

— Поручик Шляпкин! — заорал капитан.

— Здесь.

— Вы человеческий язык понимаете или не понимаете?

— Так точно, понимаю.

— Передайте в восьмую роту приказание. От себя скажите, чтобы его не исполняли. Они и сами не идиоты, чтобы посылать туда людей. Пускай пошлют человек пятнадцать к переправе отстреливаться. Сейчас же сообщите в дивизию, что восьмая рота молодецким ударом форсирует переправу. А потери мы покажем из шестой роты. Идите. Да убирайтесь вы, барышня, — обернулся он к Елизавете Киевне, — убирайтесь к чертовой матери отсюда, сейчас начнется обстрел.

В это время с шипом пронесся снаряд и ударил поблизости.

22

Жадов лежал у самой щели пулеметного блиндажа и с жадностью, не отрываясь от бинокля, следил за боем. Блиндаж был вырыт на скате лесистого холма. У подножья его пологой дугой загибалась река; направо валил клубами только что загоревшийся мост; за ним на той стороне в травяном болоте виднелась изломанная линия окопов, где сидела первая рота усольцев, левее их вился в камышах ручей, впадающий в речку; еще левее, за ручьем, пылали три здания фольварка; за ними в вынесенных углом окопах сидела шестая рота. Шагах в трехстах от нее начинались немецкие линии, идущие затем направо вдаль, к лесистым холмам.

От пламени двух пожаров река казалась грязно-багровой, и вода в ней кипела от множества падающих снарядов, взлетала фонтанами, окутывалась бурыми облаками.

Наиболее сильный артиллерийский огонь был сосредоточен на фольварке. Над пылающими зданиями поминутно блистали разрывы шрапнелей, и по сторонам углом сломанной черты окопов взлетали космато-черные столбы. Из-за ручья, в тростниках и траве, вспыхивали иголочки ружейной стрельбы.

Рррррах, рррррах, — сотрясали воздух разрывы тяжелых снарядов. Ппах, ппах, ппах, — слабо лопалась шрапнель над рекой, над лугами и на этой стороне, над окопами второй, третьей и четвертой роты. Рррруу, рррруу, — катился громовой грохот из-за холмов, где зарницами вспыхивали двенадцать немецких батарей. Сссык, сссык, — свистали в воздухе, уносясь за эти холмы, ответные наши снаряды. От шума ломило в уши, давило грудь, злоба подкатывала под сердце.

Так продолжалось долго, очень долго. Жадов взглянул на светящиеся часы: показывало половину третьего, значит — уже светает и надо ждать атаки.

Действительно, грохот артиллерийской стрельбы усилился, еще сильнее закипела вода в реке, снаряды били по переправам и холмам по этой стороне. Иногда глухо начинала дрожать земля, и сыпались глина и камешки со стен и потолка блиндажа. Но на площади догоравшего фольварка стало тихо. И вдруг издалека, наискось к реке, взвились огненными лентами десятки ракет, и земля озарилась, как будто солнцем.

Когда огни погасли, на несколько минут стало совсем темно. Немцы поднялись из убежищ и пошли в атаку.

В неясном сумраке рассвета Жадов разглядел наконец далеко на лугу двигающиеся фигурки, они то припадали, то перегоняли друг друга. Навстречу им с фольварка не вспыхнул ни один огонек. Жадов, обернувшись, крикнул:

— Ленту!

Пулемет задрожал, как от дьявольской ярости, торопливо стал выплевывать свинец, удушать едкой гарью. Сейчас же быстрее задвигались фигурки по лугу, иные припали. Но уже все поле было полно точками наступающих. Передние из них подбегали к разрушенным окопам шестой роты. Оттуда поднялось десятка два человек. И около этого места быстро, быстро сбилась толпа.

Этот бой за фольварк был лишь ничтожной частью огромного сражения, разыгравшегося на фронте протяжением в несколько сот верст и стоившего обеим сторонам несколько сот тысяч жизней.

Русскими фольварк был занят две недели тому назад для того, чтобы обеспечить себе плацдарм в случае наступления через реку. Немцы решили занять фольварк для того, чтобы вынести ближе к реке наблюдательный пункт. Та и другая цель была важна только для начальников дивизий — немецкой и русской, входила в глубоко обдуманный ими во всех мелочах стратегический план весенней кампании.

Командующий русской дивизией генерал Добров, полгода тому назад с высочайшего соизволения переменивший на таковую свою прежнюю нерусскую фамилию, сидел за преферансом в то время, когда было получено сообщение о наступлении немцев в секторе Усольского полка.

Генерал оставил преферанс и вместе с обер-офицерами и двумя адъютантами перешел в залу, где на столе лежали топографические карты. С фронта доносили об обстреле переправы и моста. Генерал понял, что немцы намереваются отобрать фольварк, то есть то именно место, на котором он построил свой знаменитый план наступления, одобренный уже штабом корпуса и представленный командующему армией на одобрение. Немцы атакой фольварка разбивали весь план.

Поминутно телефонограммы подтверждали это опасение. Генерал снял с большого носа пенсне и, играя им, сказал спокойно, но твердо:

— Хорошо. Я не отступлю ни на пядь от занятых мной позиций.

Тотчас была дана телефонограмма о принятии соответствующих мер к обороне фольварка. Кундравинскому третьеочередному полку, стоявшему в резерве, приказано было двинуться в составе двух батальонов к переправе на подкрепление Тетькина. В это время от командира тяжелой батареи пришло донесение, что снарядов мало, одно орудие уже подбито и отвечать в должной мере на ураганный огонь противника нет возможности.

На это генерал Добров сказал, строго взглянув на присутствующих:

— Хорошо. Когда выйдут снаряды — мы будем драться холодным оружием. — Вынув из кармана серой, с красными отворотами, тужурки белоснежный платок, встряхнув его, протер пенсне и наклонился над картой.

Затем в дверях появился младший адъютант, граф Бобруйский, корнет, облитый, как перчаткою, темно-коричневым хаки.

— Ваше превосходительство, — сказал он, чуть заметно улыбаясь уголком красивого юношеского рта, — капитан Тетькин доносит, что восьмая рота молодецким ударом форсирует переправу, невзирая на губительный огонь противника.

Генерал поверх пенсне взглянул на корнета, пожевал бритым ртом и сказал:

— Очень хорошо.

Но, несмотря на бодрый тон, донесения с фронта приходили все более неутешительные. Кундравинский полк дошел до переправы, лег и окопался. Восьмая рота продолжала молодецкие удары, но не переправлялась. Командир мортирного дивизиона, капитан Исламбеков, донес, что у него подбито два орудия и мало снарядов. Командир первого батальона Усольского полка, полковник Бороздин, доносил, что вследствие открытых позиций вторая, третья и четвертая роты терпят большие потери в людях, и потому он просит либо разрешить ему броситься и опрокинуть дерзкого врага, либо отойти к опушке. Донесений от шестой роты, занимающей фольварк, не поступало.

В половине третьего пополуночи был созван военный совет. Генерал Добров сказал, что он сам пойдет впереди вверенных ему войск, но не уступит ни вершка занятого плацдарма. В это время пришло донесение, что фольварк занят и шестая рота до последнего человека уничтожена. Генерал стиснул в кулаке батистовый платок и закрыл глаза. Начальник штаба, полковник Свечин, поднял полные плечи и, наливаясь кровью в мясистом чернобородом лице, проговорил отчетливым хрипом:

— Ваше превосходительство, я неоднократно вам докладывал, что вынесение позиций на правый берег — рискованно. Мы уложим на этой переправе два, и три, и четыре батальона, и если даже отобьем фольварк, удержание его будет крайне затруднительно.

— Нам нужен плацдарм, мы его должны иметь, мы его будем иметь, — проговорил генерал Добров, и на носу его выступил пот. — Дело идет о том, что с потерей плацдарма мой план наступления сводится к нулю.

Полковник Свечин возражал, еще более багровея:

— Ваше превосходительство, войска физически не могут переходить речку под ураганным огнем, не будучи в должной мере поддержаны артиллерией, а, как вам известно, артиллерии поддерживать их нечем.

На это генерал отвечал:

— Хорошо. В таком случае передайте войскам, что на той стороне реки на проволоках висят георгиевские кресты. Я знаю моих солдат.

После этих долженствующих войти в историю слов генерал поднялся и, вертя за спиной в коротких пальцах золотое пенсне, стал глядеть в окно, за которым на лугу в нежно-голубом утреннем тумане стояла мокрая береза. Стайка воробьев обсела ее тонкие светло-зеленые сучья, зачиликала торопливо и озабоченно и вдруг снялась и улетела. И весь туманный луг с неясными очертаниями деревьев уже пронизывали косые золотистые лучи солнца.

На восходе солнца бой кончился. Немцы занимали фольварк и левый берег ручья. Из всего плацдарма в руках русских осталась только низина по правую сторону ручья, где сидела первая рота. Весь день через ручей шла ленивая перестрелка, но было ясно, что первая рота находилась под опасностью окружения, — непосредственной связи у нее с этим берегом не было из-за сгоревшего моста, и самым разумным казалось — очистить болото в ту же ночь.

Но после полудня командующий первым батальоном полковник Бороздин получил приказание готовиться этой ночью к переходу бродом на болото для усиления позиции первой роты. Капитану Теткину приказано накапливаться, в составе пятой и седьмой рот, ниже фольварка, и переправляться на понтонах. Третьему батальону усольцев, стоявшему в резерве, — занять позиции атакующих. Кундравинскому полку — переправляться по мелкому месту у сожженной переправы и ударить в лоб.

Приказ был серьезный, диспозиция ясная: фольварк обхватывался клещами, справа — первым и слева — вторым батальоном, запасной Кундравинский полк должен привлечь на себя все внимание и огонь врага. Атака была назначена в полночь.

В сумерки Жадов пошел ставить пулеметы на переправе и один пулемет с величайшими предосторожностями перевез на лодке на небольшой, в несколько десятков квадратных саженей, островок, поросший лозняком. Здесь Жадов и остался.

Весь день русские батареи поддерживали ленивый огонь по фольварку и глубже — по вынесенным к реке немецким позициям. Кое-где по реке хлопали одиночные ружейные выстрелы. В полночь в молчании началась переправа войск сразу в трех местах. Чтобы отвлечь внимание врага, части Белоцерковского полка, стоящие верстах в пяти выше по течению, начали оживленную перестрелку. Немцы, насторожась, молчали.

Раздвинув опутанные паутиной ветви лозняка, Жадов следил за переправой. Направо желтая немигающая звезда стояла невысоко над лесистыми холмами, и тусклый отсвет ее дрожал в черной реке. Эту полосу отсвета стали пересекать темные предметы. На песчаных островках и мелях появились перебегающие фигуры. Недалеко от Жадова человек десять их двигалось с негромким плеском, по грудь в воде, держа в поднятых руках винтовки и патронные сумки. Это переправлялись кундравинцы.

Вдруг, далеко на той стороне, вспыхнули быстрые огни, запели, налетая, снаряды, и — пах, пах, пах — с металлическим треском залопались шрапнели высоко над рекой. Каждая вспышка освещала поднятые из воды бородатые лица. Вся отмель кишела бегущими людьми. Пах, пах, пах — разорвалась новая очередь. Раздались крики. Взвились и рассыпались ослепительными огнями ракеты по всему небу. Загрохотали русские батареи. К ногам Жадова течением нанесло барахтающегося человека. «Голову, голову пробили!» — сдавленным голосом повторял он и цеплялся за лозы. Жадов перебежал на другую сторону острова. Вдалеке через реку двигались понтоны, полные людей, и было видно, как переправившиеся части перебегали по полю. Сейчас, как и вчера, над рекой, на переправах и по холмам оглушающе, ослепляюще грохотала буря ураганного огня. Кипящая вода была точно червивая: сквозь черные и желтые клубы дыма, меж водяных столбов, лезли, орали, барахтались солдаты. Достигшие той стороны ползли на берег. С тыла хлестали жадовские пулеметы. Рвались впереди русские снаряды. Обе роты капитана Тетькина били перекрестным огнем по фольварку. Передние части кундравинцев, — как оказалось впоследствии, потерявших при переправе половину состава, — пошли было в штыки, но захлебнулись и легли под проволоку. Из-за ручья, из камышей высыпали густые цепи первого батальона. Немцы отхлынули из окопов.

Жадов лежал у пулемета и, вцепившись в бешено дрожащий замок, поливал настильным огнем позади немецкой траншеи травянистый изволок, по которому пробегали то два, то три, то кучка людей, и неизменно все они спотыкались и тыкались ничком, набок.

«Пятьдесят восемь. Шестьдесят», — считал Жадов. Вот поднялась щуплая фигурка и, держась за голову, поплелась на изволок. Жадов повел стволом пулемета, фигурка села на колени и легла. «Шестьдесят один». Вдруг нестерпимый, обжигающий свет возник перед глазами, Жадов почувствовал, как его подняло на воздух и острой болью рвануло руку.

Фольварк и все прилегающие к нему линии окопов были заняты: захвачено около двухсот пленных; на рассвете затих с обеих сторон артиллерийский огонь. Началась уборка раненых и убитых. Обыскивая островки, санитары нашли в поломанном лозняке опрокинутый пулемет, около — уткнувшегося в песок нижнего чина с оторванным затылком, и саженях в пяти, на другой стороне островка, лежал ногами в воде Жадов. Его подняли, он застонал, из запекшегося кровью рукава торчал кусок розовой кости.

Когда Жадова привезли в летучку, доктор крикнул Елизавете Киевне: «Молодчика вашего привезли. На стол, немедленно резать». Жадов был без сознания, с обострившимся носом, с черным ртом. Когда с него сняли рубашку, Елизавета Киевна увидела на белой широкой груди его татуировку — обезьяны, сцепившиеся хвостами. Во время операции он стиснул зубы, и лицо его стало сводить судорогой.

После мучения, перевязанный, он открыл глаза. Елизавета Киевна нагнулась к нему.

— Шестьдесят один, — сказал он.

Жадов бредил до утра и потом заснул. Елизавета Киевна просила, чтобы ей самой разрешили отвезти его в большой лазарет при штабе дивизии.

23

Даша вошла в столовую. Николай Иванович и приехавший третьего дня по срочной телеграмме из Самары Дмитрий Степанович замолчали. Придерживая у подбородка белую шаль, Даша взглянула на красное, с растрепанными волосами, лицо отца, сидевшего, поджав ногу, взглянула на перекосившегося, с воспаленными веками, Николая Ивановича. Даша тоже села у стола. За окном в синеватых сумерках стоял ясный узкий серп месяца.

Дмитрий Степанович курил, сыпля пеплом на мохнатый жилет. Николай Иванович старательно сгребал кучечку крошек на скатерти. Сидели долго молча.

Наконец Николай Иванович проговорил сдавленным голосом:

— Почему все оставили ее? Нельзя же так.

— Сиди, я пойду, — ответила Даша, поднимаясь.

Она уже не чувствовала ни боли во всем теле, ни усталости.

— Папочка, поди впрысни еще, — сказала она, закрывая рот шалью. Дмитрий Степанович сильно сопнул носом и через плечо бросил догоревшую папиросу. Весь пол вокруг него был забросан окурками.

— Папочка, впрысни еще, я тебя умоляю.

Тогда Николай Иванович раздраженно и тем же, точно театральным, голосом воскликнул:

— Не может она жить одной камфарой. Она умирает, Даша.

Даша стремительно обернулась к нему:

— Ты не смеешь так говорить! Не смеешь! Она не умрет.

Желтое лицо Николая Ивановича передернулось. Он обернулся к окну и тоже увидел пронзительный, тонкий серп месяца в синеватой пустыне.

— Какая тоска, — сказал он, — если она уйдет, — я не могу...

Даша на цыпочках прошла по гостиной, еще раз взглянула на окна, — за ними был ледяной, вечный холод, — и проскользнула в Катину спальню, едва освещенную ночником.

В глубине комнаты, на широкой и низкой постели, все так же неподвижно, на подушках лежало маленькое личико с закинутыми наверх сухими, потемневшими волосами, и пониже — узенькая ладонь. Даша опустилась на колени перед кроватью. Катя едва слышно дышала. Спустя долгое время она проговорила тихим, жалобным голосом:

— Который час?

— Восемь, Катюша.

Подышав, Катя опять спросила так же, точно жалуясь:

— Который час?

Она повторяла это весь день сегодня. Ее полупрозрачное лицо было спокойно, глаза закрыты... Вот уже долгое время она идет по мягкому ковру длинного желтого коридора. Он весь желтый — стены и потолок. Справа, высоко из пыльных окон, — желтоватый мучительный свет. Налево — множество плоских дверей. За ними, — если распахнуть их, — край земли, бездна. Катя медленно, так медленно, как во сне, идет мимо этих дверей и пыльных окон. Впереди — длинный, плоский коридор, весь в желтоватом свету. Душно, и веет смертной тоской от каждой дверцы. Когда же, господи, конец? Остановиться бы, прислушаться... Нет, не слышно... А за дверями в тьме начинает гудеть, как пружина в стенных часах, медленный, низкий звук... О, какая тоска!.. Очнуться бы... Сказать что-нибудь простое, человеческое...

И Катя с усилием, точно жалуясь, повторяла:

— Который час?

— Катюша, о чем ты все спрашиваешь?

«Хорошо, Даша здесь...» И снова мягкой тошнотою простирался под ногами коридорный ковер, лился жесткий, душный свет из пыльных окон, издалека гудела часовая пружина...

«Не слышать бы... Не видеть, не чувствовать... Лечь, уткнуться... Скорее бы конец... Но мешает Даша, не дает забыться... Держит за руку, целует, бормочет, бормочет... И словно от нее в пустое легкое тело льется что-то живое... Как это неприятно... Как бы ей объяснить, что умирать легко, легче, чем чувствовать в себе это живое... Отпустила бы».

— Катюша, люблю, люблю тебя, ты слышишь?

«Не отпускает, жалеет... Значит — нельзя... Девочка останется одна, осиротеет...»

— Даша!

— Что, что?

— Я не умру.

Вот, должно быть, подходит отец, пахнет табаком. Наклоняется, отгибает одеяло, и в грудь острой, сладкой болью входит игла. По крови разливается блаженная влага успокоения. Колеблются, раздвигаются стены желтого коридора, веет прохладой. Даша гладит руку, лежащую поверх одеяла, прижимается к ней губами, дышит теплом. Еще минуточка, и тело растворится в сладкой темноте сна. Но снова жесткие желтенькие черточки выплывают сбоку, из-за глаз и — чирк, чирк — самодовольно, сами по себе, существуют, множатся, строят мучительный, душный коридор...

— Даша, Даша, я не хочу туда.

Даша обхватывает голову, ложится рядом на подушку, прижимается, живая и сильная, и точно льется из нее грубая, горячая сила, — живи!

А коридор уж опять протянулся, нужно подняться и брести со стопудовой тяжестью на каждой ноге. Лечь нельзя. Даша обхватит, поднимет, скажет — иди.

Так трое суток боролась Катя со смертью. Непрестанно чувствовала она в себе Дашину страстную волю и, если бы не Даша, давно бы обессилела, успокоилась.

Весь вечер и ночь третьих суток Даша не отходила от постели. Сестры стали точно одним существом, с одной болью и с одной волей. И вот под утро Катя покрылась наконец испариной и легла на бок. Дыхания ее почти не было слышно. Встревоженная Даша позвала отца. Они решили ждать. В седьмом часу утра Катя вздохнула и повернулась на другой бок. Кризис миновал, началось возвращение к жизни.

Здесь же, у кровати, в большом кресле заснула и Даша, в первый раз за эти дни. Николай Иванович, узнав, что Катя спасена, обхватил мохнатый жилет Дмитрия Степановича и зарыдал.

Новый день настал радостный, — было тепло и солнечно, все казались друг другу добрыми. Из цветочного магазина принесли дерево белой сирени и поставили в гостиной. Даша чувствовала, как своими руками оттащила Катю от черной, холодной дыры в вечную темноту. Нет, нет, на земле ничего не было дороже жизни, — она это знала теперь твердо.

В конце мая Николай Иванович перевез Екатерину Дмитриевну под Москву, на дачу, в бревенчатый домик с двумя террасами, — одна выходила в березовый, с вечно двигающейся зеленой тенью лесок, где бродили пегие телята, другая — на покатое волнистое поле.

Каждый вечер Даша и Николай Иванович вылезали из дачного поезда на полустанке и шли по болотистому лугу. Над головой толклись комарики. Потом приходилось идти в гору. Здесь обычно Николай Иванович останавливался, будто бы для того, чтобы взглянуть на закат, и говорил, отдуваясь:

— Ах, как хорошо, черт его возьми!

За потемневшей волнистой равниной, покрытой то полосами хлебов, то кудрями ореховых и березовых перелесков, лежали тучи, те, что бывают на закате, — лиловые, неподвижные и бесплодные. В их длинных щелях тусклым светом догорало небесное зарево, и неподалеку, внизу, в заводи ручья, отсвечивала оранжевая щель неба. Ухали, охали лягушки. На плоском поле темнели ометы и крыши деревни. В поле горел костер. Там когда-то за валом и высоким частоколом сидел Тушинский вор. Протяжно свистя, из-за леса появлялся поезд, увозил солдат на запад, в тусклый закат.

Подходя по опушке леса к даче, Даша и Николай Иванович видели сквозь стекла террасы накрытый стол, лампу с матовым шаром. Навстречу с вежливым лаем прибегала дачная собачка Шарик и, добежав и вертя хвостом, на всякий случай отходила в полынь и лаяла в сторону.

Екатерина Дмитриевна барабанила пальцами в стекло террасы, — в сумерки ей было еще запрещено выходить. Николай Иванович, затворяя за собой калитку, говорил: «Премилая дачка, я тебе скажу». Садились ужинать. Екатерина Дмитриевна рассказывала дачные новости: из Тушина прибегала бешеная собака и покусала у Кишкиных двух цыплят; сегодня переехали на симовскую дачу Жилкины, и сейчас же у них украли самовар; Матрена, кухарка, опять выпорола сына.

Даша молча ела, — после города она уставала страшно. Николай Иванович вытаскивал из портфеля пачку газет и принимался за чтение, поковыривая зубочисткой зуб; когда он доходил до неприятных сообщений, то начинал цыкать зубом, покуда Катя не говорила: «Николай, пожалуйста, не цыкай». Даша выходила на крыльцо, садилась, подперев подбородок, и глядела на потемневшую равнину, с огоньками костров кое-где, на высыпающие мелкие летние звезды. Из садика пахло политыми клумбами.

На террасе Николай Иванович, шурша газетами, говорил:

— Война уже по одному тому не может долго длиться, что страны согласия и мы — союзники— разоримся.

Катя спрашивала:

— Хочешь простокваши?

— Если только холодная... Ужасно, ужасно! Мы потеряли Львов и Люблин. Черт знает что! Как можно воевать, когда предатели вонзают нож в спину! Невероятно!

— Николай, не цыкай.

— Оставь меня в покое! Если мы потеряем Варшаву, будет такой позор, что нельзя жить. Право, иногда приходит в голову, — не лучше ли заключить хоть перемирие какое-нибудь да и повернуть штыки на Петербург.

Издалека доносился свист поезда, — было слышно, как он стучал по мосту через тот ручей, где давеча отражался закат: это везли, должно быть, раненых в Москву. Николай Иванович опять шуршал газетой:

— Эшелоны отправляются на фронт без ружей, в окопах сидят с палками. Винтовка — одна на каждого пятого человека. Идут в атаку с теми же палками, в расчете, когда убьют соседа, — взять винтовку. Ах, черт возьми, черт возьми!..

Даша сходила с крыльца и облокачивалась у калитки. Свет с террасы падал на глянцевитые лопухи у забора, на дорогу. Мимо, опустив голову, загребая босыми ногами пыль, нехотя — с горя, шел Матренин сын, Петька. Ему ничего более не оставалось, как вернуться на кухню, дать себя выпороть и лечь спать.

Даша выходила за калитку и медленно шла до речки Химки.

Там, в темноте, стоя на обрыве, она прислушивалась, — где-то, слышный только ночью, журчал ключ: зашуршала, покатилась к воде и плеснула земля с сухого обрыва. По сторонам неподвижно стояли черные очертания деревьев, — вдруг сонно начинали шуметь листья, и опять было тихо. «Когда же, когда же, когда?» — негромко говорила Даша и хрустела пальцами.

В первых числах июня, в праздник, Даша встала рано и, чтобы не будить Катю, пошла мыться на кухню. На столе лежала куча овощей и поверх какая-то зеленоватая открытка, должно быть зеленщик захватил ее на почте вместе с газетами. Петька, Матренин сын, сидел на пороге и, сопя, привязывал к палочке куриную ногу. Матрена вешала на акации белье.

Даша налила в глиняный таз воды, пахнущей рекою, спустила с плеч рубашку и опять поглядела, — что за странная открытка? Взяла ее за кончик мокрыми пальцами, там было написано: «Милая Даша, я беспокоюсь, почему ни на одно из моих писем не было ответа, неужели они пропали?»

Даша быстро села на стул, потемнело в глазах, ослабли ноги... «Рана моя совсем зажила. Теперь я каждый день занимаюсь гимнастикой, вообще себя держу в руках. А также изучаю английский и французский языки. Обнимаю тебя, Даша, если ты меня еще помнишь. И. Телегин».

Даша подняла рубашку на плечи и прочла письмо во второй раз:

«Если ты меня еще помнишь»!.. Она вскочила и побежала к Кате в спальню, распахнула ситцевую занавеску на окне.

— Катя, читай вслух!..

Села на постель к испуганной Кате и, не дожидаясь, прочла сама и сейчас же вскочила, всплеснула руками.

— Катя, Катя, как это ужасно!

— Но ведь, слава богу, он жив, Данюша.

— Я люблю его!.. Господи, что мне делать?.. Я спрашиваю тебя, — когда кончится война?

Даша схватила открытку и побежала к Николаю Ивановичу. Прочтя письмо, в отчаянии, она требовала от него самого точного ответа, — когда кончится война?

— Матушка ты моя, да ведь этого никто теперь не знает.

— Что же ты тогда делаешь в этом дурацком Городском союзе? Только болтаете чепуху с утра до ночи. Сейчас еду в Москву, к командующему войсками... Я потребую от него...

— Что от него потребуешь?.. Ах, Даша, Даша, ждать надо.

Несколько дней Даша не находила себе места, потом затихла, будто потускнела; по вечерам рано уходила в свою комнату, писала письма Ивану Ильичу, упаковывала, зашивала в холст посылки. Когда Екатерина Дмитриевна заговаривала с ней о Телегине, Даша обычно молчала; вечерние прогулки она бросила, сидела больше с Катей, шила, читала, — казалось, как можно глубже нужно было загнать в себя все чувства, покрыться будничной, неуязвимой кожей.

Екатерина Дмитриевна хотя и совсем оправилась за лето, но так же, как и Даша, точно погасла. Часто сестры говорили о том, что на них, да и на каждого теперь человека, легла, как жернов, тяжесть. Тяжело просыпаться, тяжело ходить, тяжело думать, встречаться с людьми; не дождешься — когда можно лечь в постель, и ложишься замученная, одна радость — заснуть, забыться. Вот Жилкины вчера позвали гостей на новое варенье, а за чаем приносят газету, — в списках убитых, — брат Жилкина: погиб на поле славы. Хозяева ушли в дом, гости посидели на балконе в сумерках и разошлись молча. И так — повсюду. Жить стало дорого. Впереди неясно, уныло. Варшаву отдали. Брест-Литовск взорван и пал. Всюду шпионов ловят.

На реке Химке, в овраге, завелись разбойники. Целую неделю никто не ходил в лес, — боялись. Потом стражники выбили их из оврага, двоих взяли, третий ушел, перекинулся, говорят, в Звенигородский уезд очищать усадьбы.

Утром однажды на площадку близ смоковниковской дачи примчался, стоя в пролетке, извозчик. Было видно, как со всех сторон побежали к нему бабы, кухарки, ребятишки. Что-то случилось. Кое-кто из дачников вышел за калитку. Вытирая руки, протрусила через сад Матрена. Извозчик, красный, горячий, говорил, стоя в пролетке:

— ...Вытащили его из конторы, раскачали — да об мостовую, да в Москву-реку, а на заводе еще пять душ скрывается — немцев... Троих нашли, — городовые отбили, а то быть им тем же порядком в речке... А по всей по Лубянской площади шелка, бархата так и летают. Грабеж по всему городу... Народу — тучи...

Он со всей силой хлестнул вожжами лихацкого жеребца, присевшего в выгнутых оглоблях — шалишь! — хлестнул еще, и захрапевший, в мыле, жеребец скачками понес по улице валкую пролетку, завернул к шинку.

Даша и Николай Иванович были в Москве. Оттуда в сероватую, раскаленную солнцем мглу неба поднимался черный столб дыма и стлался тучей. Пожар был хорошо виден с деревенской площади, где стояло кучками простонародье. Когда к ним подходили дачники, — разговоры замолкали: на господ поглядывали не то с усмешкой, не то со странным выжиданием. Появился плотный человек, без шапки, в рваной рубахе, и, подойдя к кирпичной часовенке, закричал:

— В Москве немцев режут!

И — только крикнул — заголосила беременная баба. Народ сдвинулся к часовне, побежала туда и Екатерина Дмитриевна. Толпа волновалась, гудела.

— Варшавский вокзал горит, немцы подожгли.

— Немцев две тысячи зарезали.

— Не две, а шесть тысяч, — всех в реку покидали.

— Начали-то с немцев, потом пошли подряд чистить. Кузнецкий мост, говорят, разнесли начисто.

— Так им и надо. Нажрались на нашем поте, сволочи!

— Разве народ остановишь, — народ остановить нельзя.

— В Петровском парке, ей-богу, не вру, — сестра сейчас оттуда прибежала, в парке, говорят, на одной даче нашли беспроволочный телеграф, и при нем двое шпионов с привязанными бородами, — убили, конечно, голубчиков.

— По всем бы дачам пойти, вот это дело!

Затем было видно, как под гору, к плотине, где проходила московская дорога, побежали девки с пустыми мешками. Им стали кричать вдогонку. Они, оборачиваясь, махали мешками, смеялись. Екатерина Дмитриевна спросила у благообразного древнего мужика, стоявшего около нее с высоким посохом:

— Куда это девки побежали?

— Грабить, милая барыня.

Наконец в шестом часу на извозчике из города приехали Даша и Николай Иванович. Оба были возбуждены и, перебивая друг друга, рассказывали, что по всей Москве народ собирается толпами и громит квартиры немцев и немецкие магазины. Несколько домов подожжены. Разграблен магазин готового платья Манделя. Разбит склад беккеровских роялей на Кузнецком, их выкидывали из окон второго этажа и валили в костер. Лубянская площадь засыпана медикаментами и битым стеклом. Говорят — были убийства. После полудня пошли патрули, начали разгонять народ. Теперь все спокойно.

— Конечно, это варварство, — говорил Николай Иванович, от возбуждения мигая глазами, — но мне нравится этот темперамент, силища в народе. Сегодня разнесли немецкие лавки, а завтра баррикады, черт возьми, начнут строить. Правительство нарочно допустило этот погром. Да, да, я тебя уверяю, — чтобы выпустить излишек озлобления. Но народ через такие штуки получит вкус к чему-нибудь посерьезнее...

Этой же ночью у Жилкиных был очищен погреб, у Свечниковых сорвали с чердака белье. В шинке до утра горел свет. И спустя еще неделю на деревне перешептывались, поглядывали непонятно на гуляющих дачников.

В начале августа Смоковниковы переехали в город, и Екатерина Дмитриевна опять стала работать в лазарете. Москва в эту осень была полна беженцами из Польши. На Кузнецком, Петровке, Тверской нельзя было протолкаться. Магазины, кофейни, театры — полны, и повсюду было слышно новорожденное словечко: «извиняюсь».

Вся эта суета, роскошь, переполненные театры и гостиницы, шумные улицы, залитые электрическим светом, были прикрыты от всех опасностей живой стеной двенадцатимиллионной армии, сочащейся кровью.

А военные дела продолжали быть очень неутешительными. Повсюду, на фронте и в тылу, говорили о злой воле Распутина, об измене, о невозможности далее бороться, если Никола-угодник не выручит чудом.

И вот, во время уныния и развала, генерал Рузский неожиданно, в чистом поле, остановил наступление германских армий.

24

В осенние сумерки на морском побережье северо-восточный ветер гнул дугою голые тополя, потрясал рамы в старом, стоящем на холме, доме с деревянной башней, грохотал крышей так, что казалось, будто по железной крыше ходит тяжеловесный человек, дул в трубы, под двери, во все щели.

Из окон дома было видно, как на бурых плантажах мотались голые розы, как над изрытым свинцовым морем летят рваные тучи. Было холодно и скучно.

Аркадий Жадов сидел на ветхом диванчике, во втором этаже дома, в единственной обитаемой комнате. Пустой рукав его когда-то щегольского френча был засунут за пояс. Лицо с припухшими веками выбрито чисто, пробор тщательно приглажен, на скулах два двигающихся желвака.

Прищурив глаза от дыма папироски, Жадов пил красное вино, еще оставшееся в бочонках в погребе отцовского его дома. На другом конце диванчика сидела Елизавета Киевна, тоже пила вино и курила, кротко улыбаясь. Жадов приучил ее молчать по целым дням, — молчать и слушать, когда он, вытянув бутылок шесть старого кабернэ, начнет высказываться. А мыслей у него за войну, за голодное сиденье в «Шато Кабернэ», полуразрушенном доме на двух десятинах виноградника — единственном достоянии, оставшемся у него после смерти отца, — жестоких мыслей у Жадова накопилось много.

Шесть месяцев тому назад в тыловом лазарете, в одну из скверных ночей, когда у Жадова ныла несуществующая, отрезанная рука, он сказал Елизавете Киевне с раздражением, зло и обидно:

— Чсм таращиться на меня всю ночь влюбленными глазами, мешать спать, — позвали бы завтра попа, чтобы покончить эту канитель.

Елизавета Киевна побледнела, потом кивнула головой, — хорошо. В лазарете их обвенчали. В декабре Жадов эвакуировался в Москву, где ему сделали вторую операцию, а ранней весной они с Елизаветой Киевной приехали в Анапу и поселились в «Шато Кабернэ». Средств к жизни у Жадова не было никаких, деньжонки на хлеб добывались продажей старого инвентаря и домашней рухляди. Зато вина было вволю — любительского кабернэ, выдержанного за годы войны.

Здесь, в пустынном, полуразрушенном доме с башней, засиженной птицами, наступило долгое и безнадежное безделье. Разговоры все давно переговорены. Впереди пусто. За Жадовыми словно захлопнулась дверь наглухо.

Елизавета Киевна пыталась заполнить собою пустоту мучительно долгих дней, но ей удавалось это плохо: в желании нравиться она была смешна, неряшлива и неумела. Жадов дразнил ее этим, и она с отчаянием думала, что, несмотря на широту мыслей, ужасно чувствительна как женщина. И все же ни за какую другую она не отдала бы эту нищую жизнь, полную оскорблений, засасывающей скуки, преклонения перед мужем и редких минут сумасшедшего восторга.

В последнее время, когда засвистала осень по голому побережью, Жадов стал особенно раздражителен: не пошевелись, — сейчас же у него вздергивалась губа над злыми зубами, и сквозь зубы, отчетливо рубя слова, он говорил ужасные вещи. Елизавета Киевна иногда только внутренне содрогалась, тело ее покрывалось гусиной кожей от оскорблений. И все же, по целым часам, не сводя глаз с красивого, осунувшегося лица Жадова, она слушала его бред.

Он посылал ее за вином в сводчатый кирпичный погреб, где бегали большие пауки. Там, присев у бочки, глядя, как в глиняный кувшин бежит багровая струйка каберне, Елизавета Киевна давала волю мыслям. С упоительной горечью она думала, что Аркадий когда-нибудь убьет ее здесь, в погребе, и закопает под бочкой. Пройдет много зимних ночей. Он зажжет свечу и спустится сюда к паукам. Сядет перед бочкой и, глядя вот так же на струйку вина, вдруг позовет: «Лиза...» И только побегут пауки по стенам. И он зарыдает в первый раз в жизни от одиночества, от смертельной тоски. Так мечтая, Елизавета Киевна искупала все обиды, — в конце-то концов не он, а она возьмет верх.

Ветер усиливался. Дрожали стекла от его порывов. На башне заревел дикий голос и пошел реветь, видимо, на всю ночь. Ни одной звезды не зажигалось над морем.

Елизавета Киевна уже три раза спускалась в погреб, наполняла кувшин. Жадов продолжал сидеть неподвижно и молча. Надо было ждать сегодня в ночь особенных разговоров.

— Картошка хотя бы есть у нас? — неожиданно и громко проговорил Жадов. — Ты, кажется, могла бы заметить, что я не ел со вчерашнего дня.

Елизавета Киевна обмерла. Картошка, картошка... С утра она так была занята своими мыслями, отношением к ней Аркадия, что не подумала об ужине. Она рванулась с диванчика.

— Сядь, неряха, — ледяным голосом сказал Жадов, — я и без тебя знаю, что картошки у нас нет. Должен тебе сообщить, что ты в жизни ни на что не способна, кроме как думать всевозможную чепуху.

— Я сбегаю к соседям, можно обменять на вино несколько хлеба и картошки.

— Ты это сделаешь, когда я кончу говорить. Сядь. Сегодня мною окончательно решен вопрос о допустимости преступления. (При этих словах Елизавета Киевна запахнула шаль, ушла в угол дивана.) С детства меня занимал этот вопрос. Женщины, с которыми я встречался, считали меня преступником и с особенной жадностью отдавались мне. Но идея преступности мною разрешена только в истекшие сутки.

Он потянулся за стаканом, жадно выпил вино, закурил папиросу.

— Я сижу в окопах, в трехстах шагах от неприятеля. Почему я не вылезаю через бруствер, не иду в неприятельскую траншею, не убиваю там, кого мне нужно, не граблю деньги, одеяла, кофе и табак? Если бы я был уверен, что в меня не станут стрелять или станут, но не попадут, — то, разумеется, я пошел бы, убил и ограбил. И мой портрет, как героя, напечатали бы в газетах. Кажется — ясно, логично. Теперь, если я сижу не в траншеях, а в шести верстах от Анапы, в «Шато Кабернэ», то почему не иду ночью в город, не взламываю ювелирный магазин Муравейчика, не беру себе камни и золото, а если подвертывается сам Муравейчик, то и его с удовольствием — клинком вот сюда. — Он твердо показал пальцем на то место, где начинается шея. — Почему я этого до сих пор не делаю? Тоже только потому, что боюсь. Арест, суд, казнь. Кажется, я логично говорю? Вопрос об убийстве и ограблении врага решен государственной властью, то есть высочайше установленной моралью, то есть сводом уголовных и гражданских законов, в положительном смысле. Стало быть, вопрос сводится к моему личному ощущению, кого я считаю своим врагом.

— Там — враг государства, а здесь только твой враг, — едва слышно проговорила Елизавета Киевна.

— Поздравляю, вы мне еще о социализме что-нибудь расскажите. Чушь! В основе морали положено право личности, а не коллектив. Я утверждаю, — мобилизация блестяще удалась во всех странах, и война идет третий год полным ходом, сколько бы там ни протестовал папа римский, — только потому, что мы все, каждая личность, выросли из детских пеленок. Мы хотим, а если прямо и не хотим, то ничего не имеем против убийства и грабежа. Убийство и грабеж организованы государством. Дурачки, соплячки продолжают называть убийство и грабеж убийством и грабежом. Я же отныне называю это полным осуществлением права личности. Тигр берет то, что хочет. Я выше тигра. Кто смеет ограничить мои права? Свод законов? Его съели черви.

Жадов подобрал ноги, легко поднялся и зашагал по комнате, едва освещенной сквозь грязные стекла тусклой полосой заката.

— Миллиард людей находится в состоянии военного действия, пятьдесят миллионов мужчин дерутся на фронтах. Они организованы и вооружены. Пока они представляют собою два враждебных коллектива. Но им ничто не мешает в один прекрасный день прекратить стрельбу и соединиться. И это будет тогда, когда какой-нибудь человек скажет тому пятидесятимиллионному коллективу: «Болваны, стреляете не по той цели». Война должна кончиться бунтом, революцией, мировым пожаром. Штыки обратятся внутрь стран. Коллектив окажется хозяином жизни. На трон посадят нищего в гноище и ему преклонятся. Пусть будет так. Но тем более у меня развязаны руки для борьбы. Там — закон масс, здесь — закон личности, обнаженной личности на полном дыхании. Вы — социализм, а мы — закон джунглей, а мы — организованную железной дисциплиной, священную анархию.

У Елизаветы Киевны безумно билось сердце. Это были именно те самые «бездны», о которых она мечтала когда-то на квартире у Телегина. Но уже не веселенькие шуточки в виде двенадцати пунктов «самопровокации», вывешиваемых на Лизиной двери телегинскими жильцами... Сейчас, в сумерках, мимо окон ходил человек, действительно страшный, как пума в клетке. Он и разговаривал только оттого, что был не на свободе. Вслушиваясь в его слова, Елизавета Киевна чувствовала, почти видела какую-то бешеную скачку коней, — степи, зарева... Она почти слышала крики, шум битвы, смертельные вопли, степные песни.

25

Среди всеобщего уныния и безнадежных ожиданий в начале зимы 16-го года русские войска, прорывая глубокие туннели в снегах, карабкаясь по обледенелым скалам, неожиданно взяли штурмом крепость Эрзерум. Это было в то время, когда англичане терпели военные неудачи в Месопотамии и под Константинополем, когда на Западном фронте шла упорная борьба за домик паромщика на Изере, когда отвоевание нескольких метров земли, густо политой кровью, уже считалось победой, о которой по всему свету торопливо бормотала Эйфелева башня.

На австрийском фронте русские армии, под командой генерала Брусилова, так же неожиданно перешли в решительное наступление.

Произошел международный переполох. В Англии выпустили книгу о загадочной русской душе. Действительно, противно логическому смыслу, после полутора лет войны, разгрома, потери восемнадцати губерний, всеобщего упадка духа, хозяйственного разорения и политического развала Россия снова устремилась в наступление по всему своему трехтысячеверстному фронту. Поднялась обратная волна свежей и точно неистощенной силы.

Сотнями тысяч потянулись пленные в глубь России. Австрии был нанесен смертельный удар, после которого она через два года легко, как глиняный горшок, развалилась на части. Германия тайно предлагала мир. Рубль поднялся. Снова воскресли надежды военным ударом окончить мировую войну. «Русская душа» стала чрезвычайно популярна. Русскими дивизиями грузились океанские пароходы. Орловские, тульские, рязанские мужики распевали «соловья-пташечку» на улицах Салоник, Марселя, Парижа и бешено ходили в штыковые атаки, спасая европейскую цивилизацию.

Все лето шло наступление. Призывались все новые годы запасных. Сорокатрехлетних мужиков брали с поля, с работ. По всем городам формировались пополнения. Число мобилизованных подходило к двадцати четырем миллионам. Над Германией, над всей Европой нависала древним ужасом туча азиатских полчищ.

Москва сильно опустела за это лето, — война, как насосом, выкачала мужское население. Николай Иванович уехал на фронт, в Минск. Даша и Катя жили в городе тихо и уединенно, — работы было много. Получались иногда коротенькие и грустные открытки от Телегина, — он, оказывается, пытался бежать из плена, но был пойман и переведен в крепость.

Одно время к сестрам ходил очень милый человек, капитан Рощин, откомандированный в Москву для приема снаряжения. Его однажды привез к обеду Николай Иванович из Городского союза на своем автомобиле. С тех пор Рощин стал захаживать.

Каждый вечер, в сумерки, раздавался на парадном звонок. Екатерина Дмитриевна сейчас же осторожно вздыхала и шла к буфету — положить варенье в вазочку или нарезать к чаю лимон. Даша заметила, что, когда вслед за звонком в столовой появлялся Рощин, Катя не сразу оборачивала к нему голову, а минуточку медлила, потом на губах у нее появлялась обычная, нежная улыбка. Вадим Петрович Рощин молча кланялся. Он был худощавый, с темными невеселыми глазами, с обритым ладным черепом... Не спеша, присев к столу, он тихим голосом рассказывал военные новости. Катя, притихнув за самоваром, глядела ему в лицо, а по глазам ее, с большими зрачками, было видно, что она слушает его особенно. Встречаясь с ее взглядом, Рощин слегка как будто хмурился. Вздрагивали под столом его шпоры. Иногда за столом наступало долгое молчание, и вдруг Катя вздыхала и, покраснев, виновато улыбалась. Часам к одиннадцати Рощин поднимался, целовал руку Кате — почтительно, Даше — рассеянно, и уходил, прося не провожать его до прихожей. По пустой улице долго слышались его твердые шаги. Катя перетирала чашки, запирала буфет и, все так же, не сказав ни слова, уходила к себе и поворачивала в двери ключ.

Однажды, на закате, Даша сидела у раскрытого окна. Над улицей высоко летали стрижи. Даша слушала их тонкие стеклянные голоса и думала, что завтра будет жаркий и ясный день, если стрижи высоко, и что стрижи ничего не знают о войне, — счастливые птицы.

Солнце закатилось, и над городом стояла золотистая пыль. В сумерках у ворот и подъездов сидели люди. Было грустно, и Даша ждала, и вот невдалеке вековечной, мещанской вечерней скукой заиграла шарманка. Даша облокотилась о подоконник. Высокий, до самых чердаков, женский голос пел: «Сухою корочкой питалась, студеную воду я пила...»

Сзади к Дашиному креслу подошла Катя и тоже, должно быть, слушала, не двигаясь.

— Катюша, как поет хорошо.

— За что? — проговорила вдруг Катя низким и диким каким-то голосом. — За что нам это послано? Чем мы виноваты? Когда кончится это, — ведь буду старухой, ты поняла? Я не могу больше, не могу, не могу!.. — Она, задыхаясь, стояла у стены, у портьеры, бледная, с выступившими у рта морщинками, глядела на Дашу сухими, потемневшими глазами. — Не могу больше, не могу! — повторяла она тихо и хрипло. — Это никогда не кончится!.. Мы умираем... мы никогда больше не узнаем радости... Ты слышишь, как она воет? Заживо хоронит...

Даша обхватила сестру, гладила ее, хотела успокоить, но Катя подставляла локти, отстранялась.

В прихожей позвонили. Катя отстранила сестру и глядела на дверь. Вошел Рощин в грубой суконной рубашке, в новых смазных сапогах. Усмехнувшись, он поздоровался с Дашей, подал руку Кате и вдруг удивленно взглянул на нее и нахмурился. Даша сейчас же ушла в столовую. Ставя чайную посуду на стол, она услышала, как Катя сдержанно, но тем же низким и хрипловатым голосом спросила у Рощина:

— Вы уезжаете?

Покашляв, он ответил сухо:

— Да.

— Завтра?

— Нет, через час с четвертью.

— Куда?

— В действующую армию. — И затем, после некоторого молчания, он заговорил: — Дело вот в чем, Екатерина Дмитриевна, мы видимся, очевидно, в последний раз, и я решился сказать...

Катя перебила его поспешно:

— Нет, нет... Я все знаю... И вы тоже знаете обо мне...

— Екатерина Дмитриевна, вы...

Отчаянным голосом Катя крикнула:

— Да, видите сами!.. Умоляю вас — уходите...

У Даши в руках задрожала чашка. Там, в гостиной, молчали. Наконец Катя проговорила совсем тихо:

— Уходите, Вадим Петрович...

— Прощайте.

Он вздохнул коротко. Проскрипели его смазные сапоги, хлопнула парадная дверь. Катя вошла в столовую, села у стола, изо всей силы прижала к лицу руки.

С тех пор об уехавшем она не говорила ни слова. Катя мужественно переносила боль, хотя по утрам вставала с покрасневшими глазами, с припухшим ртом. Рощин прислал с дороги открытку — поклон сестрам, — письмецо положили на камин, где его засидели мухи.

Каждый вечер сестры ходили на Тверской бульвар — слушать музыку, садились на скамью и глядели, как под деревьями гуляют девушки и подростки в белых, розовых платьях, — очень много женщин и детей; реже проходил военный, с подвязанной рукой, или инвалид на костыле. Духовой оркестр играл вальс «На сопках Маньчжурии». Ту, ту, ту, — печально пел трубный звук, улетая в вечернее небо. Даша брала Катину слабую, худую руку.

— Катюша, Катюша, — говорила она, глядя на свет заката, проступающий между ветвями, — ты помнишь:

О любовь моя незавершенная,
В сердце холодеющая нежность...

Я верю, — если мы будем мужественны, мы доживем — когда можно будет любить не мучаясь... Ведь мы знаем теперь, — ничего на свете нет выше любви. Мне иногда кажется, — приедет из плена Иван Ильич и будет совсем иной, новый. Сейчас я люблю его одиноко, бесплотно. И мы встретимся так, точно мы любили друг друга в какой-то другой жизни.

Прислонившись к ее плечу, Екатерина Дмитриевна говорила:

— А у меня, Данюша, такая горечь, такая темнота на сердце, совсем оно стало старое. Ты увидишь хорошие времена, а уж я не увижу, отцвела пустоцветом.

— Катюша, стыдно так говорить.

— Нет, девочка, нужно быть мужественной.

В один из таких вечеров на скамейку, на другой ее конец, сел какой-то военный. Оркестр играл старый вальс. За деревьями зажглись неяркие огни фонарей. Сосед по скамейке глядел так пристально, что Даше стало неловко шее. Она обернулась и вдруг испуганно, негромко воскликнула:

— Нет!

Рядом с ней сидел Бессонов, тощий, облезлый, в мешком висящем френче, в фуражке с красным крестом. Поднявшись, он молча поздоровался. Даша сказала: «Здравствуйте», — и поджала губы. Екатерина Дмитриевна отклонилась на спинку скамьи, в тень Дашиной шляпы, и закрыла глаза. Бессонов был не то весь пыльный, не то немытый — серый.

— Я видел вас на бульваре вчера и третьего дня, — сказал он Даше, поднимая брови, — но подойти не решался... Уезжаю воевать. Вот видите, — и до меня добрались.

— Как же вы едете воевать, вы же в Красном Кресте? — сказала Даша с внезапным раздражением.

— Положим, опасность сравнительно, конечно, меньшая. А впрочем, мне глубоко все безразлично, — убьют, не убьют... Скучно, скучно, Дарья Дмитриевна. — Он поднял голову и поглядел ей на губы тусклым взглядом. — Так скучно от всех этих трупов, трупов, трупов...

Катя спросила, не открывая глаз:

— Вам скучно от этого?

— Да, весьма скучно, Екатерина Дмитриевна. Раньше оставалась еще кое-какая надежда... Ну, а после этих трупов и трупов надвинулась последняя ночь... Трупы и кровь, хаос. Так вот... Дарья Дмитриевна, я, строго говоря, подсел к вам для того, чтобы попросить пожертвовать мне полчаса времени.

— Зачем? — Даша глядела ему в лицо, чужое, нездоровое, и вдруг ей показалось с такой ясностью, что закружилась голова, — этого человека она видит в первый раз.

— Я много думал над тем, что было в Крыму, — проговорил Бессонов, морщась. — Я бы хотел с вами побеседовать, — он медленно полез в боковой карман френча за портсигаром, — я бы хотел рассеять некоторое невыгодное впечатление...

Даша прищурилась, — ни следа на этом противном лице волшебства. И она сказала твердо:

— Мне кажется, — нам не о чем говорить с вами. — И отвернулась. — Прощайте, Алексей Алексеевич.

Бессонов скривился усмешкой, приподнял картуз и отошел прочь. Даша глядела на его слабую спину, на слишком широкие штаны, точно готовые свалиться, на тяжелые пыльные сапоги, — неужели это был тот Бессонов — демон её девичьих ночей?

— Катюша, посиди, я ссйчас, — проговорила она поспешно и побежала за Бессоновым. Он свернул в боковую аллею. Даша, запыхавшись, догнала его и взяла за рукав. Он остановился, обернулся, глаза его, как у больной птицы, стали прикрываться веками.

— Алексей Алексеевич, не сердитесь на меня.

— Я-то не сержусь, вы сами не пожелали со мной разговаривать.

— Нет, нет, нет... Вы не так меня поняли... Я к вам ужасно хорошо отношусь, я вам хочу всякого добра... Но о том, что было, не стоит вспоминать, прежнего ничего не осталось... Я чувствую себя виноватой, мне вас жалко...

Он поднял плечи, с усмешкой поглядел мимо Даши на гуляющих.

— Благодарю вас за жалость.

Даша вздохнула, — если бы Бессонов был маленьким мальчиком, — она повела бы его к себе, вымыла теплой водой, накормила бы конфетками. А что она поделает с этим, — сам себе выдумал муку и мучается, сердится, обижается.

— Алексей Алексеевич, если хотите, — пишите мне каждый день, я буду отвечать, — сказала Даша, глядя ему в лицо как можно добрее.

Он откинул голову, засмеялся деревянным смехом:

— Благодарю... Но у меня отвращение к бумаге и чернилам... — сморщился, точно хлебнул кислого. — Либо вы — святая, Дарья Дмитриевна, либо вы дура... Вы — адская мука, посланная мне заживо, поняли?

Он сделал усилие отойти, но точно не мог оторвать ног. Даша стояла, опустив голову, — она все поняла, ей было печально, но на сердце холодно. Бессонов глядел на ее склоненную шею, на нетронутую, нежную грудь, видную в прорезе белого платья, и думал, что, конечно, — это смерть.

— Будьте милосердны, — сказал он простым, тихим, человеческим голосом.

Она, не поднимая головы, прошептала сейчас же: «Да, да», и прошла между деревьями. В последний раз Бессонов отыскал взглядом в толпе ее светловолосую голову, — она не обернулась. Он положил руку на дерево, вцепился пальцами в зеленую кору — земля, последнее прибежище, уходила из-под ног.

26

Тусклым шаром над торфяными пустынными болотами висела луна. Курился туман по канавам брошенных траншей. Повсюду торчали пни, кое-где чернели низкорослые сосны. Было влажно и тихо. По узкой гати медленно, лошадь за лошадью, двигался санитарный обоз. Полоса фронта была всего верстах в трех за зубчатым очертанием леса, откуда не доносилось ни звука.

В одной из телег в сене навзничь лежал Бессонов, прикрывшись попоной, пахнущей лошадиным потом. Каждую ночь с закатом солнца у него начиналась лихорадка, постукивали зубы от озноба, все тело точно высыхало, и в мозгу с холодным кипением проходили ясные, легкие, пестрые мысли. Это было дивное ощущение потери телесной тяжести.

Натянув попону до подбородка, Алексей Алексеевич глядел в мглистое, лихорадочное небо, — вот он — конец земного пути: мгла, лунный свет и, точно колыбель, качающаяся телега; так, обогнув круг столетий, снова скрипят скифские колеса. А все, что было, — сны: огни Петербурга, строгое великолепие зданий, музыка в сияющих теплых залах, обольщение взвивающегося театрального занавеса, обольщение снежных ночей, женских рук, раскинутых на подушках, — темных, безумных зрачков... Волнения славы... Упоение славы... Полусвет рабочей комнаты, восторгом бьющееся сердце и упоение рождающихся слов... Девушка с белыми ромашками, стремительно вошедшая из света прихожей в его темную комнату, в его жизнь... Все это сны... Качается телега... Сбоку идет мужик в картузе, надвинутом на глаза: две тысячи лет он шагает сбоку телеги... Вот оно, раскрытое в лунной мгле, бесконечное пространство времени... Из темноты веков надвигаются тени, слышно, — скрипят телеги, черными колеями бороздят мир. А там, в тусклом тумане, — торчащие печные трубы, среди пожарищ дымы до самого неба и скрип и грохот колес. И скрип и грохот громче, шире, все небо полно душу потрясающим гулом...

Вдруг телега остановилась. Сквозь гул, наполняющий белесую ночь, слышались испуганные голоса обозных. Бессонов приподнялся. Невысоко над лесом, в свете луны, плыла длинная, поблескивающая гранями, колонна — повернулась, блеснула, ревя моторами, и из брюха ее появился узкий синевато-белый луч света, побежал по болоту, по пням, по сваленным деревьям, по ельнику и уперся в шоссе, в телеги.

Сквозь гул послышались слабые звуки, точно быстро застучал метроном... С телег посыпались люди. Санитарная двуколка повернула на болото и опрокинулась... И вот, в ста шагах от Бессонова, на шоссе вспыхнул ослепительный куст света, черной кучей поднялась на воздух лошадь, телега, взвился огромный столб дыма, и грохотом и вихрем раскидало весь обоз. Лошади с передками поскакали по болоту, побежали люди. Телегу, где лежал Бессонов, дернуло, повалило, и Алексей Алексеевич покатился под шоссе в канаву, — в спину ему ударило тяжелым мешком, завалило соломой.

Цеппелин бросил вторую бомбу, затем гул моторов его стал отдаляться и затих. Тогда Бессонов, охая, начал разгребать солому, с трудом выполз из навалившейся на него поклажи, отряхнулся и взобрался на шоссе. Здесь стояло несколько телег, боком, без передков; на болоте, закинув морду, лежала лошадь в оглоблях и, как заведенная, дергала задней ногой.

Бессонов потрогал лицо и голову, — около уха было липко, он приложил к царапине платок и пошел по шоссе к лесу. От испуга и падения так дрожали ноги, что через несколько шагов пришлось присесть на кучу заскорузлого щебня. Хотелось выпить коньяку, но фляжка осталась с поклажей в канаве. Бессонов с трудом вытянул из кармана трубочку, спички и закурил, — табачный дым был горек и противен. Тогда он вспомнил о лихорадке, — дело плохо, во что бы то ни стало нужно дойти до леса, там, ему говорили, стоит батарея. Бессонов поднялся, но ноги совсем отнялись, как деревянные, едва двигались внизу живота.

Он опять опустился на землю и стал их растирать, вытягивать, щипать и, когда почувствовал боль, поднялся и побрел.

Месяц теперь стоял высоко, дорога вилась во мгле через пустые болота, казалось, — не было ей конца. Положив руки на поясницу, пошатываясь, с трудом поднимая и волоча пудовые сапоги, Бессонов сам говорил с собой: «Тащись, тащись, покуда не переедут колесами... Писал стишки, соблазнял глупеньких женщин... Взяли тебя и вышвырнули, — тащись на закат, покуда не упадешь... Можешь протестовать, пожалуйста. Протестуй, вой... Попробуй, попробуй, закричи пострашнее, завой...»

Бессонов вдруг обернулся. С шоссе вниз скользнула серая тень... Холодок прошел по спине. Он усмехнулся и, громко произнося отрывочные, бессмысленные фразы, опять двинулся посреди дороги... Потом осторожно оглянулся, — так и есть, шагах в пятидесяти за ним тащилась большеголовая, голенастая собака.

— Черт знает что такое! — пробормотал Бессонов. И пошел быстрее и опять поглядел через плечо. Собак было пять штук, они шли позади него гуськом, опустив морды, — серые, вислозадые. Бессонов бросил в них камешком: — Вот я вас!.. Пошли прочь, пакость...

Звери молча шарахнулись вниз, на болото. Бессонов набрал камней и время от времени останавливался и кидал их... Потом шел дальше, свистал, кричал: «Эй, эй...» Звери вылезали из-под шоссе и опять тащились за ним гуськом.

С боков дороги начался низкорослый ельник. И вот на повороте Бессонов увидал впереди себя человеческую фигуру. Она остановилась, вглядываясь, и медленно отступила в тень ельника.

— Черт! — прошептал Бессонов и тоже попятился в тень и стоял долго, стараясь преодолеть удары сердца.

Остановились и звери неподалеку. Передний лег, положил морду на лапы. Человек впереди не двигался. Бессонов с отчетливой ясностью видел белое, как плева, длинное облако, находящее на луну. Затем раздался звук, иглой вошедший в мозг, — хруст сучка под ногой, должно быть, того человека. Бессонов быстро вышел на середину дороги и зашагал, с бешенством сжимая кулаки. Наконец направо он увидал его, — это был высокий солдат, сутулый, в накинутой шинели, длинное, безбровое лицо его было, как неживое, — серое, с полуоткрытым ртом. Бессонов крикнул:

— Эй, ты, какого полка?

— Со второй батареи.

— Поди проводи меня на батарею.

Солдат молчал, не двигаясь, — глядел на Бессонова мутным взором, потом повернул лицо налево:

— Это кто же энти-то?

— Собаки, — ответил Бессонов нетерпеливо.

— Ну, нет, это не собаки.

— Идем, поворачивайся, проводи меня.

— Нет, я не пойду, — сказал солдат тихо.

— Послушай, у меня лихорадка, пожалуйста, доведи меня, я тебе денег дам.

— Нет, я туда не пойду, — солдат повысил голос, — я дезертир.

— Дурак, тебя же поймают.

— Все может быть.

Бессонов покосился через плечо, — звери исчезли, должно быть, зашли в ельник.

— А далеко до батареи?

Солдат не ответил. Бессонов повернулся, чтобы идти, но солдат сейчас же схватил его за руку у локтя, крепко, точно клещами:

— Нет, вы туда не ходите...

— Пусти руку.

— Не пущу! — Не отпуская руки, солдат смотрел в сторону, повыше ельника. — Я третий день не евши... Давеча задремал в канаве, слышу — идут... Думаю, значит, часть идет. Лежу. Они идут, множество, — идут в ногу по шоссе. Что за история? Я из канавы гляжу — идут в саванах, — конца-краю нет... Как туман...

— Что ты мне говоришь? — закричал Бессонов диким голосом и рванулся.

— Говорю верно, а ты верь, сволочь!..

Бессонов вырвал руку и побежал, точно на ватных, не на своих ногах. Вслед затопал солдат сапожищами, тяжело дыша, схватил за плечо, Бессонов упал, закрыл шею и голову руками. Солдат, сопя, навалился, просовывая жесткие пальцы к горлу, — стиснул его и замер, застыл.

— Вот ты кто, вот ты кто оказался! — шептал солдат сквозь зубы. Когда по телу лежащего прошла длинная дрожь, оно вытянулось, опустилось, точно расплющилось в пыли, солдат отпустил его, встал, поднял картуз и, не оборачиваясь на то, что было сделано, пошел по дороге. Пошатнулся, мотнул головой и сел, опустив ноги в канаву. — Что ж теперь, куда ж теперь? — проговорил солдат про себя. — О, смерть моя!.. Жрите меня, сволочи...

27

Иван Ильич Телегин пытался бежать из концентрационного лагеря, но был пойман и переведен в крепость, в одиночное заключение. Здесь он замыслил второй побег и в продолжение шести недель подпиливал оконную решетку. В середине лета неожиданно всю крепость эвакуировали, и Телегин, как штрафной, попал в так называемую «Гнилую яму». Это было страшное и удручающее место: в широкой котловине на торфяном поле стояли четыре длинных барака, обнесенные колючей проволокой. Вдалеке, у холмов, где торчали кирпичные трубы, начиналась узкоколейка, ржавые рельсы тянулись через все болото и кончались неподалеку от бараков, у глубокой выемки — месте прошлогодних работ, на которых от тифа и дизентерии погибло более пяти тысяч русских солдат. На другой стороне буро-желтой равнины поднимались неровными зубцами лиловые Карпаты. На север от бараков, далеко по болоту, виднелось множество сосновых крестов. В жаркие дни над равниной поднимались испарения, жужжали оводы, солнце стояло красновато-мутное, разлагая это безнадежное место.

Содержание здесь было суровое и голодное. Половина заключенных болела желудками, лихорадкой, нарывами, сыпью. Но все же в лагере было приподнятое настроение: Брусилов с сильными боями шел вперед, французы били немцев в Шампани и под Верденом, турки очищали Малую Азию. Конец войны, казалось, теперь уже по-настоящему недалек.

Но миновало лето, начались дожди. Брусилов не взял ни Кракова, ни Львова, затихли кровавые бои на французском фронте.

Союз и Согласие зализывали раны. Ясно, что конец войны снова откладывался на будущую осень.

Вот тогда-то в «Гнилой яме» началось отчаяние. Сосед Телегина по нарам, Вискобойников, бросил вдруг бриться и умываться, целыми днями лежал на неприбранных нарах, не отвечая на вопросы. Иногда привставал и, ощерясь, с ненавистью скреб себя ногтями. На теле его то появлялись, то пропадали розовые лишаи. Ночью однажды он разбудил Ивана Ильича и глухим голосом проговорил:

— Телегин, ты женат?

— Нет.

— У меня жена и дочь в Твери. Ты их навести, слышишь!

— Перестань, спи.

— Я, братец мой, крепко засну.

Под утро, на перекличке, Вискобойников не отозвался. Его нашли в отхожем месте висящим на тонком ременном поясе. Весь барак заволновался. Заключенные теснились около тела, лежащего на полу. Фонарь освещал изуродованное гадливой мукой лицо и на груди, под разорванной рубашкой, следы расчесов. Свет фонаря был грязный, лица живых, нагнувшиеся над трупом, — опухшие, желтые, искаженные. Один из них, подполковник Мельшин, обернулся в темноту барака и громко сказал:

— Что же, товарищи, молчать будем?

По толпе, по нарам прошел глухой ропот. Входная дверь бухнула, появился австрийский офицер, комендант лагеря, толпа раздвинулась, пропустила его к мертвому телу, и сейчас же раздались резкие голоса:

— Молчать не будем!

— Замучили человека!

— У них система!

— Я сам заживо гнию!

— Мы не каторжники.

— Мало вас били, окаянных...

Поднявшись на цыпочки, комендант крикнул:

— Молчать! Все по местам! Русские свиньи!

— Что?.. Что он сказал?..

— Мы русские свиньи?!

Сейчас же к коменданту протиснулся коренастый человек, заросший спутанной бородой, штабс-капитан Жуков. Поднеся короткий палец к самому лицу австрийского офицера, он закричал рыдающим голосом:

— А вот кукиш мой видел, сукин ты сын, это ты видел? — И, замотав косматой головой, схватил коменданта за плечи, бешено затряс его, повалил и навалился.

Офицеры, тесно сгрудясь над борющимися, молчали. Но вот послышались хлюпающие по доскам шаги бегущих солдат, и комендант закричал: «На помощь!» Тогда Телегин растолкал товарищей и, говоря: «С ума сошли, он же его задушит!» — обхватил Жукова за плечи и оттащил от австрийца. «Вы негодяй!» — крикнул он коменданту по-немецки. Жуков тяжело дышал. «Пусти, я ему покажу — свиньи», — проговорил он тихо. Но комендант уже поднялся, надвинул смятую кепи, быстро и пристально, точно запоминая, взглянул в лицо Жукову, Телегину, Мельшину и еще двум-трем стоявшим около них и, твердо звякая шпорами, пошел прочь из барака. Дверь сейчас же заперли, у входа поставили часовых.

В это утро не было ни переклички, ни барабана, ни желудевого кофе. Около полудня в барак вошли солдаты с носилками и вынесли тело Вискобойникова. Дверь опять была заперта. Заключенные разбрелись по нарам, многие легли. В бараке стало совсем тихо, — дело было ясное: бунт, покушение и — военный суд.

Иван Ильич начал этот день, как обычно, не отступая ни от одного из им самим предписанных правил, которые строго соблюдал вот уже больше года: в шесть утра накачал в ведро коричневую воду, облился, растерся, проделал сто одно гимнастическое движение, следя за тем, чтобы хрустели мускулы, оделся, побрился и, так как кофе сегодня не было, натощак сел за немецкую грамматику.

Самым трудным и разрушающим в плену было физическое воздержание. На этом многие пошатнулись: один вдруг начинал пудриться, подмазывать глаза и брови, шушукался целыми днями с таким же напудренным молодцом, другой — сторонился товарищей, валялся, завернувшись с головой в тряпье, немытый, неприбранный, иной принимался сквернословить, приставать ко всем с чудовищными рассказами и, наконец, выкидывал что-нибудь столь неприличное, что его увозили в лазарет.

От всего этого было одно спасение — суровость. За время плена Телегин стал молчалив, тело его, покрытое броней мускулов, подсохло, стало резким в движениях, в глазах появился холодный, упрямый блеск, — в минуту гнева или решимости они были страшны.

Сегодня Телегин тщательнее, чем обычно, повторил выписанные с вечера немецкие слова и раскрыл истрепанный томик Шпильгагена. На нары к нему присел Жуков. Иван Ильич, не оборачиваясь, продолжал читать вполголоса. Вздохнув, Жуков проговорил:

— Я на суде, Иван Ильич, хочу сказать, что я сумасшедший.

Телегин быстро взглянул на него. Розовое добродушное лицо Жукова с широким носом, кудрявой бородой, с мягкими, теплыми губами, видными сквозь заросли спутанных усов, было опущено, виновато; светлые ресницы часто мигали.

— Дернуло с этим кукишем проклятым соваться, — сам теперь не пойму, что я и доказать-то хотел. Иван Ильич, я понимаю, — виноват, конечно... Выскочил, подвел товарищей... Я так решил, — скажусь сумасшедшим... Вы одобряете?

— Слушайте, Жуков, — ответил Иван Ильич, закладывая пальцем книгу, — несколько человек из нас во всяком случае расстреляют... Вы это знаете?

— Да, понимаю.

— Не проще ли будет не валять дурака на суде... Как вы думаете?..

— Так-то оно так, конечно.

— Никто из товарищей вас не винит. Только цена за удовольствие набить австрияку морду слишком уж высока.

— Иван Ильич, а мне-то самому каково — подвести товарищей под суд! — Жуков замотал волосатой головой. — Хоть бы они, сволочи, меня одного закатали.

Он долго еще говорил в том же роде, но Телегин уже не слушал его, продолжая читать Шпильгагена. Затем встал и, потянувшись, хрустнул мускулами. В это время с треском распахнулась наружная дверь, и вошли четыре солдата с примкнутыми штыками, встали по сторонам двери, брякнули затворами винтовок; вошел фельдфебель, мрачный человек с повязкой на глазу, оглянул барак и глухим, свирепым голосом крикнул:

— Штабс-капитан Жуков, подполковник Мельшин, подпоручик Иванов, подпоручик Убейко, прапорщик Телегин...

Названные подошли. Фельдфебель внимательно оглянул каждого, солдаты окружили их и повели из барака через двор к дощатому домику — комендантской. Здесь стоял недавно прибывший военный автомобиль. Колючие рогатки, закрывающие проезд через проволоку на дорогу, были раздвинуты. Около полосатой будки неподвижно стоял часовой. В автомобиле, завалившись на сиденье у руля, сидел шофер, мальчишка с припухшими глазами. Телегин тронул локтем идущего рядом с ним Мельшина:

— Умеете управлять машиной?

— Умею, а что?

— Молчите.

Их ввели в комендантскую. За сосновым столом, прикрытым розовой промокательной бумагой, сидело трое приехавших австрийских обер-офицеров. Один, иссиня-выбритый, с багровыми пятнами на толстых щеках, курил сигару. Телегин заметил, что он не взглянул даже на вошедших, — руки его лежали на столе, пальцы сунуты в пальцы, толстые и волосатые, глаз прищурен от сигарного дыма, воротник врезался в шею. «Этот уже решил», — подумал Телегин.

Другой судья, председательствующий, был худой старик с длинным грустным лицом, в редких и чисто промытых морщинах, с пушисто-белыми усами. Бровь его была приподнята моноклем. Он внимательно оглядел обвиняемых, перевел большой сквозь стекло серый глаз на Телегина, — глаз был ясный, умный и ласковый, — усы у него вздрогнули.

«Совсем плохо», — подумал Иван Ильич и взглянул на третьего судью, перед которым лежали черепаховые очки и четвертушка мелко исписанной бумаги. Это был приземистый, землисто-желтый человек с жесткими волосами ежиком, с большими, как пельмени, ушами. По всему было видно, что это служака из неудачников.

Когда подсудимые выстроились перед столом, он не спеша надел круглые очки, разгладил исписанный листок сухонькой ладонью и неожиданно, широко открыв желтые вставные зубы, начал читать обвинительный акт.

Сбоку стола, сдвинув брови, сжав рот, сидел пострадавший комендант. Телегин напрягал внимание, чтобы вслушаться в слова обвинения, но, помимо воли, мысль его остро и торопливо работала в ином направлении.

«...Когда тело самоубийцы было внесено в барак, несколько русских, воспользовавшись этим, чтобы возбудить своих товарищей к открытому неповиновению власти, начали выкрикивать бранные и возмутительные выражения, угрожающе потрясая кулаками. Так, в руках подполковника Мельшина оказался раскрытый перочинный нож...»

Через окно Иван Ильич видел, как мальчик-шофер ковырял пальцем в носу, потом повернулся бочком на сиденье и надвинул на лицо огромный козырек фуражки. К автомобилю подошли два низкорослых солдата в накинутых на плечи голубых капотах, постояли, поглядели: один, присев, потрогал пальцем шину. Затем оба они повернулись, — во двор въезжала кухня; из трубы ее мирно шел дымок. Кухня повернула к казармам, куда лениво побрели и солдаты. Шофер не поднял головы, не обернулся, — значит, заснул. Телегин, кусая от нетерпения губы, опять стал вслушиваться в скрипучий голос обвинителя:

«...Вышеназванный штабс-капитан Жуков, с явным намерением угрожая жизни господина коменданта, предварительно показал ему пять сложенных пальцев, причем пятый торчал между указательным и средним; этот отвратительный жест, очевидно, имел целью опорочить честь императорского королевского мундира...»

При этих словах комендант поднялся и, покрывшись багровыми пятнами, подробно начал объяснять судьям малопонятную историю с пальцами штабс-капитана. Сам Жуков, плохо понимая по-немецки, изо всей мочи вслушивался, порывался вставить словечко, с доброй, виноватой улыбкой оглядывался на товарищей и, не выдержав, проговорил по-русски, обращаясь к обвинителю:

— Господин полковник, позвольте доложить — я ему говорю: за что вы нас, за что?.. По-немецки не знаю, как выразиться, значит, пальцами ему показываю.

— Молчите, Жуков, — сказал Иван Ильич сквозь зубы.

Председатель постучал карандашом. Обвинитель продолжал чтение.

Описав, каким образом и за какое именно место Жуков схватил коменданта и, «опрокинув его навзничь, надавливал ему большими пальцами на горло с целью причинить смерть», полковник перешел к наиболее щекотливому месту обвинения:

«Русские толчками и криками подстрекали убийцу: один из них, именно прапорщик Иоганн Телегин, услышав шаги бегущих солдат, бросился к месту происшествия, отстранил Жукова, и только одна секунда отделяла господина коменданта от смертельной развязки». — В этом месте обвинитель, приостановившись, самодовольно улыбнулся. — «Но в эту секунду появились дежурные нижние чины, и прапорщик Телегин успел только крикнуть своей жертве: «Негодяй».

За этим следовал остроумный психологический разбор поступка Телегина, «как известно, дважды пытавшегося бежать из плена...». Полковник безусловно обвинял Телегина, Жукова и Мельшина, который подстрекал к убийству, размахивая перочинным ножом. Чтобы обострить силу обвинения, полковник даже выгородил Иванова и Убейко, «действовавших в состоянии умоисступления».

По окончании чтения комендант подтвердил, что именно так все и было. Допросили солдат; они показали, что первые трое обвиняемых действительно виновны, про вторых двух — ничего не могут знать. Председательствующий, потерев худые руки, предложил Иванова и Убейко от обвинения освободить за недоказанностью улик. Багровый офицер, докуривший до губ сигару, кивнул головой; обвинитель, после некоторого колебания, тоже согласился. Тогда двое из конвойных вскинули ружья. Телегин сказал: «Прощайте, товарищи». Иванов опустил голову, Убейко молча, с ужасом взглянул на Ивана Ильича.

Их вывели, и председательствующий предоставил слово обвиняемым.

— Считаете вы себя виновным в подстрекательстве к бунту и в покушении на жизнь коменданта лагеря? — спросил он Телегина.

— Нет.

— Что же именно вы желаете сказать по этому поводу?

— Обвинение, от первого до последнего слова, — чистая ложь.

Комендант с бешенством вскочил, требуя объяснения, председательствующий знаком остановил его.

— Больше вы ничего не имеете прибавить к вашему заявлению?

— Никак нет.

Телегин отошел от стола и пристально посмотрел на Жукова. Тот покраснел, засопел и на вопросы повторил слово в слово все, сказанное Телегиным. Так же ответил и Мельшин. Председательствующий выслушал ответы, устало закрыл глаза. Наконец судьи поднялись и удалились в соседнюю комнату, где в дверях багровый офицер, шедший последним, выплюнул докуренную до губ сигару и, подняв руки, сладко потянулся.

— Расстрел, — я это понял, как мы вошли, — сказал Телегин вполголоса и обратился к конвойному: — Дайте мне стакан воды.

Солдат торопливо подошел к столу и, придерживая винтовку, стал наливать из графина мутную воду. Иван Ильич быстро, в самое ухо, прошептал Мельшину:

— Когда нас выведут, постарайтесь завести мотор.

— Понял.

Через минуту появились судьи и заняли прежние места. Председательствующий не спеша снял монокль и, близко держа перед глазами слегка дрожащий клочок бумаги, прочел краткий приговор, по которому Телегин, Жуков и Мельшин приговаривались к смертной казни через расстрел.

Когда были произнесены эти слова, Иван Ильич, хотя и был уверен в приговоре, все же почувствовал, как кровь отлила от сердца, Жуков уронил голову, Мельшин, крепкий, широкий, с ястребиным носом, — медленно облизнул губы.

Председательствующий потер уставшие глаза, затем, прикрыв их ладонью, проговорил отчетливо, но тихо:

— Господину коменданту поручается привести приговор в исполнение немедленно.

Судьи встали. Комендант одну еще секунду сидел, вытянувшись, бледный до зелени в лице. Он встал, одернул чистенький мундир и преувеличенно резким голосом скомандовал двоим оставшимся солдатам вывести приговоренных. В узких дверях Телегин замешкался и дал возможность Мельшину выйти первым. Мельшин, будто теряя силы, схватил конвойного за руку и забормотал заплетающимся языком:

— Пойдем, пойдем, пожалуйста, недалеко, вот еще немножечко... Живот болит, мо́чи нет...

Солдат в недоумении глядел на него, упирался, испуганно оборачивался, не понимая, как ему в этом непредвиденном случае поступить. Но Мельшин уже дотащил его до передней части автомобиля и присел на корточках, гримасничая, причитывая, хватаясь дрожащими пальцами то за пуговицы своей одежды, то за ручку автомобиля. По лицу конвойного было видно, что ему жалко и противно.

— Живот болит, ну, садись, — проворчал он сердито, — живее!

Но Мельшин вдруг с бешеной силой закрутил ручку стартера. Солдат испуганно нагнулся к нему, оттаскивая. Мальчик-шофер проснулся, крикнул что-то злым голосом, выскочил из автомобиля. Все дальнейшее произошло в несколько секунд. Телегин, стараясь держаться ближе ко второму конвойному, наблюдал исподлобья за движениями Мельшина. Раздалось пыхтенье мотора, и в такт этим резким, изумительным ударам забилось сердце.

— Жуков, держи винтовку! — крикнул Телегин, обхватывая своего конвойного поперек туловища, поднял его на воздух, с силой швырнул о землю и в несколько прыжков достиг автомобиля, где Мельшин боролся с солдатом, вырывая винтовку. Иван Ильич с налета ударил солдата кулаком в шею, — тот ахнул и сел. Мельшин кинулся к рулю машины, нажал рычаги. Иван Ильич отчетливо увидел Жукова, лезущего с винтовкой в автомобиль, мальчишку-шофера, крадущегося вдоль стены и вдруг шмыгнувшего в дверь комендантской, в окне длинное искаженное лицо с моноклем, выскочившую на крыльцо фигурку коменданта, револьвер, пляшущий в его руке... Выстрел, выстрел... «Мимо. Мимо. Мимо». Показалось, что автомобиль врос колесами в торф. Но взвыли шестерни, машина рванулась. Телегин перевалился на кожаное сиденье. В лицо сильнее подул ветер, быстро стала приближаться полосатая будка и часовой, взявший винтовку на прицел. Пах! Как буря, промчался мимо него автомобиль. Сзади по всему двору бежали солдаты, припадали на колена. Пах! Пах! Пах! — раздались слабые выстрелы. Жуков, обернувшись, погрозил кулаком. Но мрачный квадрат бараков становился все меньше, ниже, и лагерь скрылся за поворотом. Навстречу летели, яростно мелькая мимо, — столбы, кусты, номера на камнях.

Мельшин обернулся, лоб его, глаз и щека были залиты кровью. Он крикнул Телегину:

— Прямо?

— Прямо и через мостик — направо, в горы.

28

Пустынны и печальны Карпаты в осенний ветреный вечер. Тревожно и смутно было беглецам, когда по извилистой, вымытой дождями до камня беловатой дороге они взобрались на перевал. Три-четыре высокие сосны покачивались над обрывом. Внизу, в закурившемся тумане, почти невидимый, глухо шумел лес. Еще глубже, на дне пропасти, ворчал и плескался многоводный поток, грохотал каменьями.

За стволами сосен, далеко за лесистыми, пустынными вершинами гор, среди свинцовых туч, светилась длинная щель заката. Ветер дул вольно и сильно на этой высоте, хлопал кожей автомобильного фартука.

Беглецы сидели молча. Телегин рассматривал карту, Мельшин, облокотясь о руль, глядел в сторону заката. Голова его была забинтована тряпкой.

— Что же нам с автомобилем делать? — спросил он негромко. — Бензина нет.

— Машину так оставлять нельзя, сохрани бог, — ответил Телегин.

— Спихнуть ее под кручу, только и всего. — Мельшин, крякнув, спрыгнул на дорогу, потопал ногами, разминаясь, стал трясти Жукова за плечо: — Эй, капитан, будет спать, приехали!

Жуков, не раскрывая глаз, вылез на дорогу, споткнулся и сел на камешек. Иван Ильич вытащил из автомобиля кожаные плащи и погребец с провизией, приготовленной судьям для обеда в «Гнилой яме». Провизию разложили по карманам, надели плащи и, взявшись за крылья машины, покатили ее к обрыву.

— Сослужила, матушка, службу, — сказал Мельшин. — Ну-ка, навались!

Передние колеса повисли над пропастью. Пыльно-серая длинная машина, обитая кожей, окованная бронзой, послушная, как живое существо, осела, накренилась и вместе с камнями и щебнем рухнула вниз; на выступе скалы зацепилась, затрещала, перевернулась и, со все увеличивающимся грохотом летящих камней и осколков железа, загудела вниз, в поток. Отозвалось эхо и далеко покатилось по туманным ущельям.

Беглецы свернули в лес и пошли вдоль дороги. Говорили мало, шепотом. Было теперь совсем темно. Над головами важно шумели сосны, и шум их был подобен падающим в отдалении водам.

Время от времени Телегин спускался на шоссе смотреть верстовые столбы. В одном месте, где предполагался военный пост, сделали большой обход, перелезли через несколько оврагов, в темноте натыкались на поваленные деревья, на горные ручьи, — промокли и ободрались. Шли всю ночь. Один раз под утро послышался шум автомобиля, — тогда они легли в канаву, автомобиль проехал неподалеку, были даже слышны голоса.

Утром беглецы выбрали место для отдыха в глухой лесной балке, у ручья. Поели, опорожнили до половины фляжку с коньяком, и Жуков попросил обрить его найденной в автомобиле заржавленной бритвой. Когда были сняты борода и усы, у него неожиданно оказался детский подбородок и припухшие большие губы. Телегин и Мельшин долго хохотали, указывая на него пальцами. Жуков был в восторге, мычал и мотал губами, — он просто оказался пьян. Его завалили листьями и велели спать.

После этого Телегин и Мельшин, разложив на траве карту, срисовали каждый для себя маленький топографический снимок. Назавтра решено было разделиться: Мельшин с Жуковым пойдут на Румынию, Телегин свернет на Галицию. Большую карту зарыли в землю. Нагребли листьев, зарылись в них и сейчас же уснули.

Высоко на краю шоссе над балкой стоял человек, опершись на ружье, — часовой, охраняющий мост. Вокруг, у ног его, в лесной пустыне, было тихо, лишь тяжелый тетерев пролетал через поляну, задевая крыльями об ельник, да где-то однообразно падала вода. Часовой постоял и отошел, вскинув ружье.

Когда Иван Ильич открыл глаза, — была ночь; между черных неподвижных ветвей светились ясные звезды. Он начал припоминать вчерашний день, но ощущение душевного напряжения на суде и во время побега было столь болезненно, что он отогнал от себя эти мысли.

— Вы не спите, Иван Ильич? — спросил тихий голос Мельшина.

— Нет, давно не сплю. Вставайте, будите Жукова.

Через час Иван Ильич шагал один вдоль белеющей в темноте дороги.

29

На десятые сутки Телегин достиг прифронтовой полосы. Все это время он шел только по ночам, с началом дня забирался в лес, а когда пришлось спуститься на равнину, выбирал для ночлега местечко подальше от жилья. Питался сырыми овощами, таская их с огородов.

Ночь была дождливая и студеная. Иван Ильич пробирался по шоссе между идущими на запад санитарными фурами, полными раненых, телегами с домашним скарбом, толпами женщин и стариков, тащившими на руках детей, узлы и утварь.

Навстречу, на восток, двигались военные обозы и воинские части. Было странно подумать, что прошел четырнадцатый и пятнадцатый и кончается шестнадцатый год, а все так же по разбитым дорогам скрипят обозы, бредут в покорном отчаянии жители из сожженных деревень. Лишь теперь огромные воинские лошади — едва волочат ноги, солдаты — ободрались и помельчали, толпы бездомных людей — молчаливы и равнодушны. А там, на востоке, откуда резкий ветер гонит низкие облака, все еще бьют люди людей и не могут истребить друг друга.

На топкой низине, на мосту через вздувшуюся речку, шевелилось в темноте огромное скопище людей и телег. Громыхали колеса, щелкали бичи, раздавались крики команды, двигалось множество фонарей, и свет их падал на крутящуюся между сваями мутную воду.

Скользя по скату шоссе, Иван Ильич добрался до моста. По нему проходил военный обоз. Раньше дня нечего было и думать пробраться на ту сторону.

При въезде на мост лошади приседали в оглоблях, цеплялись копытами за размокшие доски, едва выворачивали возы. С краю, у въезда, стоял всадник в развеваемом ветром плаще, держал фонарь и кричал хрипло. К нему подошел старик, сдернул картузик, — что-то, видимо, просил. Всадник вместо ответа ударил его в лицо железным фонарем, и старик повалился под колеса.

Дальний конец моста тонул в темноте, но по пятнам огней казалось, что там — тысячи беглецов. Обоз продолжал медленно двигаться. Иван Ильич стоял, прижатый к телеге, — на ней в накинутом одеяле сидела худая женщина с нависшими на глаза волосами. Одною рукой она обхватила птичью клетку, в другой держала вожжи. Вдруг обоз стал. Женщина с ужасом обернулась. С той стороны моста вырастал гул голосов, быстрее двигались фонари. Что-то случилось. Дико, по-звериному, завизжала лошадь. Чей-то протяжный голос крикнул по-польски: «Спасайся!» И сейчас же ружейный залп рванул воздух. Шарахнулись лошади, затрещали телеги, завыли, завизжали женские, детские голоса.

Направо, издалека, мелькнули редкие искорки, донеслись ответные выстрелы. Иван Ильич взлез на колесо, всматриваясь. Сердце колотилось, как молоток. Стреляли, казалось, отовсюду, по всей реке. Женщина с клеткой полезла с воза, задралась юбкой и упала. «Ой! ратуйте!» — басом закричала она. Клетка с птицей покатилась под откос.

С криками и треском обоз снова двинулся через мост на рысях. «Стой, стой!» — донеслись сейчас же надрывающиеся голоса. Иван Ильич увидел, как большая повозка накренилась к краю моста, перевалилась через перила и рухнула в реку. Тогда он соскочил с колеса, перепрыгивая через брошенные узлы, догнал обоз и бросился ничком на идущую телегу. Сейчас же в голову ему ударил сладкий запах печеного хлеба. Иван Ильич просунул руку под брезент, отломил от каравая горбушку и, задыхаясь от жадности, стал есть.

В суматохе, среди выстрелов, обоз перешел наконец на ту сторону моста. Иван Ильич спрыгнул с телеги, пробрался между экипажами беглецов на поле и пошел вдоль дороги. Из отрывочных фраз, уловленных из темноты, он понял, что стрельба была по неприятельскому, то есть русскому, разъезду. Стало быть, линия фронта верстах в десяти, не дальше, от этих мест.

Несколько раз Иван Ильич останавливался — перевести дух. Идти было трудно против ветра и дождя. Ноги ломило в коленях, лицо горело, глаза воспалились и припухли. Наконец он сел на бугор канавы и опустил голову в руки. За шею текли ледяные капли дождя, все тело болело.

В это время до слуха его дошел круглый глухой звук, точно где-то далеко провалилась земля. Через минуту возник второй такой же вздох ночи. Иван Ильич поднял голову, вслушиваясь. Он различал между этими глубокими вздохами глухое ворчание, то затихающее, то вырастающее в сердитые перекаты. Звуки доносились не с той стороны, куда Иван Ильич шел, а слева, почти со стороны противоположной.

Он присел на другую сторону канавы: теперь ясно были видны низкие, рваные облака, летящие в небе, грязном и железном. Это был рассвет. Это был восток. Там была Россия.

Иван Ильич поднялся, затянул пояс и, разъезжаясь ногами по грязи, пошел в ту сторону через мокрые жнивья, канавы и полузавалившиеся остатки прошлогодних окопов.

Когда совсем разъяснело, Телегин опять увидел в конце поля шоссейную дорогу, полную людей и экипажей. Он остановился, оглядываясь. В стороне, под огромным наполовину облетевшим деревом, стояла белая часовенка. Дверь была сорвана, на круглой крыше и на земле валялись вялые листья.

Иван Ильич решил здесь подождать сумерек, зашел в часовенку и лег на зеленый от мха пол. Нежный и томительный запах листьев туманил голову. Издалека доносились громыхание колес и удары бичей. Эти шумы казались удивительно приятными и вдруг провалились. На глаза точно надавили пальцами. В свинцовой тяжести сна понемногу появилось живое пятнышко. Оно словно силилось стать сновидением, но не могло. Усталость была так велика, что Иван Ильич мычал и поглубже зарывался в сон. Но пятнышко тревожило. Сон становился все тоньше, и опять загромыхали вдалеке колеса. Иван Ильич вздохнул и сел.

В дверь были видны плотные плоские тучи; солнце, склонившись к закату, протянуло широкие лучи под их свинцово-мокрыми днищами. Жидкое пятно света легло на ветхую стену часовенки, осветило склоненное лицо деревянной, полинявшей от времени, божьей матери в золотом венчике: младенец, одетый в ситцевое истлевшее платьице, лежал у нее на коленях, благословляющая рука ее была отломлена.

Иван Ильич вышел из часовни. На пороге ее, на каменной ступени, сидела молодая женщина с ребенком на коленях. Она была одета в белую, забрызганную грязью свитку. Одна рука ее подпирала щеку, другая лежала на пестром одеяльце младенца. Она медленно подняла голову, взглянула на Ивана Ильича, — взгляд был светлый и странный, исплаканное лицо дрогнуло, точно улыбнулось, и тихим голосом она сказала по-русински:

— Умер хлопчик-то.

И опять склонила лицо на ладонь. Телегин нагнулся к ней, погладил по голове, — она порывисто вздохнула.

— Пойдемте. Я его понесу, — сказал он ласково.

Женщина качнула головой.

— Куда я пойду? Идите один, пан добрый.

Иван Ильич постоял еще минуту, дернул картуз на глаза и отошел. В это время из-за часовни рысью выехали два австрийских полевых жандарма, в мокрых и грязных капотах, усатые и сизые. Проезжая, они оглянулись на Ивана Ильича, сдержали лошадей, и тот из них, кто был впереди, крикнул хрипло:

— Подойди!

Иван Ильич приблизился. Жандарм, нагнувшись с седла, внимательно ощупал его карими глазами, воспаленными от ветра и бессонницы, — вдруг они блеснули.

— Русский! — крикнул он, хватая Телегина за воротник. Иван Ильич не вырывался, только усмехнулся криво.

Телегина заперли в сарае. Была уже ночь. Явственно доносился гул орудийной стрельбы. Сквозь щели был виден тускло-красный свет зарева, Иван Ильич доел остаток хлеба, взятого вчера с воза, походил вдоль дощатых стен, осматривая — нет ли где лаза, споткнулся о тюк спрессованного сена, зевнул и лег. Но заснуть ему не пришлось, — после полуночи неподалеку начали бухать орудия. Красноватые вспышки проникали сквозь щели. Иван Ильич привстал, прислушиваясь. Промежутки между очередями уменьшались, дрожали стены сарая, и вдруг совсем близко затрещали ружейные выстрелы.

Ясно, что бой приближался. За стеной послышались встревоженные голоса, запыхтел автомобиль. Протопало множество ног. Чье-то тяжелое тело ударилось снаружи о стену. И только тогда Иван Ильич различил, как в стену точно бьют горохом. Он сейчас же лег на землю.

Даже здесь, в сарае, пахло пороховым дымом. Стреляли без перерыва, очевидно — русские наступали со страшной быстротой. Но эта буря раздирающих душу звуков продолжалась недолго. Послышались лопающиеся удары — разрывы ручных гранат, точно давили орехи. Иван Ильич вскочил, заметался вдоль стены. Неужели отобьют? И, наконец, раздался хрипло-пронзительный рев, визг, топот. Сразу стихли выстрелы. В долгую секунду тишины были слышны только удары в мягкое, железный лязг. Затем испуганно закричали голоса: «Сдаемся, рус, рус!..»

Отодрав в двери щепу, Иван Ильич увидел бегущие фигуры, — они закрывали головы руками. Справа на них налетели огромные тени всадников, врезались в толпу, закрутились. Трое пеших повернули к сараю. Вслед им рванулся всадник со взвившимся за спиною башлыком. Лошадь — огромный зверь, — храпя, тяжело поднялась на дыбы. Всадник, как пьяный, размахивал шашкой, рот его был широко разинут. И, когда лошадь опустила перед, он со свистом ударил шашкой, и лезвие, врезавшись, сломалось.

— Выпустите меня! — не своим голосом закричал Телегин, стуча в дверь.

Всадник осадил лошадь:

— Кто кричит?

— Пленный. Русский офицер.

— Сейчас. — Всадник швырнул рукоять шашки, нагнулся и отодвинул засов.

Иван Ильич вышел, и тот, кто выпустил его, офицер дикой дивизии, сказал насмешливо:

— Вот так встреча!

Иван Ильич всмотрелся.

— Не узнаю.

— Да Сапожков, Сергей Сергеевич. — И он захохотал резким смехом. — Не ожидал?.. Вот, черт его возьми, вот война!

30

Последний час до Москвы поезд с протяжным свистом катил мимо опустевших дач; белый дым его путался в осенней листве, в прозрачно-желтом березняке, в пурпуровом осиннике, откуда пахло грибами. Иногда к самому полотну свисала багровая лапчатая ветвь клена. Сквозь поредевший кустарник виднелись кое-где стеклянные шары на клумбах, и в дачных домиках — забитые ставни, на дорожках, на ступенях — облетевшие листья.

Вот пролетел мимо полустанок; два солдата с котомками равнодушно глядели на окна поезда, и на скамье сидела в клетчатом пальтишке грустная, забытая барышня, чертя концом зонтика узор на мокрых досках платформы. Вот за поворотом, из-за деревьев, появился деревянный щит с нарисованной бутылкой: «Несравненная рябиновая Шустова». Вот кончился лес, и направо и налево потянулись длинные ряды бело-зеленой капусты, у шлагбаума — воз с соломой, и баба в мужицком полушубке держит под уздцы упирающуюся лошаденку. А вдали, под длинной тучей, уже видны острые верхи башен, и высоко над городом — сияющий купол Христа-спасителя.

Телегин сидел у вагонного окошка, вдыхая густой запах сентября, запах листьев, прелых грибов, дымка от горящей где-то соломы и земли, на рассвете хваченной морозцем.

Он чувствовал позади себя дорогу двух мучительных лет и конец ее — в этом чудесном долгом часе ожидания. Иван Ильич рассчитывал: ровно в половине третьего он нажмет пуговку звонка в этой единственной двери, — она ему представлялась светлодубовой, с двумя окошками наверху, — куда он притащился бы и мертвый.

Огороды кончились, и с боков дороги замелькали забрызганные грязью домишки предместий, грубо мощенные улицы с грохочущими ломовыми, заборы и за ними сады с древними липами, протянувшими ветви до середины переулков, пестрые вывески, прохожие, идущие по своим пустяковым делам, не замечая гремящего поезда и его — Ивана Ильича — в вагонном окошке; внизу в глубину улицы побежал, как игрушечный, трамвай; из-за дома выдвинулся купол церковки, — колеса застучали по стрелкам. Наконец, наконец — после двух долгих лет — поплыл вдоль окон дощатый перрон московского вокзала. В вагоны полезли чистенькие и равнодушные старички в белых фартуках. Иван Ильич далеко высунул голову, вглядываясь. Глупости, он же не извещал о приезде.

Иван Ильич вышел на вокзальный подъезд и не мог — рассмеялся: шагах в пятидесяти на площади стоял длинный ряд извозчиков. Махая с козел рукавицами, они кричали:

— Я подаю! Я подаю! Я подаю!

— Ваше здоровье, вот на вороной!

— Вот, на резвой, на дудках!

Лошади, осаженные вожжами, топали, храпели, взвизгивали. Крик стоял по всей площади. Казалось, еще немного, — и весь ряд извозчиков налетит на вокзал.

Иван Ильич взобрался на очень высокую пролетку с узким сиденьем; наглый, красивый лихач с ласковой снисходительностью спросил у него адрес и для шику, сидя боком и держа в левой руке свободно брошенные вожжи, запустил рысака, — дутые шины запрыгали по булыжнику.

— С войны, ваше здоровье?

— Из плена бежал.

— Да неужто? Ну, как у них? Говорят — есть нечего. Эй, поберегись, бабушка. Национальный герой... Много бегут оттуда. Ломовой, берегись... Ах, невежа!.. Ивана Трифоныча не знаете?

— Какого?

— С Разгуляя, сукном торгует!.. Вчера ездил на мне, плачет. Ах, история!.. Нажился на поставках, денег девать некуда, а жена его возьми — с полячишком третьего дня и убежала. Наши извозчики всю Москву оповестили о происшествии. Ивану-то Трифонычу хоть на улицу теперь не выходи... Вот тебе и наворовал...

— Голубчик, скорее, пожалуйста, — проговорил Иван Ильич, хотя лихацкий высокий жеребец и без того как ветер летел по переулку, задирая от дурной привычки злую морду.

— Приехали, ваше здоровье, второй подъезд. Тпру, Вася!..

Иван Ильич быстро, с трепетом, взглянул на шесть окон белого особняка, где покойно и чисто висели кружевные шторы, и спрыгнул у подъезда. Дверь была старая, резная, с львиной головой, и звонок не электрический, а колокольчик. Несколько секунд Иван Ильич постоял, не в силах поднять руки к звонку, сердце билось редко и больно. «В сущности говоря, ничего еще не известно, — может, дома никого нет, может, и не примут», — подумал он и потянул медную ручку. В глубине звякнул колокольчик. «Конечно, никого дома нету». И сейчас же послышались быстрые женские шаги. Иван Ильич растерянно оглянулся, — веселая рожа лихача подмигивала. Затем звякнула цепочка, дверь приоткрылась, и высунулось рябенькое лицо горничной.

— Здесь проживает Дарья Дмитриевна Булавина? — кашлянув, проговорил Телегин.

— Дома, дома, пожалуйте, — ласково, нараспев ответила рябенькая девушка, — и барыня, и барышня дома.

Иван Ильич, как во сне, прошел через сени-галерейку со стеклянной стеной, где стояли корзины и пахло шубами. Горничная отворила направо вторую дверь, обитую черной клеенкой, — в полутемной маленькой прихожей висели женские пальто, перед зеркалом лежали перчатки, косынка с красным крестом и пуховый платок. Знакомый, едва заметный запах изумительных духов исходил от всех этих невинных вещей.

Горничная, не спросив имени гостя, пошла докладывать. Иван Ильич коснулся пальцами пухового платка и вдруг почувствовал, что связи нет между этой чистой прелестной жизнью и им, вылезшим из кровавой каши. «Барышня, вас спрашивают», — услышал он в глубине дома голос горничной. Иван Ильич закрыл глаза, — сейчас раздастся гром небесный, — и, затрепетав с ног до головы, услышал голос быстрый и ясный:

— Спрашивают меня? Кто?

По комнатам зазвучали шаги. Они летели из бездны двух лет ожидания. В дверях прихожей из света окон появилась Даша.

Легкие волосы ее золотились. Она казалась выше ростом и тоньше. На ней была вязаная кофточка и синяя юбка.

— Вы ко мне?

Даша запнулась, ее лицо задрожало, брови взлетели, рот приоткрылся, но сейчас же тень мгновенного испуга сошла с лица, и глаза засветились изумлением и радостью.

— Это вы? — чуть слышно проговорила она, закинув локоть, стремительно обхватила шею Ивана Ильича и нежно-дрожащими губами поцеловала его. Потом отстранилась. — Иван Ильич, идите сюда. — И Даша побежала в гостиную, села в кресло и, пригнувшись к коленям, закрыла лицо руками. — Ну, глупо, глупо, конечно... — прошептала она, изо всей силы вытирая глаза. Иван Ильич стоял перед ней. Вдруг Даша, схватившись за ручки кресел, подняла голову: — Иван Ильич, вы бежали?

— Убежал.

— Господи, ну?

— Ну, вот и... прямо сюда.

Он сел напротив в кресло, изо всей силы прижимая к себе фуражку.

— Как же это произошло? — с запинкой спросила Даша.

— В общем — обыкновенно.

— Было опасно?

— Да... То есть — не особенно.

Так они сказали друг другу еще какие-то слова. Понемногу обоих начала опутывать застенчивость; Даша опустила глаза:

— Сюда, в Москву, давно приехали?

— Только что с вокзала.

— Я сейчас скажу кофе...

— Нет, не беспокойтесь... Я сейчас в гостиницу.

Тогда Даша чуть слышно спросила:

— Вечером приедете?

Поджав губы, Иван Ильич кивнул. Ему нечем было дышать. Он поднялся.

— Значит, я поеду. Вечером приеду.

Даша протянула ему руку. Он взял ее нежную и сильную руку, и от этого прикосновения стало горячо, кровь хлынула в лицо. Он стиснул ее пальцы и пошел в прихожую, но в дверях оглянулся. Даша стояла спиной к свету и глядела исподлобья.

— Часов в семь можно прийти, Дарья Дмитриевна?

Она кивнула. Иван Ильич выскочил на крыльцо и сказал лихачу:

— В гостиницу, в хорошую, в самую лучшую!

Сидя, откинувшись, в пролетке, засунув руки в рукава шинели, он широко улыбался. Какие-то голубоватые тени — людей, деревьев, экипажей — летели перед глазами. Студеный, пахнувший русским городом ветерок холодил лицо. Иван Ильич поднес к носу ладонь, еще горевшую от Дашиного прикосновения, и засмеялся: «Колдовство!»

В это время Даша, проводив Ивана Ильича, стояла у окна в гостиной. В голове звенело, никакими силами нельзя было собраться с духом — сообразить, — что же случилось? Она крепко зажмурилась и вдруг ахнула, побежала в спальню к сестре.

Екатерина Дмитриевна сидела у окна, шила и думала. Услышав Дашины шаги, она спросила, не поднимая головы:

— Даша, кто был у тебя?

Катя вгляделась, лицо ее дрогнуло.

— Он... Не понимаешь, что ли... Он... Иван Ильич.

Катя опустила шитье и медленно всплеснула руками.

— Катя, ты пойми, я даже и не рада, мне только страшно, — проговорила Даша глухим голосом.

31

Когда наступили сумерки, Даша начала вздрагивать от каждого шороха, бежала в гостиную и прислушивалась... Несколько раз раскрывала какую-то книжку — все на одной и той же странице: «Маруся любила шоколад, который муж привозил ей от Крафта...» В морозных сумерках, напротив в доме, где жила актриса Чародеева, вспыхнули два окна, — там горничная в чепчике накрывала на стол; появилась худая, как скелет, Чародеева в накинутой на плечи бархатной шубке, села к столу и зевнула, — должно быть, спала на диване; налила себе супу и вдруг задумалась, уставилась стеклянными глазами на вазочку с увядшей розой. «Маруся любила шоколад», — сквозь зубы повторила Даша.

Вдруг позвонили. У Даши кровь отлила от сердца. Но это принесли вечернюю газету. «Не придет», — подумала Даша и пошла в столовую, где горела одна лампочка над белой скатертью и тикали часы. Было без пяти семь. Даша села у стола: «Вот так с каждой секундой уходит жизнь...»

В парадной опять позвонили. Задохнувшись, Даша вскочила и выбежала в прихожую... Пришел сторож из лазарета, принес пакет с бумагами. Иван Ильич не придет, конечно, и прав: ждала два года, а дождалась — слова не нашла сказать.

Даша вытащила платочек и стала кусать его с уголка. Чувствовала ведь, знала, что именно так это и случится. Два года любила своего какого-то, выдуманного, а пришел живой человек... и она растерялась.

«Ужасно, ужасно», — думала Даша. Она не заметила, как приотворилась дверь и появилась рябенькая Лиза.

— Барышня, к вам пришли.

Даша глубоко вздохнула, легко, точно не касаясь пола, пошла в столовую. Катя увидела Дашу первая и улыбнулась ей, Иван Ильич вскочил, мигнул и выпрямился.

Одет он был в новую суконную рубаху, с новеньким, через одно плечо, снаряжением, чисто выбрит и подстрижен. Теперь особенно было заметно, как он высок ростом, подтянут и широк в плечах. Конечно, это был совсем новый человек. Взгляд светлых глаз его тверд, по сторонам прямого, чистого рта — две морщины, две черточки... У Даши забилось сердце, она поняла, что это — след смерти, ужаса и страдания. Его рука была сильна и холодна.

Даша взяла стул и села рядом с Телегиным. Он положил руки на скатерть, стиснул их и, поглядывая на Дашу, быстро, мельком, начал рассказывать о плене и о побеге из плена. Даша, сидя совсем близко, глядела ему в лицо, рот ее приоткрылся.

Рассказывая, Иван Ильич чувствовал, как голос его звучит, точно чужой, издалека, а сам он весь потрясен и взволнован. И рядом, касаясь его колена платьем, сидит не выразимое никакими словами существо — девушка, непонятная совершенно, и пахнет от нее чем-то теплым, кружащим голову.

Иван Ильич рассказывал весь вечер. Даша переспрашивала, перебивала его, всплескивала руками, оглядывалась на сестру:

— Катюша, понимаешь, — приговорили к расстрелу!

Когда Телегин описывал борьбу за автомобиль, секундочку, отделявшую от смерти, рванувшуюся машину и ветер, кинувшийся в лицо, — свобода, жизнь! — Даша страшно побледнела, схватила его за руку:

— Мы вас никуда больше не отпустим!

Телегин засмеялся:

— Призовут опять, ничего не поделаешь. Я только надеюсь, что меня отчислят куда-нибудь на военный завод.

Он осторожно сжал ее руку. Даша стала смотреть ему в глаза, вглядывалась внимательно, на щеки ее взошел легкий румянец, она освободила руку.

— Почему вы не курите? Я вам принесу спички.

Она быстро вышла и сейчас же вернулась с коробочкой спичек, остановилась перед Иваном Ильичом и начала чиркать спички, держа их за самый кончик, они ломались — ну уж и спички наша Лиза покупает! — наконец спичка зажглась. Даша осторожно поднесла к папиросе Ивана Ильича огонек, осветивший ее подбородок. Телегин закурил, жмурясь. Он не знал, что можно испытать такое счастье, закуривая папиросу.

Катя все это время молча следила за Дашей и Телегиным. Она была рада, очень рада за Дашу, и все же ей было очень грустно. Из памяти не выходил не забытый, как она надеялась, совсем не забытый Вадим Петрович Рощин: он так же сидел с ними за столом, и так же однажды она принесла ему спичек и сама зажгла, не сломав ни одной.

В полночь Телегин ушел. Даша, обняв, крепко поцеловала сестру и заперлась у себя. Лежа в постели, закинув руки за голову, она думала, что вот вынырнула наконец из тоскливого безвременья, кругом еще дико, и пусто, и жутковато, но все — синее, но это счастье.

32

На пятый день приезда Иван Ильич получил из Петрограда казенный пакет с назначением немедленно явиться на Балтийский завод.

Радость по поводу этого, остаток дня, проведенный с Дашей в суете по городу, торопливое прощанье на Николаевском вокзале, затем купе второго класса с сухим теплом и пощелкивающим отоплением, и неожиданно найденный в кармане пакетик, перевязанный ленточкой, и в нем два яблока, шоколад и пирожки, — все это было как во сне. Иван Ильич расстегнул пуговки на воротнике суконной рубахи, вытянул ноги и, не в силах согнать с лица глупейшей улыбки, глядел на соседа напротив — неизвестного строгого старичка в очках.

— Из Москвы изволите ехать? — спросил старичок.

— Да, из Москвы. — Боже, какое это было чудесное, любовное слово — Москва!.. Переулки, залитые осенним солнцем, сухие листья под ногами, легкая, тонкая Даша, идущая по этим листьям, ее умный, ясный голос, — слов он не помнил никаких, — и постоянный запах теплых цветов, когда он наклонялся к ней или целовал ее руку.

— Содом, содомский город, — сказал старичок. — Три дня прожил в Москве... Насмотрелся... — Он раздвинул ноги, обутые в сапоги и высокие калоши, и плюнул. — На улицы выйдешь: люди — туда-сюда, туда-сюда... Ночью: свет, шум, вывески, вертится, крутится... Народ валом валит... Бессмыслица!!! Да, это Москва... Отсюда земля пошла... А вижу я, что бесовская, бессмысленная беготня. Вы, молодой человек, в сражениях бывали, ранены?.. Это я сразу вижу... Скажите мне, старику, — неужели за эту суету окаянную у нас там кровь льется? Где отечество? Где вера? Где царь? Укажите мне. Я вот за нитками сейчас в Петроград еду... Да провались они, эти нитки!.. Тьфу!.. С чем я в Тюмень вернусь, что привезу — нитки?.. Нет, я не нитки привезу, а приеду, скажу: люди, пропали мы все, — вот что я привезу... Попомните мое слово, молодой человек, — поплатимся, за все поплатимся... За эту бессмыслицу отвечать придется... — Старичок, опираясь о колени, поднялся и опустил шторку на окне, за которым в темноте летели паровозные искры огненными линиями. — Бога забыли, и бог нас забыл... Вот что я вам скажу... Будет расплата, ох, будет расплата жестокая...

— Что же вы думаете: немцы нас, что ли, завоюют? — спросил Иван Ильич.

— Кто их знает. Кого господь пошлет карателем — от того и примем муку... У меня, скажем, в лавке молодцы начали безобразничать... Потерплю, потерплю, да ведь одному — по затылку, другого — взашей, третьего — за порог... А Россия — не моя лавочка, эва какое хозяйство. Господь милосерд, но когда люди к нему дорогу забыли, — надо дорогу расчистить или нет, а? Вот про что я говорю... Бог от мира отошел... Страшнее этого быть ничего не может...

Старичок сложил руки на животе, закрыл глаза и, строго поблескивая очками, потряхивался в углу серой койки. Иван Ильич вышел из купе и стал в проходе у окна, почти касаясь стекла лицом.

Сквозь щелку проникал свежий, острый воздух. За окном, в темноте, летели, перекрещивались, припадали к земле огненные линии. Проносилось иногда серое облако дыма. Постукивали послушно колеса вагонов. Вот завыл протяжно паровоз, заворачивая, осветил огнем из топки черные конусы елей, — они выступили из темноты и пропали. Простучала стрелка, мягко колыхнулся вагон, мелькнул зеленый щиток фонаря, и снова огненным дождем понеслись вдоль окна длинные линии.

Глядя на них, Иван Ильич с внезапной потрясающей радостью почувствовал во всю силу все, что случилось с ним за эти пять дней. Если бы он мог рассказать кому-нибудь это свое чувство, — его бы сочли сумасшедшим. Но для него не было в этом ничего ни странного, ни безумного: все необыкновенно ясно.

Он чувствовал: в ночной темноте живут, мучаются, умирают миллионы миллионов людей. Но они живы лишь условно, и все, что происходит на земле, — условно, почти кажущееся. Настолько почти кажущееся, что, если бы он, Иван Ильич, сделал еще одно усилие, все бы изменилось, стало иным. И вот среди этого кажущегося существует живая сердцевина: это его, Ивана Ильича, пригнувшаяся к окну фигура. Это — возлюбленное существо. Оно вышло из мира теней и в огненном дожде мчится над темным миром.

Это необыкновенное чувство любви к себе продолжалось несколько секунд. Он вошел в купе, влез на верхнюю койку, поглядел, раздеваясь, на свои большие руки и в первый раз в жизни подумал, что они красивы. Он закинул их за голову, закрыл глаза и сейчас же увидел Дашу. Она взволнованно, влюбленно глядела ему в глаза. (Это было сегодня, в столовой. Даша заворачивала пирожки, Иван Ильич, обогнув стол, подошел к ней и поцеловал ее в теплое плечо, она быстро обернулась, он спросил: «Даша, вы будете моей женой?» Она только взглянула.)

Сейчас, на койке, видя Дашино лицо и не насыщаясь этим видением, Иван Ильич, также в первый раз в жизни, почувствовал ликование, восторг оттого, что Даша любит его, — того, у кого большие и красивые руки.

По приезде в Петербург Иван Ильич в тот же день явился на Балтийский завод и был зачислен в мастерские, в ночную смену.

На заводе многое изменилось за эти три года: рабочих увеличилось втрое, часть была молодые, часть — переведенные с Урала или из западных городов, часть взята из действующей армии. Рабочие читали газеты, ругали войну, царя, царицу, Распутина и генералов, были злы и все уверены, что после войны «грянет революция».

В особенности злы были все на то, что в городских пекарнях в хлеб начали примешивать труху, и на то, что на рынках по нескольку дней иногда не бывало мяса, а бывало — так вонючее; картошку привозили мерзлую, сахар — с грязью, и к тому же — продукты все вздорожали, а лавочники, скоробогачи и спекулянты, нажившиеся на поставках, платили в это время по пятьдесят рублей за коробку конфет, по сотне за бутылку шампанского и слышать не хотели замиряться с немцем.

Иван Ильич получил для устройства личных дел трехдневный отпуск и все это время бегал по городу в поисках квартиры. Он пересмотрел десятки домов, — ему ничто не нравилось. Но в последний день неожиданно он нашел именно то, что представилось ему тогда в вагоне: пять небольших комнат с чисто вымытыми окнами, обращенными на закат. Квартира эта, в конце Каменноостровского, была дороговата для Ивана Ильича, но он ее сейчас же снял и написал об этом Даше.

На четвертую ночь он поехал на завод. На черном от угольной грязи дворе горели на высоких столбах фонари. Дым из труб сыростью и ветром сбивало к земле, желтоватой и душной гарью был насыщен воздух. Сквозь полукруглые, огромные и пыльные окна заводских корпусов было видно, как крутились бесчисленные шкивы и ремни трансмиссий, двигались чугунные станины станков, сверля, стругая, обтачивая сталь и бронзу. Вертелись вертикальные диски штамповальных машин. В вышине бегали, улетали в темноту каретки подъемных кранов. Розовым и белым светом пылали горны. Потрясая землю ударами, ходила гигантская крестовина парового молота. Из низких труб вырывались в темноту серого неба столбы пламени. Человеческие фигуры двигались среди этого скрежета, грохота станков...

Иван Ильич вошел в мастерскую, где работали прессы, формуя шрапнельные стаканы. Инженер Струков, старый знакомый, повел его по мастерской, объясняя некоторые неизвестные Телегину особенности работы. Затем вошел с ним в дощатую конторку в углу мастерской, где показал книги, ведомости, передал ключи и, надевая пальто, сказал:

— Мастерская дает двадцать три процента брака, этой цифры вы и держитесь.

В его словах и в том, как он сдавал мастерскую, Иван Ильич почувствовал равнодушие к делу, а Струков, каким он его знал раньше, был отличный инженер и горячий человек. Это его огорчило, он спросил:

— Понизить процент брака, вы думаете, невозможно?

Струков, зевая, помотал головой, надвинул глубоко на нечесаную голову фуражку и вернулся с Иваном Ильичом к станкам.

— Плюньте, батюшка. Не все ли вам равно, — ну, на двадцать три процента убьем меньше немцев на фронте. К тому же ничего сделать нельзя, — станки износились, ну их к черту!

Он остановился около пресса. Старый коротконогий рабочий, в кожаном фартуке, наставил под штамп раскаленную болванку, рама опустилась, стержень штампа вошел, как в масло, в розовую сталь, выпыхнуло пламя, рама поднялась, и на земляной пол упал шрапнельный стакан. И сейчас же старичок поднес новую болванку. Другой, молодой высокий рабочий, с черными усиками, возился у горна. Струков, обращаясь к старичку, сказал:

— Что, Рублев, стаканчики-то с брачком?

Старичок усмехнулся, мотнул в сторону редкой бородкой и хитро щелками глаз покосился на Телегина.

— Это верно, что с брачком. Видите, как она работает? — Он положил руку на зеленый от жира столбик, по которому скользила рама пресса. — В ней дрожь обозначается. Эту бы чертовину выкинуть давно пора.

Молодой рабочий у горна, сын Ивана Рублева, Васька, засмеялся:

— Много бы надо отсюда повыкидать. Заржавела машина.

— Ну, ты, Василий, полегче, — сказал Струков весело.

— Вот то-то, что легче. — Васька тряхнул кудрявой головой, и худое, слегка скуластое лицо его, с черными усиками и злыми, пристальными глазами, осклабилось недобро и самоуверенно.

— Лучшие рабочие в мастерской, — отходя, негромко сказал Струков Ивану Ильичу. — Прощайте. Сегодня еду в «Красные бубенцы». Никогда там не бывали? Замечательный кабачок, и вино дают.

Телегин с любопытством начал приглядываться к отцу и сыну Рублевым. Его поразил тогда в разговоре почти условный язык слов, усмешек и взглядов, каким обменялся с ними Струков, и то, как они втроем словно испытывали Телегина: наш он или враг? По особенной легкости, с какою в последующие дни Рублевы вступали с ним в беседу, он понял, что он — «наш».

Это «наш» относилось, пожалуй, даже и не к политическим взглядам Ивана Ильича, которые были у него непродуманными и неопределенными, а скорее к тому ощущению доверия, какое испытывал всякий в его присутствии: он ничего особенного не говорил и не делал, но было ясно, что это честный человек, добрый человек, насквозь ясный, свой.

В ночные дежурства Иван Ильич часто, подходя к Рублевым, слушал, как отец и сын заводили споры.

Васька Рублев был начитан и только и мог говорить, что о классовой борьбе и о диктатуре пролетариата, причем выражался книжно и лихо. Иван Рублев был старообрядец, хитрый, совсем не богобоязненный старичок. Он говаривал:

— У нас, в пермских лесах, по скитам, в книгах все прописано: и эта самая война, и как от войны будет разорение — вся земля наша разорится, и сколько останется народу, а народу останется самая малость... И как выйдет из лесов, из одного скита, человек и станет землей править, и править будет страшным божьим словом.

— Мистика, — говорил Ванька.

— Ах ты, подлец, невежа, слов нахватался... Социалистом себя кличет!.. Какой ты социалист — станичник! Я сам такой был. Ему бы ведь только дорваться, — шапку на ухо, в глазах все дыбом, лезет, орет: «Вставай на борьбу...» С кем, за что? Баклушка осиновая.

— Видите, как старичок выражается, — указывая на отца большим пальцем, говорил Васька, — анархист самый вредный, в социализме ни уха ни рыла не смыслит, а меня в порядке возражения каждый раз лает.

— Нет, — перебивал Иван Рублев, выхватывая из горна брызжущую искрами болванку, — нет, господа, — и, описав ею полукруг, ловко подставлял под опускающийся стержень пресса, — книги вы читаете, а не те читаете, какие нужно. А смиренства нет ни у кого, об этом они не думают... Понятия нет у них, что каждый человек должен быть духом нищий по нашему времени.

— Путаница у тебя в голове, батя, а давеча кто кричал: я, говорит, революционер?

— Да, кричал. Я, брат, если что — первый эти вилы-то схвачу. Мне зачем за царя держаться? Я мужик. Я сохой за тридцать лет, знаешь, сколько земли исковырял? Конечно, я революционер: мне, чай, спасение души дорого али нет?

Телегин писал Даше каждый день, она отвечала ему реже. Ее письма были странные, точно подернутые ледком, и Иван Ильич испытывал чувство легонького озноба, читая их. Обычно он садился к окну и несколько раз прочитывал листок Дашиного письма, исписанный крупными, загибающимися вниз строчками. Потом глядел на лилово-серый лес на островах, на облачное небо, такое же мутное, как вода в канале, — глядел и думал, что так именно и нужно, чтобы Дашины письма не были нежными, как ему, по неразумию, хочется.

«Милый друг мой, — писала она, — вы сняли квартиру в целых пять комнат. Подумайте — в какие расходы вы вгоняете себя. Ведь если даже придется вам жить не одному, — то и это много: пять комнат! А прислуга, — нужно держать двух женщин, это по нашему-то времени. У нас, в Москве, осень, холодно, дожди — просвета нет... Будем ждать весны...»

Как тогда, в день отъезда Ивана Ильича, Даша ответила только взглядом на вопрос его — будет ли она его женой, так и в письмах она никогда прямо не упоминала ни о свадьбе, ни о будущей жизни вдвоем. Нужно было ждать весны.

Это ожидание весны и смутной, отчаянной надежды на какое-то чудо было теперь у всех. Жизнь останавливалась, заваливалась на зиму — сосать лапу. Наяву, казалось, не было больше сил пережить это новое ожидание кровавой весны.

Однажды Даша написала:

«...Я не хотела ни говорить вам, ни писать о смерти Бессонова. Но вчера мне опять рассказывали подробности об его ужасной гибели. Иван Ильич, незадолго до его отъезда на фронт я встретила его на Тверском бульваре. Он был очень жалок, и, мне кажется, — если бы я его тогда не оттолкнула, он бы не погиб. Но я оттолкнула его. Я не могла сделать иначе, и я бы так же сделала, если бы пришлось повторить прошлое».

Телегин просидел полдня над ответом на это письмо... «Как можно думать, что я не приму всего, что с вами, — писал он очень медленно, вдумываясь, чтобы не покривить ни в одном слове. — Я иногда проверяю себя, — если бы вы даже полюбили другого человека, то есть случилось бы самое страшное со мной... Я принял бы и это... Я бы не примирился, нет: мое бы солнце потемнело... Но разве любовь моя к вам в одной радости? Я знаю чувство, когда хочется отдать жизнь, потому что слишком глубоко любишь... Так, очевидно, чувствовал Бессонов, когда уезжал на фронт... И вы, Даша, должны чувствовать, что вы бесконечно свободны... Я ничего не прошу у вас, даже любви... Я это понял за последнее время...»

Через два дня Иван Ильич вернулся на рассвете с завода, принял ванну и лег в постель, но его сейчас же разбудили, — подали телеграмму: «Все хорошо. Люблю страшно. Твоя Даша».

В одно из воскресений инженер Струков заехал за Иваном Ильичом и повез его в «Красные бубенцы».

Кабачок помещался в подвале. Сводчатый потолок и стены были расписаны пестрыми птицами, младенцами с развращенными личиками и многозначительными завитушками. Было шумно и дымно. На эстраде сидел маленький лысый человек с нарумяненными щеками и перебирал клавиши рояля. Несколько офицеров пили крепкий крюшон и отпускали громкие замечания о входивших женщинах. Кричали, спорили присяжные поверенные, причастные к искусству. Громко хохотала царица подвала, черноволосая красавица с припухшими глазами. Антошка Арнольдов, крутя прядь волос, писал корреспонденцию с фронта. У стены, на возвышении, уронив пьяную голову, дремал родоначальник футуризма — ветеринарный врач с перекошенным чахоточным лицом. Хозяин подвала, бывший актер, длинноволосый, кроткий и спившийся, появлялся иногда в боковой дверце, глядя сумасшедшими глазами на гостей, и скрывался.

Струков, захмелевший от крюшона, говорил Ивану Ильичу:

— Я почему люблю этот кабак? Такой гнили нигде не найдешь — наслаждение!.. Посмотри — вон в углу сидит одна — худа, страшна, шевелиться даже не может: истерия в последнем градусе, — пользуется необыкновенным успехом.

Струков хохотнул, хлебнул крюшона и, не вытирая мягких, оттененных татарскими усиками губ, продолжал называть Ивану Ильичу имена гостей, указывать пальцами на непроспанные, болезненные, полусумасшедшие лица.

— Это все последние могикане... Остатки эстетических салонов. А! Плесень-то какая. А! Они здесь закупорились — и делают вид, что никакой войны нет, все по-старому.

Телегин слушал, глядел... От жары, табачного дыма и вина все казалось будто во сне, кружилась голова... Он видел, как несколько человек повернулось к входной двери; разлепил желтые глаза ветеринарный врач; высунулось из-за стены сумасшедшее лицо хозяина; полумертвая женщина, сидевшая сбоку Ивана Ильича, подняла сонные веки, и вдруг глаза ее ожили, с непонятной живостью она выпрямилась, глядя туда же, куда и все... Неожиданно стало тихо в подвале, зазвенел упавший стакан...

Во входной двери стоял среднего роста пожилой человек, выставив вперед плечо, засунув руки в карманы суконной поддевки. Узкое лицо его с черной висящей бородой весело улыбалось двумя глубокими привычными морщинами, и впереди всего лица горели серым светом внимательные, умные, пронзительные глаза. Так продолжалось минуту. Из темноты двери к нему приблизилось другое лицо, чиновника, с тревожной усмешкой, и прошептало что-то на ухо. Человек нехотя сморщил большой нос.

— Опять ты со своей глупостью... Ах, надоел. — Он еще веселее оглянул гостей в подвале, мотнул бородой и сказал громко, развалистым голосом: — Ну, прощайте, дружки веселые.

И сейчас же скрылся. Хлопнула дверь. Весь подвал загудел. Струков впился ногтями в руку Ивана Ильича.

— Видел? Видел? — проговорил он, задыхаясь. — Это Распутин.

33

В четвертом часу утра Иван Ильич шел пешком с завода. Была морозная декабрьская ночь. Извозчика не попадалось, теперь их трудно было доставать даже в центре города в такой час. Телегин быстро шел посреди пустынной улицы, дыша паром в поднятый воротник.

В свете редких фонарей весь воздух был пронизан падающими морозными иглами. Громко похрустывал снег под ногами. Впереди, на желтом и плоском фасаде дома, мерцали красноватые отблески. Свернув за угол, Телегин увидел пламя костра в решетчатой жаровне и кругом закутанные, в облаках пара, обмерзшие фигуры. Подальше на тротуаре стояли, вытянувшись в линию, неподвижно человек сто — женщины, старики и подростки: очередь у продовольственной лавки. Сбоку потоптывал валенками, похлопывал рукавицами ночной сторож.

Иван Ильич шел вдоль очереди, глядя на приникшие к стене, закутанные в платки, в одеяла скорченные фигуры.

— Вчерась на Выборгской три лавки разнесли начисто, — сказал один голос.

— Только и остается.

— Я вчерась спрашиваю керосину полфунта, — нет, говорит, керосину больше совсем не будет, а Дементьевых кухарка тут же приходит и при мне пять фунтов взяла по вольной цене.

— Почем?

— По два с полтиной за фунт, девушка.

— Это за керосин-то?

— Так это не пройдет этому лавошнику, припомним, будет время.

— Сестра моя сказывала: на Охте также вот лавошника за такие дела взяли и в бочку с рассолом головой его засунули, — утоп он, милые, а уж как просился отпустить.

— Мало мучили, их хуже надо мучить.

— А пока что — мы мерзни.

— А он в это время чаем надувается.

— Кто это чаем надувается? — спросил хриплый голос.

— Да все они чаем надуваются. Моя генеральша встанет в двенадцать часов и до самой до ночи трескает, — как ее, идола, не разорвет.

— А ты мерзни, чахотку получай.

— Это вы совершенно верно говорите, я уже кашляю.

— А моя барышня, милые мои, — кокотка. Я вернусь с рынка, у нее — полна столовая гостей, и все они пьяные. Сейчас потребуют яишницу, хлеба черного, водки, — словом, что погрубее.

— Английские деньги пропивают, — проговорил чей-то голос уверенно.

— Что вы, в самом деле, говорите?

— Все продано, — уж я вам говорю — верьте: вы тут стоите, ничего не знаете, а вас всех продали, на пятьдесят лет вперед. И армия вся продана.

— Господи!

Опять чей-то застуженный голос спросил:

— Господин сторож, а господин сторож?

— Что случилось?

— Соль выдавать будут нынче?

— По всей вероятности, соли выдавать не будут.

— Ах, проклятые!

— Пятый день соли нет.

— Кровь народную пьют, сволочи.

— Ладно вам, бабы, орать — горло застудите, — сказал сторож густым басом.

Телегин миновал очередь. Затих злой гул голосов, и опять прямые улицы были пустынны, тонули в морозной мгле.

Иван Ильич дошел до набережной, свернул на мост и, когда ветер рванул полы его пальто, — вспомнил, что надо бы найти все-таки извозчика, но сейчас же забыл об этом. Далеко на том берегу, едва заметные, мерцали точки фонарей. Линия тусклых огоньков пешего перехода тянулась наискось через лед. По всей темной широкой пустыне Невы летел студеный ветер, звенел снегом, жалобно посвистывал в трамвайных проводах, в прорези чугунных перил моста.

Иван Ильич останавливался, глядел в эту мрачную темноту и снова шел, думая, как часто он думал теперь все об одном и том же: о Даше, о себе, о той минуте в вагоне, когда он, словно огнем, был охвачен счастьем.

Кругом все было неясно, смутно, противоречиво, враждебно этому счастью. Каждый раз приходилось делать усилие, чтобы спокойно сказать: «Я жив, счастлив, моя жизнь будет светла и прекрасна». Тогда, у окна, среди искр летящего вагона, сказать это было легко, — сейчас нужно было огромное усилие, чтобы отделить себя от тех полузастывших фигур в очередях, от воющего смертной тоской декабрьского ветра, от всеобщей убыли, нависающей гибели.

Иван Ильич был уверен в одном: любовь его к Даше, Дашина прелесть и радостное ощущение самого себя, стоявшего тогда у вагонного окна и любимого Дашей, — в этом было добро. Уютный, старый, может быть, слишком тесный, но дивный храм жизни содрогнулся и затрещал от ударов войны, заколебались колонны, во всю ширину треснул купол, посыпались старые камни, и вот, среди летящего праха и грохота рушащегося храма, два человека, Иван Ильич и Даша, в радостном безумии любви, наперекор всему, пожелали быть счастливыми. Верно ли это?

Вглядываясь в мрачную темноту ночи, в мерцающие огоньки, слушая, как надрывающей тоской посвистывает ветер, Иван Ильич думал: «Зачем скрывать от себя, — выше всего желание счастья. Я хочу наперекор всему, — пусть. Могу я уничтожить очереди, накормить голодных, остановить войну? — Нет. Но если не могу, то должен ли я также исчезнуть в этом мраке, отказаться от счастья? — Нет, не должен. Но могу ли я, буду ли счастлив?..»

Иван Ильич перешел мост и, уже совсем не замечая дороги, шагал по набережной. Здесь ярко горели высокие, качаемые ветром электрические фонари. По оголенным торцам летела с сухим шорохом снежная пыль. Окна Зимнего дворца были темны и пустынны. У полосатой будки в нанесенном сугробе стоял великан-часовой в тулупе и с винтовкой, прижатой к груди.

На ходу вдруг Иван Ильич остановился, поглядел на окна и еще быстрее зашагал, сначала борясь с ветром, потом подгоняемый в спину. Ему казалось, что он мог сказать сейчас всем, всем, всем людям ясную, простую истину, и все бы поверили в нее. Он бы сказал: «Вы видите, — так жить дальше нельзя: на ненависти построены государства, ненавистью проведены границы, каждый из вас — клубок ненависти — крепость с наведенными во все стороны орудиями. Жить — тесно и страшно. Весь мир задохнулся в ненависти, — люди истребляют друг друга, текут реки крови. Вам этого мало? Вы еще не прозрели? Вам нужно, чтобы и здесь, в каждом доме, человек уничтожал человека? Опомнитесь, бросьте оружие, разрушьте границы, раскройте двери и окна жизни... Много земли для хлеба, лугов для стад, горных склонов для виноградников... Неисчерпаемы недра земли, — всем достанет места... Разве не видите, что вы все еще во тьме отжитых веков...»

Извозчика и в этой части города не оказалось. Иван Ильич опять перешел Неву и углубился в кривые улочки Петербургской стороны. Думая, разговаривая вслух, он наконец потерял дорогу и брел наугад по темноватым и пустынным улицам, покуда не вышел на набережную какого-то канала.

— Ну и прогулочка! — Иван Ильич, переводя дух, остановился, рассмеялся и взглянул на часы. Было ровно пять. Из-за ближнего угла, скрипя снегом, вынырнул большой открытый автомобиль с потушенными фонарями. На руле сидел офицер в расстегнутой шинели; узкое бритое лицо его было бледно, и глаза, как у сильно пьяного, — остекленевшие. Позади него второй офицер в съехавшей на затылок фуражке — лица его не было видно — обеими руками придерживал длинный рогожный сверток. Третий в автомобиле был штатский, с поднятым воротником пальто и в высокой котиковой шапке. Он привстал и схватил за плечо сидевшего у руля. Автомобиль остановился неподалеку от мостика. Иван Ильич видел, как все трое соскочили на снег, вытащили сверток, проволокли его несколько шагов по снегу, затем с усилием подняли, донесли до середины моста, перевалили через перила и сбросили под мост. Офицеры сейчас же вернулись к машине, штатский же некоторое время, перегнувшись, глядел вниз, затем, отгибая воротник, рысью догнал товарищей. Автомобиль рванулся полным ходом и исчез.

— Фу ты, пакость какая, — пробормотал Иван Ильич, все эти минуты стоявший затаив дыхание. Он пошел к мостику, но сколько ни вглядывался с него, — в черной большой полынье под мостом ничего не было видно, только булькала вонючая и теплая вода из сточной трубы. — Фу ты, пакость какая, — пробормотал опять Иван Ильич и, морщась, пошел по тротуару вдоль канала. На углу он нашел наконец извозчика, обмерзшего древнего старичка на губастой лошади, и, когда, сев в санки и застегнув мерзлую полость, закрыл глаза, — все тело его загудело от усталости. «Я люблю, — вот это истинно, — подумал он, — как бы я ни поступал, если это от любви, — это хорошо».

34

Сверток в рогоже, сброшенный тремя людьми с моста в полынью, был телом убитого Распутина. Чтобы умертвить этого не по-человечески живучего и сильного мужика, пришлось напоить его вином, к которому был подмешан цианистый калий, затем выстрелить ему в грудь, в спину и в затылок и, наконец, раздробить голову кастетом. И все же, когда его тело было найдено и вытащено из полыньи, врач установил, что Распутин перестал дышать только уже подо льдом.

Это убийство было словно разрешением для всего того, что началось спустя два месяца. Распутин не раз говорил, что с его смертью рухнет трон и погибнет династия Романовых. Очевидно, в этом диком и яростном человеке было то смутное предчувствие беды, какое бывает у собак перед смертью в доме, и он умер с ужасным трудом — последний защитник трона, мужик, конокрад, исступленный изувер.

С его смертью во дворце наступило зловещее уныние, а по всей земле ликование; люди поздравляли друг друга. Николай Иванович писал Кате из Минска: «В ночь получения известия офицеры штаба главнокомандующего потребовали в общежитие восемь дюжин шампанского. Солдаты по всему фронту кричат «ура»...»

Через несколько дней в России забыли об этом убийстве, но не забыли во дворце: там верили пророчеству и с мрачным отчаянием готовились к революции. Тайно Петроград был разбит на секторы, у великого князя Сергея Михайловича были затребованы пулеметы, когда же он в пулеметах отказал, то их выписали из Архангельска и в количестве четырехсот двадцати штук разместили на чердаках, на скрещениях улиц. Было усилено давление на печать, газеты выходили с белыми столбцами. Императрица писала мужу отчаянные письма, стараясь пробудить в нем волю и твердость духа. Но царь, как зачарованный, сидел в Могилеве среди верных, — в этом у него не было сомнения, — десяти миллионов штыков. Бабьи бунты и вопли в петроградских очередях казались ему менее страшными, чем армии трех империй, давившие на русский фронт. В это же время, тайно от государя, в Могилеве начальник штаба верховного главнокомандующего, генерал Алексеев, готовил план ареста царицы и уничтожения немецкой партии.

В январе, в предупреждение весенней кампании, было подписано наступление на Северном фронте. Бой начался под Ригой, студеной ночью. Вместе с открытием артиллерийского огня — поднялась снежная буря. Солдаты двигались в глубоком снегу, среди воя метели и пламени ураганом рвущихся снарядов. Десятки аэропланов, вылетевших в бой на подмогу наступавшим частям, ветром прибивало к земле, и они во мгле снежной бури косили из пулеметов врагов и своих. В последний раз Россия пыталась разорвать сдавившее ее железное кольцо, в последний раз русские мужики, одетые в белые саваны, гонимые полярной вьюгой, дрались за империю, охватившую шестую часть света, за самодержавие, некогда построившее землю и грозное миру и ныне ставшее лишь слишком долго затянувшимся пережитком, исторической нелепостью, смертельной болезнью всей страны.

Десять дней длился свирепый бой, тысячи жизней легли под сугробами. Наступление было остановлено и замерло. Фронт снова застыл в снегах.

35

Иван Ильич рассчитывал на рождество съездить в Москву, но вместо этого получил заводскую командировку в Швецию и вернулся оттуда только в феврале; сейчас же исхлопотал трехнедельный отпуск и телеграфировал Даше, что выезжает двадцать шестого. Перед отъездом пришлось целую неделю отдежурить в мастерских. Ивана Ильича поразила перемена, происшедшая за его отсутствие: заводское начальство стало, как никогда, вежливое и заботливое, рабочие же до того все были злы, что вот-вот, казалось, кинет кто-нибудь о землю ключом и крикнет: «Бросай работу, выходи на улицу...»

Особенно возбуждали их в эти дни отчеты Государственной думы, где шли прения по продовольственному вопросу. По этим отчетам было ясно видно, что правительство, едва сохраняя присутствие духа и достоинство, из последних сил отбивается от нападения, и что царские министры разговаривают уже не как чудо-богатыри, а на человеческом языке, и что речи министров и то, что говорит Дума, — неправда, — а настоящая правда на устах у всех: зловещие и темные слухи о всеобщей, и в самом близком времени, гибели фронта и тыла от голода и разрухи.

Во время последнего дежурства Иван Ильич заметил особенную тревогу у рабочих. Они поминутно бросали станки и совещались — видимо, ждали каких-то вестей. Когда он спросил у Василия Рублева, о чем совещаются рабочие, Васька вдруг со злобой накинул на плечо ватный пиджак и вышел из мастерской, хлопнув дверью.

— Ужасно, сволочь, злой стал Василий, — сказал Иван Рублев, — револьвер где-то раздобыл, с собой носит.

Но Василий скоро появился опять, и в глубине мастерской его окружили рабочие, сбежались от всех станков. «Командующего войсками Петербургского военного округа генерал-лейтенанта Хабалова объявление...» — громко, с ударениями начал читать Васька белую афишку. — «В последние дни отпуск муки в пекарнях и выпечка хлеба производится в том же количестве, что и прежде...»

— Врет, врет! — сейчас же крикнули голоса. — Третий день хлеба не выдают...

— «Недостатка в продаже хлеба не должно быть...»

— Приказал, распорядился!

— «Если же в некоторых лавках хлеба не хватило, то потому, что многие, опасаясь недостатка хлеба, скупали его в запас на сухари...»

— Кто это сухари печет? Покажи эти сухари, — завопил чей-то голос. — Ему самому в глотку сухарь!

— Молчите, товарищи! — перекрикнул Васька. — Товарищи, мы должны выйти на улицу... С Обуховского завода четыре тысячи рабочих идут на Невский... И с Выборгской идут...

— Верно! Пускай хлеб покажут!

— Хлеба вам не покажут, товарищи. В городе только на три дня муки, и больше хлеба и муки не будет. Поезда все стоят за Уралом... За Уралом элеваторы забиты хлебом... В Челябинске три миллиона пудов мяса гниет на станции... В Сибири колеса мажут сливочным маслом...

Вся мастерская загудела. Василий поднял руку:

— Товарищи... хлеба нам никто не даст, покуда сами его не возьмем... Вместе с другими заводами выходим, товарищи, на улицу с лозунгом: «Вся власть Советам»...

— Снимайся!.. Бросай работу!.. Гаси горны!.. — заговорили рабочие, разбегаясь по мастерской.

К Ивану Ильичу подошел Василий Рублев. Усики у него вздрагивали.

— Уходи, — проговорил он внятно, — уходи, покуда цел!

Иван Ильич дурно спал остаток этой ночи и проснулся от беспокойства. Утро было пасмурное: снаружи на железный карниз падали капли... Иван Ильич лежал, собираясь с мыслями. Нет, беспокойство его не покидало, и раздражительно, словно в самый мозг, падали капли. «Надо не ждать двадцать шестого, а ехать завтра», — подумал он, скинул рубаху и голый пошел в ванну, пустил душ и стал под ледяные секущие струи.

До отъезда было много дел. Иван Ильич наспех выпил кофе, вышел на улицу и вскочил в трамвай, полный народу; здесь опять почувствовал ту же тревогу. Как и всегда, едущие хмуро молчали, поджимали ноги, со злобой выдергивали полы одежды из-под соседа, под ногами было липко, по окнам текли капли, раздражительно дребезжал звонок на передней площадке. Напротив

Ивана Ильича сидел военный чиновник с подтечным желтым лицом; бритый рот его застыл в кривой усмешке, глаза с явно несвойственной им живостью глядели вопросительно. Приглядевшись, Иван Ильич заметил, что все едущие именно так — недоумевая и вопросительно — поглядывают друг на друга.

На углу Большого проспекта вагон остановился. Пассажиры зашевелились, стали оглядываться, несколько человек спрыгнуло с площадки. Вагоновожатый снял ключ, сунул его за пазуху синего тулупа и, приоткрыв переднюю дверцу, сказал со злой тревогою:

— Дальше вагон не пойдет.

На Каменноостровском и по всему Большому проспекту, куда хватал только глаз, стояли трамвайные вагоны. На тротуарах было черно, — шевелился народ. Иногда с грохотом опускалась железная ставня на магазинном окне. Падал мокрый снежок.

На крыше одного вагона появился человек в длинном расстегнутом пальто, сорвал шапку и, видимо, что-то закричал. По толпе прошел вздох — о-о-о-о-о... Человек начал привязывать веревку к крыше трамвая; опять выпрямился и опять сорвал шапку. О-о-о-о! — прокатилось по толпе. Человек прыгнул на мостовую. Толпа отхлынула, и тогда стало видно, как плотная кучка людей, разъезжаясь по желто-грязному снегу, тянет за веревку, привязанную к трамваю. Вагон начал крениться. Толпа отодвинулась, засвистали мальчишки. Но вагон покачался и стал на место, слышно было, как стукнули колеса. Тогда к кучке тянущих побежали со всех сторон люди, озабоченно и молча стали хвататься за веревку. Вагон опять накренился и вдруг рухнул, — зазвенели стекла. Толпа, продолжая молчать, двинулась к опрокинутому вагону.

— Пошла писать губерния! — проговорил сзади Ивана Ильича тот самый чиновник с желтым подтечным лицом. И сейчас же несколько нестройных голосов затянуло:

Вы жертвою пали в борьбе роковой...

По пути к Невскому Иван Ильич видел те же недоумевающие взгляды, встревоженные лица. Повсюду, как маленькие водовороты, вокруг вестников новостей собирались жадные слушатели. В подъездах стояли раскормленные швейцары, высовывала нос горничная, оглядывая улицу. Какой-то господин с портфелем, с холеной бородой, в расстегнутой хорьковой шубе, спрашивал у дворника:

— Скажите, мой дорогой, что там за толпа? Что там, собственно, происходит?

— Хлеба требуют, бунтуют, барин.

— Ага!

На перекрестке стояла бледная дама, держа на руке склерозную собачку с висящим дрожащим задом; у всех проходящих дама спрашивала:

— Что там за толпа?.. Чего они хотят?

— Революцией пахнет, сударыня, — проходя, уже весело воскликнул господин в хорьковой шубе.

Вдоль тротуара, шибко размахивая полами полушубка, шел рабочий, нездоровое лицо его подергивалось.

— Товарищи, — вдруг, обернувшись, крикнул он надорванным, плачущим голосом, — долго будут кровь нашу пить?..

Вот толстощекий офицер-мальчик остановил извозчика и, придерживаясь за его кушак, глядел на волнующиеся кучки народа, точно на затмение солнца.

— Погляди, погляди! — рыданул, проходя мимо него, рабочий.

Толпа увеличивалась, занимала теперь всю улицу, тревожно гудела и двинулась по направлению к мосту. В трех местах выкинули белые флажки. Прохожие, как щепки по пути, увлекались этим потоком. Иван Ильич перешел вместе с толпою мост. По туманному, снежному и рябому от следов Марсову полю проскакало несколько всадников. Увидев толпу, они повернули лошадей и шагом приблизились. Один из них, румяный полковник с раздвоенной бородкой, смеясь, взял под козырек. В толпе грузно и уныло запели. Из мглы Летнего сада, с темных голых ветвей, поднялись взъерошенные вороны, испугавшие некогда убийц императора Павла.

Иван Ильич шел впереди; горло его было стиснуто спазмой. Он прокашливался, но снова и снова поднималось в нем волнение. Дойдя до Инженерного замка, он свернул налево и пошел по Литейному.

На Литейный проспект с Петербургской стороны вливалась вторая толпа, далеко растянувшись по мосту. По пути ее все ворота были набиты любопытными, во всех окнах — возбужденные лица.

Иван Ильич остановился у ворот рядом со старым чиновником, у которого тряслись собачьи щеки. Направо, вдалеке, поперек улицы стояла цепь солдат, неподвижно опираясь на ружья.

Толпа подходила, ход ее замедлялся. В глубину полетели испуганные голоса:

— Стойте, стойте!..

И сейчас же начался вой тысячи высоких женских голосов:

— Хлеба, хлеба, хлеба!..

— Нельзя допускать, — проговорил чиновник и строго, поверх очков, взглянул на Ивана Ильича. В это время из ворот вышли два рослых дворника и плечами налегли на любопытных. Чиновник затряс щеками, какая-то барышня в пенсне воскликнула: «Не смеешь, дурак!» Но ворота закрыли. По всей улице начали закрывать подъезды и ворота.

— Не надо, не надо! — раздавались испуганные голоса.

Воющая толпа надвигалась. Впереди нее выскочил юноша с краснощеким, взволнованным лицом, в широкополой шляпе.

— Знамя вперед, знамя вперед! — пошли голоса.

В это же время перед цепью солдат появился рослый, тонкий в талии, офицер в заломленной папахе. Придерживая у бедра кобуру, он кричал, и можно было разобрать:

— Дан приказ стрелять... Не хочу кровопролития... Разойдитесь!..

— Хлеба, хлеба, хлеба! — дико завыли голоса... И толпа двигалась на солдат... Мимо Ивана Ильича начали протискиваться люди с обезумевшими глазами... — Хлеба!.. Долой!.. Сволочи!.. — Один упал и, задирая сморщенное лицо, вскрикивал без памяти: — Ненавижу... ненавижу!

Вдруг точно рванули коленкор вдоль улицы. Сразу все стихло. Какой-то гимназист обхватил фуражку и нырнул в толпу... Чиновник поднял узловатую руку для крестного знамения. Залп дан был в воздух, второго залпа не последовало, но толпа отступила, частью рассеялась, часть ее с флагом двинулась к Знаменской площади. На желтом снегу улицы остались шапки и калоши. Выйдя на Невский, Иван Ильич опять услышал гул множества голосов. Это двигалась третья толпа, перешедшая Неву с Васильевского острова. Тротуары были полны нарядных женщин, военных, студентов, незнакомцев иностранного вида. Столбом стоял английский офицер с розово-детским лицом. К стеклам магазинных дверей липли напудренные, с черными бантами, продавщицы. А посреди улицы, удаляясь в туманную ее ширину, шла злая толпа работниц и рабочих, завывая:

— Хлеба, хлеба, хлеба!..

Сбоку тротуара извозчик, боком навалившись на передок саней, весело говорил багровой, испуганной барыне:

— Куда же я, сами посудите, поеду, — муху здесь не пропускают.

— Поезжай, дурак, не смей со мной разговаривать!..

— Нет, нынче я уж не дурак... Слезайте с саней...

Прохожие на тротуаре толкались, просовывали головы, слушали, спрашивали взволнованно:

— Сто человек убито на Литейном?..

— Врут... Женщину беременную застрелили и старика...

— Господи, старика-то за что же?

— Протопопов всем распоряжается. А он, изволите видеть, сумасшедший...

— Господа, новость... Невероятно! Всеобщая забастовка!

— Как — и вода, и электричество?..

— Вот бы дал бог наконец...

— Молодцы рабочие!..

— Не радуйтесь, — задавят...

— Смотрите — вас бы раньше не задавили, с вашим выражением лица...

Иван Ильич, досадуя, что потерял много времени, пошел по нужным ему адресам, но никого не застал дома и, рассерженный, снова побрел по Невскому.

По улице опять катили санки, дворники вышли сгребать снег, на перекрестке появился великий человек в черной шинели и поднимал над возбужденными головами, над растрепанными мыслями обывателей магический жезл порядка — белую дубинку. Перебегающий улицу злорадный прохожий, оборачиваясь на городового, думал: «Погоди, голубчик, дай срок». Но никому и в голову не могло войти, что срок уже настал, и этот колоннообразный усач с дубинкой был уже не более как призрак, и что назавтра он исчезнет с перекрестка, из бытия, из памяти...

— Телегин, Телегин! Остановись, глухой тетерев!..

К Ивану Ильичу подбегал инженер Струков в картузе на затылке, с яростно веселыми глазами.

— Куда идешь? Зайдем-ка в кофейню...

Он подхватил Телегина под руку и втащил в кофейню. Здесь от сигарного дыма ело глаза. Люди в котелках, в котиковых шапках, в раскинутых шубах спорили, кричали, вскакивали. Струков протолкался к окну и сел за столик напротив Ивана Ильича.

— Рубль падает! — воскликнул он, хватаясь обеими руками за столик. — Бумаги все летят к черту. Вот где сила!.. Рассказывай, что видел...

— Был на Литейном, там стреляли, но, кажется, в воздух...

— Что же на все это скажешь?

— Не знаю. По-моему, правительство серьезно теперь должно взяться за подвозку продовольствия.

— Поздно! — закричал Струков, ударяя по стеклянной доске столика. — Поздно!.. Мы сами свои собственные кишки сожрали... Войне конец, баста!.. Знаешь, что на заводах кричат? Созыв Совета рабочих депутатов — вот что они кричат. И никому, кроме Советов, не верить!

— Что ты говоришь?

— Это самый настоящий конец, голубчик! Самодержавие лопнуло... Протри глаза... Это и не бунт... Это даже не революция... Это начало хаоса... Хаосище... — На лбу Струкова, поперек, под каплями пота, надулась жила. — Через три дня — ни государства, ни армии, ни губернаторов, ни городовых... Сто восемьдесят миллионов косматых людей. А ты понимаешь, — что такое косматый человек? Тигры и носороги — детские игрушки. Клеточка распавшегося организма — вот что такое косматый человек. Это очень страшно. Это когда в капле воды инфузории грызут инфузорий.

— А ну тебя к черту, — сказал Телегин, — ничего такого нет и не будет. Ну да, — революция. Так ведь и слава богу.

— Нет! То, что ты видел сегодня, — не революция. Это распадение материи. Революция придет еще, придет... Да мы-то ее с тобой не увидим.

— А может быть, и так, — сказал Иван Ильич, вставая. — Васька Рублев — вот это революция... А ты, Струков, нет. Уж очень ты шумишь, заумно разговариваешь...

Иван Ильич вернулся домой рано и сейчас же лег спать. Но забылся сном лишь на минуту, — вздохнул, тяжело повернулся на бок, открыл глаза. Пахло кожей чемодана, стоявшего раскрытым на стуле. В этом чемодане, купленном в Стокгольме, лежал чудесной кожи серебряный несессер — подарок для Даши. Иван Ильич чувствовал к нему нежность и каждый день разворачивал его из шелковистой бумаги и рассматривал. Он даже ясно представлял себе купе вагона с длинным, как в нерусских поездах, окном и на койке — Дашу в дорожном платье: на коленях у нее эта пахнущая духами и кожей вещица — знак беззаботных, чудесных странствий.

Иван Ильич глядел, как за окном в мглистом небе разливались грязно-лиловым светом отражения города. И он ясно почувствовал — с какою тоскливой ненавистью должны смотреть на этот свет те, кто завывал сегодня о хлебе. Нелюбимый, тяжкий, постылый город... Мозг и воля страны... И вот он поражен смертельной болезнью... Он в агонии...

Иван Ильич вышел из дому часов в двенадцать. Туманный широкий проспект был пустынен. За слегка запотевшим окном цветочного магазина стоял в хрустальной вазе пышный букет красных роз, осыпанных большими каплями воды. Иван Ильич с нежностью взглянул на него сквозь падающий снег.

Из боковой улицы появился казачий разъезд — пять человек. Крайний из них повернул лошадь и рысью подъехал к тротуару, где шли, тихо и взволнованно разговаривая, трое людей в кепках. Люди эти остановились, и один, что-то весело говоря, взял под уздцы казачью лошадь. Движение это было так необычно, что у Ивана Ильича дрогнуло сердце. Казак же засмеялся, вскинул головой и, пустив топотавшую зобастую лошадь, догнал товарищей, и они крупной рысью ушли во мглу проспекта.

Близ набережной Иван Ильич начал встречать кучки взволнованных обывателей, — видимо, после вчерашнего никто не мог успокоиться: совещались, передавали слухи и новости, — много народу шло к Неве. Там, вдоль гранитного парапета, черным муравейником двигалось по снегу несколько тысяч любопытствующих. У самого моста шумела кучка горланов, — они кричали солдатам, которые, преграждая проход, стояли поперек моста и вдоль до самого его конца, едва видного за мглой падающего снега.

— Зачем мост загородили! Пустите нас!

— Нам в город нужно.

— Безобразие, — обывателей стеснять...

— Мосты для ходьбы, не для вашего брата...

— Русские вы или нет?.. Пустите нас!

Рослый унтер-офицер, с четырьмя Георгиями, ходил от перил до перил, звякая большими шпорами. Когда ему крикнули из толпы ругательство, он обернул к горланам хмурое, тронутое оспой, желтоватое лицо:

— Эх, а еще господа, — выражаетесь. — Закрученные усы его вздрагивали. — Не могу допустить проходить по мосту... Принужден обратить оружие в случае неповиновения...

— Солдаты стрелять не станут, — опять закричали горланы.

— Поставили тебя, черта рябого, собаку...

Унтер-офицер опять оборачивался и говорил, и хотя голос у него был хриплый и отрывистый — военный, в словах было то же, что и у всех в эти дни, — тревожное недоумение. Горланы чувствовали это, ругались и напирали на заставу.

Какой-то длинный, худой человек, в криво надетом пенсне, с длинной шеей, обмотанной шарфом, вдруг заговорил громко и глухо:

— Стесняют движение, везде заставы, мосты оцеплены, полнейшее издевательство. Можем мы свободно передвигаться по городу или нам уж и этого нельзя? Граждане, предлагаю не обращать внимания на солдат и идти по льду на ту сторону...

— Верно! По льду! Урра!.. — И сейчас же несколько человек побежало к гранитной, покрытой снегом лестнице, спускающейся к реке. Длинный человек в развевающемся шарфе решительно зашагал по льду мимо моста. Солдаты, перегибаясь сверху, кричали:

— Эй, воротись, стрелять будем... Воротись, черт длинный!..

Но он шагал, не оборачиваясь. За ним, гуськом, рысью, пошло все больше и больше народу. Люди горохом скатывались с набережной на лед, бежали черными фигурками по снегу. Солдаты кричали им с моста, бегущие прикладывали руки ко рту и тоже кричали. Один из солдат вскинул было винтовку, но другой толкнул его в плечо, и тот не выстрелил.

Как выяснилось впоследствии, ни у кого из вышедших на улицу не было определенного плана, но когда обыватели увидели заставы на мостах и перекрестках, то всем, как повелось издавна, захотелось именно того, что сейчас не было дозволено: ходить через эти мосты и собираться в толпы. Распалялась и без того болезненная фантазия. По городу полетел слух, что все эти беспорядки кем-то руководятся.

К концу второго дня на Невском залегли части Павловского полка и открыли продольный огонь по кучкам любопытствующих и по отдельным прохожим. Обыватели стали понимать, что начинается что-то, похожее на революцию.

Но где был ее очаг и кто руководил ею, — никто не знал. Не знали этого ни командующий войсками, ни полиция, ни, тем более, диктатор и временщик, симбирский суконный фабрикант, которому в свое время в Троицкой гостинице в Симбирске помещик Наумов проломил голову, прошибив им дверную филенку, каковое повреждение черепа и мозга привело его к головным болям и неврастении, а впоследствии, когда ему была доверена в управление Российская империя, — к роковой растерянности. Очаг революции был повсюду, в каждом доме, в каждой обывательской голове, обуреваемой фантазиями, злобой и недовольством. Это ненахождение очага революции было зловеще. Полиция хватала призраки. На самом деле ей нужно было арестовать два миллиона четыреста тысяч жителей Петрограда.

Весь этот день Иван Ильич провел на улице, — у него так же, должно быть, как и у всех, было странное чувство неперестающего головокружения. Он чувствовал, как в городе росло возбуждение, почти сумасшествие, — все люди растворились в общем, массовом головокружении, и эта масса, бродя и волнуясь по улицам, искала, жаждала знака, молнии, которая, ослепив, слила бы всех в один комок.

Стрельба вдоль Невского мало кого пугала. Люди по-звериному собирались к двум трупам — женщины в ситцевой юбке и старика в енотовой шубе, лежавшим на углу Владимирской улицы... Когда выстрелы становились чаще, люди разбегались и снова крались вдоль стен.

В сумерки стрельба затихла. Подул студеный ветер, очистил небо, и в тучах, грудами наваленных за морем, запылал мрачный закат. Острый серп месяца встал над городом низко, в том месте, где небо было угольно-черное.

Фонари не зажглись в эту ночь. Окна были темны, подъезды закрыты. Вдоль мглистой пустыни Невского стояли в козлах ружья. На перекрестках виднелись рослые фигуры часовых. Лунный свет поблескивал то на зеркальном окне, то на полосе рельсов, то на стали штыка. Было тихо и спокойно. Только в каждом доме неживым овечьим голосом бормотали телефонные трубки сумасшедшие слова о событиях.

Утром 25 февраля Знаменская площадь была полна войсками и полицией. Перед Северной гостиницей стояли конные полицейские на золотистых, тонконогих танцующих лошадках. Пешие полицейские, в черных шинелях, расположились вокруг памятника Александру III и — кучками по площади. У вокзала стояли казаки в заломленных папахах, с тороками сена, бородатые и веселые. Со стороны Невского виднелись грязно-серые шинели павловцев.

Иван Ильич с чемоданчиком в руке взобрался на каменный выступ вокзального въезда, отсюда хорошо была видна вся площадь.

Посреди ее на кроваво-красной глыбе гранита, на огромном коне, опустившем от груза седока бронзовую голову, сидел тяжелый, как земная тяга, император, — угрюмые плечи его и кругленькая шапочка были покрыты снегом. К его подножию на площади напирали со стороны пяти улиц толпы народа с криками, свистом и руганью.

Так же, как и вчера на мосту, солдаты, в особенности казаки, попарно шагом подъезжавшие к напирающему со всех сторон народу, перебранивались и зубоскалили. В кучках городовых, рослых и хмурых людей, было молчание и явная нерешительность. Иван Ильич хорошо знал эту тревогу в ожидании приказа к бою, — враг уже на плечах, всем ясно, что нужно делать, но с приказом медлят, и минуты тянутся мучительно. Вдруг звякнула вокзальная дверь, и появился на лестнице бледный жандармский офицер с полковничьими погонами, в короткой шинели. Вытянувшись, он оглянул площадь, — светлые глаза его скользнули по лицу Ивана Ильича... Легко сбежав вниз между расступившихся казаков, он стал говорить что-то есаулу, подняв к нему бородку. Есаул с кривой усмешкой слушал его, развалясь в седле. Полковник кивнул в сторону Старого Невского и пошел через площадь по снегу подпрыгивающей походкой. К нему подбежал пристав, туго перепоясанный по огромному животу, рука у него тряслась под козырьком. А со стороны Старого Невского увеличивались крики подходившей толпы, и, наконец, стало различимо пение. Ивана Ильича кто-то крепко схватил за рукав, рядом с ним вскарабкался возбужденный человек без шапки, с багровой ссадиной через грязное лицо.

— Братцы, казаки! — закричал он тем страшным, надрывающимся голосом, каким кричат перед убийством и кровью, диким, степным голосом, от которого падает сердце, безумием застилает глаза. — Братцы, убили меня... Братцы, заступитесь... Убивают!

Казаки, повернувшись в седлах, молча глядели на него. Лица их бледнели, глаза расширялись.

В это же время на Старом Невском черно и густо волновались головы подошедшей толпы колпинских рабочих. Ветром трепало мокрый кумачовый флаг. Конные полицейские отделились от фасада Северной гостиницы, и вдруг блеснули в руках их выхваченные широкие шашки. Неистовый крик поднялся в толпе. Иван Ильич опять увидел жандармского полковника, он бежал, поддерживая кобуру револьвера, и другой рукой махал казакам.

Из толпы колпинских полетели осколки льдин и камни в полковника и в конных городовых. Тонконогие золотистые лошадки пуще заплясали. Слабо захлопали револьверные выстрелы, появились дымки у подножия памятника, — это городовые стреляли в колпинских. И сейчас же в строю казаков, в десяти шагах от Ивана Ильича, взвилась на дыбы рыжая, горбоносая донская кобыла; казак, нагнувшись к шее, толкнул ее, в несколько махов долетел он до жандармского полковника и на ходу, выхватив шашку, наотмашь свистнул ею и снова поднял кобылу на дыбы. Всем строем двинулись к месту убийства казаки. Толпы народа, прорвав заставы, разлились по площади... Кое-где хлопнули выстрелы и были покрыты общим криком:

— Урра... уррра-а...

— Телегин, ты что тут делаешь?

— Я должен во что бы то ни стало сегодня уехать. На товарном поезде, на паровозе — все равно...

— Плюнь, сейчас нельзя уезжать... Голубчик, — ведь революция... — Антошка Арнольдов, небритый, облезлый, с красными веками выкаченных глаз, впился пальцами Ивану Ильичу в отворот пальто. — Видел, как жандарму голову смахнули?.. Как футбольный мяч покатилась, — красота!.. Ты, дурак, не понимаешь, — революция! — Антошка бормотал, точно в бреду. Стояли они, прижатые толпой, в проходе вокзала. — Утром Литовский и Волынский полки отказались стрелять... Рота Павловского полка с оружием вышла на улицу... В городе кавардак, никто ничего не понимает... На Невском солдаты, как мухи, шатаются, боятся идти в казармы...

36

Даша и Катя в шубах и в пуховых платках, накинутых на голову, быстро шли по еле освещенной Малой Никитской. Хрустели под ногами тонкие пленки льда. На захолодевшее зеленоватое небо поднимался двурогий ясный месяц. Кое-где брехали за воротами собаки. Даша, смеясь во влажный пушок платка, слушала, как хрустят льдинки.

— Катя, если бы выдумать такой инструмент и приставить сюда, — Даша положила руку на грудь, — можно бы записывать необыкновенные вещи... — Даша тихо запела. Катя взяла ее под руку.

— Ну, идем, идем!

Через несколько шагов Даша опять остановилась.

— Катя, а ты веришь, что — революция?

Вдали колола глаза электрическая лампочка над подъездом Юридического клуба, где сегодня в половине десятого вечера, под влиянием сумасшедших слухов из Петрограда, было устроено кадетской фракцией публичное собрание для обмена впечатлениями и для нахождения общей формулы действия в эти тревожные дни.

Сестры вбежали по лестнице во второй этаж и, не снимая шуб, только откинув платки, вошли в полную народа залу, напряженно слушавшую румяного, бородатого, тучного барина с приятными движениями больших рук.

— ...События нарастают с головокружительной быстротой, — говорил он красивым баритоном. — В Петрограде вчера вся власть перешла к генералу Хабалову, который расклеил по городу следующую афишу: «В последние дни в Петрограде произошли беспорядки, сопровождавшиеся насилием и посягательством на жизнь воинских и полицейских чинов. Воспрещаю всякое скопление на улицах. Предваряю население Петрограда, что мною подтверждено в войсках употреблять в дело оружие, не останавливаясь ни перед чем для водворения порядка в столице...»

— Палачи! — прогудел чей-то семинарский бас из глубины зала.

— ...Это объявление, как и следовало ожидать, переполнило чашу терпения. Двадцать пять тысяч солдат всех родов оружия петроградского гарнизона перешли на сторону восставших...

Он не успел договорить, — зал треснул от рукоплесканий. Несколько человек вскочило на стулья и кричало что-то, делая жесты, будто протыкая насквозь старый порядок. Оратор с широкой улыбкой глядел на бунтующий зал, — затем поднял руку и продолжал:

— Только что получена чрезвычайной важности телефонограмма. — Он полез в карман клетчатого пиджака и развернул листочек бумажки. — Сегодня председателем Государственной думы, Родзянко, послана государю телеграмма по прямому проводу: «Положение серьезное. В столице анархия. Правительство парализовано. Транспорт, продовольствие и топливо пришли в полное расстройство. На улице происходит беспорядочная стрельба. Частью войска стреляют друг в друга. Необходимо немедленно поручить лицу, пользующемуся доверием страны, составить новое правительство. Медлить нельзя. Всякое промедление смерти подобно. Молю бога, чтобы в этот час ответственность не пала на венценосца».

Румяный барин опустил листочек и блестящими глазами обвел зал. Такого захватывающего дух спектакля не помнили москвичи.

— Мы стоим, господа, на грани готового совершиться величайшего события нашей истории, — продолжал он бархатным, рокочущим голосом. — Быть может, в эту минуту там, — он вытянул руку, как на статуе Дантона, — там уже свершилось чаяние стольких поколений, и скорбные тени декабристов отомщены...

— Ох, господи! — не выдержав, ахнул женский голос.

— Быть может, завтра вся Россия сольется в одном светлом братском хоре, — свобода!..

— Ура!.. Свобода!.. — закричали голоса.

Барин опустился на стул и провел обратной стороной ладони по лбу своему. С угла стола поднялся высокий человек с соломенными длинными волосами, с узким лицом, с рыжей мертвой бородой. Не глядя ни на кого, он начал говорить насмешливым голосом:

— Только что я слышал, — какие-то товарищи кричали: ура, свобода. Правильно. Чего лучше: арестовать в Могилеве Николая Второго, отдать под суд министров, пинками прогнать губернаторов, городовых... Развернуть красное знамя революции... Начало правильное... По имеющимся сообщениям, революционный процесс начался правильно, энергично. По всей видимости, на этот раз не сорвется. Но вот только что передо мной очень красиво говорил один барин. Он сказал, — или я ослышался, — он выражал полное удовлетворение по поводу готовящейся совершиться революции и предполагал в самом недалеком будущем слиться со всей Россией в одном братском хоре...

Человек с соломенными волосами вытащил носовой платок и приложил его ко рту, будто бы стараясь скрыть усмешку. Но скулы его покрылись пятнами, он закашлялся, подняв костлявые плечи. Позади Даши, сидевшей на одном стуле с сестрой, кто-то спросил:

— Кто это говорит?

— Товарищ Кузьма, — ответили быстрым шепотом, — в тысяча девятьсот пятом году был в Совете рабочих депутатов. Недавно вернулся из ссылки.

— Я бы немного обождал с восторгом на месте предыдущего оратора, — продолжал товарищ Кузьма, и вдруг восковое лицо его стало злым и решительным. — Двенадцать миллионов крестьян приготовлены к убою, они еще на фронтах... Миллионы рабочих задыхаются в подвалах, голодают в очередях. На спинах рабочих и крестьян, что ли, станете вы распевать братский хор...

В зале раздалось шиканье, возмущенный голос крикнул: «Это провокация!» Румяный барин пожал плечами и тронул колокольчик. Товарищ Кузьма продолжал говорить:

— ...Империалисты швырнули Европу в чудовищную войну, буржуазные классы, сверху донизу, провозгласили ее священной, — войну за мировые рынки, за неслыханное торжество капитала... Желтая сволочь, социал-демократы поддержали хозяина под ручку, признали: так точно-с, война национальна и священна. Крестьян и рабочих погнали на убой... Кто, я спрашиваю, кто поднял голос в эти кровавые дни?

— Что он говорит?.. Кто он такой?.. Заставьте его замолчать! — раздались злые голоса. Поднялся шум. Иные вскочили, жестикулируя.

— ...Час пробил... Пламя революции должно перекинуться в самую толщу крестьян и рабочих...

Дальнейшего совсем уже нельзя было расслышать за шумом в зале. Несколько человек в визитках подбежало к столу. Товарищ Кузьма попятился с эстрады и скрылся за дверью. На его месте появилась знаменитая деятельница по детскому воспитанию.

— Возмутительная речь предыдущего оратора...

В это время кто-то у самого уха прошептал Даше взволнованно и нежно:

— Здравствуй, родная моя...

Даша, даже не оборачиваясь, стремительно поднялась, — в дверях стоял Иван Ильич. Она взглянула: самый красивый на свете, мой собственный человек. Он снова, как это не раз с ним бывало, был потрясен тем, что Даша совсем не та, какой он ее мысленно представлял, но бесконечно краше: горячий румянец залил ее щеки, сине-серые глаза бездонны, как два озера. Она была совершенна, ей ничего не было больше нужно. Даша сказала тихо: «Здравствуй», — взяла его под руку, и они вышли на улицу.

На улице Даша остановилась и, улыбаясь, глядела на Ивана Ильича. Вздохнула, подняла руки и поцеловала его в губы. От нее пахло женственной прелестью горьковатых духов. Молча Даша опять взяла его под руку, и они пошли по хрустящим корочкам льда, поблескивающим от света лунного серпа, висящего низко в глубине улицы.

— Ах, я тебя люблю, Иван! Как я ждала тебя...

— Я не мог, ты знаешь...

— Ты не сердись, что я тебе писала дурные письма, — я не умею писать...

Иван Ильич остановился и глядел ей в поднятое к нему, молча улыбающееся лицо. Особенно милым, простым оно было от пухового платка, — под ним темнели полоски бровей. Он осторожно приблизил Дашу к себе, она переступила ботиками и прижалась к нему, продолжая глядеть в глаза. Он опять поцеловал ее, и они опять пошли.

— Ты надолго, Иван?

— Не знаю, — такие события...

— Да, знаешь, ведь — революция.

— Ты знаешь, — я на паровозе приехал...

— Знаешь, Иван, что... — Даша пошла с ним в ногу и глядела на кончики своих ботиков.

— Что?

— Я теперь поеду с тобой — к тебе...

Иван Ильич не ответил. Даша только почувствовала, как он несколько раз пытался глубоко вдохнуть в себя воздух. Ей стало нежно и жалко его.

37

Следующий день был замечателен тем, что им подтверждалось понятие об относительности времени. Так, извозчик вез Ивана Ильича из гостиницы с Тверской до Арбатского переулка приблизительно года полтора. «Нет, барин, прошло время за полтиннички-то ездить, — говорил извозчик. — В Петрограде волю взяли. Не нынче завтра в Москве будем брать. Видишь ты — городовой стоит. Подъехать к нему, сукиному сыну, и кнутом по морде ожечь. Погодите, барин, со всеми расправимся».

В дверях столовой Ивана Ильича встретила Даша.

Она была в халатике, пепельные волосы ее были наскоро сколоты. От нее пахло свежей водой. Колокол времени ударил, время остановилось. Все оно было наполнено Дашиными словами, смехом, ее сияющими от утреннего солнца легкими волосами. Иван Ильич испытывал беспокойство даже тогда, когда Даша уходила на другой конец стола. Даша раскрывала дверцы буфета, поднимала руки, с них соскальзывали широкие рукава халатика. Иван Ильич думал, что у людей таких рук быть не может, только две белые оспинки выше локтя удостоверяли, что это все-таки человеческие руки. Даша доставала чашку и, обернув светловолосую голову, говорила что-то удивительное и смеялась.

Она заставила Ивана Ильича выпить несколько чашек кофе. Она говорила слова, и Иван Ильич говорил слова, но, очевидно, человеческие слова имели смысл только во времени, движущемся обыкновенно, — сегодня же в словах смысла не было. Екатерина Дмитриевна, сидевшая тут же в столовой, слушала, как Телегин и Даша, удивляясь восторженно и немедленно забывая, говорят необыкновенную чепуху по поводу кофе, какого-то кожаного несессера, срубленной в Петрограде головы, Дашиных волос, рыжеватых — как странно — на ярком солнце.

Горничная принесла газеты. Екатерина Дмитриевна развернула «Русские ведомости», ахнула и начала читать вслух приказ императора о роспуске Государственной думы. Даша и Телегин страшно этому удивились, но дальше читать «Русские ведомости» Екатерина Дмитриевна стала уже про себя. Даша сказала Телегину: «Пойдем ко мне», — и повела его через темный коридорчик в свою комнату. Войдя туда первая, она проговорила поспешно: «Подожди, подожди, не смотри», — и что-то белое спрятала в ящик комода.

В первый раз в жизни Иван Ильич увидел комнату Даши, — ее туалетный столик со множеством непонятных вещей; узкую белую постель с двумя подушками — большой и маленькой: на большой Даша спала, маленькую, засыпая, клала под локоть; затем у окна — широкое кресло с брошенным на спинку пуховым платком.

Даша сказала Ивану Ильичу сесть в это кресло, пододвинула табуреточку, села сама напротив, облокотилась о колени, подперла подбородок и, глядя, не мигая, в лицо Ивану Ильичу, велела ему говорить, как он ее любит. Колокол времени ударил второе мгновение.

— Даша, если бы мне подарили все, что есть, — сказал Телегин, — всю землю, мне бы от этого не стало лучше, — ты понимаешь? — Даша кивнула головой. — Если я один, на что я сам себе, правда ведь?.. На что мне самого себя? — Даша кивнула. — Есть, ходить, спать — для чего? Для чего эти руки, ноги... Что из того, что я, скажем, был бы сказочно богат... Но ты представляешь, — какая тоска быть одному? — Даша кивнула. — Но сейчас, когда ты сидишь вот так... Сейчас меня больше нет... Я чувствую только — это ты, это счастье. Ты — это все. Гляжу на тебя, и кружится голова, — неужели ты дышишь, ты живая и ты — моя... Даша, понимаешь что-нибудь?

— Я помню, — сказала Даша, — мы сидели на палубе, дул ветерок, в стаканах блестело вино, я тогда вдруг почувствовала, — мы плывем к счастью...

— А помнишь, там были голубые тени?

Даша кивнула, и сейчас же ей стало казаться, что она тоже помнит какие-то прекрасные голубые тени. Она вспомнила чаек, летевших за пароходом, невысокие берега, вдали на воде сияющую солнечную дорогу, которая, как ей казалось, разольется в конце в синее сияющее море-счастье. Даша вспомнила даже, какое на ней было платье... Сколько ушло с тех пор долгих лет...

Вечером Екатерина Дмитриевна прибежала из Юридического клуба, взволнованная и радостная, и рассказала:

— В Петрограде вся власть перешла к Думскому комитету; министры арестованы, но ходят страшно тревожные слухи: говорят, государь покинул ставку, и на Петроград идет на усмирение генерал Иванов с целым корпусом... А здесь на завтра назначено брать штурмом Кремль и арсенал... Иван Ильич, мы с Дашей прибежим к вам завтра с утра смотреть революцию...

38

Из окна гостиницы было видно, как внизу по узкой Тверской улице движется медленным черным потоком народ, — шевелятся головы, картузы, картузы, картузы, шапки, платки, желтые пятна лиц. Во всех окнах — любопытные, на крышах — мальчишки.

Екатерина Дмитриевна, в поднятой до бровей вуали, говорила, стоя у окна и беря то Телегина, то Дашу за руки:

— Как это страшно!.. Как это страшно!

— Екатерина Дмитриевна, уверяю вас, — настроение в городе самое мирное, — говорил Иван Ильич. — До вашего прихода я бегал к Кремлю — там ведутся переговоры, очевидно, арсенал будет сдан без выстрела...

— Но зачем они туда идут?.. Смотрите — сколько народу... Что они хотят делать?..

Даша глядела на волнующийся поток голов, на очертания крыш и башен. Утро было мглистое и мягкое. Вдали, над золотыми куполами кремлевских соборов, над раскоряченными орлами на островерхих башнях, кружились стаи галок.

Даше казалось, что какие-то великие реки прорвали лед и разливаются по земле и что она, вместе с милым ей человеком, подхвачена этим потоком, и теперь — только крепко держаться за его руку. Сердце билось тревогой и радостью, как у птицы в вышине.

— Я хочу все видеть, пойдемте на улицу, — сказала Катя.

Кирпично-грязное здание с колоннами, похожими на бутылки, все в балясинах, балкончиках и башенках, — главный штаб революции — Городская дума, — было убрано красными флагами. Кумачовые полосы обвивали колонны, висели над шатром главного крыльца. Перед крыльцом на мерзлой мостовой стояли четыре серые пушки на высоких колесах. На крыльце сидели, согнувшись, пулеметчики с пучками красных лент на погонах. Большие толпы народа глядели с веселой жутью на красные флаги, на пыльно-черные окна Думы. Когда на балкончике над крыльцом появлялась маленькая возбужденная фигурка и, взмахивая руками, что-то беззвучно кричала, — в толпе поднималось радостное рычание.

Наглядевшись на флаги и пушки, народ уходил по изъеденному оттепелью, грязному снегу через глубокие арки Иверской на Красную площадь, где у Спасских и у Никольских ворот восставшие воинские части вели переговоры с выборными от запасного полка, сидевшего, затворившись, в Кремле.

Катя, Даша и Телегин были принесены толпой к самому крыльцу Думы. От Тверской по всей площади, все усиливаясь, шел крик.

— Товарищи, посторонитесь... Товарищи, соблюдайте законность! — раздались молодые взволнованные голоса. Сквозь неохотно расступавшуюся толпу пробивались к крыльцу Думы, размахивая винтовками, четыре гимназиста и хорошенькая растрепанная барышня с саблей в руке. Они вели арестованных десять человек городовых, огромного роста, усатых, с закрученными за спиной руками, с опущенными хмурыми лицами. Впереди шел пристав, без фуражки: на сизо-бритой голове его у виска чернела запекшаяся кровь; рыжими яркими глазами он торопливо перебегал по ухмыляющимся лицам толпы; погоны на пальто его были сорваны с мясом.

— Дождались, соколики! — говорили в толпе.

— Пошутили над нами, — будя...

— Поцарствовали...

— Племя проклятое!.. Фараоны!..

— Схватить их и зачать мучить...

— Ребята, наваливайся!..

— Товарищи, товарищи, пропустите, соблюдайте революционный порядок! — сорванными голосами кричали гимназисты; взбежали, подталкивая го́родовых, на крыльцо Думы и скрылись в больших дверях. Туда же за ними протиснулось несколько человек, в числе их — Катя, Даша и Телегин.

В голом, высоком, тускло освещенном вестибюле на мокром полу сидели на корточках пулеметчики у аппаратов. Толстощекий студент, одуревший, видимо, от крика и усталости, кричал, кидаясь ко всем входящим:

— Знать ничего не хочу! Пропуск!..

Иные показывали ему пропуск, иные просто, махнув рукой, уходили по широкой лестнице во второй этаж. Во втором этаже, в широких коридорах, у стен сидели и лежали пыльные, сонные и молчаливые солдаты, не выпуская из рук винтовок. Иные жевали хлеб, иные похрапывали, поджав обмотанные ноги. Мимо толкался праздный народ, читая диковинные надписи, прибитые на бумажках к дверям, оглядываясь на бегающих из комнаты в комнату, возбужденных до последней человеческой возможности, осипших комиссаров.

Катя, Даша и Телегин, наглядевшись на все эти чудеса, протискались в двусветный зал с линяло-пурпуровыми занавесями на огромных окнах, с обитыми пурпуром полукруглыми скамьями амфитеатра. На передней стене двухсаженными черными заплатами зияли пустые золоченые рамы императорских портретов, перед ними, в откинутой бронзовой мантии, стояла мраморная Екатерина, улыбаясь приветливо и лукаво народу своему.

На скамьях амфитеатра сидели, подпирая головы, потемневшие, обросшие щетиной, измученные люди. Несколько человек спало, уткнувшись лицом в пюпитры. Иные нехотя сдирали кожицу с кусочков колбасы, ели хлеб. Внизу, перед улыбающейся Екатериной, у зеленого с золотой бахромой длинного стола сидели в черных рубашках молодые люди с осунувшимися лицами. Среди них был один — рыжебородый и длинноволосый...

— Даша! Видишь — товарищ Кузьма за столом, — сказала Катя.

К товарищу Кузьме в это время подошла стриженая востроносая девушка и начала что-то шептать. Он слушал, не оборачиваясь, потом встал и сказал:

— Городской голова Гучков вторично заявил, что рабочим оружие выдано не будет. Предлагаю голосовать без прений протест против действий Революционного комитета.

Телегин наконец допытался (спросив у малорослого гимназиста, озабоченно курившего папиросу), что здесь, в Екатерининском зале, происходит не прерывающееся вторые сутки заседание Совета рабочих депутатов.

В обеденное время солдаты запасного полка, сидевшие в Кремле, увидели дымок походных кухонь на Красной площади, — сдались и отворили ворота. По всей площади пошел крик, полетели шапки. На Лобное место, где лежал когда-то нагишом, в овечьей маске, со скоморошьей дудкой на животе, убитый Лжедимитрий, откуда выкрикивали и скидывали царей, откуда читаны были все вольности и все неволи народа русского, на небольшой этот бугорок, много раз зараставший лопухами и снова заливаемый кровью, взошел солдатик в заскорузлой шинелишке и, кланяясь и обеими руками надвигая на уши папаху, начал говорить что-то, — за шумом никто не разобрал. Солдатик был совсем захудалый, выскребленный последней мобилизацией из захолустья, — все же барыня какая-то, в съехавшей набок шляпке с перьями, полезла его целовать, потом его стащили с Лобного места, подняли на руки и с криками понесли.

На Тверской в это время против дома генерал-губернатора молодец из толпы взобрался на памятник Скобелеву и привязал ему к сабле красный лоскут. Кричали «ура». Несколько загадочных личностей пробрались с переулка в охранное отделение, и было слышно, как там летели стекла, потом повалил дым. Кричали «ура». На Тверском бульваре, у памятника Пушкину, известная писательница, заливаясь слезами, говорила о заре новой жизни и потом, при помощи какого-то гимназиста, воткнула в руку задумчиво стоящему Пушкину красный флажок. В толпе кричали «ура». Весь город был как пьяный весь этот день. До поздней ночи никто не шел по домам, собирались кучками, говорили, плакали от радости, обнимались, ждали каких-то телеграмм. После трех лет уныния, ненависти и крови переливалась через край обывательская душа города.

Катя, Даша и Телегин вернулись домой в сумерки. Оказалось, — горничная Лиза ушла на Пречистенский бульвар, на митинг, кухарка же заперлась в кухне и воет глухим голосом. Катя насилу допросилась, чтобы она открыла дверь.

— Что с вами, Марфуша?

— Царя нашего уби-и-и-и-ли, — проговорила она, закрывая рукой толстый, распухший от слез рот. От нее пахло спиртом.

— Какие вы глупости говорите, — с досадой сказала Катя, — никто его не убивал.

Она поставила чайник на газ и пошла накрывать на стол. Даша лежала в гостиной на диване, в ногах ее сидел Телегин. Даша сказала:

— Иван, милый, если я нечаянно засну, ты меня разбуди, когда чай подадут, — очень чаю хочется.

Она поворочалась, положила ладони под щеку и проговорила уже сонным голосом:

— Очень тебя люблю.

В сумерках белел пуховый платок, в который завернулась Даша. Ее дыхания не было слышно. Иван Ильич сидел не двигаясь, — сердце его было полно. В глубине комнаты появился в дверной щели свет, потом дверь раскрылась, вошла Катя, села рядом с Иваном Ильичом на валик дивана, обхватила колено и после молчания спросила вполголоса:

— Даша заснула?

— Она просила разбудить к чаю.

— А на кухне Марфуша ревет, что царя убили. Иван Ильич, что будет?.. Такое чувство, что все плотины прорваны... И сердце болит: тревожусь за Николая Ивановича... Дружок, я попрошу вас, пораньше завтра пошлите ему телеграмму. Скажите, — а когда вы думаете ехать с Дашей в Петроград?

Иван Ильич не ответил, Катя повернула к нему голову, внимательно вгляделась в лицо большими, совсем как Дашины, но только женскими, серьезными глазами, улыбнулась, привлекла Ивана Ильича и поцеловала в лоб.

С утра, на следующий день, весь город высыпал на улицу. По Тверской, сквозь гущу народа, под несмолкаемые крики «ура» двигались грузовики с солдатами, ощетиненные штыками и саблями. На громыхающих пушках ехали верхом мальчишки. По грязным кучам снега, вдоль тротуаров, стояли, охраняя порядок, молоденькие барышни с поднятыми саблями и напряженными личиками и вооруженные гимназисты, не знающие пощады, — это была вольная милиция. Лавочники, взобравшись на лесенки, сбивали с вывесок императорские орлы. Какие-то болезненные девушки — работницы с табачной фабрики — ходили по городу с портретом Льва Толстого, и он сурово посматривал из-под насупленных бровей на все эти чудеса. Казалось, — не может быть больше ни войны, ни ненависти, казалось, — нужно еще куда-то, на какую-то высоченную колокольню вздернуть красное знамя, и весь мир поймет, что мы все братья, что нет другой силы на свете, — только радость, свобода, любовь, жизнь...

Когда телеграммы принесли потрясающую весть об отречении царя и о передаче державы Михаилу и об его отказе от царского венца, в свою очередь, — никто особенно не был потрясен: казалось — не таких еще чудес нужно ждать в эти дни.

Над неровными линиями крыш, над оранжевым закатом в прозрачной бездне неба переливалась звезда. Голые сучья лип чернели неподвижно. Под ними было совсем темно, хрустели застывшие лужицы на тротуаре. Даша остановилась и, не размыкая соединенных рук, которыми держала под руку Ивана Ильича, глядела через низенькую ограду на затеплившийся свет в глубоком окошечке церкви Николы на Курьих Ножках.

Церковка и дворик были в тени, под липами. Вдалеке хлопнула дверь, и через дворик пошел, хрустя валенками, низенький человек в длинном, до земли, пальто, в шляпе грибом. Было слышно, как он зазвенел ключами и стал не спеша подниматься на колокольню.

— Пономарь звонить пошел, — прошептала Даша и подняла голову. На золоте небольшого купола колокольни лежал отсвет заката.

Бумм — ударил колокол, триста лет созывавший жителей к покою души перед сном грядущим. Мгновенно в памяти Ивана Ильича встала часовенка и на пороге ее молча плачущая женщина в белой свитке, с мертвым ребенком на коленях. Иван Ильич крепко прижал локтем Дашину руку. Даша взглянула на него, как бы спрашивая: что?

— Ты хочешь? — спросила она быстрым шепотом. — Пойдем...

Иван Ильич широко улыбнулся. Даша нахмурилась, потопала ботиками.

— Ничего нет смешного, — когда идешь под руку с человеком, которого любишь больше всего на свете, и видишь огонь в окошке, — зайти и обвенчаться... — Даша опять взяла Ивана Ильича под руку. — Ты меня понимаешь?

39

— Граждане солдаты отныне свободной русской армии, мне выпала редкая честь поздравить вас со светлым праздником: цепи рабства разбиты. В три дня, без единой капли крови, русский народ совершил величайшую в истории революцию. Коронованный царь Николай отрекся от престола, царские министры арестованы, Михаил, наследник престола, сам отклонил от себя непосильный венец. Ныне вся полнота власти передана народу. Во главе государства стало Временное правительство, для того чтобы в возможно скорейший срок произвести выборы во Всероссийское учредительное собрание на основании прямого, всеобщего, равного и тайного голосования... Отныне — да здравствует Русская революция, да здравствует Учредительное собрание, да здравствует Временное правительство!..

— Урра-а-а! — протяжно заревела тысячеголосая толпа солдат. Николай Иванович Смоковников вынул из кармана замшевого френча большой защитного цвета платок и вытер шею, лицо и бороду. Говорил он, стоя на сколоченной из досок трибуне, куда нужно было взбираться по перекладинам. За его спиной стоял командир батальона, Тетькин, недавно произведенный в подполковники, — обветренное, с короткой бородкой, с мясистым носом лицо его изображало напряженное внимание. Когда раздалось «ура», — он озабоченно поднес ладонь ребром к козырьку. Перед трибуной на ровном поле с черными проталинами и грязными пятнами снега стояли солдаты, тысячи две человек, без оружия, в железных шапках, в распоясанных, мятых шинелях, и слушали, разинув рты, удивительные слова, которые говорил им багровый, как индюк, барин. Вдалеке, в серенькой мгле, торчали обгоревшие трубы деревни. За ней начинались немецкие позиции. Несколько лохматых ворон летело через это унылое поле.

— Солдаты! — вытянув перед собой руку с растопыренными пальцами, продолжал Николай Иванович, и шея его налилась кровью. — Еще вчера вы были нижними чинами, бессловесным стадом, которое царская ставка бросала на убой.. Вас не спрашивали, за что вы должны умирать... Вас секли за провинности и расстреливали без суда. (Подполковник Тетькин кашлянул, переступил с ноги на ногу, но промолчал и вновь нагнул голову, внимательно слушая.) Я, назначенный Временным правительством комиссар армий Западного фронта, объявляю вам, — Николай Иванович стиснул пальцы, как бы захватывая узду, — отныне нет больше нижних чинов. Название отменяется. Отныне вы, солдаты, равноправные граждане государства Российского: разницы больше нет между солдатами и командующим армией. Названия — ваше благородие, ваше высокоблагородие, ваше превосходительство — отменяются. Отныне вы говорите: «здравствуйте, господин генерал», или «нет, господин генерал», «да, господин генерал». Унизительные ответы: «точно так» и «никак нет» — отменяются. Отдача чести солдатом какому бы то ни было офицерскому чину — отменяется навсегда. Вы можете здороваться за руку с генералом, если вам охота...

— Го-го-го, — весело прокатилось по толпе солдат. Улыбался и Тетькин, помаргивая испуганно.

— И, наконец, самое главное: солдаты, прежде война велась царским правительством, нынче она ведется народом — вами. Посему Временное правительство предлагает вам образовать во всех армиях солдатские комитеты — ротные, батальонные, полковые и так далее, вплоть до армейских... Посылайте в комитеты товарищей, которым вы доверяете!.. Отныне солдатский палец будет гулять по военной карте рядом с карандашом главковерха... Солдаты, я поздравляю вас с главнейшим завоеванием революции!..

Криками «ура-а-а» опять зашумело все поле. Тетькин стоял навытяжку, держа под козырек. Лицо у него стало серое. Из толпы начали кричать:

— А скоро замиряться с немцем станем?

— Мыла сколько выдавать будут на человека?

— Я насчет отпусков. Как сказано?

— Господин комиссар, как же у нас теперь, — короля, что ли, станут выбирать? Воевать-то кто станет?

Чтобы лучше отвечать на вопросы, Николай Иванович слез с трибуны, и его сейчас же окружили возбужденные солдаты. Подполковник Тетькин, облокотясь о перила трибуны, глядел, как в гуще железных шапок двигалась, крутясь и удаляясь, непокрытая стриженая голова и жирный затылок военного комиссара. Один из солдат, рыжеватый, радостно-злой, в шинели внакидку (Тетькин хорошо знал его — из телефонной роты), поймал Николая Ивановича за ремень френча и, бегая кругом глазами, начал спрашивать:

— Господин военный комиссар, вы нам сладко говорили, мы все сладко слушали... Теперь вы на мой вопрос ответьте.

Солдаты радостно зашумели и сдвинулись теснее. Подполковник Тетькин нахмурился и озабоченно полез с трибуны.

— Я вам поставлю вопрос, — говорил солдат, почти касаясь черным ногтем носа Николая Ивановича. — Получил я из деревни письмо, сдохла у меня дома коровешка, сам я безлошадный, и хозяйка моя с детьми пошла по миру просить у людей куски... Значит, теперь имеете вы право меня расстреливать за дезертирство, я вас спрашиваю?..

— Если личное благополучие вам дороже свободы, — предайте ее, предайте ее, как Иуда, и Россия вам бросит в глаза: вы недостойны быть солдатом революционной армии... Идите домой! — резко крикнул Николай Иванович.

— Да вы на меня не кричите!

— Ты кто такой на нас кричать!..

— Солдаты, — Николай Иванович поднялся на цыпочки, — здесь происходит недоразумение... Первый завет революции, господа, — это верность нашим союзникам... Свободная революционная русская армия со свежей силой должна обрушиться на злейшего врага свободы, на империалистическую Германию...

— А ты сам-то кормил вшей в окопах? — раздался грубый голос.

— Он их сроду и не видал...

— Подари ему тройку на разводку...

— Ты нам про свободу не говори, ты нам про войну говори, — мы три года воюем... Это вам хорошо в тылу брюхо отращивать, а нам знать надо, как войну кончать...

— Солдаты, — воскликнул опять Николай Иванович, — знамя революции поднято, свобода и война до последней победы...

— Вот черт, дурак бестолковый...

— Да мы три года воюем, победы не видали...

— А зачем тогда царя скидывали?..

— Они нарочно царя скинули, он им мешал войну затягивать...

— Товарищи, он подкупленный...

Подполковник Тетькин, раздвигая локтем солдат, протискивался к Николаю Ивановичу и видел, как сутулый, огромный, черный артиллерист схватил комиссара за грудь и, тряся, кричал в лицо:

— Зачем ты сюда приехал?.. Говори — зачем к нам приехал? Продавать нас приехал, сукин сын...

Круглый затылок Николая Ивановича уходил в шею, вздернутая борода, точно нарисованная на щеках, моталась. Отталкивая солдата, он разорвал ему судорожными пальцами ворот рубахи. Солдат, сморщившись, сдернул с себя железный шлем и с силой ударил им Николая Ивановича несколько раз в голову и лицо...

40

У дверей ювелирного магазина «Муравейчик» сидели ночной сторож и милицейский, разговаривали вполголоса. Улица была пуста, магазины закрыты. Мартовский ветерок посвистывал в еще голых акациях, шурша отклеившейся на заборе рекламой «займа свободы». Луна, по-южному яркая и живая, как медуза, высоко стояла над городом.

— А он аккурат в Ялте на своей даче прохлаждался, — не спеша рассказывал ночной сторож. — Выходит он прогуляться, как полагается, в белых портках, при всех орденах, и тут ему на улице подают телеграмму: отречение государя императора. Прочел, голубчик, эту телеграмму — да как зальется при всем народе слезами.

— Ай, ай, ай, — сказал милицейский.

— А через неделю ему отставка.

— За что?

— А за то, что он — губернатор, нынче этого не полагается.

— Ай, ай, ай, — сказал милицейский, глядя на поджарого кота, который осторожно пробирался по своим делам в лунной тени под акациями.

— ...А государь император жил в ту пору в Могилеве посреди своего войска. Ну, хорошо, живет не тужит. Днем выспится, ночью депеши читает — где какое сражение произошло.

— Непременно он, подлец, пить хочет, к воде пробирается, — сказал милицейский.

— Ты про что?

— Из табачного магазина Синопли кот гулять вышел.

— Ну, хорошо. Вдруг говорят государю императору по прямому проводу, что, мол, так и так, народ в Петербурге бунтуется, солдаты против народа идти не хотят, а хотят они разбегаться по домам. Ну, думает государь, — это еще полбеды. Созвал он всех генералов, надел ордена, ленты, вышел к ним и говорит: «В Петербурге народ бунтует, солдаты против народа идти не хотят, а хотят они разбегаться по домам. Что мне делать? — говорите ваше заключение». И что же ты думаешь, смотрит он на генералов, а генералы, друг ты мой, заключение свое не говорят и все в сторону отвернулись...

— Ай, ай, ай, вот беда-то!

— Один только из них не отвернулся от него — пьяненький старичок генерал. «Ваше величество, говорит, прикажите, и я сейчас грудью за вас лягу». Покачал государь головой и горько усмехнулся. «Изо всех, говорит, моих подданных, верных слуг, один мне верный остался, да и тот каждый день с утра пьяный. Видно, царству моему пришел конец. Дайте лист гербовой бумаги, подпишу отречение от престола».

— И подписал?

— Подписал и залился горькими слезами.

— Ай, ай, ай, вот беда-то...

По улице в это время мимо магазина быстро прошел высокий человек в низко надвинутом на глаза огромном козырьке кепи. Пустой рукав его френча был засунут за кушак. Он повернул лицо к сидящим у магазина, — отчетливо блеснули его зубы.

— Четвертый раз человек этот проходит, — тихо сказал сторож.

— По всей видимости — бандит.

— С этой самой войны развелось бандитов, — и-и, друг ты мой. Где их сроду и не бывало — наехали. Артисты.

Вдалеке на колокольне пробило три часа, сейчас же запели вторые петухи. На улице опять появился однорукий. На этот раз он шел прямо на сторожей, к магазину. Они, замолчав, глядели на него. Вдруг сторож шепнул скороговоркой:

— Пропали мы, Иван, давай свисток.

Милицейский потянулся было за свистком, но однорукий подскочил к нему и ударил ногой в грудь и сейчас же ручкой револьвера ударил по голове ночного сторожа. В ту же минуту к подъезду подбежал второй человек в солдатской шинели, коренастый, с торчащими усами, и, навалившись на милицейского, быстрым и сильным движением закрутил ему руки за спиной.

Молча однорукий и коренастый начали работать над замком. Отомкнули магазин Муравейчика, втащили туда оглушенного сторожа и связанного милицейского. Дверь за собой прикрыли.

В несколько минут все было кончено, — драгоценные камни и золото увязаны в два узелка. Затем коренастый сказал:

— А эти? — и пхнул сапогом милицейского, лежащего на полу у прилавка.

— Милые, дорогие, не надо, — негромко проговорил милицейский, — не надо, милые, дорогие...

— Идем, — резко сказал однорукий.

— А я тебе говорю — донесут.

— Идем, мерзавец! — И Аркадий Жадов, схватив узелок в зубы, направил «маузер» на своего компаньона. Тот усмехнулся, пошел к двери. Улица была все так же пустынна. Оба они спокойно вышли, свернули за угол и зашагали к «Шато Кабернэ».

— Мерзавец, бандит, пачколя, — по пути говорил Жадов коренастому. — Если хочешь со мной работать, — чтобы этого не было. Понял?

— Понял.

— А теперь — давай узелок. Иди сейчас и готовь лодку. Я пойду за женой. На рассвете мы должны быть в море.

— В Ялту пойдем?

— Это уж не твое дело. В Ялту ли, в Константинополь... Я распоряжаюсь.

41

Катя осталась одна. Телегин и Даша уехали в Петроград. Катя проводила их на вокзал, — они были до того рассеянные, как во сне, — и вернулась домой в сумерки.

В доме было пусто. Марфуша и Лиза ушли на митинг домашней прислуги. В столовой, где еще остался запах папирос и цветов, среди неубранной посуды стояло цветущее деревцо — вишня. Катя полила ее из графина, прибрала посуду и, не зажигая света, села у стола, лицом к окну, — за ним тускнело небо, затянутое облаками. В столовой постукивали стенные часы. Разорвись от тоски сердце, они все равно так же постукивали бы. Катя долго сидела не двигаясь, потом взяла с кресла пуховый платок, накинула на плечи и пошла в Дашину комнату.

Смутно, в сумерках, был различим полосатый матрац опустевшей постели, на стуле стояла пустая шляпная картонка, на полу валялись бумажки и тряпочки. Когда Катя увидела, что Даша взяла с собой все свои вещицы, не оставила, не забыла ничего, ей стало обидно до слез. Она села на кровать, на полосатый матрац, и здесь, так же как в столовой, сидела неподвижно.

Часы в столовой гулко пробили десять. Катя поправила на плечах платок и пошла на кухню. Постояла, послушала, — потом, поднявшись на цыпочки, достала с полки кухонную тетрадь, вырвала из нее чистый листочек и написала карандашом: «Лиза и Марфуша, вам должно быть стыдно на весь день до самой ночи бросать дом». На листок капнула слеза. Катя положила записку на кухонный стол и пошла в спальню. Там поспешно разделась, влезла в кровать и затихла.

В полночь хлопнула кухонная дверь, и, громко топая и громко разговаривая, вошли Лиза и Марфуша, заходили по кухне, затихли, и вдруг обе засмеялись, — прочли записку. Катя поморгала глазами, не пошевелилась.

Наконец на кухне стало тихо. Часы бессонно и гулко пробили час. Катя повернулась на спину, ударом ноги сбросила с себя одеяло, с трудом вздохнула несколько раз, точно ей не хватало воздуху, соскочила с кровати, зажгла электричество и, жмурясь от света, подошла к большому стоячему зеркалу. Дневная тоненькая рубашка не доходила ей до колен. Катя озабоченно и быстро, как очень знакомое, оглянула себя, — подбородок у нее дрогнул, она близко придвинулась к зеркалу, подняла с правой стороны волосы. «Да, да, конечно, — вот, вот, вот еще...» Она оглядела все лицо. «Ну да, — конечно... Через год — седая, потом старая». Она потушила электричество и опять легла в постель, прикрыла глаза локтем. «Ни одной минуты радости за всю жизнь. Теперь уж кончено... Ничьи руки не обхватят, не сожмут, никто не скажет — дорогая моя, милочка моя, радость моя...»

Среди горьких дум и сожалений Катя внезапно вспомнила песчаную мокрую дорожку, кругом поляна, сизая от дождя, и большие липы... По дорожке идет она сама — Катя — в коричневом платье и черном фартучке. Под туфельками хрустит песок. Катя чувствует, какая она вся легкая, тоненькая, волосы треплет ветерок, и рядом, — не по дорожке, а по мокрой траве, — идет, ведя велосипед, гимназист Алеша. Катя отворачивается, чтобы не засмеяться... Алеша говорит глухим голосом: «Я знаю, — мне нечего надеяться на взаимность. Я только приехал, чтобы сказать это вам. Я окончу жизнь где-нибудь на железнодорожной станции, в глуши. Прощайте...» Он садится на велосипед и едет по лугу, за ним в траве тянется сизый след... Сутулится спина его в серой куртке, и белый картуз скрывается за зеленью. Катя кричит: «Алеша, вернитесь!»

...Неужели она, измученная сейчас бессонницей, стояла когда-то на той сырой дорожке и летний ветер, пахнущий дождем, трепал ее черный фартучек? Катя села в кровати, обхватила голову, оперлась локтями о голые колени, и в памяти ее появились тусклые огоньки фонарей, снежная пыль, ветер, гудящий в голых деревьях, визгливый, тоскливый, безнадежный скрип санок, ледяные глаза Бессонова, близко, у самых глаз... Сладость бессилия, безволия... Омерзительный холодок любопытства...

Катя опять легла. В тишине дома резко затрещат звонок. Катя похолодела. Звонок повторился. По коридору, сердито дыша спросонок, прошла босиком Лиза, зазвякала цепочкой парадного и через минуту постучала в спальню: «Барыня, вам телеграмма».

Катя, морщась, взяла узкий конвертик, разорвала заклейку, развернула, и в глазах ее стало темно.

— Лиза, — сказала она, глядя на девушку, у которой от страха начали трястись губы. — Николай Иванович скончался.

Лиза вскрикнула и заплакала. Катя сказала ей: «Уйдите». Потом во второй раз перечла безобразные буквы на телеграфной ленте: «Николай Иванович скончался тяжких ранений полученных славном посту исполнения долга точка тело перевозим Москву средства союза...»

Кате стало тошно под грудью, на глаза поплыла темнота, она потянулась к подушке и потеряла сознание...

На следующий день к Кате явился тот самый румяный и бородатый барин — известный общественный деятель и либерал князь Капустин-Унжеский, — которого она слышала в первый день революции в Юридическом клубе, — взял в свои руки обе ее руки и, прижимая их к мохнатому жилету, начал говорить о том, что от имени организации, где он работал вместе с покойным Николаем Ивановичем, от имени города Москвы, товарищем комиссара которой он сейчас состоит, от имени России и революции приносит Кате неутешные сожаления о безвременно погибшем славном борце за идею.

Князь Капустин-Унжеский был весь по природе своей до того счастлив, здоров и весел и так искренне сокрушался, от его бороды и жилета так уютно пахло сигарами, что Кате на минуту стало легче на душе, она подняла на него свои блестевшие от бессонницы глаза, разжала сухие губы:

— Спасибо, что вы так говорите о Николае Ивановиче...

Князь вытащил огромный платок и вытер глаза. Он исполнил тяжелый долг и уехал, — машина его чудовищно заревела в переулке. А Катя снова принялась бродить по комнате, — останавливаясь перед фотографическими снимками чужого генерала с львиным лицом, брала в руки альбом, книжку, китайскую коробочку, — на крышке ее была цапля, схватившая лягушку, — опять ходила, глядела на обои, на шторы... Обеда она не коснулась. «Что же вы, скушали бы хоть киселя», — сказала горничная Лиза. Не разжимая зубов, Катя мотнула головой. Написала было Даше коротенькое письмо, но сейчас же порвала.

Лечь бы, заснуть. Но лечь в постель, — как в гроб, — страшно после прошедшей ночи... Больнее всего была безнадежная жалость к Николаю Ивановичу: был он хороший, добрый, бестолковый человек... Любить его надо было таким, какой он есть... Она же мучила. Оттого он так рано и поседел. Катя глядела в окно на тусклое, белесое небо. Хрустела пальцами.

На следующий день была панихида, а еще через сутки — похороны останков Николая Ивановича. На могиле говорились прекрасные речи: покойника сравнивали с альбатросом, погибшим в пучине, с человеком, пронесшим через славную жизнь горящий факел. Запоздавший на похороны известный социалист-революционер, низенький мужчина в очках, сердито буркнул Кате: «Ну-ка, посторонитесь-ка, гражданка», протиснулся к самой могиле и начал говорить о том, что смерть Николая Ивановича лишний раз подтверждает правильность аграрной политики, проводимой его, оратора, партией. Земля осыпалась из-под его неряшливых башмаков и падала со стуком на гроб. У Кати горло сжималось тошной спазмой. Она незаметно вышла из толпы и поехала домой.

У нее было одно желание — вымыться и заснуть. Когда она вошла в дом, ее охватил ужас: полосатые обои, фотографии и коробочка с цаплей, смятая скатерть в столовой, пыльные окна, — какая тоска! Катя велела напустить ванну и со стоном легла в теплую воду. Все тело ее почувствовало наконец смертельную усталость. Она едва доплелась до спальни и заснула, не раскрывая постели. Сквозь сон ей чудились звонки, шаги, голоса, кто-то постучал в дверь, она не отвечала.

Проснулась Катя, когда было совсем темно, — мучительно сжалось сердце. «Что, что?» — испуганно, жалобно спросила она, приподнимаясь на кровати, и с минутку надеялась, что, быть может, все это страшное ей только приснилось... Потом, тоже с минутку, чувствовала обиду и несправедливость, — зачем меня мучают? И, уже совсем проснувшись, поправила волосы, надела туфельки на босу ногу и ясно и покойно подумала: «Больше не хочу».

Не торопясь, Катя открыла дверцу висящего на стене кустарного шкафчика-аптечки и начала читать надписи на пузырьках. Склянку с морфием она раскрыла, понюхала и зажала в кулачке и пошла в столовую за рюмочкой, но по пути остановилась, — в гостиной был свет. «Лиза, это вы?» — тихо спросила Катя, приотворила дверь и увидела сидящего на диване большого человека в военной рубашке, бритая голова его была перевязана черным. Он торопливо встал. У Кати начали дрожать колени, стало пусто под сердцем. Человек глядел на нее расширенными страшными глазами. Прямой рот его был сжат. Это был Рощин, Вадим Петрович. Катя поднесла обе руки к груди. Рощин, не опуская глаз, сказал медленно и твердо:

— Я зашел к вам, чтобы засвидетельствовать почтение. Ваша прислуга рассказала мне о несчастии. Я остался потому, что счел нужным сказать вам, что вы можете располагать мной, всей моей жизнью.

Голос его дрогнул, когда он выговорил последние слова, и худое лицо залилось коричневым румянцем. Катя со всей силой прижимала руки к груди. Рощин понял по глазам, что нужно подойти и помочь ей. Когда он приблизился, Катя, постукивая зубами, проговорила:

— Здравствуйте, Вадим Петрович...

Невольно он поднял руки, чтобы обхватить Катю, — так она была хрупка и несчастна, с судорожно зажатым в кулаке пузырьком, — но сейчас же опустил руки, насупился. Чутьем женщины Катя поняла вдруг: она, несчастная, маленькая, грешная, неумелая, со всеми своими невыплаканными слезами, с жалким пузырьком морфия, стала нужна и дорога этому человеку, молча и сурово ждущему — принять ее душу в свою. Сдерживая слезы, не в силах сказать ничего, разжать зубы, Катя наклонилась к руке Вадима Петровича и прижалась к ней губами и лицом.

42

Положив локти на мраморный подоконник, Даша глядела в окно. За темными лесами, в конце Каменноостровского, полнеба было охвачено закатом. В небе были сотворены чудеса. Сбоку Даши сидел Иван Ильич и глядел на нее не шевелясь, хотя мог шевелиться сколько угодно, — Даша все равно бы никуда теперь не исчезла из этой комнаты с багровым отсветом зари на белой стене.

— Как грустно, как хорошо, — сказала Даша. — Точно мы плывем на воздушном корабле...

Иван Ильич кивнул, Даша сняла руки с подоконника.

— Ужасно хочется музыки, — сказала она. — Сколько времени я не играла? С тех пор, как началась война... Подумай, — все еще война... А мы...

Иван Ильич пошевелился. Даша сейчас же продолжала:

— Когда кончится война — мы займемся музыкой... А помнишь, Иван, как мы лежали с тобой на песке и море находило на песок? Помнишь, какое было море — выцветшее голубое... Мне представляется, что я любила тебя всю жизнь. — Иван Ильич опять пошевелился, хотел что-то сказать, но Даша спохватилась: — А чайник-то кипит! — и побежала из комнаты, но в дверях остановилась. Он видел в сумерках только ее лицо, руку, взявшуюся за занавес, и ногу в сером чулке. Даша скрылась. Иван Ильич закинул руки за голову и закрыл глаза.

Даша и Телегин приехали сегодня в два часа дня. Всю ночь им пришлось сидеть в коридоре переполненного вагона на чемоданах. По приезде Даша сейчас же начала раскладывать вещи, заглядывать во все углы, вытирать пыль, восхищалась квартирой и решила все переставить по-другому. Сделать это нужно было немедленно. Снизу позвали швейцара, который вместе с Иваном Ильичом возил из комнаты в комнату шкафы и диваны. Когда перестановка была кончена, Даша попросила Ивана Ильича открыть повсюду форточки, а сама пошла мыться. Она очень долго плескалась, что-то делала с лицом, с волосами и не позволяла входить то в одну, то в другую комнату, хотя главная задача Ивана Ильича за весь этот день была — поминутно встречать Дашу и глядеть на нее.

В сумерки Даша наконец угомонилась. Иван Ильич, вымытый и побритый, пришел в гостиную и сел около Даши. В первый раз после Москвы они были одни, в тишине. Словно опасаясь этой тишины, Даша старалась не молчать. Как она потом призналась Ивану Ильичу, ей вдруг стало страшно, что он скажет ей «особым» голосом: «Ну, что же, Даша?..»

Она ушла посмотреть чайник. Иван Ильич сидел с закрытыми глазами. Она ушла, а воздух был еще полон ее дыханием. Невыразимой прелестью постукивали на кухне Дашины каблучки. Вдруг там что-то зазвенело-разбилось и Дашин жалобный голос: «Чашка!» Горячая радость залила Ивана Ильича: «Завтра, когда проснусь, будет не обыкновенное утро, а будет — Даша». Он быстро поднялся, Даша появилась в дверях.

— Разбила чашку... Иван, неужели ты хочешь чаю?

— Нет...

Она подошла к Ивану Ильичу и, так как в комнате было совсем темно, положила руки ему на плечи.

— О чем думал? — спросила она тихо.

— О тебе.

— Я знаю. А что обо мне думал?

Ее неясное лицо в сумерках казалось нахмуренным, на самом деле оно улыбалось. Ее грудь дышала ровно, поднималась и опускалась.

— Думал о том, что как-то плохо у меня связано; ты — и что ты — моя жена, — потом я вдруг понял это и пошел тебе сказать, а сейчас опять не помню.

— Ай, ай, — сказала Даша, — садись, а я сбоку. — Иван Ильич сел в кресло, Даша присела сбоку, на подлокотник. — А еще о чем думал?

— Я здесь сидел, когда ты была в кухне, и думал: «В доме поселилось удивительное существо...» Это плохо?

— Да, — ответила Даша задумчиво, — это очень плохо.

— Ты любишь меня, Даша?

— О, — она снизу вверх кивнула головой, — люблю до самой березки.

— До какой березки?

— Разве не знаешь: у каждого в конце жизни — холмик и над ним плакучая береза.

Иван Ильич взял Дашу за плечи. Она с нежностью дала себя прижать. Так же, как давным-давно на берегу моря, поцелуй их был долог, им не хватило дыхания. Даша сказала: «Ах, Иван», — и обхватила его за шею. Она слышала, как тяжело стучит его сердце, ей стало жалко его. Она вздохнула, поднялась с кресла и сказала просто:

— Идем, Иван.

На пятый день по приезде Даша получила от сестры письмо. Катя писала о смерти Николая Ивановича. «...Я пережила время уныния и отчаяния. Я с ясностью почувствовала, что во веки веков — одна. О, как это страшно!.. Это так страшно, что я решила поскорее избавиться от этого... Ты понимаешь?.. Меня спасло чудо... Может быть — случайность... Нет, нет, это было как чудо... Я не могу об этом писать... Я расскажу, когда мы увидимся...»

Известие о смерти зятя, Катино письмо, потрясло Дашу. Она немедленно собралась ехать в Москву, но на другой день получилось второе письмо от Кати, — она писала, что укладывается и выезжает в Петроград, просит приискать ей недорогую комнату. В письме была приписка: «К вам зайдет Вадим Петрович Рощин. Он расскажет вам обо мне все подробно. Он мне как брат, как отец, как друг жизни моей».

Даша и Телегин шли по аллее. Было воскресенье, апрельский день. В прохладе еще по-весеннему синего неба летели слабые обрывки тающего от солнца облака. Солнечный свет, точно сквозь воду, проникал в аллею, скользил по белому платью Даши. Навстречу двигались красновато-сухие мачты сосен, — шумели их вершины, шелестели листья. Даша поглядывала на Ивана Ильича, — он снял фуражку и опустил брови, улыбаясь. У нее было чувство покоя и наполненности — прелестью дня, радостью того, что так хорошо дышать, так легко идти и что так отдана душа этому дню и этому идущему рядом человеку.

— Иван, — сказала Даша и усмехнулась.

Он спросил с улыбкой:

— Что, Даша?

— Нет... подумала.

— О чем?

— Нет, потом.

— Я знаю о чем.

Даша быстро обернулась:

— Честное слово, ты не знаешь...

Они дошли до большой сосны. Иван Ильич отколупнул чешую коры, покрытую мягкими каплями смолы, разломал в пальцах и ласково из-под бровей смотрел на Дашу:

— Нет, знаю.

У Даши задрожала рука.

— Ты понимаешь, — сказала она шепотом, — я чувствую, как я вся должна перелиться в какую-то еще большую радость... Так я вся полна...

Иван Ильич покивал головой. Они вышли на поляну, покрытую цыплячье-зеленой травкой и желтыми, треплющимися от ветра лютиками. Ветер подхватил Дашино платье. Она на ходу озабоченно несколько раз нагибалась, чтобы одергивать юбку, и повторяла:

— Наказанье, что за ветер!

В конце поляны тянулась высокая дворцовая решетка с потускневшими от времени золочеными копьями. Даше в туфельку попал камешек. Иван Ильич присел, снял туфлю с Дашиной теплой ноги в белом чулке и поцеловал ногу около пальцев. Даша надела туфлю, потопала ногой и сказала:

— Хочу, чтобы от тебя был ребенок, вот что...

43

Екатерина Дмитриевна поселилась неподалеку от Даши, в деревянном домике, у двух старушек. Одна из них, Клавдия Ивановна, была в давние времена певицей, другая, Софочка, ее компаньонкой. Клавдия Ивановна, с утра подрисовав себе брови и надев парик воронова крыла, садилась раскладывать пасьянс. Софочка вела хозяйство и разговаривала мужским голосом. В доме было чистенько, тесновато, по-старинному — множество скатерочек, ширмочек, пожелтевших портретов из невозвратной молодости. Утром в комнатах пахло хорошим кофе; когда начинали готовить обед, Клавдия Ивановна страдала от запаха съестного и нюхала соль, а Софочка кричала мужским голосом из кухни: «Куда же я вонищу дену, не на одеколоне же картошку жарить». По вечерам зажигали керосиновые лампы с матовыми шарами. Старушки заботливо относились к Кате.

Она жила тихо в этом старозаветном уюте, уцелевшем от бурь времени. Вставала она рано, сама прибирала комнату и садилась к окну — чинить белье, штопать чулки или переделывать из своих старых нарядных платьев что-нибудь попроще. После завтрака обычно Катя шла на острова, брала с собой книгу или вышиванье и, дойдя до любимого места, садилась на скамью близ маленького озера и глядела на детей, играющих на горке песка, читала, вышивала, думала. К шести часам она возвращалась обедать к Даше. В одиннадцать Даша и Телегин провожали ее домой: сестры шли впереди под руку, а Иван Ильич, в сдвинутой на затылок фуражке и посвистывая, шел сзади, «прикрывая тыл», потому что по вечерам теперь ходить по улицам было небезопасно.

Каждый день Катя писала Вадиму Петровичу Рощину, бывшему все это время в командировке, на фронте. Внимательно и честно она рассказывала в письмах все, что делала за день и что думала; об этом просил ее Рощин и подтверждал в ответных письмах: «Когда вы мне пишете, Екатерина Дмитриевна, что сегодня переходили Елагин мост, начал накрапывать дождь, у вас не было зонта и вы пережидали дождь под деревьями, — мне это дорого. Мне дороги все мелочи вашей жизни, мне кажется даже, что я бы теперь не смог без них жить».

Катя понимала, что Рощин преувеличивает и прожить бы, конечно, смог без ее мелочей, но подумать — остаться хотя бы на один день снова одной, самой с собой, было так страшно, что Катя старалась не раздумывать, а верить, будто вся ее жизнь нужна и дорога Вадиму Петровичу. Поэтому все, что она теперь ни делала, — получало особый смысл. Потеряла наперсток, искала целый час, а он был на пальце: Вадим Петрович, наверно, уж посмеется, до чего она стала рассеянная. К самой себе Катя теперь относилась как к чему-то не совсем своему. Однажды, работая у окна и думая, она заметила, что дрожат пальцы; она подняла голову и, протыкая иголкою юбку на колене, долго глядела перед собой, наконец взгляд ее различил напротив, где был зеркальный шкаф, худенькое лицо с большими печальными глазами, с волосами, причесанными просто, — назад, узлом... Катя подумала: «Неужели — я?» Опустила глаза и продолжала шить, но сердце билось, она уколола палец, поднесла его ко рту и опять взглянула в зеркало, — но теперь уже это была она, и похуже той... В тот же вечер она писала Вадиму Петровичу: «Сегодня весь день думала о вас. Я по вас соскучилась, милый мой друг, — сижу у окна и поджидаю. Что-то со мной происходит давным-давно забытое, какие-то девичьи настроения...»

Даже Даша, рассеянная и поглощенная своими сложными, как ей казалось — единственными с сотворения мира, отношениями с Иваном Ильичом, заметила в Кате перемену и однажды за вечерним чаем долго доказывала, что Кате всегда теперь нужно носить гладкие черные платья с глухим воротом. «Я тебя уверяю, — говорила она, — ты себя не видишь, Катюша, тебе на вид, ну — девятнадцать лет... Иван, правда, она моложе меня?»

— Да, то есть не совсем, но, пожалуй...

— Ах, ты ничего не понимаешь, — говорила Даша, — у женщины молодость наступает совсем не от лет, совсем от других причин. Лета тут совсем никакой роли не играют...

Небольшие деньги, оставшиеся у Кати после кончины Николая Ивановича, подошли к концу. Телегин посоветовал ей продать ее старую квартиру на Пантелеймоновской, пустовавшую с марта месяца. Катя согласилась и вместе с Дашей поехала на Пантелеймоновскую — отобрать кое-какие вещи, дорогие по воспоминаниям.

Поднявшись во второй этаж и взглянув на памятную ей дубовую дверь с медной дощечкой — «Н. И. Смоковников», — Катя почувствовала, что вот замыкается круг жизни. Старый, знакомый швейцар, который, бывало, сердито сопя спросонок и прикрывая горло воротником накинутого пальто, отворял ей за полночь парадную и гасил электричество всегда раньше, чем Катя успевала подняться к себе, — отомкнув сейчас своим ключом дверь, снял фуражку и, пропуская вперед Катю и Дашу, сказал успокоительно:

— Не сумневайтесь, Екатерина Дмитриевна, крошки не пропало, день и ночь за жильцами смотрел. Сынка у них убили на фронте, а то бы и сейчас жили, очень были довольны квартирой...

В прихожей было темно и пахло нежилым, во всех комнатах спущены шторы. Катя вошла в столовую и повернула выключатель, — хрустальная люстра ярко вспыхнула над покрытым серым сукном столом, посередине которого все так же стояла фарфоровая корзина для цветов с давно засохшей веткой мимозы. Равнодушные свидетели отшумевшей здесь веселой жизни — стулья с высокими спинками и кожаными сиденьями — стояли вдоль стен. Одна створка в огромном, как орган, резном буфете была приотворена, виднелись перевернутые бокалы. Овальное венецианское зеркало подернуто пылью, и наверху его все так же спал золотой мальчик, протянув ручку на золотой завиток... Катя стояла неподвижно у двери.

— Даша, — тихо проговорила она, — ты помнишь, Даша!.. Подумай, и никого больше нет...

Потом она прошла в гостиную, зажгла большую люстру, оглянулась и пожала плечами. Кубические и футуристические картины, казавшиеся когда-то такими дерзкими и жуткими, теперь висели на стенах жалкие, потускневшие, будто давным-давно брошенные за ненадобностью наряды после карнавала.

— Катюша, а эту помнишь? — сказала Даша, указывая на раскоряченную, с цветком, в желтом углу, «Современную Венеру». — Тогда мне казалось, что она-то и причина всех бед.

Даша засмеялась и стала перебирать ноты. Катя пошла в свою бывшую спальню. Здесь все было точно таким же, как три года тому назад, когда она, одетая по-дорожному, в вуали, вбежала в последний раз в эту комнату, чтобы взять с туалета перчатки.

Сейчас на всем лежала какая-то тусклость, все было гораздо меньше размером, чем казалось раньше. Катя раскрыла шкаф, полный остатков кружев и шелка, тряпочек, чулок, туфелек. Эти вещицы, когда-то представлявшиеся ей нужными, все еще слабо пахли духами. Катя без цели перебирала их, — с каждой вещицей было связано воспоминание навсегда отошедшей жизни...

Вдруг тишина во всем доме дрогнула и наполнилась звуками музыки, — это Даша играла ту самую сонату, которую разучивала, когда три года тому назад готовилась к экзаменам. Катя захлопнула дверцу шкафа, пошла в гостиную и села около сестры.

— Катя, правда — чудесно? — сказала Даша, полуобернувшись. Она проиграла еще несколько тактов и взяла с пола другую тетрадь. Катя сказала:

— Идем, у меня голова разболелась.

— А как же вещи?

— Я ничего не хочу отсюда брать. Вот только рояль перевезу к тебе, а остальное — пусть...

Катя пришла к обеду, возбужденная от быстрой ходьбы, веселая, в новой шапочке, в синей вуальке.

— Едва успела, — сказала она, касаясь теплыми губами Дашиной щеки, — а башмаки все-таки промочила. Дай мне переменить. — Стаскивая перчатки, она подошла в гостиной к окну. Дождь, примерявшийся уже несколько раз идти, хлынул сейчас серыми потоками, закрутился в порывах ветра, зашумел в водосточной трубе. Далеко внизу были видны бегущие зонтики. Потемневший воздух мигнул перед окнами белым светом, и так треснуло, что Даша ахнула.

— Ты знаешь, кто будет у вас сегодня вечером? — спросила Катя, морща губы в улыбку. Даша спросила, — кто? — но в прихожей позвонили, и она побежала отворять. Послышался смех Ивана Ильича, шарканье его ног по половичку, потом они с Дашей, громко разговаривая и смеясь, прошли в спальню. Катя стащила перчатки, сняла шляпу, поправила волосы, и все это время лукавая и нежная усмешка морщила ее губы.

За обедом Иван Ильич, румяный, веселый, с мокрыми волосами, рассказывал о событиях. На Балтийском заводе, как и повсюду сейчас на фабриках и заводах, рабочие волнуются. Советы неизменно поддерживают их требования. Частные предприятия начали мало-помалу закрываться, казенные — работают в убыток, но теперь война, революция — не до прибылей. Сегодня на заводе опять был митинг. Выступали большевики, и все в один голос кричали: «Надо кончать войну, никаких уступок буржуазному правительству, никаких соглашений с предпринимателями, вся власть Советам!» — а уж они наведут порядок!..

— Я тоже вылез разговаривать. Куда тут, — с трибуны стащили. Васька Рублев подскочил: «Ведь я знаю, говорит, что ты нам не враг, зачем же ты чепуху несешь, у тебя в голове мусор». Я ему: «Василий, через полгода заводы станут, жрать — нечего». А он мне: «Товарищ, к Новому году вся земля, все заводы отойдут трудящимся, буржуя ни одного в республике не оставим даже на разводку. И денег больше не будет. Работай, живи, — все твое. Пойми ты, — социальная революция!» Так это все к Новому году и обещал.

Иван Ильич сдержанно засмеялся, но покачал головой и стал пальцем собирать крошки на скатерти. Даша вздохнула:

— Предстоят большие испытания, я чувствую.

— Да, — сказал Иван Ильич, — война не кончена, в этом все дело. В сущности — что изменилось с февраля? Царя убрали, да беспорядка стало больше. А кучечка адвокатов и профессоров, несомненно людей образованных, уверяет всю страну: «Терпите, воюйте, придет время, мы вам дадим английскую конституцию и даже много лучше». Не знают они России, эти профессора. Плохо они русскую историю читали. Русский народ — не умозрительная какая-нибудь штуковина. Русский народ — страстный, талантливый, сильный народ. Недаром русский мужик допер в лаптях до Тихого океана. Немец будет на месте сидеть, сто лет своего добиваться, терпеть. А этот — нетерпеливый. Этого можно мечтой увлечь вселенную завоевать. И пойдет, — в посконных портках, в лаптях, с топоришком за поясом... А профессора желают одеть взбушевавшийся океан народный в благоприличную конституцию. Да, видимо, придется увидеть нам очень серьезные события.

Даша, стоя у стола, наливала в чашечки кофе. Вдруг она поставила кофейник и прижалась к Ивану Ильичу — лицом в грудь.

— Ну, ну, Даша, не волнуйся, — сказал он, гладя ее по волосам. — Ничего пока еще не случилось ужасного... А мы бывали в переделках и похуже... Вот я помню, — ты послушай меня, — помню, пришли мы на Гнилую Липу...

Он стал вспоминать про военные невзгоды. Катя оглянулась на стенные часы и вышла из столовой. Даша смотрела на спокойное, крепкое лицо мужа, на серые его смеющиеся глаза и успокаивалась понемногу: с таким не страшно. Дослушав историю про Гнилую Липу, она пошла в спальню припудриться. Перед туалетным зеркалом сидела Катя и что-то делала с лицом.

— Данюша, — сказала она тоненьким голосом, — у тебя не осталось тех духов, помнишь — парижских?

Даша присела на пол перед сестрой и глядела на нее в величайшем удивлении, потом спросила шепотом:

— Катюша, перышки чистишь?..

Катя покраснела, кивнула головой.

— Катюша, что с тобой сегодня?

— Я хотела сказать, а ты не дослушала, — сегодня вечером приезжает Вадим Петрович и с вокзала заедет прямо к вам... Ко мне неудобно, поздно...

В половине десятого раздался звонок. Катя, Даша и Телегин выбежали в прихожую. Телегин отворил, вошел Рощин в измятой шинели внакидку, в глубоко надвинутой фуражке. Его худое, мрачное, темное от загара лицо смягчилось улыбкой, когда он увидел Катю. Она растерянно и радостно глядела на него. Когда он, сбросив шинель и фуражку на стул и здороваясь, сказал сильным и глуховатым голосом: «Простите, что так поздно врываюсь, — хотелось сегодня же увидеть вас, Екатерина Дмитриевна, вас, Дарья Дмитриевна», — Катины глаза наполнились светом.

— Я рада, что вы приехали, Вадим Петрович, — сказала она и, когда он наклонился к ее руке, поцеловала его в голову задрожавшими губами.

— Напрасно без вещей приехали, — сказал Иван Ильич, — все равно вас ночевать оставим...

— В гостиной на турецком диване, если будет коротко, подставим кресла, — сказала Даша.

Рощин, как сквозь сон, слушал, что ему говорят эти ласковые изящные люди. Он вошел сюда, еще весь ощетиненный после бессонных ночей в пути, лазанья в вагонные окошки за «довольствием», непереставаемой борьбы за шесть вершков места в купе и вязнущей в ушах ругани. Ему еще было дико, что эти три человека, почти немыслимой красоты и чистоты, хорошо пахнущие, стоящие на зеркальном паркете, обрадованы именно появлением его, Рощина... Точно сквозь сон он видел прекрасные глаза Кати, говорившие: рада, рада, рада...

Он одернул пояс, расправил плечи, вздохнул глубоко.

— Спасибо, — сказал он, — куда прикажете идти?

Его повели в ванную — мыться, потом в столовую — кормить. Он ел, не разбирая, что ему подкладывали, быстро насытился и, отодвинув тарелку, закурил. Его суровое, худое, бритое лицо, испугавшее Катю, когда он появился в прихожей, теперь смягчилось и казалось еще более усталым. Его большие руки, на которые падал свет оранжевого абажура, дрожали над столом, когда он зажигал спичку. Катя, сидя в тени абажура, всматривалась в Вадима Петровича и чувствовала, что любит каждый волосок на его руке, каждую пуговичку на его темно-коричневом измятом френче. Она заметила также, что, разговаривая, он иногда сжимал челюсти и говорил сквозь зубы. Его фразы были отрывочны и беспорядочны. Видимо, он сам, чувствуя это, старался побороть в себе какое-то давно длящееся гневное возбуждение... Даша, переглянувшись с сестрой и мужем, спросила Рощина, что, быть может, он устал и хотел бы лечь? Он неожиданно вспыхнул, вытянулся на стуле.

— Право, я не для того приехал, чтобы спать... Нет... Нет... — И он вышел на балкон и стал под мелкий ночной дождь.

Даша показала глазами на балкон и покачала головой. Рощин проговорил оттуда:

— Ради бога, простите, Дарья Дмитриевна... это все четыре бессонных ночи...

Он появился, приглаживая волосы на темени, и сел на свое место.

— Я еду прямо из ставки, — сказал он, — везу очень неутешительные сообщения военному министру... Когда я увидел вас, мне стало больно... Позвольте уж я все скажу: ближе вас, Екатерина Дмитриевна, у меня ведь в мире нет человека. — Катя побледнела. Иван Ильич стал, заложив руки за спину, у стены. Даша страшными глазами глядела на Рощина. — Если не произойдет чуда, — сказал он, покашляв, — то мы погибли. Армии больше не существует... Фронт бежит... Солдаты уезжают на крышах вагонов... Остановить разрушение фронта нет человеческой возможности... Это отлив океана... Русский солдат потерял представление, за что он воюет, потерял уважение к войне, потерял уважение ко всему, с чем связана эта война, — к государству, к России. Солдаты уверены, что стоит крикнуть: «мир», — в тот же самый день войне конец... И не хотим замиряться только мы — господа... Понимаете, — солдат плюнул на то место, где его обманывали три года, бросил винтовку, и заставить его воевать больше нельзя... К осени, когда хлынут все десять миллионов... Россия перестанет существовать как суверенное государство...

Он стиснул челюсти так, что надулись желваки на скулах. Все молчали. Он продолжал глухим голосом:

— Я везу план военному министру. Несколько господ генералов составили план спасения фронта... Оригинально... Во всяком случае, союзникам нельзя будет упрекнуть наших генералов в отсутствии желания воевать. План такой: объявить полную демобилизацию в быстрые сроки, то есть организовать бегство и тем спасти железные дороги, артиллерию, огневые и продовольственные запасы. Твердо заявить нашим союзникам, что мы войны не прекращаем. В то же время выставить в бассейне Волги заграждение из верных частей — таковые найдутся; в Заволжье начать формирование совершенно новой армии, ядро которой должно быть из добровольческих частей; поддерживать и формировать одновременно партизанские отряды... Опираясь на уральские заводы, на сибирский уголь и хлеб, начать войну заново...

— Открыть фронт немцам... Отдать родину на разграбление! — крикнул Телегин.

— Родины у нас с вами больше нет, — есть место, где была наша родина. — Рощин стиснул руки, лежащие на скатерти. — Великая Россия перестала существовать с той минуты, когда народ бросил оружие... Как вы не хотите понять, что уже началось... Николай-угодник вам теперь поможет? — так ему и молиться забыли... Великая Россия теперь — навоз под пашню... Все надо — заново: войско, государство, душу надо другую втиснуть в нас...

Он сильно втянул воздух сквозь ноздри, упал головой в руки на стол и глухо, собачьим, грудным голосом заплакал...

В этот вечер Катя не пошла ночевать домой, — Даша положила ее с собой в одну постель; Ивану Ильичу постлали в кабинете; Рощин, после тяжелой для всех сцены, ушел на балкон, промок и, вернувшись в столовую, просил простить его; действительно, самое разумное было лечь спать. И он заснул, едва успев раздеться. Когда Иван Ильич на цыпочках зашел потушить у него лампу, Рощин спал на спине, положив на грудь руки, ладонь на ладонь; это худое лицо с крепко зажмуренными глазами, с морщинами, резко проступавшими от синеватого рассвета, было как у человека, преодолевающего боль.

Катя и Даша, лежа под одним одеялом, долго разговаривали шепотом. Даша время от времени прислушивалась. Иван Ильич все еще не мог угомониться у себя в кабинете. Даша сказала: «Вот, все ходит, а в семь часов надо на завод...» Она вылезла из-под одеяла и босиком побежала к мужу. Иван Ильич, в одних панталонах со спущенными помочами, сидел на постланном диване и читал огромную книгу, держа ее на коленях.

— Ты еще не спишь? — спросил он, блестящими и невидящими глазами взглянул на Дашу. — Сядь... Я нашел... ты послушай... — Он перевернул страницу и вполголоса стал читать: — «Триста лет тому назад ветер вольно гулял по лесам и степным равнинам, по огромному кладбищу, называвшемуся русской землей. Там были обгоревшие стены городов, пепел на местах селений, кресты и кости у заросших травою дорог, стаи воронов да волчий вой по ночам. Кое-где еще по лесным тропам пробирались последние шайки шишей, давно уже пропивших награбленные за десять лет боярские шубы, драгоценные чаши, жемчужные оклады с икон. Теперь все было выграблено, вычищено на Руси.

Опустошена и безлюдна была Россия. Даже крымские татары не выбегали больше на Дикую степь — грабить было нечего. За десять лет Великой Смуты самозванцы, воры и польские наездники прошли саблей и огнем из края в край всю русскую землю. Был страшный голод, — люди ели конский навоз и солонину из человеческого мяса. Ходила черная язва. Остатки народа разбредались на север к Белому морю, на Урал, в Сибирь.

В эти тяжкие дни к обугленным стенам Москвы, начисто разоренной и опустошенной и с великими трудами очищенной от польских захватчиков, к огромному этому пепелищу везли на санях по грязной мартовской дороге испуганного мальчика, выбранного, по совету патриарха, обнищалыми боярами, бесторжными торговыми гостями и суровыми северных и приволжских земель мужиками в цари московские. Новый царь умел только плакать и молиться. И он молился и плакал, в страхе и унынии глядя в окно возка на оборванные, одичавшие толпы русских людей, вышедших встречать его за московские заставы. Не было большой веры в нового царя у русских людей. Но жить было надо. Начали жить. Призаняли денег у купцов Строгановых. Горожане стали обстраиваться, мужики — запахивать пустую землю. Стали высылать конных и пеших добрых людей бить воров по дорогам. Жили бедно, сурово. Кланялись низко и Крыму, и Литве, и шведам. Берегли веру. Знали, что есть одна только сила: крепкий, расторопный, легкий народ. Надеялись перетерпеть и перетерпели. И снова начали заселяться пустоши, поросшие бурьяном...»

Иван Ильич захлопнул книгу.

— Ты видишь... И теперь не пропадем... Великая Россия пропала! А вот внуки этих самых драных мужиков, которые с кольями ходили выручать Москву, — разбили Карла Двенадцатого и Наполеона... А внук этого мальчика, которого силой в Москву на санях притащили, Петербург построил... Великая Россия пропала!.. Уезд от нас останется, — и оттуда пойдет русская земля...

Он фыркнул носом и стал глядеть в окно, за которым рассветало серенькое утро. Даша прислонилась головой ему к плечу, он погладил, поцеловал ее в волосы:

— Иди спать, трусиха...

Даша засмеялась, простилась с ним, пошла и обернулась в дверях:

— Иван, а как его Катя любит...

— Ну, — прекрасный же человек...

Вечер был безветренный и жаркий. В воздухе пахло бензиновой гарью и гудроном деревянных мостовых. По Невскому среди испарений, табачного дыма и пыли двигались пестрые, беспорядочные толпы народа. Ухая, крякая, проносились с треплющимися флажками правительственные автомобили. Мальчишеские, пронзительные голоса газетчиков выкрикивали потрясающие новости, которым никто уже не верил. Шныряли в толпе продавцы папирос, спичек и краденых вещей. В скверах валялись на газоне, среди клумб, солдаты, грызли семечки.

Катя возвращалась одна с Невского. Рощин условился с ней, что около восьми часов будет поджидать ее на набережной. Катя свернула на Дворцовую площадь. В черных окнах во втором этаже кроваво-красного угрюмого дворца желтели лампочки. У главного подъезда стояли автомобили, похаживали, смеялись солдаты и шоферы. Треща, пролетел мотоциклет с курьером — мальчишкой в автомобильной фуражке, в надутой за спиною рубахе. На угловом балконе дворца, облокотившись, неподвижно стоял какой-то старый человек с длинной седой бородой. Огибая дворец, Катя обернулась, — над аркой Генерального штаба все так же взвивались навстречу закату легкие бронзовые кони. Катя перешла набережную и села у воды на гранитной скамье. Над лениво текущей Невой висели мосты голубоватыми прозрачными очертаниями. Ясным золотом блестел, отражался в реке шпиль Петропавловского собора. Убогая лодочка двигалась по отблескам воды. За Петербургской стороной, за крышами, за дымами, в оранжевое зарево опускался угасающий шар солнца.

Сложив на коленях руки, Катя тихо глядела на это угасание, ждала смирно и терпеливо Вадима Петровича. Он подошел незаметно, сзади, и, облокотившись о гранит, глядел сверху на Катю.

Она почувствовала его, обернулась, улыбаясь встала. Он глядел на нее странным, изумленным взглядом. Она поднялась по лестнице на набережную, взяла Рощина под руку. Они пошли. Катя спросила тихо:

— Что?

Рот его исказился, он пожал плечом, не ответил. Они перешли Троицкий мост, и в начале Каменноостровского Рощин кивнул головой на большой особняк, облицованный коричневыми изразцами. Широкие окна Зимнего сада были ярко освещены. У подъезда стояло несколько мотоциклеток.

Это был особняк знаменитой балерины, где сейчас находился главный штаб большевиков. День и ночь здесь сыпали горохом пишущие машинки. Каждый день перед особняком собиралась большая толпа рабочих, фронтовиков, матросов, — на балкон выходил глава партии большевиков и говорил о том, что рабочие и крестьяне должны с боем брать власть, немедленно кончать войну и устанавливать у себя и во всем мире новый, справедливый порядок.

— Давеча я был здесь в толпе, я слушал, — проговорил Рощин сквозь зубы. — С этого балкона хлещут огненными бичами, и толпа слушает... О, как слушает!.. Я не понимаю теперь: кто чужой в этом городе — мы или они? (Он кивнул на балкон особняка.) Нас не хотят больше слушать... Мы бормочем слова, лишенные смысла... Когда я ехал сюда — я знал, что я — русский... Здесь я — чужой... Не понимаю, не понимаю...

Они пошли дальше по Каменноостровскому. Их обогнал человек в рваном пальто, в соломенной шляпе, — в одной руке он держал ведерко, в другой — пачку афиш...

— Я понимаю только одно, — глухо сказал Рощин и отвернулся, чтобы она не видела его исказившегося лица, — ослепительная живая точка в этом хаосе — это ваше сердце, Катя... Нам с вами разлучаться нельзя...

Катя тихо ответила:

— Я не смела этого вам сказать... Ну, где же нам расставаться, друг милый...

Они дошли до того места, где человек с ведерком только что налепил на стену белую небольшую афишу, и так как оба были взволнованы, то на мгновение остановились. При свете фонаря можно было прочесть на афишке: «Всем! Всем! Всем! Революция в опасности!..»

— Екатерина Дмитриевна, — проговорил Рощин, беря в руки ее худенькую руку и продолжая медленно идти по затихшему в сумерках широкому проспекту, в конце которого все еще не могла догореть вечерняя заря, — пройдут года, утихнут войны, отшумят революции, и нетленным останется одно только — кроткое, нежное, любимое сердце ваше.

Сквозь раскрытые окна больших домов доносились веселые голоса, споры, звуки музыки. Сутулый человек с ведерком опять перегнал Катю и Рощина и, наклеивая афишку, обернулся. Из-под рваной соломенной шляпы на них взглянули пристальные, ненавистью горящие глаза.

КНИГА
ВТОРАЯ

ВОСЕМНАДЦАТЫЙ ГОД

В трех водах топлено, в трех кровях купано, в трех щелоках варено. Чище мы чистого.

1

Все было кончено. По опустевшим улицам притихшего Петербурга морозный ветер гнал бумажный мусор — обрывки военных приказов, театральных афиш, воззваний к «совести и патриотизму» русского народа. Пестрые лоскуты бумаги, с присохшим на них клейстером, зловеще шурша, ползли вместе со снежными змеями поземки.

Это было все, что осталось от еще недавно шумной и пьяной сутолоки столицы. Ушли праздные толпы с площадей и улиц. Опустел Зимний дворец, пробитый сквозь крышу снарядом с «Авроры». Бежали в неизвестность члены Временного правительства, влиятельные банкиры, знаменитые генералы... Исчезли с ободранных и грязных улиц блестящие экипажи, нарядные женщины, офицеры, чиновники, общественные деятели со взбудораженными мыслями. Все чаще по ночам стучал молоток, заколачивая досками двери магазинов. Кое-где на витринах еще виднелись: там — кусочек сыру, там — засохший пирожок. Но это лишь увеличивало тоску по исчезнувшей жизни. Испуганный прохожий жался к стене, косясь на патрули — на кучи решительных людей, идущих с красной звездой на шапке и с винтовкой, дулом вниз, через плечо.

Северный ветер дышал стужей в темные окна домов, залетал в опустевшие подъезды, выдувая призраки минувшей роскоши. Страшен был Петербург в конце семнадцатого года.

Страшно, непонятно, непостигаемо. Все кончилось. Все было отменено. Улицу, выметенную поземкой, перебегал человек в изодранной шляпе, с ведерком и кистью. Он лепил новые и новые листочки декретов, и они ложились белыми заплатками на вековые цоколи домов. Чины, отличия, пенсии, офицерские погоны, буква ять, бог, собственность и само право жить как хочется — отменялось. Отменено! Из-под шляпы свирепо поглядывал наклейщик афиш туда, где за зеркальными окнами еще бродили по холодным покоям обитатели в валенках, в шубах, — заламывая пальцы, повторяли:

— Что же это? Что будет? Гибель России, конец всему... Смерть!..

Подходя к окнам, видели: наискосок, у особняка, где жило его высокопревосходительство и где, бывало, городовой вытягивался, косясь на серый фасад, — стоит длинная фура, и какие-то вооруженные люди выносят из настежь распахнутых дверей мебель, ковры, картины. Над подъездом — кумачовый флажок, и тут же топчется его высокопревосходительство, с бакенбардами, как у Скобелева, в легком пальтишке, и седая голова его трясется. Выселяют! Куда в такую стужу? А куда хочешь... Это — высокопревосходительство-то, нерушимую косточку государственного механизма!

Настает ночь. Черно — ни фонаря, ни света из окон. Угля нет, а, говорят, Смольный залит светом, и в фабричных районах — свет. Над истерзанным, простреленным городом воет вьюга, насвистывает в дырявых крышах: «Быть нам пу-у-усту». И бухают выстрелы во тьме. Кто стреляет, зачем, в кого? Не там ли, где мерцает зарево, окрашивает снежные облака? Это горят винные склады... В подвалах, в вине из разбитых бочек, захлебнулись люди... Черт с ними, пусть горят заживо!

О, русские люди, русские люди!

Русские люди, эшелон за эшелоном, валили миллионными толпами с фронта домой, в деревни, в степи, в болота, в леса... К земле, к бабам... В вагонах с выбитыми окнами стояли вплотную, густо, не шевелясь, так что и покойника нельзя было вытащить из тесноты, выкинуть в окошко. Ехали на буферах, на крышах. Замерзали, гибли под колесами, проламывали головы на габаритах мостов. В сундучках, в узлах везли добро, что попадалось под руку, — все пригодится в хозяйстве: и пулемет, и замок от орудия, и барахло, взятое с мертвеца, и ручные гранаты, винтовки, граммофон и кожа, срезанная с вагонной койки. Не везли только денег — этот хлам не годился даже вертеть козьи ножки.

Медленно ползли эшелоны по российским равнинам. Останавливались в изнеможении у станции с выбитыми окнами, сорванными дверями. Матерным ревом встречали эшелоны каждый вокзал. С крыш соскакивали серые шинели, щелкая затворами винтовок, кидались искать начальника станции, чтобы тут же прикончить прихвостня мировой буржуазии. «Давай паровоз!.. Жить тебе надоело, такой-сякой, матерний сын? Отправляй эшелон!..» Бежали к выдохшемуся паровозу, с которого и машинист и кочегар удрали в степь. «Угля, дров! Ломай заборы, руби двери, окна!»

Три года тому назад много не спрашивали — с кем воевать и за что. Будто небо раскололось, земля затряслась: мобилизация, война! Народ понял: время страшным делам надвинулось. Кончилось старое житье. В руке — винтовка. Будь что будет, а к старому не вернемся. За столетия накипели обиды.

За три года узнали, что такое война. Впереди пулемет и за спиной пулемет, — лежи в дерьме, во вшах, покуда жив. Потом — содрогнулись, помутилось в головах — революция... Опомнились, — а мы-то что же? Опять нас обманывают? Послушали агитаторов: значит, раньше мы были дураками, а теперь надо быть умными... Повоевали, — повертывай домой на расправу. Теперь знаем, в чье пузо — штык. Теперь — ни царя, ни бога. Одни мы. Домой, землю делить!

Как плугом прошлись фронтовые эшелоны по российским равнинам, оставляя позади развороченные вокзалы, разбитые железнодорожные составы, ободранные города. По селам и хуторам заскрипело, залязгало, — это напильничками отпиливали обрезы. Русские люди серьезно садились на землю. А по избам, как в старые-старые времена, светилась лучина, и бабы натягивали основы на прабабкины ткацкие станки. Время, казалось, покатилось назад, в отжитые века. Это было в зиму, когда начиналась вторая революция, Октябрьская...

Голодный, расхищаемый деревнями, насквозь прохваченный полярным ветром Петербург, окруженный неприятельским фронтом, сотрясаемый заговорами, город без угля и хлеба, с погасшими трубами заводов, город, как обнаженный мозг человеческий, — излучал в это время радиоволнами Царскосельской станции бешеные взрывы идей.

— Товарищи, — застужая глотку, кричал с гранитного цоколя худой малый в финской шапочке задом наперед, — товарищи дезертиры, вы повернулись спиной к гадам-империялистам... Мы, питерские рабочие, говорим вам: правильно, товарищи... Мы не хотим быть наемниками кровавой буржуазии. Долой империялистическую войну!

— Лой... лой... лой... — лениво прокатилось по кучке бородатых солдат.

Не снимая с плеч винтовок и узлов с добром, они устало и тяжело стояли перед памятником императору Александру III. Заносило снегом черную громаду царя и — под мордой его куцей лошади — оратора в распахнутом пальтишке.

— Товарищи... Но мы не должны бросать винтовку! Революция в опасности... С четырех концов света поднимается на нас враг... В его хищных руках — горы золота и страшное истребительное оружие... Он уже дрожит от радости, видя нас захлебнувшимися в крови... Но мы не дрогнем... Наше оружие — пламенная вера в мировую социальную революцию... Она будет, она близко...

Конец фразы отнес ветер. Здесь же, у памятника, остановился по малой надобности широкоплечий человек с поднятым воротником. Казалось, он не замечал ни памятника, ни оратора, ни солдат с узлами. Но вдруг какая-то фраза привлекла его внимание, даже не фраза, а исступленная вера, с какой она была выкрикнута из-под бронзовой лошадиной морды:

— ...Да ведь поймите же вы... через полгода навсегда уничтожим самое проклятое зло — деньги... Ни голода, ни нужды, ни унижения... Бери, что тебе нужно, из общественной кладовой... Товарищи, а из золота мы построим общественные нужники...

Но тут снежный ветер залетел глубоко в глотку оратору. Сгибаясь со злой досадой, он закашлялся — и не мог остановиться: разрывало легкие. Солдаты постояли, качнули высокими шапками и пошли, — кто на вокзалы, кто через город за реку. Оратор полез с цоколя, скользя ногтями по мерзлому граниту. Человек с поднятым воротником окликнул его негромко:

— Рублев, здорово.

Василий Рублев, все еще кашляя, застегивал пальтишко. Не подавая руки, глядел недобро на Ивана Ильича Телегина.

— Ну? Что надо?

— Да рад, что встретил...

— Эти черти, дуболомы, — сказал Рублев, глядя на неясные за снегопадом очертания вокзала, где стояли кучками у сваленного барахла все те же, заеденные вшами, бородатые фронтовики, — разве их прошибешь? Бегут с фронта, как тараканы. Недоумки... Тут нужно — террор...

Застуженная рука его схватила снежный ветер... И кулак вбил что-то в этот ветер. Рука повисла, Рублев студено передернулся...

— Рублев, голубчик, вы меня знаете хорошо. — Телегин отогнул воротник и нагнулся к землистому лицу Рублева. — Объясните мне, ради бога... Ведь мы в петлю лезем... Немцы, захотят, через неделю будут в Петрограде... Понимаете, — я никогда не интересовался политикой...

— Это как так, — не интересовался? — Рублев весь взъерошился, угловато повернулся к нему. — А чем же ты интересовался? Теперь — кто не интересуется — знаешь кто? — Он бешено взглянул в глаза Ивану Ильичу. — Нейтральный... враг народа...

— Вот именно, и хочу с тобой поговорить... А ты говори почеловечески.

Иван Ильич тоже взъерошился от злости, Рублев глубоко втянул воздух сквозь ноздри.

— Чудак ты, товарищ Телегин... Ну, некогда же мне с тобой разговаривать, — можешь ты это понять?..

— Слушай, Рублев, я сейчас вот в каком состоянии... Ты слышал: Корнилов Дон поднимает?

— Слыхали.

— Либо я на Дон уйду... Либо с вами...

— Это как же так: либо?

— А вот так — во что поверю... Ты за революцию, я за Россию... А может, и я — за революцию. Я, знаешь, боевой офицер...

Гнев погас в темных глазах Рублева, в них была только бессонная усталость.

— Ладно, — сказал он, — приходи завтра в Смольный, спросишь меня... Россия... — Он покачал головой, усмехаясь. — До того остервенеешь на эту твою Россию... Кровью глаза зальет... А между прочим, за нее помрем все... Ты вот пойди сейчас на Балтийский вокзал. Там тысячи три дезертиров третью неделю валяются по полу... Промитингуй с ними, проагитируй за советскую власть... Скажи: Петрограду хлеб нужен, нам бойцы нужны... (Глаза его снова высохли.) Скажи им: а будете на печке пузо чесать — пропадете, как сукины дети. Пропишут вам революцию по мягкому месту... Продолби им башку этим словом!.. И никто сейчас не спасет России, не спасет революции, — одна только советская власть... Понял? Сейчас нет ничего на свете важнее нашей революции...

По обмерзлой лестнице, в темноте, Телегин поднялся к себе на пятый этаж. Ощупал дверь. Постучал три раза, и еще раз. К двери изнутри подошли. Помолчав, спросил тихий голос жены:

— Кто?

— Я, я, Даша.

За дверью вздохнули. Загремела цепочка. Долго не поддавался дверной крюк. Слышно было, как Даша прошептала: «Ах, боже мой, боже мой». Наконец открыла и сейчас же в темноте ушла по коридору и где-то села.

Телегин тщательно запер двери на все крючки и задвижки. Снял калоши. Пощупал, — вот черт, спичек нет. Не раздеваясь, в шапке, протянув перед собой руки, пошел туда же, куда ушла Даша.

— Вот безобразие, — сказал он, — опять не горит. Даша, ты где?

После молчания она ответила негромко из кабинета:

— Горело, потухло.

Он вошел в кабинет; это была самая теплая комната во всей квартире, но сегодня и здесь было прохладно. Вгляделся, — ничего не разобрать, даже дыхания Дашиного не было слышно. Очень хотелось есть, особенно хотелось чаю. Но он чувствовал: Даша ничего не приготовила.

Отогнув воротник пальто, Иван Ильич сел в кресло у дивана, лицом к окошку. Там, в снежной тьме, бродил какой-то неясный свет. Не то из Кронштадта, не то ближе откуда-то, — щупали прожектором небо.

«Хорошо бы печурку затопить, — подумал Иван Ильич. — Как бы так спросить осторожно, где у Даши спички?»

Но он не решался. Знать бы точно, что она — плачет, дремлет? Слишком уж было тихо. Во всем многоэтажном доме — пустынная тишина. Только где-то слабо, редко похлопывали выстрелы. Внезапно шесть лампочек в люстре слегка накалились, красноватый свет слабо озарил комнату. Даша оказалась у письменного стола, — сидела, накинув шубку поверх еще чего-то, отставив одну ногу в валенке. Голова ее лежала на столе, щекой на промокашке. Лицо худое, измученное, глаз открыт, — даже глаз не закрыла, сидела неудобно, неестественно, кое-как...

— Дашенька, нельзя же так все-таки, — глуховато сказал Телегин. Ему совершенно нестерпимо стало жаль ее. Он пошел к столу. Но красные волоски в лампочках затрепетали и погасли. Только и было света, что на несколько секунд.

Он остановился за спиной Даши, нагнулся, сдерживая дыхание. Чего бы проще, — ну хоть погладить ее молча. Но она, как труп, ничем не ответила на его приближение.

— Даша, ну не мучь же так себя...

Месяц тому назад Даша родила. Ребенок ее, мальчик, умер на третий день. Роды были раньше срока, — случились после страшного потрясения. В сумерки на Марсовом поле на Дашу наскочили двое, выше человеческого роста, в развевающихся саванах. Должно быть, это были те самые «попрыгунчики», которые, привязав к ногам особые пружины, пугали в те фантастические времена весь Петроград. Они заскрежетали, засвистели на Дашу. Она упала. Они сорвали с нее пальто и запрыгали через Лебяжий мост. Некоторое время Даша лежала на земле. Хлестал дождь порывами, дико шумели голые липы в Летнем саду. За Фонтанкой протяжно кто-то кричал: «Спасите!» Ребенок ударял ножкой в животе Даши, просился в этот мир.

Он требовал, и Даша поднялась, пошла через Троицкий мост. Ветром прижимало ее к чугунным перилам, мокрое платье липло между ногами. Ни огня, ни прохожего. Внизу — взволнованная черная Нева. Перейдя мост, Даша почувствовала первую боль. Поняла, что не дойдет, хотелось только добраться до дерева, прислониться за ветром. Здесь, на улице Красных Зорь, ее остановил патруль. Солдат, придерживая винтовку, нагнулся к ее помертвевшему лицу:

— Раздели. Ах, сволочи! Да, смотри, брюхатая.

Он и довел Дашу до дому, втащил на пятый этаж. Грохнув прикладом в дверь, закричал на высунувшегося Телегина:

— Разве это дело — по ночам дамочку одну пускать, на улице едва не родила... Черти, буржуи бестолковые...

Роды начались в ту же ночь. В квартире появилась говорливая акушерка. Муки окончились через сутки. Мальчик был без дыхания — наглотался воды. Его хлопали, растирали, дули в рот. Он сморщился и заплакал. Акушерка не унывала, хотя у ребенка начался кашель. Он все плакал жалобно, как котенок, не брал груди. Потом перестал плакать и только кряхтел. А наутро третьего дня Даша потянулась к колыбели и отдернула руку— ощупала холодное тельце. Схватила его, развернула, — на высоком черепе его светлые и редкие волосы стояли дыбом.

Даша дико закричала. Кинулась с постели к окну: разбить, выкинуться, не жить... «Предала, предала... Не могу, не могу!» — повторяла она. Телегин едва ее удержал, уложил. Унес трупик. Даша сказала мужу:

— Покуда спала, к нему пришла смерть. Пойми же — у него волосики стали дыбом... Один мучился... Я спала...

Никакими уговорами нельзя было отогнать от нее видения одинокой борьбы мальчика со смертью.

— Хорошо, Иван, я больше не буду, — отвечала она Телегину, чтобы не слышать мужнина рассудительного голоса, не видеть его здорового, румяного, несмотря на все лишения, «жизнерадостного» лица.

Телегинского здоровья с излишком хватало на то, чтобы с рассвета до поздней ночи летать в рваных калошах по городу в поисках подсобной работишки, продовольствия, дровишек и прочего. По нескольку раз на дню он забегал домой, был необычайно хлопотлив и внимателен.

Но именно эти нежные заботы Даше меньше всего и были нужны сейчас. Чем больше Иван Ильич проявлял жизненной деятельности, тем безнадежнее отдалялась от него Даша. Весь день сидела одна в холодной комнате. Хорошо, если находила дремота, — подремлет, проведет рукой по глазам, и как будто ничего. Пойдет на кухню, вспоминая, что Иван Ильич просил что-то сделать. Но самая пустячная работа валилась из рук. А ноябрьский дождик стучал в окна. Шумел ветер над Петербургом. В этом холоде на кладбище у взморья лежало мертвое тельце сына, не умевшего даже пожаловаться...

Иван Ильич понимал, что она больна душевно. Погасшего электричества было достаточно, чтобы она приткнулась где-нибудь в углу, в кресле, закрыла голову шалью и затихла в смертельной тоске. А надо было жить, надо жить... Он писал о Даше в Москву, ее сестре Екатерине Дмитриевне, но письма не доходили. Катя не отвечала, или с ней приключилось тоже что-нибудь недоброе. Трудные были времена.

Топчась за Дашиной спиной, Иван Ильич случайно наступил на коробку спичек. Сейчас же все понял: когда погасло электричество, Даша боролась с темнотой, с тоской, зажигая временами спички. «Ай-ай-ай, — подумал он, — бедняжка, ведь одна целый день».

Он осторожно поднял коробку, — в ней оставалось еще несколько спичек. Тогда он принес из кухни заготовленные еще с утра дровишки, — это были тщательно распиленные части старого гардероба. В кабинете, присев на корточки, стал разжигать небольшую печку, обложенную кирпичом, с железной трубой — коленом через всю комнату. Приятно запахло дымком загоревшейся лучины. Завыл ветерок в прорезях печной дверки. Круг зыбкого света появился в потолке.

Эти самодельные печки получили впоследствии широко распространенное название «буржуек» или «пчелок». Они честно послужили человечеству во все время военного коммунизма. Простые — железные, на четырех ножках, с одной конфоркой, или хитроумные, с духовым шкафом, где можно было испечь лепешки из кофейной гущи и даже пирог с воблой, или роскошные, обложенные изразцами, содранными с камина, — они и грели, и варили, и пекли, и напевали вековечную песню огня под вой метели.

К их горячим уголькам люди собирались, как в старые времена к очагу, грели иззябшие руки, поджидая, когда запляшет крышка на чайнике. Вели беседы, к сожалению, никем не записанные. Придвинув поближе изодранное кресло, профессора, обросшие бородами, в валенках и пледах, писали удивительные книги. Прозрачные от голода поэты сочиняли стихи о любви и революции. Кружком сидящие заговорщики, сдвинув головы, шепотом передавали вести, одна страннее другой, фантастичнее. И много великолепных старинных обстановок вылетело через железные трубы дымом в эти годы.

Иван Ильич очень уважал свою печку, смазывал щели ее глиной, подвешивал под трубы жестянки, чтобы деготь не капал на пол. Когда вскипел чайник, он вытащил из кармана пакет и насыпал сахару в стакан, послаще. Из другого кармана вытащил лимон, чудом попавший ему в руки сегодня (выменял за варежки у инвалида на Невском), приготовил сладкий чай с лимоном и поставил перед Дашей.

— Дашенька, тут с лимончиком... А сейчас я спроворю моргалку.

Так называлось приспособление из железной баночки, где в подсолнечном масле плавал фитилек. Иван Ильич принес моргалку, и комната кое-как осветилась.

Даша уже по-человечески сидела в кресле, кушала чай. Телегин, очень довольный, сел поблизости.

— А знаешь, кого я встретил? Василия Рублева. Помнишь, у меня в мастерской работали отец и сын Рублевы? Страшные мои приятели. Отец — с хитрейшим глазком, — одна нога в деревне, другая на заводе. Замечательный тип! А Василий тогда уже был большевиком, — умница, злой, как черт. В феврале первый вывел наш завод на улицу. Лазил по чердакам, разыскивал городовых; говорят, сам запорол их чуть ли не полдюжины... А после Октябрьского переворота стал шишкой. Так вот, мы с ним и поговорили... Ты слушаешь меня, Даша?

— Слушаю, — сказала она. Поставила пустой стакан, подперлась худым кулачком, глядела на плавающий огонек моргалки. Серые глаза ее были равнодушны ко всему на свете. Лицо вытянутое, нежная кожа казалась прозрачной, носик, такой прежде независимый, даже легкомысленный, обострился. — Иван, — сказала она (должно быть, для того, чтобы высказать признательность за чай с лимоном), — я искала спички, нашла за книгами коробку с папиросами. Если тебе нужно...

— Папиросы! Ведь это еще старые, Дашенька, мои любимые! — Иван Ильич преувеличенно обрадовался, хотя коробку с папиросами сам спрятал за книги про черный день. Он закурил, искоса поглядывая на Дашин неживой профиль. «Увезти ее нужно подальше отсюда, к солнцу». — Ну-с, так вот, поговорил я с Василием Рублевым, и он мне здорово помог, Даша... Я не верю, чтобы эти большевики так вдруг и исчезли. Тут корень в Рублеве, понимаешь?.. Действительно, их никто не выбирал. И власть-то их — на волоске, — только в Питере, в Москве да кое-где по губернским городам... Но тут весь секрет в качестве власти... Эта власть связана кровяной жилой с такими, как Василий Рублев... Их немного на нашу страну... Но у них вера. Если его львами и тиграми травить или живым жечь, он и тут с восторгом запоет «Интернационал»...

Даша продолжала молчать. Он помешал в печке. Сидя на корточках перед дверцей, сказал:

— Понимаешь, к чему говорю?.. Нужно куда-нибудь качнуться. Сидеть и ждать, покуда все образуется, как-то, знаешь, неудобно... Сидеть у дороги, просить милостыню — стыдно. Я здоровый человек. Я не саботажник... У меня, по совести говоря, руки чешутся...

Даша вздохнула. Веки ее сжались, из-под ресниц поползла слеза. Иван Ильич засопел:

— Разумеется, прежде всего нужно решить вопрос о тебе, Даша... Тебе нужно найти силы, встряхнуться... Ведь так, как ты живешь, это угасание.

Он не удержался, — с раздражением подчеркнул это слово: угасание. Тогда Даша проговорила жалобным детским голосом:

— Разве я виновата, что не умерла тогда! А теперь мешаю вам жить... Вы лимон приносите... Я же не прошу...

«Вот, поди, разговаривай!» Иван Ильич походил по комнате, постучал ногтями в запотевшее стекло. Крутился снег, пела вьюга, мчался лютый ветер с такою силой, будто опережая само время, летел в грядущие времена оповещать о необычайных событиях. «За границу ее отправить? — думал Иван Ильич. — В Самару, к отцу? Как все это сложно... Но так жить нельзя дольше...»

* * *

Дашина сестра, Екатерина Дмитриевна, увезла мужа, Вадима Петровича Рощина, в Самару к отцу, где можно было спокойно переждать до весны, не дрожа за каждый кусок хлеба. К весне, разумеется, большевики должны были кончиться. Доктор Дмитрий Степанович Булавин намечал даже точные даты, а именно: между концом морозов и началом весенней распутицы немцы развернут наступление по всему фронту, где митинговали остатки русских армий, а солдатские комитеты среди хаоса, предательства и дезертирства тщетно пытались найти новые формы революционной дисциплины.

Дмитрий Степанович постарел за эти годы, жил неважно и еще больше разговаривал о политике. Он чрезвычайно обрадовался приезду дочери и сейчас же взял в политическую обработку Рощина. По целым часам сидели они в столовой за самоваром (двухведерной измятой машиной, пропустившей через нутро свое целое озеро кипятку и от старости наловчившейся, — чуть только брось в нее уголек, — подолгу петь провинциальные самоварные песни). Дмитрий Степанович, одетый крайне неряшливо, обрюзгший и потучневший, с седыми нечесаными кудрями, курил вонючие папироски, кашлял, багровея, и говорил, говорил...

— Странишка наша провалилась к чертовой матери... Войну мы проиграли-с... Не в гнев вам сказано, господин подполковник. Надо было в пятнадцатом году заключать мир-с... И идти к немцам в кабалу и выучку. И тогда бы они нас кое-чему научили, тогда бы мы еще могли стать людьми. А теперь кончено-с... Медицина, как говорится, в сем случае бессильна... Оставьте, пожалуйста!.. Чем мы будем обороняться, — вилами-тройчатками? Этим же летом немцы займут всю южную и среднюю полосу России, японцы — Сибирь, мужепесов наших со знаменитыми тройчатками загонят в тундры к Полярному кругу, и начнется порядок, и культура, и уважительное отношение к личности... И будет у нас Русланд... чему я весьма доволен-с...

Дмитрий Степанович был старым либералом и теперь с горькой иронией издевался над прошлым «святым». Даже на всем доме его лежал отпечаток этого самооплевывания. Комнаты с пыльными окнами не прибирались, портрет Менделеева в кабинете густо затянуло паутиной, растения в кадках высохли, книги, ковры, картины так и лежали в ящиках под диванами с тех пор, как в последний раз, летом четырнадцатого года, здесь была Даша.

Когда в Самаре власть перешла к совдепу и большинство врачей отказалось работать с «собачьими и рачьими депутатами», — Дмитрию Степановичу предложили пост заведующего всеми городскими больницами. Так как по его расчетам выходило, что все равно к весне в Самаре будут немцы, он принял назначение. С медикаментами обстояло плохо, и Дмитрий Степанович пользовал одними клистирами. «Все дело в кишке, — говорил он ассистентам, глядя на них с ироническим превосходством через треснувшее пенсне. — За время войны население не чистило желудка. Покопайтесь в первопричинах нашей благословенной анархии — и упретесь в засоренный желудок. Так-то, господа... Безусловный и поголовный клистир...»

На Рощина разговоры за чайным столом производили тягостное впечатление. Он еще не оправился от контузии, полученной первого ноября в Москве в уличном бою. Тогда он командовал ротой юнкеров, защищая подступы к Никитским воротам. Со стороны Страстной площади наседал с большевиками Саблин. Рощин знал его по Москве еще гимназистиком, ангельски хорошеньким мальчиком с голубыми глазами и застенчивым румянцем. Было дико сопоставить юношу из интеллигентной старомосковской семьи и этого остервенелого большевика или левого эсера, — черт их там разберет, — в длинной шинели, с винтовкой, перебегающего за липами того самого, воспетого Пушкиным, Тверского бульвара, где совсем еще так недавно добропорядочный гимназистик прогуливался с грамматикой под мышкой. «Предать Россию, армию, открыть дорогу немцам, выпустить на волю дикого зверя, — вот, значит, за что вы деретесь, господин Саблин!.. Нижним чинам, этой сопатой сволочи, еще простить можно, но вам...» Рощин сам лег за пулеметом (в окопчике, на углу Малой Никитской, у молочной лавки Чичкина), и когда опять выскочила из-за дерева тонкая фигура в длинной шинели, полил ее свинцом. Саблин уронил винтовку и сел, схватившись за ляжку около паха. Почти в ту же минуту с Рощина сорвало осколком фуражку. Он выбыл из строя.

В седьмую ночь боя на Москву опустился густой желтый туман. Затихло бульканье выстрелов. Еще дрались кое-где отдельные несвязные кучки юнкеров, студентов, чиновников. Но Комитет общественной безопасности, во главе с земским доктором Рудневым, перестал существовать. Москва была занята войсками ревкома. На другой же день на улицах можно было видеть молодых людей в штатском, в руке — узелок, в глазах — недоброе. Они пробирались к вокзалам — Курскому и Брянскому... И хотя на ногах у них были военные обмотки или кавалерийские сапоги, — никто их не задерживал.

Если бы не контузия, ушел бы и Рощин. Но у него случился легкий паралич, затем слепота (временная), затем какая-то чертовщина с сердцем. Он все ждал — вот-вот подойдут войска из ставки и начнут бить шестидюймовыми с Воробьевых гор по Кремлю. Но революция только еще начинала углубляться в народные толщи. Катя уговорила мужа уехать, забыть на время о большевиках, о немцах. А там будет видно.

Вадим Петрович подчинился. Сидел в Самаре, не выходя из докторской квартиры. Ел, спал. Но — забыть! Разворачивая каждое утро «Вестник Самарского Совета», печатающийся на оберточной бумаге, стискивал челюсти. Каждая строчка полосовала, как хлыст.

«...Всероссийский съезд Советов крестьянских депутатов призывает крестьян, рабочих и солдат Германии и Австро-Венгрии дать беспощадный отпор империалистическим требованиям своих правительств... Призывает солдат, крестьян и рабочих Франции, Англии и Италии заставить свои кровавые правительства немедленно заключить честный демократический мир всех народов... Долой империалистическую войну! Да здравствует братство трудящихся всех стран!»

— Забыть! Катя, Катя! Тут нужно забыть себя. Забыть тысячелетнее прошлое. Былое величие... Еще века не прошло, когда Россия диктовала свою волю Европе... Что же, — и все это смиренно положить к ногам немцев? Диктатура пролетариата! Слова-то какие! Глупость! Ох, глупость российская... А мужичок? Ох, мужичок! Заплатит он горько за свои дела...

— Нет, Дмитрий Степанович, — отвечал Рощин на пространные рассуждения доктора за чайным столом, — в России еще найдутся силы... Мы еще не выдохлись... Мы не навоз для ваших немцев... Поборемся! Отстоим Россию! И накажем... Накажем жестоко... Дайте срок...

Катя, третья собеседница за самоваром, понимала из всех этих споров только одно, что любимый человек, Рощин, несчастен и страдает, как на медленной пытке. Коротко стриженная, круглая голова его подернулась серебром. Худое лицо с ввалившимися темными глазами было точно обугленное. Когда он говорил, сжимая тяжелые руки на рваной клеенке стола: «Мы отомстим! Мы накажем!» — Кате представлялось только, что вот он пришел домой, обиженный, обессиленный, замученный, и грозит кому-то: «Погоди ты там, ужо с тобой расправимся...» Кому, на самом деле, мог отомстить Рощин — нежный, деликатный, смертельно уставший? Не этим же оборванным русским солдатам, выпрашивающим на студеных улицах хлеба и папирос?.. Катя осторожно садилась рядом с мужем и гладила его руку. Ее заливала нежность и жалость к нему. Она не могла ощущать зла: ощутив его к кому-нибудь, она осудила бы прежде всего себя.

Она ничего не понимала в происходящем! Революция представлялась ей грозовой ночью, опустившейся на Россию. Она боялась некоторых слов: например, совдеп казался ей свирепым словом, ревком — страшным, как рев быка, просунувшего кудрявую морду сквозь плетень в сад, где стояла маленькая Катя (было такое происшествие в детстве). Когда она разворачивала коричневый газетный лист и читала: «Французский империализм с его мрачными захватными планами и хищническими союзами...» — ей представлялся тихий в голубоватой летней мгле Париж, запах ванили и грусти, журчащие ручейки вдоль тротуаров, вспоминала о незнакомом старом человеке, который ходил за Катей повсюду и за день до смерти заговорил с ней на скамейке в саду: «Вы не должны меня бояться, у меня грудная жаба, я старик. Со мной случилось большое несчастье, — я вас полюбил. О, какое милое, какое милое ваше лицо...» «Ну, какие же они империалисты», — думала Катя.

Зима кончалась. По городу ходили слухи один другого удивительнее. Говорили, что англичане и французы тайно мирятся с немцами, с тем чтобы общими силами двинуться на Россию. Рассказывали о легендарных победах генерала Корнилова, который с горсточкой офицеров разбивает многотысячные отряды Красной гвардии, берет станицы, отдает их за ненадобностью и к лету готовит генеральное наступление на Москву.

— Ах, Катя, — говорил Рощин, — ведь я сижу в тепле, а там дерутся... Нельзя, нельзя...

Четвертого февраля мимо окон докторской квартиры пошли толпы народа с флагами и лозунгами. Падал крупный снег, поднималась метель, медные трубы ревели «Интернационал». Шумно ввалился в столовую доктор в шапке и шубе, засыпанный снегом.

— Господа, мир с немцами!

Рощин молча взглянул на ерническое, широкое, мокрое, самодовольно ухмыляющееся лицо доктора и подошел к окошку. Там за сплошной пеленой бурана шли бесчисленные толпы — в обнимку, кучами, крича и смеясь: шинели, шинели, полушубки, бабы, мальчишки, — валила серая, коренная Русь. Откуда взялось их столько?

Серебряный затылок Рощина, напряженный и недоумевающий, ушел в плечи. Катя щекой коснулась его плеча. За высоким окном проходила непонятная ей жизнь.

— Смотри, Вадим, — сказала она, — какие радостные лица... Неужели это конец войне? Не верится, — какое счастье...

Рощин отстранился от нее, сжал за спиной руки, разрез рта его был жесток.

— Рано обрадовались...

В небольшой сводчатой комнате сидело за столом пять человек — в помятых пиджаках, в солдатских суконных рубахах. Их лица были темны от бессонницы. На прожженном сукне, покрывавшем стол, среди бумаг, окурков и кусков хлеба, стояли чайные стаканы и телефонные аппараты. Иногда дверь отворялась в длинный, гудящий народом коридор, входил широкоплечий, в ременном снаряжении, военный, приносил бумаги для подписи.

Председательствующий, пятый за столом, небольшого роста человек, в сером куцем пиджаке, сидел в кресле, слишком высоком по его росту, и, казалось, дремал. Левая рука его лежала на лбу, прикрывая глаза и нос; был виден только прямой рот с жесткими усиками и небритая щека с двигающимся мускулом. Только тот, кто близко знал его, мог заметить, что в щель между пальцами, устало прикрывшими лицо его, глядит острый, лукавый глаз на докладчика, отмечает игру лиц собеседников.

Почти непрерывно звонили телефоны. Тот же широкоплечий в ремнях снимал трубки, говорил вполголоса, отрывисто: «Совнарком. Совещание. Нельзя...» Время от времени кто-то наваливался на дверь из коридора, крутилась медная ручка. За окнами бушевал ветер со взморья, бил в стекла крупой и дождем.

Докладчик кончил. Сидящие — кто опустил голову, кто обхватил ее руками. Председательствующий передвинул ладонь выше на голый череп и написал записочку, подчеркнув одно слово три раза, так что перо вонзилось в бумагу. Перебросил записочку третьему слева, худощавому, с черными усами, со стоячими волосами.

Третий слева прочел, усмехнулся в усы, написал на той же записке ответ...

Председательствующий не спеша, глядя на окно, где бушевала метель, изорвал записочку в мелкие клочки.

— Армии нет, продовольствия нет, докладчик прав, мы мечемся в пустоте, — проговорил он глуховатым голосом. — Немцы наступают и будут наступать. Докладчик прав...

— Но это конец? Какой же выход? Капитулировать? Уходить в подполье? — перебили голоса.

— Какой выход? — Он сощурился. — Драться. Драться жестоко. Разбить немцев. А если сейчас не разобьем, — отступим в Москву. Немцы возьмут Москву, — отступим на Урал. Создадим Урало-Кузнецкую республику. Там — уголь, железо и боевой пролетариат. Эвакуируем туда питерских рабочих. Разлюбезное дело. А придет нужда — будем отступать хоть до Камчатки. Одно, одно надо помнить: сохранить цвет рабочего класса, не дать его вырезать. И мы снова займем Москву и Питер... На Западе еще двадцать раз переменится... Вешать носы, хвататься за голову — не большевистское это дело...

С неожиданной живостью он вскочил с высокого кресла, побежал, — руки в карманах, — к дубовым дверям, распахнул половинку. Из коридора, из густых испарений и тусклого света придвинулись к нему усатые, худые, морщинистые лица, горящие глаза питерских рабочих... Он поднял большую руку, запачканную чернилами:

— Товарищи, социалистическое отечество в опасности!..

2

В начале зимы на узловых станциях южнорусских дорог сталкивались два человеческих потока. С севера в донские, кубанские, терские, богатые хлебом места бежали от апокалипсического ужаса общественные деятели, переодетые военные, коммерсанты, полицейские, помещики из пылающих усадеб, аферисты, актеры, писатели, чиновники, подростки, почуявшие времена Фенимора Купера, словом — еще недавно шумное и пестрое население обеих столиц.

Навстречу с юга двигалась сплошной массой закавказская миллионная армия с оружием, пушками, снарядами, вагонами соли, сахара, мануфактуры. В скрещениях получалась теснота, где работали белогвардейские шпионы. Казаки-станичники выезжали к поездам скупать оружие, богатые мужики меняли хлеб и сало на мануфактуру. Шныряли бандиты и мелкое жулье. Пойманных пришибали тут же на путях.

Красногвардейские заслоны были мало действительны, их прорывали, как паутину. Здесь были степи, воля. Здесь еще в седую старину ходили, заломив шапки. Все было непрочно, текуче, неясно. Сегодня перекрикивали иногородние, малоземельные и выбирали совдеп, а назавтра станичные казаки разгоняли шашками коммунистов и слали гонца, — с грамотой в шапке, — в Новочеркасск к атаману Каледину. Чихали здесь на питерскую власть.

Но с конца ноября питерская власть начала уже разговаривать серьезно. Создавались первые революционные отряды, — это были передвигающиеся в растерзанных вагонах эшелоны матросов, рабочих, бездомных фронтовиков. Они плохо подчинялись командованию, бушевали, дрались свирепо, но при малейшей неудаче откатывались и на грандиозных митингах после боя грозились разорвать командиров.

По тогда уже задуманному плану Дон и Кубань окружались по трем основным направлениям: с северо-запада двигался Саблин, отрезая Дон от Украины, полукольцом к Ростову и Новочеркасску подходил Сиверс, из Новороссийска надавливали отряды черноморских матросов. Изнутри готовилось восстание в заводских и угольных районах.

В январе красные отряды приблизились к Таганрогу, Ростову и Новочеркасску. В донских станицах рознь между казаками и иногородними не достигла еще того напряжения, когда нужно браться за оружие. Дон еще лежал недвижим. Реденькие войска атамана Каледина под давлением красных без боя уходили с фронта.

Красные нависали смертельной угрозой. В Таганроге восстали рабочие и выбили из города добровольческий полк Кутепова. Красный отряд урядника Подтелкова разбил и уничтожил под Новочеркасском последний атаманский заслон.

Тогда атаман Каледин обратился к Дону с последним, безнадежным призывом — послать казаков-добровольцев в единственное стойкое военное образование — в Добровольческую армию, формируемую в Ростове генералами Корниловым, Алексеевым и Деникиным... Но на призыв атамана никто не отозвался.

Двадцать девятого января Каледин созвал в новочеркасском дворце атаманское правительство. В белом зале за полукруглым столом сели четырнадцать окружных старшин Войска Донского, знаменитые генералы и представители «московского центра по борьбе с анархией и большевизмом». Большого роста, хмурый, с висячими усами атаман сказал с мрачным спокойствием:

— Господа, должен заявить вам, что положение наше безнадежно. Силы большевиков с каждым днем увеличиваются. Корнилов отзывает все свои части с нашего фронта. Решение его непреклонно. На мой призыв о защите Донской области нашлось всего сто сорок семь штыков. Население Дона и Кубани не только не поддерживает нас — оно нам враждебно. Почему это? Как назвать этот позорный ужас? Шкурничество погубило нас. Нет больше чувства долга, нет чести. Предлагаю вам, господа, сложить с себя полномочия и передать власть в другие руки. — Он сел и затем прибавил, ни на кого не глядя: — Господа, говорите короче, время не ждет...

Помощник атамана, «донской соловей» Митрофан Богаевский, крикнул ему злобно:

— Иными словами — вы предлагаете передать власть большевикам?..

На это атаман ответил, что пусть войсковое правительство поступает так, как ему заблагорассудится, и тотчас покинул заседание, — ушел, тяжело ступая, в боковую дверь, к себе. Он взглянул в окно на мотающиеся голые деревья парка, на безнадежные снежные тучи, позвал жену; она не ответила. Тогда он пошел дальше, в спальню, где пылал камин. Он снял тужурку и шейный крест, в последний раз, словно не вполне еще уверенный, близко взглянул на военную карту, висевшую над постелью. Красные флажки густо обступили Дон и кубанские степи. Игла с трехцветным флажком была воткнута в черной точке Ростова. И только. Атаман вытянул из заднего кармана синих с лампасами штанов плоский теплый «браунинг » и выстрелил себе в сердце.

Девятого февраля генерал Корнилов вывел свою маленькую Добровольческую армию, — состоящую сплошь из офицеров, юнкеров и кадет, — обозы генералов и особо важных беженцев из Ростова за Дон, в степи.

Маленький, с калмыцким лицом, сердитый генерал шел в авангарде войск, пешком, с солдатским мешком за плечами. В одной из телег, в обозе, ехал, прикрытый тигровым одеялом, несчастный, больной бронхитом генерал Деникин.

За вагоном плыли бурые степи, оголенные от снега. В разбитое окно дул свежий ветер, пахнущий талой землей. Катя глядела в окно. Ее голову и грудь покрывал оренбургский платок, завязанный на спине узлом. Рощин, в солдатской шинели и рваном картузе, протянув ноги, дремал. Поезд шел медленно. Вот потянулись голые, с прижатыми ветвями, высокие деревья, густо обсаженные гнездами. Тучи грачей кружились над ними, раскачивались на сучьях. Катя придвинулась ближе к окну. Грачи кричали тревожно, дико — по-весеннему, так же как кричали в далеком детстве, — о вешних водах, о туманах, о первых грозах.

Катя и Рощин ехали на юг, — куда? В Ростов, в Новочеркасск, в донецкие станицы? Туда, где запутывался узел гражданской войны. Рощин спал, уронив голову, небритое лицо было обтянуто, жесткие морщины выступали у рта, сложенного брезгливо. И вдруг Кате стало страшно: это было не его лицо, — чужое, остроносое... В окно ветер нес крики грачей. Потряхиваясь на стрелках, медленно шел вагон. По грязному шляху, наискосок уходящему в степь, тянулись воза, — лохматые лошаденки, телеги, залепленные грязью, бородатые, чужие, страшные люди. Рощин затянул во сне не то храп, не то стон, хриповатый, мучительный. Тогда Катя дрожащими руками коснулась его лица:

— Вадим, Вадим...

Он резко оборвал страшную ноту. Разлепил бессмысленные глаза.

— Фу, черт, снится мерзость...

Вагон остановился. Теперь слышались, кроме грачиных, человеческие голоса. Пробежали в мужичьих сапогах бабы с мешками, толкаясь, показывая белые ляжки, полезли в товарный вагон. В окно купе, прямо на Катю, просунулась в засаленном картузе косматая голова, от самых медвежьих глаз заросшая бородой, свалянной в косицы.

— Случаем, пулеметика не продадите?

На верхней полке крякнули, кто-то сильно повернулся, веселым голосом ответил:

— Пушечки имеются, а пулеметики все продали.

— Пушки нам ни к чему, — сказал мужик, раздвигая большой рот, так что борода пошла в стороны веником. Он влез с локтями в окошко, хитро оглядывая внутренность купе, — нельзя ли к чему прицениться? С верхней койки соскочил рослый солдат, — широкое лицо, голубые детские глаза, ладный бритый череп. Затянул сильным движением ремень на шинели.

— Тебе, отец, не воевать, на печку пора, шептунов пускать.

— Это верно, — сказал мужик, — что на печку. Нет, солдат, нынче на печи не поспишь. Спать не дадут. Ино кормиться надо.

— Разбоем?

— Ну, ты скажешь...

— А зачем тебе пулемет?

— Как тебе сказать? — Мужик закрутил нос, корявой рукой разворочал шерсть на лице, и все это затем, чтобы скрыть блеск глаз, — так они у него лукаво засмеялись. — Сынишка у меня с войны вернулся. Съезди да съезди, говорит, на станцию, прицениcь к пулеметику. Пуда за четыре пшенички я бы взял. А?

— Кулачье, — сказал солдат и засмеялся, — черти гладкие! А сколько у тебя лошадей, папаша?

— Восемь бог дал. А из вещей каких или оружия ничего для продажи нет? — Он еще раз оглянул сидящих в купе и — вдруг и улыбка пропала, и глаза погасли — отвернулся, будто это не люди были в купе, а дерьмо, и пошел по грязи, по перрону, помахивая кнутиком.

— Видели его? — сказал солдат, ясно взглянув на Катю. — Восемь лошадей! А сыновей у него душ двенадцать. Посадит их на коней, и пошли гулять по степи, — добытчики. А сам — на печку, задницей в зерно, добычу копить.

Солдат перевел глаза на Рощина, и вдруг брови его поднялись, лицо просияло.

— Вадим Петрович, вы?

Рощин быстро оглянулся на Катю, но, — делать нечего, — «Здравствуй», — протянул руку; солдат крепко пожал ее, сел рядом. Катя видела, что Рощину не по себе.

— Вот встретились, — сказал он кисло. — Рад видеть тебя в добром здравии, Алексей Иванович... А я, как видишь, — маскарад...

Тогда Катя поняла, что этот солдат был Алексей Красильников, бывший вестовой Рощина. О нем Вадим Петрович не раз рассказывал, считал его великолепным типом умного, даровитого русского мужика. Было странно, что сейчас Рощин так холодно с ним обошелся. Но, видимо, Красильников понял почему. Улыбаясь, закурил. Спросил вполголоса, деловито:

— Супруга ваша?

— Да, женился. Будьте знакомы. Катя, это тот самый мой ангел-хранитель, помнишь — я рассказывал... Повоевали, Алексей Иванович... Ну, что же, поздравляем с похабным миром... Русские орлы, хе-хе... Вот теперь пробираюсь с женой на юг... Поближе к солнышку... (Это «солнышко» прозвучало плохо, Рощин резко поморщился, Красильников и бровью не повел.) Ничего другого не остается... Благодарное отечество наградило нас — штыком в брюхо... (Он дернулся, точно по всему телу его обожгла вошь.) Вне закона — враги народа... Так-то...

— Положение ваше затруднительное! — Красильников качнул головой, прищурясь на окошко. Там за сломанным забором в железнодорожном палисаднике сбивалась толпа. — Положение — как в чужой стране! Я вас понимаю, Вадим Петрович, а другие не поймут. Вы народу нашего не знаете.

— То есть как не знаю?

— А так... И никогда не знали. И вас сроду обманывали.

— Кто обманывал?

— Обманывали мы — солдаты, мужики... Отвернетесь, а мы смеемся. Эх, Вадим Петрович! Беззаветную отвагу, любовь к царю, отечеству — это господа выдумали, а мы долбили по солдатской словесности... Я — мужик. Сейчас за братишком моим еду в Ростов, — он там раненый лежит, офицерской пулей пробита грудь, — возьму его и — назад, в деревню... Может, крестьянствовать будем, может, воевать... Там увидим... А будем воевать по своей охоте, — без барабанного боя, жестоко... Нет, не ездите на юг, Вадим Петрович. Добра там не найдете...

Рощин, глядя на него блестящими глазами, облизнул сухие губы. Красильников все внимательнее всматривался в то, что происходило в палисаднике. А там нарастал злой гул голосов. Несколько человек полезло на деревья — смотреть.

— Я говорю — с народом все равно не справитесь. Вы все равно как иностранцы, буржуи. Это слово сейчас опасное, все равно сказать — конокрады. На что генерал Корнилов вояка, — лично мне Георгиевский крест приколол. А что же, — думал поднять станицы за Учредительное собрание, и получился — пшик: слова не те, а уж он народ знает как будто... И слух такой, что мечется сейчас в кубанских степях, как собака в волчьей стае... А мужики говорят: «Буржуи бесятся, что им воли в Москве не дано...» И уж винтовочки, будьте надежны, на всякий случай вычистили и смазали. Нет, Вадим Петрович, вернитесь с супругой в столицу... Там вам безопаснее будет, чем с мужичьем... Смотрите, что делают... (Он внезапно возвысил голос, нахмурился.) Убьют сейчас его...

В палисаднике, видимо, дело подходило к концу. Двое коренастых солдат крепко, со зверскими лицами, держали хилого человека в разодранной на груди куртке из байкового одеяла. Небритое лицо его с припухшим носом было смертно бледное, струйка крови текла с края дрожащих губ. Блестящими, побелевшими глазами он следил за молодой разъяренной бабой. Она то рвала с головы своей теплый платок, то приседала, тормоша юбки, то кидалась к бледному человеку, схватывала его за взъерошенные дыбом волосы, кричала с каким-то даже упоением:

— Украл, вытащил из-под подола, охальник! Отдай деньги! — Она схватила его за щеки, замерла.

Бледный человек неожиданно вывернулся из ее пальцев, но коренастые насели на него. Баба взвизгнула. Тогда, расталкивая народ, на месте происшествия появился давешний мужик с медвежьей головой, плечом отстранил бабу и коротко, хозяйственно ударил бледного человека в зубы: «И-эх!» Тот сразу осел. На ближайшем дереве, перегнувшись, закричал кто-то с длинными рукавами: «Бьют!» Толпа сейчас же сдвинулась. Над телом нагибались и разгибались, взмахивая кулаками.

Окно вагона поплыло мимо толпы. Наконец-то! У Кати в горле стоял клубочек задавленного крика. Рощин брезгливо морщился. Красильников покачивал головой:

— Ай, ай, ай, и ведь, наверно, убили зря. Бабы эти кого хочешь растравят. Не так мужик лют, как они. Что с ними сделалось за четыре эти года — не поверите! Вернулись мы с войны, смотрим — другие бабы стали. Теперь ее не погладишь вожжами, — сам сторожись, гляди веселей. Ах, до чего бойки стали бабы...

На первый взгляд кажется непонятным, почему «организаторы спасения России» — главнокомандующие Алексеев и Лавр Корнилов — повели горсть офицеров и юнкеров — пять тысяч человек, — с жалкой артиллерией, почти без снарядов и патронов, на юг к Екатеринодару, в самую гущу большевизма, охватившего полукольцом столицу кубанских казаков.

Строго стратегического плана здесь усмотреть нельзя. Добровольческая армия была выпихнута из Ростова, который защищать не могла. В кубанские степи ее гнала буря революции. Но был план политический, оправдавшийся двумя месяцами позднее. Богатое казачество неминуемо должно было подняться против иногородних — то есть всего пришлого населения, живущего арендой казачьих земель и не владеющего никакими правами и привилегиями. На Кубани на один миллион четыреста тысяч казачества приходилось иногородних миллион шестьсот тысяч.

Иногородние неминуемо должны были стремиться к захвату земли и власти. Казачество неминуемо — с оружием восстать за охрану своих привилегий. Иногородними руководили большевики. Казачество вначале не хотело над собой никакой руки: чего было лучше — сидеть помещиками по станицам! Но, когда в феврале авантюрист, родом казак, Голубов с двадцатью семью казаками ворвался в Новочеркасске на заседание походного штаба атамана Назарова и, потрясая наганом, под щелканье винтовочных замков, закричал: «Встать, мерзавцы, советский атаман Голубов пришел принять власть!» — и на самом деле на следующий день в роще за городом расстрелял атамана Назарова вместе со штабом (с тем, чтобы самому взять атаманскую булаву), расстрелял еще около двух тысяч казачьих офицеров, кинулся в степи, схватил там Митрофана Богаевского, стал возить его по митингам, агитируя за вольный Дон и за свое атаманство, и, наконец, сам был убит на митинге в станице Заплавской, — словом, в феврале казачество осталось без головы. А тут еще с севера наседала нетерпеливая, голодная, взъерошенная Великороссия.

Стать головой казачества, сев в Екатеринодаре, мобилизовать регулярное казачье войско, отрезать от большевистской России Кавказ, грозненскую и бакинскую нефть, подтвердить свою верность союзникам, — вот каков был на первое время план командования Добровольческой армии, отправлявшейся в так названный впоследствии «ледяной поход».

Матрос Семен Красильников (брат Алексея) лег вместе с другими на пашню, на гребне оврага, невдалеке от железнодорожной насыпи. Рядом с ним торопливо, как крот, ковырял лопаткой армеец. Закопавшись, высунул вперед себя винтовку и обернулся к Семену:

— Плотней в землю уходи, братишка.

Семен с трудом выгребал из-под себя липкие комья. Пели пули над головой. Лопата зазвенела о кирпич. Он выругался, поднялся на коленях, и сейчас же горячим толчком ударило его в грудь. Захлебнулся и упал лицом в вырытую ямку.

Это был один из многочисленных коротких боев, преграждавших путь Добровольческой армии. Как всегда почти, силы красных были значительнее. Но они могли драться, могли и отступить без большой беды: в бою, в этот первый период войны, победа для них не была обязательна. Позиция ли неудачна, или слишком огрызались «кадеты», — ладно, наложим в другой раз, и пропускали Корнилова.

Для Добровольческой армии каждый бой был ставкой на смерть или жизнь. Армия должна была победить и продвинуться вместе с обозами и ранеными еще на дневной переход. Отступать было некуда. Поэтому в каждый бой корниловцы вкладывали всю силу отчаяния — и побеждали. Так было и в этот раз.

В полуверсте от залегших под пулеметным огнем цепей, на стогу прошлогоднего сена, стоял, расставив ноги, Корнилов. Подняв локти, глядел в бинокль. За спиной у него вздрагивал холщовый мешок. Черный с серой опушкой нагольный полушубок расстегнут. Ему было жарко. Из-под бинокля упрямо торчал подбородок, покрытый седой щетиной.

Внизу, прижавшись к стогу, стоял поручик Долинский, адъютант командующего, — большеглазый, темнобровый юноша, в офицерской шинели, в лихо смятой фуражке. Глотая волнение, катающееся по горлу, он глядел снизу вверх на седой подбородок командующего, точно в этой щетине — страшно человечной, близкой — было сейчас все спасение.

— Ваше превосходительство, сойдите, умоляю вас, подстрелят, — повторял Долинский. Он видел, как разлепились у Корнилова лиловые губы, судорогой оскалился рот. Значит, дело плохо. Долинский не глядел уже туда, где черными крошечными фигурками поднимались над буро-зеленой степью, перебегали густые цепи большевиков. Туда, — сссссык, сссссык, — уходили шрапнели. Но он же знал, — снарядов мало, черт, мало... Бумммм, — серьезно ухала за взорванным мостом красная шестидюймовка... Торопливо стучал пулемет. И пчелками пели пули близко где-то над головой командующего. — Ваше превосходительство, подстрелят...

Корнилов опустил бинокль. Коричневое калмыцкое лицо его, с черными, как у жаворонка, глазами, собралось в морщины. Топчась по сену, он обернулся назад, нагнулся к стоявшим за стогом спешенным текинцам — его личному конвою. Это были худые, кривоногие люди, в огромных, круглых бараньих шапках и в полосатых, цвета семги, черкесках. Не шевелясь, картинно, они держали под уздцы худых лошадей.

Резким, лающим голосом Корнилов отдал приказание, показав рукой в сторону оврага. Текинцы, как кошки, вскочили на коней, — один крикнул гортанно по-своему, — выхватили кривые сабли и на рысях, затем галопом пошли в степь, в сторону оврага, где чернела пашня и за ней виднелась полоска железнодорожной насыпи.

Семен Красильников теперь лежал на боку, — так было легче. Еще час тому назад сильный и злой, сейчас он слабо, часто стонал, с трудом сплевывая кровью. Справа и слева от него беспорядочно стреляли товарищи. Они глядели туда же, куда и он, — на бурый, покатый бугор по ту сторону оврага. По нему вниз мчались верхоконные, человек пятьдесят, лавой. Это была атака конного резерва.

Сзади подбежал кто-то, упал на колени рядом с Красильниковым и кричал, кричал, надсаживаясь, размахивал маузером. Он был в черной кожаной куртке. Верхоконные ссыпались в овраг. Человек в куртке кричал не по-военному, но ужасно напористо:

— Не сметь отступать, не сметь отступать!

И вот над этим краем оврага поднялись огромные шапки, — раздался протяжный вой, как ветер. Выскочили текинцы. Лежа в полосатых бешметах над гривами лошадей, они скакали по вязкой пашне, где по бороздам еще лежал грязный снег. Летели в воздух комья грязи с копыт. «И-аааа-и-аааа», — визжали оскаленные смуглые личики с усами из-под папах. Вот уже виден водяной блеск кривых сабель. Ох, не выдержат наши конной атаки! Серые шинели поднимаются с пашни. Стреляют, пятятся. Комиссар в кожаной куртке заметался — наскочил, ударил одного в спину:

— Вперед, в штыки!

Красильников видит, — один полосатый бешмет будто по-нарочному покатился с коня, и добрый конь, озираясь испуганно, поскакал в сторону. Рванул по цепи железный лязг, дымными шарами, желтым огнем разорвалась очередь шрапнели. И армеец Васька, балагур, в шинели не по росту, — сплоховал. Бросил винтовку. Весь — белый, и рот разинул, глядит на подлетающую смерть. Они все ближе, вырастают вместе с конями. Один — впереди — конь стелется, как собака, опустив морду. Текинец разогнулся, стоит в стременах, разлетаются полы халата.

— Сволочь! — Красильников тянется за винтовкой. — Эх, пропал комиссар! — Текинец рванул коня на кожаную куртку. — Стреляй же, черт!

Красильников видел только, как полоснула кривая сабля по кожаной куртке... И сейчас же вся конная лава обрушилась на цепь. Дунуло горячим лошадиным потом.

Текинцы проскочили, повернули во фланг. А на пашню из оврага уже выбегали, спотыкаясь, светло-серые и черные шинели, барски блестя погонами.

— Уррррра!

Бой отодвинулся к полотну. Красильников долгое время слышал только, как стонал комиссар, порубленный саблей. Все реже раздавались выстрелы. Замолчали пушки. Красильников закрыл глаза, — гудело в голове, ломило грудь. Ему жалко было себя, не хотелось умирать. Отяжелевшее тело тянуло к земле. С жалостью вспомнил жену Матрену. Пропадет одна. А ведь как ждала его, писала в Таганрог — приезжай. Увидала бы сейчас его Матрена, перевязала бы рану, принесла бы пить. Хорошо бы воды с простоквашей...

Когда Красильников услыхал матерную ругань и голоса, не свои — барские, он приоткрыл глаз. Шли четверо: один в серой черкеске, двое в офицерских пальто, четвертый в студенческой шинели с унтер-офицерскими погонами. Винтовки — по-охотничьи — под мышкой.

— Гляди — матрос, сволочь, пырни его, — сказал один.

— Чего там — сдох... А этот — живой.

Они остановились, глядя на лежавшего Ваську-балагура. Тот, кто был в черкеске, вдруг гаркнул бешено:

— Встань! — ударил его ногой.

Красильников видел, как поднялся Васька, половина лица залита кровью.

— Стать — руки по швам! — крикнул в черкеске, коротко ударил его в зубы. И сейчас же все четверо взяли винтовки наперевес. Плачущим голосом Васька закричал:

— Пожалейте, дяденька.

Тот, кто был в черкеске, отскочил от него и, резко выдыхая воздух, ударил его штыком в живот. Повернулся и пошел. Остальные нагнулись над Васькой, стаскивая сапоги.

Когда добровольцы, пристрелив пленных и запалив, — чтобы вперед помнили, — станичное управление, ушли дальше к югу, Семена Красильникова подобрали на пашне казаки. Они вернулись с женами, детьми и скотом в станицу, едва только обозы «кадетов» утонули за плоским горизонтом едва начинающей зеленеть степи.

Семен боялся умереть среди чужих людей. Деньги у него были с собой, и он упросил одного человека отвезти его на телеге в Ростов. Оттуда написал брату, что тяжело ранен в грудь и боится умереть среди чужих, и еще написал, что хотел бы повидать Матрену. Письмо послал с земляком.

До восемнадцатого года Семен служил в Черноморском флоте матросом на эскадренном миноносце «Керчь».

Флотом командовал адмирал Колчак. Несмотря на ум, образованность и, как ему казалось, бескорыстную любовь к России, — Колчак ничего не понимал ни в том, что происходило, ни в том, что неизбежно должно было случиться. Он знал составы и вооружения всех флотов мира, мог безошибочно угадать в морском тумане профиль любого военного судна, был лучшим знатоком минного дела и одним из инициаторов поднятия боеспособности русского флота после Цусимы, но, если бы кто-нибудь (до семнадцатого года) заговорил с ним о политике, он ответил бы, что политикой не интересуется, ничего в ней не понимает и полагает, что политикой занимаются студенты, неопрятные курсистки и евреи.

Россия представлялась ему дымящими в кильватерной колонне дредноутами (существующими и предполагаемыми) и андреевским флагом, гордо, — на страх Германии, — веющим на флагмане. Он любил строгий и чинный (в стиле великой империи) подъезд военного министерства со знакомым швейцаром (отечески каждый раз, — снимая пальто: «Плохая погода-с изволит быть, Александр Васильевич»), воспитанных, изящных товарищей по службе и замкнутый, дружный дух офицерского собрания. Император был возглавлением этой системы, этих традиций.

Колчак, несомненно, любил и другую Россию, ту, которая выстраивалась на шканцах корабля, — в бескозырках с ленточками, широколицая, загорелая, мускулистая. Она прекрасными голосами пела вечернюю молитву, когда на закате спускался флаг. Она «беззаветно» умирала, когда ей приказывали умереть. Ею можно было гордиться.

В семнадцатом году Колчак не колеблясь присягнул на верность Временному правительству и остался командовать Черноморским флотом. С едкой горечью, как неизбежное, он перенес падение главы империи, стиснув зубы, принял к сведению матросские комитеты и революционный порядок, все только для того, чтобы флот и Россия находились в состоянии войны с немцами. Если бы у него оставалась одна минная лодка, кажется — и тогда он продолжал бы воевать. Он ходил в Севастополе на матросские митинги и, отвечая на задирающие речи ораторов, приезжих и местных — из рабочих, говорил, что лично ему не нужны проливы — Дарданеллы и Босфор, — так как у него нет ни земли, ни фабрик и вывозить ему из России нечего, но он требует войны, войны, войны не как наемник буржуазии (гадливая гримаса искажала его бритое лицо с сильным подбородком, слабым ртом и глубоко запавшими глазами), — «но говорю это как русский патриот».

Матросы смеялись. Ужасно! Верные, готовые еще вчера в огонь и воду за отечество и андреевский флаг, они кричали своему адмиралу: «Долой наемников империялизма!» Он произносил эти слова, «русский патриот», с силой, с открытым жестом, сам в эту минуту готовый беззаветно умереть, а матросы, — черт их попутал, — слушали адмирала как врага, пытающегося их коварно обмануть.

На митингах Семен Красильников слышал, что войну хотят продолжать не «патриоты», а заводчики и крупные помещики, загребающие на ней большие капиталы, а народу эта война не нужна. Говорили, что немцы такие же мужики и рабочие, как и наши, и воюют по причине того, что обмануты своей кровавой буржуазией и меньшевиками. «Братва» на митингах лютела от ненависти... «Тысячу лет обманывали русский народ! Тысячу лет кровь из нас пили! Помещики, буржуи, — ах гады!» Глаза открылись: вот отчего жили хуже скотов... Вот где враг!.. И Семен, хотя и сильно тосковал по брошенному хозяйству и по молодой жене Матрене, — стискивал кулаки, слушая ораторов, пьянел, как и все, вином революции, и забывалась в этом хмеле тоска по дому, по жене, красивой Матрене...

Однажды из Питера приехал видный агитатор, Василий Рублев. Поставил вопрос: «Долго ли вам, братишки, ходить дураками, зубами ляскать на митингах? Керенский вас давно уже капиталистам продал.

Дадут вам еще небольшое время погавкать, потом контрреволюционеры всем головы поотторвут. Покуда не опоздали, скидывайте Колчака, берите флот в свои рабоче-крестьянские руки...»

На другой день с линейного корабля дано было радио: разоружить весь командный состав. Несколько офицеров застрелилось, другие отдали оружие. Колчак на флагмане «Георгий Победоносец» велел свистать наверх всю команду. Матросы, посмеиваясь, вышли на шканцы. Адмирал Колчак стоял на мостике в полной парадной форме.

— Матросы, — закричал он треснутым, высоким голосом, — случилась непоправимая беда: враги народа, тайные агенты немцев, разоружили офицеров. Да какой же последний дурак может серьезно говорить об офицерском контрреволюционном заговоре! Да и вообще, должен сказать, — никакой контрреволюции нет и в природе не существует.

Тут адмирал забегал по мостику, гремя саблей, и стал отводить душу.

— Все, что произошло, я рассматриваю прежде всего как личное оскорбление мне, старшему из офицеров, и, конечно, командовать больше флотом не могу и не желаю и сейчас же телеграфирую правительству — бросаю флот, ухожу. Довольно!..

Семен видел, как адмирал схватился за золотую саблю, сжал ее обеими руками, стал отстегивать, запутался, рванул, — даже губы у него посинели.

— Каждый честный офицер должен поступить на моем месте так!..

Он поднял саблю и бросил ее в море. Но и этот исторический жест не произвел никакого впечатления на матросов.

С того времени пошли крутые события во флоте, — барометр упал на бурю. Матросы, связанные тесною жизнью на море, здоровые, смелые и ловкие, видавшие океаны и чужие земли, более развитые, чем простые солдаты, и более чувствующие непроходимую черту между офицерской кают-компанией и матросским кубриком, — были легковоспламеняемой силой. Ею в первую голову воспользовалась революция. «Братва» со всей неизжитой страстью пошла в самое пекло борьбы и сама разжигала силы противника, который, еще колеблясь, еще не решаясь, выжидал, подтягивался, накоплялся.

Семену некогда было теперь и думать о доме, о жене. В октябре кончились прекрасные слова, заговорила винтовка. Враг был на каждом шагу. В каждом взгляде, испуганном, ненавидящем, скрытном, таилась смерть. Россия от Балтийского моря до Тихого океана, от Белого до Черного моря волновалась мутно и зловеще. Семен перекинул через плечо винтовку и пошел биться с «гидрой контрреволюции».

Рощин и Катя, с узелком и чайником, протискались через толпу на вокзале, вместе с человеческим потоком прошли через грозящую штыками заставу и побрели вверх по главной улице Ростова.

Еще полтора месяца тому назад здесь гулял, от магазина к магазину, цвет петербургского общества. Тротуары пестрели от гвардейских фуражек, щелкали шпоры, слышалась французская речь, изящные дамы прятали носики от сырой стужи в драгоценные меха. С непостижимым легкомыслием здесь собирались только перезимовать, чтобы к белым ночам вернуться в Петербург в свои квартиры и особняки с почтенными швейцарами, колонными залами, коврами, пылающими каминами. Ах, Петербург! В конце концов, должно же все обойтись. Изящные дамы решительно ни в чем не были виноваты.

И вот великий режиссер хлопнул в ладоши: все исчезло, как на вертящейся сцене. Декорация переменилась. Улицы Ростова пустынны. Магазины заколочены, зеркальные стекла пробиты пулями. Дамы припрятали меха, повязались платочками. Меньшая часть офицерства бежала с Корниловым, остальные с театральной быстротой превратились в безобидных мещан, в актеров, куплетистов, учителей танцев и прочее. И февральский ветер понес вороха мусора по тротуарам...

— Да, опоздали, — сказал Рощин. Он шел, опустив голову. Ему казалось — тело России разламывается на тысячи кусков. Единый свод, прикрывавший империю, разбит вдребезги. Народ становится стадом. История, великое прошлое, исчезает, как туманные завесы декорации. Обнажается голая, выжженная пустыня — могилы, могилы... Конец России. Он чувствовал, — внутри его дробится и мучит колючими осколками что-то, что он сознавал в себе незыблемым, — стержень его жизни... Спотыкаясь, он шел на шаг позади Кати. «Ростов пал, армия Корнилова, последний бродячий клочок России, не сегодня завтра будет уничтожена, и тогда — пулю в висок».

Они шли наугад. Рощин помнил адреса кое-кого из товарищей по дивизии. Но, быть может, они убежали или расстреляны? Тогда — смерть на мостовой. Он поглядел на Катю. Она шла спокойно и скромно в коротенькой драповой кофточке, в оренбургском платке. Ее милое лицо, с большими серыми глазами, простодушно оборачивалось на содранные вывески, на выбитые витрины. Уголки ее губ чуть ли не улыбались. «Что она, — не понимает всего этого ужаса? Что это за всепрощение какое-то?»

На углу стояла кучка безоружных солдат. Один, рябой, с заплывшим от кровоподтека глазом, держа серый хлеб под мышкой, не спеша отрывал кусок за куском, медленно жевал.

— Тут не разберешь — какая власть, чи советская, чи еще какая, — сказал ему другой, с деревянным сундучком, к которому были привязаны поношенные валенки. Тот, кто ел, ответил:

— Власть — товарищ Бройницкий. Добейся до него, даст эшелон, уедем. А то век будем гнить в Ростове.

— Кто он такой? Какой чин?

— Военный комиссар, что ли...

Подойдя к солдатам, Рощин спросил, как пройти по такому-то адресу. Один недоброжелательно ответил:

— Мы не здешние.

Другой сказал:

— Не вовремя, офицер, заехал на Дон.

Катя сейчас же дернула мужа за рукав, и они перешли на противоположный тротуар. Там, на сломанной скамейке под голым деревом, сидел старик в потертой шубе и соломенной шляпе. Положив щетинистый подбородок на крючок трости, он вздрагивал. Из закрытых глаз его текли слезы по впалым щекам.

У Кати затряслось лицо. Тогда Рощин дернул ее за рукав:

— Идем, идем, всех не пережалеешь...

Они долго еще бродили по грязному и ободранному городу, покуда не нашли нужный им номер дома. Войдя в ворота, увидели короткого, толстоногого человека с голым, как яйцо, черепом. На нем была ватная солдатская безрукавка, до последней степени замазанная. Он нес котел, отворачивая лицо от вони.

Это был однополчанин Рощина, армейский подполковник Теть-кин. Он поставил котел на землю и поцеловался с Вадимом Петровичем, стукнул каблуками, пожал Кате руку.

— Вижу, вижу, и слов не говорите, устрою. Придется только в одной комнатке. Зато — зеркало-трюмо и фикус. Жена моя, изволите видеть, здешняя... Сначала-то мы тут жили (он показал на кирпичный двухэтажный дом), а нынче, по-пролетарски, сюда перебрались (он показал на деревянный покосившийся флигелишко). И я гуталин, как видите, варю. На бирже труда записался — безработным... Если соседки не донесут, как-нибудь перетерпим. Люди мы русские, не привыкать стать.

Открыв большой рот с превосходными зубами, он засмеялся, потом проговорил задумчиво: «Да, вот какие дела творятся», — и ладонью потер череп, вымазал его гуталином.

Супруга его, такая же низенькая и коренастая, певучим голосом приветствовала гостей, но по карим глазам было заметно, что она не совсем довольна. Катю и Рощина устроили в низенькой комнатке с ободранными обоями. Здесь действительно стояло в углу, зеркалом к стене, плохонькое трюмо, фикус и железная кровать.

— Зеркальце мы для безопасности к стене лицом повернули, знаете — ценная вещь, — говорил Тетькин. — Ну, придут с обыском и сейчас же — стекло вдребезги. Лика своего не переносят. — Он опять засмеялся, потер череп. — А впрочем, я отчасти понимаю: такая, знаете, идет ломка, а тут — зеркало, — конечно, разобьешь...

Супруга его чистенько накрыла на стол, но вилки были ржавые, тарелки побитые, видимо — добро припрятали. Рощин и Катя с едким наслаждением ели вяленый рыбец, белый хлеб, яичницу с салом. Тетькин суетился, все подкладывал. Супруга его, сложив полные руки под грудью, жаловалась на жизнь:

— Такое кругом безобразие, притеснение, — прямо — египетские казни. Я, знаете, второй месяц не выхожу со двора... Хоть бы уж поскорее этих большевиков прогнали... В столице насчет этого как у вас говорят? Скоро их уничтожат?..

— Ну, уж ты выпалишь, — смущенно сказал Тетькин. — За такие слова тебя, знаешь, нынче не пожалеют, Софья Ивановна.

— И не буду молчать, расстреливайте! — У Софьи Ивановны глаза стали круглыми, крепко подхватила руки под грудью. — Будет у нас царь, будет... (Мужу, — колыхнув грудью.) Один ты ничего не видишь...

Тетькин виновато сморщился. Когда супруга с досадой вышла, он заговорил шепотом:

— Не обращайте внимания, она душевный человек, превосходнейшая хозяйка, знаете, но от событий стала как бы ненормальная... (Он поглядел на Катино раскрасневшееся от чая лицо, на Рощина, свертывающего папиросу.) Ах, Вадим Петрович, не просто это все... Нельзя — огулом — тяп да ляп... Приходится мне соприкасаться с людьми, много вижу... Бываю в Батайске, — на той стороне Дона, — там преимущественно беднота, рабочие... Какие же они разбойники, Вадим Петрович? Нет, — униженное, оскорбленное человечество... Как они ждали советскую власть!.. Вы только, ради бога, не подумайте, что я большевик какой-нибудь... (Он умоляюще приложил к груди коротенькие волосатые руки, будто ужасно извиняясь.) Высокомерные и неумные правители отдали Ростов советской власти... Посмотрели бы вы, что у нас делалось при атамане Каледине... По Садовой, знаете ли, блестящими вереницами разгуливали гвардейцы, распущенные и самоуверенные: «Мы эту сволочь загоним обратно в подвалы...» Вот что они говорили. А эта сволочь весь русский народ-с... Он сопротивляется, в подвал идти не хочет. В декабре я был в Новочеркасске. Помните — там на главном проспекте стоит гауптвахта, — чуть ли еще не атаман Платов соорудил ее при Александре Благословенном, — небольшая построечка во вкусе ампир. Закрываю глаза, Вадим Петрович, и как сейчас вижу ступени этого портика, залитые кровью... Проходил я тогда мимо — слышу страшный крик, такой, знаете, бывает крик, когда мучат человека... Среди белого дня, в центре столицы Дона... Подхожу. Около гауптвахты — толпа, спешенные казаки. Молчат, глядят, — у колонн происходит экзекуция, на страх населению. Из караулки выводят, по двое, рабочих, арестованных за сочувствие большевизму. Вы понимаете, — за сочувствие. Сейчас же руки им прикручивают к колоннам, и четверо крепеньких казачков бьют их нагайками по спине и по заду-с. Только — свист, рубахи, штаны летят клочками, мясо — в клочьях, и кровь, как из животных, льет на ступени... Трудно меня удивить, а тогда удивился, — кричали очень страшно... От одной физической боли так не кричат...

Рощин слушал, опустив глаза. Пальцы его, державшие папироску, дрожали. Теткин ковырял горчичное пятно на скатерти.

— Так вот, — уж атамана нет в живых, цвет казачьей знати закопан в овраге за городом, — кровь на ступенях возопила об отмщении. Власть бедноты... Персонально мне безразлично — гуталин ли варить или еще что другое... Вышел живым из мировой войны и ценю одно — дыхание жизни, извините за сравнение: в окопах много книг прочел, и сравнения у меня литературные... Так вот... (Он оглянулся на дверь и понизил голос.) Примирюсь со всяким строем жизни, если увижу людей счастливыми... Не большевик, поймите, Вадим Петрович... (Опять руки — к груди.) Мне самому много не нужно: кусок хлеба, щепоть табаку да истинно душевное общение... (Он смущенно засмеялся.) Но в том-то и дело, что у нас рабочие ропщут, про обывателей и не говорю... О военном комиссаре, товарище Бройницком, слыхали? Мой совет: увидите — мчится его автомобиль, — прячьтесь. Выскочил он немедленно после взятия Ростова. Чуть что: «Меня, кричит, высоко ценит товарищ Ленин, я лично телеграфирую товарищу Ленину...» Окружил себя уголовным элементом, — реквизиции, расстрелы. По ночам на улицах раздевают кого ни попало. Ведет себя как бандит... Что же это такое? Куда идет реквизированное?.. И, знаете, ревком с ним поделать ничего не может. Боятся... Не верю я, чтобы он был идейным человеком... Пролетарской идее он больше вреда наделает, чем... (Но тут Теткин, видя, что далеко зашел, отвернулся, сопнул и опять, уже без слов, стал прикладывать руки к груди.)

— Я вас не понимаю, господин подполковник, — проговорил Рощин холодно. — Разные там Бройницкие и компания и есть советская власть девяносто шестой пробы... Их не оправдывать, — бороться с ними, не щадя живота...

— Во имя чего-с? — поспешно спросил Теткин.

— Во имя великой России, господин подполковник.

— А что это такое-с? Простите, я по-дурацки спрошу: великая Россия, — в чьем, собственно, понимании? Я бы хотел точнее. В представлении петроградского высшего света? Это одно-с... Или в представлении стрелкового полка, в котором мы с вами служили, геройски погибшего на проволоках? Или московского торгового совещания, — помните, в Большом театре Рябушинский рыдал о великой России? — Это — уже дело третье. Или рабочего, воспринимающего великую Россию по праздникам из грязной пивнушки? Или — ста миллионов мужиков, которые...

— Да черт вас возьми... (Катя быстро под столом сжала Рощину руку.) Простите, подполковник. До сих пор мне было известно, что Россией называлась территория в одну шестую часть земного шара, населенная народом, прожившим на ней великую историю... Может быть, по-большевистскому это и не так... Прошу прощения... (Он горько усмехнулся сквозь трудно подавленное раздражение.)

— Нет, именно так-с... Горжусь... И лично я вполне удовлетворен, читая историю государства Российского. Но сто миллионов мужиков книг этих не читали. И не гордятся. Они желают иметь свою собственную историю, развернутую не в прошлые, а в будущие времена... Сытую историю... С этим ничего не поделаешь. К тому же у них вожди — пролетариат. Эти идут еще дальше — дерзают творить, так сказать, мировую историю... С этим тоже ничего не поделаешь... Вы меня вините в большевизме, Вадим Петрович... Себя я виню в созерцательности, — тяжелый грех. Но извинение — в большой утомленности от окопной жизни. Со временем надеюсь стать более активным и тогда, пожалуй, не возражу на ваше обвинение...

Словом, Тетькин ощетинился, покрасневший череп его покрылся каплями пота. Рощин торопливо, не попадая крючками в петли, застегивал шинель. Катя, вся сморщившись, глядела то на мужа, то на Тетькина. После тягостного молчания Рощин сказал:

— Сожалею, что потерял товарища. Покорно благодарю за гостеприимство...

Не подавая руки, он пошел из комнаты. Тогда Катя, всегда молчаливая, — «овечка», — почти крикнула, стиснув руки:

— Вадим, прошу тебя — подожди... (Он обернулся, подняв брови.) Вадим, ты сейчас не прав... (Щеки у нее вспыхнули.) С таким настроением, с такими мыслями жить нельзя...

— Вот как! — угрожающе проговорил Рощин. — Поздравляю...

— Вадим, ты никогда не спрашивал меня, я не требовала, не вмешивалась в твои дела... Я тебе верила... Но пойми, Вадим, милый, то, что ты думаешь, — неверно. Я давно, давно хотела сказать... Нужно делать что-то совсем другое... Не то, зачем ты приехал сюда... Сначала нужно понять... И только тогда, если ты уверен (опустив руки, от ужасного волнения она их все заламывала под столом)... если ты так уверен, что можешь взять это на свою совесть, — тогда иди, убивай...

— Катя! — зло, как от удара, крикнул Рощин. — Прошу тебя замолчать!

— Нет!.. Я говорю так потому, что безумно тебя люблю... Ты не должен быть убийцей, не должен, не должен...

Тетькин, не смея кинуться ни к ней, ни к нему, повторял шепотом:

— Друзья мои, друзья мои, давайте поговорим, договоримся...

Но договориться было уже нельзя. Все накипевшее в Рощине за последние месяцы взорвалось бешеной ненавистью. Он стоял в дверях, вытянув шею, и глядел на Катю, показывая зубы.

— Ненавижу, — прошипел. — К черту!.. С вашей любовью... Найдите себе жида... Большевичка́... К черту!..

Он издал горлом тот же мучительный звук, как тогда в вагоне. Вот-вот, казалось, он сорвется, будет беда... (Тетькин двинулся даже, чтобы загородить Катю.) Но Рощин медленно зажмурился и вышел...

Семен Красильников, сидя на лазаретной койке, хмуро слушал брата Алексея. Гостинцы, присланные Матреной — сало, курятина, пироги, — лежали в ногах на койке. Семен на них не глядел. Был он худ, лицо нездоровое, небритое, волосы от долгого лежания свалялись, худы были ноги в желтых бязевых подштанниках. Он перекатывал из руки в руку красное яичко. Брат Алексей, загорелый, с золотистой бородкой, сидел на табуретке, расставив ноги в хороших сапогах, говорил приятно, ласково, а с каждым его словом сердце Семена отчуждалось.

— Крестьянская линия — само собой, браток, рабочие — само собой, — говорил Алексей. — У нас на руднике «Глубоком» сунулись рабочие в шахту — она затоплена, машины не работают, инженеры все разбежались. А жрать надо, так или нет? Рабочие все до одного ушли в Красную гвардию. Их интересы, значит, углублять революцию. Так или нет? А наша, крестьянская революция — всего шесть вершков чернозему. Наше углубление — паши, сей, жни. Верно я говорю? Все пойдем воевать, а работать кто будет? Бабы? Им одним со скотиной дай бог справиться. А земля любит уход, холю. Вот как, браток. Поедем домой, на своих харчах легче поправишься. Мы теперь с землицей. А рук нет. Боронить, сеять, убирать, — разве мы одни с Матреной справимся? Кабанов у нас теперь восемнадцать штук, коровешку вторую присмотрел. На все нужны руки.

Алексей потащил из кармана шинели кисет с махоркой. Семен кивком головы отказался курить: «Грудь еще больно». Алексей, продолжая звать брата в деревню, перебрал гостинцы, взял пухлый пирог, потрогал его.

— Да ты съешь, тут масла одного Матрена фунт загнала.

— Вот что, Алексей Иванович, — сказал Семен, — не знаю, что ва́м и ответить. Съездить домой — это даже с удовольствием, покуда рана не зажила. Но крестьянствовать сейчас не останусь, не надейтесь.

— Так. А спросить можно — почему?

— Не могу я, Алеша... (Рот Семена свело, он пересилился.) Ну, пойми ты — не могу. Раны я своей не могу забыть... Не могу забыть, как они товарищей истязали... (Он обернулся к окошку с той же судорогой и глядел залютевшими глазами.) Должен ты войти в мое положение... У меня одно на уме, — гадюк этих... (Он прошептал что-то, затем — повышенно, стиснув в кулаке красное яичко.) Не успокоюсь... Покуда гады кровь нашу пьют... Не успокоюсь!..

Алексей Иванович покачал головой. Поплевав, загасил окурок между пальцами, оглянулся, — куда? — бросил под койку.

— Ну что ж, Семен, дело твое, дело святое... Поедем домой поправляться. Удерживать силой не стану.

Едва Алексей Красильников вышел из лазарета, — повстречался ему земляк Игнат, фронтовик. Остановились, поздоровались. Спросили — как живы? Игнат сказал, что работает шофером в исполкоме.

— Идем в «Солейль», — сказал Игнат, — оттуда ко мне ночевать. Сегодня там бой. Про комиссара Бройницкого слыхал? Ну, не знаю, как он сегодня вывернется. Ребята у него такие фартовые, — город воем воет. Вчера днем на том углу двух мальчишек, школьников, зарубили, и ни за что, наскочили на них с шашками. Я вот тут стоял у столба, так меня — вырвало...

Разговаривая, дошли до кинематографа «Солейль». Народу было много. Протолкались, стали около оркестра. На небольшой сцене, перед столом, где сидел президиум (круглолицая женщина в солдатской шинели, мрачный солдат с забинтованной грязною марлей головой, сухонький старичок рабочий в очках и двое молодых в гимнастерках), ходил, мелко ступая, взад и вперед, как в клетке, очень бледный, сутулый человек с копной черных волос. Говоря, однообразно помахивал слабым кулачком, другая рука его сжимала пачку газетных вырезок. Игнат шепнул Красильникову:

— Учитель — у нас в Совете...

— ...Мы не можем молчать... Мы не должны молчать... Разве у нас в городе советская власть, за которую вы боролись, товарищи?.. У нас произвол... Деспотизм хуже царского... Врываются в дом к мирным обывателям... В сумерки нельзя выйти на улицу, раздевают... Грабят... На улицах убивают детей... Я говорил об этом в исполнительном комитете, говорил в ревкоме... Они бессильны... Военный комиссар покрывает своей неограниченной властью все эти преступления... Товарищи... (Он судорожно ударил себя в грудь пачкой вырезок.) Зачем они убивают детей? Расстреливайте нас... Зачем вы убиваете детей?..

Последние слова его покрылись взволнованным гулом всего зала. Все переглядывались в страхе и возбуждении. Оратор сел к столу президиума, закрыл сморщенное лицо газетными листками. Председательствующий, солдат с забинтованной головой, оглянулся на кулисы:

— Слово предоставляется начальнику Красной гвардии, товарищу Трифонову...

Весь зал зааплодировал. Хлопали, подняв руки. Несколько женских голосов из глубины закричало: «Просим, товарищ Трифонов». Чей-то бас рявкнул: «Даешь Трифонова!» Тогда Алексей Красильников заметил у самого оркестра стоящего спиной к залу и теперь, как пружина, выпрямившегося — лицом к орущим, — рослого и стройного человека в щегольской кожаной куртке с офицерскими, крест-накрест ремнями. Светло-стальные выпуклые глаза его насмешливо, холодно скользили по лицам, — и тотчас же руки опускались, головы втягивались в плечи, люди переставали аплодировать. Кто-то, нагибаясь, быстро пошел к выходу.

Человек со стальными глазами презрительно усмехнулся. Коротким движением поправил кобуру. У него было актерское, длинное, чисто выбритое лицо. Он опять повернулся к сцене, положил оба локтя на загородку оркестра, Игнат толкнул в бок Красильникова.

— Бройницкий. Вот, брат ты мой, взглянет, — так страшно.

Из-за кулис, стуча тяжелыми сапогами, вышел начальник Красной гвардии Трифонов. Рукав байковой его куртки был перевязан куском кумача. В руках он держал картуз, также перевязанный по околышу красным. Весь он был коренастый, спокойный. Не спеша подошел к краю сцены. Серая кожа на обритом черепе зашевелилась. Тени от надбровий закрыли глаза. Он поднял руку (настала тишина) и полусогнутой ладонью указал на стоявшего внизу Бройницкого:

— Вот, товарищи, здесь находится товарищ Бройницкий, военный комиссар. Очень хорошо. Пусть он нам ответит на вопрос. А не захочет отвечать — мы заставим...

— Ого! — угрожающе проговорил снизу Бройницкий.

— Да, заставим. Мы — рабоче-крестьянская власть, и он обязан ей подчиниться. Время такое, товарищи, что во всем сразу трудно разобраться... Время мутное... А, как известно, дерьмо всегда наверху плавает... Отсюда мы заключаем, что к революции примазываются разные прохвосты...

— То есть?.. Ты имя, имя назови, — крикнул Бройницкий с сильным польским акцентом.

— Дойдем и до имени, не спеши... Кровавыми усилиями рабочих и крестьян очистили мы, товарищи, город Ростов от белогвардейских банд... Советская власть твердой ногой стоит на Дону. Почему же со всех сторон раздаются протесты? Рабочие волнуются, красногвардейцы недовольны... Бунтуют эшелоны, — зачем, мол, гноите нас на путях... Только что мы слышали здесь голос представителя интеллигенции (ладонью — на предыдущего оратора). В чем же дело? Как будто все недовольны советской властью. Говорят, — зачем вы грабите, зачем пьянствуете, зачем убиваете детей? Предыдущий оратор даже сам предложил себя расстрелять... (Смех в двух-трех местах, несколько хлопков.) Товарищи! Советская власть не грабит и не убивает детей. А вот разная сволочь, примазавшаяся к советской власти, грабит и убивает... И тем самым подрывает веру в советскую власть, и тем самым дает нашим врагам в руки беспощадное оружие... (Пауза, тишина, не слышно дыхания сотен людей.) Вот я и хочу задать товарищу Бройницкому вопрос... Известно ли ему о вчерашнем убийстве двух подростков?

Ледяной голос снизу:

— Да, известно.

— Очень хорошо. А известно ему о ночных грабежах, о поголовном пьянстве в гостинице «Палас»? Известно ему, в чьи руки попадают реквизированные товары? Молчите, товарищ Бройницкий? Вам нечего отвечать. Реквизированные товары пропиваются шайкой бандитов... (Гул в зале. Трифонов поднял руку.) И вот что еще нам стало известно... Никто вам власти в Ростове не давал, и ваш мандат подложный, и ваши ссылки на Москву, тем паче на товарища Ленина, — наглая ложь...

Бройницкий стоял теперь выпрямившись. По красивому побледневшему лицу его пробегали судороги. Внезапно он кинулся вбок, где стоял, разинув рот, белобрысый парень-армеец, схватил его за шинель и, указывая на Трифонова, крикнул страшным голосом:

— Застрели его, подлеца!

У парня зверски исказилось лицо — потащил со спины винтовку. Трифонов стоял неподвижно, раздвинув ноги, только нагнул голову бычьим движением. Выскочив из-за кулисы, около него появился рабочий, торопливо защелкал затвором винтовки, сейчас же — другой, третий, и вся сцена зачернела от курток, бекеш, шинелей, зазвенели, сталкиваясь, штыки. Тогда председатель влез на стул и, поправляя лезущую на глаза марлю, закричал простуженным голосом:

— Товарищи, прошу не вносить паники, ничего непредвиденного не случилось. Там, позади, закройте двери. Товарищ

Трифонов в полной безопасности. Слово для ответа предоставляю товарищу Бройницкому.

Но Бройницкий исчез. Один белобрысый армеец с винтовкой продолжал стоять у оркестра, изумленно разинув рот.

3

Под станицей Кореневской Добровольческая армия встретила очень серьезное сопротивление. Все же, с большими потерями, станица была взята, и здесь подтвердилось то, что скрывали от армии и чего боялись больше всего на свете: несколько дней тому назад столица Кубани, Екатеринодар, — то есть цель похода, надежда на отдых и база для дальнейшей борьбы, — сдалась без боя большевикам. Кубанские добровольцы под командой Покровского, кубанский атаман и Рада бежали в неизвестном направлении. Так, неожиданно, в трех переходах от цели похода, армия оказалась в мешке.

Обманула и надежда на радушие Кубани. Казаки, видимо, рассудили сами, без помощи «кадетов», разобраться в происходящем. Хутора по пути армии оказывались покинутыми, в каждой станице ждала засада, за гребнем каждого холма сторожил пулемет. На что теперь могла рассчитывать Добровольческая армия? На то ли, чтобы кубанские казаки, — выходцы с Украины, — или черкесы, вспоминавшие древнюю вражду к русским, или застрявшие на богатой Кубани эшелоны кавказской армии — вдруг запели бы вместе с золотопогонным офицерством и безусыми юнкерами: «Так за Корнилова, за родину, за веру мы грянем дружное «ура!». Но это, только эту формулу, несъедобную и стертую, как царский двугривенный, и могла предложить Добровольческая армия и богатым казачьим станицам, насторожившимся — «а не время ли уже объявить свою, казачью, независимую республику?», и иногородним, качнувшимся под красные знамена, чтобы драться за равенство прав на донские и кубанские земли и рыбные ловли, за станичные Советы...

Правда, в обозе за армией ехал знаменитейший агитатор, матрос Федор Баткин, кривоногий, черноватый мужчина в бушлате и бескозырке с георгиевскими ленточками. Много раз офицеры пытались его пристрелить в обозе как жида и красного сукина сына. Но его охранял сам Корнилов, считавший, что знаменитый матрос Баткин вполне восполняет все недостатки по части идеологии в армии. Когда главнокомандующему приходилось говорить перед народом (в станицах), он выпускал перед собой Баткина, и тот хитроумно доказывал поселянам, что Корнилов защищает революцию, а большевики, напротив, — контрреволюционеры, купленные немцами.

Сдаться армии было нельзя, — в плен в то время не брали. Рассеяться — перебьют поодиночке. Был даже план пробиться через астраханские степи на Волгу и уйти в Сибирь. Но Корнилов настоял: продолжать поход на Екатеринодар, чтобы брать город штурмом. От Кореневской армия свернула на юг и перешла с тяжелыми боями у станицы Усть-Лабинской реку Кубань, вздувшуюся и бурную в это время года. Армия шла не останавливаясь, таща за собой обозы с большим количеством раненых. Но все же она настолько была страшна и так больно огрызалась, что каждый раз кольцо красных войск разрывалось, пропуская ее.

Армия двигалась в направлении на Майкоп, обманывая противника, но, дойдя до станицы Филипповской, перешла реку Белую и круто повернула на запад, в тыл Екатеринодару. Здесь, за Белой, в узком ущелье ее охватили большие силы красных. Положение казалось безнадежным. Розданы были винтовки легко раненным из обоза... Бой продолжался весь день. Красные с высот били из пушек и мели пулеметами по переправам, по обозу, не давали подняться цепям. Но в сумерки, когда растрепанные части добровольцев с последним, отчаянным усилием двинулись в контрнаступление, красные отхлынули с высот и пропустили корниловское войско на запад. Произошло то же, что и раньше: победили военный опыт и сознание, что от исхода этого боя зависит жизнь.

Всю ночь кругом пылали станицы. Погода портилась, дул северный ветер. Небо заволокло непроглядными грядами туч. Начался дождь и лил как из ведра всю ночь. Пятнадцатого марта армия, двигавшаяся на Ново-Дмитровскую, увидела перед собой сплошные пространства воды и жидкой грязи. Редкие холмы с колеями дорог пропадали в тумане, стлавшемся над землей. Люди шли по колено в воде, телеги и пушки вязли по ступицу. Валил мокрый снег, закрутилась небывалая вьюга.

Рощин вылез из товарного вагона, оправил винтовку и вещевой мешок. Оглянулся. На путях шумели кучки солдат Варнавского полка... Тут были и шинели, и нагольные полушубки, и городские пальто, подпоясанные веревочками. У многих — пулеметные ленты, гранаты, револьверы. У кого — картуз, у кого — папаха на голове, у кого — отнятый у спекулянта котелок. Топкую грязь месили рваные сапоги, валенки, ноги, обернутые тряпьем. Сталкиваясь штыками, кричали: «Вали, ребята, на митинг! Сами разберемся! Мало нас на убой гоняли!»

Возбуждение было по поводу, как всегда преувеличенных, слухов о поражении красных частей под Филипповской. Кричали: «У Корнилова пятьдесят тысяч кадетов, а на него по одному полку посылают на убой... Измена, ребята! Тащи командира!»

На станционный двор, сейчас же за станцией переходящий в степь, задернутую дождевой мглой, сбегались бойцы. В товарных вагонах с грохотом отъезжали двери, выскакивали одичавшие люди с винтовками, озабоченно бежали туда же, где над толпой свистел ветер в еще голых пирамидальных тополях и орали, кружились грачи. Ораторы влезали на дерновую крышу погреба, вытягивая перед собой кулак — кричали: «Товарищи, почему нас бьют корниловские банды?.. Почему кадетов подпустили к Екатеринодару?.. Какой тут план?.. Пускай командир ответит».

Тысячная толпа рявкнула: «К ответу!» — с такой силой, что грачи взвились под самые тучи. Рощин, стоя на крыльце вокзала, видел, как в гуще шевелящихся голов поплыла к дерновому погребу смятая фуражка командира: костлявое, бритое лицо его, с остановившимся взором, было бледное и решительное. Рощин узнал старого знакомого, Сергея Сергеевича Сапожкова.

Когда-то, еще до войны, Сапожков выступал от группы «людей будущего», разносил в щепки старую мораль. Появлялся в буржуазном обществе с соблазнительными рисунками на щеках и в сюртуке из ярко-зеленой бумазеи. Во время войны ушел вольноопределяющимся в кавалерию, был известен как отчаянный разведчик и бретер. Получил чин подпоручика. Затем неожиданно, в начале семнадцатого года, был арестован, отвезен в Петроград и приговорен к расстрелу за принадлежность к подпольной организации. Освобожденный Февральской революцией, выступал некоторое время от группы анархистов в Совете солдатских депутатов. Затем куда-то исчез и снова появился в октябре, участвуя во взятии Зимнего дворца. Одним из первых кадровых офицеров пошел на службу в Красную гвардию.

Сейчас он, скользя и срываясь, влез на дерновую крышу и, собрав складки под подбородком, засунул большие пальцы за пояс, глядел на тысячи задранных к нему голов.

— Хотите знать, дьяволы горластые, почему золотопогонная сволочь вас бьет? А вот из-за этого крика и безобразия, — заговорил он насмешливо и не особенно громко, но так, что было слышно повсюду. — Мало того, что вы не слушаете приказов главковерха, мало того, что по всякому поводу начинаете гавкать... Оказывается, тут еще и паникеры!.. Кто вам сказал, что под Филипповской нас разбили? Кто сказал, что Корнилова предательски подпустили к Екатеринодару? Ты, что ли? (Он быстро выкинул руку с наганом и указал им на кого-то из стоящих внизу.) Ну-ка, влезь ко мне, поговорим... Ага, это не ты сказал... (Он нехотя засунул револьвер в карман.) Думаете, я такой дурак и мамкин сын — не понимаю, из-за чего вы гавкаете... А хотите, скажу — из-за чего? Вон — Федька Иволгин — раз, Павленков — два, Терентий Дуля — три — получили по прямому проводу сообщение, что на станции Афипской стоят цистерны со спиртом... (Смех. Рощин криво усмехнулся: «Вывернулся, мерзавец, шут гороховый».) Ну, ясное дело — эти ребята рвутся в бой. Ясное дело, главком — предатель, а вдруг цистерны со спиртом попадут корниловским офицерам... Вот горе-то для республики... (Взрыв смеха, и опять — грачи под небо.) Инцидент считаю ликвидированным, товарищи... Читаю последнюю оперативную сводку.

Сапожков вытащил листки и начал громко читать. Рощин отвернулся, вышел через вокзал на перрон и, присев на сломанную скамью, стал свертывать махорочку. Неделю тому назад он записался (по фальшивым документам) в идущий на фронт красногвардейский эшелон. С Катей кое-как было устроено. После тяжелого разговора у Теткина за чаем Рощин прошатался весь остаток дня по городу, ночью вернулся к Кате и, не глядя ей в лицо, чтобы не дрогнуть, сказал сурово:

— Ты поживешь здесь месяц-два, — не знаю... Вы с ним, надеюсь, вполне сойдетесь в убеждениях... При первой возможности я ему заплачу за постой. Но настаиваю, — будь добра, сообщи ему сейчас же, что не даром, без благодеяний... Ну-с, а я на некоторое время пропаду.

Слабым движением губ Катя спросила:

— На фронт?

— Ну, это, знаешь, совершенно одного меня касается...

Плохо, плохо было устроено с Катей. Прошлым летом, в июльский день, на набережной, где в зеркальной Неве отражались очертания мостов и колоннада Васильевского острова, — в тот далеко отошедший солнечный день, — Рощин сказал Кате, сидевшей у воды на гранитной скамье: «Окончатся войны, пройдут революции, исчезнут царства, и нетленным останется одно только сердце ваше...» И вот расстались врагами на грязном дворе... Катя не заслужила такого конца... «Но, черт ли, когда всей России — конец...»

План Рощина был прост: добраться вместе с красногвардейской частью в район боев с Добровольческой армией и при первом же случае перебежать. В армии его лично знали генерал Марков и полковник Неженцев. Он мог сообщить им ценные сведения о расположении и состоянии красных войск. Но самое главное — почувствовать себя среди своих, сбросить проклятую личину, вздохнуть наконец полной грудью, — выплюнуть вместе с пачкой пуль в лицо «обманутому дурачью, разнузданным дикарям» кровавый сгусток ненависти...

— Командир правильно выразился насчет спирта. Шумим много. Громадный шум устроили, а как разбираться будем, тут, брат, призадумаешься, — проговорил невзрачный человек в нагольном полушубке с торчащей под мышками и на спине овчиной. Он присел на скамью к Рощину и попросил табачку. — Я, знаешь, по-стариковски — трубочку покуриваю. (Он повернул хитрое, обветренное лицо с бесцветной бородкой и сощуренными глазами.) В Нижнем служил у купцов при амбарах, ну и привык к трубочке. С четырнадцатого года воюю, все перестать не могу, вот, брат, вояка-то, ей-богу.

— Да, пора бы уж тебе на покой, — с неохотой сказал Рощин.

— На покой! Где этот твой покой? Ты, парень, я вижу, из богатеньких. Нет, я воевать не брошу. Я вот как хлебнул горя-то от буржуев! С шестнадцати лет по людям, и все в караульщиках. Возвысился до кучера у Васенковых купцов, — может, слыхал, — да опоил пару серых, хорошие были кони, опоил, прямо сознаюсь; прогнали, конечно. Сын убит, жена давно померла. Ты теперь мне говори — за кого мне воевать: за Советы или за буржуев? Я сыт, сапоги вот на прошлой неделе снял с покойничка. Сырость не пропускают, — смотри, какой товар. Занятие: постреляй, сходил на ура, и садись у котла. И трудишься за свое дело, парень. Бедняки, голь, как говорится, бесштанная, у кого горезлосчастье в избе на лавке сидит, — вот наша армия. А Учредительное собрание, — я видел в Нижнем, как выбирали, — одни интеллигенты да беспощадные старцы.

— Ловко ты насобачился разговаривать, — сказал Рощин, скрытно скользнув взглядом по собеседнику. Звали его Квашин. С ним он таскался вот уже неделю в одном вагоне, спал рядом на верхних нарах. Квашина в вагоне звали «дедом». Всюду, где можно, он пристраивался с газетой, — надевал на сухонький нос золотое пенсне и читал вполголоса. «Эту пенсне, — рассказывал он, — получил я в Самаре по ордеру. Эту пенсне заказал себе Башкиров, миллионер. А я пользуюсь».

— Это верно, что насобачился, — ответил он Рощину, — я ни одного митинга не пропускаю. Придешь на вокзал, все декреты, постановления, все прочту. Наша пролетарская сила — разговор. Чего мы стоим молчаливые-то, без сознания? Плотва!

Он вынул газету, осторожно развернул ее, степенно надел пенсне и стал читать передовицу, выговаривая слова так, будто они были написаны не по-русски:

— «...Помните, что вы сражаетесь за счастье всех трудящихся и эксплуатируемых, вы сражаетесь за право строить лучшую, справедливую жизнь...»

Рощин отвернулся и не заметил, что Квашин, произнося эти слова, пристально глядит на него поверх пенсне.

— Вот, парень, и видно, что ты из богатеньких, — другим уже голосом сказал Квашин. — Мое чтение тебе не нравится. А ты не шпион?

От станции Афипской эшелон Варнавского полка в пешем строю двинулся к станице Ново-Дмитровской. В полуночной тьме свистал ветер на штыках, рвал одежду, сек лицо ледяной крупой. Ноги проваливались сквозь корку снега, уходили в липкую грязь. Сквозь шум ветра доносились крики: «Стой! Стой! Легче! Не напирай, дьяволы!»

Стужа дула сквозь шинелишку, застывали кости. Рощин думал: «Только бы не упасть, — конец, затопчут...» Мучительнее всего были эти остановки и крики впереди. Ясно, что сбились с дороги, бродили где-то по краю не то оврага, не то речки. «Братцы, не могу больше», — прощался чей-то срывающийся голос. «Не Квашин ли это крикнул? Он все время шел рядом. Догадывается, не верит ни одному слову». (Рощин насилу от него вчера отвязался.) Вот опять впереди остановились. Рощин уткнулся в чью-то коробом замерзшую спину. Стоя с засунутыми в рукава окоченевшими руками, с опущенной головой, подумал: «Вот так четыре года преодолеваю усталость, исходил тысячи верст — затем, чтобы убивать. Это очень важно и очень значительно. Обидел и бросил Катю, — это менее значительно. Завтра, послезавтра перебегу и в такую же метель буду убивать этих, русских. Странно. Катя говорит, что я благородный и добрый человек. Странно, очень странно».

Он с любопытством отметил эти мысли. Они оборвались. «Э-э, — подумал он, — плохо. Замерзаю. Проходят последние, главные мысли. Значит, сейчас лягу в снег».

Но замерзшая спина впереди качнулась и пошла. Качнулся и пошел за нею Рощин. Вот ноги уже стали вязнуть по колено. Пудовый сапог с трудом выворачивался из глины. Донесло ветром обрывок крика: «Река, ребята...» Раскатилась ругань. А ветер все свистал в штыках, навевая странные мысли. Неясные, согнувшиеся фигуры брели мимо Рощина. Он собрал силы, со стоном вытащил ногу и опять побрел.

Темной чертой на снегу проступал бурный поток, дальше все занавесило летящим снегом. Ноги скользили по откосу. Бешено неслась темная вода. Крики:

— Мост залило...

— Назад, что ли?

— Это кто — назад? Ты, что ли? Ты — назад?

— Пусти... Товарищ, да пусти.

— Дай ему прикладом...

— Ой... ой... ой...

Внизу за краем берега вспыхнул конус света от электрического фонарика. Осветилась горбушка моста, залитого серой, стремительно несущейся водой, расщепленный кусок перил. Фонарик взмахнул высоко, зигзагом, — погас. Хриплый, страшный голос:

— Отделение... Переходи... Винтовки, патроны на голову. Не напирай, — по двое... Пошел!

Подняв винтовку, Рощин вошел по пояс в воду, и она была все же не так холодна, как ветер. Она сильно била в правый бок, толкала, старалась унести в эту серо-белую тьму, в пучину. Ноги скользили, едва ощупывая доски разбитого моста.

Варнавский полк был переброшен на Ново-Дмитровскую для подкрепления местных сил. Все население станицы рыло окопы, — укрепляли станичное управление и отдельные дома, ставили пулеметы. Тяжелая артиллерия находилась южнее, в станице Григорьевской. В том же районе стоял 2-й Северокавказский полк под командой Дмитрия Жлобы, преследовавшего Добровольческую армию от самого Ростова. Западнее, на Афипской, — гарнизон, артиллерия и бронепоезда. Силы красных оказались разбросанными, что было недопустимо в такую топь и бездорожье.

Под вечер через площадь к станичному управлению прискакал казак, залепленный мокрым снегом и грязью. Осадил у крыльца. От раздувающихся конских боков валил пар.

— Где товарищ командир?

На крыльцо выскочили, торопливо застегивая шинели, несколько человек. Расталкивая их, появился Сапожков в кавалерийском полушубке.

— Я командир.

Переведя дух, навалясь на луку, казак сказал:

— Застава вся перебита. Один я ушел.

— Еще что?

— А то еще, — к ночи ждите сюда Корнилова, идет всей силой...

На крыльце переглянулись. Среди стоящих были коммунисты, организаторы обороны станицы. Сапожков засопел, собрал складками подбородок: «Я готов, как вы, товарищи?..» Казак, слезши с коня, стал рассказывать, как всю заставу порубили черкесы из бригады генерала Эрдели. Тесная толпа бойцов, казачек, мальчишек сбилась у крыльца. Слушали молча.

Подошел и Рощин, обвязанный башлыком. Ночью ему удалось выспаться и обсушиться в жаркой и вонючей хате, где вповалку среди портянок и мокрой одежи лежало человек пятьдесят красноармейцев. Хозяйка на рассвете испекла хлебы, сама разрезала и раздала ребятам ломти.

— Уж постарайтесь, солдаты, не допустите офицеров в нашу станицу.

Красноармейцы отвечали молодой хозяйке:

— Ничего не бойся... Одного бойся...

И ввертывали такое словцо, что она замахивалась краюхой:

— А ну вас, кабаны, — перед смертью — все про то же...

От вчерашнего ночного похода у Рощина осталась ломота и тупая боль во всем теле. Но решение его было твердо. С утра он копал мерзлую землю на огородах. Потом носил жестянки с патронами с подвод в станичное правление. В обед выдали по чашке спирту, и от огненной влаги у Рощина прошла ломота, отмякли кости, и он решил — не откладывать, кончить сегодня же.

Сейчас он вертелся у крыльца, ища случая попроситься в передовую заставу. Продумано было все, вплоть до капитанских погон, зашитых на груди в гимнастерке. Как он ожидал, так и случилось. Стоявший с Сапожковым коренастый матрос спустился с крыльца и стал вызывать охотников на опасное дело.

— Братишки, — сказал он чугунным голосом, — а ну, кому жизнь не дорога...

Через час с одной из партий в пятьдесят бойцов Рощин выходил из станицы на равнину, затянутую непроглядным туманом. Спускались гнилые сумерки. Снег теперь перестал, порывистый ветер хлестал крупным дождем. Шли без дорог по сплошной воде, как по озеру, в направлении холмов, где нужно было рыть окопы.

В сырой утренней мгле блеснула зарница. Бухнуло. Завыло, уходя... И сейчас же по холмам, по берегу речки беспорядочно захлопали выстрелы. Снова — зарница, пушечный выстрел, и там, впереди, в тумане затукал пулемет.

Это подходил Корнилов. Его передовые части были уже на том берегу реки. Рощину показалось, что он различил две-три фигуры, перебежавшие, нагнувшись, к самой воде, в кусты. Колотилось сердце. Он высунулся из окопчика, вырытого у кручи над речкой.

Мутная желто-оловянного цвета река неслась водоворотами высоко в берегах. Налево, посреди нее, был виден наполовину затопленный мост. На него из воды вылезло десятка два тех неясных фигур, — нагнувшись, перебежали. Все беспорядочнее, все учащеннее стреляли с холмов по реке, по мосту. Совсем близко, на том берегу, ударило длинное пламя орудия. Над окопчиком, где сидел Рощин, разорвалась шрапнель. Из-за гребня, вниз к переправе, посыпались серые и черные фигуры, — сбегали, сползали на заду, скатывались, падали. У всех черточками на плечах виднелись погоны.

Снова орудийный удар и рваный грохот над окопчиком. «Ой, ой, братцы...» — затянул голос. Сквозь треск стрельбы кто-то завопил:

— Обходят!.. Ребята, отступайте!..

Рощин чувствовал: вот, вот, — жданная минута. Он быстро прилег ничком, не шевелился. Пронеслось в голове: «Платка нет, кусок рубашки на штык и кричать, — непременно по-французски...» На спину ему тяжело кто-то упал, навалился, обхватил за шею, кряхтя полез к горлу пальцами. Рощин вскинулся — увидел за плечом своим лицо, залитое кровью, с выпученным рыжим глазом, с разинутым беззубым ртом. Это опять был Квашин. Он повторял, будто в забытьи:

— Крестишься... своих увидал...

Рощин, отдирая его со спины, поднялся во весь рост, закачался. Как клещ, вцепился Квашин в плечи. Борясь, Рощин опрокинулся на бруствер окопчика, в бешенстве вцепился зубами в вонючий полушубок. Чувствовал — локти и колени начинают скользить по жидкой глине, — обрыв был в полутора шагах.

— Пусти же! — зарычал наконец Рощин.

Земля под ним осела, и он вместе с Квашиным покатился под обрыв к реке.

От орудийной стрельбы гудело все вокруг, вздрагивала земля от взрывов. Через реку переправлялись главные силы армии. По переправам била артиллерия из станицы Григорьевской. Гранаты ложились повсюду по снежному полю, падали в реку — взлетали столбами воды.

Пехота белых переправлялась — по двое — на конях. Лошади пятились, заходя в быструю реку, их кололи штыками. С крутого и разъезженного берега вскачь съезжала орудийная запряжка. Валясь со стороны на сторону, орудие скрывалось под водой. Ездовые били плетями, тощие кони кое-как выволакивали пушку на горб полузатопленного моста. По сторонам падали, рвались снаряды, кипела вода. Кони становились на дыбы, путались в постромках.

Поскакали вниз пулеметные двуколки, мимо моста — в реку. Поплыли, закрутились. Одну перевернуло, понесло вместе с конями и с людьми, вцепившимися в колеса. С неба скользнула в эту кашу граната, и высоко поднялись в водяном столбе осколки дерева и клочки разорванных тел.

На берегу вертелся на грязной лошадке небольшой человек с бородкой, в коричневой байковой куртке, в белой, глубоко надвинутой папахе. Грозя нагайкой, он кричал высоким, фатовским голосом. Это был генерал Марков, распоряжавшийся переправой. О его храбрости рассказывали фантастические истории.

Марков был из тех людей, дравшихся в мировую войну, которые навсегда отравились ее трупным дыханием: с биноклем на коне или с шашкой в наступающей цепи, командуя страшной игрой боя, он, должно быть, испытывал ни с чем не сравнимое наслаждение. В конце концов, он мог бы воевать с кем угодно и за что угодно. В его мозгу помещалось немного готовых формул о боге, царе и отечестве. Для него это были абсолютные истины, большего не требовалось. Он, как шахматный игрок, решая партию, изо всего мирового пространства видел только движение фигур на квадратиках.

Он был честолюбив, надменен и резок с подчиненными. В армии его боялись, и многие таили обиды на этого человека, видевшего в людях только шахматные фигуры. Но он был храбр и хорошо знал те острые минуты боя, когда командиру для решающего хода нужно пошутить со смертью, выйдя впереди цепи с хлыстиком под секущий свинец.

Час, и другой, и третий продолжалась переправа. Реку и берега снова затянуло снежной метелью. Ветер усилился, поворачивая на север. Быстро холодало. Рощин, лежавший с вывихнутым плечом у воды под кручей, давно уже бросил надеяться, что его кто-нибудь заметит. Несмотря на боль в плече, он вытащил из-за пазухи погоны, кое-как пристегнул их булавками к гимнастерке, сорвал пятиконечную звезду с картуза. Труп Квашина давно унесло рекой. Раненые валялись повсюду, было не до них.

Переходившая армия, не останавливаясь, с боем уходила на Ново-Дмитровскую. На людях замерзала одежда, покрывалась ледяной корой. Земля застывала и звенела под копытами и колесами, кочки и колеи рвали обувь, раздирали ноги. Кое-кто из раненых поднялся и полез на обрывистый берег, ковыляя и срываясь. Рощин чувствовал, что ноги его примерзают к земле. Стиснув зубы (болели плечо, поясница, разбитое колено), он также поднялся и побрел за вереницей раненых. На него не обращали внимания. Большого труда стоило взобраться на кручу. Там, наверху, подхватила метель и посвистывали пули. Ковылявший впереди сутулый человек, в мерзлой офицерской шинели и в торчащем конусом башлыке, неожиданно рванулся вбок, упал. Рощин только ниже нагнулся, преодолевая ветер.

Занесенная снегом, валялась лошадь с задранной задней ногой. У брошенного орудия стояли, низко опустив морды, две костлявые клячи, бока их смерзлись и на спины нанесло сугробики. А впереди все грознее, все настойчивее стучали пулеметы. Добровольческая армия дралась за то, чтобы этой ночью залезть в теплые хаты, не сдохнуть во вьюжном поле.

По наступающим била артиллерия из Григорьевской. Но остальные силы красных, также и резервы из Афипской, не были брошены в бой. Второй Кавказский полк получил приказ о наступлении только уже после того, как Варнавский был окружен в Ново-Дмитровской и погибал в рукопашном бою на улицах. Второй Кавказский прошел десять верст по сплошным болотам и плавням, потеряв целую роту утонувшими и замерзшими, и ударил в тыл белым, дав возможность остаткам варнавцев прорвать окружение.

Такая же путаница и неразбериха происходила и у белых. Кубанский отряд Покровского, который должен был атаковать станицу с юга, заупрямился и не пошел по болотам. К тому же Покровский, получивший генеральские погоны не от царя, а от кубанского правительства, был жестоко обижен на военном совещании генералом Алексеевым, сказавшим ему с вельможной презрительностью: «Э, полноте, полковник, — извините, не знаю, как вас теперь величать...» За этого «полковника» Покровский и не пошел через болото. Коннице генерала Эрдели, направленной в обхват станицы с севера, не удалось перейти через разлившийся овраг, и к ночи она вернулась к общей переправе.

Первым у Ново-Дмитровской оказался офицерский полк. Полузамерзшие, остервенелые офицеры, матерые вояки, услышали жилой запах кизяка и печеного хлеба, увидели теплый свет в окошках и, не дожидаясь подкреплений, поползли по снежно-грязному месиву, по сплошной воде, подернутой ледком. У самых подступов их заметили и открыли по ним пулеметный огонь. Офицеры бросились в штыки. Каждый из них знал, как и что в каждую секунду он должен делать. Повсюду мелькала белая папаха Маркова. Это был бой командного состава с неумело руководимой и плохо дисциплинированной толпой солдат.

Офицеры ворвались в станицу и перемешались в рукопашной схватке на улицах с варнавцами и партизанами. В темноте и свалке пулеметчики были заколоты или разорваны гранатами у своих пулеметов. К белым непрерывно подходили подкрепления. Красные были окружены и стали отступать к площади, где в станичном правлении сидел ревком.

Стреляли из-за каждого прикрытия, дрались на каждом перекрестке. В вихре грязи подскакала орудийная запряжка, развернулась с краю площади, орудие уставилось рылом в фасад станичного правления и ударило гранатой: бух-дззын! бух-дзын! Из окон начали выскакивать люди, повалил желтый дым, — там от орудийного огня начали рваться жестянки с патронами.

В это как раз время 2-й Кавказский полк обстрелял с востока наступающих. Варнавцы услышали бой в тылу у неприятеля и приободрились. Сапожков, сорвавший голос от крика и ругани, выхватил у знаменосца полковое знамя, обернутое клеенкой, и, размахивая им, побежал через площадь к высоким мотающимся тополям, где гуще всего скоплялись белые. Варнавцы стали выскакивать из-за ворот и заборов, подниматься с земли, бежали со всех сторон со штыками наперевес. Опрокинули заграждение, прорвались и вышли из станицы на запад.

* * *

Эту ночь Рощин провел в брошенной телеге, вытащив из нее два застывших трупа и зарывшись в сено. Всю ночь одиноко бухали пушки, рвалась шрапнель над Ново-Дмитровской. С утра туда потянулись обозы добровольцев, ночевавшие в станице Калужской. Рощин вылез из телеги и прошел за обоз. Возбуждение его было так велико, что он не чувствовал боли.

Ветер, все еще сильный, дул теперь с востока, разметывая снежные и дождевые тучи. Часам к восьми утра сквозь несущиеся в вышине обрывки непогоды засинело вымытое небо. Прямыми, как мечи, горячими лучами падал солнечный свет. Снег таял. Степь быстро темнела, проступали изумрудные полоски зеленей и желтые полоски жнивья. Блестели воды, бежали ручьи по дорожным колеям. Трупы, обсохшие на буграх, глядели мертвыми глазами в лазурь.

— Гляди-ка, да это Рощин, ей-богу! Рощин, ты как сюда попал? — крикнули с проезжавшего воза.

Рощин обернулся. В грязной и разломанной телеге, которой правил хмурый казак, накрывшийся прелым тулупом, сидели трое с замотанными головами, с подвязанными руками. Один из них, длинный, худой, с вылезающей из воротника шеей, приветствовал Рощина частыми кивками головы, растянутым в улыбку запекшимся ртом. Рощин едва признал в нем товарища по полку Ваську Теплова, когда-то румяного весельчака, бабника и пьяницу. Молча подошел к телеге, обнял, поцеловал:

— Скажи, Теплов, к кому мне нужно явиться? Кто у вас начальник штаба? Как-никак, видишь, у меня погоны булавкой приколоты. Вчера только перебежал...

— Садись. Стой, остановись, сволочь! — крикнул Теплов извозному. Казак заворчал, но остановился.

Рощин влез на угол телеги, свесив ноги над колесом. Это было блаженно — ехать под горячим солнцем. Сухо, как рапорт, он рассказал свои приключения с самого отъезда из Москвы. Теплов сказал, мелко покашливая:

— Я сам с тобой пойду к генералу Романовскому... Доедем до станицы, пожрем, и я устрою тебя в два счета. Чудак! Что же, ты хотел прямо явиться по начальству: так, мол, и так — перебежал из красной шайки, честь имею явиться... Ты наших не знаешь.

До штаба не довели бы, прикололи...Смотри, смотри. — Он указал на длинный труп в офицерской шинели. — Это Мишка, барон Корф, валяется... Ну, помнишь его... Эх, был парень... Слушай, папиросы есть? А утро-то, утро! Понимаешь, душка моя, послезавтра въезжаем в Екатеринодар, выспимся на постелях, и — на бульвар! Музыка, барышни, пиво!

Он громко, рыдающе засмеялся. Его обтянутое до костей больное лицо сморщилось, лихорадочные пятна пылали на скулах.

— И так по всей России будет: музыка, барышни, пиво. Отсидимся в Екатеринодаре с месяц, почистимся и — на расправу. Ха-ха! Теперь мы не дураки, душка моя... Кровью купили право распоряжаться Российской империей. Мы им порядочек устроим... Сволочи! Вон, гляди, валяется. — Он указал на гребень канавы, где, неестественно растопырившись, лежал человек в бараньем кожухе. — Это непременно какой-нибудь ихний Дантон...

Телегу перегнал неуклюжий плетеный тарантас. В нем, залепленные грязью, в чапанах с отброшенными на спину воротниками и в мокрых меховых шапках, сидели двое: тучный, огромный человек с темным оплывшим лицом и другой — с длинным мундштуком в углу проваленного рта, с запущенной седоватой бородой и мешочками под глазами.

— Спасители отечества, — покивал на них Теплов. — За неимением лучшего — терпим. Пригодятся.

— Это, кажется, Гучков, толстый?

— Ну да, и будет в свое время расстрелян, можешь быть покоен... А тот, с мундштуком, — Борис Суворин, тоже, брат, рыльце-то в пушку... Как будто он монархии хочет, и — не вполне монархии; виляет, но способный журналист... Его не расстреляем...

Телега въехала в станицу. Хаты и дома за палисадниками казались опустевшими. Дымилось пожарище. Валялось несколько трупов, до половины вбитых в грязь. Кое-где слышались отдельные выстрелы, — это приканчивали иногородних, вытащенных из погребов и сеновалов. На площади в беспорядке стоял обоз. Кричали с возов раненые. Между телег бродили одуревшие, измученные сестры в грязных солдатских шинелях. Откуда-то со двора слышался животный крик и удары нагаек. Скакали верхоконные. У забора кучка юнкеров пила молоко из жестяного ведра.

Все ярче, все горячее светило солнце из голубой ветреной бездны. Между деревом и телеграфным столбом, на перекинутой жерди, покачивались на ветру, свернув шеи, опустив носки разутых ног, семь длинных трупов — коммунисты из ревкома и трибунала.

Наступил последний день корниловского похода. Конные разведчики, заслоняясь от солнца, увидели в утреннем мареве, за мутной рекой Кубанью, золотые купола Екатеринодара.

Задачей передовой конной части было — отбить у красных единственный в тех местах паром на переправе через Кубань близ станицы Елизаветинской. Это была новая хитрость Корнилова. Его могли ждать с юга — от Ново-Дмитровской, с юго-запада — по железной дороге Новороссийск — Екатеринодар. Но предположить, что для штурма города он выберет крайне опасный обход в сторону, на запад от города, и переправу без мостов, на одном пароме, всей армии через стремительные воды Кубани, отрезывая тем себе всякую возможность отступления, — такого тактического хода штаб командующего красными силами — Автономова — предположить не мог. Но именно этот наименее охраняемый путь, дающий два-три дня передышки от боев и выводящий армию прямо в сады и огороды Екатеринодара, и выбрал хитрый, как старая лиса, Корнилов.

Недостаток в огневом снаряжении был пополнен при занятии железнодорожной станции Афипской, где добровольцы взорвали пути, чтобы обезопасить себя от огня броневых поездов. Все же пулеметы с одного из красных поездов доставали до фланга наступающих, которые шли по сплошной талой воде. Когда полоса пуль, поднимая фонтанчики воды, добегала до них, — они падали в воду, уходили с головой, как утки. Высунувшись, перебегали. Гарнизон Афипской защищался отчаянно. Но красные были обречены, потому что они только защищались, а противник их наступал.

Медленно, змейками цепей, части Добровольческой армии окружали и обходили Афипскую. Солнце заливало синюю равнину, с торчащими из воды деревьями, стогами, крышами хуторов, с пролетающими по заливным озерам тенями весенних облаков. Корнилов в коротком полушубке с мягкими генеральскими погонами, с биноклем и картой, двигался на коне, впереди своего штаба, по этому зеркальному мареву. Он отдавал приказания ординарцам, и они в вихре брызг мчались на лошаденках. Одно время он попал под обстрел, и рядом с ним легко ранило генерала Романовского.

Когда станция была обойдена с запада и начался общий штурм, Корнилов ударил коня плетью и рысью поехал прямо в Афипскую. Он не сомневался в победе. Там, между путями, вереницами вагонных составов, железнодорожными зданиями, пакгаузами и казармами, ворвавшиеся части истребляли красных. Это была последняя и самая кровавая победа Добровольческой армии.

Полковник Неженцев, краснощекий, моложавый, возбужденный, прыгая через трупы, подбежал к Корнилову, — блеснув стеклами пенсне, рапортовал:

— Станция Афипская занята, ваше превосходительство.

Корнилов перебил тотчас же с нетерпением:

— Снаряды взяты?

— Так точно, семьсот снарядов и четыре вагона патронов.

— Слава богу! — Корнилов широко перекрестился, царапая ногтем мизинца по заскорузлому полушубку. — Слава богу...

Тогда Неженцев глазами указал ему на стоявших толпой у вокзала ударников — особый полк из отчаянных головорезов, носивших на рукаве трехцветный угол. Как люди, взошедшие на крутую гору, они стояли, опираясь на винтовки. Лица их застыли в усталых гримасах бешенства, руки и у многих лица — в крови, блуждающие глаза.

— Два раза спасали положение и ворвались первыми, ваше превосходительство.

— Ага! — Корнилов ударил коня и во весь карьер, хотя расстояние было невелико, подскакал к ударникам (они сейчас же заволновались и быстро стали выстраиваться), изо всей силы, как это обычно изображают на памятниках, осадил коня, откинул голову, крикнул отрывисто: — Спасибо, мои орлы! Благодарю вас за блестящее дело и еще раз за то, что захватили снаряды... Низко вам кланяюсь...

* * *

Получив запас огневого снаряжения, армия начала переправляться через Кубань на дощатом пароме, захваченном передовым конным отрядом. Силы армии к этому времени исчислялись в девять тысяч штыков и сабель и четыре тысячи лошадей. Переправа продолжалась три дня. Огромным табором раскинулись по сторонам ее воинские части, обозы, повозки, парки. Весенний ветер трепал лохмотья вымытого белья, развешанного на оглоблях. Дымили костры. Паслись на лугах стреноженные лошади. Повеселевшие офицеры влезали на возы и в бинокли старались рассмотреть в синеющей дали сады и купола заветного города.

— Честное слово... Вот так же крестоносцы подходили к Ерусалиму.

— Там, господа, были жидовочки, а здесь — пролетарочки...

— Объявим женскую социализацию... Хо-хо...

— В баню, на бульвар, и — пива!

Со стороны Екатеринодара не было попыток помешать переправе. Иногда только постреливали разведчики. Красные решили защищаться. Спешно, всем населением — женщины и дети — рыли окопы, путали проволоку, устанавливали орудия. Из Новороссийска подъезжали эшелоны черноморских моряков, везли пушки и снаряды. Комиссары говорили в воинских частях о классовой сущности корниловских добровольцев, о том, что за их спиной «беспощадная мировая буржуазия, которой, товарищи, мы даем решительный бой», — и клялись — умереть, а не отдавать Екатеринодара.

На четвертый день Добровольческая армия двинулась на штурм столицы Кубани.

Ураганным огнем батарей, со стороны Черноморского вокзала и от пристаней на Кубани, были встречены бешено наступающие колонны добровольцев. Но неровная местность, сады, канавы, изгороди и русла ручьев дали возможность без больших потерь подойти к городу.

Здесь завязался бой. Близ так называемой фермы, — у белого домика, стоявшего на опушке тополевой, еще голой рощи на высоком берегу Кубани, — красные оказали упорное сопротивление, были выбиты, но снова густыми толпами бросились на пулеметы, овладели фермой и через час вторично были выбиты кубанскими пластунами полковника Улагая.

На ферме, в одноэтажном домике, сейчас же расположился Корнилов со штабом. Отсюда как на ладони виднелись прямые улицы Екатеринодара, белые высокие дома, палисадники, кладбище, Черноморский вокзал и впереди всей панорамы — длинные ряды окопов. Был яркий весенний ветреный день. Повсюду взлетали дымки выстрелов, и сияющий простор тяжело, надрывая душу, грохотал от непереставаемого рева пушек. Ни красные, ни белые не щадили жизней в этот день.

В белом домике главнокомандующему Корнилову отвели угловую комнату, поставили полевые телефоны, стол и кресло. Он сейчас же вошел туда, сел за стол, разложил карту и погрузился в размышления над ходами затеянной игры. Два его адъютанта — подпоручик Долинский и хан Хаджиев — стояли — один у двери, другой у телефонов.

Калмыцкое, обтянуто-морщинистое лицо главнокомандующего, с полуседыми волосами ежиком, было мрачно, как никогда. Сухая маленькая рука с золотым перстнем безжизненно лежала на карте. Он один, вопреки советам Алексеева, Деникина и остальных генералов, решился на этот штурм, и теперь, к исходу первого дня, самоуверенность его поколебалась. Но он не сознался бы в этом и самому себе.

Допущены были две ошибки: первая — это то, что треть войск, с генералом Марковым, была оставлена на переправе для охраны обоза; поэтому первый удар по Екатеринодару оказался недостаточно сосредоточенным и не принес того, что ожидали: красные выдержали, уцепились за окопы и засели, видимо, прочно. Вторая ошибка заключалась в том, что к Екатеринодару была применена тактика карательной экспедиции, та же, что и раньше, в пути — к станицам: город обкладывался со всех сторон (на правом фланге — движением пехоты и пластунов вдоль реки к кожевенным заводам, на левом — глубоким обходом конницей Эрдели), с тем чтобы запереть все ходы и выходы и расправиться с защитниками города и с населением как с «бандитами» и «взбунтовавшимися хамами», — расстрелом, виселицей и шомполами. Такая тактика приводила к тому, что сопротивляющиеся решали — лучше умереть в бою, чем на виселицах. «Корнилов всех собрался погубить!» — кричали по городу. Женщины, девушки, дети, старый и малый бежали под пулями в окопы с кувшинами молока, с варениками и пирогами: «Кушайте, матросики, кушайте, солдатики, товарищи родные, постойте за нас...» И продолжали носить защитникам пищу и жестянки с патронами, хотя повсюду, особенно к вечеру, скакали верхоконные, крича: «Долой с улиц! По домам! Туши огни!..»

Так первый день принес преимущество красным. Белые в этот же день потеряли троих лучших командиров, около тысячи офицеров и рядовых и расстреляли, без ощутимой цели, свыше трети огневого снаряжения.

А из Новороссийска, прорываясь сквозь огневые завесы, прибывали и прибывали растрепанные поезда с матросами, снарядами и пушками. Бойцы из вагонов бежали прямо в окопы. Из-за скученности и отсутствия командования потери были огромны.

Корнилов, не выходя из угловой комнаты на ферме, сидел над картой. Он уже понимал, что иного выхода нет — или взять город, или умереть всем. Его мысли подошли к черте самоубийства... Армия, которой он единолично командовал, таяла, как брошенные в печь оловянные солдатики. Но этот бесстрашный и неумный человек был упрям, как буйвол.

На церковной паперти в станице Елизаветинской на солнцепеке сидели десятка два раненых офицеров. С востока, то усиливаясь, то западая, доносился орудийный гром. А здесь, в безоблачное небо над колокольней, пробитой снарядом, то и дело взлетали голуби. Площадь перед церковью была пуста. Хаты с выбитыми окнами — покинуты. У плетня, где на сирени лопнули почки, лежал лицом вниз полузакрытый труп, покрытый мухами.

На паперти говорили вполголоса:

— Была у меня невеста, красивая, чудная девушка, так и помню ее в розовом платье с оборками. Где она теперь — не знаю.

— Да, любовь... Как-то даже дико... А тянет, тянет к прежней жизни... Чистые женщины, ты великолепно одет, спокойно сидишь в ресторане... Ах, хорошо, господа...

— А praванивает этот большевичок. Засыпать бы его...

— Мухи сожрут.

— Тише... Постойте, господа... Опять ураганный огонь...

— Поверьте мне, это — конец... Наши уже в городе.

Молчание. Все повернулись, глядят на восток, где серо-желтой тучей висят дым и пыль над Екатеринодаром. Ковыляя, подходит рыжий, худой, как скелет, офицер, садится, говорит:

— Валька сейчас умер... Как кричал: «Мама, мама, слышишь ты меня?..»

Сверху с паперти проговорил резкий голос:

— Любовь! Барышни с оборками... Ерррунда. Обозные разговоры. У меня жена покрасивее твоей невесты с оборками... и ту послал к... (Зло фыркнул носом.) Да и врешь ты все, никакой у тебя невесты не было... Наган в кармане да шашка — вот тебе вся семья и прочее...

Рощин, ходивший с винтовкой в карауле у церкви, остановился и внимательно взглянул на говорившего, — у него было мальчишеское, со вздернутым носом, светловолосое лицо, две резкие морщины у рта и старые, тяжелые, мутно-голубого цвета глаза непроспавшегося убийцы. Рощин оперся на винтовку (все еще болела нога), и непрошеные мысли овладели им. Воспоминание о брошенной Кате острой жалостью прошло в памяти. Он прижал лоб к холодному железу штыка. «Полно, полно, это — слабость, это все не нужно...» Он встряхнулся и зашагал по свежей травке. «Не время жалости, не время для любви...»

У кирпичной стены, разрушенной снарядом, стоял, глядя в бинокль, коренастый, нахмуренный человек. Щегольская кожаная куртка, кожаные штаны и мягкие казацкие сапоги его были забрызганы засохшей грязью. Около него в кирпичную стену время от времени цокали пули.

Ниже, в ста шагах от него, расположилась батарея и зеленые снарядные ящики. Лошадей только что отвели к забору, и они стояли понуро, навалив дымящийся навоз. Прислуга, сидя на лафетах, смеялась, курила, — поглядывали в сторону командира с биноклем. Почти все были матросы, кроме троих оборванных бородачей-артиллеристов.

Дым и пыль заслоняли горизонт — линии окопов, складки земли, сады. То, что разглядывал командир, неясно появлялось и исчезало из поля зрения. Из-за дома, где он стоял, вывернулся медно-красный, в одном тельнике, матрос, проскользнул по-кошачьи вдоль стены и сел у ног коренастого человека, обхватил колени татуированными сильными руками, чуть прищурил рыжие, как у ястреба, глаза.

— У самого берега два дерева, глядишь? — сказал он вполголоса.

— Ну?

— За ними — домишко, стеночка белеется, глядишь?

— Ну?

— То ферма.

— Знаю.

— А правее — гляди — роща. А вон дорога.

— Вижу.

— С четырех часов там верхоконные пробегли, народ начал ползать. Вечером две коляски приехали. Там и сидит дьявол, больше нигде.

— Катись вниз, — повелительно сказал коренастый и подозвал командира батареи. На пригорок влез бородатый человек в овчинном тулупе. Коренастый передал ему свой бинокль, и он долго всматривался.

— Хутор Слюсарева, ферма, — сказал он простуженным голосом, — дистанция четыре версты с четвертью. Можно и по Слюсареву двинуть.

Он вернул бинокль, неуклюже сполз вниз и, надув горло, рявкнул:

— Батарея, готовьсь!.. Дистанция... Первая очередь... Огонь...

Ахнули громовыми глотками орудия, отскочили стволы на компрессорах, выпыхнуло пламя, и тяжелые гранаты ушли, бормоча о смерти, к высокому берегу Кубани, к двум голым тополям, где в белом домике перед картой сидел угрюмый Корнилов.

На второй день штурма был вызван из обоза генерал Марков с офицерским полком. В этой колонне шел Рощин рядовым. Семь верст до Екатеринодара, еще гуще, чем вчера, заволоченного пылью канонады, пробежали за час времени. Впереди шагал в сдвинутой на затылок папахе, в расстегнутой ватной куртке Марков. Обращаясь к едва поспевающему за ним штабному полковнику, он ругался и сволочился по адресу высшего командования:

— Раздергали по частям бригаду, в обозе меня — трах-тарарах — заставили сидеть... Пустили бы меня с бригадой, — я бы давно — трах-тарарах — в Екатеринодаре был...

Он перескочил через канаву, поднял нагайку и, обернувшись к растянутой по зеленому полю колонне, скомандовал, — от крика надулись жилы на его шее...

Запыхавшиеся офицеры, с потными серьезными лицами, стали перебегать, колонна повертывалась, как на оси, и растянулась в виду города четырьмя зыбкими лентами по полю. Рощин оказался недалеко от Маркова. Несколько минут стояли. Пробовали затворы. Поправляли, осматривали патронные сумки. Марков опять скомандовал, растягивая гласные, — тогда отделилось сторожевое охранение и бегом ушло далеко вперед. За ним двинулись цепи.

Слева, навстречу, по разъезженной дороге плелись унылые телеги, — везли раненых. Иные шли пешком, уронив головы. Много раненых сидело на гребнях канав, на опрокинутых телегах. И казалось — телегам и раненым нет числа — вся армия.

Обгоняя полк, на вороной лошади проехал рослый и тучный человек с усами, в фуражке с красным околышем и в отлично сшитом френче со жгутами — погонами конюшенного ведомства. Он весело закричал что-то генералу Маркову, но тот отвернулся, не ответил. Это был Родзянко, отпросившийся из обоза — взглянуть глазком на штурм.

Полк опять остановился. Издалека донеслась команда, — многие закурили. Все молчали, смотрели туда, где среди канав и бугров скрывалось сторожевое охранение. Генерал Марков, помахивая нагайкой, ушел по направлению высокой тополевой рощи. Там, из глубины едва тронутых зеленой дымкой деревьев, через небольшие промежутки времени поднимались лохматые столбы дыма, высоко взлетали ветви и комья земли.

Стояли долго. Был уже пятый час. Из-за рощи показался всадник, — он скакал, пригнувшись к шее коня. Рощин глядел, как взмыленная лошаденка его завертелась у канавы, боясь перепрыгнуть, затем, взмахнув хвостом, прыгнула, всадник потерял фуражку. Подскакивая к полку, он закричал:

— Наступать... артиллерийские казармы... генерал впереди... там...

Он кинул рукой туда, где на бугорке маячило несколько фигур; на одной из них белела папаха. Раздалась команда:

— Цепь, вперед!

Рощину стиснуло горло, глаза высохли, — была секунда страха и восторга, тело стало бесплотным, было желание — бежать, кричать, стрелять, колоть и чтобы сердце в минуту восторга залилось кровью: сердце — в жертву...

Отделилась первая цепь, и в ней с левого фланга пошел Рощин. Вот и холмик, где, расставив ноги, лицом к наступающему полку, стоял Марков.

— Друзья, друзья, вперед! — повторял он, и всегда прищуренные глаза его казались сейчас расширенными, страшными.

Затем Рощин увидел торчащие сухие стебли травы. Повсюду между ними валялись, как мешки, — тычком и на боку, — неподвижные люди в солдатских рубашках, в матросских куртках, в офицерских шинелях. Он увидел впереди невысокую изгородь из плитняка и колючие кусты без листьев. Спиной к изгороди сидел длиннолицый человек в стеганом солдатском жилете, разевал и закрывал рот.

Рощин перескочил через изгородь и увидел широкую дорогу. По ней быстро приближались фонтанчики пыли. Это большевики мели пулеметами по наступающим. Он остановился, попятился, захватило дыхание, оглянулся. Те из наступающих, кто перескочил через изгородь, — ложились. Рощин лег, прижался щекой к колючей земле. С усилием заставил себя поднять голову. Цепь лежала. Впереди на поле, шагах в пятидесяти, тянулся бугор канавы. Рощин вскочил и, низко нагибаясь, перебежал эти пятьдесят шагов. Сердце неистово колотилось. Он упал в канаву, в липкую грязь. За ним поодиночке побежала вся цепь. Один, другой, не добежав, ткнулись. Лежа в канаве, тяжело дышали. Над головами по гребню мело пулями.

Но вот впереди что-то переменилось, откуда-то засвистали снаряды в сторону казарм. Огонь пулеметов ослаб.

Цепь с усилием поднялась и двинулась вперед. Рощин видел свою длинную красновато-черную тень, скользящую по неровному полю. Она кривилась, то укорачивалась, то убегала бог знает куда. Подумал: «Как странно, — все еще жив и даже — тень от меня».

Снова усилился огонь со стороны казарм, но поредевшая цепь уже залегла в ста шагах от них в глубокой водомоине. Там по серому глинистому дну расхаживал Марков со страшными глазами.

— Господа, господа, — повторял он, — небольшая передышка... покурите, черт возьми... И — последний удар... Чепуха, всего сто шагов...

Рядом с Рощиным низенький лысый офицер, глядя на пылящий от пуль верхний край оврага, повторял негромко одно и то же матерное ругательство. Несколько человек лежало, закрыв лицо руками. Один, присев и держась за лоб, рвал кровью. Многие, как гиены в клетках, ходили взад и вперед по дну оврага. Раздалась команда: «Вперед, вперед!» Никто как будто не услыхал ее. Рощин судорожным движением затянул ременный кушак, ухватился за куст, полез наверх. Сорвался, скрипнул зубами, полез опять. И наверху оврага увидел присевшего на корточках Маркова. Он кричал:

— В атаку! Вперед!

Рощин увидел в нескольких шагах впереди мелькающие дырявые подметки Маркова. Несколько человек обогнало его. Кирпичная стена казарм была залита заходящим солнцем. Пылали в окнах осколки стекол. Какие-то фигурки убегали от казарм по полю к далеким домикам с палисадниками...

Кучка штатских и солдат стояла около сломанной гимнастики на песчаном дворе артиллерийских казарм. Лица были бледны, обтянуты, сосредоточенны, глаза опущены, руки висели безжизненно.

Перед ними стояла кучка поменьше, — офицеров, — опираясь на винтовки. Они с тяжелой ненавистью глядели на пленных. Те и другие молчали, ожидая. Но вот на дворе показался быстро, вприскочку, идущий ротмистр фон Мекке, тот самый, — Рощин узнал его, — с глазами непроспавшегося убийцы.

— Всех, — крикнул он весело, — приказано — всех... Господа, десять человек — выходите...

Прежде чем десять офицеров, щелкая затворами, выступили вперед, — среди пленных произошло движение. Один, грудастый и рослый, потащил через голову суконную рубашку. Другой — штатский, чахоточный и беззубый, с прямыми черными усами, закричал рыдающе:

— Пейте, паразиты, рабочую кровь!

Двое крепко обнялись. Чей-то хриплый голос нескладно затянул: «Вставай, проклятьем...» Десять офицеров вжались плечами в ложа винтовок. В это время Рощин почувствовал пристальный взгляд. Поднял голову. (Он сидел на ящике. Переобувался.) На него глядели глаза (лица не увидал) с предсмертным укором, с высокой важностью... «Знакомые, родные, серые глаза, боже мой!»

— Пли!

Не враз, торопливо ударили выстрелы. Раздались стоны, крики, Рощин низко нагнулся, обматывая грязной портянкой ногу, царапнутую пулей.

Второй день, как и первый, не принес победы добровольцам. Правда, на правом фланге были заняты артиллерийские казармы, но в центре не продвинулись ни на шаг, и дравшийся там корниловский полк потерял убитым командира, подполковника Неженцева, любимца Корнилова. На левом фланге конница Эрдели отступала. Красные проявляли небывалое до сих пор упорство, хотя в Екатеринодаре в каждом почти доме лежали раненые. Много женщин и детей было убито вблизи окопов и на улицах. Будь на месте Автономова боевое, умелое командование общим наступлением красных войск, — Добровольческая армия, растрепанная, с перемешавшимися частями, неминуемо была бы опрокинута и уничтожена.

На третий день кое-как и кое-кем пополненные полки добровольцев снова были брошены в атаку и снова отхлынули к исходным линиям. Многие, бросив винтовки, пошли в тыл, в обоз. Генералы пали духом. На позиции приехал Алексеев, покачал седой головой, уехал. Но никто не смел пойти и сказать главнокомандующему, что игра уже проиграна и что, — если чудом каким-нибудь и ворваться в Екатеринодар, — все равно теперь не удержать города.

Корнилов, после того как поцеловал в мертвый лоб любимца своего Неженцева, привезенного на телеге на ферму под его окно, — больше не раскрывал рта и ни с кем не говорил. Только раз, когда у самого дома разорвалась шрапнель и одна из пуль сквозь окно впилась в потолок, он мрачно указал на эту пулю сухим пальцем и сказал для чего-то адъютанту Хаджиеву:

— Сохраните ее, хан.

В ночь на четвертые сутки по всем полевым телефонам последовало распоряжение главнокомандующего: «Продолжать штурм».

Но на четвертый день всем стало ясно, что темп атаки сильно ослабел. Генерал Кутепов, сменивший убитого Неженцева, не мог поднять корниловского (лучшего в армии) полка, лежавшего в огородах. Части дрались вяло. Конница Эрдели продолжала отступать. Марков, сорвавший от крика и ругани голос, засыпал на ходу, его офицеры не могли высунуть нос дальше казармы.

В середине дня в комнате Корнилова собрался военный совет из генералов Алексеева, Романовского, Маркова, Богаевского, Филимонова и Деникина. Корнилов, уйдя маленькой серебряной головой в плечи, слушал доклад Романовского: «Снарядов нет, патронов нет. Добровольцы-казаки расходятся по станицам. Все полки растрепаны. Состояние подавленное. Многие не раненные из боевой линии уходят в обоз...» и так далее...

Генералы слушали, опустив глаза. Марков, приткнувшись на чье-то плечо, спал. В полумраке (так как окно было завешено) скуластое лицо Корнилова было похоже на высохшую мумию. Он сказал глуховатым голосом:

— Итак, господа, положение действительно тяжелое. Я не вижу другого выхода, как взятие Екатеринодара. Я решил завтра на рассвете атаковать город по всему фронту. В резерве остался полк Казановича. Я его сам поведу в атаку.

Он внезапно засопел. Генералы сидели, опустив головы. Плотный, с полуседой бородкой, похожий на служаку-чиновника, генерал Деникин, страдавший бронхитом, воскликнув невольно: «О господи, господи!», закашлялся и пошел к двери. В спину его Корнилов сверкнул черными глазами. Он выслушал возражения, встал и отпустил совет. Решительный штурм был назначен на первое апреля.

Через полчаса в комнату вернулся Деникин, все еще свистя грудью. Сел и сказал с мягкой душевностью:

— Ваше высокопревосходительство, позвольте, как человек человеку, задать вам вопрос.

— Я слушаю вас, Антон Иванович.

— Лавр Георгиевич, почему вы так непреклонны?

Корнилов ответил сейчас же, как будто давно уже приготовил этот ответ:

— Другого выхода нет. Если не возьмем Екатеринодара, я пущу пулю в лоб. (Пальцем, с отгрызанным до корня ногтем, он указал себе на висок.)

— Вы этого не сделаете! — Деникин поднял полные, очень белые руки, прижал их к груди. — Перед богом, перед родиной... Кто поведет армию, Лавр Георгиевич?..

— Вы, ваше превосходительство...

И нетерпеливым жестом Корнилов дал понять, что кончает этот разговор.

Жаркое утро 31 марта было безоблачно. От зазеленевшей земли поднимались волны испарений. Лениво в крутых берегах текли мутно-желтые воды Кубани, нарушаемые лишь плеском рыбы. Было тихо. Лишь изредка хлопал выстрел да бухала вдалеке пушка; посвистывая, проносилась граната. Люди отдыхали, чтобы назавтра начать новый кровавый бой.

Подпоручик Долинский курил на крыльце дома. Думал: «Помыть бы рубашку, кальсоны, носки... Хорошо бы искупаться». Даже птица какая-то залетная весело посвистывала в роще. Долинский поднял голову. Фюить — ширкнула граната прямо в зеленую рощу. С железным скрежетом разорвалась. Птичка больше не пела. Долинский бросил окурок в глупую курицу, непонятно как не попавшую в суп, вздохнул, вернулся в дом, сел у двери, но сейчас же вскочил и вошел в полутемную комнату. Корнилов стоял у стола, подтягивая брюки.

— Что, чай еще не готов? — спросил он тихо.

— Через минуту будет готов, ваше высокопревосходительство, я распорядился.

Корнилов сел к столу, положил на него локти, поднес сухонькую ладонь ко лбу, потер морщины.

— Что-то я вам хотел сказать, подпоручик... Вот не вспомню, просто беда...

Долинский, ожидая, что он скажет, нагнулся над столом. Все это было так не похоже на главнокомандующего — тихий голос, растерянность, — что ему стало страшно.

Корнилов повторил:

— Просто беда... Вспомню, конечно, вы не уходите... Сейчас глядел в окно — утро превосходное... Да, вот что...

Он замолчал и поднял голову, прислушиваясь. Теперь и Долинский различал приближающийся, надрывающий вой гранаты, казалось — прямо в занавешенное окно. Долинский попятился. Страшно треснуло над головой. Рвануло воздух. Сверкнуло пламя. По комнате метнулось снизу вверх растопыренное тело главнокомандующего...

Долинского выбросило в окно. Он сидел на траве, весь белый от известки, с трясущимися губами. К нему побежали...

У тела Корнилова, лежавшего на носилках и до половины прикрытого буркой, возился на корточках доктор. Поодаль стояли кучкой штабные, и ближе их к носилкам — Деникин, — в неловко надетой широкополой фуражке.

Минуту назад Корнилов еще дышал. На теле его не было видимых повреждений, только небольшая царапина на виске. Доктор был невзрачный человек, но в эту минуту он понимал, что все взгляды обращены на него, и — хотя ему было ясно, что все уже кончено, — он продолжал со значительным видом осматривать тело. Не торопясь, встал, поправил очки и покачал головой, как бы говоря: «К сожалению, здесь медицина бессильна».

К нему подошел Деникин, проговорил придушенно:

— Скажите же что-нибудь утешительное.

— Безнадежен! — Доктор развел руками. — Конец.

Деникин судорожно выхватил платок, прижал к глазам и затрясся. Плотное его тело все осело. Кучка штабных придвинулась к нему, глядя уже не на труп, а на него. Опустившись на колени, он перекрестил желто-восковое лицо Корнилова и поцеловал его в лоб. Двое офицеров подняли его. Третий проговорил взволнованно:

— Господа, кто же примет командование?

— Да я, конечно, я приму, — высоким, рыдающим голосом воскликнул Деникин. — Об этом было раньше распоряжение Лавра Георгиевича, об этом он еще вчера мне говорил...

В эту же ночь все части Добровольческой армии неслышно покинули позиции, и пехота, кавалерия, обозы, лазареты и подводы с политическими деятелями ушли на север, в направлении хуторов Гначбау, увозя с собой два трупа — Корнилова и Неженцева.

Корниловский поход не удался. Главные вожди и половина участников его погибли. Казалось — будущему историку понадобится всего несколько слов, чтобы упомянуть о нем.

На самом деле корниловский «ледяной поход» имел чрезвычайное значение. Белые нашли в нем впервые свой язык, свою легенду, получили боевую терминологию — все, вплоть до новоучрежденного белого ордена, изображающего на георгиевской ленте меч и терновый венец.

В дальнейшем, при наборах и мобилизациях, в неприятных объяснениях с иностранцами и во время недоразумений с местным населением — они выдвигали первым и высшим аргументом венец великомученичества. Возражать было нечего: ну, что же, например, что генерал такой-то перепорол целый уезд шомполами (шомполовал, как тогда кратко выражались). Пороли великомученики, преемники великомучеников, с них и взятки гладки.

Корниловский поход был тем началом, когда, вслед за прологом, взвивается занавес трагедии, и сцены, одна страшнее и гибельнее другой, проходят перед глазами в мучительном изобилии.

4

Алексей Красильников спрыгнул с подножки вагона, взял брата, как ребенка, на руки, поставил на перрон. Матрена стояла у вокзальной двери, у колокола. Семен не сразу узнал ее: она была в городском пальто, черные блестящие волосы ее покрывал завязанный очипком, по новой советской моде, белый опрятный платок. Молодое, круглое, красивое лицо ее было испуганно, губы плотно сжаты.

Когда Семен, поддерживаемый братом, подошел, еле передвигая ноги, карие глаза Матрены замигали, лицо задрожало...

— Батюшка мой, — сказала она тихо, — дурной какой стал.

Семен с болью вздохнул, положил руку на плечо жене, коснулся губами ее чистой прохладной щеки. Алексей взял у нее кнут. Постояли молча. Алексей сказал:

— Вот тебе и муж предоставлен. Убивали, да не убили. Ничего, — косить вместе будем. Ну, поедемте, дорогие родственники.

Матрена нежно и сильно обняла Семена за спину, довела до телеги, где поверх домотканого коврика лежали вышитые подушки. Усадила, села рядом, вытянув ноги в новых, городского фасона, башмаках. Алексей, поправляя шлею, сказал весело:

— В феврале один кавалер от эшелона отбился. Я его двое суток самогоном накачивал. Ну, и пятьсот целковых дал еще керенками, вот тебе и конь. — Он ласково похлопал сильного рыжего мерина по заду. Вскочил на передок телеги, поправил барашковую шапку, тронул вожжами. Выехали на полевую дорогу в едва зазеленевшие поля, над которыми в солнечном свете, трепеща крыльями, жарко пел жаворонок. На небритое, землистое лицо Семена взошла улыбка, Матрена, прижимая его к себе, взором спросила, и он ответил:

— Да, вы тут пользуетесь...

Приятно было Семену войти в просторную, чисто выбеленную хату. И зеленые ставни на маленьких окошках, и новое тесовое крыльцо, и вот, — шагнул через знакомую низкую дверь, — теплая, чисто вымазанная мелом печь, крепкий стол, покрытый вышитой скатертью, на полке — какая-то совсем не деревенская посуда из никеля и фарфора, налево — спальня Матрены с металлической широкой кроватью, покрытой кружевным одеялом, с грудой взбитых подушек, направо — комната Алексея (где прежде жил покойный отец), на стене — уздечка, седло, наборная сбруя, шашка, винтовка, фотография, и во всех трех комнатах — заботливо расставленные цветы в горшках, фикусы и кактусы, — весь этот достаток и чистота удивили Семена. Полтора года он не был дома, и — гляди — фикусы, и кровать, как у принцессы, и городское платье на Матрене.

— Помещиками живете, — сказал он, садясь на лавку и с трудом разматывая шарф. Матрена положила городское пальто в сундук, подвязала передник, перебросила скатерть изнанкой кверху и живо накрыла на стол. Сунула в печь ухват и, присев под тяжестью, так что голые до локтей руки ее порозовели, вытащила на шесток чугун с борщом. На столе уже стояли и сало, и копченая гусятина, и вяленая рыба. Матрена сверкнула глазами на Алексея, он мигнул, она принесла глиняный жбанчик с самогоном.

Когда братья сели за стол, Алексей поднес брату первому стаканчик. Матрена поклонилась. И когда Семен выпил огненного первача, едва отдулся, — оба — и Матрена и Алексей — вытерли глаза. Значит, сильно были рады, что Семен жив и сидит за столом с ними.

— Живем, браток, не то чтобы в диковинку, а — ничего, хозяйственно, — сказал Алексей, когда кончили хлебать борщ. Матрена убрала тарелки с костями и села близко к мужу. — Помнишь, на княжеской даче клин около рощи, землица — золотое дно? Много я пошумел в обществе, шесть ведер самогону загнал хрестьянам, — отрезали. Нынче мы с Матреной его распахали. Да летось неплохой был урожай на полосе около речки. Все, что видишь: кровать, зеркало, кофейники, ложки-плошки, разные тряпки-барахло, — все этой зимой добыли. Матрена твоя очень люта до хозяйства. Ни один базарный день не пропускает. Я еще по старинке — на денежки продаю, а она — нет: сейчас кабана, куренков заколет, муки там, картошки — на воз, подоткнет подол и — в город... И на базар не выезжает, а прямо идет к разным бывшим господам на квартиру, глазами шарит: «За эту, говорит, кровать — два пуда муки да шесть фунтов сала... За эту, говорит, покрывалу — картошки...» Прямо смех, как с базара едем, — чистые цыгане — на возу хурда-бурда.

Матрена, пожимая мужнину руку, говорила:

— Двоюродную мою сестру, Авдотью, помнишь? Старше меня на годочек, — за Алексея ее сватаем.

Алексей смеялся, шаря в кармане:

— Бабы эти прежде меня решили... А и верно, браток, надоело вдовствовать. Напьешься и — к сводне, такая грязь, потом не отплюешься...

Он вынул кисет и обугленную трубочку с висящими на ней медными побрякушками, набил доморощенным табаком, и заклубился дым по хате. У Семена от речей и от самогона кругом пошла голова. Сидел, слушал, дивился.

В сумерки Матрена повела его в баньку, заботливо вымыла, попарила, хлестала веником, закутала в тулупчик, и опять сидели за столом, ужинали, прикончили глиняный жбанчик до последней капли, Семен хотя еще был слаб, но лег спать с женой и заснул, обвитый за шею ее горячей рукою. А наутро — открыл глаза — в хате было прибрано, тепло. Матрена, посверкивая глазами, белозубой улыбкой, месила тесто. Алексей скоро должен был приехать с поля завтракать. Весенний свет лился в чистые окошечки, блестели листы фикусов. Семен сел на кровати, расправился: как будто вдвое прибыло здоровья за вчерашний день, за эту ночь, проспанную с Матреной. Оделся, помылся, спросил — где у брата бритва? — в его комнате у окошка перед осколком зеркала побрился. Вышел на улицу, стал у ворот и поклонился сидевшему у соседей в палисаднике древнему старику, помнившему четырех императоров. Старик снял шапку, важно нагнул голову — и опять сидел, ровно поставив мертвые ноги в валенках, ровно сложив жиловатые руки на клюке.

Знакомая улица в этот час была пуста. Между хатами виднелись далеко уходящие полосы зеленей. На курганах, на горизонте, кое-где стояли распряженные телеги. Семен поглядел налево, — над меловым обрывом лениво вертели крыльями две мельницы. Пониже, на склоне, среди садов и соломенных крыш, белела колокольня. За еще прозрачной рощей горели от солнца окна бывшего княжеского дома. Кричали грачи над гнездами. И роща, и красивый фасад дома отражались в заливном озере. Там у воды лежали коровы, бегали дети.

Семен стоял и поглядывал исподлобья, засунув руки в просторные карманы братниной свитки. Глядел, и находила печаль ему на сердце, и понемногу сквозь прозрачные волны жара, струящиеся над селом, над лиловыми садами и вспаханной землей, видел он уже не этот мир и тишину. Подъехал Алексей на телеге, еще издали весело окликнул. Отворяя ворота, внимательно взглянул на Семена. Распряг мерина и стал мыть руки на дворе под висячим рукомойником.

— Ничего, браток, обтерпишься, — сказал он ласково. — Я тоже, с германского фронта вернулся, ну не глядел бы ни на что: кровь в глазах, тоска... Ах, будь она, эта война, проклята... Идем завтракать.

Семен промолчал. Но и Матрена заметила, что муж невесел. После завтрака Алексей опять уехал в поле. Матрена, босая, подоткнувшись, ушла возить навоз на второй лошади. Семен лег на братнину постель. Ворочался, не мог уснуть. Печаль томила сердце. Стиснув зубы, думал: «Не поймут, и говорить нечего с ними». Но вечером, когда вышли втроем посидеть у ворот, на бревнышке, Семен не выдержал, сказал:

— Ты, Алексей, винтовку бы все-таки вычистил.

— А ну ее к шуту... Воевать, браток, теперь сто лет не будем.

— Рано обрадовались. Рано фикусы завели.

— А ты не серчай раньше-то времени. — Алексей раскурил трубочку, сплюнул между ног. — Давай говорить по-мужицки, мы не на митинге. Я ведь это все знаю, что на митингах говорят, — сам кричал. Только ты, Семен, умей слушать, что тебе нужно, а чего тебе не нужно — это пропускай. Скажем, — землю трудящимся. Это совершенно верно. Теперь, скажем, — комитеты бедноты. У нас в селе мы этих комитетчиков взнуздали. А вон в Сосновке комитет бедноты что хочет, то и делает, такие реквизиции, такое безобразие, — хоть беги. Именье графа Бобринского все ушло под совхоз, мужикам земли ни вершка не нарезали. А кто в комитете? Двое местных бобылей безлошадные, остальные — шут их знает кто, пришлые, какие-то каторжники... Понял али нет?

— Эх, да не про то я... — Семен отвернулся.

— Вот то-то, что не про то, а я про то самое. В семнадцатом году и я на фронте кричал про буржуазию-то. А хлопнуло, — дай бог ему здоровья, кто меня хлопнул тогда пулей в ногу, — сразу эвакуировался домой. Вижу, — сколько ни наешь, на другой день опять есть хочется. Трудись...

Семен постучал ногтями по бревну.

— Земля под вами горит, а вы спать легли.

— Может быть, у вас во флоте, — сказал Алексей твердо, — или в городах революция и не кончилась. А у нас она кончилась, как только землю поделили. Теперь вот что будет: уберемся мы с посевом и примемся мы за комитетчиков. К Петрову дню ни одного комитета бедноты не оставим. Живыми в землю закопаем. Коммунистов мы не боимся. Мы ни дьявола не боимся, это ты запомни...

— Будет тебе, Алексей Иванович, гляди — он весь дрожит, — проговорила Матрена тихо. — Разве можно с больного спрашивать?

— Не больной я... Чужой я здесь! — крикнул Семен, встал и отошел к плетню.

На том разговор и кончился.

В полосе уже погасшей зари летали две мыши, два чертика. Кое-где горел свет в окошках, — кончали ужинать. Издалека доносилась песня — девичьи голоса. Вот песня оборвалась, и по широкой погруженной в сумрак улице понесся дробный стук копыт. Скакавший приостановился, что-то крикнул, опять пустил коня. Алексей вынул изо рта трубку, прислушиваясь. Поднялся с бревен.

— Несчастье, что ли? — сказала Матрена дрогнувшим голосом.

Наконец показался верхоконный, — парень без шапки скакал, болтая босыми ногами...

— Немцы идут! — крикнул он. — В Сосновке уже четырех человек убили!..

После заключения мира, к середине марта по новому стилю, германские войска по всей линии от Риги до Черного моря начали наступление — на Украину и Донбасс.

Немцы должны были получить по мирному договору с Центральной радой 75 миллионов пудов хлеба, 11 миллионов пудов живого скота, 2 миллиона гусей и кур, 2 $^1/_2$ миллиона пудов сахару, 20 миллионов литров спирта, 2 $^1/_2$ тысячи вагонов яиц, 4 тысячи пудов сала, кроме того — масло, кожу, шерсть, лес и прочее...

Немцы наступали на Украину по всем правилам — колоннами зелено-пыльного цвета, в стальных шлемах. Слабые заслоны красных войск сметались тяжелой германской артиллерией.

Шли войска, автомобильные обозы, огромные артиллерийские парки с орудиями, выкрашенными изломанными линиями в пестрые цвета, гремели танки и броневые автомобили, везли понтоны, целые мосты для переправ. Жужжали в небе вереницы аэропланов.

Это было нашествие техники на почти безоружный народ. Красные отряды, — из фронтовиков, крестьян, шахтеров и городских рабочих, — разрозненные и во много раз уступающие немцам численностью, уходили с боями на север и на восток.

В Киеве на место Центральной рады, продавшей немцам Украину, был посажен свитский генерал Скоропадский; одетый в любезную самостийникам синюю свитку, подбоченясь, держал гетманскую булаву: «Хай живе щира Украина! Отныне и навеки — мир, порядок и благолепие. Рабочие — к станкам, землеробы — к плугу! Чур, чур! — сгинь, красное наваждение!»

Через неделю после того, как по улице села Владимирского проскакал страшный вестник, ранним утром на меловом обрыве у мельниц показался конный разъезд, — двадцать всадников на рослых вороных конях, — крупные, нерусского вида, в коротких зелено-серых мундирах и уланских шапках со шнурами. Посмотрели вниз на село и спешились.

В селе был еще народ, — многие сегодня не выехали в поле. И вот побежали от ворот к воротам мальчишки, перекликнулись бабы через плетни, и скоро на церковной площади собралась толпа. Глядели наверх, где около мельниц — ясно было видно — уланы ставили два пулемета.

А вскоре затем, с другой стороны, по селу загромыхали кованые колеса, защелкал бич, и на площадь широкой рысью влетела пара караковых в мыле, запряженная в военную тележку. На козлах правил белоглазый, с длинной нижней челюстью, нескладный солдат в бескозырке и в узком мундире. Сзади него, — руки в бока, — сидел германский офицер, строгого и чудного вида барин, со стеклышком в глазу и в новенькой, как игрушечной, фуражке. По левую сторону его жался старый знакомец, княжеский управляющий, сбежавший прошлой осенью из имения в одних подштанниках.

Сейчас он сидел, насупясь, в хорошем пальто, в теплом картузе — круглолицый, бритый, в золотых очках, — Григорий Карлович Миль. Ох, и зачесались мужики, когда увидели Григория Карловича.

— Шапки долой! — внезапно крикнул по-русски чудной офицер.

Некоторые, кто стоял поближе, нехотя стащили шапки. На площади притихло. Офицер, сидя все так же, подбоченясь, поблескивая стеклышком, начал говорить, отчеканивая слова, с трудом, но правильно произнося:

— Землепашцы села Владимирского, вы увидели там, на горке, два германских пулемета, они отлично действуют... Вы, конечно, благоразумные землепашцы. Я бы не хотел причинять вам вреда. Должен сказать, что германские войска императора Вильгельма пришли к вам для того, чтобы восстановить среди вас жизнь честных людей. Мы, германцы, не любим, когда воруют чужую собственность, за это мы наказуем очень беспощадно. Большевики вас учили другому, не правда ли? За это мы прогнали большевиков, они никогда больше к вам не вернутся. Советую вам хорошенько подумать о своих дурных поступках, а также о том, чтобы незамедлительно вернуть владельцу этого имения то, что вы у него украли...

В толпе даже крякнули после этих слов. Григорий Карлович все время сидел, опустив козырек на глаза, — внимательно всматривался в мужиков. Один раз на полном лице его мелькнула усмешка торжества, — видимо, он узнал кого-то. Офицер окончил речь. Мужики молчали.

— Я исполнил мой долг. Теперь скажите вы, господин Миль, — обратился к нему офицер.

Григорий Карлович в очень почтительных выражениях отклонил это предложение:

— Господин лейтенант, мне с ними говорить не о чем. Они и так все поняли.

— Хорошо, — сказал офицер, которому было наплевать. — Август, пшел!

Солдат в бескозырке хлопнул бичом, и военная тележка покатилась сквозь раздавшуюся толпу к княжескому дому, где еще три дня тому назад находился волисполком. Мужики глядели вслед.

— Подбоченился немец, — проговорил в толпе чей-то голос.

— А Григорий Карлович, ребята, помалкивает.

— Подожди, он еще разговорится.

— Вот беда-то, господи, — да за что же это?..

— А теперь скоро жди исправника.

— В Сосновку уж прибыл. Созвал сход, и давай мужиков ругать, — вы, мол, такие-сякие, грабители, бандиты, забыли девятьсот пятый год? Часа три чистил, и все по матери. Всю политику объяснил.

— А чего же теперь будет?

— А пороть будут.

— Постой, а как же запашка? Чья она теперь?

— Запашку исполу. Убраться дадут, половина — князю.

— Эх, черт, уйду я...

— Куда пойдешь, дура?..

Поговорили мужики, разошлись. А к вечеру понесли в княжеский дом диваны, кресла, кровати, занавески, золоченые рамы с зеркалами и картинами.

У Красильникова ужинали, не зажигая огня. Алексей каждый раз клал ложку, оглядывался на окно, вздыхал. Матрена ходила тихо, как мышь, от печи до стола. Семен сидел сутуло, вьющиеся темные волосы падали ему на лоб. Убирая ли куски, ставя ли миску с новой едой, Матрена нет-нет да и касалась его то рукой, то грудью. Но он не поднимал головы, молчал упрямо.

Вдруг Алексей шатнулся к окну, ударил в него ногтями, выглянул. Теперь в вечерней тишине был ясно слышен издалека дикий, долгий крик. Матрена сейчас же села на лавку, стиснула руки между коленями.

— Ваську Дементьева порют, — тихо проговорил Алексей, — давеча его провели на княжеский двор.

— Это уже третьего, — прошептала Матрена.

Замолчали, слушали. Крик человека все тем же отчаянием и ужасом висел над вечерним селом.

Семен порывисто встал. Коротким движением подтянул ремень на штанах и пошел к брату в комнату. Матрена также молча кинулась за ним. Он снимал со стены винтовку. Матрена обхватила его за шею, повисла, закинув голову, стиснув белые зубы — замерла.

Семен хотел оттолкнуть ее и не мог. Винтовка упала на глиняный пол. Тогда он повалился на кровать лицом в подушку. Матрена присела около, торопливо гладила мужа по жестким волосам.

Не надеясь на силы стражников и нового гетманского войска — гайдамаков, управляющий Григорий Карлович Миль ходатайствовал о посылке в село Владимирское гарнизона. Немцы охотно соглашались в таких случаях, и во Владимирское вошли два взвода с пулеметами.

Солдат расквартировали по хатам. Говорили, будто Григорий Карлович сам отмечал дворы под постой. Во всяком случае, все те из крестьян, кто принимал участие в прошлогоднем разгроме княжеской усадьбы, и все члены волисполкома из беспартийных (человек десять молодежи скрылись из села еще до появления немцев) получили на кормежку по солдату с конем.

Так и к Алексею Красильникову постучался в ворота бравый германский солдат, в полной амуниции, при винтовке и в шлеме. Непонятно лопоча, показал Алексею ордер, похлопал по плечу:

— Карашо, друг...

Солдату отвели Алексееву комнату, убрали только сбрую и оружие. Солдат сейчас же устроился — постелил хорошее одеяло, на стену повесил фотографию Вильгельма, велел подмести пол почище.

Покуда Матрена мела, он собрал грязное бельишко и попросил выстирать. «Шмуциг, фуй, — говорил он, — битте, стиркать». Потом, очень всем довольный, брякнулся в сапогах на постель и закурил сигару.

Солдат был толстый, с плоскими усами, вздернутыми кверху. Одежда на нем была хорошая, ладная. И есть был здоров, как боров. Жрал все, что ни приносила ему в комнату Матрена; особенно понравилось ему соленое свиное сало. Матрене жалко было до смерти кормить салом немца, но Алексей сказал: «Брось, пусть его трескает да спит, только бы носу никуда не совал».

Когда нечего было делать, солдат напевал про себя военные марши или писал письма на родину на открытках с видами Киева. Не озорничал, только ходил очень громко, — топал сапогами, как хозяин.

У Красильниковых было теперь — будто покойник в доме: садились за стол, вставали молча, Алексей — невесел, на лбу морщины. Матрена осунулась, вздыхала, украдкой вытирала слезы фартуком. Больше всего боялась она за Семена, как бы он не сорвался сгоряча. Но он за эти дни будто затих, затаился.

Теперь каждый день в волостной избе и на воротах по дворам расклеивались универсалы гетмана о возврате земли и скота помещикам, о реквизициях и поборах, о принудительной продаже хлеба, о беспощадных карах за попытки к бунтам, за укрывательство коммунистов и так далее...

Мужики читали универсалы, помалкивали. Потом стали доходить зловещие слухи о том, что в таком-то селе скупщики под охраной немецкой кавалерии вывезли даже немолоченый хлеб, расплатились какими-то нерусскими бумажками, которых и бабы брать не хотят, в таком-то селе угнали половину скота, а в таком-то не оставили будто бы и воробью клюнуть.

По ночам в укромных местах мужики стали собираться небольшими кучками, слушали рассказы, кряхтели. Что тут было делать? Чем помочь? Такая навалилась сила, что только дух пускай, а не пикни.

Семен стал хаживать на эти собрания — на зады, к ручью, под иву. В пиджаке внакидку сидел на земле, курил, слушал. Иной раз хотелось вскочить, кинуть пиджак, развернуть плечи: «Товарищи!..» Напрасно, — только напугаешь их, затрясут мужики мотнями, разбегутся.

Однажды в сумерки на выгоне он встретил какого-то человека, — тот стоял, скалился. Семен пошел было мимо, человек окликнул негромко:

— Братишка!

Семен вздрогнул: неужели свой? Спросил, искоса оглядывая того:

— А что надо?

— Ты Ликсеев брат?

— Ну, скажем.

— Своих не признаешь... Команду на «Керчи» помнишь?

— Кожин! Ты? — Семен крепко сунул руку ему в руку.

Стояли, глядели друг на друга. Кожин, быстро оглянувшись, сказал:

— Обрезы-то пилите?

— Нет, у нас пока еще тихо.

— А бойкие ребята есть?

— Кто их знает, пока не видать. Ждем, что дальше будет.

— Что же вы, ребята, делаете? — заговорил Кожин, и глаза его все время бегали, вглядывались в сумеречные очертания. — Чего вы смотрите? Так вас, как гусей, общиплют, а вы и головки подставили. А знаете вы, — у нас уже село Успенское все сожгли артиллерийским огнем. Бабы, ребятишки разбежались кто куда, мужики в лес... Из Новоспасского народ бежит, из Федоровки, из Гуляй-Поля — все к нам...

— Да к кому — к вам?

— Дибривский лес знаешь? Туда собираются... Ну, ладно... Ты вот что шепни ребятам: чтобы от вашей Владимировки сорок обрезов, да винтовок с патронами штук десять, да гранат ручных — сколько соберете, — и это вы прячьте в стог, в поле... Понял? В Сосновке уж под стога прячут, ребята только меня дожидаются... В Гундяевке тридцать мужиков на конях ждут. Уходить надо.

— Да куда? К кому?

— Ну, к атаману... Зовут — Щусь. Сейчас мы по всей Екатеринославщине отряды собираем... На прошлой неделе разбили гайдамаков, сожгли экономию... Вот, братишка, была потеха: спирт этот, сахар даром крестьянам кидали... Так помни — через неделю приду...

Он подмигнул Семену, перескочил через плетень и побежал, пригнувшись, в камыши, где голосисто квакали лягушки.

Слухи об атаманах, о налетах доходили до Владимировки, но не верилось. И вот — появился живой свидетель. Семен в тот же вечер рассказал о нем брату. Алексей выслушал серьезно.

— Атамана-то как звать?

— Щусь, говорят.

— Не слыхал. Про Махно, Нестора Ивановича, бродят слухи, будто бы шайка у него человек в двадцать пять головорезов, — налетают на экономии. А про Щуся не слыхал... Все может быть: теперь мужик на все способен. Что ж — Щусь так Щусь, дело святое... Только вот что, Семен: мужикам ты покуда не говори. Когда нужно будет, скажу сам.

Семен усмехнулся, пожал плечом:

— Ну, ждите, покуда не ощиплют догола.

В тот же вечер Кожин виделся, должно быть, не с одним Семеном. По селу зашептали про обрезы, гранаты, про атаманские отряды. Кое-где по дворам, ночью, — если прислушаться, — начали ширкать напильники. Но пока что все было тихо. Немцы даже навели порядок, издали приказ — с субботы на воскресенье мести улицу. Ничего, — и улицу подмели.

Затем пришла и беда. В ранний час, когда еще не выгоняли поить скотину, по выметенной улице пошли стражники и десятники с бляхами, застучали в окошки:

— Выходи!

Мужики стали выскакивать за ворота, босиком, застегиваясь, и тут же получали казенную бумагу: с такого-то двора — столько-то хлеба, шерсти, сала и яиц представить германскому интендантству по такой-то цене в марках. На площади у церкви уже стоял военный обоз. По дворам у ворот ухмылялись постояльцы-немцы, в шлемах, с винтовками.

Зачесались мужики. Кто божиться стал. Кто шапку кинул об землю:

— Да нет же у нас хлеба, боже ж ты мой! Хоть режь, — нет ничего!..

И тут по улице на дрожках проехал управляющий. Не столько солдат или стражников испугались мужики, сколько его золотых очков, потому что Григорий Карлович все знал, все видел.

Он остановил жеребца. К дрожкам подошел исправник. Поговорили. Исправник гаркнул стражникам, те вошли в первый двор и сразу под навозом нашли зерно. У Григория Карловича только очки блеснули, когда он услышал, как закричал мужик-хозяин.

В это время Алексей ходил у себя по двору, — до того растерялся, что жалко было смотреть. Матрена, опустив на глаза платок, плакала на крыльце.

— На что мне деньги, марки-то эти, на что? — спрашивал Алексей, поднимал чурку или сломанное колесо, бросал в крапиву к плетню. Увидал петуха, затопал на него: — Сволочь! — Хватался за замок на амбарушке: — Жрать-то мы что будем? Марки эти, что ли? Значит, — по миру хотят нас? Окончательно разорить? Опять в окончательную кабалу?

Семен, сидя около Матрены, сказал:

— Хуже еще будет... Мерина твоего отберут.

— Ну уж нет! Тут я, брат, — топором!

— Поздно спохватился.

— Ой, милые, — провыла Матрена, — да я им горло зубами перееем...

В ворота громыхнули прикладом. Вошел жилец, толстый немец, — спокойно, весело, как к себе домой. За ним — шесть стражников и штатский, с гетманской, в виде трезубца, кокардой на чиновничьей фуражке, со шнурованной книгой в руках.

— Тут — много, — сказал ему немец, кивнув на амбарушку, — сал, клеб.

Алексей бешено взглянул на него, отошел и со всей силы швырнул большой заржавленный ключ под ноги гетманскому чиновнику.

— Но, но, мерзавец! — крикнул тот. — Розог захотел, сукин сын!

Семен локтем откинул Матрену, кинулся с крыльца, но в грудь ему сейчас же уперлось широкое лезвие штыка.

— Хальт! — крикнул немец жестко и повелительно. — Русский, на место!

Весь день грузились военные телеги, и поздней ночью обоз ушел. Село было ограблено начисто. Нигде не зажигали огня, не садились ужинать. По темным хатам выли бабы, зажав в кулаке бумажные марки...

Ну, поедут мужик с бабой в город с этими марками, походят по лавкам, — пусто: ни гвоздика, ни аршина материи, ни куска кожи. Фабрики не работают. Хлеб, сахар, мыло, сырье — поездами уходит в Германию. Не рояль же мужику с бабой, не старинную же голландскую картину, не китайский чайник везти домой. Поглазеют на чубастых, с висячими усами, гайдамаков в синих свитках, в смушковых с алым верхом, шапках, потолкаются на главной улице среди сизо-бритых, в котелках, торговцев воздухом и валютой. Вздохнут горько и едут домой ни с чем. А по дороге — верст двадцать отъехали — стоп, загорелись оси на вагонах, — нет смазки, машинного масла: немцы увезли. Песочком засыплют, поедут дальше, и опять горят оси.

От этого всего бабы и выли, зажав в кулаке смятые германские марки, а мужики прятали скотину в лесные овраги, подальше от греха: кто ведь знает, какой назавтра расклеят гетманский универсал!

В селе не зажигали огня, все хаты были темны. Только за рощей, над озером, ярко светились окна княжеского дома. Там управляющий чествовал ужином германских офицеров. Играла военная музыка, — странной жутью неслись звуки немецких вальсов над темным селом. Вот огненным шнуром, черт знает в какую высь, поднялась ракета на потеху немецким солдатам, стоявшим на усадебном дворе, куда выкатили бочонок с пивом. Лопнула. И соломенные крыши, сады, ивы, белая колокольня, плетни озарились медленно падающими звездами. Много невеселых лиц поднялось к этим огням. Свет был так ярок, что каждая угрюмая морщина выступала на лицах. Жаль, что их нельзя было заснять в эту минуту при помощи какого-нибудь невидимого аппарата. Такие снимки дали бы большой материал для размышления германскому главному штабу.

Даже в поле, за версту от села, стало светло, как днем. Несколько человек, пробиравшихся к одинокому стогу, быстро легли на землю. Только один у стога не лег. Задрав голову к падающим с неба огонькам, ухмыльнулся:

— Ишь ты, курицына мать!

Огоньки погасли, не долетев до земли, стало черно. У стога сошлись люди, зазвякало бросаемое на землю оружие.

— Сколько всего?

— Десять обрезов, товарищ Кожин, четыре винтовки.

— Мало...

— Не успели... Завтра ночью еще принесем.

— А патроны где?

— Вот держи, — в карманах... Патронов много.

— Ну, прячь, ребята, под стог... Гранат, гранат, ребята, несите... Обрез — стариковское оружие, — сидеть за кустом в канаве. Выстрелил, в портки навалил, и — все сражение. А молодому бойцу нужна винтовка и — первая вещь — граната. Поняли? Ну, а уж кто может, то — шашка. Она всем оружиям оружие.

— Товарищ Кожин, а нынче ночью бы это устроить.

— Ей-богу, всем селом поднимемся... Такая злоба, — ну, живое отняли... С вилами, с косами, можно сказать, со всем трудовым снарядом пойдем... Да их, сонных, перерезать легче легкого...

— Это кто, ты — командир? — крикнул Кожин рубящим голосом. Помолчал. Заговорил сначала вкрадчиво, потом все повышая: — Кто здесь командир? Антиресно... Али я с дураками говорю? Али я сейчас уйду, пусть вас немцы, гайдамаки бьют и грабят... (Шепотом матерное.) Дисциплины не знаете? Али мало я шашкой голов срубил за это? Когда едешь в отряд — клятву должен дать о полном, беспрекословном повиновении атаману... Иначе — не ходи. У нас — воля, пей, гуляй, а гикнул батько: «На коня!» — и ты уж не свой. Поняли? (Помолчал. Примирительно, но строго.) Ни нынче и ни завтра немцев трогать нельзя. Тут нужна большая сила.

— Товарищ Кожин, нам бы хоть до Григория Карловича добраться, — он нам все равно жить не даст.

— Что касается управляющего, то — можно, не раньше будущей недели, — иначе я с делами не управлюсь. На днях в Осиповке германец изнасиловал бабу. Хорошо. Та ему в вареники иголок подсыпала. Поел он, выскочил из-за стола, — на двор. Брякнулся, и скоро из него — дух вон. Немцы эту бабу тут же прикончили. Мужики — за топоры... Что тут немцы сделали — и вспоминать не хочется... Теперь и места этого, где Осиповка стояла, не найдешь... Вот как самосильно-то, тяп да ляп! Поняли?

Матрена вздыхала, ворочаясь на постели. Начинало светать, пели петухи. Ложилась роса на подоконник открытого окна. Жужжал комарик. На шестке проснулась кошка, мягко спрыгнула и пошла нюхать сор в углу.

Братья вполголоса разговаривали у непокрытого стола: Семен — подперев руками голову, Алексей — все наклоняясь к нему, все заглядывая в лицо:

— Не могу я, Семен, пойми ты, родной. Матрене одной не управиться с хозяйством. Ведь тут годами коплено, — как бросить? Разорят последнее. Вернешься на пустое место.

— Как бросить? — сказал Семен. — Пропадет твое хозяйство — скажи какая важность. Победим — каменный дом построишь. (Он усмехнулся.) Партизанская война нужна, а ты со своим хозяйством.

— Опять говорю, — кто вас кормить будет?

— А ты и так не нас кормишь, — немцев, да гетмана, да всякую сволочь кормишь... Раб...

— Постой. В семнадцатом году я не дрался за революцию? В солдатский комитет меня не выбирали? Империалистического фронта я не разлагал? То-то... Погоди меня срамить, Семен... И сейчас, — ну, подойди Красная Армия, я первый схвачу винтовку. А куда я пойду в лес, к каким атаманам?

— Сейчас и атаманы пригодятся.

— Так-то так.

— Рана проклятая связала меня. — Семен вытянул руки по столу. — Вот моя мука... А наших черноморских ребят много пошло в эти отряды. Зажжем Украину с четырех концов, дай срок...

— Кожина ты видел еще?

— Видел.

— Что говорит?

— А мы с ним говорили, что скоро освещение устроим у вас в селе.

Алексей взглянул на брата, побледнел, опустил голову.

— Да, конечно бы, следовало... Торчит эта проклятая усадьба, как бельмо... Покуда Григорий Карлович жив, он нам дышать не даст...

Матрена спрыгнула с постели, в одной рубашке, — только накинула шаль с розами, — подошла и несколько раз постучала косточками кулака по столу:

— Мое добро берут, я терпеть не буду! Мы, бабы, скорее вас расправимся с этими дьяволами.

Семен неожиданно весело взглянул на нее:

— Ну? Как же вы, бабы, станете воевать? Интересно.

— Будем воевать по-бабьему. Сядет он жрать, — мышьяку... Порошки мы достанем. На сеновал его — заманю или в баню, — вязальной иглы, что ли, у меня нет? Так суну в это место — не ахнет. Мы-то начнем, вы не сробейте... А надо — и мы с винтовками пойдем, не хуже вас...

Семен топнул ногой, засмеялся во все горло:

— Вот это — баба, ух ты, черт!

— Пусти! — Махнув шалью, Матрена у порога сунула босые ноги в башмаки, постучала ими и ушла, должно быть, посмотреть скотину. Семен и Алексей долго качали головами, усмехаясь: «Атаман баба, ну и баба». В открытое окошко залетел предрассветный ветерок, зашуршал листами фикусов, и донеслось бормотанье и обрывки какой-то нерусской песни. Это возвращался из усадьбы пьяный жилец-немец, греб пыль сапогами.

Алексей со злобой захлопнул окошко.

— Пошел бы ты, Семен, к себе, лег.

— Боишься?

— Да привяжется пьяный черт... Он помнит, как ты на него кидался.

— И еще раз кинусь. — Семен поднялся, пошел было к себе. — Эх, Алеша, революция из-за этого погибает, что вас раскачать трудно... Корнилова вам мало? Гайдамаков, немцев мало? Чего вам еще? (Он вдруг оборвал.) Постой...

На дворе послышалось бормотанье, тяжело, неуверенно затопали сапогами. Раздался злой женский крик: «Пусти!..» Затем — возня, сопенье, и опять, еще громче, как от боли, закричала Матрена: «Семен, Семен!..»

На кривых ногах бешено выскочил Семен из хаты. Алексей только схватился за лавку, остался сидеть, — все равно он знал, что бывает, когда так кидаются люди. Подумал: «Давеча в сенях топор оставил, им — значит...» Диким голосом вскрикнул Семен на дворе. Раздался хряский удар. На дворе что-то зашипело, забулькало, грузно повалилось.

Вошла Матрена, белая, как полотно, — тащила за собой шаль. Прислонилась к печи, дыша высокой грудью. Вдруг замахала руками на Алексея, на глаза его...

В дверях показался Семен, спокойный, бледный.

— Брат, помоги, — унести его надо куда-нибудь, закопать...

5

Немецкие войска дошли до рубежей Дона и Азовского моря и остановились. Немцы овладели богатейшей областью, большей, чем вся Германия. Здесь, на Дону, так же как на Украине, германский главный штаб немедленно вмешался в политику и укрепил крупное землевладение — станичников, богатое казачество, которое всего года четыре тому назад хвалилось с налета взять Берлин. Эти самые коренастые, с красными лампасами, широколицые казаки, крепкие, как литые из стали, — казались теперь ручными овечками.

Еще немцы не подходили к Ростову, как уже десятитысячная казачья армия, под командой походного атамана Попова, бросилась на донскую столицу Новочеркасск. В кровопролитном бою на высоком плоскогорье — по-над Доном — красные казаки новочеркасского гарнизона и подоспевшие из Ростова большевики стали одолевать донцов. Но дело решил фантастический случай.

Из Румынии пешком шел добровольческий отряд полковника Дроздовского. 22 апреля он неожиданно ворвался в Ростов, держал его до вечера и был выбит. Дроздовцы шли в степи — искать корниловскую армию. В пути, 25 апреля, услышали под Новочеркасском шум битвы. Не спрашивая, — кто, почему и зачем дерется, — повернули к городу, врезались с броневиком в резервы красных и произвели отчаянный переполох. Увидев с неба свалившуюся помощь, донцы перешли в контратаку, опрокинули и погнали красных. Новочеркасск был занят. Власть от ревкома перешла к «Кругу спасения Дона». А затем подошли и немцы.

Под их покровительством Казачий круг в Новочеркасске, — куда немцы благоразумно не ввели гарнизона, — вручил атаманский пернач генералу Краснову — как он сам выражался: «Личному другу императора Вильгельма». Зазвонили малиновые колокола в соборе. На огромной булыжной площади перед собором станичники закричали: «Ура!» И седые казаки говорили: «Ну, в добрый час».

Дальше Ростова, в глубь Дона и Кубани, немцы не пошли. Они попытались было замирить Батайск — станицу, лежащую на левом берегу напротив Ростова, населенную рабочим людом ростовских мастерских и фабрик и пригородной беднотой. Но, несмотря на ураганный огонь и кровопролитные атаки, взять его так и не смогли. Батайск, почти весь залитый половодьем, сопротивлялся отчаянно и остался независимым.

Немцы остановились на этой черте. Они ограничились укреплением атаманской власти и подвозом оружия, взятого из русских военных складов на Украине. Так же осторожно был разрешен колкий вопрос об отношении к обеим добровольческим группам: деникинской армии и дроздовскому отряду. Добровольцы исповедовали две заповеди: уничтожение большевиков и возобновление войны с немцами, то есть верность союзникам до гроба. Первое казалось немцам разумным и хорошим, второе они считали не слишком опасной глупостью. Поэтому они сделали вид, что не знают о существовании добровольцев. Дроздовцы и деникинцы тоже сделали вид, что не замечают немцев на русской земле.

Так, дроздовскому отряду во время похода из Кишинева на Ростов пришлось однажды переходить реку. С одной стороны ее, в Бориславле, стояли немцы, с другой, у Каховки, — большевики.

Немцы не могли форсировать мост через реку. Тогда дроздовцы сами форсировали мост, выбили красный отряд из Каховки и, нс дожидаясь от немцев благодарности, пошли дальше.

Такое же, но в более крупных размерах, противоречие встало и перед Деникиным. В конце апреля растерзанные под Екатеринодаром остатки Добровольческой армии кое-как добрались до района станиц Егорлыцкой и Мечетинской, верстах в пятидесяти от Новочеркасска. Здесь неожиданно пришло спасение — весть, что Ростов занят немцами, Новочеркасск — атаманскими донцами. Красные оставили в покое добровольцев и повернули фронт против нового врага — немцев.

Добровольцы могли передохнуть, подлечить раненых, собраться с силами. В первую голову необходимо было пополнить материальную часть армии.

Все станции, от Тихорецкой до Батайска, были забиты огромными запасами военных материалов для готовящегося контрнаступления красных на Ростов. Генералы Марков, Богаевский и Эрдели тремя колоннами бросились в ближайший тыл красных, на станциях Крыловская, Сосыка и Ново-Леушковская разбили эшелоны, взорвали бронепоезда и с огромной добычей ушли назад, в степь. Наступление Красной Армии на немцев было сорвано.

Вывихнутое плечо, ничтожные царапины, полученные в боях, зажили. Рощин окреп, обгорел и за последние дни в тихой станице отъелся.

Задача, мучившая его, как душевная болезнь, с самой Москвы — отомстить большевикам за позор, — была выполнена. Он мстил. Во всяком случае, он помнил одну минуту... Подбежал к железнодорожной насыпи... Была победа... Дрожали колени, било в виски. Он снял мягкую фуражку и вытер ею штык. Сделал это невольно, как старый солдат, берегущий чистоту оружия. У него не было прежней сумасшедшей ненависти — свинцовых обручей на черепе, крови, бросающейся в глаза. Он просто — настиг врага, вонзил лезвие и вытер его: значит, был прав, прав? Прояснившийся ум силится понять, — прав он? Да? Прав? Так почему же он спрашивает самого себя об этом?

Был воскресный день. Шла обедня в станичной церкви. Рощин опоздал, потолкался на паперти среди свежевыбритых затылков и побрел за церковь на старое кладбище. Походил по траве, где цвели одуванчики, сорвал травинку и, кусая ее, сел на холмик. Вадим Петрович был честным и — как говорила Катя — добрым человеком.

Из полуоткрытого, заросшего паутиной окна доносилось пение детских голосов, и густые возгласы дьякона казались такими гневными и беспощадными, что — вот-вот — сейчас испугаются детские голоса, вспорхнут, улетят. Невольно мысли Вадима Петровича заблуждали по прошлому, словно ища светлое, самое безгрешное...

Он просыпается от радости. За чистым высоким окном — весеннее небо, темно-синее, — такого неба он не видел с тех пор никогда. Слышно, как шумят деревья в саду. На стуле у деревянной кроватки лежит новая сатинетовая рубашка — голубая в горошек. От нее пахнет воскресеньем. Он думает о том, что будет делать весь долгий день и с кем встретится, — это так заманчиво и радостно, что хочется еще полежать... Он глядит на обои, где повторяются: китайский домик с загнутой крышей, крутой мостик и два китайца под зонтиками, а третий китаец, в шляпе, похожей на абажур, ловит с мостика рыбу. Добрые, смешные китайцы, как им хорошо живется в домике у ручья... Из коридора слышен голос матери: «Вадим, ты скоро? Я уже готова...» И этот милый, покойный голос раздается по всей его жизни благополучием и счастьем... В рубашке горошком он стоит около матери. Она в нарядном шелковом платье. Целует его, вынимает из своих волос гребень и причесывает ему голову: «Ну, вот, теперь хорошо. Поедем...» Спускаясь по широкой лестнице, она раскрывает зонт. На подметенной площадке, со следами метлы на земле, едва стоит нетерпеливая тройка рыжих: левая пристяжная балует, солидный коренник нарыл яму копытом. Кучер, сытый и довольный, в малиновых рукавах, в бархатной безрукавке, оборачивает пугачевскую бороду, говорит: «С праздничком». Матушка удобно усаживается в коляску, нагретую солнцем. Вадим прижимается к матери от счастья и предчувствия — как сейчас засвистит ветер в ушах, полетят навстречу деревья. Тройка мчится, огибая усадьбу. Вот и широкая улица села, — степенно кланяющиеся мужики, раскудахтавшиеся куры, выбегающие из-под колес. Белая ограда церкви, зеленый луг, мелко распустившиеся березки, под ними покосившиеся кресты, холмики... Паперть с нищими... Знакомый запах ладана...

Церковь эта и березы стоят и посейчас там. Вадим Петрович как будто видит их зеленое кружево на синеве... Под одной — пятой от церковного угла — давно уж лежит матушка, холмик над ней обнесен оградой. Года три тому назад старый дьячок писал Вадиму Петровичу, что ограда поломана, деревянный крест сгнил... И только сейчас с ужасным раскаянием он вспомнил, что так и не ответил на письмо.

Милое лицо, добрые руки, голос, будивший его утром и наполнявший счастьем на весь день... Любовь к каждому волосочку, каждой царапинке на его теле... Боже мой, — какое бы ни было у него горе — он знал, оно всегда потонет в ее любви. Все это легло с немым лицом под холмик в березовой тени, распалось землей...

Вадим Петрович положил локти на колени, закрыл лицо руками.

Прошли долгие годы. Всегда казалось, что еще какое-то одно преодоление, и он проснется от счастья в такое же, как в былом, синее утро. Два китайчика под зонтиками поведут его через горбатый мостик в дом с приподнятой крышей... Там ждет его невыразимо любимая, невыразимо родная...

«Моя родина, — подумал Вадим Петрович, и опять вспомнилась тройка, мчавшаяся по селу. — Это — Россия... То, что было Россией... Ничего этого больше нет и не повторится... Мальчик в сатинетовой рубашке стал убийцей».

Он быстро встал и заходил по траве, заложив руки за спину и хрустя пальцами. Мысли сами занесли его туда, куда он, казалось, наотмашь захлопнул дверь.. Ведь он верил, что идет на смерть... И вот, не умер... Как было бы просто сейчас валяться, осыпанному мухами, где-нибудь в степной водомоине...

«Ну, что же, — думал он, — умереть легко, жить трудно... В этом и заслуга каждого из нас — отдать погибающей родине не просто живой мешок мяса и костей, а все свои тридцать пять прожитых лет, привязанности, надежды, и китайский домик, и всю свою чистоту...»

Он даже застонал и оглянулся, — не слышит ли кто? Но детские голоса все так же пели. Ворковали голуби на ржавом карнизе... Поспешно, точно воруя, он вспомнил еще одну минуту нестерпимой жалости. (Он никогда об ней не поминал Кате.) Это было год тому назад, в Москве. Рощин еще на вокзале узнал, что в этот день были похороны мужа Екатерины Дмитриевны и что она сейчас — совсем одна. Он пришел к ней в сумерки, прислуга сказала, что она спит, он остался ждать и сел в гостиной. Прислуга шепотом рассказала, что Екатерина Дмитриевна все плачет: «Повернется к стеночке на постельке и ну, как ребенок, — заведет, так мы уж в кухню дверь затворяем...» Он решил ждать хотя бы всю ночь, сидел на диване и слушал, как тикает маятник где-то, уводя время, отнимая секунды жизни, кладя морщины на любимое лицо, серебря волосы — беспощадно, неумолимо... Рощину казалось, что если Катя не спит, то именно думает об этом, слушая стук часов. Потом он услышал ее шаги, слабые и неуверенные, точно у нее подвертывался каблучок. Она ходила в спальне и будто что-то шептала. Останавливалась, подолгу не шевелилась. Рощин начал тревожиться, как будто понимал сквозь стену Катины мысли. Скрипнула дверь, она прошла в столовую, зазвенела хрусталем в буфете. Рощин вытянулся, готовый кинуться. Она приотворила дверь: «Лиза, это вы?» Она была в верблюжьем халатике, в одной руке сжимала рюмку, в другой — какой-то жалкий пузыречек... Хотела этими средствами избавиться от тоски, от одиночества, от неумолимого времени, от всего... Ее сероглазое осунувшееся лицо было как у ребенка, брошенного всеми... Ее бы — в китайский домик. Вадим Петрович сказал ей тогда: «Располагайте мной, всей моей жизнью...» И она поверила, что может все свое одиночество, все годы оставшейся жизни утопить в его жалости, в любви...

Какого черта, в самом деле, какого черта! Конечно, он всегда знал, что ни на одно мгновение Катя не отступала от него — и когда его давила ненависть свинцовыми обручами, и в этот страшный месяц боев. Словно незримой тенью, раскинув руки, беззвучно моля, она преграждала ему путь, и он, охрипший от бешеного крика, вонзал штык в красноармейскую шинель, вонзал сквозь эту неотступную тень и, сняв фуражку, вытирал лезвие...

Обедня кончилась. Из церкви повалила толпа загорелых юнкеров и офицеров. Не спеша пошли знаменитые генералы с привычно строгими глазами, в чистых гимнастерках, с орденами и крестами: высокий, картинно стройный красавец, с раздвоенной бородкой и фуражкой набекрень — Эрдели; мухрастый, в грязной папахе — колючий Марков; низенький — Кутепов, курносый, коренастый, с медвежьими глазками; казак Богаевский с закрученными усами. Затем вышли, разговаривая, Деникин и холодный, «загадочный», как называли его в армии, с красивым, умным лицом — Романовский. При виде главнокомандующего все подтянулись, курившие под березами — бросили папироски.

Деникин был теперь уже не тот несчастный, в сбитых сапогах и в штатском, больной бронхитом «старичок», увязавшийся без багажа в обозе за армией. Он выпрямился, был даже щегольски одет, серебряная бородка его внушала каждому сыновнее почтение, глаза округлились, налились строгой влагой, как у орла. Разумеется, ему далеко было до Корнилова, но все же из всех генералов он был самый опытный и рассудительный. Прикладывая два пальца к фуражке, он важно прошел в церковные ворота и сел в коляску вместе с Романовским.

К Рощину подошел долговязый Теплов; левая рука его была на перевязи, на плечи накинута измятая кавалерийская шинель. Он побрился для праздника и был в отличном настроении.

— Новости слыхал, Рощин? Немцы и финны не сегодня завтра возьмут Петербург. Командует Маннергейм — помнишь его? Свитский генерал, молодчина, отчетливый рубака... В Финляндии всех социалистов вырезал под гребенку. И большевики, понимаешь, уже драпают из Москвы с чемоданами через Архангельск. Факт, честное слово... Приехал поручик Седельников из Новочеркасска, рассказывает... Ну, а в Новочеркасске — елочки точеные — баб шикарных, девчонок! Седельников рассказывает, на одного — десять... (Он раздвинул худые, согнутые в коленях ноги и захохотал так, что кадык у него вылез из ворота гимнастерки.)

Рощин не поддержал разговора об «елочках точеных», и Теплов опять свернул на политические новости, которыми в глуши степей жила армия.

— Оказывается, вся Москва минирована — Кремль, храмы, театры, все лучшие здания, целые кварталы, — и электрические провода отведены в Сокольники, какая-то там есть таинственная дача, охраняется днем и ночью чекистами... Мы подходим — представляешь — бац! Москва взлетает на воздух... (Он наклонился, понизил голос.) Факт, честное слово. Главнокомандующий принял соответствующие меры: в Москву посланы особые разведчики — найти эти провода и — когда будем подходить к Москве — не допустить до взрыва... Но зато уж повешаем! На Красной площади! Елки точеные! Публично, с барабанным боем.

Рощин поморщился, поднялся:

— Ты бы уж лучше про девочек рассказывал, Теплов.

— А что — не нравится?

— Да, не нравится. — Рощин твердо посмотрел в рыжеватые глупые глаза Теплова.

У того длинный рот углом пополз на сторону.

— То-то, видно, ты забыть не можешь красный паек...

— Что? — Рощин сдвинул брови, придвинулся. — Что ты сказал?

— То сказал, что у нас в полку все говорят... Пора тебе дать отчет, Рощин, по работе в Красной Армии...

— Мерзавец!

Только то обстоятельство, что у Теплова одна рука была на перевязи и он еще считался на положении раненого, спасло его от пощечины. Рощин не ударил его. Заведя руку за спину, он круто повернулся и, весь как деревянный, с поднятыми плечами, пошел между могил.

Теплов поднакинул сползшую шинель и, обиженно усмехаясь, глядел на его прямую спину. Подошли корнет фон Мекке и неразлучный с ним веснушчатый юноша с большими светлыми, мечтательными глазами, — сын табачного фабриканта из Симферополя, Валерьян Оноли, одетый в поношенную, в бурых пятнах, студенческую шинель с унтер-офицерскими погонами.

— Что тут у вас произошло — поругались? — резким голосом, как бывает у глуховатых людей, спросил фон Мекке. Все еще недоумевающий Теплов, дергая себя за висячие усы, передал весь разговор с подполковником Рощиным.

— Странно, вы все еще удивляетесь, господин штабс-капитан, — скучающе, с мечтательными глазами, проговорил Оноли. — Мне с первого дня было ясно, что подполковник Рощин — шпион.

— Брось, Валька. — Фон Мекке мигнул всей левой стороной лица, пораженного контузией. — Гвоздь в том, что его лично знает генерал Марков. Тут сплеча не руби... Но я ставлю мой шпалер, что Рощин — большевик, сволочь и дерьмо...

До конца мая на Северном Кавказе было сравнительное затишье. Обе стороны готовились к решительной борьбе. Добровольцы — к тому, чтобы захватить главные узлы железных дорог, отрезать Кавказ и с помощью белого казачества очистить область от красных. ЦИК Кубано-Черноморской республики — к борьбе на три фронта: с немцами, с белым казачеством и со вновь ожившими «бандами Деникина».

Красная Кавказская армия, состоявшая в подавляющей массе из фронтовиков бывшей царской закавказской армии, из иногородних и малоземельной казачьей молодежи, насчитывала до ста тысяч бойцов. Главком ее — Автономов — подозревался членами Кубано-Черноморского ЦИКа в диктаторских стремлениях и непрерывно ссорился с правительством. На огромном митинге в Тихорецкой он обозвал ЦИК немецкими шпионами и провокаторами. В ответ на это ЦИК «заклеймил» Автономова и примкнувшего к нему Сорокина бандитами и врагами народа и предал их проклятию и вечному позору.

Вся эта «буза» парализовала армию. Вместо того чтобы начать концентрическое наступление тремя группами на Добровольческую армию, находившуюся в центре расположения этих групп, Красная Армия волновалась, митинговала, скидывала командиров и в лучшем случае способна была на трагическую гибель.

Наконец московские декреты продолбили упрямство краевых властей. Автономов был назначен инспектором фронта, командование северной группой армии перешло к угрюмому латышу, подполковнику Калнину. Сорокин остался командующим западной группой.

В это как раз время к Добровольческой армии присоединился полковник Дроздовский с трехтысячным отрядом отборных и свирепых офицеров, стоивших в бою каждый десяти рядовых бойцов; подтягивалось на конях станичное казачество; из Петрограда, Москвы, со всей России просачивалось, поодиночке и кучками, офицерство, прослышавшее про чудеса «ледяного похода»; атаман Краснов, хотя и скуповато, снабжал оружием и деньгами. С каждым днем Добровольческая армия крепла, и настроение ее раскалялось умелой пропагандой генералов и общественных деятелей, неумелыми действиями краевой советской власти и рассказами прибывающих с севера очевидцев.

В конце мая ее уже не могли раздавить местные силы красных. Она сама перешла в наступление и нанесла северной группе Красной Армии Калнина страшный удар на станции Торговая.

— Что же вы, ребята, бросили петь?

— Охрипли.

— А ну-ка, я уголек достану. — Иван Ильич Телегин присел у костра, в котором ярко горел брошенный сверху железнодорожный щит, и, раскурив трубку, остался послушать.

Час был поздний. Почти все костры вдоль полотна погасли. Свежая ночь пышно раскинулась звездами. Огонь освещал наверху, на насыпи, товарные составы — кирпично-красные вагончики, ободранные и разбитые. Иные прибежали от берегов Тихого океана, иные из полярных болот, из песков Туркестана, с Волги, из Полесья. На каждом имелась пометка: «Срочный возврат». Но все сроки давно прошли. Построенные для мирной работы, многотерпеливые вагончики с немазаными осями и проломанными боками готовились сейчас, — отдыхая под звездами, — к совершенно уже фантастической деятельности. Их будут сбрасывать целыми составами со всем содержимым под откосы; набив в них, как сельдь в бочку, пленных красноармейцев и наглухо заколотив двери и окошки, угонят за тысячи верст с пометкой мелом: «Непортящийся груз, медленная скорость». Они превратятся в кладбище сыпнотифозных, в рефрижераторы для перевозки мороженых трупов. Они будут взлетать в огненных взрывах под самое небо... В сибирских дебрях их двери и стенки будут растаскиваться на заборы и скотные дворы... И, — уцелевшие, обгорелые, разбитые, — они еще не скоро, очень не скоро приплетутся по требованию срочного возврата и станут на ржавых путях в ремонт.

— А что, товарищ Телегин, как в Москве пишут, скоро кончится гражданская война?

— Покуда не победим.

— Видишь ты... Значит — надеются на нас...

Несколько человек у костра, бородатые, обгорелые, черные, лежали лениво... Спать не хотелось, шибко разговаривать тоже не хотелось. Один попросил у Телегина махорки.

— Товарищ Телегин, а кто это такие — чехословаки? Откуда они взялись у нас? Раньше будто бы не было таких людей...

Иван Ильич объяснил, что чехословаки — австрийские военнопленные, из них царское правительство начало формировать корпус, чтобы перебросить к французам, но не успело...

— А теперь советская власть не может их выпустить, раз они едут на империалистический фронт... Потребовали, чтобы они разоружились. Они и взбунтовались...

— Что же, товарищ Телегин, неужели и с ними будем воевать?

— Никто сейчас ничего не знает... Сведения самые неопределенные... Думаю, что вряд ли... Их всего тысяч сорок...

— Ну, это побьем...

Опять замолчали у костра. Тот, кто попросил табачку у Телегина, покосившись, сказал, видимо, только так, для уважения:

— Гнали нас при царе под Саракамыш. Ничего нам не объясняли: за что должны бить турок, за что мы должны помирать. А горы там ужасные. Посмотришь, — ах, думаешь, родила тебя мать не в добрый час... А теперь — не то: эта война — для себя, отчаянная... И все понятное — и кто и за что...

— Ну, вот я, скажем, по прозвищу — Чертогонов, — густо проговорил другой солдат, поднявшись на локте, и сел так близко к огню, что стало удивительно, как не загорится у него борода. Вид его был страшный, черные волосы падали на лоб, на дубленом лице горели круглые глаза. — Два раза был на Дальнем Востоке, в кутузках сидел без счета за бродяжничество... Хорошо. Все-таки меня заключили — в казарму, воинский билет и — на войну... Шесть ранений... Вот, гляди. — Он залез пальцем в рот, отодрал его на сторону, показал корешки выбитых зубов. — Изловчился я попасть в Москву, в лазарет, а тут — и большевики... Конец моим мукам. Вопрос: «Социальное положение?» Я им: «Дальше не ищите, я — тут, потомственный почетный батрак, роду-племени не знаю». Как они засмеются! Мне — винтовку, мне — мандат. И стали мы в то время обходить город, искать буржуев... Зайдешь в хорошую квартиру, хозяева, конечно, заробеют... Смотришь — где у них что попрятано: мука, сахар... Сволочи, ведь боятся, дрожат, а разговору не выходит и не выходит... Иной раз остервенишься, — не человек, что ли, гладкая твоя морда, — разговаривай, ругайся, умоляй меня... Пустишь его матюгом, а разговора не выходит... В чем, думаю, дело?.. И так мне стало обидно, — весь век молчал, на них, дьяволов гладких, работал, кровь за них проливал... И меня за человека не считают... Вот они, думаю, каковы буржуи! И стала меня жечь классовая ненависть. Хорошо... Надо было реквизировать особняк купца Рябинкина. Пошли мы туда четверо с пулеметом, для паники. Стучим в парадное. Через некоторое время отворяет нам аккуратненькая горничная, вся, голубушка, побледнела и заметалась: ах, ах — на цыпочках... Мы ее отстранили, входим в залую, — громадная комната со столбами, посереди стоит стол, за ним Рябинкин с гостями едят блины. Дело было на масленицу, все, конечно, пьяные... Это в то самое время, когда пролетариат погибает от голоду!.. Как я винтовкой стукнул об пол, как я на них за это закричал! Смотрю, — сидят, улыбаются... И подбегает к нам Рябинкин, красный весь, веселый, глаза выпученные: «Дорогие товарищи, говорит, ведь я давно знаю, что вы мой особняк со всем имуществом реквизируете! Дайте доесть блины, а между прочим, садитесь с нами... Это не стыдно, потому что это все народное достояние», — и показывает на стол... Мы потоптались, но сели к столу, держим винтовки, хмуримся... А Рябинкин нам — водки, блинов, закуски... И говорит и хохочет... Про что он только не рассказывал, все в лицах, с подковыркой... Гости хохочут, и мы стали смеяться. Пошли разные шутки про похождения буржуев, начались споры, но чуть кто из нас ощетинится, хозяин глушит его водкой: чайный стакан, — из другой посуды не пили... Начали откупоривать шампанское, и мы винтовки поставили в уголок... «Чертогонов, думаю, ты ли это ходишь по залую, цепляешься за столбы?» Песни начали петь хором. А к вечеру поставили на крыльце пулемет, чтобы никто посторонний не вломился. Полтора суток пили. Отыгрался я за всю мою бессловесную жизнь. Но все-таки Рябинкин нас обманул, — ах, дошлый купец!.. Покуда мы гуляли, он успел, — горничная ему помогала, — все бриллианты, золото, валюту, разные сто́ящие вещицы переправить в надежное место... Реквизировали мы одни стены да обстановку... Уж как с нами прощался Рябинкин, с похмелья, конечно: «Дорогие товарищи, берите, берите все, мне ничего не жалко, из народа я вышел, в народ и вернусь...» И в тот же день скрылся за границу. А меня — в Чеку. Я им: «Виноват, расстреливайте». За бессознательность только не расстреляли. А я и сейчас рад, что погулял... Есть что вспомнить...

— Много злодеев среди буржуев, но и среди нас не мало, — проговорил кто-то сидевший за дымом. В его сторону посмотрели. Тот, кто спрашивал махорку у Телегина, сказал:

— Раз уж кровь переступили в четырнадцатом году, народ теперь ничем не остановишь...

— Я не про то, — повторил голос из-за дыма. — Враг — враг, кровь — кровь... А я — про злодеев.

— А сам-то ты кто?

— Я-то? Я и есть злодей, — ответил голос тихо. Тогда все замолчали, стали глядеть на угли в догоревшем костре. Холодок пробежал по спине Телегина. Ночь была свежа. Кое-кто у костра поворочался и лег, положив шапку под щеку.

Телегин поднялся, потянулся, расправляясь. Теперь, когда дым сошел, можно было видеть по ту сторону огня сидевшего, поджав ноги, злодея. Он кусал стебелек полыни. Угли освещали его худое, со светлым и редким пушком, почти женственно мягкое, длинное лицо. На затылке — заношенный картуз, на узких плечах — солдатская шинель. Он был по пояс голый. Рубашка, в которой он, должно быть, искал, — лежала подле него. Заметив, что на него смотрят, он медленно поднял голову и улыбнулся медленно, по-детски.

Телегин узнал — это был боец из его роты. Мишка Соломин, из-под Ельца, из пригородных крестьян, взят был как доброволец еще в Красную гвардию и попал на Северный Кавказ из армии Сиверса.

Он только на секунду встретился взором с Телегиным и сейчас же опустил глаза, будто от смущения, и тут только Иван Ильич вспомнил, что Мишка Соломин славился в роте как сочинитель стихов и безобразный пьяница, хотя пьяным видали его редко. Ленивым движением плеча он сбросил шинель и стал надевать рубашку. Иван Ильич полез по насыпи к классному вагону, где бессонно в одном окошке у командира полка, Сергея Сергеевича Сапожкова, горела керосиновая лампа. Отсюда, с насыпи, были яснее видны звезды и внизу, на земле, — красноватые точки догорающих костров.

— Кипяток есть, иди, Телегин, — сказал Сапожков, высовываясь с кривой трубкой в зубах в окошко.

Керосиновая лампа, пристроенная на боковой стене, тускло освещала ободранное купе второго класса, висящее на крючках оружие, книги, разбросанные повсюду, военные карты. Сергей Сергеевич Сапожков, в грязной бязевой рубашке и подтяжках, обернулся к вошедшему Телегину:

— Спирту хочешь?

Иван Ильич сел на койку. В открытое окно вместе с ночной свежестью долетало бульканье перепела. Пробухали спотыкающиеся шаги красноармейца, вылезшего спросонок из теплушки за надобностью. Тихо тренькала балалайка. Где-то совсем близко загорланил петух, — был уже первый час ночи.

— Это как так — петух? — спросил Сапожков, кончая возиться с чайником.

Глаза его были красны, и румяные пятна проступали на худом лице... Он пошарил позади себя на койке, нашел пенсне и, надев его, стал глядеть на Телегина:

— Каким образом в расположении полка мог оказаться живой петух?

— Опять беженцы прибыли, я уже доложил комиссару. Двадцать подвод с бабами, ребятами... Черт знает что такое, — сказал Телегин, помешивая в кружке с чаем.

— Откуда?

— Из станицы Привольной. Их большой обоз шел, да казаки по пути побили. Все иногородние, беднота. У них в станице два казачьих офицера собрали отряд, ночью налетели, разогнали совет, сколько-то там повесили.

— Словом, обыкновенная история, — проговорил Сапожков, отчетливо произнося каждую букву. Кажется, он был сильно пьян и зазвал Телегина, чтобы отвести душу... У Ивана Ильича от усталости гудело все тело, но сидеть на мягком и прихлебывать из кружки было так приятно, что он не уходил, хотя мало чего могло выйти толкового из разговора с Сергеем Сергеевичем. — Где у тебя, Телегин, жена?

— В Питере.

— Странный человек. В мирной обстановке вышел бы из тебя преблагополучнейший мещанин. Добродетельная жена, двое добродетельных детей и граммофон... На кой черт ты пошел в Красную Армию? Тебя же убьют...

— Я тебе уже объяснял...

— Ты что же, в партию, быть может, ловчишься?

— Нужно будет для дела, пойду и в партию.

— А меня, — Сапожков прищурился за мутными стеклами пенсне, — вари в трех котлах, коммунистом не сделаешь...

— Вот уж, если кто странный, так это ты странный, Сергей Сергеевич...

— Ничего подобного. У меня мозги не диалектические... Дикая порода, — один глаз всегда в лес смотрит. Гм! Так ты говоришь — я странный? (Он усмехнулся, видимо с удовлетворением.) С октября месяца дерусь за советскую власть. Гм! А ты Кропоткина читал?

— Нет, не читал...

— Оно и видно... Скучно, братишка... Буржуазный мир подл и скучен до адской изжоги... А победим мы, — коммунистический мир будет тоже скучен и сер, добродетелен и скучен... А Кропоткин хороший старик: поэзия, мечта, бесклассовое общество. Воспитаннейший старик: «Дайте людям анархическую свободу, разрушьте узлы мирового зла, то есть большие города, и бесклассовое человечество устроит сельский рай на земле, ибо основной двигатель в человеке — это любовь к ближнему...» Хи-хи...

Сапожков, точно обижая кого-то, пронзительно засмеялся, пенсне запрыгало на костлявом его носу. Смеясь, полез под койку, вытащил жестяной бидончик со спиртом, налил в чашку, выпил и хрустко разгрыз кусочек сахару.

— Наша трагедия, милый друг, в том, что мы, русская интеллигенция, выросли в безмятежном лоне крепостного права и революции испугались не то что до смерти, а прямо — до мозговой рвоты... Нельзя же так пугать нежных людей! А? Посиживали в тиши сельской беседки, думали под пенье птичек: «А хорошо бы, в самом деле, устроить так, чтобы все люди были счастливы...» Вот откуда мы пошли... На Западе интеллигенция — это мозговики, отбор буржуазии — выполняют железное задание: двигать науку, промышленность, индустрию, напускать на белый свет утешительные миражи идеализма... Там интеллигенция знает, зачем живет... А у нас, — ой, братишки!.. Кому служим? Какие наши задачи? С одной стороны, мы — плоть от плоти славянофилов, духовные их наследники. А славянофильство, знаешь, что такое? — расейский помещичий идеализм. С другой стороны, деньги нам платит отечественная буржуазия, на ее иждивении живем... А при всем том служим исключительно народу... Вот так чудаки: народу!.. Трагикомедия! Так плакали над горем народным, что слез не хватило. И когда у нас эти слезы отняли, — жить стало нечем... Мы мечтали — вот-вот дойдут наши мужички до Цареграда, влезут на кумпол, водрузят православный крест над Святой Софией... Земной шар мечтали мужичкам подарить. А нас, энтузиастов, мечтателей, рыдальцев, — вилами... Неслыханный скандал! Испуг ужасный... И начинается, милый друг, саботаж... Интеллигенция попятилась, голову из хомута тащит: «Не хочу, попробуйте-ка — без меня обойдитесь...» Это когда Россия на краю чертовой бездны... Величайшая, непоправимая ошибка. А все — барское воспитание, нежны очень: не в состоянии постигнуть революции без книжечки... В книжечках про революцию прописано так занимательно... А тут — народ бежит с германского фронта, топит офицеров, в клочки растерзывает главнокомандующего, жжет усадьбы, ловит купчих по железным дорогам, выковыривает у них из непотребных мест бриллиантовые сережки... Ну, нет, мы с таким народом не играем, в наших книжках про такой народ ничего не написано... Что тут делать? Океан слез пролить у себя в квартире, так мы же и плакать разучились, — вот горе!.. Вдребезги разбиты мечты, жить нечем... И мы — со страха и отвращения — головой под подушку, другие из нас — дерка за границу, а кто позлее — за оружие схватился. Получается скандал в благородном семействе... А народ, на семьдесят процентов неграмотный, не знает, что ему делать с его ненавистью, мечется, — в крови, в ужасе... «Продали, говорит, нас, пропили! Бей зеркала, ломай все под корень!» И в нашей интеллигенции нашлась одна только кучечка, коммунисты. Когда гибнет корабль, — что делают? Выкидывают все лишнее за борт... Коммунисты первым делом вышвырнули за борт старые бочки с российским идеализмом... Это все «старик» орудовал — российский, брат, человек... И народ сразу звериным чутьем почуял: это свои, не господа, эти рыдать не станут, у этих счет короткий... Вот почему, милый друг, я — с ними, хотя произращен в кропоткинской оранжерее, под стеклом, в мечтах... И нас не мало таких, — ого! Ты зубы-то не скаль, Телегин, ты вообще эмбрион, примитив жизнерадостный... И есть, видишь ли, такие, которым сознательно приходится вывернуть себя наизнанку, мясом наружу и, чувствуя каждое прикосновение, утвердить в себе одну волевую силу — ненависть... Драться без этого нельзя... Мы сделаем все, что в силах человеческих, — поставим впереди цель, куда пойдет народ... Но ведь нас — кучка... А враги — повсюду... Ты слыхал про чехословаков? Придет комиссар, он тебе расскажет... Знаешь, чего боюсь? Боюсь, что у нас это самоубийство. Не верю, — месяц, два, полгода — больше не продержимся... Обречены, брат... Кончится все — генералом... И я тебе говорю, — виноваты во всем славянофилы... Когда началось освобождение крестьян, надо было кричать: «Беда, гибнем, нам нужно интенсивное сельское хозяйство, бешеное развитие промышленности, поголовное образование... Пусть приходит новый Пугачев, Стенька Разин, все равно, — вдребезги разбить крепостной костяк...» Вот какую мораль нужно было тогда бросить в массы, вот на чем воспитывать интеллигенцию... А мы изошли в потоках счастливых слез: «Боже мой, как необъятна, как самобытна Россия! И мужичок теперь свободен, как воздух, и помещичьи усадьбы с тургеневскими барышнями целы, и таинственная душа у народа нашего, — не то что на скаредном Западе...» И вот я теперь — топчу всякую мечту!

Сапожков больше не мог говорить. Лицо его пылало. Но, видимо, самого главного он так и не сказал. Телегин, оглушенный водопадом его слов, сидел, открыв рот, с остывшей кружкой на коленях. В проходе вагона послышались шаги, как будто шел кто-то неимоверно тяжелый. Дверь купе приотворилась, и показался широкий, среднего роста человек с прилипшими к большому лбу темными волосами. Он молча сел под лампой, положив на колени большие руки. На обветренном грубом лице его редкие морщины казались шрамами, глаз не было видно в тени глазниц и нависших бровей. Это был начальник особого отдела полка, товарищ Гымза.

— Опять шпирт достал? — спросил он негромко и серьезно. — Смотри, товарищ...

— Какой такой спирт? Ну тебя к свиньям. Видишь, чай пьем, — сказал Сапожков.

Гымза, не шевелясь, прогудел:

— Так еще хуже, что врешь. Спиртищем из окна так и тянет, в теплушках шевеление началось, бойцы принюхиваются... Бузы у нас мало? Во-вторых, опять философию завел, дурацкую волынку, отсюда я заключаю, что ты пьяный.

— Ну, пьяный, ну, расстреляй меня.

— Расстрелять мне тебя недолго, это ты хорошо знаешь, и если я терплю, то принимая во внимание твои боевые качества...

— Дай-ка табаку, — сказал Сапожков.

Гымза важно достал из кармана тряпичный кисет.

Затем, обращаясь к Телегину, продолжал медленным голосом, точно тер жернова:

— Каждый раз одна и та же недопустимая картина: на прошлой неделе расстреляли троих подлецов, я сам допрашивал, — гниль, во всем сознались. И он сейчас же достает шпирту... Сегодня расстреляли заведомую сволочь, деникинского контрразведчика, он же сам его и поймал в камышах... Готово: нализался и тянет философию. Такая у него получается капуста, ну, вот я сейчас стоял под окном, слушал, — рвет, как от тухлятины... За эту философию другой, не я, давно бы его отправил в особый отдел, потому что он же разлагается... Он потом два дня болен, не может командовать полком...

— А если ты расстрелял моего университетского товарища? — Сапожков прищурился, ноздри у него затрепетали.

Гымза ничего не ответил, будто и не слышал этих слов. Телегин опустил голову... Сапожков говорил, придвигая потный нос к Гымзе:

— Деникинский разведчик, ну да. А мы вместе с ним бегали на «Философские вечера». Черт его знает, зачем он полез в белую армию... Может быть, с отчаяния... Я сам его к тебе привел... Довольно с тебя, что я исполнил долг? Или тебе нужно, чтобы я камаринского плясал, когда его в овраг повели?.. Я сзади шел, я видел. — Он в упор глядел Гымзе в темные впадины глаз. — Могу я иметь человеческие чувства, или я уже все должен в себе сжечь?

Гымза ответил не спеша:

— Нет, не можешь иметь... Другой кто-нибудь, там уж не знаю... А ты все должен в себе сжечь... От такого гнезда, как в тебе, контрреволюция и начинается.

Долго молчали. Воздух был тяжелый. За темным окном затихли все звуки. Гымза налил себе чаю, отломил большой кусок серого хлеба и медленно стал есть, как очень голодный человек. Потом глухим голосом начал рассказывать о чехословаках. Новости были тревожны. Чехословаки взбунтовались во всех эшелонах, растянутых от Пензы до Владивостока. Советские власти не успели опомниться, как железные дороги и города оказались под ударами чехов. Западные эшелоны очистили Пензу, подтянулись к Сызрани, взяли ее и оттуда двигаются на Самару. Они отлично дисциплинированы, хорошо вооружены и дерутся умело и отчаянно. Пока еще трудно сказать, что это — простой военный мятеж или ими руководят какие-то силы извне? Очевидно, — и то и другое. Во всяком случае, от Тихого океана до Волги вспыхнул, как пороховая нить, новый фронт, грозящий неимоверными бедствиями.

К окну снаружи кто-то подошел. Гымза замолчал, нахмурился, обернулся.

Голос позвал его:

— Товарищ Гымза, выдь-ка...

— Что тебе? Говори...

— Секретное.

Опустив брови на впадины глаз, Гымза оперся руками о койку, сидел так секунду, пересиленным движением поднялся и вышел, задев плечами за оба косяка двери. На площадке он сел на ступени, наклонился. Из темноты к нему пододвинулась высокая фигура в кавалерийской шинели, звякнули шпоры. Человек этот торопливо зашептал ему у самого уха...

Сапожков, как только Гымза вышел, стал шибко раскуривать трубку, яростно плюнул несколько раз в окно. Снял, швырнул пенсне и вдруг рассмеялся.

— Вот в чем весь секрет: прямо ответить на поставленный вопрос... Есть бог? — нет. Можно человека убить? — можно. Какая ближайшая цель? — мировая революция... Тут, братишка, без интеллигентских эмоций...

Он вдруг оборвал, вытянулся, слушая. Весь вагон вздрогнул, — это кулаком в стенку ударил Гымза. Свирепо-хриплый голос его прорычал:

— Ну, уж если ты мне соврал, сукин сын...

Сергей Сергеевич схватил Телегина за руку:

— Слышишь? А знаешь — в чем дело? Ходят неприятные слухи о нашем главкоме Сорокине... Это товарищ из особого отдела вернулся оттуда. Понял — почему Гымза, как черт, мрачный...

Звезды уже блекли перед рассветом. Опять закричал петух между возами. На спящий лагерь опускалась роса. Телегин пошел к себе в купе, стащил сапоги и со вздохом лег на койку, заскрипев пружинами.

Телегину порой казалось, что короткое счастье жизни только приснилось ему где-то в зеленой степи под стук колес... Была жизнь — удачливая и тихая: студенчество, огромный, бездонный Питер, служба, беззаботная компания чудаков, живших у него в квартире на Васильевском острове. Тогда казалось — будущее ясно, как на ладони. Он и не задумывался о будущем: полет годов над крышей его дома был неспешен и неутомителен. Иван Ильич знал, что честно выполнит положенный ему труд и, — когда голова поседеет, — оглянется на пройденное и увидит, что прошел долгую-долгую дорогу, не сворачивая в опасные закоулки, как тысячи таких же Иванов Ильичей. В его простые будни повелительно вошла Даша, и грозным счастьем засияли ее серые глаза. Правда, у него всегда, очень тайно, нет-нет да и появлялось коротенькое сомнение: счастье назначалось не ему! Но он гнал это сомнение, он намеревался — вот только минуют дни войны — построить счастливый домик для Даши. И даже когда рухнули капитальные стены империи, и все смешалось, и зарычал от гнева и боли стопятидесятимиллионный народ, — Иван Ильич все еще думал, что буря пролетит и лужайка у Дашиного домика мирно засияет после дождя.

И вот он — снова на койке, в военном эшелоне. Вчера — бой, завтра — бой. Теперь ясно: к прошлому возврата нет. Стыдно ему было и вспоминать, как он год тому назад суетился, устраивая квартирку на Каменноостровском, — приобрел кровать красного дерева, чтобы Даша на ней родила мертвого младенца.

Даша первая ударилась о дно водоворота. «Попрыгунчики», наскочившие на нее у Летнего сада, дыбом вставшие волосики у мертвого ребенка, голод, темнота, декреты, где каждое слово дышало гневом и ненавистью, — вот какой предстала ей революция. По ночам революция свистела над крышами, кидала снегом в замерзшие окна, — чужая! — кричала она Даше вьюжными голосами. Когда серенькая петербургская весна подула серым ветром, закапали крыши и с грохотом по дырявым трубам полетели вниз ледяные сосульки, Даша сказала Ивану Ильичу (он пришел домой оживленный, в пальто нараспашку, и особенно блестящими глазами поглядел на Дашу, — она вся поджалась, завернулась в платок до подбородка).

— Как бы я хотела, Иван, — сказала она, — разбить себе голову, все забыть навсегда... Тогда бы еще могла быть тебе подругой... А так, — ложиться в страшную постель, снова начинать проклятый день, — пойми же ты: не могу, не могу жить. Не думай, мне не нужно никакого изобилия, — ничего, ничего... Но только жить — полным дыханием... А крохи мне не нужны... Разлюбила... Прости...

Сказала и отвернулась.

Даша всегда была сурова в чувствах. Теперь она стала жестока. Иван Ильич спросил ее:

— Быть может, нам лучше на некоторое время расстаться, Даша?..

И тогда в первый раз за всю зиму увидел, как радостно взлетели ее брови, странной надеждой блеснули глаза, жалобно задрожало ее худенькое лицо...

— Мне кажется, — нам лучше расстаться, Иван.

Тогда же он начал решительно хлопотать через Рублева о зачислении своем в Красную Армию и в конце марта уехал с эшелоном на юг. Даша провожала его на перроне Октябрьского вокзала и, — когда окно вагона поплыло, — горько заплакала, опустив вязаную шаль на лицо.

Много сотен верст исколесил с тех пор Иван Ильич, но ни бой, ни усталость, ни лишения не заставили его забыть любимого заплаканного лица в толпе женщин у прокопченной стены вокзала. Даша прощалась с ним так, как прощаются навсегда. Он силился понять, — в чем же не угодил ей? В последнем счете, конечно, только в нем лежала причина ее охлаждения: ведь не у нее же одной родился мертвый ребенок. Не революция же вырвала у нее сердце... Сколько супружеских пар, — он перебирал в памяти, — теснее прижались друг к другу в это грозное, смутное время... В чем же была его вина?

Иногда в нем подымалось возмущение: хорошо, найди, милая, поищи другого такого, кто будет с тобой так же тютькаться... Мир трещит по всем швам, а ей дороже всего свои переживания... Просто — распущенность, привычка питаться сдобными булочками— а не хочешь ли черненького, с мякиной?

Все это верно, все так, но отсюда был дальнейший вывод, что Иван Ильич сам отменно хорош и не любить его преступно. На этом каждый раз Иван Ильич спотыкался... «Действительно, нука, что во мне такого особенного? Физически здоров — раз. Умен и интересен чрезвычайно? — нет, нормален, как десятый номер калош... Герой, большой человек? Увлекательный самец, что ли? Нет, нет... Серый, честный обыватель, каких миллионы... Случайно выхватил номер в лотерее: полюбила обольстительная девушка, в тысячу раз страстнее, умнее, выше меня, и так же непонятно разлюбила...»

Так, оглядываясь на себя, он думал: не в том ли причина, что он не по росту этому времени, мал, — что и воюет-то он даже пообывательски, будто служит в конторе? Ему не раз теперь приходилось встречать людей, страшных во зле и добре, непомерной тенью шагавших по кровавым побоищам... «А ты бы, Иван Ильич, хотя бы врага во всю силу возненавидел, смерти бы как следует испугался...»

Ивана Ильича все это очень огорчало. Сам не замечая того, он становился одним из самых надежных, рассудительных и мужественных работников в полку. Ему поручали опасные операции, он выполнял их блестяще.

Разговор с Сергеем Сергеевичем заставил его сильно задуматься. Развеселый, казалось, командир тоже корчился от муки... Да еще какой... А Мишка Соломин? А Чертогонов? А тысячи других, мимо которых проходишь бездумно? Все они в рост со временем, косматые, огромные, обезображенные муками. У иных и слов нет сказать, одна винтовка в руке, у иных — дикий разгул и раскаяние... Вот она — Россия, вот она — революция...

— Товарищ ротный... Проснись...

Телегин сел на койке. В вагонное окно глядел золотистый шар солнца, вися над краем цыплячье-желтой степи. Широколицый, рыжебородый солдат, красный, как утреннее солнце, еще раз тряхнул Ивана Ильича:

— Срочно, командир требует...

В купе у Сапожкова все еще горела вонючая лампочка. Сидели — Гымза; комиссар полка Соколовский, черноволосый чахоточный человек с бессонно горящими черными глазами; двое батальонных; несколько человек ротных и представитель солдатского комитета, с независимым и даже обиженным выражением лица... Все курили. Сергей Сергеевич, уже во френче и при револьвере, держал в дрожащей руке телеграфную ленту.

— «...таким образом, неожиданный захват станции противником отрезал наши части и поставил их под двойной удар, — хриповато читал Сапожков, когда Иван Ильич остановился у двери купе. — Во имя революции, во имя несчастного населения, которое ждет неминуемой смерти, казней и пыток, если мы бросим его на произвол белым бандам, — не теряйте минуты, шлите подкрепление».

— Что же мы сделаем без распоряжения главкома? — крикнул Соколовский.

— Я еще раз пойду попытаюсь соединиться с ним по Юзу...

— Иди попытайся, — зловеще сказал Гымза. (Все посмотрели на него.) — А я вот что скажу: ступай ты, возьми четырех бойцов, вот Телегина возьми, и дуйте вы в штаб на дрезине... И ты без распоряжения не возвращайся... Сапожков, пиши бумагу главкому Сорокину...

На травянистом кургане стоял всадник и внимательно, приложив ладонь к глазам, глядел на полоску железнодорожного полотна, — по нему быстро приближалось облачко пыли.

Когда облачко скрылось в выемке, всадник коснулся шенкелем и шпорой коня, худой рыжий жеребец вздернул злую морду, повернул и сошел с кургана, где по обоим склонам перед только что набросанными кучками земли лежали добровольцы — взвод офицеров.

— Дрезина, — сказал фон Мекке, соскакивая с седла, и стеком стал похлопывать жеребца по передним коленям. — Ложись. — Норовистый конь подбирал ноги, прядал ушами, все же, переупрямленный, с глубоким вздохом опустился, касаясь мордой земли, и лег. Ребристый бок его вздулся и затих.

Фон Мекке присел на корточки наверху кургана рядом с Рощиным. Дрезина в это время выскочила из выемки, теперь можно было различить шестерых людей в шинелях.

— Так и есть, красные! — Фон Мекке повернул голову налево: — Отделение! — Повернул направо: — Готовьсь! По движущейся цели беглый огонь... Пли!

Как накрахмаленный коленкор, разорвался воздух над курганом. Сквозь облако пыли было видно, что с дрезины упал человек, перевернулся несколько раз и покатился под откос, рвя руками траву.

На уносящейся дрезине стреляли — трое из винтовок, двое из револьверов. Через минуту они должны были скрыться во второй выемке за будкой стрелочника. Фон Мекке, свистя в воздухе хлыстом, бесновался:

— Уйдут, уйдут! Ворон вам стрелять! Стыдно!

Рощин считался хорошим стрелком. Спокойно ведя мушкой на фут впереди дрезины, он выцеливал широкоплечего, рослого, бритого, видимо — командира... «До чего похож на Телегина! — подумалось ему. — Да... это было бы ужасно...»

Рощин выстрелил. У того слетела фуражка, и в это время дрезина нырнула во вторую выемку. Фон Мекке швырнул хлыст.

— Дерьмо. Все отделение дерьмо. Не стрелки, господа офицеры, — дерьмо.

И он с выпученными глазами непроспавшегося убийцы ругался, покуда офицеры не поднялись с земли и, отряхивая коленки, не начали ворчать:

— Вы бы, ротмистр, попридержали язык, тут есть и повыше вас чином.

Вкладывая свежую пачку патронов, Рощин почувствовал, что все еще дрожат руки. Отчего бы? Неужели от одной мысли, что этот человек был так похож на Ивана Телегина? Вздор, — он же в Петрограде...

Комиссар Соколовский и Телегин с обвязанной головой поднялись на крыльцо кирпичного двухэтажного дома — станичного управления, стоявшего, по обычаю, напротив собора на немощеной площади, где в прежнее время бывали ярмарки. Сейчас лавки стояли заколоченными, окна выбиты, заборы растащены. В соборе помещался лазарет, на церковном дворе трепалось на веревках солдатское тряпье.

В станичном управлении, где помещался штаб главкома Сорокина, в прихожей, забросанной окурками и бумажками, сбоку лестницы, ведущей наверх, сидел на венском стуле красноармеец, держа между ног винтовку. Закрыв глаза, он мурлыкал что-то степное. Это был широкоскулый парень с вихром, — знаком воинской наглости, — выпущенным из-под сдвинутой на затылок фуражки с красным околышком. Соколовский торопливо спросил:

— Нам нужно к товарищу Сорокину... Куда пройти?

Боец открыл глаза, мутноватые от сонной скуки. Нос у него был мягкий, несерьезный. Он посмотрел на Соколовского — на лицо, на одежду, на сапоги, потом так же — на Телегина. Комиссар нетерпеливо придвинулся к нему.

— Я вас спрашиваю, товарищ... Нам по чрезвычайному делу — видеть главкома.

— А с часовым не полагается разговаривать, — сказал вихрастый.

— Фу ты, черт. Это всегда в штабах такая сволочь — формалисты! — крикнул Соколовский. — Я требую, чтобы вы ответили, товарищ: дома Сорокин или нет?

— Ничего не известно...

— А где начальник штаба? В канцелярии?

— Ну, в канцелярии.

Соколовский дернул Ивана Ильича за рукав, кинулся было на лестницу. Тогда часовой сделал падающее движение, но остался сидеть на стуле, только выпростал из-за ног винтовку.

— Вы куда же идете?

— То есть как — куда? — к начштабу.

— А пропуск имеется?

У комиссара даже пена выступила на губах, когда он начал объяснять часовому, по какому делу они примчались на дрезине. Тот слушал, глядя на пулемет, стоявший перед входом, на декреты, приказы, извещения, которыми сплошь были залеплены стены в прихожей. Замотал головой.

— Надо понимать, товарищ, а еще вы сознательный, — сказал он с тоской. — Есть пропуск — иди, нет пропуска — беспощадно буду стрелять.

Приходилось подчиниться, хотя пропуска выдавали где-то на другом краю площади и присутствие, наверное, было заперто, комендант ушел, — скажут — до завтра. Соколовский сразу даже как-то устал... В это время с площади в дверь кинулась, бухая сапогами, низенькая фигура в разодранной до пупа рубашке, крикнула:

— Митька, мыло выдают...

Часового как ветром сдунуло со стула. Он выскочил на крыльцо. Соколовский и Телегин беспрепятственно поднялись во второй этаж и, — после того как припухлоглазые хорошенькие гражданочки, в шелковых кофточках, посылали их то направо, то налево, — нашли, наконец, комнату начштаба.

Там, с ногами на ободранном диване, лежал щегольски одетый военный, рассматривая ногти. С крайней вежливостью и вдумчиво-пролетарским обхождением, через каждое слово поминая «товарищ» (причем «товарищ» звучало у него совсем как «граф Соколовский», «князь Телегин»), он расспросил о сути дела, извинился и вышел, поскрипывая желтыми, до колена шнурованными башмаками. За стеной начался шепот, хлопнула вдалеке дверь, и все затихло.

Соколовский горящими глазами глядел на Телегина:

— Ты понимаешь что-нибудь? Куда мы приехали? Ведь это что же, — белый штаб?

Он поднял худые плечи — и так и остался натопорщенным от крайнего изумления. Опять за стеной зашептали. Дверь широко распахнулась, и вошел начальник штаба, средних лет, плотный, с большим лысым лбом, нахмуренный человек, в грубой солдатской рубашке, подпоясанный по большому животу кавказским ремешком. Он пристально, бегло взглянул на Телегина, кивнул Соколовскому и сел за стол, привычным движением положив перед собой волосатые руки. Лоб его был влажен, как у человека, который только что хорошо поел и выпил. Почувствовав, что его рассматривают, он жестче нахмурил одутловатое красивое лицо.

— Дежурный мне передал, что вы, товарищи, прибыли по срочному делу, — сказал он важно и холодно. — Меня удивило, почему командир полка или вы, товарищ комиссар, не воспользовались прямым проводом...

— Я три раза пытался соединиться. — Соколовский вскочил и вытащил из кармана телеграфную ленту, протянул ее начштабу. — Как мы можем спокойно ждать, когда погибают товарищи... От штаба армии распоряжений нет... Нас умоляют о помощи... Полк «Пролетарской свободы» гибнет, при нем обоз в две тысячи беженцев...

Начштаба мельком взглянул на ленту и бросил ее, — она запуталась о массивную чернильницу.

— О том, что сейчас идут бои в расположении полка «Пролетарской свободы», нам, товарищи, известно... Хвалю ваше усердие, ваш революционный пыл. (Он как бы подыскивал слова.) Но впредь я просил бы не развивать паники... Тем более что операции противника носят случайный характер... Словом, все меры приняты, вы можете спокойно вернуться к вашим обязанностям.

Он поднял голову. Взгляд был строг и ясен. Телегин, понимая, что разговор окончен, поднялся. Соколовский сидел, точно его пришибли.

— Я не могу вернуться в полк с таким ответом, — проговорил он. — Сегодня же бойцы сбегутся на митинг, сегодня же полк самовольно выступит на помощь «пролетарцам»... Предупреждаю, товарищ, что на митинге я буду говорить за выступление...

Начштаба начал багроветь, — голый огромный лоб его заблестел. Шумно откинув кресло, он встал в наполовину свалившихся солдатских штанах, засунул руки за пояс:

— И вы ответите перед ревтрибуналом армии, товарищ! Не забывайте, у нас не семнадцатый год!

— Не запугаете, товарищ!

— Молчать!

В это время дверь быстро распахнулась, и вошел высокий, необыкновенно стройный человек в синей черкеске тонкого сукна. Мрачное красивое лицо его, с темными волосами, падающими на лоб, с висячими усами, было нежно-розового цвета, какой бывает у запойно пьющих и у жестоких людей. Губы его были влажны и красны, черные глаза расширены. Размахивая левым рукавом черкески, он вплоть подошел к Соколовскому и Телегину, взглянув им в глаза диким взглядом. Повернулся к начштабу. Ноздри его гневно вздрогнули.

— Опять старорежимные ухватки! Это что такое за «молчать»? Если они виноваты, они будут расстреляны... Но — без генеральского издевательства...

Начштаба выслушал замечание молча, опустив голову. Возражать не приходилось — это был сам главком Сорокин.

— Садитесь, товарищи, я слушаю вас, — проговорил Сорокин спокойно и присел на подоконник.

Соколовский снова принялся объяснять цель поездки: добиться разрешения Варнавскому полку немедленно выступить на помощь соседним с ним «пролетарцам»; кроме революционного долга, это продиктовано также простым расчетом: если «пролетарцы» будут разбиты — Варнавский полк окажется отрезанным от базы.

Сорокин только секунду сидел на подоконнике. Он принялся бегать от двери к двери, задавая короткие вопросы. Ладная шапка волос его разлеталась, когда он стремительно поворачивался. Солдаты любили его за пылкость и храбрость. Он умел говорить на митингах. И то и другое в те времена часто заменяло военную науку. Он был из казачьих офицеров, в чине подъесаула, воевал в армии Юденича в Закавказье. После октябрьского переворота вернулся на Кубань и у себя, в станице Петропавловской, организовал из станичников партизанский отряд, с которым удачно дрался при осаде Екатеринодара. Звезда его быстро всходила. Слава туманила голову. Силы плескались через край, — хватало времени и воевать, и гулять. К тому же начштаба с особенной заботой окружал его хорошенькими женщинами и всей подходящей обстановкой для разгула души.

— Что вам ответили в моем штабе? — спросил он, когда Соколовский окончил и судорожно вытирал лоб грязным комочком платка.

Начштаба сказал поспешно:

— Я ответил, что нами приняты все меры к спасению полка «Пролетарской свободы». Я ответил, что штаб Варнавского полка вмешивается в распоряжения штаба армии, что совершенно недопустимо, и кроме того — создается паника, которой нет основания.

— Э, вы, товарищ, не так подходите к этому делу, — неожиданно примиряюще проговорил Сорокин. — Дисциплина — конечно... Но есть вещи в тысячу раз важнее вашей дисциплины... Воля масс! Революционный порыв нужно поощрять, хотя бы это шло вразрез с вашей наукой... Пусть операция Варнавского полка будет бесполезна, пусть вредна, черт возьми! У нас революция... Запретите им сейчас, они кинутся на митинг, — я знаю этих горлопанов, опять будут кричать, что я пропиваю армию...

Он отбежал к печке и уже бешено взглянул на Соколовского:

— Подайте рапорт!

Телегин сейчас же вынул бумагу и положил на стол. Главком схватил ее, пробежал бегающими зрачками и, брызгая пером, начал писать: «Приказываю Варнавскому полку немедленно выступить в походном порядке и выполнить свой революционный долг».

Начштаба глядел на него с усмешкой, когда же главком протянул ему бумагу, он отступил, заложив руки за спину:

— Пусть меня предадут суду, но этого приказа я не скреплю...

В ту же минуту Иван Ильич бросился и схватил Сорокина за руку у кисти, не давая ему поднять револьвер. Соколовский заслонил собою начштаба. Все четверо тяжело дышали. Сорокин вырвался, сунул револьвер в карман и вышел, бухнув дверью так, что полетела штукатурка...

Хлопнули двери, затихли бешеные шаги главкома.

Начштаба проговорил примиряюще басовито:

— Могу вас уверить, товарищи: если бы я подписал приказ, несчастье могло бы принять крупные размеры.

— Какое несчастье? — кашлянув, хриповато спросил Соколовский. Начштаба странно взглянул на него.

— Вы не догадываетесь, о чем я говорю?

— Нет. — У Соколовского задрожали углы глаз.

— Я говорю о своей армии...

— Что такое?

— Я не имею права раскрывать военные тайны перед комиссаром полка. Не так ли, товарищ? За это вы первый должны меня расстрелять... Но мы зашли слишком далеко. Хорошо... Берите все на свою ответственность...

Он подошел к карте, утыканной флажками. Соколовский и Телегин, придвинувшись, стали за его спиной. Видимо, близость горячего дыхания двух ртов была несколько неприятна начштабу, — лопатки его под рубашкой задвигались.. Но он спокойно вытащил грязную зубочистку, и изгрызенный кончик ее скользнул по карте от трехцветных флажков в южном направлении в густое расположение красных.

— Вот где белые, — сказал начштаба.

— Где, где? — Соколовский вплоть придвинулся к карте, бродя по ней ослепшими глазами. — Но это же Торговая...

— Да, это Торговая. С ее падением для белых путь наполовину расчищен.

— Не понимаю... Мы считали, что белые севернее по крайней мере верст на...

— То мы считали, товарищ комиссар, а не белые. Торговая в настоящий момент находится под концентрическим ударом. У белых аэропланы и танки. Это не прежняя корниловская банда... Они действуют по внутренним линиям, наносят удары, где хотят. Инициатива в их руках.

— Севернее Торговой — Стальная дивизия Дмитрия Жлобы, — сказал Телегин...

— Разбита...

— А кавбригада?..

— Разбита...

Соколовский дернул шеей, придвинулся к карте.

— Вы очень выдержанный человек, товарищ, — проговорил он. — Вы как будто уже примирились с падением Торговой... Тот разбит, и этот разбит. — Он повернулся к начштабу: — А наша армия?

— Мы ждем распоряжения главковерха. У товарища Калнина свои расчеты. Штаб главкома не может, стуча кулаками, требовать у ставки главковерха наступления, — как вы думаете? Война не митинг.

Начштаба тонко улыбнулся. Соколовский, не дыша, глядел в его толстое спокойное лицо. Начштаба выдержал взгляд.

— Вот какие дела, товарищи, — сказал он, возвращаясь к столу. — Вот почему я не имею права снять ни одной части с фронта, хотя бы это казалось совершенно разумным и необходимым... Наше положение весьма нелегкое. Итак, возвращайтесь немедленно в свою часть. Все, что я вам сказал, пока не подлежит оглашению. Нужно сохранить полное спокойствие в армии. Что касается полка «Пролетарской свободы», — за участь его можете не тревожиться, я получил успокоительные сведения...

Брови начштаба сдвинулись над крючковатым носом. Кивком головы он отпустил посетителей. Соколовский и Телегин вышли из кабинета. В соседней комнате дежурный чистил ногти, стоя у окна. Он вежливо поклонился уходящим.

— Сволочь, — прошептал Соколовский.

Когда вышли на улицу, он схватил Телегина за рукав:

— Ну? Что ты скажешь?

— Формально он прав. А по существу — саботаж, конечно.

— Саботаж? Ну, нет... Тут игра покрупнее... Я вернусь, застрелю его...

— Брось, Соколовский, не глупи...

— Измена, я тебе говорю — здесь измена, — бормотал Соколовский. — Гымзе каждый день доносят, — в штабе пьянство. Сорокин разогнал комиссаров. А поди, подступись. Сорокин — царь и бог в армии, черт его знает, любят за храбрость, — свой человек. А начштаба, ты знаешь, кто такой? Беляков, царский полковник... Понял — какой узел? Ну, едем... Проскочим, как ты думаешь?

Начштаба тронул колокольчик, — в дверях отчетливо появился дежурный.

— Узнайте, в каком состоянии главком, — сказал Беляков, сурово глядя в бумаги.

— Товарищ Сорокин в столовой. Состояние в полградуса.

Дежурный ждал, покуда начштаба не усмехнется нехотя, тогда многозначительно улыбнулся и он:

— С ним — Зинка.

— Хорошо. Ступайте.

Беляков прошел в отделение службы связи. Просмотрел телефонограммы. Подписал четко мелким почерком несколько бумаг и в коридоре у крайней двери задержался на секунду. За дверью слышался тихий звон гитарных струн. Начштаба вынул платок, отер крепкую красную шею, постучал и, не дожидаясь ответа, вошел.

Посреди комнаты у стола, покрытого развернутыми газетами и уставленного грязной посудой и рюмками, сидел Сорокин, отмахнув широкие рукава черкески. Красивое лицо его было все так же мрачно. Прядь темных волос падала на мокрый лоб. Расширенными зрачками он уставился на Белякова. Сбоку у него на табуретке сидела Зинка, положив ногу на ногу, так что видны были подвязки и кружева, и перебирала струны гитары. Это была молоденькая женщина с яркой окраской синих глаз и влажных губ, с тоненьким и решительным носиком, со спутанными, высоко поднятыми русыми волосами, и только больные складочки у рта, правда — едва приметные, придавали ее нежному лицу выражение зверька, умеющего кусаться. По документам она была откуда-то из Омска, дочь железнодорожного рабочего, чему, конечно, никто не верил, не верили и в то, что ей 18 лет, ни в ее фамилию — Канавина, ни в имя — Зинаида. Но она отлично писала на пишмашине, пила водку, играла на гитаре и пела увлекательные романсы. Сорокин обещался собственноручно застрелить ее при первой попытке разводить в штабе белогвардейскую гниль и плесень. На том и успокоились.

— Хорош, нечего сказать, — проговорил Беляков, качая головой и на всякий случай держась около двери. — В какое ты меня ставишь положение? Являются два явных цекиста, грозят митингами, и ты немедленно перекидываешься на их сторону... Чего проще, иди к аппарату, телеграфируй в Екатеринодар, — немедленно тебе пришлют еврейчика, он тебе сформирует штаб, он с тобой в постели будет спать, ходить с тобой в сортир, все мысли твои возьмет под учет. Действительно ужас! У главкома Сорокина уклон к диктатуре! Ну и ступай под контроль... А меня уволь... Расстрелять меня ты можешь... Но в присутствии подчиненных грозить револьвером я не позволю... Какая же после этого дисциплина!.. Черт тебя возьми, в самом деле.

Продолжая глядеть на начштаба, Сорокин протянул руку, большую и сильную, и, промахнувшись, сжал воздух вместо горлышка бутылки. Короткая судорога свела его рот, усы взъерошились. Он все же взял бутылку и налил две стопки:

— Садись пей.

Беляков покосился на кружево Зинкиных панталон, подошел к столу. Сорокин сказал:

— Не будь ты умен — быть бы тебе в расходе... Дисциплина... Моя дисциплина — бой. Ну-ка, поди кто из вас, — подними массы... А я поведу, и дай срок, — никто не может, один я раздавлю белогвардейскую сволочь... Мир содрогнется...

Ноздри его захватили воздух, багровые жилы запульсировали на висках.

— Без цекистов и Кубань вычищу, и Дон, и Терек... Мастера они петь в Екатеринодаре, комитетчики... Сволочи, трусы... Ну, так что же, — я на коне, в бою, я — диктатор... Я веду армию!

Он протянул руку к стакану со спиртом, но Беляков быстро опрокинул его стакан:

— Довольно пить...

— Ага. Приказываешь?

— Прошу, как друга...

Сорокин откинулся на стуле, несколько раз коротко вздохнул, начал оглядываться, покуда зрачки его не уставились на Зинку. Она провела ноготком по струнам.

— «Дышала ночь...» — запела она, лениво подняв брови.

Сорокин слушал, и жилы сильнее пульсировали на висках. Поднялся, запрокинул Зинкину голову и жадно стал целовать в рот. Она перебирала струны, затем гитара соскользнула с ее колен.

— Вот это другое дело, — добродушно сказал Беляков. — Эх, Сорокин, люблю я тебя, сам не знаю за что — люблю.

Зинка наконец освободилась и, вся красная, низко нагнулась, поднимая гитару. Яркие глаза ее блеснули из-под спутанных волос. Кончиком языка облизнула припухшие губы:

— Фу, больно сделал...

— А знаете что, друзья? У меня припасена заветная бутылочка...

Беляков оборвал, подавившись словом. Рука с растопыренными пальцами повисла в воздухе. За окном хлопнул выстрел, загудели голоса. Зинка, с гитарой, точно на нее дунули, вылетела из комнаты. Сорокин нахмурился, пошел к окну...

— Не ходи, я раньше узнаю, в чем дело, — торопливо проговорил начштаба.

Скандалы и стрельба в расположении ставки главкома были обычным явлением. В состав сорокинской армии входили две основные группы: кубанская — казачья, ядро которой было сформировано Сорокиным еще в прошлом году, и другая — украинская, собранная из остатков отступивших под давлением немцев украинских красных армий... Между кубанцами и украинцами шла затяжная вражда. Украинцы плохо держали фронт на чужой им земле и мало стеснялись насчет фуража и продовольствия, когда случалось проходить через станицы.

Драки и скандалы происходили ежедневно. Но то, что началось сегодня, оказалось более серьезным. С криками мчались конные казаки. От заборов и садов перебегали испуганные кучки красноармейцев. В направлении вокзала слышалась отчаянная стрельба. На площади перед окнами штаба дико кричал, ползая по пыли и крутясь, раненый казак.

В штабе начался переполох. Еще с утра сегодня телеграфная линия не отвечала, а сейчас оттуда посыпался ворох сумасшедших донесений. Можно было разобрать только, что белые, быстро двигаясь в направлении Сосыка — Уманская, гонят перед собой спасающиеся в панике эшелоны красных.

Передние из них, докатившись до ставки, начали грабеж на станции и в станице. Кубанцы открыли стрельбу. Завязался бой.

Сорокин вылетел за ворота на рыжей, рослой, злой кобыле. За ним — полсотни конвоя в черкесках, с вьющимися за спиной башлыками, с кривыми саблями. Сорокин сидел как влитый в седле. Шапки на нем не было, чтобы его сразу узнали в лицо. Красивая голова откинута, ветер рвал волосы, рукава и полы черкески. Он был все еще пьян, решителен, бледен. Глаза глядели пронзительно, взор их был страшен. Пыль тучей поднималась за скачущими конями.

Близ вокзала из-за живой изгороди раздались выстрелы. Несколько конвойцев громко вскрикнули, один покатился с коня, но Сорокин даже не обернулся. Он глядел туда, где между товарными составами кричала, кишела и перебегала серая масса бойцов.

Его узнали издали. Многие полезли на крыши вагонов. В толпе махали винтовками, орали. Сорокин, не уменьшая хода, перемахнул через забор вокзального садика и вылетел на пути, в самую гущу бойцов. Коня его схватили под уздцы. Он поднял над головой руки и крикнул:

— Товарищи, соратники, бойцы! Что случилось? Что за стрельба? Почему паника? Кто вам головы крутит? Какая сволочь?

— Нас предали! — провыл панический голос.

— Командиры нас продали! Сняли фронт! — закричали голоса... И вся многотысячная толпа на путях, на поле, в вагонах заревела:

— Продали нас... Армия вся разбита... Долой командующего! Бей командующего!

Раздался свист, вой, точно налетел дьявольский ветер. Завизжали, поднимаясь на дыбы, лошади конвойных. К Сорокину уже протискивались искаженные лица, черные руки. И он закричал так, что сильная шея его раздулась:

— Молчать! Вы не революционная армия... Стадо бандитов и сволочей... Выдать мне шкурников и паникеров... Выдать мне белогвардейских провокаторов!

Он вдруг толкнул кобылу, и она, махнув передом, врезалась глубже в толпу. Сорокин, перегнувшись с седла, указал пальцем:

— Вот он!

Невольно толпа повернулась к тому, на кого он указал. Это был высокий, с большим носом, худой человек. Он побледнел, растопырил локти, пятясь. Знал ли его действительно Сорокин или жертвовал им как первым попавшимся, спасая положение, — неизвестно... Толпе нужна была кровь. Сорокин выхватил кривую шашку и, наотмашь свистнув ею, ударил высокого человека по длинной шее. Кровь сильной струей брызнула в морду лошади.

— Так революционная армия расправляется с врагами народа.

Сорокин опять толкнул кобылу и, помахивая окровавленной шашкой, страшный и бледный, вертелся в толпе, ругаясь, грозя, успокаивая:

— Никакого разгрома нет... Разведчики и белые агенты нарочно раздувают панику... Это они толкают вас на грабеж, срывают дисциплину... Кто сказал, что нас разбили? Кто видел, как нас били? Ты, что ли, мерзавец, видел? Товарищи, я водил вас в бой, вы меня знаете... У меня самого двадцать шесть ран! Требую немедленно прекратить грабеж! Все по эшелонам! Сегодня я поведу вас в наступление... А трусов и шкурников ждет расправа народного гнева...

Толпа слушала. Дивились, лезли на плечи, чтобы взглянуть на своего главкома. Еще рычали голоса, но уже сердца разгорались. То тут, то там слышалось: «А что ж, он правду говорит... И пусть ведет. И пойдем...» Появились попрятавшиеся было ротные командиры, и понемногу части стали отходить к своим эшелонам. Черкеска на груди Сорокина была разорвана, он отдирал ее, показывал старые раны... Лицо его было исступленно бледно... Паника утихла, навстречу подходившим эшелонам были выдвинуты пулеметные заставы. По всей линии летели телеграммы самого решительного содержания.

Все же нельзя было избежать отступления армии. Только через несколько дней, в районе станции Тимашевской, удалось привести войска в порядок и начать встречное наступление. Красные двинулись двумя колоннами на Выселки в Кореневку. Где только колебался бой, всюду красноармейцы видели мчавшегося Сорокина на рыжем коне. Казалось, одной своей страстной волей он поворачивал судьбу войны, спасая Черноморье. ЦИКу Северокавказской республики оставалось только официально признать за ним главенство в военных операциях.

6

В те же дни конца мая, когда деникинская армия выступила во «второй кубанский поход», — над Российской Советской Республикой собралась новая гроза. Три чешские дивизии, продвигаясь с украинского фронта на восток, взбунтовались почти одновременно во всех эшелонах от Пензы до Омска.

Этот бунт был первым заранее подготовленным ударом интервенции по Советскому Союзу. Чешские дивизии, начавшие формироваться еще с четырнадцатого года из живших в России чехов, затем из военнопленных, — оказались после Октября чужеродным телом внутри страны и вооруженно вмешались во внутренние дела.

Склонить их на вооруженное выступление против русской революции было делом не простым. У чехов еще жило отношение к России как будущей освободительнице чешского народа от австрийской имперской власти. Чешские крестьяне, откармливая гусей к рождеству, по старой традиции говорили: «Еднего гуса для руса». Чешские дивизии, уходя с боями от наступающих на Украину немцев, готовились к переброске во Францию, чтобы на фронте демонстрировать перед всем миром за свободу Чехии, за участие ее в победе над австро-германцами.

Навстречу чешским эшелонам, направлявшимся во Владивосток, двигались военнопленные немцы и особенно ненавистные венгры. На остановках, где сталкивались два встречных потока, бушевали страсти. Белогвардейские агенты нашептывали чехам о коварных замыслах большевиков, о их намерении будто бы разоружить и выдать немцам чешские эшелоны.

Четырнадцатого мая на станции Челябинск произошла серьезная драка между чехами и венграми. Челябинский совдеп арестовал несколько особенно задиравшихся чехов. Весь эшелон схватился за оружие. У совдепа, как и повсюду по линии, были одни лишь кое-как вооруженные красноармейцы, — пришлось уступить. Весть о челябинском инциденте полетела по всем эшелонам. И взрыв произошел, когда в ответ на эти события был издан предательский и провокационный приказ председателя Высшего военного совета республики:

«Все совдепы обязаны под страхом ответственности разоружить чехословаков: каждый чехословак, найденный вооруженным на железнодорожной линии, должен быть расстрелян на месте, каждый эшелон, в котором окажется хотя бы один вооруженный солдат, должен быть выгружен из вагонов и заключен в лагерь для военнопленных».

Так как у чехов была превосходная дисциплина, спаянность и боевой опыт, в изобилии пулеметы и пушки, а у совдепов плохо вооруженные отряды Красной гвардии, без опытного командования, — то не совдепы, а чехи разоружили совдепы и стали хозяевами по всей линии от Пензы до Омска.

Бунт начался в Пензе, где совдеп выслал навстречу четырнадцати тысячам чехов пятьсот красногвардейцев. Они повели наступление на железнодорожную станцию и были почти все перебиты. Чехи вывезли из Пензы печатный станок Экспедиции заготовления государственных бумаг, в большом бою разбили красных под Безенчуком и Липягами и заняли Самару.

Так образовался новый фронт гражданской войны, быстро охвативший огромное пространство Волги, Урала и Сибири.

Доктор Дмитрий Степанович Булавин лежал животом в раскрытом окне и слушал глухие раскаты артиллерийской стрельбы. Улица была пуста. Белое солнце нестерпимо жгло стены невысоких домов, пыльные окна пустых магазинов, ненужные вывески и асфальтовую улицу, покрытую известковой пылью.

Направо, куда глядел доктор, на площади торчал деревянный, с выцветшими лохмотьями, обелиск, прикрывавший памятник Александру Второму; сбоку стояла пушка; кучка обывателей ворочала булыжники, что-то копала, явно бессмысленное. Тут были и протоиерей Словохотов, и краса и гордость самарской интеллигенции нотариус Мишин, и владелец гастрономического магазина Романов, и бывший член земской управы Страмбов, и когда-то большой барин, седой красавец, помещик Куроедов. Все — клиенты Дмитрия Степановича, партнеры в винт... Красноармеец, поставив винтовку между ног, курил, сидя на тумбе.

Пушки за рекой Самаркой ухали. Тихо позванивали оконные стекла. От этих звуков доктор ехидно кривил рот, фыркал ноздрей в седые усы. Пульс у него был — сто пять. Значит, жила еще в нем старая общественная закваска. Но большим проявлять свои чувства было пока опасно. Как раз напротив, на той стороне улицы, на досках, прикрывавших забитое зеркальное окно ювелирного магазина Ледера, бельмом белел приказ ревкома, грозивший расстрелом контрреволюционным элементам.

На пустынной улице показалась странная фигура испуганного человека, в шляпе «здравствуйте-прощайте» из кокосовой мочалки и в чесучовом пиджаке довоенной постройки. Человек крался вдоль стены и, поминутно озираясь, подпрыгивал, как будто над ухом его стреляли. Мочального цвета волосы его висели до плеч, рыжеватая борода казалась приклеенной к очень бледному длинному лицу.

Это был Говядин, земский статистик, некогда безуспешно пытавшийся пробудить в Даше «красивого зверя». Он шел к Дмитрию Степановичу, и дело, видимо, было настолько серьезно, что он пересиливал страх пустой улицы и уханье орудийных взрывов.

Увидев доктора в окошке, Говядин отчаянно взмахнул рукой, что должно было означать: «Ради бога, не глядите, за мной следят». Оглядываясь, прижался к стене под объявлением ревкома, затем кинулся через улицу и скрылся под воротами. Через минуту он постучал в докторскую квартиру с черного хода.

— Ради бога, закройте окно, за нами следят, — громко прошептал Говядин, входя в столовую. — Спустите шторы... Нет, лучше не спускайте... Дмитрий Степанович, я послан к вам...

— Чем могу служить? — насмешливо спросил доктор, присаживаясь за стол, покрытый прожженной и грязной клеенкой. — Садитесь, рассказывайте...

Говядин схватил стул, кинулся на него, поджав под себя ногу, и, брызгаясь, громко зашептал в самое ухо доктору:

— Дмитрий Степанович... Только что на конспиративном заседании комитета Учредительного собрания проголосовано предложить вам портфель товарища министра здравоохранения.

— Министра? — переспросил доктор, опуская углы рта, так что весь подбородок собрался складками. — Так, так. А какой республики?

— Не республики, а правительства... Мы берем в свои руки инициативу борьбы... Мы создаем фронт... Мы получаем машину для печатания денег...С чехословацким корпусом во главе двигаемся на Москву... Созываем Учредительное собрание... И это — мы, понимаете — мы... Сегодня была горячая стычка. Эсеры и меньшевики требовали все портфели. Но мы, земцы, отстояли вас, провели ваш портфель... Я горжусь. Вы согласны?

В это как раз время так страшно ухнуло за речкой Самаркой, — на столе зазвенели стаканы, — что Говядин вскочил, схватившись за сердце:

— Это чехи...

Громыхнуло опять, и, казалось, совсем рядом застучал пулемет. Говядин, совсем белый, снова сел, подвернув ногу.

— А это красная сволочь. У них пулеметы на элеваторе... Но сомневаться нельзя, — чехи берут город... Они возьмут город...

— Пожалуй, я согласен, — пробасил Дмитрий Степанович. — Хотите чаю, только холодный?

Отказавшись от чаю, в забытьи, Говядин шептал:

— Во главе правительства стоят патриоты, — честнейшие люди, благороднейшие личности... Вольский, вы его знаете, — присяжный поверенный из Твери, прекраснейший человек... Штабс-капитан Фортунатов... Климушкин — это наш, самарский, тоже благороднейший человек... Все эсеры, непримиримейшие борцы... Ожидают даже самого Чернова, — но это величайшая тайна... Он борется с большевиками на севере... Офицерские круги в теснейшем блоке с нами... От военных выдвигается полковник Галкин... Говорят, что это новый Дантон... Словом, все готово. Ждем только штурма... По всем данным, чехи назначили штурм на сегодня в ночь... Я — от милиции. Это ужасно опасно и хлопотливо... Но надо же воевать, надо жертвовать собой...

За окном раздались громкие и нестройные звуки военных труб — «Интернационал». Говядин согнулся, лег головой на живот Дмитрию Степановичу; соломенные волосы его казались неживыми, как у куклы.

Солнце закатилось за грозовую тучу. Ночь не принесла прохлады. Звезды затянуло мглой. Орудийные удары за рекой стали чаще и громче. От разрывов дрожали дома. Шестидюймовая батарея большевиков, стоящая за элеватором, отвечала в тьму. Стучали пулеметы на крышах. За Самаркой, в слободе, куда вел деревянный мост, слабо хлопали выстрелы красноармейских сторожевых охранений.

Туча наползала, ворча громовыми раскатами. Наступала непроглядная темень. Ни одного огонька не виднелось ни в городе, ни на реке. Только мигали зарницами орудия.

В городе никто не спал. Где-то в таинственном подполье непрерывно заседал комитет Учредительного собрания. Добровольцы из офицерских организаций нервничали по квартирам, одетые и вооруженные. Обыватели стояли у окон, вглядываясь в ночную жуть. По улицам перекликались патрули. В промежутки тишины слышались уныло-дикие свистки паровозов, угонявших составы на восток.

Глядевшие в окна видели извилистую молнию, перебежавшую от края неба до края. Мрачно осветились мутные воды Волги. Проступили очертания барж и пароходов у пристаней. Высоко над рекой, над железом крыш появились — громада элеватора, острый шпиль лютеранской кирки, белая колокольня женского монастыря, по преданию построенная на деньги бродячей монашки Сусанны. Погасло. Тьма...

Раскололось небо. Налетел ветер. Страшно завыло в печных трубах. Чехи шли на приступ.

Чехи наступали редкими цепями со стороны станции Кряж — на железнодорожный мост и мимо салотопенных заводов — на заречную слободу. Пересеченная местность, дамба, заросли тальника задерживали продвижение.

Ключом к городу были оба моста — деревянный и железнодорожный. Артиллерия большевиков, на площади за элеватором, обстреливала подступы. Ее тяжкие удары и вспышки поддерживали мужество в красных частях, не уверенных в опытности комсостава.

В конце ночи чехи пошли на хитрость. Близ элеватора в бараках жили остатки польских беженцев с женами и детьми. Чехам это было известно. Когда их снаряды стали рваться над элеватором, — поляки высыпали из бараков и заметались в поисках убежища. Артиллеристы гнали их от пушек матюгом и банниками.

Когда шестидюймовки грохали — оглушенные и ослепленные беженцы кидались прочь... Но вот от амбаров побежала новая толпа женщин. Они кричали:

— Не стреляйте, проше пане, не стреляйте, умоляем, не губите несчастных.

Со всех сторон они окружили орудия.

Странные польские женщины хватались за банник, за колеса пушек, плотно брали под руки, тяжело висели на одуревших от грохота артиллеристах, вцеплялись им в бороды, валили на мостовую... Под кофтами у баб были мундиры, под юбками — галифе...

— Ребята, это чехи! — закричал кто-то, и голову ему разнес револьверный выстрел... Одни боролись, другие кинулись бежать... А чехи уже снимали замки с орудий и отступали, отстреливаясь. И затем, как сквозь землю, ушли в щели между амбарами.

Батарея была выведена из строя. Пулеметы сбиты. Чехи продолжали наступать, охватывая Засамарскую слободу до самой Волги.

Наутро ушли тучи. Сухое солнце ударило в непромытые окна квартиры Дмитрия Степановича. Доктор сидел у стола, тщательно одетый. Глаза его провалились, — он не ложился спать. Полоскательница, поднос и блюдечки были наполнены окурками. Иногда он вынимал сломанный гребешок и причесывал на лоб седые кудри. Каждую минуту он мог ожидать, что его позовут к исполнению министерских обязанностей. Оказалось, что он был дьявольски честолюбив.

Мимо его окон по Дворянской улице тянулись раненые. Они шли как по вымершему городу. Иные садились на тротуар у стен, кое-как перевязанные окровавленными тряпками. Глядели на пустые окна, — но не у кого было попросить воды и хлеба.

Солнце разжигало улицу, не освеженную ночной грозой. За рекой бухало, ахало, стукало. Промчался автомобиль, наполнив Дворянскую облаками известковой пыли, мелькнуло перекошенное лицо военного комиссара с черным ртом. Автомобиль ушел вниз через деревянный мост и, как рассказывали потом, был разорван вместе с седоками артиллерийским снарядом. Время останавливалось, — бой казался нескончаемым. Город не дышал. Женщины общества, уже одетые в белые платья, лежали, закрыв головы подушками. Комитет Учредительного собрания кушал утренний чай, сервированный владелицей мукомольной мельницы. В подполье лица министров казались трупными. А за рекой бухало, стукало, ахало...

В полдень Дмитрий Степанович подошел к окну и, засопев, раскрыл его, не в силах дольше сидеть в сизом дыму табака. На улице уже не было ни одного раненого. Многие из окон приоткрывались, — там косил глаз из-за шторы, там металось взволнованное лицо. Из подъездов выглядывали головы, прятались. Как будто было похоже, что нет больше большевиков... Но частая стрельба за речкой?.. Ах, как было томительно!..

Вдруг — чудо — из-за угла появился, постоял с секунду и пошел посреди улицы длинноногий офицер в белом, как снег, кителе с высокой талией. По голенищу его била шашка. На плечах горели полдневным солнцем, старорежимным счастьем золотые погоны...

Что-то забытое шевельнулось в сердце Дмитрия Степановича, как будто он что-то вспомнил, на что-то вознегодовал. С непонятной живостью он высунулся в окно и крикнул офицеру:

— Да здравствует Учредительное собрание!

Корнет сейчас же подмигнул толстому лицу доктора и ответил загадочно:

— Там увидим...

А изо всех окон высовывались, звали, спрашивали:

— Господин офицер... Ну, что? Мы взяты? Большевики ушли?

Дмитрий Степанович надел белый картуз, взял трость и, оглянув себя в зеркало, вышел. На улицу валил народ, как из церкви. И впрямь — где-то малиново зазвонили колокола. Радостно шумящая толпа сбивалась на перекрестке. Дмитрия Степановича схватила за рукав пациентка, дама с тройным подбородком, искусственные цветы на ее громоздкой шляпе пахли нафталином.

— Доктор, глядите же — чехи!

На скрещении улиц, окруженные женщинами, стояли с винтовками наперевес два чеха: один сизо-бритый, другой с черными усищами. Напряженно улыбаясь, они быстро оглядывали крыши, окна, лица.

Их щегольские шапочки, френчи с кожаными пуговицами и нашитым на левом рукаве отличительным щитком, крепкие сумки и патронташи, их решительные лица — все вызывало восторг, почтительное удивление. Эти двое будто свалились на Дворянскую улицу из другого мира.

— Ура! — закричали в толпе несколько чиновников. — Да здравствуют чехи! Качать их! Берись!

Дмитрий Степанович, протиснувшись и сопя, хотел произнести достойное приветствие, но от волнения у него пересохло горло, и он поспешил на конспиративную квартиру, где его ожидали высокие обязанности.

В подполье у мукомольши было пусто, — только табачный перегар, ощетиненные окурками пепельницы, и в конце стола спал блондин, уткнувшись в изрисованные носатыми рожами бумажки. Дмитрий Степанович тронул его за плечо. Блондин глубоко вздохнул, поднял бородатое лицо с блуждающими спросонья светло-голубыми глазами:

— В чем дело?

— Где правительство? — строго спросил Дмитрий Степанович. — С вами говорит товарищ министра здравоохранения.

— А, доктор Булавин, — сказал блондин. — Фу, черт, а я того-с... Ну, как в городе?

— Не все еще ликвидировано. Но это конец. На Дворянской — чешские патрули.

Блондин раскрыл зубастый рот и захохотал:

— Здорово! Ах, черт, ловко! Значит, правительство соберется здесь ровно в три. Если все будет благополучно — к вечеру переберемся в лучшее помещение...

— Простите... — У Дмитрия Степановича мелькнула жуткая догадка. — Я говорю с членом ЦК партии?! Вы не Авксентьев?

Блондин ответил неопределенным жестом, как бы говорящим: «Что ж тут поделаешь...» Зазвонил телефон. Он схватил со стола трубку.

— Идите, доктор, ваше место сейчас на улице... Помните, мы не должны допустить эксцессов... Вы представитель буржуазной интеллигенции, — умерьте их пыл... А то, знаете, — он подмигнул, — будет неудобно в дальнейшем...

Доктор вышел. Весь город теперь вывалил на улицы. Здоровались, как на пасху. Поздравляли. Сообщали новости...

— Большевики тысячами кидаются в Самарку... Дуют вплавь на эту сторону...

— Ну и бьют же их...

— А потонуло сколько... Гибель...

— Совершенно верно, — ниже города вся Волга в трупах...

— И — слава создателю, я скажу... За грех это не считаю...

— Верно, собакам собачья смерть...

— Господа, слышали? Пономаря с колокольни скинули...

— Кто? Большевики?

— Чтобы не звонил... Называется — хлопнули дверью... Я еще понимаю — кого-нибудь, но пономаря-то за что?

— Куда вы, куда, папаша?

— Вниз. Хочу амбар посмотреть. Цело ли...

— С ума сошли. На пристанях еще большевики.

— Дмитрий Степанович, дождались денечка!.. Вы куда такой озабоченный?

— Да вот — избрали товарищем министра...

— Поздравляю, ваше превосходительство...

— Ну, пока еще не с чем... Пока еще Москвы не взяли...

— Э, доктор, нам бы подышать свежим воздухом, и на том спасибо...

В толпе воинственно проплывали золотые погоны. Это был символ всего старого, уютного, охраняемого. Решительным шагом прошел отряд офицеров, сопровождаемый кривляющимися мальчишками. Смеялись нарядные женщины. Толпа сворачивала с Садовой на Дворянскую мимо нелепо роскошного, выложенного зелеными изразцами, особняка Курлиной. Какой-то малый кинулся в толпу...

— Что такое? Что случилось?

— Господин офицер, в этом дворе большевики, двое за дровами...

— Ага... Господа, господа, проходите...

— Куда это офицеры побежали?

— Господа, господа, никакой паники...

— Чекистов нашли!

— Дмитрий Степанович, отойдем все-таки, а то как бы...

Раздались выстрелы. Толпа шарахнулась. Побежали, роняя шапки. Дмитрий Степанович, запыхавшись, снова очутился на Дворянской. Он чувствовал ответственность за все происходящее. Дойдя до площади, он прищурился на обелиск, прикрывающий памятник Александру Второму. Протянув руку, сказал сердито и громко:

— Большевики готовы уничтожить все русское. Они добиваются, чтобы русский народ забыл свою историю. Здесь стоит никому не вредящий памятник царю-освободителю. Снимите же с него эти глупые доски и это гнусное тряпье.

Такова была его первая речь к народу. Сейчас же бойкие парни в картузиках — по виду приказчики — закричали:

— Ломай!

Раздался треск срываемых с памятника досок. Дмитрий Степанович пошел дальше. Толпа редела. Здесь громче раздавались заречные выстрелы. Навстречу доктору, со стороны Самарки, бежал почти голый человек в одних мокрых подштанниках. Темные волосы падали ему на глаза. Широкая грудь была татуирована. Несколько женщин, завизжав, бросились от него к воротам. Он вдруг вильнул и кинулся к спуску, вниз к Волге. За ним бежали еще трое, потом еще и еще, — мокрые, полуголые, запыхавшиеся... На улице закричали:

— Большевики! Бей их!

Все они, как кулики от выстрела, сворачивали к спуску, к пристаням. Дмитрий Степанович заволновался, тоже побежал, схватил какого-то хилого человека без ресниц с извилистым носом:

— Я — министр нового правительства... Сюда нужен немедленно пулемет! Бегите же, я приказываю...

— Не понимай по-русски, — с неудовольствием ворочая языком, ответил хилый человек... Доктор оттолкнул его... Нужно было спешить действительно... Он сам пошел разыскивать чехов с пулеметом... И вот у чугунного подъезда, где, наполовину сшибленная, висела красная звезда, увидел еще одного большевика —

дочерна загорелого человека с бритой головой и татарской бородкой. Военная рубаха на нем была разорвана, из пятнышка на плече ползла кровь.. Показывая мелкие зубы, он по-собачьи вертел головой, огрызался, — видно, что страшно умирать.

Толпа напирала на него. Особенно женщины выкрикивали неистовые слова. Многие размахивали зонтиками, палками, стиснутыми кулаками... Тут же на ступеньках крыльца отставной генерал силился всех перекричать, махая на большевика лиловыми руками. Огромная фуражка поползла по его плеши, под дряблой шеей мотался орден.

— Решительнее, господа... Это комиссар... Без пощады... У меня у самого сын красный... Такое горе... Прошу, господа, найдите, приведите ко мне моего сына... Здесь же при всех убью. Убью моего сына... И с этим не должно быть никакой пощады...

«В данном случае вмешательство бесполезно», — взволнованно подумал Дмитрий Степанович и, отойдя, оглянулся... Крики затихли... Там, где только что стоял раненый комиссар, взмахивали трости и зонтики... Стало совсем тихо, слышались только удары. Отставной генерал глядел с крыльца вниз, слабо, как дирижер, помахивая рукой над сползшей на нос фуражкой.

Дмитрия Степановича догнал нотариус Мишин. Он был в грязном балахоне, застегнутом до шеи, лицо опухшее, в пенсне не хватало стеклышка.

— Убили... Заколотили зонтами... Ужасно — эти самосуды... Ах, доктор, а говорят, что делается сейчас на берегу Самарки — ужасно...

— В таком случае идем туда... Вы знаете — я в правительстве...

— Знаю, радуюсь...

Именем правительства Дмитрий Степанович остановил офицерский отряд в шесть человек и потребовал сопровождать себя до берега, где происходили нежелательные эксцессы. Теперь уже повсюду на перекрестках стояли чешские патрули. Нарядные женщины украшали их цветами, тут же обучали русскому языку, звонко смеялись, стараясь, чтобы иностранцам нравились и женщины, и город, и вообще Россия, которая опротивела чехам за годы плена хуже горькой редьки.

На грязном берегу Самарки добровольцы кончали с остатками красных, бежавших из слободы. Дмитрий Степанович пришел туда слишком поздно. Красные, успевшие еще перебежать через деревянный мост, переплывшие наискосок Самарку, садились на баржи и пароходы и уходили вверх по Волге. На берегу в ленивой волне лежало несколько трупов. Многие сотни мертвецов уже уплыли в Волгу.

На перевернутой гнилой лодке сидел Говядин, рукав его был перевязан трехцветной лентой. Мочальные волосы мокры от пота. Глаза, совсем белые, точками зрачков глядели на солнечную реку. Дмитрий Степанович, подойдя к нему, окликнул строго:

— Господин помощник начальника милиции, мне было сообщено, что здесь происходят нежелательные эксцессы... Воля правительства, чтобы...

Доктор не договорил, увидев в руках Говядина дубовый кол с прилипшей кровью и волосами. Говядин прошипел шерстяным голосом, беззвучно:

— Вон еще один плывет...

Он вяло слез с лодки и подошел к самой воде, глядя на стриженую голову, медленно плывущую наискосок течения. Человек пять парней с кольями подошло к Говядину. Тогда Дмитрий Степанович вернулся к своим офицерам, пившим баварский квас у расторопного квасника в опрятном фартуке, непонятно по какой бойкости уже успевшего выехать с тележкой. Доктор обратился к офицерам с речью о прекращении излишней жестокости. Он указал на Говядина и на плывущую голову. Давешний длинноногий ротмистр в снежном кителе шевельнул белыми от квасной пены усами, поднял винтовку и выстрелил. Голова ушла под воду.

Тогда Дмитрий Степанович, чувствуя, что он все-таки сделал все, что от него зависело, вернулся в город. Надо было не опоздать на первое заседание правительства. Доктор пыхтел, поднимаясь в гору, пылил башмаками. Пульс был не менее ста двадцати. Перед взором его развертывались головокружительные перспективы: поход на Москву, малиновый звон сорока сороков, — черт его знает, быть может, даже и кресло президента... Ведь революция такая штучка: как покатится назад, не успеешь оглянуться, — всякие эсеры, эсдеки, смотришь, уж и валяются с выпущенными кишками у нее под колесами... Нет, нет, довольно левых экспериментов.

7

Екатерина Дмитриевна сидела в низенькой гостиной за фикусом и, сжимая в кулаке мокрый от слез платочек, писала письмо сестре Даше.

В пузырчатое окошко хлестал дождь, на дворе мотались акации. От ветра, гнавшего тучи с Азовского моря, колебались на стене отставшие обои.

Катя писала:

«Даша, Даша, моему отчаянию нет границ. Вадим убит. Мне сообщил об этом вчера хозяин, где я живу, подполковник Теткин. Я не поверила, спросила — от кого он узнал. Он дал адрес Валерьяна Оноли, корниловца, приехавшего из армии. Я ночью побежала к нему в гостиницу. Должно быть, он был пьян, он втащил меня в номер, стал предлагать вина... Это было ужасно... Ты не представляешь, какие здесь люди... Я спросила: «Мой муж убит?..» Ты понимаешь, — Оноли его однополчанин, товарищ, вместе с ним был в сражениях... Видел его каждый день... Он ответил с издевательством: «Да, убит, успокойтесь, деточка, я сам видел, как его ели мухи...» Потом он сказал: «Рощин у нас был на подозрении, счастье для него, что он погиб в бою...» Он не сказал ни про день, в какой это случилось, ни про место, где убит Вадим... Я умоляла, плакала... Он крикнул: «Не помню — где кто убит». И предложил мне себя взамен... Ах, Даша!.. Какие люди!.. Я без памяти убежала из гостиницы...

Я не могу поверить, что Вадима больше нет... Но не верить нельзя, — зачем было лгать этому человеку? И подполковник говорит, что, видимо, так... От Вадима с фронта за все время я получила одно письмо — коротенькое и не похожее на него... Это было на второй неделе после пасхи... Письмо без обращения... Вот слово в слово: «Посылаю тебе денег... Видеть тебя не могу... Помню твои слова при расставании... Я не знаю — может ли человек перестать быть убийцей... Не понимаю — откуда взялось, что я стал убийцей... Стараюсь не думать, но, видимо, придется и думать, и что-то сделать... Когда это пройдет, — если это пройдет, — тогда увидимся...»

И — все, Даша, сколько я пролила слез. Он ушел от меня, чтобы умереть... Чем мне было удержать его, вернуть, спасти?

Что я могу? Прижать его к сердцу изо всей силы... Ведь только... Но он и не замечал меня в последнее время. Ему в лицо глядела во все глаза революция. Ах, я ничего не понимаю. Нужно ли нам всем жить? Все разрушено... Мы, как птицы в ураган, мечемся по России... Зачем? Если всей пролитой кровью, всеми страданиями, муками вернут нам дом, чистенькую столовую, знакомых, играющих в преферанс... Так мы и снова будем счастливы? Прошлое погибло, погибло навсегда, Даша... Жизнь кончена, пусть приходят другие. Сильные... Лучшие...»

Катя положила перо и скомканным платочком вытерла глаза. Потом глядела на дождь, струившийся по четырем стеклам окошка. На дворе гнулась и моталась акация, как будто сердитый ветер трепал ее за волосы. Катя снова начала писать:

«Вадим уехал на фронт. Настала весна. Вся моя жизнь была — ждать его. Как печально, как это никому не было нужно... Я помню, перед вечером глядела в окно. Распускалась акация, большие почки лопались. Суетилась стайка воробьев... Мне стало так обидно, так одиноко... Чужая, чужая на этой земле... Прошла война, пройдет революция. Россия станет уже не той. Воюем, гибнем, мучимся. А дерево распускается так же, как и прошлой весной, как много весен назад. И это дерево и воробьи — вся природа — отошли от меня в страшную даль и там живут своей, уже непонятной мне жизнью...

Даша, зачем же все наши муки? Не может быть, чтобы напрасно... Мы, женщины, ты, я, — знаем свой маленький мирок... Но то, что происходит вокруг, — вся Россия, — какой это пылающий очаг! Должно же там родиться новое счастье... Если бы люди не верили в это, разве бы стали так ненавидеть, уничтожать друг друга... Я потеряла все... Я не нужна себе... Но вот живу, потому что стыдно, — не страшно, а стыдно пойти положить голову под паровоз... привязать на крюк веревку.

Завтра уезжаю из Ростова, чтобы ничто больше не напоминало... Поеду в Екатеринослав... Там есть знакомые. Мне советуют поступить в кондитерскую. Может быть, Даша, приедешь на юг и ты... Рассказывают, в Питере у вас очень плохо...

Вот разница: женщина никогда бы не покинула любимого человека, будь хоть конец мира... А Вадим ушел... Он любил меня, покуда был в себе уверен... Помнишь, в июне в Петербурге, —

какое солнце светило нашему счастью... Не забуду до смерти бледного солнца на севере... У меня не осталось от Вадима ни одной фотографии, ни одной вещицы... Как будто все было сном... Не могу, Даша, не могу понять, что он убит... Наверно, я сойду с ума... Как грустно и ненужно прожита жизнь...»

Дальше Катя не могла писать... Платочек весь вымок... Но все же нужно было сообщить сестре все то обыденное и обыкновенное, что больше всего ценят в письмах... Под шум дождя она написала эти слова, не вкладывая в них ни мысли, ни чувства... О стоимости продуктов, о дороговизне жизни... «Нет никаких материй, ниток... Иголка стоит полторы тысячи рублей или два живых поросенка... Соседка по двору, семнадцатилетняя девушка, вернулась ночью голая и избитая, — раздели на улице. Главное — охотятся за башмаками...» Написала про немцев, что они устроили в городском саду военную музыку и велят подметать улицы, а хлеб, масло, яйца увозят поездами в Германию... Простонародье и рабочие ненавидят их, но молчат, так как помощи ждать неоткуда.

Все это ей рассказывал подполковник Тетькин. «Он очень мил, но, видимо, тяготится лишним ртом... А жена его, уже не стесняясь, говорит об этом». Катя еще написала: «Позавчера мне минуло 27 лет, но вид у меня... Да бог с ним... Теперь это не важно... Не для кого...»

И снова взялась за платочек.

Это письмо Катя передала Тетькину. Он обещался с первой оказией переправить в Питер. Но еще долго, по Катином отъезде, носил его в кармане. Сообщение с севером было очень трудно. Почта не действовала. Письма доставляли особые ходоки, отчаянные головы, и брали за это большие деньги.

Перед отъездом Катя продала все то немногое, что увезла из Самары; оставила только одну вещицу — изумрудное колечко, его подарили Кате в день рождения. Это было давно, до войны, в весеннее петербургское утро. Оно отошло в такую далекую память, что ничто уже не связывало Катю с тем туманным городом, где пролетела ее молодость. Даша, покойный Николай Иванович и Катя пошли на Невский... Выбрали колечко с изумрудом. Она надела на палец зеленый огонек и только его унесла из той жизни...

С ростовского вокзала отходило сразу несколько поездов. Катю затолкали, впихнули в какой-то вагон третьего класса. Она села у окна, узелок с заштопанным бельем пристроила на коленях. Поплыли заливные луга, донские плавни, дымы на горизонте, туманные очертания не покорившегося немцам Батайска. Под обрывистым берегом — полузатопленные рыбачьи деревни, мазаные хаты, сады, перевернутые баркасы, мальчики, идущие с бреднем. Потом молочной пеленой разостлалось Азовское море, вдали — несколько косых парусов. Потом погасшие трубы таганрогских заводов. Степи. Курганы. Брошенные шахты. Огромные села на склонах меловых холмов. Коршуны в синем небе. Печальный, как эти просторы, свист поезда. Хмурые мужики на станциях. Железные каски немцев...

Катя смотрела в окно, согнувшись, как старушка. Должно быть, лицо ее было такое печальное и прекрасное, что какой-то немецкий солдат, сидевший напротив, долго глядел на эту чужую русскую женщину. Худое, в никелевых очках, усталое лицо его тоже будто подернулось печалью.

— Виновные понесут расплату за все, мадам, настанет время, — негромко сказал он по-немецки. — Так будет и у нас в Германии, так будет во всем мире: великий суд... Социализмус — будет имя судьи...

Катя не сообразила сначала, что обращаются именно к ней, — подняла глаза на большие чистые никелевые очки. Немец покивал ей дружески:

— Мадам говорит по-немецки?

— Да.

— Когда человек много страдает — утешением ему служит целесообразность тех причин, из-за которых он страдает, — сказал немец, подбирая ноги под лавку и опуская лоб, так что глаза его теперь смотрели на Катю поверх очков. — Я много изучал историю человечества. После долгого затишья мы снова входим в полосу катастроф. Вот мой вывод. Мы присутствуем при начале гибели великой цивилизации. Однажды арийский мир уже пережил подобное. Это было в четвертом веке, когда варвары разрушили Рим. Многие готовы провести параллели с нашим временем. Но это ничего. Рим был разложен идеями христианства. Варвары разорвали уже только труп Рима. Современная цивилизация будет переорганизована социализмом. Там было разрушение, тут будет созидание. Наиболее разрушительными идеями христианства были: равенство, интернационализм и моральное превосходство бедности над богатством. Это были идеи варваров, кормивших чудовищного паразита — Рим, утопавший в роскоши. Вот почему римляне так боялись и так жестоко преследовали христиан. Но в христианстве не было созидающей идеи, оно не организовывало труда. На земле оно довольствовалось только разрушением, а все остальное обещало на небесах. Христианство — это был только меч, разрушающий и карающий. И даже на небесах, и в идеальной жизни, оно не могло обещать ничего, кроме вывернутого наизнанку иерархического, классового и чиновничьего строя Римской империи. Таковы были его основные ошибки. В противовес ему Рим выдвигал идею порядка. Но тогда самый беспорядок — всеобщий хаос — и был заветной мечтой варваров, ожидавших часа, чтобы полезть штурмом на стены Рима. Час этот настал. На месте городов задымились развалины. Трупы лежали по дорогам, распятые кольями, раздавленные телегами варваров. Спасения не было, потому что Европа, Малая Азия, Африка пылали от края до края. Римляне, как птицы, метались по мировому пожарищу. Их умерщвляли варвары, в лесах раздирали дикие звери, они гибли в пустынях от голода, зноя и стужи. Я читал рассказ современника о том, как Проба, жена римского префекта, бежала ночью в лодке с двумя дочерьми из Рима, куда ворвались германцы Алариха. Плывя по Тибру, римлянки видели пламя, пожиравшее Вечный город. Это был конец мира...

Немец развязал вещевой мешок, со дна его достал пухлую, в потертой коже, записную книжку и некоторое время со сдержанной улыбкой перелистывал ее.

— Вот, — сказал он, пересаживаясь на Катину лавку, — чтобы вам лучше представить, каковы из себя были римляне перед гибелью, послушайте одно место из Аммиана Марцеллина. Он так описывает этих владык вселенной:

«Длинные одежды из пурпура и шелка развеваются по ветру и дают возможность рассмотреть под ними богатую тунику, украшенную вышивками, изображающими различных животных. Сопровождаемые свитой в пятьдесят человек прислуги, их закрытые колесницы потрясают мостовую и дома, мчась по улице с необыкновенной быстротой. Если кто-нибудь из них входит в бани, обычно соединенные с магазинами, ресторанами и местами для прогулок, — он повелительным тоном требует, чтобы предметы общего употребления были отданы в его исключительное пользование. Выходя из бани, он надевает перстни и пряжки с драгоценными камнями и облекается в дорогой халат, полотна которого хватило бы на двенадцать человек. Затем следуют верхние одежды, которые льстят его самолюбию; при этом он не забывает принять величественную осанку, которой нельзя было бы простить и великому Марцеллу, завоевателю Сиракуз. Впрочем, иногда и он предпринимает смелые походы с огромной свитой слуг, поваров, клиентов и отвратительно обезображенных евнухов в свои итальянские поместья, где забавляется охотой на птиц и кроликов. Если случайно, особенно в жаркий полдень, он имеет храбрость переплыть на раззолоченной барке озеро Лукрин, отправляясь на свою приморскую дачу, он сравнивает потом это путешествие с походами Цезаря и Александра. Если муха проникает за шелковую занавеску палубы или сквозь складки упадет луч солнца, он оплакивает свое бедствие, сетуя, что не родился в странах киммерийских, где вечный мрак. Лучшими гостями у знатных считаются паразиты и льстецы, умеющие рукоплескать каждому слову хозяина. Они смотрят с восторгом на мраморные колонны комнат и мозаичные полы. За столом птицы и рыбы необыкновенной величины вызывают всеобщее удивление. Приносят весы, чтобы удостовериться в полновесности этих яств, и в то время, когда благоразумные гости отворачиваются от такой сцены, паразиты требуют нотариуса, чтобы составить протокол в достоверности подобных чудес...»

— Да, sic transit*... — сказал немец, захлопывая записную книжку. — Эти люди пошли бродить в поисках пропитания по дорогам и разрушенным городам. А волны варваров продолжали катиться с востока, опустошая и грабя. В какие-нибудь пятьдесят лет от Римской империи не осталось и следа. Великий Рим зарастал травой, среди покинутых дворцов паслись козы. Почти на семь столетий опустилась ночь над Европой.

---

* Так проходит... [слава мира] (*лат.*).

Это произошло потому, что христианство могло разрушать, но не знало идеи организации труда. В заповедях не говорится о труде. Их моральные законы применимы к человеку, который не сеет, не жнет, а за которого сеют и жнут рабы. Христианство стало религией императоров и завоевателей. Труд остался неорганизованным и вне морали. Религию труда принесут в мир вторые варвары, которые разрушат второй Рим. Вы читали Шпенглера? Это римлянин от головы до пят, он прав лишь в том, что для *его* Европы закатывается солнце. Но для нас оно восходит. Ему не удастся увлечь за собою в могилу мировой пролетариат. Лебеди кричат перед смертью. Так вот, буржуазия заставила Шпенглера кричать лебедем... Это ее последний идеалистический козырь. У христианства сгнили зубы. У нас они железные... Ему мы противопоставляем социалистическую организацию труда... Нас заставляют воевать с большевиками... Ого!.. Вы думаете, мы не понимаем, кто толкает нашу руку и против кого? О, мы гораздо больше понимаем, чем это кажется... Раньше мы презирали русских. Теперь мы начинаем удивляться русским и уважать их...

Протяжно свистя, поезд шел мимо большого села: мелькали крепкие избы, крытые железом, длинные ометы соломы, сады за палисадами, вывески лавок. Рядом с поездом, по пыльной дороге, ехал мужик в военной рубашке без пояса и в бараньей шапке. Раздвинув ноги, он стоял в небольшой телеге на железном ходу и крутил концами вожжей. Сытая, рослая лошадь заскакивала, силясь перегнать поезд. Мужик обернулся к вагонным окнам и что-то крикнул, широко показывая белые зубы.

— Это Гуляй-Поле, — сказал немец, — это очень богатое село.

В дороге пришлось несколько раз пересаживаться. (Катя по ошибке села не в прямой поезд.) Суета, вокзальные ожидания, новые лица, никогда прежде не виданные просторы степей, медленно плывущие за вагонным окном, отвлекли ее от тяжелых мыслей. Немец давно уже слез, — на прощанье крепко встряхнул Катину руку. Этот человек несокрушимо был уверен в закономерности происходящего и, казалось, с точностью определял и долю своего в нем участия. Его спокойный оптимизм изумил и встревожил Катю.

То, что все считали гибелью, ужасом, хаосом, для него было долгожданным началом великого начала.

За этот год Катя только и слышала бессильное скрежетание зубов да вздохи последнего отчаяния, только и видела, — как в то мартовское утро в отцовском доме, — искаженные лица, стиснутые кулаки. Правда, не вздыхал и не скрежетал подполковник Тетькин, но он был, по его же словам, «блаженный» и революцию приветствовал от какой-то своей «блаженной» веры в справедливость.

Весь круг людей, где жила Катя, видел в революции окончательную гибель России и русской культуры, разгром всей жизни, мировую пугачевщину, сбывающийся Апокалипсис. Была империя, механизм ее работал понятно и отчетливо.. Мужик пахал, углекоп ломал уголь, фабрики изготовляли дешевые и хорошие товары, купцы бойко торговали, чиновники работали, как часовые колесики. Наверху кто-то от всего этого получал роскошные блага жизни. Поговаривали, что такой строй несправедлив. Но — что же поделаешь, так бог устроил. И вдруг все разлетелось вдребезги, и — развороченная муравьиная куча на месте империи... И пошел обыватель, ошалело шатаясь, с белыми от ужаса глазами...

Поезд долго стоял в тишине на полустанке. Катя высунулась в окно. В темноте тихо шелестели листья высокого дерева. Необъятным казалось звездное небо над этой непонятной землей.

Катя облокотилась о раму спущенного окна. Шелест листьев, звезды, теплый запах земли напомнили ей одну ночь. Это было под Парижем, в парке... Несколько человек, все хорошие знакомые, петербуржцы, приехали туда на двух автомобилях... В беседке над прудом, где ужинали, было очень хорошо. Как серебристые облака, над водой стояли плакучие ивы.

Среди ужинавших был незнакомый Кате человек, немец, живавший в России. Он хорошо говорил по-французски. Он был в вечернем костюме, без шляпы, худой, с продолговатым нервным лицом, с большим залысым лбом и тяжелыми веками серьезных глаз. Он сидел спокойно, положив длинные пальцы на донышко винного бокала. Когда Кате кто-нибудь нравился, становилось тепло и ласково. Июльская ночь над озером словно прикасалась к ее полуоткрытым плечам. Сквозь листья ползучего винограда наверху беседки виднелись звезды. Свечи тепло освещали лица друзей, ночных бабочек на скатерти, задумчивое лицо незнакомого человека. Катя чувствовала, что он задумался, поглядывая на нее. Должно быть, она была очень хороша в тот вечер.

Когда встали из-за стола и пошли по темной, как высокие своды, аллее в конец парка к террасе, чтобы оттуда смотреть на огни Парижа, немец пошел рядом с Катей.

— Вы не находите, сударыня, что красота не позволена, недопустима? — сказал он суровым голосом, подчеркивая, что он не хотел бы придать словам двусмысленность. Катя шла медленно. Как хорошо, что этот человек с ней заговорил, и голос его не заглушал шелеста темного свода деревьев. Идя по левую сторону от Кати, немец глядел перед собой в глубину аллеи, где разливалось лиловое зарево города. — Я инженер. Мой отец очень богат. Я работаю в крупных предприятиях. Мне приходится иметь дело с сотнями тысяч людей. Я вижу и знаю многое из того, что вам неизвестно. Простите, вам скучен этот разговор?

Катя повернула к нему голову, молча улыбнулась. В полусвете далекого зарева он разглядел ее глаза и улыбку и продолжал:

— Мы живем, к несчастью, на стыке двух веков. Один закатывается, великолепный и пышный. Другой рождается в скрежете машин и суровых однообразных фабричных улиц. Имя этому веку масса, человеческая масса, где уничтожены все различия. Человек — это только умные руки, руководящие машинами. Здесь иные законы, иной счет времени, иная правда. Вы, сударыня, — последняя из старого века. Вот почему мне так грустно глядеть на ваше лицо. Оно не нужно новому веку, как все бесполезное, неповторяемое, способное возбуждать отмирающие чувства — любовь, самопожертвование, поэзию, слезы счастья... Красота!.. К чему? Это тревожно... Это недопустимо... Я вас уверяю, — в будущем станут издавать законы против красоты... Вам приходилось слышать о работе на конвейере? Это последняя американская новинка. Философию работы у двигающейся ленты нужно внедрять в массы... Воровство, убийство должно казаться менее преступным, чем секунда рассеянности у конвейера... Теперь представьте: в железные залы мастерских входит красота, то, что волнует... Что же получается? Путаница движений, дрожь мускулов, руки допускают секунды опозданий, неточностей... Из секундных ошибок складываются часы, из часов — катастрофа... Мой завод начинает выбрасывать продукцию низшего качества, чем завод соседний... Гибнет предприятие... Где-то лопается банк... Где-то биржа ответила скачком на понижение... Кто-то пускает пулю в сердце... И все из-за того, что по заводскому цеху прошла, шурша платьем, преступно прекрасная женщина.

Катя засмеялась. Она ничего не знала о конвейере. Она никогда не бывала на заводах, видела только прокопченные трубы, портившие пейзаж... Человеческую массу — толпу — она очень любила на больших бульварах, и ничего зловещего в ней не чудилось. Двое из ее знакомых, ужинавших на озере, были социал-демократы. Стало быть, со стороны совести тоже все обстояло благополучно. То, что говорил ее спутник, медленно, с поднятой головой, идущий в теплой темноте аллеи, было интересно и ново, как, например, кубические картинки, висевшие когда-то у Кати в гостиной... Но в тот вечер ей было не до философии...

— Должно быть, вам досталось от красивых женщин, если вы их так ненавидите, — сказала она и опять тихо засмеялась, думая о другом... Другое было неопределенное, как эта ночь, с запахом цветов и листьев, со звездными лучами в просветах между вершин, — сладко кружащее голову приближение любви. Не к этому высокому человеку, — а может быть, и к нему. Он вызвал в ней желание. То, что еще недавно казалось таким трудным и даже безнадежным, — легко подошло, легко охватило...

Неизвестно, что бы случилось с ней в те дни в Париже... Но сразу все оборвалось... Заревели пушки мировой войны... Немца Катя так и не встретила больше. Знал ли он о приближении войны или догадывался? В дальнейшей беседе у каменной балюстрады, откуда любовались разбросанными по темному горизонту, переливающимися, как алмазы, огнями Парижа, немец несколько раз заговаривал с какой-то суровой безнадежностью о неизбежности катастрофы. Им словно владела навязчивая мысль о том, что все напрасно: и прелесть ночи, и очарование Кати.

Она не помнила, что говорила ему, должно быть, вздор. Но это было не важно. Он стоял, облокотясь о балюстраду, почти касаясь щекой Катиного плеча. Катя знала, что ночной воздух смешивался с запахом ее духов, ее плеч, ее волос... Должно быть, — или теперь ей показалось, — если бы тогда он положил большую руку ей на спину, она бы не отодвинулась... Нет, этого ничего не случилось...

Ветер бил в щеку, трепал волосы. Неслись искры из паровоза. Поезд шел по степи. Катя оторвалась от окна, все еще ничего не видя. Прижалась в углу койки. Стиснула холодные пальцы.

Она теперь раскаивалась. Что же это было такое? Недели не прошло, как узнала о смерти Вадима, и хуже, чем изменила, хуже, чем предала... Размечталась о небывалом любовнике... Немец этот, конечно, убит... Он был офицером запаса. Убит, убит... Все умерли, все погибло, разорвано, развеяно, как та ночь в парке на террасе, над рекой, — исчезло невозвратно.

Катя сжала губы, чтобы не застонать. Закрыла глаза. Пронзительная тоска разрывала ей грудь... В грязном вагоне, где тускло мерцала свечка, было не много народу. Колебались черные бессонные тени от поднятой руки, от всклокоченной бороды, от разутых ног, спущенных с верхней койки. Никто не спал, хотя час был поздний. Разговаривали вполголоса.

— Самый скверный этот район, я уж вам говорю...

— А что? Неужели и здесь небезопасно?

— Извиняюсь, что вы говорите? Так здесь тоже грабят? Это же удивительно, чего же немцы смотрят? Они же обязаны охранять проезжую публику... Оккупировали страну, так и наводи порядок.

— Немцам, извините, господа, на нас высочайше наплевать... Сами справляйтесь, мол, голубчики, — заварили кашу... Да. В природе это у нас, — бандитизм... Сволочь народ...

На это уверенный голос ответил:

— Всю русскую литературу надо зачеркнуть и сжечь всемирно... Показали! Честного человека на всю Россию, может быть, ни одного... Вот, помню, был я в Финляндии и оставил в гостинице калоши... Верхового послали с калошами вдогонку, и калоши-то рваные... Вот это честный народ. И как они расправлялись с коммунистами. С русскими вообще. В городе Або, после подавления восстания, финны жгли и пытали начальника тамошней Красной гвардии. За рекой было слышно, как кричал этот большевик.

— Ох, господи, когда у нас вроде порядка что-нибудь сделается...

— Извиняюсь, я был в Киеве... Шикарные магазины, в кофейных музыка... Дамы открыто ходят в бриллиантах. Полная жизнь... Очень хорошо работают конторы по скупке золота и прочего... Уличная жизнь процветает, и все такое... Чудный город...

— А на брюки отрез — полугодовое жалованье. Задушили нас спекулянты... И вы знаете — все такие лобастые, все в синих шевиотовых костюмах... Сидят по кофейным, торгуют накладными... Утром встал — нет в городе спичек. А через неделю коробок — рубль. Или эти иголки. Я вот жене на именины две иголки подарил и шпульку ниток. А раньше дарил серьги с бриллиантами... Интеллигенция гибнет, вымирает...

— Расстреливать спекулянтов, без пощады...

— Ну, господин товарищ, здесь вам все-таки не большевизия...

— А что, какие слухи в Киеве, — гетман крепко сидит?

— Покуда немцы держат... Говорят, появился еще претендент на Украину — Василий Вышиванный. Сам он габсбургский принц, но ходит в малороссийском костюме.

— Граждане, спать пора, потушили бы свечку.

— То есть как — свечку? Это же вагон...

— А так — безопаснее как-то... С поля все окна видны — мелькают.

В вагоне сразу замолчали. Особенно ясно постукивали колеса. Летели паровозные искры в темноту степи. Затем кто-то прохрипел в последнем негодовании:

— Кто сказал: «тушить свечку»? (Молчание. Стало жутковато.) Ага, свечку... А самому по чемоданам лазить. А вот найти, кто сказал, и с площадки — под откос.

Кто-то в тоске стал цыкать зубом. Панический голос проговорил:

— На прошлой неделе я ехал, — у одной женщины два узла крючком выхватили...

— Это непременно махновцы.

— Станут тебе махновцы из-за двух узлов мараться. Поезд ограбить — это их дело.

— Господа, на ночь-то не стоило бы про них...

И пошли разговоры один страшнее другого. Вспоминались такие истории, что буквально мороз подирал по коже. И тут выяснилось, что места, по которым, не особенно торопясь, тащился поезд, — самое разбойничье гнездо, где немцы избегают даже ездить, и что на предыдущей остановке даже охрана слезла... По селам здесь мужики гуляют в бобровых шубах, девки — в шелку и бархате. Не проходит дня, — трата-та, — либо обстреляют поезд из пулемета, или отцепят задние вагоны, угонят самокатом, а то на полном ходу вдруг раскрывается дверь, и входят бородатые, с топорами, обрезами: руки вверх! Русских оставляют в чем мать родила, а попадется им еврей...

— Что еврей? При чем тут еврей? — дико закричал бритый человек в синем шевиотовом костюме, тот, кто восхищался Киевом. — Почему во всем виноват еврей?..

От этого крика стало совсем страшно. Голоса притихли. Катя опять закрыла глаза. Грабить у нее было нечего, — разве изумрудное колечко. Но и ею овладел томительный страх. Чтобы отвязаться от неприятного замирания сердца, она попыталась снова вспомнить очарованье той несбывшейся ночи. Но только стучали колеса в черной пустоте: Ка-тень-ка, Катень-ка, Ка-тень-ка, кон-че-но, кон-че-но, кон-че-но...

...Резко, будто влетев в тупик, вагон остановился, тормоза взвизгнули железным воплем, громыхнули цепи, зазвенели стекла, несколько чемоданов тяжело упало с верхней койки. Удивительнее всего, что никто даже не ахнул. Повскакали с мест, озирались, прислушивались. И без слов было ясно, что влипли в историю.

В темноте грохнули винтовочные выстрелы. Бритый человек в шевиоте метнулся по вагону, куда-то нырнул, притаился. За окнами под самой насыпью побежали люди. Бах, бах — блеснуло в глаза, ударило в уши... Страшный голос закричал: «Не высовываться!» Рвануло гранату. Качнуло вагон. Мелко-мелко у пассажиров застучали зубы. На площадку полезли. Бухнули прикладами в дверь. Толкаясь, ввалилось человек десять в бараньих шапках, грозя гранатами, сталкиваясь в тесноте оружием. Шумно дышали груди.

— Забирай вещи, выходи в поле!

— Живей шевелись, а то...

— Мишка, крой гранатой буржуев...

Пассажиры шарахнулись. Светловолосый парень со злым, бледным лицом кинулся всем корпусом вперед, подняв гранату, и так на секунду застыл с поднятой рукой...

— Выходим, выходим, выходим, — зашелестели голоса. И, больше не протестуя, не говоря ни слова, пассажиры полезли из вагона, — кто с чемоданчиком, кто захватив только подушку или чайник... Один, в пенсне, со сбитой набок бородкой, даже улыбался, пробираясь между разбойничками.

Ночь была свежая. Роскошным покровом раскинулись звезды над степью. Катя с узелком села на штабель гнилых шпал. Не убили сразу, — теперь уж не убьют. Она чувствовала такую слабость, точно после обморока. «Не все ли равно, — думала, — сидеть здесь на шпалах или бродить по Екатеринославу, без куска хлеба...» Плечам было зябко.. Она зевнула. В вагоне рослые мужики тащили с полок чемоданы, выкидывали их через окошки. Человек в пенсне полез было на откос к вагону:

— Господа, господа, там у меня физические приборы, ради бога, осторожнее, это хрупкое...

На него зашипели, схватив сзади за непромокаемый плащ, втащили в толпу пассажиров. В это время из темноты со звоном и топотом примчался конный отряд. На два лошадиных корпуса впереди него скакал, подбрасываясь в седле, кто-то невероятно крепкий, в высокой шапке. Пассажиры шарахнулись. Отряд с поднятыми ружьями и шашками остановился у вагона. Крепкий в шапке крикнул зычно:

— Потерь никаких, хлопцы?

— Не, не... Выгружаем... Гони тачанки, — ответили голоса. Крепкий в шапке повернул коня и въехал в толпу пассажиров.

— Представь документы, — приказал он, играя конем, так что пена с конской морды летела в выпученные от страха глаза пассажиров. — Не бойся. Вы под защитой народной армии батьки Махно. Расстреливать будем только офицеров, стражников, — он угрожающе повысил голос, — и спекулянтов народного достояния.

Опять человек в непромокаемом плаще выдвинулся вперед, поправляя пенсне.

— Виноват, могу дать честное слово, что среди нас нет вышеуказанных вами категорий... Здесь только мирные обыватели... Моя фамилия Обручев, учитель физики...

— Учитель, учитель, — укоризненно проговорил крепкий в шапке, — а связываешься со всякой сволочью. Отойди в сторону. Хлопцы, этого не трогать, это учитель...

Из вагона принесли свечу. Началась проверка документов. Действительно, ни офицеров, ни стражников не оказалось. Бритый человек в шевиоте суетился тут же, ближе всех к свечке... Но был он уже не в шевиоте, а в потрепанной крестьянской свитке и в солдатском картузе. Было непонятно, где он все это раздобыл, — должно быть, возил с собой в чемодане. Он дружески похлопывал по плечам суровых разбойничков.

— Я певец, очень рад с вами познакомиться, друзья. Артистам нужно изучать жизнь, я артист...

Он кашлял, прочищая горло, покуда кто-то не сказал ему загадочно:

— Там разберут — какой ты артист, рано не радуйся...

Подъехали тачанки — небольшие тележки на железном ходу. Махновцы покидали на них чемоданы, корзины, узлы, вскочили сверху на вещи, ямщики засвистели по-степному, сытые тройки рванули вскачь, — и со свистом и топотом обоз исчез в степи.

Ускакал и конный отряд. Несколько махновцев еще ходили около вагона. Тогда пассажиры простым поднятием рук выбрали делегацию, чтобы просить у разбойничков разрешения ехать дальше. Подошел светловолосый парень, увешанный бомбами. Вихор из-под козырька фуражки закрывал ему глаз. Другой, синий, глаз глядел ясно и нагло.

— Что такое? — спросил он, оглядывая от головы до ног каждого делегата. — Куда ехать? На чем? Ах, дурные... А когда же машинист стрекнул с паровоза в степь, теперь верст за десять чешет. Я вас здесь не могу бросить в ночное время, мало ли тут кто по степи бродит неорганизованный... Граждане, слушай команду... (Он сошел с откоса, поправил тяжелый пояс. К нему спустились остальные махновцы, перекидывая за спины винтовки.) Граждане, стройся по четверо в колонну... С вещами в степь...

Проходя мимо Кати, он нагнулся, тронул ее за плечо:

— Ай, девка... Не горюй, не обидим... Бери узелок, шагай рядом со мной вне строя.

С узелком в руке, опустив платочек до бровей, Катя шла по ровной степи. Парень с вихром шагал по левую сторону от нее, поглядывая через плечо на молчаливую кучу уныло бредущих пленных. Он тихо посвистывал сквозь зубы.

— Вы кто ж такая, откуда? — спросил он Катю. Она не ответила, отвернулась. Теперь у нее не было ни страха, ни волнения, только безразличие, — все казалось ей как в полусне.

Парень опять спросил про то же.

— Значит, не желаете себя унижать, разговаривать с бандитом. Очень жаль, дамочка. Только барскую спесь надо бы сбавить, — не те времена...

Обернувшись, вдруг он сорвал с плеча винтовку, зло крикнул какой-то неясной фигуре, ковылявшей в стороне от пленных:

— Эй, сволочь, — отстаешь... Стрелять буду!

Фигура поспешно кинулась в толпу. Он удовлетворенно усмехнулся.

— А куда ему бежать, дураку?.. По видимости — оправиться хотел. Вот какие дела, дамочка... Не желаете говорить, а молчать-то — страшнее... Не бойтесь, я не пьяный. Я пьяный — молчалив... Нехорош... Познакомимся, — он подкинул два пальца к козырьку, — Мишка Соломин. Дезертир Красной Армии... Скорее всего — бандит по своей природе, надо понимать. Злодей. Тут вы не ошиблись...

— Куда мы идем? — спросила Катя.

— В село, в штаб полка. Проверят вас, опросят, кое-кого носом в землю, некоторых отпустят. Вам, как молодой женщине, бояться нечего... Кроме того, я с вами.

— Вас-то, я вижу, и надо больше всех бояться, — сказала Катя, мельком покосившись на своего спутника. Она не ждала, что эти слова так обожгут его. Он весь вытянулся, вздохнул порывисто через ноздри, — длинное лицо его сморщилось, бледное от света звезд. «Сука», — прошептал он. Шли молча. Мишка на ходу свернул собачью ногу, закурил.

— Хоть и будете отпираться, я знаю, кто вы. Из офицерского сословия.

— Да, — сказала Катя.

— Муж, конечно, в белых бандах.

— Да... Мой муж убит...

— Не поручусь, что не моя пуля его хлопнула...

Он показал зубы. Катя быстро взглянула, споткнулась. Мишка поддержал ее под локоть. Она освободила руку, покачала головой.

— Я же с Кавказского фронта... Здесь только четыре недели, все время с белобандитами воевал. Из этой винтовки не одну пулю вогнал в голубые косточки...

Катя опять затрясла головой. Он некоторое время шел молча, потом засмеялся:

— Ну, и влипли же мы в переплет под станцией Уманьской. От нашего Варнавского полка пух остался. Комиссара Соколовского убили, командир полка Сапожков ушел прямо с горстью бойцов, все израненные... А я дернул через германский фронт к батьке. Здесь веселей. Над душой никто не стоит, — народная армия. Партизане мы, дамочка, а не бандиты. Командиров выбираем сами... Скидываем сами: взял наган и хлопнул... Один и есть над нами, — батько... Вы думаете, поезд ограбили, так это все в шинках пропьем? Ничего подобного. Все добро — в штаб. Оттуда — распределение. Одно — крестьянам, одно — армии. Поезда — это наше интендантство. А мы, — народная армия, значит, сам народ, — в состоянии войны с Германией. Вот как вопрос поставлен. Помещиков вырезаем. Стражники, гетманские офицеры — лучше нам не попадайся, уничтожаем холодным оружием. Мелкие отряды австрийцев и германцев оттесняем к Екатеринославу. Вот какие мы бандиты.

Звездам в степи, казалось, не было конца. В одном краю, там, куда шли, небо чуть начало зеленеть. Катя все чаще спотыкалась, сдержанно вздыхала. А Мишке хоть бы что, как с гуся вода, — шел бы и шел с винтовкой за плечами тысячу верст. Катина забота теперь была об одном: не показать, что ослабела, чтобы этот свистун и хвастун не начал ее жалеть...

— Все вы хороши! — Она остановилась, поправила платок, чтобы передохнуть, и опять пошла по полыни, по сусликовым норам. — Роди вам сыновей, чтобы их убивали. Нельзя убивать, вот и весь сказ.

— Эту песню мы слыхали. Эта песня бабья, старинная, — сказал Мишка, ни минуты не думая. — Наш комиссар, бывало, так на это: «Глядите с классовой точки зрения...» Ты прикладываешься из винтовки, и перед тобой — не человек, а классовый факт. Понятно? Жалость тут ни при чем и даже — чистая контрреволюция. Есть другой вопрос, голубка...

Странно вдруг изменился голос у него — глуховатый, будто он сам слушал свои слова.

— Не вечно мне крутиться с винтовкой по фронтам. Говорят, Мишка пропитая душа, алкоголик, туда ему к черту дорога, — в овраг. Верно, да не совсем... Умирать скоро не собираюсь, и даже очень не хочу... Эта пуля, которая меня убьет, еще не отлита.

Он отмахнул вихор со лба:

— Что такое теперь человек — шинель да винтовка? Нет, это не так... Я бы черт знает чего хотел! Да вот — сам не знаю чего... Станешь думать: ну, воз денег? Нет. Во мне человек страдает... Тем более такое время — революция, гражданская война. Сбиваю ноги, от стужи, от ран страдаю — для своего класса, сознательно... В марте месяце пришлось в сторожевом охранении лежать полдня в проруби под пулеметным огнем... Выходит, я герой перед фронтом? А перед собой — втихомолку — кто ты? Налился алкоголем и, в безрассудочном гневе на себя, вытаскиваешь нож из-за голенища...

Мишка снова весь вытянулся, вдыхая ночную свежесть. Лицо его казалось печальным, почти женственным. Руки он глубоко засунул в карманы шинели и говорил уже не Кате, а будто какой-то тени, летевшей перед ним:

— Знаю, слышал, — просвещение... У меня ум дикий. Мои дети будут просвещенные. А я сейчас какой есть — злодей... Это моя смерть... Про интеллигентных пишут романы. Ах, как много интересных слов. А почему про меня не написать роман? Вы думаете, только интеллигентные с ума сходят? Я во сне крик слышу... Просыпаюсь, — и во второй бы раз убил...

Из темноты наскакали всадники, крича еще издалека: «Стой, стой...» Мишка сорвал винтовку. «Стой, так твою мать! Своих не узнаешь!..» Оставив Катю, он пошел к всадникам и долго о чем-то совещался.

Пленные стояли, тревожно перешептывались. Катя села на землю, опустила лицо в колени. С востока, где яснее зеленел рассвет, тянуло сыростью, дымком кизяка, домовитым запахом деревни.

Звезды этой нескончаемой ночи начали блекнуть, исчезать. Снова пришлось подняться и идти. Скоро забрехали собаки, показались ометы, журавли колодцев, крыши села. Проступили на лугу комьями снега спящие гуси. Коралловая заря отразилась в плоском озерце. Мишка подошел, нахмурясь:

— С другими вы не ходите, вас я устрою отдельно.

— Хорошо, — ответила Катя, слыша словно издалека.

Все равно куда было идти, только — лечь, заснуть...

Сквозь слипающиеся веки она увидела большие подсолнечники и за ними зеленые ставни, разрисованные цветами и птицами. Мишка постучал ногтями в пузырчатое окошечко. В белой стене хаты медленно раскрылась дверь, высунулась всклокоченная голова мужика. Усы его поползли вверх, зубастый рот зевнул. «Ну, ладно, — сказал он, — идемте, что ли...»

Пошатываясь, Катя пошла в хату, где зазвенели потревоженные мухи. Мужик вынес из-за перегородки тулуп и подушку: «Спите», — и ушел. Катя очутилась за перегородкой на постели. Кажется, Мишка наклонялся над ней, поправляя под головой подушку. Было блаженно провалиться в небытие...

...Тревожил стук колес. Они катились, гремели. Катилось множество экипажей. И солнце отсвечивало позади них от окон высоких-высоких домов. Полукруглые графитовые крыши. Париж. Мимо мчатся экипажи с нарядными женщинами. Все что-то кричат, оборачиваются, указывают... Женщины размахивают кружевными зонтиками... Все больше мчится экипажей. Боже мой! Это погоня... В Париже-то, на бульварах! Вот они. Огромные тени на косматых конях в зеленоватом рассвете. Ни двинуться, ни убежать! Какой топот! Какие крики! Захватило дух!..

...Катя села на постели. Гремели колеса, ржали кони за окном. Сквозь незанавешенную дверь перегородки она увидела входящих и выходящих людей, увешанных оружием. В хате гудели голоса, топали сапожищи. Многие теснились у стола, что-то на нем рассматривали. Отпускали ядреные словечки. Был уже белый день, и несколько дымных лучей било в сизый махорочный дым хаты сквозь маленькие окна.

На Катю никто не обращал внимания. Она поправила платье и волосы, но осталась сидеть на постели. Очевидно, в село вошли новые войска. По тревожному гулу толпившихся в хате людей было понятно, что готовилось что-то серьезное. Резкий голос, с запинкой, с бабьим оттенком крикнул повелительно:

— Чтоб его черти взяли! Позвать его, подлеца!

И полетели голоса, крики из хаты на двор, на улицу, туда, где стояли запряженные тройками тележки, оседланные кони, кучки солдат, матросов, вооруженных мужиков.

— Петриченко... Где Петриченко?.. Беги за ним...

— Сам беги, кабан гладкий... Эй, браток, покличь полковника... Да где он, черт его душу знает?.. Здесь он, на возу спит, пьяный... Из ведра его, дьявола, окатить... Слышь, там, с ведром, добеги до колодца, — полковника не добудимся... Эй, братва, водой его не отлить, мажь ему рыло дегтем... Проснулся, проснулся... Скажи ему, — батько гневается... Идет... идет...

В хату вошел давешний рослый человек в высокой шапке. Он до того, видимо, крепко спал, что на усатом багровом лице его с трудом можно было разобрать заплывшие глаза... Ворча, он протолкался к столу и сел.

— Ты что же, негодяй, — армию продаешь! Купили тебя! — взвился с запинкою высокий скрежещущий голос.

— А что? Ну — заснул, ну, и все тут, — прогудел полковник так густо, будто говорил это, сидя под бочкой.

— А то. А то, тебе говорю... А то! — Голос захлебнулся. — А то, что проспал немцев...

— Как я немцев проспал? Я ничего не проспал...

— Где твои заставы? Мы шли всю ночь, — ни одной заставы... Почему армия в мешке?

— Да ты что кричишь? Кто ж их знает, откуда немцы взялись... Степь велика...

— Ты виноват, мерзавец!

— Но, но...

— Виноват!

— Не хватай!

Сразу в хате стало тихо. Отхлынули стоявшие от стола. Кто-то, тяжело дыша, боролся. Взлетела рука с револьвером. В нее вцепилось несколько рук. Раздался выстрел. Катя зажала уши, быстро прилегла на подушку. С потолка посыпалась штукатурка. И снова, уже весело, загудели голоса. Полковник Петриченко поднялся, доставая бараньей шапкой чуть не до потолка, и с толпой молодцов важно вышел на улицу.

За окном началось движение. Повстанцы садились на коней, вскакивали в тачанки. Вот захлопали бичи, затрещали оси, поднялась неимоверная ругань. Хата опустела, и тогда Катя поняла, почему до сих пор не могла увидеть того, кто так повелительно кричал бабьим голосом. Это был маленький человек. Он сидел у стола, спиной к Кате, положив локти на карту.

Прямые, каштанового цвета длинные волосы падали ему на узкие, как у подростка, плечи. Черный суконный пиджак был перекрещен ремнями снаряжения, за кожаным поясом — два револьвера и шашка, ноги — в щегольских сапогах со шпорами — скрещены под стулом. Покачивая головой, отчего жирные волосы его ползли по плечам, он торопливо писал, перо брызгало и рвало бумагу.

Осторожно со двора вошел давешний мужик, уступивший Кате постель.

Лицо у него было розовое, умильное. В волосах — сено. Придурковато моргая, он сел на лавку, напротив пишущего человека, подсунул под себя обе руки и зачесал босой ногой ногу.

— Все в заботах, все в заботах, Нестор Иванович, а я чаял — обедать останешься. Вчера телку резали, будто бы я так и знал, что ты заедешь...

— Некогда... Не мешай...

— Ага... (Мужик помолчал, перестал мигать. Глаза его стали умными, тяжелыми. Некоторое время он следил за рукой пишущего.) Значит, как же, Нестор Иванович, бой принимать не собираетесь у нас в селе?

— Как придется...

— Ну да, само собой, дело военное... А я к тому, если бой будете принимать, — надо бы насчет скотины... На хутора, что ли, ее угнать?

Длинноволосый человек бросил перо и запустил маленькую руку в волосы, перечитывая написанное. У мужика зачесалось в бороде, зачесалось под мышками. Поскребся. И будто сейчас только вспомнил:

— Нестор Иванович, а как же нам с мануфактурой? Сукно ты пожертвовал — доброе сукно. Интендантское, в глаза кидается... Ведь шесть возов.

— Мало вам? Не сыты? Мало?

— Ну, что ты, — какой мало... И за это не знаем как благодарить... Сам знаешь — сорок бойцов от села к тебе послали... Сынишка мой пошел. «Я, говорит, батько, должен кровь пролить за крестьянское дело...» Мало будет — мы пойдем, старики возьмутся... Ты только воюй, поддержим... А вот с мануфактурой в случае чего, — ну, не дай боже, нагрянут германцы, стражники... сам знаешь, какая у них расправа, — вот как же нам: сомневаться или не сомневаться насчет боя?

Спина у длинноволосого вытянулась. Он выдернул руку из волос, схватился за край стола. Слышно было — задышал. Голова его закидывалась. Мужик осторожно стал отъезжать от него по лавке, выпростал из-под себя руки и бочком-бочком вышел из хаты.

Стул закачался, длинноволосый отшвырнул его ногой. Катя с содроганием увидела наконец лицо этого маленького человека в черном полувоенном костюме. Он казался переодетым монашком. Из-под сильных надбровий, из впадин глядели на Катю карие, бешеные, пристальные глаза. Лицо было рябоватое, с желтизной, чисто выбритое — бабье, и что-то в нем казалось недозрелым и свирепым, как у подростка. Все, кроме глаз, старых и умных.

Еще сильнее содрогнулась бы Катя, знай, что перед ней стоит сам батько Махно. Он рассматривал сидевшую на кровати молодую женщину, в пыльных башмаках, в помятом, еще изящном шелковом платье, в темном платочке, повязанном по-крестьянски, и, видимо, не мог угадать — что это за птица залетела в избу. Длинную верхнюю губу его перекосило усмешкой, открывшей редко посаженные зубы. Спросил коротко, резко:

— Чья?

Катя не поняла, затрясла головой. Усмешка сползла с его лица, и оно стало таким, что у Кати затряслись губы.

— Ты кто? Проститутка? Если сифилис — расстреляю. Ну? По-русски говорить умеешь? Больна? Здорова?

— Я пленная, — едва слышно проговорила Катя.

— Что умеешь? Маникюр знаешь? Инструменты дадим...

— Хорошо, — еще тише ответила она.

— Но разврата не заводить в армии... Поняла? Оставайся. Вернусь вечером после боя, — почистишь мне ногти.

Много россказней ходило в народе про батьку Махно. Говорили, что, будучи на каторге в Акатуйской тюрьме, он много раз пытался бежать и убежал, но был накрыт в дровяном сарае и топором бился с солдатами. Ему переломали прикладами все кости, посадили на цепь; и три года он сидел на цепи, молчал, как хорек, только день и ночь стаскивал и не мог стащить с себя железные наручники. Там, на каторге, он подружился с анархистом Аршиновым-Мариным и стал его учеником.

Родом Нестор Махно был из Екатеринославщины, из села Гуляй-Поле, сын столяра. Бить его начали с малых лет, когда он служил в мелочной лавке, и тогда же прозвали хорьком за злость и карие глаза. Когда после порки он ошпарил кипятком старшего приказчика, — мальчишку выгнали. Он подобрал себе шайку, — лазили на бахчи, в сады, хулиганили, жили вольно, покуда отец не отдал его в типографское дело. Там будто бы его увидел анархист Волин, ставший через восемнадцать лет начальником штаба и ученой головой всего дела у Махно. Мальчик будто бы так понравился Волину, что тот стал учить его грамоте и анархизму, отдал в школу, и Махно сделался учителем. Но это неверно. Махно учителем никогда не был, и вернее полагать, что и Волина он узнал лишь впоследствии, а с анархизмом познакомился через Аршинова, на каторге.

С 1903 года Махно опять начинает пошаливать в Гуляй-Поле, но уже не на бахчах и огородах, а по барским поместьям, по амбарам лавочников: то уведет коней, то очистит погреб, то напишет записку лавочнику, чтобы положил деньги под камень. С полицией у него в то время велась странная и пьяная дружба.

Махно стали серьезно побаиваться, но мужики его не выдавали, потому что чем ближе подходило время к революции 1905 года, тем решительнее Махно досаждал помещикам. И когда, наконец, запылали усадьбы, когда крестьянство выехало распахивать барскую землю, — Махно кинулся в города на большую работу. В начале 1906 года он напал с молодцами в Бердянске на казначейство, застрелил трех чиновников, захватил кассу, но был выдан товарищем и попал в Акатуй на каторгу...

Через двенадцать лет, освобожденный февральской революцией, он снова появился в Гуляй-Поле, где крестьяне, не слушая двусмысленных распоряжений Временного правительства, выгнали помещиков и поделили землю. Махно помянул о старых заслугах и был выбран товарищем председателя в волостное земство. Он сразу взял крутую линию на «вольный крестьянский строй», на заседании местной управы объявил земцев буржуями и кадетами; разгорячась в споре, застрелил тут же, на заседании, члена управы и сам назначил себя председателем и районным комиссаром.

Временное правительство ничего с ним поделать не могло. Через год пришли немцы. Махно пришлось бежать. Некоторое время он колесил по России, покуда, летом восемнадцатого года, не попал в Москву, кишевшую в то время анархистами. Здесь были и старый Аршинов, меланхолически созерцающий события революции, которыми, по непонятной ему игре судьбы, руководили большевики, и никогда в жизни не чесавший бороды и волос, могучий теоретик и столп анархии — «матери порядка» — Волин, и нетерпеливый честолюбец Барон, и Артен, и Тепер, и Яков Алый, и Краснокутский, и Глагзон, и Цинципер, и Черняк, и много других великих людей, которые никак не могли вцепиться в революцию, сидели в Москве без денег, с единственной повесткой ежедневных заседаний: «Постановка организации и финансовые дела»... Одни из них впоследствии стали вождями махновской анархии, другие — участниками взрыва Московского комитета большевиков в Леонтьевском переулке.

Несомненно, что приезд Махно произвел впечатление на тосковавших в московских кофейнях анархистов. Махно был человек дела, и притом решительный. Было надумано — ехать Нестору Ивановичу в Киев и перестрелять гетмана Скоропадского и его генералов.

Вдвоем с подручным анархистом Махно перешел в Беленихине украинскую границу, обманув бдительность сидевшего там на путях страшного комиссара Саенко. Переоделся офицером, но в Киев ехать раздумал: в нос ему ударил вольный ветер степей, и не по вкусу показалась конспиративная работа. Он махнул прямо в Гуляй-Поле.

В родном селе он собрал пятерку надежных ребят. С топорами, ножами и обрезами засел в овраге близ экономии помещика

Резникова, ночью пробрался в дом и вырезал без особого шума помещика с тремя братьями, служившими в державной варте. Дом поджег. На этом деле он добыл семь винтовок, револьвер, лошадей, седла и несколько полицейских мундиров.

Не теряя теперь времени, хорошо вооруженный и на конях, он врывается со своей пятеркой на хутора, зажигает их с четырех концов. Он пополняет отряд. С бешеной страстью кидается из одного конца уезда в другой и очищает его от помещиков. Наконец он решается на одно дело, которое широко прославило его.

Было это на троицу. Степной магнат, помещик Миргородский, выдавал дочь за гетманского полковника. Ко дню свадьбы прибыли кое-кто из соседей, не испугавшихся в такое лихое время промчаться по степному шляху. Приехали гости и из губернии, и из Киева.

Усадьба Миргородских крепко охранялась стражниками. На чердаке барского дома был поставлен пулемет, да и сам жених прибыл с однополчанами — рослыми молодцами в широких синих шароварах с мотней, которая, по старинному обычаю, должна мести по земле, в свитках из алого сукна, в смушковых шапках с золотой кистью без малого не до пояса. У всех висели сбоку кривые сабли, бившие на ходу по козловым сапогам с загнутыми носками.

Невеста не так давно приехала из Англии, где кончала образование в закрытом пансионе, и уже неплохо говорила по-украински, носила вышитые рукава, бусы, ленты и красные сапожки. Пану-отцу прислали из Киева по особому заказу бархатный жупан, отороченный мехом, точь-в-точь как на известном портрете гетмана Мазепы. Свадьбу хотели справить по-стародавнему, и хотя столетние меды трудно было достать на пылающей Украине, но для широкого пира всего наготовили вдоволь.

После обедни невесту повели через парк в новую каменную церковь. Подружки, что шли с невестой и пели песни, были чудо хороши, а она — совсем как из казацкой думки. «Эге, — сказали дружки жениха, поджидавшие у ограды, — эге, видно, вернулись на Украину добрые времена...» После венца молодых осыпали на паперти овсом. Пан-отец, в мазепинском жупане, благословил их древней иконой из Межигорья. Выпили шампанского, крикнули: «Хай живе», разбили бокалы, молодые на автомобиле уехали на поезд, а гости остались пировать.

Сошла ночь на широкий двор усадьбы, где слуги и стражники выделывали ногами замысловатые кренделя. Все окна в доме весело сияли. Привезенный из Александровска еврейский оркестр пилил и дудел что было силы. Уже пан-отец отхватил чертовского гопака и пил содовую. Уже девицы и дамы искали прохлады в раскрытых окнах, а жениховы дружки — все куренные батьки, хорунжие и подполковники — вернулись к столам с закуской и, гремя саблями, грозились идти бить проклятых москалей, дойти до самой Москвы.

В это время среди пирующих появился маленького роста офицер в мундире гетманской варты. Ничего в том не было странного, что на усадьбу в такой день завернула полиция. Вошел он скромно, молча поклонился, молча покосился на музыкантов. Лишь кое-кто заметил, что мундир ему был как будто велик, да одна дама с тревогой вдруг сказала другой: «Кто этот? Какой страшный!..» Хотя неизвестный офицер и старался держать глаза опущенными, но, помимо воли, они у него горели, как у дьявола... Но мало ли какая ерунда может причудиться спьяна...

Музыканты после мазурок и вальсов заиграли танго. Два-три красных жупана, еще твердо стоявшие на ногах, подхватили дам. Кто-то велел потушить верхний свет. В полуосвещении, под расслабленные звуки, долетавшие, казалось, из глубины навек отжитых лет, пары пошли изламываться, изнемогать, изображая сладострастие смерти.

И тогда раздались выстрелы. Толпа гостей окаменела. Музыка оборвалась. Махно, одетый в форму вартового офицера, стоял позади закусочного стола у полуоткрытой двери и стрелял из двух револьверов по красным жупанам. Рослый багровый подполковник, друг жениха, раскинув руки, тяжело повалился на стол и опрокинул его. Пронзительно закричали женщины. Другой вытаскивал саблю и, так и не вытащив, ткнулся лицом в ковер... Еще трое с саблями кинулись на Махно, — двое сейчас же упали, третий выскочил в окно и там закричал, как заяц. В противоположных дверях появились двое, свирепых и чубастых, тоже в мундирах варты, и открыли стрельбу по гостям. Женщины метались. Падали. Пан-отец не мог подняться с кресла, и Махно, подойдя, вогнал ему пулю в рот. Раздавалась стрельба и на дворе, и в парке, где бегали выскочившие в окна гости. Немногим удалось спрятаться в кустах, в осоке на пруду. Перебиты были дворовая челядь и стражники. Махновские молодцы запрягли телеги и до рассвета грузили их добром и оружием. Солнце встало над пылающей усадьбой.

На Гуляй-Поле этот смелый налет произвел сильное впечатление. К тому времени крестьяне совсем уже приуныли под немцами, под са́жеными помещиками, под скорой на расправу державной вартой. Не доверяя мужикам, помещики отказывались сдавать землю в аренду и требовали не только урожая нынешнего лета, но и возвращения зерном убытков прошлого года. Оставалось выть по-волчьи. Явился Махно и объявил террор. По деревням и селам полетел слух, что нашелся батько.

Мужики спохватились. Запылали усадьбы. Запылали в степях скирды пшеницы. Партизанские отряды дерзко нападали на пароходы и баржи с хлебом, вывозимым в Германию. Волнения перекидывались на правый берег Днепра. Австрийским и германским войскам отдан был приказ пресечь беспорядки. Сотни карательных отрядов рассыпались по стране. И тогда Махно первый, с небольшим, хорошо вооруженным отрядом, стал нападать на австрийские войска.

В то время армия батьки Махно была еще не велика. Постоянное — не разбегавшееся — ядро ее состояло из двух-трех сотен отчаянных голов. Здесь были и черноморские матросы, и фронтовики, кому по разным обстоятельствам нельзя было показаться на родной деревне, и мелкие батьки, со своими отрядами влившиеся к Махно, и люди без роду и племени, воевавшие ради удали и веселой жизни.

Тогда же к армии начали прибиваться и анархисты-одиночки, так называемые «боевики», прослышавшие про новую гайдаматчину, вольно гулявшую на конях. Приходя пешком в махновский стан, рваные и голодные, с бомбой в одном кармане и с томом Кропоткина в другом, анархисты говорили батьке:

— Слышали мы, будто ты гениальная личность. Гм! Посмотрим.

— Посмотрите, — отвечал батько.

— Что ж, — говорили они, — если ты действительно таков, попадешь ведь на страницы мировой истории. Черт тебя знает, а вдруг тебе суждено стать вторым Кропоткиным.

— Возможно, — отвечал батько.

Анархисты стали ездить за батькой в обозе, пить с батькой спирт, говорить ему удивительные слова, до которых он был страшный охотник, — про историю и про славу. И понемногу кое-кто из них начал проходить на ответственные и командные места. И уже за каждым потащилась тачанка с добычей, взятой в боях: ящик коньяку, бочонок с золотом, мешок с одеждой. Такими одиночками были — Чалдон, Скоропионов, Юголобов, Чередняк, Энгарец, Француз и много других. На длительных стоянках они раздобывали целыми публичными домами веселых девиц и устраивали афинские ночи, уверяя батьку, что такой подход к половому вопросу раскрепощает быт, что же касается сифилиса — то это мелочь и вздор, когда осуществляется абсолютная свобода. Махно называл своих анархистов ползучими гадами, не раз грозил их перестрелять, но все же терпел как людей книжных и хорошо понимающих, что такое мировая слава.

У армии не было постоянной ставки. По мере надобности она перебрасывалась из конца в конец губернии на конях и тачанках. Когда задумывался налет или предстоял бой, Махно слал гонцов по деревням и сам в людном месте говорил зажигательную речь, после чего его подручные кидали с тачанок в толпу штуки сукна и ситца. В один день ядро его армии обрастало мужиками-партизанами. Кончался бой, и добровольцы так же быстро разбредались по селам, прятали оружие и, — будто они не они, — стоя у ворот, лениво почесывались, когда мимо громыхала германская артиллерия в поисках врага. Австрийцы и германские отряды, преследуя Махно, всегда ударяли в пустоту, и всегда в тылу у них оказывался этот вездесущий дьявол. Партизаны, как древние кочевники, не принимали решительного боя, рассыпались с воем, свистом и пальбой на конях и тачанках и, собравшись снова там, где их не ждали, нападали невзначай.

Село опустело. Уехал вслед армии и Махно на тройке, в тележке, покрытой ковром. Был уже полдень. Толстая заплаканная девка, в высоко подогнутой юбке, мела хату полынным веником. Хозяин сидел у открытого окошечка и, поглядывая на холмы, куда ушли пешие и конные и где сейчас мирно вертелись две мельницы, тяжело вздыхал: видимо, его не успокоила давешняя беседа с Махно.

Катя ходила к колодцу, помылась, привела себя в порядок. Хозяин позвал ее завтракать, — она скушала две галушки, выпила молока. И теперь, окончательно не зная, что делать, чего ждать, — сидела у другого окна. Было знойно. На улице много кур бродило по свежему навозу. В палисадниках никли золотые шляпки подсолнухов, наливалась вишня. Плавали ястреба над селом. Хозяин кряхтел, вздыхал.

— Ты юбку еще на голову задери, бесстыдница, — сказал он заплаканной девке. — Эка штука — залапали... Не тебя первую.

Девка всхлипнула, бросила веник и опустила юбку на толстые белые икры. Хозяин некоторое время смотрел на веник.

— Кто именно? Ты скажи, не бойся, Александра...

— Да я ж его, проклятого, и не знаю, как звать... Не наш... В очках...

— Видишь ты, — быстро сказал хозяин, точно обрадовался. — В очках... Это кто-нибудь из них — анархист. — Он повернулся к Кате: — Племянница Александра... Послал ее на гумно за соломой... А гумно знаете где? Вернулась поутру вся ободранная. Тьфу!...

— Он пьяный. Револьвером грозил. Что же я могла? — Александра тихо завыла. Хозяин топнул на нее босой ногой:

— Уходи отсюда. Тут сам не знаешь, как жив останешься.

Девка выбежала. Он опять принялся кряхтеть, поглядывая на холмы.

— Ну, что ты сделаешь? Рады мы, что ли, этих разбойников кормить? Скажем, наряд — лошадей под тачанки. И ведь они скачут, дьяволы, по восемьдесят верст... Лошадь не машина, с ней надо любовно... У нас теперь весь скот калеченый... Эх, война!..

Задребезжал пузырь в лампе, висевшей над столом, тихо зазвенели оконные стекла. Горячий воздух будто вздохнул. По земле прокатился отдаленный гром. Хозяин живо высунулся в окно до половины туловища и долго глядел на холмы, где около мельниц маячил одинокий верховой. Затем, отчетливо прикладывая персты, перекрестился в угол на картинку.

— Германская артиллерия, по нашим кроют, — сказал он, и опять зачесалось у него под линялой рубашкой. — Эх, времечко! — Он поднял веник, бросил его в угол и пошел на двор, поджимая пальцы на босых ногах. Снова прокатился далекий грохот над селом. Катя не могла больше сидеть в избе и вышла на знойный, пахнувший навозом солнцепек.

По улице в это время шли встревоженной кучкой вчерашние пассажиры. Впереди шагал, глядя поверх пенсне, учитель физики Обручев; он был в резиновом плаще и калошах и казался предводителем, — в него верили.

— Присоединяйтесь к нам! — крикнул он Кате. Она подошла. У пассажиров был помятый вид, лица похудевшие; у двух пожилых женщин — потеки от слез. Переодетого спекулянта не было видно. — Один из нашей партии бесследно исчез — очевидно, расстрелян, — сказал Обручев бодрым голосом. — Нас всех ожидает его участь, господа, если мы не найдем в себе достаточного прилива энергии... Мы немедленно должны решить вопрос: ждать ли исхода сражения, или воспользоваться тем, что нас никто, видимо, не охраняет, и постараться пешком дойти до железной дороги... Оратора ограничиваю одной минутой.

Тогда заговорили все сразу. Одни указывали на то, что если разбойники нагонят их в открытой степи, то, безусловно, всех уничтожат. Другие — что в побеге есть все-таки доля спасения. Третьи, уверенные в победе немцев, настаивали — ждать конца сражения. Когда опять загрохотало за холмами, все примолкли и, мучительно морщась, глядели туда, где ничего не было видно, только лениво вертелись крылья мельниц. Обручев произнес четкую речь, в которой сгруппировал все противоречия. Обе дамы смотрели ему в рот как проповеднику. Ничего не решив, пассажиры продолжали стоять среди кур и воробьев на пустынной улице, где ни одна душа не задумается пожалеть своего же, русского... Какое там! Вон простоволосая баба выглянула в окошко, зевнула, отвернулась. Вышел из-за угла хаты сердитый мужик распояской, поглядел мимо, поднял кусок глины, изо всей силы бросил в чужого кабана. И так же равнодушно плавающие над селом коршуны поглядывали на ограбленных, никому здесь не нужных горожан.

За холмом поднялось облачко пыли. От мельниц поскакал и скрылся верховой. Кое-кто из пассажиров предложил вернуться назад в волостное управление, где все провели эту ночь. Обе дамы ушли первыми. Когда из-за холмов появились мчавшие во весь дух тройки, — ушли и остальные. На улице остались Катя и учитель физики, мужественно скрестивший руки под плащом.

Троек было всего четыре или пять. Они обогнули озеро и появились в селе. Везли раненых. Передняя остановилась у окон хаты. Правивший конями рослый партизан в расстегнутом кожухе крикнул:

— Надежда, твоего привезли.

Из хаты выбежала баба, срывая с себя фартук, заголосила низким голосом, припала к тачанке. С нее слез до зелени бледный парень, обхватил бабу за шею, уронив голову, сгибаясь поплелся в хату. Тройка подъехала к другому двору, откуда выскочили три пестро разодетые девки.

— Берите, лебеди, своего — легко раненный, — весело крикнул им возница. После этого он повернул тройку шагом, посматривая, куда бы завезти последнего раненого. В тачанке сидел с зажмуренными глазами Мишка Соломин, голова его была обвязана окровавленными лохмотьями рубашки, зубы стиснуты.

Вдруг возница остановил коней:

— Тпру... Батюшки, никак вы! Екатерина Дмитриевна?..

Этого Катя никак уж здесь не ждала. Задохнулась от волнения, побежала к тачанке. В ней стоял, — широко раздвинув ноги, уперев одну руку в бок, в другой держа ременные вожжи, — Алексей Красильников. На щеках его кудрявилась борода, светлые глаза глядели весело. На поясе — гранаты, пулеметная лента поверх кожуха, за плечами кавалерийская винтовка.

— Екатерина Дмитриевна... Как же вы к нам попали? Вы в чьей хате? Энтой? У Митрофана? — мой троюродный брат, тоже Красильников. Вот, глядите: Мишку жалко, — полголовы шрапнелью разворотило...

Катя шла рядом с тачанкой. Алексей был весь еще горячий, пьяный после боя. Блестел глазами, зубами, улыбкой.

— Германцев вчистую искрошили... Вот дурни... Три раза напарывались на наши пулеметы. Лежат, голубчики, по всему полю... Батьке теперь есть во что армию одеть... Тпр-рру... Митрофан! Вылезай из берлоги... Принимай раненого героя... А вы вот что, Екатерина Дмитриевна, от этого дома не отбивайтесь. У нас здесь нехорошо...

На колокольне ударил малиновый звон. Захлопали калитки по селу, раскрылись ставни, на улицу побежали женщины, вышли осторожные мужики, взялось непонятно откуда великое множество народа; с песнями и говором пошли на шлях — встречать победоносную махновскую армию.

Алексей Красильников вместе с Катей отнес полумертвого Мишку на Митрофанов двор, положил его в холодке, в летней клети, на кровать Александры. Катя занялась перевязкой, с трудом отодрала от волос заскорузлое от крови тряпье. Мишка только хрустел зубами. Когда начали промывать страшную рану с правой стороны черепа, Александра, державшая таз, ахнула и зашаталась. Алексей, схватив таз, отпихнул ее.

— Торчит, видите, сбоку востренькая косточка, — сказал он Кате. — Сашка, принеси сахарные щипцы...

— Ой, нету, сломались.

Катя ногтями схватила осколок косточки, торчавший в ране. Потянула. Мишка зарычал. Это был, несомненно, осколок. Ногти ее скользили, она перехватила глубже. Вытащила.

Алексей шумно вздохнул, засмеялся:

— Вот как воюем — по-мужицки!..

Чистым полотном забинтовали Мишкину голову.

Весь мокрый, дрожа мелкой дрожью, он лег под тулуп и открыл глаза. Алексей нагнулся к нему:

— Ну, как, жив будешь?

— Вчера ей хвастал, вот и нахвастал, — помертвело улыбаясь, проговорил Мишка. Он смотрел на Катю.

Она вытирала руки и тоже подошла и наклонилась к нему. Он пошевелил губами:

— Алеша, побереги ее.

— Знаю, знаю.

— Я дурное над ней задумал... В город ее надо отправить.

Он опять уставился на Катю почти исступленным взором. Он преодолевал боль и жар лихорадки как пустяк, ерунду, досаду. Прикосновение смерти разметало в нем все вихри страстей и противоречий. Он почувствовал в эту минуту, что не пьяница он и злодей, а взметнувшаяся, как птица в бурю, российская душа и что для геройских дел он пригоден не хуже другого, — по плечу ему и высокие дела...

Алексей сказал тихо:

— Теперь пускай спит. Ничего, — парень горячий, отлежится.

Катя вышла с Алексеем во двор. Продолжалось все то же странное состояние сна наяву под необъятным небом в этой горячей степи, где пахло древним дымом кизяка, где снова после вековой стоянки рыскал на коне человек, широко скаля зубы вольному ветру, где страсти утолялись, как жажда, полной чашей.

Ей не было страшно. Свое горе свернулось комочком, никому, да и ей самой, здесь не нужное. Позови ее сейчас на жертву, на подвиг, она бы пошла с тою же легкостью, не думая. Скажи ей: надо умереть, — ну что же, — только вздохнула бы, подняв к небу ясные глаза.

— Вадим Петрович убит, — сказала она. — Я в Москву не вернусь, там у меня — никого... Ничего нет... Что с сестрой — не знаю... Думала куда-нибудь деться — в Екатеринославе, может быть...

Расставив ноги, Алексей глядел в землю. Покачал головой:

— Зря пропал Вадим Петрович, хороший был человек...

— Да, да, — сказала Катя, и слезы наполнили ее глаза. — Он был очень хорошим человеком.

— Не послушались вы меня тогда. Конечно, мы — за свое, и вы — за свое. Тут обижаться не на что. Но куда же воевать против народа! Разве мы сдадимся!.. Видели сегодня мужиков? А справедливый был человек...

Катя сказала, глядя на свесившуюся из-за плетня тяжелую ветвь черешни:

— Алексей Иванович, посоветуйте мне, что делать? Жить ведь нужно... — Сказала и испугалась, — слова улетели в пустоту. Алексей ответил не сразу:

— Что делать? Ну, вопрос самый господский. Это как же так? Образованная женщина, умеете на разных иностранных языках, красавица, и спрашиваете у мужика — что делать?

Лицо у него стало презрительным. Он тихо побрякивал гранатами, висевшими у пояса. Катя поджалась. Он сказал:

— В городе дела для вас найдутся. Можно в кабак — петь, танцевать, можно — кокоткой, можно и в канцелярию — на машинке. Не пропадете.

Катя опустила голову, — чувствовала, что он смотрит на нее, и от этого взгляда не могла поднять головы. И, как и тогда с

Мишкой, она внезапно поняла, почему взгляд Алексея так зло уперся ей в темя. Не такое теперь было время, чтобы прощать, миловать. Не свой, — значило — враг. Спросила, как ей жить. Спросила у бойца, еще горячего от скачки, от свиста пуль, от хмеля победы... Как жить? И Кате диким показался этот вопрос. Спросить — с каким другом, за какую волю лететь по степи в тачанке? — вот тут бы добром сверкнули его глаза...

Катя поняла и пустилась на хитрость, как маленький зверек. За эти сутки в первый раз попыталась защищаться:

— Плохо вы меня поняли, Алексей Иванович. Не моя вина, что меня гоняет, как сухой лист по земле. Что мне любить? Чем мне дорожить? Не научили меня, так и не спрашивайте Научите сначала. (Он перестал постукивать гранатами, значит — насторожился, прислушался.) Вадим Петрович против моей воли ушел в белую армию. Я не хотела этого. И он мне бросил упрек, что у меня нет ненависти... Я все вижу, все понимаю, Алексей Иванович, но я — в сторонке... Это ужасно. В этом вся моя мука... Вот почему я вас спросила, что мне делать, как жить...

Она помолчала и потом открыто, ясно взглянула в глаза Алексею Ивановичу. Он моргнул. Лицо стало простоватым, растерянным, точно его здорово провели. Рука полезла в затылок, заскребла.

— Это — драма, это вы правильно, — сказал он, морща нос. — У нас — просто. Брат убил у меня во дворе германца, хату подожгли и — ушли. Куда? К атаману. А вы, интеллигенция... Действительно...

Катина хитрость удалась. Алексей Иванович, видимо, намеревался тут же разрешить проклятый вопрос: за какую правду бороться таким, как Катя, — безземельным и безлошадным.

Это было бесплодное занятие у плетня под черешней, на которую глядела Катя. Ей захотелось сорвать две, висевшие сережкой, черные ягоды, но она продолжала тихо стоять перед Красильниковым, только в больших глазах ее, озаренных небом, мелькали искорки юмора.

— Если мы, мужики, вас, городских, кормим, — значит, вам нужно стоять за нас, — сказал Алексей Иванович, усиливая впечатление решительным жестом. — Мы, крестьянство, против немцев, против белых, против коммунистов, но за сельские вольные Советы. Понятно?

Она кивнула. Он продолжал говорить. Тогда она поднялась на цыпочки и левой рукой, так как на правой было разорвано под мышкой, сорвала две ягоды: одну положила в рот, другую стала крутить за хвостик.

— Быть бы мне деревенской — все бы стало ясно, — сказала она и выплюнула косточку. — Сколько раз слышала: родина, Россия, народ, а что это такое, — вот вижу в первый раз. — Она съела вторую ягоду, оглядывая Алексея Ивановича, его золотистую на свету бородку, раскинутый на груди кожух, крепкие ноги, страшное вооружение.

— Народ, народ, — проговорил он, все больше смущаясь, — невидаль, конечно, небольшая... Но своего не отдадим. — Он крепко схватился за кол, торчавший из плетня, пробовал — прочен ли. — Жестоко будем воевать хоть со всем светом... Вам, Екатерина Дмитриевна, не меня — наших бы анархистов послушать, они мастера говорить... Только уж... (Брови его шевельнулись, глаза пытливо скользнули по Кате.) Беда с ними — ерники неудержимые, алкоголики... Пожалуй, что вас не стоит им и показывать...

— Пустяки, — сказала Катя.

— То есть как пустяки?

— Так я не маленькая, с этим ко мне не сунешься.

— Это вы хорошо говорите...

У Кати дрогнул подбородок, улыбаясь потянулась опять к черешневой ветке. Чувствовала, как все тело пронизывает, ласкает солнечный зной. И это был сон наяву.

— Все-таки, — сказала она, — что же я могла бы у вас делать, как вы думаете, Алексей Иванович?

— По просветительной части... У батьки заводится политотдел... Говорят, газету свою хочет завести.

— Ну, а вы?

— Я-то?.. (Он опять взялся за кол, тряхнул плетень.) Я простой боец, возничий на пулеметной тачанке, мое место — в бою... Вы, Екатерина Дмитриевна, сначала пообсмотритесь, сразу, конечно, не решайте. Я вас сведу с невесткой, братаниной женой Матреной. Мы вас, что ли, в семью примем...

— А батько Махно приказал мне прийти вечером ногти ему чистить.

— Что?! — Алексей сразу схватился обеими руками за пояс под кожаном, даже нос у него заострился. — Ногти?.. А вы что ему ответили?

— Ответила, что я — пленная, — спокойно сказала Катя.

— Ладно. Пошлет за вами — идите. Но только я там буду...

С крыльца в эту минуту, трепля фартуком, сбежала толстая Александра.

— Едут, едут! — закричала она, кидаясь отворять ворота. Издалека были слышны крики «ура», отдельные выстрелы, топот коней. Возвращался батько с армией. Катя и Алексей вышли на улицу. Туча пыли поднималась над шляхом. На буграх, мимо мельниц, мчались всадники, тройки.

Головная часть армии входила в село. Кругом крутились мальчишки, бежали девки. Мокрые, вспененные лошади раздували боками. Махновцы стояли на телегах, в пыли, в поту, с заломленными шапками.

В тачанке с развевающимися краями персидского ковра ехал Махно. Он, подбоченясь и держа у бедра баранью шапку, сидел на снарядном ящике. Бледное лицо его застыло в напряжении, запекшиеся губы были сжаты.

За ним во второй телеге ехали шесть человек, городского вида — в пиджаках, в мягких шляпах, в соломенных фуражечках, все с длинными волосами, с бородками, в очках: анархисты из штаба и политотдела.

8

Пять месяцев Даша Телегина прожила одна в опустевших комнатах. Иван Ильич, уезжая на фронт, оставил ей тысячу рублей, но этих денег хватило ненадолго. По счастью, в квартиру ниже этажом, откуда еще в январе бежал с семьей важный петербургский сановник, вселился бойкий иностранец Матте, скупавший картины, мебель и всякую всячину.

Даша продала ему двуспальную постель, несколько гравюр, фарфоровые безделушки. Она равнодушно расставалась с вещами, хранившими в себе, как старый запах, отболевшие воспоминания. С прошлым все, все было покончено.

На деньги, вырученные от продажи, она прожила весну и лето. Город пустел. В часе езды от Петербурга, за Сестрой-рекой, начинался фронт. Правительство переехало в Москву. Дворцы гляделись в Неву расстрелянными, пустынными окнами. Улицы не освещались. Милиционерам не было большой охоты охранять покой все равно уже обреченных буржуев. По вечерам появлялись на улицах страшные люди, каких раньше никто и не видывал. Они заглядывали в окна, бродили по темным лестницам, пробуя ручки дверей. Не дай бог, если кто не уберегся, не заложился на десять крючков и цепочек. Слышался подозрительный шорох, и в квартиру проникали неизвестные. «Руки вверх!» — бросались на обитателей, вязали электрическими проводами и затем не спеша выносили узлы с добром.

В городе была холера. Когда поспели ягоды, стало совсем страшно: люди падали в корчах на улицах и на рынках. Повсюду шептались. Ждали неслыханной беды. Говорили, что красноармейцы сажают на картуз пятиконечную звезду кверху ногами, — и это есть антихристова печать, и будто в запертой часовне на мосту лейтенанта Шмидта стал появляться «белый муж», — и это к тому, что беды ждать надо от великих вод. С мостов указывали на погасшие заводские трубы, — в багровом закате они торчали, как «чертовы пальцы».

Фабрики закрывались. Рабочие уходили в продовольственные отряды, иные — по деревням. На улицах между булыжниками зазеленела травка.

Даша выходила из дому не каждый день и то только по утрам — на рынок, где бессовестные чухонки заламывали за пуд картошки две пары брюк. Все чаще на рынках появлялись красногвардейцы и стрельбой в воздух разгоняли пережитки буржуазного строя — чухонок с картошкой и дамочек со штанами и занавесками. С каждым днем труднее становилось добывать провизию. Иногда выручал тот же Матте, выменивая старинные вещицы на консервы и сахар.

Даша старалась меньше есть, чтобы меньше было хлопот. Вставала рано. Что-нибудь шила, если бывали нитки, или брала книжку, помеченную тринадцатым, четырнадцатым годом, читала — только чтобы не думать; но больше всего думала, сидя у окна: вернее, мысли ее блуждали вокруг темной точки. Недавнее душевное потрясение, отчаяние, тоска — все словно сжалось теперь в этот посторонний комочек в мозгу: остаток болезни. Она так похудела, что стала похожа на шестнадцатилетнюю девочку. Да и всю себя чувствовала снова по-девичьи, но уже без девичьей игры.

Проходило лето. Кончались белые ночи, и мрачнее разливались закаты за Кронштадтом. В открытое окно с пятого этажа далеко было видно: пустеющие улицы, куда опускался ночной сумрак, темные окна домов. Огни не зажигались. Редко слышались шаги прохожего.

Даша думала: что же будет дальше? Когда кончится это оцепенение? Скоро осень, дожди, снова завоет студеный ветер над крышей. Нет дров. Шуба продана. Может быть, вернется Иван Ильич... Но будет снова — тоска, краснеющие угольки в лампочках, ненужная жизнь.

Найти силы, стряхнуть оцепенение, уйти из этого дома, где она заживо похоронена, уехать из этого умирающего города!.. Тогда должно же случиться что-то новое в жизни. Первый раз за этот год Даша подумала о «новом». Она поймала себя на этой мысли, взволновалась, изумилась, будто снова сквозь завесу безнадежного уныния почудились отблески сияющего простора — того, что пригрезился ей однажды на волжском пароходе.

Тогда настали дни грусти об Иване Ильиче: она жалела его по-новому, по-сестриному, с жалостью вспоминала его терпеливые заботы, его, в конце концов, никому не мешающее добродушие.

Даша отыскала в книжном шкафу три белых томика стихов Бессонова — совсем истлевшее воспоминание. Прочла их перед вечером, в тишине, когда мимо окна летали ласточки, как черные стрелки. В стихах она нашла слова о своей грусти, об одиночестве, о темном ветре, который будет посвистывать над ее могилой... Даша помечтала, поплакала. Наутро достала из сундука, из нафталина, платье, сшитое к свадьбе, и начала его переделывать. Как и вчера, летали ласточки, светило бледное солнце. В тишине далеко раздавались редкие удары, иногда — треск, тяжело что-то падало на мостовую: должно быть, в переулке ломали деревянный дом.

Даша не торопясь шила. Наперсток все соскальзывал у нее с похудевшего пальца, один раз чуть не упал за окно. Вспомнилось, как с этим наперстком она сидела на сундуке в прихожей у сестры, ела мармелад с хлебом. Это было в четырнадцатом году. Катя поссорилась с мужем и уезжала в Париж. На ней была маленькая шапочка с трогательно-независимым перышком. Уже в дверях она обернулась, увидела Дашу на сундуке, спохватилась. «Данюша, едем со мной...» Даша не поехала. А теперь... Перенестись в Париж... Даша знала его по Катиным письмам: голубой, шелковый, пахнущий, как коробочка из-под духов... Она шила и вздыхала от волнения. Уехать!.. Говорят, поездов нет, за границу не выпускают... Пробраться бы пешком, идти с котомкой через леса, горы, поля, синие реки, из страны в страну, в дивный, изящный город...

У нее закапали слезы. Какие глупости, ах, какие глупости! Повсюду война. Немцы стреляют в Париж из огромной пушки. Размечталась! Разве справедливо — не давать человеку жить спокойно и радостно... «Что я сделала им?..» Наперсток закатился под кресло, солнце расплылось сквозь слезы, с пустынным свистом носились ласточки: этим-то хоть бы что, — были бы мухи и комары... «А я уйду все-таки, уйду!» — плакала Даша...

Затем в прихожей послышалось несколько редких и настойчивых ударов в дверь. Даша положила иголку и ножницы на подоконник, вытерла глаза скомканным шитьем, бросила его в кресло и пошла спросить — кто стучит...

— Здесь живет Дарья Дмитриевна Телегина?..

Даша вместо ответа нагнулась к замочной скважине. С той стороны тоже нагнулись, и в скважину осторожный голос проговорил:

— Ей письмо из Ростова...

Даша сейчас же открыла дверь. Вошел неизвестный в измятой солдатской шинели, в драном картузишке. Даша струсила, отступила, протянув руки. Он поспешно сказал:

— Ради бога, ради бога... Дарья Дмитриевна, вы меня не узнаете?..

— Нет, нет...

— Куличек, Никанор Юрьевич... помощник присяжного поверенного. Помните Сестрорецк?

Даша опустила руки, вглядываясь в остроносое, давно не бритое, худое лицо. Морщинки у глаз, внимательных и быстрых, говорили о привычной осторожности, неправильный рот — о решительности и жестокости. Он был похож на зверька, высматривающего опасность.

— Неужели забыли, Дарья Дмитриевна... Был тогда помощником у Николая Ивановича Смоковникова, покойного мужа вашей сестры... Был в вас влюблен, вы меня тогда еще здорово отшили... Вспоминаете? — Он вдруг улыбнулся как-то по-позабытому, по-«довоенному», простодушно, и Даша все вспомнила: плоский песчаный берег, солнечную мглу над теплым и ленивым заливом, себя — «недотрогу», девичий бант на платье, влюбленного Куличка, которого она от всей своей высокомерной девственности презирала... Запах высоких сосен, день и ночь важно шумящих на песчаных дюнах...

— Вы очень изменились, — задрожавшим голосом сказала Даша и протянула ему руку. Куличек ловко подхватил ее, поцеловал. Несмотря на шинелишку, сразу было видно, что эти годы служил в кавалерии.

— Разрешите передать письмо. Разрешите пройти куда-нибудь снять сапог... Оно, разрешите, у меня в портянке. — Он многозначительно взглянул и прошел за Дашей в пустую комнату, где сел на пол и, морщась, принялся стаскивать грязный сапог.

Письмо было от Кати, то самое, которое она передала в Ростове подполковнику Теткину.

С первых же строк Даша вскрикнула, схватилась за горло... Вадим убит!.. Не поспевая глазами, пролетела по письму. Жадно перечла еще раз. В изнеможении села на ручку кресла. Куличек скромно стоял в отдалении.

— Никанор Юрьевич, вы видели мою сестру?

— Никак нет. Письмо мне было передано десять дней назад одним лицом; оно сообщило, что Екатерина Дмитриевна уже больше месяца как покинула Ростов...

— Боже мой! Где же она? Что с ней?

— К сожалению, не было возможности расспросить.

— Вы знали ее мужа? Вадим Рощин!.. Убит... Катя пишет, — ах, как это ужасно!

Куличек удивленно поднял брови. Письмо так дрожало у Даши в худенькой руке, что он взял его, пробежал те строки, где говорилось о Валерьяне Оноли, рассказавшем о смерти мужа... Угол рта у Куличка недобро пополз кверху.

— Я всегда думал, что Оноли способен на подлость... По его сообщению выходит, что Рощин убит в мае. Так? Очень странно... Сдается мне — я видел его несколько позже.

— Когда? Где?

Но тут Куличек вытянул хищный носик, колюче уставился на Дашу. Впрочем, продолжалось это лишь секунду, Дашины пылающие волнением глаза, цепляющиеся холодные пальчики яснее ясного говорили, что тут дело верное: хотя и жена красного офицера, но не предаст. Куличек спросил, придвигаясь к Дашиным глазам:

— Мы одни в квартире? (Даша поспешно закивала: да, да.) Послушайте, Дарья Дмитриевна, то, что я скажу, ставит мою жизнь в зависимость от...

— Вы деникинский офицер?

— Да.

Даша хрустнула пальцами, взглянула с тоской в окно — в эту недостижимую синеву.

— У меня вам нечего опасаться...

— В этом я был уверен... И хочу просить у вас ночлега на несколько дней.

Он проговорил это твердо, почти угрожающе. Даша нагнула голову.

— Хорошо...

— Но, если вы боитесь... (Он отскочил.) Нет? Не боитесь? (Придвинулся.) Я понимаю, понимаю... Но вам бояться нечего... Я очень осторожен... Буду выходить только по ночам... Ни одна душа не знает, что я в Питере... (Он вытащил из-за подкладки картуза солдатский документ.) Вот... Иван Свищев. Красноармеец. Подлинник. Своими руками снял... Так вы хотели знать о Вадиме Петровиче? По-моему, тут какая-то путаница...

Куличек схватил Дашины руки, сжал:

— Так вы, стало быть, с нами, Дарья Дмитриевна? Ну, спасибо. Вся интеллигенция, все оскорбленное, замученное офицерство собираются под священные знамена Добрармии. Это армия героев... И вы увидите, — Россия будет спасена, и спасут ее белые руки. А эти хамские лапищи — прочь от России! Довольно сентиментальностей. Трудовой народ! Сейчас проехал полторы тысячи верст на крыше вагона. Видел трудовой народ! Вот зверье! Я утверждаю: только мы, ничтожная кучка героев, несем в своем сердце истинную Россию, и мы штыком приколем наш закон на портале Таврического дворца...

Дашу оглушил поток слов... Куличек пронзал черным ногтем пространство, летела пена с углов его рта. Должно быть, ему слишком долго пришлось помалкивать на крыше вагона.

— Дарья Дмитриевна, не буду скрывать от вас... Я послан сюда, на север, для разведки и вербовки. Многие еще не представляют себе наших сил... В ваших газетах мы — просто белогвардейские банды, жалкая кучка, которую они послезавтра окончательно сотрут с лица земли... Немудрено, что офицерство боится ехать... А вы знаете, что на самом деле происходит на Дону и Кубани? Армия донского атамана растет, как снежный ком. Воронежская губерния уже очищена от красных. Ставрополь под ударом... Со дня на день мы ждем, что атаман Краснов выйдет на Волгу, захватит Царицын... Правда, он снюхивается с немцами, но это — временно... Мы, деникинцы, идем, как на параде, на юг Кубани. Торговая, Тихорецкая и Великокняжеская нами взяты. Сорокин разбит вдребезги. Все станицы восторженно приветствуют Добрармию. Под Белой Глиной мы устроили мамаево побоище, мы наступали по таким горам трупов, что ваш покорный слуга по пояс вымок в крови.

Даша побледнела, глядя ему в глаза. Куличек высокомерно усмехнулся:

— Думаете, это — все? Это только начало расправы. Пожар перекидывается на всю страну. Самарская, Оренбургская, Уфимская губернии, весь Урал — в огне. Лучшая часть крестьянства сама организует белые армии. Вся средняя Волга в руках чехов. От Самары до Владивостока — сплошное восстание. Если бы не проклятые немцы, вся Малороссия встала бы как один человек. Города Верхнего Поволжья — это динамитные погреба, куда остается только сунуть фитиль... Большевикам я не даю и месяца жизни, не ставлю за них и ломаного гроша.

Куличек дрожал от возбуждения. Теперь он уже не казался зверьком. Даша глядела в его востроносое лицо, обожженное ветром степей, закаленное в огне боев. Это была горячая жизнь, ворвавшаяся в ее прозрачное одиночество. У Даши остро ломило виски, билось сердце. Когда он, показывая мелкие зубы, стал свертывать махорку, Даша спросила:

— Вы победите. Но не будет же война вечно...Что будет потом?

— Что потом? — Затягиваясь, он прищурился. — Потом — война с немцами до окончательной победы, мирный конгресс, куда мы входим величайшими героями, и потом — общими силами союзников, всей Европы, восстановление России — порядка, законности, парламентаризма, свободы... Это в будущем... Но на ближайшие дни...

Он вдруг схватился за правую сторону груди. Ощупал что-то под шинелью. Осторожно вынул сломанную пополам картонку, — крышку от папиросной коробки, — повертел в пальцах. Опять уколол Дашу зрачками.

— Я не могу рисковать... Видите ли, в чем дело... У вас тут обыски на улицах... Я вам передам одну вещь. — Он осторожно разложил картоночку и вынул небольшой треугольник, вырезанный из визитной карточки. На треугольнике были написаны от руки две буквы: О и К... — Спрячьте это, Дарья Дмитриевна, храните, как святыню... Я вас научу, как этим пользоваться... Простите... Вы не боитесь?

— Нет.

— Молодчина, молодчина!

Сама того не зная, просто подхваченная стремительной волей, Даша попала в самую гущу заговора так называемого «Союза защиты родины и свободы», охватившего столицы и целый ряд городов Великороссии.

Поведение Куличка — эмиссара деникинской ставки— было легкомысленным, почти невероятным: с первых же слов серьезно довериться малознакомой женщине, жене красного офицера. Но он когда-то был влюблен в Дашу и теперь, глядя в ее серые глаза, не мог не верить, если глаза сказали: «доверьтесь».

В то время вдохновение, а не спокойное раздумье двигало человеческой волей. Ревел ураган событий, бушевало человеческое море, каждый чувствовал себя спасителем гибнущего корабля и, размахивая револьвером на пляшущем мостике, командовал — направо или налево руля. И все лишь *казалось* тогда, все было призрачным. Вокруг необъятной России бродили белогвардейские миражи. Глаза помутились от ненависти. То, что хотелось, — возникало в мгновенных декорациях миража.

Так, близкая гибель большевиков казалась несомненной; казалось, войска интервентов уже плыли с четырех сторон света на помощь белым армиям; казалось, сто миллионов русских мужиков готовы были молиться на Учредительное собрание; города единой и неделимой империи только и ждали, казалось, знака, чтобы, разогнав совдепы, на следующий день восстановить порядок и парламентарную законность.

Обманывали себя, грезили миражами все: от петербургской барыни, удравшей с одной переменой белья на юг, до премудрого профессора Милюкова, с высокомерной улыбкой ожидающего конца событий, им самим установленных в исторической перспективе.

Одним из верующих в утешительные миражи был так называемый «Союз защиты родины и свободы». Основан он был в начале весны восемнадцатого года Борисом Савинковым, после самоубийства наказного атамана Каледина и ухода из Ростова корниловской армии. Союз был как бы нелегальной организацией Добрармии.

Во главе его стоял неуловимый и законспирированный Савинков. Он расхаживал с крашеными усами по Москве, носил английский френч, желтые гетры и защитное пальто. Союз организовался по-военному: штаб, дивизии, бригады, полки, контрразведка и всевозможные службы. В учреждениях штаба сидел полковник Перхуров.

Вербовка в члены союза происходила в строгой конспирации. Один человек мог знать только четырех. В случае провала могла быть арестована пятерка, дальше концов не шло. Пребывание штаба и имена вождей для всех оставались тайной. К желающим вступить в союз являлся на квартиру начальник полка или части, опрашивал, выдавал денежный аванс и заносил шифрованный адрес к себе на карточку. Эти карточки с кружками, обозначающими количество членов, и адресами еженедельно поступали в штаб. Смотр силам устраивался на бульварах, около памятников, причем члены организации должны были приходить или в шинелях, особенным образом распахнутых, или с ленточкой в условном месте на шинели. Служащим по связи выдавался треугольник из визитной карточки с двумя буквами, обозначающими: первая — пароль, вторая — город. По представлении треугольник прикладывался к кусочку картона, к тому месту, откуда был вырезан. Союз располагал значительными силами разведки. В апреле на подпольной конференции было постановлено прекратить саботаж и идти работать в советские учреждения. Таким образом, члены союза проникли к центру государственного аппарата. Часть их устроилась в московской милиции. В Кремле был посажен осведомитель. Они просочились в военный контроль и даже в Высший военный совет. Кремль, казалось, был крепко опутан их сетями.

В то время представлялось неминуемым взятие Москвы немецкими войсками фельдмаршала Эйхгорна. И хотя среди членов союза было сильное германофильское течение — вера в одни только немецкие штыки на свете, — общая ориентация была на союзников. В штабе союза назначили даже день вступления в Москву немцев — пятнадцатое июня. Поэтому было решено, отказавшись от захвата Кремля и Москвы, вывести войсковые части союза в Казань, взорвать все подмосковные мосты и водокачки, в Казани, Нижнем, Костроме, Рыбинске, Муроме поднять восстание, соединиться с чехами и образовать восточный фронт, опираясь на Урал и богатое Заволжье.

Даша поверила всему, до последнего слова, о чем говорил Куличек: русские патриоты — или, как он назвал их, рыцари духа — сражались за то, чтобы исчезли навсегда наглые чухонки с картошкой, чтобы улицы в Петербурге ярко осветились, и пошла бы по ним веселая, нарядная толпа, чтобы можно было в минуту уныния надеть шапочку с перышком, уехать в Париж... Чтобы на поле у Летнего сада не прыгали «попрыгунчики». Чтобы осенний ветер не посвистывал над могилой Дашиного сына.

Все это ей обещал Куличек в разговоре за чаем. Он был голоден, как собака, уничтожил половину запаса консервов, ел даже муку с солью. В сумерки он незаметно исчез, захватив ключ от двери.

Даша ушла спать. Занавесила окно, легла, и, — как это бывает в утомительные часы бессонницы, — мысли, образы, воспоминания, внезапные догадки, горячие угрызения понеслись, сбивая, перегоняя друг друга... Даша ворочалась, совала руки под подушку, ложилась на спину, на живот... Одеяло жгло, пружины дивана впивались в бок, простыни скользили на пол...

Скверная была ночь, — долгая, как жизнь. Темное пятнышко в Дашином мозгу ожило, пустило ядовитые корешки во все тайные извилины. Но зачем были все эти угрызения, чувство ужасной неправоты, виновности? Если бы понять!

И вот, попозже, когда посинела занавеска на окне, Даша устала крутиться в фантастическом хороводе мыслей, ослабела и, затихнув, взяла и просто и честно осудила себя с начала до конца, — зачеркнула себя всю.

Села на постели, собрала волосы в узел, сколола их, опустила голые худые руки в колени и задумалась... «Одиночка, мечтательница, холодная, никого не любившая женщина — прощай, черт с тобой, не жалко... И хорошо, что тебя напугали «попрыгунчики» у Летнего сада: мало, страшнее бы надо напугать... Теперь — исчезнуть... Теперь, подхваченная ветром, лети, лети, душа моя, куда велят, делай, что велят... Твоей воли нет... Ты одна из миллиона миллионов... Какой покой, какое освобождение!..»

Куличек пропадал двое суток. Без него приходило несколько человек, все рослые, в потертых пиджаках, несколько растерянные, но крайне воспитанные люди. Нагибаясь к замочной скважине, они говорили пароль. Даша впускала их. Узнав, что «Ивана Свищева» дома нет, они уходили не сразу: один вдруг принимался рассказывать о своих семейных бедствиях, другой, попросив разрешения курить, осторожно, как холеную, вытаскивал из портсигара с монограммами советскую вонючку и, грассируя, ругательски ругал «рачьих и собачьих депутатов». Третий пускался в откровенность: и моторный катер у него приготовлен на Крестовском, у дворца Белосельских-Белозерских, и драгоценности им удалось выцарапать из сейфа, но вот дети сваливаются в коклюше... Адски не везет!..

Видимо, всем было приятно поболтать с худенькой, большеглазой, милейшей молодой женщиной. Уходя, ей целовали руку. Дашу удивляло только: уж очень простоваты были эти заговорщики, совсем как из какой-нибудь глупой комедии... Почти все они справлялись в осторожных выражениях — не привез ли «Иван Свищев» подъемных сумм? В конце концов, они были больше чем уверены, что «глупейшая история с большевиками» очень скоро кончится. «Немцам занять Петроград, ну, право же, не стоит усилий».

Наконец появился Куличек — опять голодный, грязный и весьма озабоченный. Он справился — кто приходил без него. Даша подробно передала. Он оскалился:

— Подлецы! За авансами приходили... Гвардия! Дворянскую задницу лень отодрать от кресла, желают, чтобы немцы их пришли освободить: пожалуйте, ваши сиятельства, только что повесили большевиков, все в порядке... Возмутительно, возмутительно... Из двухсоттысячного офицерского корпуса нашлось истинных героев духа — три тысячи у Дроздовского, тысяч восемь у Деникина и у нас, в «Союзе защиты родины», пять тысяч. И это все... А где остальные? Продали душу и совесть Красной Армии... Другие варят гуталин, торгуют папиросами... Почти весь главный штаб у большевиков... Позор!..

Он наелся муки с солью, выпил кипятку и ушел спать. Рано поутру он разбудил Дашу. Когда, наскоро одевшись, она пришла в столовую, Куличек, гримасничая, бегал около стола.

— Ну, вот вы? — нетерпеливо крикнул он Даше. — Вы могли бы рискнуть, пожертвовать многим, испытать тысячи неудобств?..

— Да, — сказала Даша.

— Здесь я никому не доверяю... Получены тревожные вести... Нужно ехать в Москву. Поедете?

Даша только заморгала, подняла брови... Куличек подскочил, усадил ее у стола, сел вплотную, касаясь ее коленками, и стал объяснять, кого нужно повидать в Москве и что на словах передать о петроградской организации. Говоря все это с медленной яростью, он вдалбливал Даше в память слова. Заставил ее повторить. Она покорно повторила.

— Великолепно! Умница! Нам именно таких и надо. — Он вскочил, шибко потирая руки. — Теперь, как быть с вашей квартирой? Вы скажете в домовом комитете, что на неделю уезжаете в Лугу. Я здесь останусь еще несколько дней и затем ключ передам председателю... Хорошо?

Ото всей этой стремительности у Даши кружилась голова. С изумлением чувствовала, что, не сопротивляясь, поедет куда угодно и сделает все, что велят... Когда Куличек помянул о квартире, Даша оглянулась на буфет птичьего глаза: «Безобразный, унылый буфет, как гроб...» Вспомнились ласточки, заманивавшие в синий простор. И ей представилось: счастье улететь в дикую, широкую жизнь из этой пыльной клетки...

— Что квартира? — сказала она. — Может быть, я и не вернусь. Делайте, как хотите.

Один из тех, кто приходил в отсутствие Куличка, — длинный, с длинным лицом и висячими усами, любезный человек, — усадил Дашу в жесткий вагон, где были выбиты все стекла. Нагнувшись, пробасил в ухо: «Ваша услуга не будет забыта», — и исчез в толпе. Перед отходом мимо поезда побежали какие-то люди, с узлами в зубах полезли в окна. В вагоне стало совсем тесно. Залезали на места для чемоданов, заползали под койки и там чиркали спичками, с полным удовольствием дымили махоркой.

Поезд медленно тащился мимо туманных болот с погасшими трубами заводов, мимо заплесневелых прудов. Проплыла за солнечным светом вдали Пулковская высота, где, забытые всеми на свете, премудрые астрономы и сам семидесятилетний Глазенап продолжали исчислять количество звезд во Вселенной. Побежали сосновые поросли, сосны, дачи. На остановках никого больше не пускали в вагон, — выставили вооруженную охрану. Теперь было хоть и шумно, но мирно.

Даша сидела, тесно сжатая между двумя фронтовиками. Сверху, с полки, свешивалась веселая голова, поминутно ввязываясь в разговор.

— Ну, и что же? — спрашивали на полке, давясь со смеха. — Ну, и как же вы?

Напротив Даши, между озабоченных и молчаливых женщин, сидел одноглазый, худой, с висячими усами и щетинистым подбородком крестьянин в соломенной шляпе. Рубашка его, сшитая из мешка, была завязана на шее тесемочкой. На поясе висели расческа и огрызок чернильного карандаша, за пазухой лежали какие-то бумаги.

Даша не следила в первое время за разговором. Но то, что рассказывал одноглазый, было, видимо, очень занимательно. Понемногу со всех лавок повернулись к нему головы, в вагоне стало тише. Фронтовик с винтовкой сказал уверенно:

— Ну да, я вас понял, вы, словом, — партизане, махновцы.

Одноглазый несколько помолчал, хитро улыбаясь в усы:

— Слыхали вы, братишечки, да не тот звон. — Проведя ребром заскорузлой руки под усами, он согнал усмешку и сказал с некоторой даже торжественностью: — Это организация кулацкая, Махно... Оперирует он в Екатеринославщине. Там что ни двор, — то полсотни десятин. А мы — другая статья. Мы красные партизане...

— Ну, и что же вы? — спросила веселая голова.

— Район наших действий Черниговщина, по-русскому — Черниговская губерния, и северные волости Нежинщины. Понятно? И мы — коммунисты. Для нас что немец, что пан помещик, что гетманские гайдамаки, что свой деревенский кулак — одна каша... Выходит, поэтому — мешать нас с махновцами нельзя. Понятно?

— Ну да, поняли, не дураки, ты дальше-то рассказывай.

— А дальше рассказывать так... После этого сражения с немцами мы пали духом. Отступили в Кошелевские леса, забрались в такие заросли, где одни волки водились. Отдохнули немного. Стали к нам сбегаться людишки из соседних деревень. Жить, говорят, нельзя. Немцы серьезно взялись очищать округу от партизан. А в подмогу немцам — гайдамаки: что ни день, влетают в село, и по доносам кулаков — порка. От этих рассказов наших ребят такая злоба разбирала — дышать нечем. А к этому времени подошел еще один отряд. Собралась в лесу целая армия, человек триста пятьдесят. Выбрали начальника группы — веркиевского партизана прапорщика Голту. Стали думать, в каком направлении развить дальнейшие операции, и решили взять под наблюдение Десну, а по Десне перевозилось к немцам военное снаряжение. Пошли. Выбрали местечки, где пароходы проходили у самого берега. Засели...

— Ух ты, ну и как же? — спросила голова с полки.

— А вот так же. Подходит пароход. «Стой!» — раздается в передней цепи. Капитан не исполнил приказания, — залп. Пароход, натурально, — к берегу. Мы сейчас же на палубу; поставили часовых, — и проверка документов.

— Как полагается, — сказал фронтовик.

— На пароходе груз — седла и сбруя. Везут их два полковника, один — совсем ветхий, другой — бравый, молодой. Кроме того, груз медикаментов. А это нам и нужно. Стою на палубе, проверяю документы; смотрю, подходят коммунисты Петр и Иван Петровские, из Бородянщины. Я сразу догадался, не подал виду, что с ними знаком. Обошелся официально, строго: «Ваши документы...» Петровский подает мне паспорт и с ним записку на папиросной бумаге: «Товарищ Пьявка, я уезжаю с братом из Чернигова, еду в Россию и прошу вас, — ведите себя по отношению к нам беспощадно, чтобы не обратить внимания окружающих, потому что вокруг — шпики...» Хорошо... Проверив документы, разгрузили сбрую, седла, аптеку, а также пятнадцать ящиков вина для подкрепления наших раненых. Надо отдать справедливость пароходному врачу: вел себя геройски. «Не могу, кричит, отдать аптеки, это противоречит всем законам и, между прочим, международному трактату». Наш ответ был короткий: «У нас у самих раненые, — значит, не международные, а человеческие трактаты требуют: давай аптеку!..» Арестовали десять человек офицеров, сняли их на берег, а пароход отпустили. Тут же на берегу старый полковник стал плакать, проситься, чтобы не убивали, припомнил свои военные заслуги. Ну, мы подумали: «Куда его трогать, он и так сам скоро помрет». Отпустили под давлением великодушия. Он и мотанул в лес...

Голова на полке залилась радостным хохотом. Кривой подождал, когда отсмеются.

— Другой, чиновник воинского начальника, произвел на нас хорошее впечатление, бойко отвечал на все вопросы, вел себя непринужденно, мы его тоже отпустили... Остальных увели в лес... Там расстреляли за то, что никто из них ничего не хотел говорить...

Даша глядела, не дыша, на кривого. Лицо его было спокойное, горько-морщинистое. Единственный глаз, видавший виды, сизый, с мелким зрачком, задумчиво следил за бегущими соснами. Спустя некоторое время кривой продолжал рассказ:

— Недолго пришлось посидеть на Десне — немцы нас обошли, и мы отступили на Дроздовские леса. Трофеи роздали крестьянам; вина, правда, пропустили по кружке, но остальное отдали в больницу. Левее нас в это время орудовал Крапивянский с крупным отрядом, правее — Маруня. Нашей соединенной задачей было — подобраться к Чернигову, захватить его с налета. Была бы у нас хорошая связь между отрядами... Связи настоящей не было, — и мы опоздали. Немцы что ни день гонят войска, артиллерию, кавалерию. Очень им досадило наше существование. Только они уйдут, скажем, из села, — в селе сейчас же организуется ревком, — и парочку кулаков — на осину... Тут меня послали в отряд Маруни за деньгами, — нужны были до зарезу... За продукты мы уплачивали населению наличностью, мародерство у нас запрещалось под страхом смертной казни. Сел я на дрожки, поехал в Кошелевские леса. Здесь мы с Маруней поговорили о своих делах, получил я от него тысячу рублей керенками, еду обратно... Около деревни Жуковки, — только я в лощину спустился, — налетают на меня двое верховых, дозорные жуковского ревкома. «Куда ты — немцы!..» — «Где?» — «Да уж к Жуковке подходят». Я — назад... Лошадь — в кусты, слез с дрожек... Стали мы обсуждать — что делать? О массовом сопротивлении немцам не могло быть и речи. Их — целая колонна двигалась при артиллерии...

— Втроем против колонны — тяжело, — сказал фронтовик.

— То-то, что тяжело. И решили мы попугать только немцев. Поползли под прикрытием ржи. Видим: так вот — Жуковка, а отсюда, из лесочка, выходит колонна, человек двести, две пушки и обоз, и ближе к нам — конный разъезд. Видно, слава про партизан хорошо прогремела, что даже артиллерию на нас послали. Залегли мы в огородах. Настроение превосходное, — заранее смеемся. Вот уже разъезд в пятидесяти шагах. Я командую: «Батальон — пли!» Залп, другой... Одна лошадь кувырком, немец ползет в крапиву. А мы — пли! Затворами стучим, шум, грохот...

У головы на полке даже глаза запрыгали — зажал рукой рот, чтобы не заржать, не пропустить слова. Фронтовик довольно усмехался.

— Разъезд ускакал к колонне, немцы сейчас же развернулись, выслали цепи, пошли в наступление по всей форме. Орудия — долой с передков, да как ахнут из трехдюймовок по огородам, а там бабы перекапывали картошку... Взрыв, земля кверху... Бабы наши... (Кривой ногтем сдвинул шляпу на ухо, не мог — усмехнулся. Голова на полке прыснула.) Бабы наши с огородов — как куры, кто куда... А немцы беглым шагом подходят к селу... Тут я говорю: «Ребята, пошутили, давай тягу». Поползли мы опять через рожь — в овраг, я сел на дрожки и без приключений уехал в Дроздовский лес. Жуковцы потом рассказывали: «Подошли, говорят, немцы к огородам, к самым плетням, да как крикнут: «Ура»... А за плетнями — нет никого... Те, кто это видел, со смеху, говорят, легли... Немцы Жуковку заняли, ни ревкомцев, ни партизан там не нашли, объявили село на военном положении. Дня через два к нам в Дроздовский лес поступило донесение, что в Жуковку вошел большой германский обоз с огневым снаряжением. А нам патроны дороже всего... Стали мы судить, рядить, у ребят разгорелись аппетиты, решили наступить на Жуковку и огневое снаряжение отбить. Нас собралось человек сто. Из них тридцать бойцов послали на шлях, чтобы в случае удачи преградить немцам отступление на Чернигов. Остальные — колонной — пошли на Жуковку. В сумерки подползли, залегли в жите около села и выслали семь человек в разведку, чтобы они высмотрели все расположение, сообщили нам, и ночью мы сделаем неожиданный налет. Лежали мы безо всякого шума, курить запрещено. Моросил дождь, спать хочется, сыро... Ждем-ждем, стало светать.. Никакого движения. Что такое? Смотрим, уж бабы начали выгонять скот в поле. И тут эти голубчики, наши разведчики, ползут — семеро... Оказывается, они, проклятые, дойдя до мельницы, прилегли отдохнуть да так и проспали всю ночь, покуда бабы не набрели на них со скотом. Наступление, конечно, сорвано... Нас взяла такая обида, что прямо-таки места себе не находили. Нужно было творить суд и расправу над разведчиками. Единогласно решили их расстрелять. Но тут они начали плакать, просить пощады и вполне сознали свою вину. Хлопцы были молодые, упущение в первый раз... И мы решили их простить. Но предложили искупить вину в первом бою.

— Когда и простить ведь нужно, — сказал фронтовик.

— Да... Стали совещаться. Что же: не взяли Жуковку ночью, — возьмем ее днем.. Операция серьезная, ребята понимали, на что идут. Рассыпались реденько, ждем — вот-вот застучат пулеметы, не ползем, а прямо чешем на карачках...

— Гыы! — сверху, с лавки.

— А навстречу нам, вместо немцев, — бабы с лукошками: пошли по ягоду, день был праздничный. И подняли нас на смех: опоздали, говорят, германский обоз часа два как ушел по куликовскому шляху. Тут мы единодушно решили догнать немцев, — хоть всем лечь в бою. Захватили с собой для самоокапывания лопаты; бабы нам блинов, пирогов нанесли. Выступили. И увязалась за нами такая масса народа, — больше, конечно, из любопытства, — целая армия. Вот что мы сделали: роздали мужикам, бабам колья и построились двумя цепями, поставили человека от человека шагов на двадцать с таким расчетом, чтобы один был вооруженный, другой с палкой, с колом, — для видимого устрашения. Растянулись верст на пять. Я отобрал пятнадцать бойцов, между ними этих наших горе-разведчиков, и взял двух нами же мобилизованных офицеров, явных контрреволюционеров, но их предупредил, чтобы оправдали доверие и тем спасли свою жизнь. Забежали мы этой группой вперед германского обоза на шлях... И завязалось, братцы мои, сражение не на один день и не на два... (Он нехотя махнул рукой.)

— Как же так? — спросил фронтовик.

— А так... Я с группой пропустил колонну и налетел на хвост, на обоз. Отбили телег двадцать со снаряжением. Живо пополнили сумки патронами, роздали мужикам, — кому успели, — винтовки и продолжаем наступать на колонну. Мы думаем, что мы ее окружили, а оказалось, немцы нас окружили: по трем шляхам двигались к этому месту все части оружия... Разбились мы на мелкие группы, забрались в канавы. Наше счастье, что немцы развивали операцию по всем правилам большого сражения, а то бы никто не ушел... Из партизан вот я да, пожалуй, человек десять и остались живые. Дрались, покуда были патроны. И тут решили, что нам тут не дышать, надо пробираться за Десну, в нейтральную зону, в Россию. Я спрятал винтовку и под видом военнопленного направился в Новгород-Северский...

— Куда же ты сейчас-то едешь?

— В Москву за директивами.

Пьявка много еще рассказывал про партизанство и про деревенское житье-бытье. «Из одной беды да в другую — вот как живем. И довели мужика до волчьего состояния: одно остается —

горло грызть». Сам он был из-под Нежина, работал на свеклосахарных заводах. Глаз потерял при Керенском, во время несчастного июньского наступления. Он так и говорил: «Керенский мне вышиб этот глаз». Тогда же, в окопах, он познакомился с коммунистами. Был членом Нежинского совдепа, членом ревкома, работал в подполье по организации повстанческого движения.

Его рассказ потряс Дашу. В его рассказе была правда. Это понимали и все пассажиры, глядевшие в рот рассказчику.

Остаток дня и ночь были утомительны. Даша сидела, поджав ноги, закрыв глаза, и думала до головной боли, до отчаяния. Были две правды: одна — кривого, этих фронтовиков, этих похрапывающих женщин с простыми, усталыми лицами; другая — та, о которой кричал Куличек. Но двух правд нет. Одна из них — ошибка страшная, роковая...

В Москву приехали в середине дня. Старенький извозчик ветхой трусцой повез Дашу по грязной и облупленной Мясницкой, где окна пустых магазинов были забрызганы грязью. Дашу поразила пустынность города, — она помнила его в те дни, когда тысячные толпы с флагами и песнями шатались по обледенелым улицам, поздравляя друг друга с бескровной революцией.

На Лубянской площади ветер крутил пыль. Брели двое солдат в распоясанных рубашках, с подвернутыми воротами. Какой-то щуплый, длиннолицый человек в бархатной куртке оглянулся на Дашу, что-то ей крикнул, даже побежал за извозчиком, но пылью ему запорошило глаза, он отстал. Гостиница «Метрополь» была исковырена артиллерийскими снарядами, и тут, на площади, вертелась пыль, и было удивительно увидеть в замусоренном сквере клумбу ярких цветов, непонятно кем и зачем посаженных.

На Тверской было живее. Кое-где доторговывали лавчонки. Напротив совдепа, на месте памятника Скобелеву, стоял огромный деревянный куб, обитый кумачом. Даше он показался страшным. Старичок извозчик показал на него кнутовищем:

— Героя стащили. Сколько лет в Москве езжу, и все он тут стоял. А нынче, видишь, не понравился правительству. Как жить? Прямо — ложись помирай. Сено двести рублей пуд. Господа разбежались, — одни товарищи, да и те норовят больше пешком...

Эх, государство!.. — Он задергал вожжами. — Хошь бы короля какого нам...

Не доезжая Страстной, налево, под вывеской «Кафе Бом», за двумя зеркальными окнами сидели на диванах праздные молодые люди и вялые девицы, курили, пили какую-то жидкость. В открытой на улицу двери стоял, прислонясь плечом, длинноволосый, нечесаный, бритый человек с трубкой. Он как будто изумился, вглядываясь в Дашу, и вынул трубку изо рта, но Даша проехала. Вот розовая башня Страстного, вот и Пушкин. Из-под локтя у него все еще торчала на палке выцветшая тряпочка, повешенная во времена бурных митингов. Худенькие дети бегали по гранитному пьедесталу, на скамье сидела дама в пенсне и в шапочке, совсем такой, как у Пушкина за спиной.

Над Тверским бульваром плыли редкие облачка. Прогромыхал грузовик, полный солдат. Извозчик сказал, мигнув на него:

— Грабить поехали. Овсянникова, Василия Васильевича, знаете? Первый в Москве миллионер. Вчера приехали к нему вот так же, на грузовиках, и весь особняк дочиста вывезли. Василь Васильевич только покрутил головой, да и по-ошел куда глаза глядят. Бога забыли, вот как старики-то рассуждают...

В конце бульвара показались развалины гагаринского дома. Какой-то одинокий человек в жилетке, стоя наверху, на стене, выламывал киркой кирпичи, бросал их вниз. Налево громада обгоревшего дома глядела в бледноватое небо пустыми окнами. Кругом все дома, как решето, были избиты пулями. Полтора года тому назад по этому тротуару бежали в накинутых на голову пуховых платочках Даша и Катя. Под ногами хрустел ледок, в замерзших лужах отражались звезды. Сестры бежали в адвокатский клуб на экстренный доклад по поводу слухов о начавшейся будто бы в Петербурге революции. Опьяняющим, как счастье, был весенний морозный воздух...

Даша тряхнула головой: «Не хочу... Погребено...»

Извозчик выехал на Арбат и свернул налево в переулок. У Даши так забилось сердце, что потемнел свет... Вот двухэтажный белый домик с мезонином. Здесь с пятнадцатого года она жила с Катей и покойным Николаем Ивановичем. Сюда из германского плена прибежал Телегин. Здесь Катя встретила Рощина. Из этой облупленной двери Даша вышла в день свадьбы, Телегин подсадил ее на серого лихача, — помчались в весенних сумерках, среди еще бледных огней, навстречу счастью... Окна в мезонине были выбиты. Даша узнала обои в бывшей своей комнате, они висели клочками. Из окна вылетела галка. Извозчик спросил:

— Направо, налево — как вам?

Даша справилась по бумажке. Остановились у многоэтажного дома. Парадная дверь изнутри была забита досками. Так как спрашивать ничего было нельзя, Даша долго разыскивала на черных лестницах квартиру 112-а. Кое-где при звуке Дашиных шагов приотворялись двери на цепочках. Казалось, за каждой дверью стоял человек, предупреждая обитателей об опасности.

На пятом этаже Даша постучала — три раза и еще раз, — как ее учили. Послышались осторожные шаги, кто-то, дыша в скважину, рассматривал Дашу. Дверь отворила пожилая высокая дама с ярко-синими, страшными, выпуклыми глазами. Даша молча протянула ей картонный треугольник. Дама сказала:

— Ах, из Петербурга... Пожалуйста, войдите.

Через кухню, где, видимо, давно уже не готовили, Даша прошла в большие занавешенные комнаты. В полутемноте виднелись очертания прекрасной мебели, поблескивала бронза, но и здесь было что-то нежилое. Дама попросила Дашу на диван, сама села рядом, рассматривая гостью страшными, расширенными глазами.

— Рассказывайте, — сурово-повелительно приказала она.

Даша честно сосредоточилась, честно начала передавать те неутешительные сведения, о которых ей велел рассказать Куличек. Дама стиснула красивые, в кольцах, руки на сжатых коленях, хрустнула пальцами...

— Итак, вам еще ничего не известно в Петрограде? — перебила она. Низкий голос ее трепетал в горле. — Вам неизвестно, что вчера ночью был обыск у полковника Сидорова... Найден план эвакуации и некоторые мобилизационные списки... Вам неизвестно, что сегодня на рассвете арестован Виленкин... — Выпрямив судорожно грудь, она поднялась с дивана, отогнула портьеру, висевшую на двери, обернулась к Даше: — Идите сюда. С вами будут говорить...

— Пароль, — повелительно сказал человек, стоявший спиной к окну. Даша протянула ему картонный треугольник. — Кто вам передал это? (Даша начала объяснять.) Короче!

Он держал левой рукой у рта шелковый носовой платок, закрывавший его смуглое или, быть может, загримированное лицо. Неопределенные, с желтоватым ободком глаза нетерпеливо всматривались в Дашу. Он опять прервал ее:

— Вам известно: вступая в организацию, вы рискуете жизнью?

— Я одинока и свободна, — сказала Даша. — Я почти ничего не знаю об организации. Никанор Юрьевич дал мне поручение... Я не могу больше сидеть сложа руки. Уверяю вас, я не боюсь ни работы, ни...

— Вы совсем ребенок. — Он сказал это так же отрывисто, но Даша настороженно подняла брови.

— Мне двадцать четыре года.

— Вы — женщина? (Она не ответила.) В данном случае это важно. (Она утвердительно наклонила голову.) О себе можете не рассказывать, я вас всю вижу. Я вам доверяю. Вы удивлены?

Даша только моргнула. Отрывистые, уверенные фразы, повелительный голос, холодные глаза быстро связали ее неокрепшую волю. Она почувствовала то облегчение, когда у постели садится доктор, блестя премудрыми очками: «Ну-с, ангел мой, с нынешнего дня мы будем вести себя так...»

Теперь она внимательно оглянула этого человека с платком у лица. Он был невысок ростом, в мягкой шляпе, в защитном, хорошо сшитом пальто, в кожаных крагах. И одеждой и точными движениями он походил на иностранца, говорил с петербургским акцентом, неопределенным и глуховатым голосом.

— Вы где остановились?

— Нигде, я сюда прямо с вокзала.

— Очень хорошо. Сейчас вы пойдете на Тверскую, в кафе «Бом». Там поедите. К вам подойдет один человек, вы узнаете его по галстучной булавке — в виде черепа. Он скажет пароль: «С богом, в добрый путь». Тогда вы покажете ему вот это. (Он разорвал картонный треугольник и одну половину отдал Даше.) Покажите так, чтобы никто не видел. Он даст вам дальнейшие инструкции. Повиновение ему — беспрекословное. У вас есть деньги?

Он вынул из бумажника две думские ассигнации по тысяче рублей.

— За вас будут платить. Эти деньги старайтесь сберечь на случай неожиданного провала, подкупа, бегства. С вами может случиться все. Ступайте... Подождите... Вы хорошо поняли меня?

— Да, — с запинкой ответила Даша, складывая тысячные бумажки все мельче и мельче в квадратик.

— Ни слова о свидании со мной. Ни слова никому о том, что вы были здесь. Ступайте.

Даша пошла на Тверскую. Она была голодна и устала. Деревья Тверского бульвара, мрачные и редкие прохожие — плыли, как сквозь туман. Все же ей было покойно оттого, что кончилась мучительная неподвижность, и непонятные ей события подхватили ее чертовым колесом, понесли в дикую жизнь.

Навстречу, точно кинотени, прошли две женщины в лаптях. Оглянулись на Дашу, сказали тихо:

— Бесстыдница, на ногах не стоит.

Дальше проплыла высокая дама с полуседыми, собранными в воронье гнездо волосами, с трагически жалкими морщинами у припухлого рта. На лице, когда-то, должно быть, красивом, застыло величайшее недоумение. Длинная черная юбка заплатана, будто нарочно, другой материей. Под шалью, тащившейся концом по земле, она держала связку книг и вполголоса обратилась к Даше:

— Есть Розанов, запрещенное, полный Владимир Соловьев...

Дальше стояли несколько старичков, — наклонившись к садовой скамейке, они что-то делали; проходя, Даша увидела на скамье двух, плечо к плечу, крепко спавших красногвардейцев, с открытыми ртами, с винтовками между колен; старички шепотом ругали их нехорошими словами.

За деревьями сухой ветер гнал пыль. Прозвонил редкий трамвай, громыхая по булыжнику сломанной подножкой. Серые грозди солдат висели на поручнях и сзади на тормозе. У бронзового Пушкина на голове попрыгивали воробьи, равнодушные к революциям.

Даша свернула на Тверскую: со спины на нее налетело пыльное облако, закутало бумажками, донесло до кафе «Бом» — последнего оплота старой беспечной жизни.

Здесь собирались поэты всех школ, бывшие журналисты, литературные спекулянты, бойкие юноши, легко и ловко приспособляющиеся к смутному времени, девицы, отравленные скукой и кокаином, мелкие анархисты — в поисках острых развлечений, обыватели, прельстившиеся пирожными.

Едва Даша заняла в глубине кафе место под бюстом знаменитого писателя, как кто-то взмахнул руками, кинулся сквозь табачные туманности и шлепнулся рядом с Дашей, хихикая влажной, гнилозубой улыбкой. Это был давнишний знакомый, поэт Александр Жиров.

— Я за вами гнался по Лубянке... Уверен был, что это вы, Дарья Дмитриевна. Какими судьбами, откуда? Вы одна? С мужем? Вы помните меня? Был когда-то влюблен — вы знали это, правда?

Глаза его маслились. Ни на один вопрос он, очевидно, не ждал ответа. Он был все тот же — с ознобцем возбуждения, лишь одряблела нездоровая кожа; на тощем, длинном лице значительным казался кривоватый, широкий внизу нос.

— А я столько пережил за эти годы... Фантастика... В Москве недавно... Я в группе имажинистов: Сережка Есенин, Бурлюк, Крученых. Ломаем... Вы проходили мимо Страстного? Видели на стене аршинные буквы? Это мировая дерзость... Даже большевики растерялись... Мы с Есениным всю ночь работали... Богородицу и Иисуса Христа разделали под орех... Такая, знаете, космическая похабщина, — на рассвете две старушонки прочли — и из обеих сразу дух вон... Дарья Дмитриевна, я, кроме того, в анархической группе «Черный коршун»... Мы вас привлечем... Нет, нет, и разговору не может быть... У нас шефом — знаете кто? Знаменитый Мамонт Дальский... Гений... Кин... Великий дерзатель... Еще какие-то две недели — и вся Москва в наших руках... Вот начнется эпоха! Москва под черным знаменем. Победу мы задумали отпраздновать — знаете как? Объявим всеобщий карнавал... Винные склады — на улицу, на площадях — военные оркестры... Полтора миллиона ряженых. Никакого сомнения, — половина явятся голые... И вместо фейерверка — взорвем на Лосином острове артиллерийские склады. В мировой истории не было ничего подобного...

За эти дни это была уже третья политическая система, с которой знакомилась Даша. Сейчас она просто испугалась. Даже забыла про голод. Довольный произведенным впечатлением, Жиров пустился в подробности:

— Разве вас не рвет кровью при виде пошлости современного города? Мой друг, Валет, гениальный художник, — да вы помните его, — составил план полного изменения лица города... Сломать и заново построить — мы не успеем к карнавалу... Кое-что решено взорвать, — конечно, Исторический музей, Кремль, Сухареву башню, дом Перцова... Вдоль улицы ставим, во всю вышину домов, дощатые щиты и расписываем их архитектурными сюжетами новейшего, небывалого стиля... Деревья, — натуральная листва недопустима, — деревья мы окрашиваем при помощи пульверизаторов в различные цвета... Представляете — черные липы Пречистенского бульвара, жутко-лиловый Тверской бульвар... Жуть!.. Решено также всенародное кощунство над Пушкиным... Дарья Дмитриевна, а вспоминаете «великолепные кощунства» и «борьбу с бытом» на квартире Телегина? Ведь над нами тогда издевались.

Мелко, будто зябко, посмеиваясь, он вспомнил прошлое, ближе подсунулся к Даше и уже несколько раз, жестикулируя, задел ее едва выпуклую грудь...

— А вы помните Елизавету Киевну — с бараньими глазами? Еще до одури была влюблена в вашего жениха и сошлась с Бессоновым. Ее муж — виднейший анархист-боевик, Жадов... Он да Мамонт Дальский — главные наши козыри. Слушайте, и Антошка Арнольдов здесь! При Временном правительстве ворочал всей прессой, два собственных автомобиля... Жил с аристократками... Одна у него была, — венгерка из «Вилла Родэ», — такой чудовищной красоты, он даже спал с револьвером около нее. Ездил в Париж в прошлом июле, — чуть-чуть его не назначили послом... Осел!.. Не успел перевести валюту за границу, теперь голодает, как сукин сын. Да, Дарья Дмитриевна, нужно идти в ногу с новой эпохой... Антошка Арнольдов погиб потому, что завел шикарную квартиру на Кирочной, золоченую мебель, кофейники, сто пар ботинок. Жечь, ломать, рвать в клочки все предрассудки... Абсолютная, звериная, девственная свобода — вот! Другого такого времени не случится... И мы осуществим великий опыт. Все, кто тянется к мещанскому благополучию, — погибнут... Мы их раздавим... Человек — это ничем не ограниченное желание... (Он понизил голос, придвинувшись к Дашиному уху.) Большевики — дерьмо... Они только неделю были хороши, в Октябре... И сразу потянули на государственность. Россия всегда была анархической страной, русский мужик — природный анархист...

Большевики хотят превратить Россию в фабрику — чушь. Не удастся. У нас — Махно... Перед ним Петр Великий — щенок... Махно на юге, Мамонт Дальский и Жадов в Москве... С двух концов зажжем. Сегодня ночью я вас сведу кое-куда, сами увидите — какой размах... Согласны? Идем?

Вот уже несколько минут, как за соседний столик сел бледный молодой человек с острой бородкой. Через пенсне пристально, из-за газеты, он глядел на Дашу. Оглушенная фантазией Жирова, она не пыталась протестовать: в табачных облаках, казалось ей, рождались, как молния, эти сверхъестественные замыслы, плавали странные лица с закушенными папиросками и расширенными зрачками... Что она могла возразить? Пропищала бы жалобно о том, что ее сердчишко трепещет перед этими опытами, — и, конечно, в грохоте дьявольского хохота, улюлюканья, гоготанья потонул бы ее писк.

Глаза человека с острой бородкой все настойчивее ощупывали ее. Она увидела в его пунцовом галстуке маленький металлический череп — булавку, — догадалась, что это тот, с кем ей нужно встретиться, приподнялась было, но он коротко мотнул головой, приказывая сидеть на месте. Даша наморщилась, соображая. Он показал глазами на Жирова. Она поняла и попросила Жирова принести ей поесть. Тогда человек с бородкой подошел к ее столу и сказал, не разжимая губ:

— С богом, в добрый путь.

Даша раскрыла сумочку и показала половину треугольника. Он приложил ее к другой половине, разорвал их в мелкие клочки.

— Откуда вы знаете Жирова? — спросил он быстро.

— Давно, по Петербургу.

— Это нас устраивает. Нужно, чтобы вас считали из их компании. Соглашайтесь на все, что он предложит. А завтра, — запомните, — в это самое время вы придете к памятнику Гоголя на Пречистенский бульвар. Где вы ночуете?

— Не знаю.

— Эту ночь проводите где угодно... Ступайте с Жировым...

— Я ужасно устала. — У Даши глаза наполнились слезами, задрожали руки, но, взглянув ему в недоброе лицо, на булавочку с черепом, она покорно потупилась.

— Помните — абсолютная конспирация. Если проговоритесь, хотя бы нечаянно, — время боевое — вас придется убрать...

Он подчеркнул это слово. У Даши поджались пальцы на ногах. К столу проталкивался Жиров с двумя тарелками. Человек с булавочкой подошел к нему, кривя улыбкой тонкий рот, и Даша услышала, как он сказал:

— Хорошенькая девочка. Кто такая?

— Ну, это ты, впрочем, оставь, Юрка, не для тебя приготовлена. — Улыбаясь, не то грозясь, Жиров показал ему вдогонку осколки зубов и поставил перед Дашей черный хлеб, сосиски и стакан с коричневой бурдой. — Так как же, сегодня вечером вы свободны?

— Все равно, — ответила Даша, с мучительным наслаждением откусывая сосиску.

Жиров предложил пойти к нему, в номер гостиницы «Люкс», наискосок через улицу.

— Поспите, помоетесь, а часов в десять я за вами приду.

Он суетился и хлопотал, все еще по старым воспоминаниям несколько робея Даши. Постель у него в комнате, — с парчовыми занавесами и розовым ковром, — была настолько подозрительная, что он и сам это понял, — предложил Даше устроиться на диване; убрав газеты, рукописи, книги, постелил простыню, черный ильковый мех, выпоротый из чьей-то дорогой шубы, хихикнул и ушел. Даша разулась. Поясницу, ноги, все тело ломило. Легла и сейчас же уснула, пригретая глубоким мехом, слабо пахнущим духами, зверем и нафталином. Она не слышала, как входил Жиров и, наклонившись, разглядывал ее, как в дверях пробасил рослый бритый человек, похожий на римлянина: «Ну, что же, своди ее туда, я дам записку».

Был уже глубокий вечер, когда она, вздохнув, проснулась. Желтоватый месяц над крышей дома ломался в неровном стекле окна. Под дверью лежала полоска электрического света. Даша вспомнила наконец, где она, быстро натянула чулки, поправила волосы и платье и пошла к умывальнику. Полотенце было такое грязное, что Даша подумала, растопырив пальцы, с которых капала вода, и вытерлась подолом юбки с изнанки.

Ее охватила острая тоска от всего этого бездолья, отвращением стиснуло горло: убежать отсюда домой, к чистому окну с ласточками... Повернула голову, взглянула на месяц, — мертвый, изломанный, страшный серп над Москвой. Нет, нет... Возврата нет, — умирать в одиночестве в кресле у окна, над пустынным Каменноостровским, слушать, как заколачивают дома... Нет... Пусть будет что будет...

В дверь постучались, на цыпочках вошел Жиров.

— Достал ордер, Дарья Дмитриевна, идемте.

Даша не спросила — какой ордер и куда нужно идти, надвинула самодельную шапочку, прижала к боку сумочку с двумя тысячами. Вышли. Одна сторона Тверской была в лунном свету. Фонари не горели. По пустой улице медленно прошел патруль, — молча и мрачно пробухали сапогами.

Жиров свернул на Страстной бульвар. Здесь лежали лунные пятна на неровной земле. В непроглядную темноту под липы страшно было смотреть. Впереди в эту тень как будто шарахнулся человек. Жиров остановился, в руке у него был револьвер.

Постояв, он негромко свистнул. Оттуда ответили. «Полундра», — сказал он громче. «Проходи, товарищ», — ответил лениво отчетливый голос.

Они свернули на Малую Дмитровку. Здесь, навстречу им, быстро перешли улицу двое в кожаных куртках. Оглянув, молча пропустили. У подъезда Купеческого клуба, — где со второго этажа над входом свешивалось черное знамя, — выступили из-за колонн четверо, направили револьверы. Даша споткнулась. Жиров сказал сердито:

— Ну вас к черту, в самом деле, товарищи! Чего зря пугаете. У меня ордер от Мамонта...

— Покажи.

При лунном свете четверо боевиков, спрятавших безбородые щеки в поднятые воротники и глаза — под козырьки кепок, осмотрели ордер. Лицо Жирова, как неживое, застыло, растянутое улыбкой. Один из четверых спросил грубо:

— А для кого же?

— Вот, для товарища, — Жиров схватил Дашину руку, — она артистка из Петрограда... Необходимо одеть... Вступает в нашу группу...

— Ладно. Заходи...

Даша и Жиров вошли в тускло освещенный вестибюль с пулеметом на лестнице.. Появился комендант — низенький, с надутыми щеками студент в форменной куртке и феске. Он долго вертел и читал ордер, ворчливо спросил Дашу:

— Что из вещей нужно?

Ответил Жиров:

— Мамонт приказал — с ног до головы, самое лучшее.

— То есть как — приказал Мамонт... Пора бы знать, товарищ: здесь не приказывают... Здесь не лавочка... (У коменданта в это время зачесалось на ляжке, он ужасно сморщился, почесал.) Ладно, идемте.

Он вынул ключ и пошел впереди в бывшую гардеробную, где сейчас находились кладовые Дома анархии.

— Дарья Дмитриевна, выбирайте, не стесняйтесь, это все принадлежит народу...

Жиров широким размахом указал на вешалки, где рядами висели собольи, горностаевые, чернобурые палантины, шиншилловые, обезьяньи, котиковые шубки. Они лежали на столах и просто кучками на полу. В раскрытых чемоданах навалены платье, белье, коробки с обувью. Казалось, сюда были вывезены целые склады роскоши. Комендант, равнодушный к этому изобилию, только зевал, присев на ящик.

— Дарья Дмитриевна, берите все, что понравится, я захвачу; пройдем наверх, там переоденетесь.

Что ни говори о Дашиных сложных переживаниях, — прежде всего она была женщиной. У нее порозовели щеки. Неделю тому назад, когда она увядала, как ландыш, у окна и казалось, что жизнь кончена и ждать нечего, — ее не прельстили бы, пожалуй, никакие сокровища. Теперь все вокруг раздвинулось, — то, что она считала в себе оконченным и неподвижным, пришло в движение. Наступило то удивительное состояние, когда желания, проснувшиеся надежды устремляются в тревожный туман завтрашнего дня, а настоящее — все в развалинах, как покинутый дом.

Она не узнавала своего голоса, изумлялась своим ответам, поступкам, спокойствию, с каким принимала закрутившуюся вокруг фантастику. Каким-то до сих пор дремавшим инстинктом самосохранения почувствовала, что сейчас нужно, распустив паруса, лететь с выброшенным за борт грузом.

Она протянула руку к седому собольему палантину:

— Пожалуйста, вот этот.

Жиров взглянул на коменданта, тот тряхнул щеками. Жиров снял палантин, перекинул через плечо. Даша наклонилась над раскрытым кофром, — на секунду стало противно это чужое, — запустила по локоть руку под стопочку белья.

— Дарья Дмитриевна, а туфельки? Берите уж и башмаки для дождя. Вечерние туалеты — в том гардеробе. Товарищ комендант, дай ключик... Для артистки, понимаешь, туалет — орудие производства.

— Наплевать, берите чего хотите, — сказал комендант.

Даша и за ней Жиров с вещами поднялись во второй этаж, в небольшую комнату, где было зеркало, пробитое пулей. Среди паутины трещин в туманном стекле Даша увидела какую-то другую женщину, медленно натягивающую шелковые чулки. Вот она опустила на себя тончайшую рубашку, надела белье в кружевах. Переступая туфельками, отбросила в сторону штопаное. Накинула на голые худые плечи мех... Ты кто же, душа моя? Кокоточка? Налетчица? Воровка?.. Но до чего хороша... Так, значит, — все впереди? Ну, что ж, — потом как-нибудь разберемся...

Большой зал ресторана в «Метрополе», поврежденный октябрьской бомбардировкой, уже не работал, но в кабинетах еще подавали еду и вино, так как часть гостиницы была занята иностранцами, большею частью немцами и теми из отчаянных дельцов, кто сумел добыть себе иностранный — литовский, польский, персидский — паспорт. В кабинетах кутили, как во Флоренции во время чумы. По знакомству, с черного хода, пускали туда и коренных москвичей, — преимущественно актеров, уверенных, что московские театры не дотянут и до конца сезона: и театрам и актерам — беспросветная гибель. Актеры пили, не щадя живота.

Душой этих ночных кутежей был Мамонт Дальский, драматический актер, трагик, чье имя в недавнем прошлом гремело не менее звучно, чем Росси. Это был человек дикого темперамента, красавец, игрок, расчетливый безумец, опасный, величественный и хитрый. За последние годы он выступал редко, только в гастролях. Его встречали в игорных домах в столицах, на юге, в Сибири. Рассказывали о его чудовищных проигрышах. Он начинал стареть. Говорил, что бросает сцену. Во время войны участвовал в темных комбинациях с поставками. Когда началась революция, он появился в Москве. Он почувствовал гигантскую трагическую сцену и захотел сыграть на ней главную роль в новых «Братьях-разбойниках».

Со всей убедительностью гениального актера он заговорил о священной анархии и абсолютной свободе, об условности моральных принципов и праве каждого на все. Он сеял по Москве возбуждение в умах. Когда отдельные группы молодежи, усиленные уголовными личностями, начали реквизировать особняки, — он объединил эти разрозненные группы анархистов, силой захватил Купеческий клуб и объявил его Домом анархии. Советскую власть он поставил перед совершившимся фактом. Он еще не объявлял войны советской власти, но, несомненно, его фантазия устремлялась дальше кладовых Купеческого клуба и ночных кутежей, когда во дворе Дома, стоя в окне, он говорил перед народом, и, вслед за его античным жестом, вниз, во двор, в толпу, летели штаны, сапоги, куски материи, бутылки с коньяком.

Этого человека, — мрачное, точно вылитое из бронзы, лицо, на котором страсти и шумно прожитая жизнь, как великий скульптор, отчеканили складки, морщины, решительные линии рта, подбородка и шеи, схваченной мягким грязным воротничком, — Даша увидала первого, когда вошла вместе с Жировым в кабинет «Метрополя».

Крышка рояля была поднята. Щуплый, бритый человечек в бархатной куртке, закинув голову, закусив папиросу, занавесив ресницами масленые глаза, брал погребальные аккорды. За столом, среди множества пустых бутылок, сидело несколько мировых знаменитостей. Один из них, курносый, подперев ладонью характерный подбородок, отчего мягкое лицо его сплющилось, пел тенорком за священника. Остальные — резонер, с кувшинным лицом; мрачный, с отвисшей губой, комик; герой, не бритый третьи сутки и с обострившимся носом; любовник, пьяный до мучения; великий премьер, с пламенным челом, глубоко перерезанным морщинами, и на вид совершенно трезвый, — вступали, когда нужно, хором.

Архидьякон от «Христа-спасителя», седеющий красавец в золотых, полтора фунта весом, очках, поднесенных ему московским купечеством, похаживал по ковру, помахивая рукавом подрясника, и подавал возгласы. От зверино-бархатного баса его дребезжал хрусталь на столе. Кабинет был затянут темно-красным шелком, с парчовыми портьерами и трехстворчатыми ширмочками у входной двери.

Облокотясь об эти ширмы, стоял Мамонт Дальский. В руке он держал колоду карт. На нем был полувоенный костюм — английский френч, клетчатые, с кожей на заду галифе и черные сапоги. Когда Даша вошла, он злобно усмехнулся, слушая панихиду.

— С ума сойти — какой красоты женщина! — проговорил человек у рояля.

Даша заробела. Остановилась. Все поглядели на нее, кроме Дальского. Архидьякон сказал:

— Чисто русская красота.

— Девушка, идите к нам, — бархатно проговорил премьер.

Жиров зашептал:

— Садитесь же, садитесь.

Даша села к столу. У нее стали целовать руки, с подходами и торжественными поклонами, как у Марии Стюарт, после чего пение продолжалось. Жиров подкладывал икорки, закусочек, заставил выпить чего-то сладкого, обжигающего. Было душно, дымно. После тягучего напитка Даша сбросила мех, положила голые руки на стол. Ее волновали эти мрачные аккорды, древние слова пения. Она не отрываясь глядела на Мамонта. Только что, по дороге, Жиров рассказывал о нем. Он продолжал стоять в стороне у ширмы и был не то взбешен, не то пьян до потери сознания.

— Так что же, господа, — сказал он басом, наполнившим комнату. — Никто не хочет?

— Никто, никто не хочет с тобой играть, и так нам весело, и отстань, успокойся, — скороговоркой, тенорком проговорил тот, у кого было сплющенное лицо. — Ну-ка, Яшенька, подмахни глас седьмый.

Яша у рояля, совсем закинув голову, зажмурясь, положил пальцы на клавиши. Мамонт сказал:

— Не на деньги... Плевал я на ваши деньги...

— Все равно не хотим, не подыгрывайся, Мамонт.

— Я хочу играть на выстрел...

После этого с минуту все молчали. Герой с обострившимся носом провел ладонью по лбу и волосам, поднялся, стал застегивать жилетку.

— Я играю на выстрел.

Комик молча схватил его, навалился восемью пудами, усадил на место.

— Я ставлю мою жизнь, — закричал герой, — у подлеца Мамонта крапленые карты... Наплевать, пусть мечет. Пустите меня...

Но он уж обессилел. Резонер с расширяющимся книзу лицом сказал мягко:

— Ну вот, и вина нет ни капли. Мамонт, это же свинство, голубчик...

Тогда Мамонт Дальский бросил на телефонный столик колоду карт и большой автоматический пистолет. Чеканно-крупное лицо его побледнело от бешенства.

— Отсюда никто не уйдет, — произнес он по буквам. — Мы будем играть, как я хочу... Эти карты не крапленые.

Он сильно потянул воздух широкими ноздрями, нижняя губа его выпятилась. Все поняли, что настала опасная минута. Он оглянул лица сидящих за столом. Яша у рояля одним пальцем заиграл «чижика». Вдруг черные брови у Мамонта поднялись, в непроглядных глазах мелькнуло изумление. Он увидал Дашу. У нее поспешно стало холодеть сердце под этим взглядом. Не шатаясь, он подошел к ней, взял кончики ее пальцев и поднес к запекшимся губам, но не поцеловал, только коснулся.

— Говорите — нет вина... Вино будет...

Он позвонил, продолжая глядеть на Дашу. Вошел татарин-лакей. Развел руками: ни одной бутылки, все выпито, погреб заперт, управляющий ушел. Тогда Мамонт сказал:

— Ступай. — И пошел, как под взглядом тысячи зрителей, к телефону.

Вызвал номер. «Да... Я... Дальский... Послать наряд. «Метрополь»... Я здесь... Экстренно... Да... Четырех довольно...»

Он медленно положил трубку, прислонился во весь рост к стене и сложил на груди руки. Прошло не больше пятнадцати минут. Яша у рояля тихо наигрывал Скрябина. Закружилась голова от этих знакомых звуков, летевших из прошлого. Время исчезло. Серебряная парча на груди Даши поднималась и опускалась, кровь приливала к ушам. Жиров что-то шептал, она не слушала.

Она была взволнована, чувствовала счастье освобождения, легкость юности. Казалось ей — она летела, как оторвавшийся от детской колясочки воздушный шар, — все выше, все головокружительней...

Премьер погладил ее голую руку, пробархатил отечески:

— Не смотрите так нежно на него, моя голубка, ослепнут глазки... В Мамонте несомненно что-то сатанинское...

Тогда неожиданно раскинулись половинки входной двери, и за ширмами появились четыре головы в кепках, четыре в кожаных рукавах руки, сжимавшие ручные гранаты. Четыре анархиста крикнули угрожающе:

— Ни с места! Руки вверх!

— Отставить, все в порядке, — спокойно пробасил Дальский. — Спасибо, товарищи. — Он подошел к ним и, перегнувшись через ширмы, что-то стал объяснять вполголоса. Они кивнули кепками и ушли. Через минуту послышались отдельные голоса, заглушенный крик. Глухой удар взрыва слегка потряс стены.. Мамонт сказал:

— Щенки не могут без эффектов. — Он позвонил. Мгновенно вскочил в кабинет бледный лакей, зубы у него стучали. — Убери все, поставить чистое для вина! — приказал Мамонт. — Яшка, перестань мучить мои нервы, играй бравурное.

Действительно, не успели накрыть чистую скатерть, как анархисты снова появились со множеством бутылок. Положив на ковер коньяки, виски, ликеры, шампанское, они так же молча скрылись. За столом раздались восклицания изумления и восторга. Мамонт объяснил:

— Я приказал произвести в номерах выемку только пятидесяти процентов спиртного. Половина оставлена владельцам. Ваша совесть может быть покойна, все в порядке.

Яша у рояля грянул туш. Полетели шампанские пробки. Мамонт сел рядом с Дашей. Освещенное настольной лампой, его лицо казалось еще более скульптурно-значительным. Он спросил:

— Сегодня в «Люксе» я вас видел, вы спали... Кто вы такая?

Смеясь от головокружения, она ответила:

— Никто... Воздушный шарик...

Он положил ей большую горячую руку на голое плечо, стал глядеть в глаза. Даше было хоть бы что, — только тепло прохладному плечу под тяжестью руки. Она подняла за тоненькую ножку бокал с шампанским и выпила до дна.

— Ничья? — спросил он.

— Ничья.

Тогда Мамонт с трагическим напевом заговорил над Дашиным ухом:

— Живи, дитя мое, живи всеми силами души... Твое счастье, что ты встретила меня... Не бойся, я не обезображу любовью твою юность... Свободные не любят и не требуют любви... Отелло — это средневековый костер, инквизиция, дьявольская гримаса... Ромео и Юлия... О, я знаю, — ты тайно вздыхаешь по ним... Это старый хлам... Мы ломаем сверху донизу все... Мы сожжем все книги, разрушим музеи... Нужно, чтобы человек забыл тысячелетия... Свобода в одном: священная анархия... Великий фейерверк страстей... Нет! Любви, покоя не жди, красавица... Я освобожу тебя... Я разорву на тебе цепи невинности... Я дам тебе все, что ты придумаешь между двумя объятиями... Проси... Сейчас проси... Быть может, завтра будет поздно.

Сквозь этот бред слов Даша всей кожей чувствовала рядом с собой тяжелую закипающую страсть. Ее охватил ужас, как во сне, когда не в силах пошевелиться, а из тьмы сновидения надвигаются раскаленные глаза чудовища. Опрокинет, сомнет, растопчет... Еще страшнее было то, что в ней самой навстречу поднимались незнакомые, жгучие, душащие желания... Ощущала всю себя женщиной... Должно быть, она была так взволнована и хороша в эту минуту, что премьер потянулся к ней, чокаясь, и проговорил с завистью:

— Мамонт, ты мучаешь ребенка...

Как от выстрела в упор, Дальский вскочил, ударил по столу, — подпрыгнули, повалились бокалы.

— Застрелю! Коснись этой женщины!

Он устремился к телефонному столику, где лежал револьвер. Роняя стулья, вскочили все сидевшие за столом. Яша кинулся под рояль. Тогда, сама не понимая как, Даша повисла у Мамонта на руке, сжимавшей револьвер. Она молила глазами. Он схватил ниже лопаток ее хрупкую спину, приподнял и прижался ко рту, касаясь зубами зубов. Даша застонала. В это время зазвонил телефон. Мамонт опустил Дашу в кресло (она закрыла глаза рукой), сорвал телефонную трубку:

— Да... Что нужно? Я занят... Ага... Где? На Мясницкой. Бриллианты? Стоящие? Через десять минут я буду...

Он сунул револьвер в задний карман, подошел к Даше, взял в руки ее лицо, несколько раз жадно поцеловал и вышел, сделав прощальный жест рукой, как римлянин.

Остаток ночи Даша провела в «Люксе». Заснула как мертвая, не сняв платья из серебряной парчи. (Жиров из страха перед Мамонтом спал в ванной.) Затем до середины дня сидела у окна пригорюнясь. С Жировым не разговаривала, на вопросы не отвечала. Около четырех часов ушла и до пяти ждала на Пречистенском бульваре на площадке, где под носатым Гоголем тихо возились худенькие дети — делали из пыли и песка пирожки и калачики.

На Даше снова было старенькое платье и домодельная шапочка. Солнце грело в спину, солнце стояло над бедной жизнью. У детей были маленькие, от голода старенькие личики. Кругом — тишина и пустота. Ни стука колес, ни громких голосов. Все колеса укатились на войну, а прохожие помалкивали. Гоголь в гранитном кресле сутулился под тяжестью шинели, загаженной воробьями. Не замечая Даши, прошли двое с бородами: один глядел в землю, другой на деревья. Долетел обрывок разговора:

— Полный разгром... Ужасно... Что теперь делать?

— Однако Самара взята, Уфа взята...

— Ничему теперь не верю... Этой зимы не переживем...

— Однако Деникин расправляется на Дону...

— Не верю, ничто не спасет... Погиб Вавилон, погиб Рим, и мы погибнем...

— Однако Савинков не арестован. Чернов не арестован...

— Ерунда все это... Да, была Россия, да вся вышла...

Та же, что и вчера, прошла седая дама, робко показала из-под шали собрание сочинений Розанова. Даша отвернулась. К ее скамейке бочком подходил молодой человек с булавкой-черепом. Осмотревшись, поправил пенсне, подсел к Даше:

— Ночь провели в «Метрополе»?

Даша опустила голову, одними губами ответила: да.

— Отлично. Я вам устроил комнату. Вечером переедете. Жирову ни полслова. Теперь — о деле: вы знаете в лицо Ленина?

— Нет.

Он вынул несколько фотографических карточек и сунул их в Дашину сумочку. Посидел, захватывая и покусывая волоски бородки. Взял Дашины руки, безжизненно лежавшие на коленях, встряхнул.

— Дело обстоит так... Большевизм — это Ленин. Вы понимаете? Мы можем разгромить Красную Армию, но, покуда в Кремле сидит Ленин, — победы нет. Понятно? Этот теоретик, эта волевая сила — величайшая опасность для всего мира, не только для нас... Подумайте и ответьте мне твердо: согласны вы или нет...

— Убить? — глядя на голопузого, переваливающегося на кривых ножках ребенка, спросила Даша. Молодой человек передернулся, поглядел направо, прищурился на детей и опять укусил волоски бородки.

— Никто об этом не говорит... Если вы думаете, то — не кричите вслух... Вы взяты нами в организацию... Разве вы не поняли, о чем говорил Савинков?

— Он со мной не говорил... (Молодой человек усмехнулся.) Ах, значит, тот, с платком, и был...

— Тише... С вами говорил Борис Викторович... Вам оказано страшное доверие... Нам нужны свежие люди. Были большие аресты. Вам известно, конечно: план мобилизации в Казани провален... Работа центра переносится в другое место... Но здесь мы оставляем организацию... Ваша задача — следить за выступлениями Ленина, посещать митинги, бывать на заводах... Работать вы будете не одна... Вас будут извещать о его поездках из Кремля и предполагаемых выступлениях... Если завяжете знакомства с коммунистами, проситесь в партию — это будет самое лучшее. Следите за газетами и читайте литературу... Дальнейшие инструкции получите завтра утром, здесь же...

Затем он дал ей адрес явки, пароль и передал ключ от комнаты. Он ушел в направлении Арбатских ворот. Даша вынула из сумки фотографию и долго рассматривала ее. Когда, вместо этого лица, она стала видеть другое, выплывавшее из-за малиновых портьер минувшей ночи, — она резко захлопнула сумочку и тоже ушла, нахмуренная, с поджатыми губами. Маленький мальчик на кривых ножках засеменил было за ней, но шлепнулся на песок дряблым тельцем и горько заплакал.

Дашина комната оказалась на Сивцевом Вражке, в ветхом особнячке, во дворе. Видимо, дом был покинут. Даша едва достучалась на черном ходу: ее встретила грязная низенькая старуха с вывороченными веками, с виду — прижившаяся при доме нянька. Она долго ничего не понимала. Впустив наконец и проводив Дашу до ее комнаты, принялась непонятно рассказывать:

— Разлетелись ясны соколы — и Юрий Юрич, и Михаил Юрич, и Василий Юрич, а Васеньке на Фоминой только шестнадцатый годок пошел... Уж стала их за упокой души поминать...

Даша отказалась от чая, разделась, влезла под ватное одеяло и в темноте заплакала в три ручья, зажимая рот подушкой.

Наутро, у памятника Гоголя, она получила инструкции и приказ — завтра быть на заводе. Думала вернуться домой, но передумала — пошла в кафе «Бом». Там затоптался около нее Жиров, спрашивая, куда она исчезла, почему ушла без вещей. «Жду от Мамонта телефонограммы, что ему ответить про вас?» Даша отвернулась, чтобы он не увидел запылавших щек... Сама, чувствуя, что лжет, подумала: «В конце концов — инструкция такова, что нужно продолжать с ними знакомство...»

— За вещами зайду, — сказала она сердито, — а там увидим.

С пакетом, где лежали драгоценный палантин, белье и вчерашнее платье, она вернулась домой. Когда развернула вещи, бросила на кровать, взглянула, — ее охватила такая дрожь, зуб не попадал на зуб, плечи снова почувствовали тяжесть его руки, и зубы — холод его зубов... Даша опустилась перед кроватью и спрятала лицо в пахучий мех. «Что же это такое, что же это такое?» — бессмысленно повторяла она...

Наутро она оделась, как велели, в темное ситцевое платьишко, повязала платок по-пролетарски (она должна была выдавать себя за бывшую горничную из богатого дома, изнасилованную барином; платьишко ей привез человек с булавочкой) и на трамвае поехала на завод.

У нее не было пропуска. Старик сторож у ворот подмигнул ей: «Что, девка, на митинг? Ступай в главный корпус». По гнилым доскам она пошла мимо свалок ржавого железа и шлака, мимо выщербленных огромных окон. Всюду было пусто, в безоблачном небе тихо дымили трубы.

Ей указали на замызганную дверцу в стене. Даша вошла в длинный кирпичный зал. Мрачный свет проникал сюда сквозь закопченную стеклянную крышу. Все было голо и обнажено. С мостов свешивались цепи подъемных кранов. Ниже тянулись валы трансмиссий, неподвижно на их шкивах висели приводные ремни. Непривычный глаз изумляли черные станины, то приземистые, то вытянутые, то раскоряченные очертания строгальных, токарных, фрезерных, долбежных станков, чугунные диски фрикционов. За широкой аркой, в полутьме, вырисовывалась подбочененная громада тысячепудового молота.

Здесь строили машины и механизмы, которые там, за мрачными стенами завода, наполняли жизнь светом, теплом, движением, разумностью, роскошью. Здесь пахло железными стружками, машинным маслом, землей и махоркой. Множество людей стояло перед дощатой трибуной, многие сидели на станинах станков, на высоких подоконниках.

Даша пробралась поближе к трибуне. Рослый парень, оглянувшись, открыл широкой улыбкой зубы — белые на замазанном лице, кивнул на верстак, протянул руку. Даша стала на верстаке под окном. Кругом — несколько тысяч голов, — лица нахмурены, лбы наморщены, рты сжаты. Каждый день на улицах, в трамваях она видела эти лица — обыкновенные, русские, утомленные, с не пускающим в себя взглядом. Однажды, — это было еще до войны, — во время воскресной прогулки по островам, два помощника присяжных поверенных, сопровождавших Дашу, завели разговор именно об этих лицах. «Возьмите парижскую толпу, Дарья Дмитриевна, — она весела, она добродушна, пенится радостью... А у нас — каждый смотрит волком. Вон идут двое рабочих. Хотите, подойду, скажу шутку... Обидятся, не поймут... Нелепый, тяжелый русский народ...» Теперь эти не любящие шуток стояли взволнованные, мрачные, сосредоточенно-решительные. Это — те же лица, но потемневшие от голода, те же глаза, но взгляд — зажженный, нетерпеливый.

Даша забыла, зачем пришла. Впечатления жизни, куда она кинулась из пустынного окна на улице Красных Зорь, захватывали ее, как птицу буря. Она с нетронутой искренностью вся отдалась этим новым впечатлениям. Она совсем не была глупенькой женщиной, но — так же как многие — предоставлена самой себе, одному своему крошечному опыту. В ней была жажда правды, личной правды, женской правды, человеческой правды.

Докладчик говорил о положении на фронтах. Утешительного было мало. Хлебная блокада усиливалась: чехословаки отрезывали сибирский хлеб, атаман Краснов — донской. Немцы беспощадно расправлялись с украинскими партизанами. Флот интервентов грозил Кронштадту и Архангельску. «Но все же революция должна победить!» — докладчик бросил лозунги, вколотил их кулаком в пространство и, захватив портфель, сбежал с трибуны. Ему похлопали, но вяло, — дела оборачивались так, что не захлопаешь. Понурились головы, прикрылись бровями глаза.

Зубастый парень, — Даша встретилась с ним глазами, — опять весело ей оскалился:

— Вот, девка, беда-то, — как мышей, хотят заморить... Что ты будешь делать?..

— А ты испугался? — сказала Даша.

— Это я-то? Ужас до чего испугался. (На него сердито зашикали: «Тише ты, дьявол!») А тебя как зовут-то?

Даша посмотрела на него, — на мускулистой груди раскрыта черная рубаха, бычья шея, веселая голова, улыбка, потные кудри, лютые до баб круглые глаза, весь чумазый....

— Хо-орош! — сказала Даша. — Чего ты скалишься?

— Мамка с лавки уронила. А ты вот что, — послезавтра поедем с нами на фронт. Ладно? Все равно тебе здесь пропадать, в Москве... С гармоньей поедем, девка...

Слова его заглушил шум аплодисментов. На трибуне стоял новый оратор, — небольшого роста человек в сером пиджаке, в измятом поперечными складками жилете. Нагнув лысый бугристый череп, он разбирал бумажки. Он сказал слегка картавящим голосом: «Товарищи!» — И Даша увидела его озабоченное лицо с прищурившимися, как на солнце, глазами. Руки его опирались о стол, о листки записок. Когда он сказал, что темой сегодня будет величайший кризис, обрушившийся на все страны Европы и всего тяжелее — на Россию, темой будет — голод, — три тысячи человек под закопченной крышей затаили дыхание.

Он начал с общих соображений, говорил ровным голосом, нащупывая связь со слушателями. Несколько раз отходил от стола и возвращался к нему. Он говорил о мировой войне, которую не могут и не хотят окончить две группы хищников, вцепившихся друг другу в горло, о бешеной спекуляции на голоде, о том, что войну может кончить только пролетарская революция...

Он заговорил о двух системах борьбы с голодом: о свободной торговле, бешено обогащающей спекулянтов, и о государственной монополии. Он отступил шага на три вбок от стола и, наклонившись к аудитории, заложил большие пальцы с боков за жилет. Сразу выступили вперед лобастая голова и большие руки, — указательный палец был запачкан чернилами.

— ...Мы стояли и будем стоять рука об руку с тем классом, с которым мы выступили против войны, вместе с которым свергли буржуазию и вместе с которым переживаем всю тяжесть настоящего кризиса. Мы должны стоять за хлебную монополию до конца... (Зубастый парень даже крякнул при этом.) Перед нами задачей стоит необходимость победить голод или по крайней мере уменьшить тяжесть до нового урожая, отстоять хлебную монополию, отстоять право советского государства, отстоять право пролетарского государства. Все излишки хлеба мы должны собрать и добиться того, чтобы все запасы были свезены в те места, где нуждаются, — правильно их распределить... Это основная задача — сохранение человеческого общества, и в то же время неимоверный труд, который решается лишь одним путем: общим, усиленным повышением труда...

В бездыханной тишине кто-то вдруг глухо охнул, чья-то измученная душа споткнулась на этом ледяном подъеме, куда вел человек в сером пиджаке.

Лоб его нависал над слушателями, из-под выпуклостей глядели глаза — пристальные, неумолимые.

— ...Мы столкнулись лицом к лицу с осуществлением задачи революционно-социалистической, здесь встали перед нами необычайные трудности. Это целая эпоха ожесточеннейшей гражданской войны... Только разбивая наголову контрреволюцию, только продолжая политику социалистическую в вопросе о голоде, в борьбе с голодом, мы победим и голод и контрреволюционеров, пользующихся этим голодом...

Рука его вылетела из-за жилета, уничтожила кого-то в воздухе и повисла над залом.

— ...Когда рабочие, сбитые с толку спекулянтскими лозунгами, говорят о свободной продаже хлеба, о ввозе грузового транспорта, мы отвечаем, что это значит — пойти на выручку кулакам... На этот путь мы не станем... Мы будем опираться на трудовой элемент, с которым мы одержали октябрьскую победу, будем добиваться своего решения только введением пролетарской дисциплины среди слоев трудового народа. Перед нами историческая задача, мы решим ее... Самый коренной вопрос жизни — о хлебе — поставили последние декреты. Они все имеют три руководящие идеи. Первая — идея централизации, или объединения всех вместе в одну общую работу под руководством центра... Да, нам указывают, как на каждом шагу рушится хлебная монополия посредством мешочничества и спекуляции. Все чаще приходится слышать от интеллигенции: но ведь мешочники оказывают им услугу, и они все ими кормятся... Да... Но мешочники кормят *по-кулацки,* они действуют именно так, как нужно действовать, чтобы укрепить, установить, *увековечить* власть кулаков...

Рука его зачеркнула то, что более никогда уже не будет.

— ...Наш второй лозунг — объединение рабочих. Они выведут Россию из отчаянного и гигантски трудного положения. Организация рабочих отрядов, организация голодных из неземледельческих голодных уездов, — их мы зовем на помощь, к ним обращается наш комиссариат продовольствия, им мы говорим: *«В крестовый поход за хлебом».*

С тяжелой яростью обрушились аплодисменты. Даша видела, как он отступил, засунув руки в карманы, поднял плечи. На скулах его горели пятна, веки дрожали, лоб был влажен.

— ...Мы строим диктатуру... Мы строим насилие по отношению к эксплуататорам...

И эти слова потонули в аплодисментах. Он махнул рукой: перестаньте же... И — в тишине:

— ...«Объединяйтесь, представители бедноты» — вот наш третий лозунг. Перед нами историческая задача: нам нужно дать самосознание новому историческому классу... Во всем мире отряды рабочих городских, рабочих промышленных объединились поголовно. Но почти нигде в мире не было еще систематических беззаветных и самоотверженных попыток объединить тех, кто по деревням, в мелком земледельческом производстве, в глуши и темноте отуплен всеми условиями жизни. Тут стоит перед нами задача, которая сливает в одну цель не только борьбу с голодом, а борьбу и за весь глубокий и важный строй социализма. Здесь перед нами такой бой, на который стоит отдать все силы и поставить все на карту, потому что это бой за социализм, потому что это бой за последний строй трудящихся и эксплуатируемых.

Он быстро ладонью вытер лоб.

— ...И недалеко от Москвы, и в губерниях, лежащих рядом, — в Курской, Орловской, Тамбовской, — мы имеем, по расчету осторожных специалистов, еще теперь до десяти миллионов пудов избытка хлеба. Давайте, товарищи, браться за дело с общими усилиями. Только общие усилия, только объединение всех, кто больше всего страдает в голодных городах и уездах, нам помогут, и это — тот путь, на который вас зовет советская власть: объединение рабочих, объединение бедноты, их передовых отрядов, для агитации на местах, для войны за хлеб против кулаков...

Он чаще проводил ладонью по лбу, голос его тускнел, — он сказал уже все, что хотел. Он взял со стола листок, взглянул, собрал остальные листки.

— Итак, товарищи, если мы все это усвоим, все это сделаем, тогда победим наверняка.

И вдруг улыбка, добродушная и ясная, осветила его лицо. И все поняли: свой, свой! Закричали, захлопали, затопали. Он побежал с трибуны, втягивая голову в плечи. Зубастый парень около Даши ревел бычьей глоткой:

— Да здравствует Ильич!

Даша могла только сказать: видела и слышала «другое»... Вернувшись с митинга, она сидела на кровати, расширенными глазами глядела на завиток обоев. На подушке лежала записка от Жирова: «Мамонт ждет в одиннадцать, в «Метрополе». На полу у двери валялась другая записка: «Будьте сегодня в 6 у Гоголя...»

Во-первых, это другое было сурово моральное, значит — высшее... Говорилось о хлебе. Раньше она знала, что хлеб можно купить или выменять — цена ему известна: пуд муки — пара штанов без заплаток. Но оказалось, что этот хлеб революция гневно отталкивает от себя. Хлеб этот нечистый. Лучше умереть, но этот хлеб не есть. Три тысячи голодных людей отреклись сегодня от нечистого хлеба.

Отреклись во имя... (Но тут в Дашиной бедной голове снова все спуталось.) Во имя униженных и угнетенных... Ведь так он сказал? Отдать все силы, все поставить на карту, жизнь — за трудящихся и эксплуатируемых... Вот почему у них эта трагическая суровость...

Куличек рассказывал, что со всех сторон света готовы протянуться руки помощи, руки с хлебом... Только — уничтожить советский строй... Уничтожить — и будет хлеб... Во имя чего? Во имя спасения России. Спасения от кого же? От самих себя... Но они не хотят «так» спасаться — она сама видела... Бедная, бедная Дашина голова! Поздно ты, Дашенька, занялась политикой... «Постой... — сказала она, — постой». Заложила руки за спину и прошлась по комнате, глядя под ноги.

«Что может быть выше, чем отдать жизнь за униженных и угнетенных?.. А Куличек говорит, что от большевиков погибает Россия, и все это говорят...» Даша закрыла глаза, силясь представить Россию как нечто такое, что она должна любить больше самой себя. Вспомнилась картина Серова: две лошади на косогоре, полотнище тучи на закате и растрепанная соломенная крыша... «Нет, это у Серова...» И в закрытые глаза ей весело и дико оскалился давешний зубастый парень. Даша опять прошлась... «Какая же такая Россия? Почему ее рвут в разные стороны? Ну, я — дура, ну, я ничего не понимаю...Ах, боже мой!» Даша стала щепоткой пальцев стучать себя в грудь. Но и это не помогло... «К Ленину побежать спросить? Ах, черт, ведь я же в другом лагере...»

Все эти ужасные противоречия и смятение души привели к тому, что к шести часам Даша нахлобучила на глаза шапчонку и пошла к памятнику Гоголя. Человек с булавочкой сейчас же отделился от дерева:

— Опоздали на три минуты... Ну? Были? Слышали Ленина? Расскажите самую суть... Как он приехал, кто его сопровождал, охрана была на трибуне?

Даша помолчала, собираясь с мыслями.

— Скажите, во имя чего его хотят убить?

— Ага! С чего вы взяли? Никто не собирается... Так, так, так... Значит — на вас подействовало? Ну, еще бы... Вот поэтому-то он так и опасен.

— Но он говорит справедливые вещи.

Вытянув шею, с улыбочкой — тоненькой и влажной, под самые Дашины глаза, — он спросил вкрадчиво:

— Так что же, не отказаться ли вам, а?

Даша отодвинулась. А у него шея вытягивалась, как резиновая, в самые Дашины зрачки блеснули зайчики его пенсне. Она прошептала:

— Я ничего не знаю... Я ничего больше не понимаю... Я должна быть убеждена, я должна быть убеждена...

— Ленин — агент германского генерального штаба, — просвистал человек с булавочкой. Затем он потратил около получаса на то, чтобы растолковать Даше про адский план немцев: они посылают нанятых за огромные деньги большевиков в пломбированном вагоне, большевики разрушают армию, дурачат рабочих, уничтожают отечественную промышленность и сельское хозяйство... Через какой-нибудь месяц немцы возьмут Россию голыми руками. — Сейчас большевики раздувают гражданскую войну, кричат о хлебной блокаде и вместе с тем расстреливают мешочников — наших спасителей... Они сознательно организуют голод... Вы видели, как сегодня несколько тысяч дураков смотрели в рот Ленину... Хочется кусать себе руки от боли... Он обманывает массы, миллионы, весь народ... В одном плане, физическом, он — «великий провокатор»... В другом... (он качнулся к Дашиному уху и шепнул одним дуновением) антихрист! Помните предсказания? Сроки сбываются. Север идет войной на юг. Появляются железные всадники смерти, — это танки... В источники вод падает звезда Полынь, — это пятиконечная звезда большевиков... И он говорит народу, как Христос, но только все шиворот-навыворот... Сегодня он и вас пытался соблазнить, но мы вас не отдадим... Я переведу вас на другую работу.

Невыясненным остался третий вопрос. (Даша опять вернулась домой, легла на кровать, прикрыв локтем глаза.) Ей вдруг осточертело думать... «Да что мне, в самом деле, — сто лет? Дурна я, как смертный грех? Возьму и дам себе волю... Хочешь идти в «Метрополь» — иди... Для кого прятать все это, что не хочет быть спрятано, душить в груди крик счастья? Для кого с такой мукой сжимать колени? Для чьих ласк? Дура, дура, трусиха... Да разожмись, кинься... Все равно — к черту любовь, к черту себя...»

Она уже знала, что пойдет в «Метрополь». И если раздумывала, то только оттого, что не настало еще время идти, — были сумерки — самый ядовитый час для раздумья. В доме медленно, по-башенному, часы пробили девять. Даша стремительно соскочила с постели... «Унизительно так волноваться, не хочу!..»

Она поспешно разделась и в одной рубашке побежала в ванную, где были свалены дрова, сундуки, рухлядь. Стала под душ. Ледяной дождь упал на спину, Даша почти задохнулась. Мокрая, вернулась к себе, стащила с кровати простыню, вытерлась, постукивая зубами.

И даже и в эту минуту не пришло решение: она глядела то на старое платьишко, сброшенное прямо на пол, то на вечернее, перекинутое через спинку кресла.. И опять поняла, что это — трусость, только отсрочка. Тогда она стала одеваться. Зеркала не было, и слава богу! Накинула соболий палантин и, как воровка, вышла на улицу. Были уже глубокие сумерки. Она шла по бульварам. Мужчины с изумлением провожали ее глазами, вдогонку летели замечания, не слишком успокаивающие. Из-под дерева шатнулись двое в солдатских шинелях, окликнули: «Паразит, погоди, куда бежишь?»

На Никитской площади Даша остановилась, — едва дышала, кололо сердце. Отчаянно звоня, проходил освещенный трамвай с прицепом. На ступеньках висели люди. Один, ухватившись правой рукой за медную штангу, а в другой держа плоский крокодиловый чемоданчик, пролетел мимо и обернул к Даше бритое сильное лицо. Это был Мамонт. Даша ахнула и побежала за трамваем. Он увидел ее, чемоданчик в его руке судорожно взлетел. Он оторвал от поручня другую руку, соскочил на всем ходу, пошатнулся навзничь, тщетно хватаясь за воздух, задрав одну огромную подошву, и сейчас же его туловище скрылось под трамвайным прицепом, чемоданчик упал к ногам Даши. Она видела, как поднялись судорогой его колени, послышался хруст костей, саноги забили по булыжнику. Взвизгнули тормоза, с трамвая посыпались люди.

Графитовый свет поплыл в глазах, мягкой, как пелена, показалась мостовая, — потеряв сознание, Даша упала руками и щекой на крокодиловый чемоданчик.

9

Переход в наступление Добровольческой армии, так называемый «второй кубанский поход», начался с операции против станции Торговой. Овладение этим железнодорожным узлом было чрезвычайно важно, — с его захватом весь Северный Кавказ отрезывался от России. Десятого июня армия в девять тысяч штыков и сабель, под общим командованием Деникина, бросилась четырьмя колоннами на окружение Торговой.

Деникин находился при колонне Дроздовского. Напряжение было огромное. Все понимали, что исход первого боя решает судьбу армии. Под артиллерийским обстрелом противника, занавешенные огнем единственного своего орудия, стрелявшего на картечь, дроздовцы бросились вплавь через речку Егорлык. В передней цепи барахтался в воде, как шар, захлебываясь и ругаясь, командир полка штабс-капитан Туркул. Красные отчаянно защищались, но неумело позволили опытному противнику окружить себя. Заставы были опрокинуты — с юга колонной Боровского, с востока — конницей Эрдели. Перемешавшиеся части красных и огромные обозы, оставив Торговую, начали отступление на север. Но здесь со стороны Шаблиевки им загородила путь колонна Маркова. Победа добровольцев оказалась полной. Казачьи сотни Эрдели рыскали по степи, рубя бегущих, захватывая пленных и телеги с добром.

Были уже сумерки. Бой затихал. Деникин, заложив полные руки за спину, красный и нахмуренный, ходил по перрону вокзала. Юнкера с шутками и смехом — как шутят после миновавшей смертельной опасности, — носили мешки с песком, укладывали их на открытые платформы, устанавливали пулеметы на самодельном бронепоезде. Изредка, сотрясая воздух, доносился орудийный выстрел, — это на севере за Шаблиевкой били с красного бронепоезда. Последний снаряд оттуда упал около моста через Маныч, там, где на сивой лошадке сидел генерал Марков. Он не спал, ничего не ел и не курил двое суток и был раздражен тем, что занятие Шаблиевки произошло не так, как ему хотелось. Станция оказалась занятой сильным отрядом с артиллерией и броневиками. Вчера, одиннадцатого, и сегодня весь день его обходная колонна дралась упорно и без успеха. Быстрое счастье на этот раз изменило ему. Потери были огромны. И только к вечеру, видимо, в связи с общей обстановкой, большевики, занимавшие Шаблиевку, отступили.

Слегка перегнувшись с седла, он всматривался в неясные очертания нескольких трупов, лежавших в застывших позах, в каких их застигла смерть. Это были его офицеры, каждый из них в бою стоил целого взвода. Совершенно бессмысленно, из-за какой-то вялости его ума, было убито и ранено несколько сот лучших бойцов.

Он услышал стон, хрипящие вздохи будто пробуждающегося от кошмара человека, какое-то шипенье. Из предмостного окопа поднялся офицер и сейчас же упал животом на бруствер. Закряхтев, оперся, с трудом занес ногу, вылез и уставился на большую ясную звезду в погасающем закате. Покрутил обритой головой, застонал, пошел, спотыкаясь, увидел генерала Маркова. Взял под козырек, оторвал руку.

— Ваше превосходительство, я контужен.

— Вижу.

— Я получил выстрел в спину.

— Напрасно...

— Я контужен со спины в голову из револьвера в упор... Меня пытался убить вольноопределяющийся Валерьян Оноли...

— Ваша фамилия? — резко спросил Марков.

— Подполковник Рощин...

В эту как раз минуту, в последний раз, выстрелило шестидюймовое орудие с уходившего на север красного бронепоезда. Снаряд с воем промчался над темной степью. Сивая лошадка генерала, беспокоясь, запряла ушами, начала садиться. Снаряд шарахнулся с неба и разорвался в пяти шагах от Маркова.

Когда рассеялись пыль и дым, Вадим Петрович Рощин, отброшенный взрывом, увидел на земле сивую лошаденку, лягающую воздух, и около — раскинутое маленькое бездыханное тело. Рощин, приподнимаясь, закричал:

— Санитары! Убит генерал Марков!

Заняв Торговую, Добровольческая армия повернула на север, на Великокняжескую, с двойной целью: чтобы помочь атаману Краснову очистить Сальский округ от большевиков и чтобы прочнее обеспечить свой тыл со стороны Царицына. Великокняжескую взяли без больших потерь, но и успеха не удалось развить, так как в ночном бою конный отряд Буденного опрокинул и растрепал казачьи части Эрдели и не дал им переправиться через Маныч.

Под самой станцией едва не погиб первый добровольческий бронепоезд. С него заметили бегущий паровоз под белым флагом и, полагая, что это парламентеры, приостановили огонь. Но паровоз летел, не сбавляя хода, непрерывно свистя. Лишь в последнюю минуту с бронепоезда догадались дать по нему несколько выстрелов в упор. Все же столкновение произошло, одна платформа была разбита, и паровоз опрокинулся — он был облит нефтью и обвешан бомбами. На несколько минут все поле битвы заинтересовалось этим кадром из американского фильма.

Передав район донскому командованию, предоставив отрядам станичников самим кончать с местными большевиками, Деникин снова повернул на юг, на овладение важнейшим узлом — станцией Тихорецкой, соединявшей Дон с Кубанью, Черноморье с Каспием. Он шел навстречу большим опасностям. На пути лежали два больших иногородних села — Песчанокопское и Белая Глина — очаги большевизма. Их спешно укрепляли. Армия Калнина лихорадочно окапывалась под Тихорецкой. Армия Сорокина оправилась к этому времени от паники и начинала давить с запада. Перегруппировывались разбитые на Маныче части красных, переходили с тыла в наступление. Из многих станиц высылалось ополчение.

Деникин мог рассчитывать только на одно: несогласованность в действиях противника. Но и это могло измениться каждую минуту. Поэтому он спешил. Местами ему приходилось самому поднимать цепи, лежавшие в полном изнеможении. Пехоту везли на телегах. Впереди армии двигался все тот же доморощенный бронепоезд.

Под Песчанокопским вместе с красноармейцами дралось все население. Такой ярости добровольцы еще не видели. От утра и до ночи дрожала степь от канонады. Полки Боровского и Дроздовского два раза были выбиваемы из села. И только увидев себя окруженными со всех сторон, не зная сил и средств противника, красные покинули село до последнего человека. Теперь все части, все отряды и толпы беженцев сходились в Белую Глину.

Здесь в центре десятитысячного ополчения стояла Стальная дивизия Дмитрия Жлобы. Все возрасты были призваны к оружию. Укреплялись подступы, впервые проявлялись организованность и тактическое понимание. На митингах призывали — победить или умереть.

Ничего не помогло. Противник был ученый — против храбрости, против отчаянности выдвигал науку, учитывал каждую мелочь и двигался, как по шахматному полю, всегда оказываясь неожиданно в тылу. Правда, начало наступления белых было неудачно. Полковник Жебрак, ведший дроздовцев, напоролся в темноте на хутор — на передовые цепи; встреченный в упор огнем, кинулся в атаку и упал замертво. Дроздовцы отхлынули и залегли. Но уже к девяти часам утра с юга в Белую Глину ворвались Кутепов с корниловцами, конный полк дроздовцев и броневик. Со стороны захваченной станции подходил Боровский. Начался уличный бой. Красные почувствовали, что окружены, и заметались. Броневик врезывался в их толпы. Запылали соломенные крыши. Коровы и лошади носились среди огня, выстрелов, воплей...

Стальная дивизия Жлобы отступила по единственной еще свободной дороге. Там, у железнодорожной будки, стоял на коне Деникин. Он сердито кричал, приставив ладони ко рту, чтобы перерезали дорогу отступающим, — за остатками Стальной дивизии уходили партизаны, все население. В угон бегущим скакала конница Эрдели. Не вытерпели и конвойцы главнокомандующего, выхватили шашки, понеслись рубить. Штабные офицеры завертелись в седлах и, как гончие по зверю, поскакали туда же, рубя по головам и спинам. Деникин остался один. Сняв фуражку, смахивал ею возбужденное лицо. Эта победа расчищала ему дорогу на Тихорецкую и Екатеринодар.

В сумерки в селе, на дворах, слышались короткие залпы: это дроздовцы мстили за убитого Жебрака — расстреливали пленных красноармейцев. Деникин пил чай в хате, полной мух. Несмотря на духоту ночи, плотная тужурка на нем, с широкими погонами, была застегнута до шеи. После каждого залпа он оборачивался к разбитому окошку и скомканным платочком проводил по лбу и с боков носа.

— Василий Васильевич, голубчик, — сказал он своему адъютанту, — попросите ко мне прийти Дроздовского; так же нельзя все-таки.

Звякнув шпорами, приложив, оторвав руку, адъютант повернулся и вышел. Деникин стал доливать из самовара в чайник. Новый залп раздался совсем близко, так что звякнули стекла. Затем в темноте завыл голос: у-у-у-у. Кипяток перелился вместе с чаинками через край. Антон Иванович закрыл чайник: «Ай, ай, ай!» — прошептал он. Резко раскрылась дверь. Вошел смертельно бледный тридцатилетний человек в измятом френче с мягкими, тоже измятыми, генеральскими погонами. Свет керосиновой лампы тускло отразился в стеклах его пенсне. Квадратный подбородок с ямочкой щетинился, выпячивался, впавшие щеки подергивались. Он остановился в дверях. Деникин тяжело приподнялся с лавки, протянул навстречу руку:

— Михаил Григорьевич, присаживайтесь. Может быть, чайку?

— Покорно благодарю, нет времени.

Это был Дроздовский, недавно произведенный в генералы. Он знал, зачем позвал его главнокомандующий, и, как всегда, — ожидая замечания, — мучительно сдерживал бешенство. Нагнув голову, глядел вбок.

— Михаил Григорьевич, я хотел насчет этих расстрелов, голубчик...

— У меня нет сил сдержать моих офицеров, — еще более бледнея, заговорил Дроздовский неприятно высоким, срывающимся на истерику голосом. — Известно вашему высокопревосходительству, — полковник Жебрак зверски замучен большевиками... Тридцать пять офицеров... кого я привел из Румынии... замучены и обезображены... Большевики убивают и мучат всех...

Да, всех... (Сорвался, задохнулся.) Не могу сдержать... Отказываюсь... Не угоден вам, ради бога — рапорт... За счастье почту — быть рядовым...

— Ай, ай, ай, — сказал Деникин. — Михаил Григорьевич, нельзя так нервничать... При чем тут рапорт... Поймите, Михаил Григорьевич: расстреливая пленных, мы тем самым увеличиваем сопротивление противника... Слух о расстрелах пойдет гулять. Зачем же нам самим наносить вред армии? Вы согласны со мной? Не правда ли? (Дроздовский молчал.) Передайте это вашим офицерам, чтобы подобные факты не повторялись.

— Слушаюсь! — Дроздовский повернулся и хлопнул за собой дверью.

Деникин долго еще покачивал головой, думая над стаканом чая. Вдалеке разорвался последний залп, и ночь затихла.

Операция против Тихорецкой задумана была по плану развертывания армии на широком шестидесятиверстном фронте. Предварительно нужно было очистить плацдарм от отдельных отрядов и партизанских частей. Это было поручено молодому генералу Боровскому: он в двое суток с боями проколесил сто верст, заняв ряд станиц. В истории гражданской войны это был первый, как его называли, «рейд» в тылах противника.

Добровольческая армия развернулась на очищенном плацдарме. Тридцатого Деникин отдал короткий приказ: «Завтра, первого июля, овладеть станцией Тихорецкой, разбив противника, группирующегося в районе Терновской — Тихорецкой...» В ночь колонны двинулись, широким объятием охватывая Тихорецкую. Большевики после короткой перестрелки начали отступать к укрепленным позициям.

Здесь уже не было того отчаянного сопротивления, как неделю тому назад. Падение Белой Глины внесло смущение. Приостановилось наступление Сорокина. Жертвы — тысячи павших в кровавом бою — оказались напрасными. Противник двигался, как машина. Воображение в десять раз преувеличивало силы добровольцев. Рассказывали, что со всей России тучами сходятся к Деникину офицеры, что «кадеты» не дают пощады никому, что, как только они очистят край, вслед придут немцы. Калнин, командующий тихорецкой группой, сидел, как парализованный, в своем поезде на станции Тихорецкой. Когда он увидел, что полчища деникинцев подходят с четырех сторон, он пал духом и приказал отступать.

В девятом часу утра битва затихла, красные войска отошли на укрепленное полукольцо. Калнин заперся в купе и прилег вздремнуть, уверенный, что боя на сегодня больше не будет. Добровольцы тем временем продолжали глубокий охват противника, двигаясь по полям в густой пшенице. К полудню их крайние фланги сомкнулись и вышли с юга в тыл. Корниловский полк бросился на станцию и без потерь захватил ее. Железнодорожники попрятались. Калнин исчез, — в купе валялись его фуражка и сапоги. Рядом в купе был найден его начальник штаба, генерального штаба полковник Зверев: он лежал на полу с разнесенным черепом. На койке, ничком, закрыв голову шалью, еще дышала его жена с простреленной грудью.

После этого добровольческим колоннам оставалось только сжать в тисках Красную Армию, лишенную командования, отрезанную от базы и дорог. До вечера они громили ее из пушек и пулеметов. Люди метались в полукольце, свинцовый ураган косил в лицо и в спину. Обезумевшие люди поднимались из окопов, бросались в штыковые атаки и всюду находили смерть. Под вечер Кутепов преградил единственный еще свободный путь на север и огнем и холодным оружием уничтожал пробивающиеся к полотну группы красных. В сумерки все перемешалось в густой пшенице — и красные, и белые. Командиры, бегая, как перепела в хлебе, собирали офицеров и снова и снова бросали в бой. В одном месте из окопов выкинули на штыках платки. Кутепов с офицерами подскакал и был встречен залпом и матюгом последней ярости. Он умчался, пригнувшись к лошадиной шее. Приказ главнокомандующего был — не расстреливать пленных; но никто не приказывал их брать.

Наутро Деникин шагом объезжал поле боя. Куда только видел глаз — пшеница была истоптана и повалена. В роскошной лазури плавали стервятники. Деникин поглядывал на извивающиеся по полям — через древние курганы и балки — линии окопов, из них торчали руки, ноги, мертвые головы, мешками валялись туловища. Он находился в лирическом настроении и, полуобернувшись, чтобы к нему подскакал адъютант, проговорил раздумчиво:

— Ведь это все русские люди. Ужасно. Нет полной радости, Василий Васильевич...

Победа была полной. Тридцатитысячная армия Калнина была разгромлена, перебита и рассеяна. Только семь эшелонов красных успело проскочить в Екатеринодар. Армия Сорокина отрезывалась. Разъединялись окончательно отдельные группы красных войск: восточная, в районе Армавира, и приморская — Таманская армия. Деникинцам доставалась огромная добыча: три бронированных поезда, броневые автомобили, пятьдесят орудий, аэроплан, вагоны винтовок, пулеметов, снарядов, богатое интендантское имущество.

Впечатление от победы было ошеломляющее. Атаман Краснов в новочеркасском соборе служил молебны и говорил перед войсками речь не хуже своего друга — императора Вильгельма. Хотя за три недели деникинцы потеряли четвертую часть армии, состав ее к первым числам июля удвоился: шел непрерывный поток добровольцев из Украины, Новороссии, Центральной России; впервые начали формироваться военнопленные красноармейцы.

После двухдневного отдыха Деникин разделил армию на три колонны и повел широкое наступление на три фронта: на запад — против Сорокина, на восток — против армавирской группы и на юг — против остатков армии Калнина, прикрывавших Екатеринодар. Задача была — очистить весь тыл перед штурмом Екатеринодара. Все было учтено и разработано по законам высшей военной науки. Деникин не учел одного-единственного и важнейшего обстоятельства: перед ним находилась не неприятельская армия, силы и средства которой он мог бы оценить и взвесить, а вооруженный народ, непонятные ему силы. Он не учел того, что одновременно с его победами в этой народной армии растут ненависть и единодушие, что время буйным митингам, когда скидывались неугодные командиры и большинством голосов решалось наступление, миновало, сменялось новой, еще дикой, но с каждым днем крепнущей дисциплиной гражданской войны.

Все, казалось, предвещало легкую и скорую победу. Разведка доносила о паническом движении войск Сорокина, уходящих на Екатеринодар, за Кубань. Но это было не совсем верно. Разведка ошиблась. За Кубань бежали дезертиры и мелкие отряды, уходили обозы беженцев. Тридцатитысячная группа Сорокина очищалась от всего небоеспособного, подтягивалась и лютела. Батайский фронт против немцев был оставлен. Красные ждали встречи в открытом поле лицом к лицу с Деникиным. И случилось так, что Добровольческая армия, окрыленная победами, почти у цели, едва не погибла вся без остатка в завязавшемся вскорости десятидневном кровавом сражении с войсками Сорокина.

С бонапартовской надменностью Сорокин ответил на запрос Кубано-Черноморскому ЦИКу: «Агитаторов мне не нужно. Деникинские банды агитируют за меня. Историческая доблесть моих войск опрокинет все преграды контрреволюции». Остановив панику в войсках в первые дни наступления Деникина, Сорокин, казалось, очнулся от пьяного бездействия. Днем и ночью он носился по фронту — в вагоне, на дрезине, верхом. Он устраивал смотры, собственноручно застрелил перед фронтом двух командиров за вялое отношение к текущему моменту, вытягиваясь на стременах, говорил такие слова о врагах народа, так матерился с пеной на искаженных губах, что красноармейцы прерывали его ревом, как буйволы в туче слепней. Он усилил работу военных трибуналов и особых отделов, объявил смертную казнь за неисправность винтовки и издавал по армии приказы, где говорилось: «Бойцы! Трудящиеся всего мира с надеждой смотрят на вас, они принесут вам свою великодушную благодарность, — с открытыми глазами и сильной грудью вы идете навстречу кровавому рассвету истории. Паразиты, ползучие гады, банды Деникина и вся контрреволюционная сволочь должны быть выметены огнем и свинцом. Мир трудящимся, смерть эксплуататорам, да здравствует всемирная революция!»

Он сам в горячечном возбуждении сочинял эти приказы. Их читали вслух по ротам. Украинские мужики, донские шахтеры, фронтовики Кавказской армии, иногородние и казаки — вся пестрая, оборванная, шумная, ни черта не признающая братва — слушали, как завороженные, эти пышные слова.

Начальник штаба Беляков, умный и опытный военный, разрабатывал план наступления, вернее — предполагался прорыв всей тридцатитысячной группой сквозь окружение и уход за реку Кубань. Так по крайней мере думал начштаба, не питавший никакой надежды на благоприятную встречу с Деникиным. Прорыв назначался в районе станции Кореновской (между Тихорецкой и Екатеринодаром). Заняв Кореновскую, нетрудно было справиться с отрезанными на юге от главных сил колоннами Дроздовского и Казановича, повернуть на Екатеринодар, а там — что черт пошлет, — так размышлял начштаба. Положение его было крайне щекотливое: он всем нутром, во сне и наяву, ненавидел красных, но проклятая судьба связала его с большевиками. Попадись он в руки Деникину, — о котором он думал с тревожным и завистливым восхищением, — смерть! Заподозри его Сорокин в недостатке революционного пыла и ненависти к Деникину — смерть! Единственной надеждой, правда фантастической, — как и все события того времени, — было неистовое честолюбие Сорокина. На этом можно было играть: всеми силами выдвигать Сорокина в диктаторы, а там — что черт пошлет!..

Во всяком случае, к наступлению он готовился деятельно: к станции Тимашевской стягивались запасы огневого снаряжения и фуража, выгружались снаряды, огромные обозы уходили в степь. Армия развертывалась в районе Тимашевской фронтом на юго-восток, с тем чтобы одновременно ударить на Кореновскую и севернее ее, на Выселки.

На рассвете пятнадцатого июля полевые орудия красных открыли ураганный огонь по Кореновской, и через час лава за лавой конные сотни ворвались в поселок и на станцию. Рубили кадетов со свистом, сшибали конями, в плен взяли тех только, кто еще издали бросил винтовку. Пехотные части шли всю ночь и в Кореновской немедленно начали окапываться не полукольцом, как под Белой Глиной, а сплошным овальным окружением.

Белое солнце вставало во мгле пыли и зноя. Вся степь была в движении: мчалась конница, ползли полки, грохотали колесами батареи, слышались ругань, удары, выстрелы, конский визг, хриплые крики команды. До самого горизонта тянулись обозы. День был горячий, как печь. Сорокин на полпути бросил штаб и верхом на белом от мыла жеребце вертелся среди войск. От него, как гончие, порскали с приказами дежурные и вестовые.

Шапку он потерял во время скачки, черкеску сбросил. На нем была шелковая малиновая рубашка с закатанными выше локтей рукавами, синие кавалерийские штаны туго перепоясаны наборным ремнем. Всюду видели его черное от пота и пыли лицо, оскаленные зубы. Он переменил уже третьего коня, осматривал расположение батарей, окопы, где пехотные части по-кротовьи закапывались в чернозем, выскакивал в степь к секретам, уносился к подъезжавшим и разгружавшимся обозам со снарядами, взмахом нагайки подзывал командиров и, перегибаясь к ним с седла, горячий и страшный, с бешеными глазами, выслушивал рапорты. Он, будто дирижер гигантского оркестра, натягивал нити музыки начинающейся битвы. Он бросил у вокзала тяжело дышащего коня, вбежал в отделение телеграфа, отпихнул ногой валяющийся у порога труп в погонах, с рассеченным черепом, и, читая бегущую с аппарата ленту, испытал чувство яростного, пьянящего возбуждения: с юга, покинув станцию Динскую, спешно подходили войска Дроздовского и Казановича — принимать бой.

Дроздовцы были двинуты на телегах — весь день в облаках горячей пыли мчались по степи сотни подвод. Марковцы генерала Казановича, погруженные вместе с артиллерией в поезда, опередили их и на рассвете шестнадцатого прямо из вагонов бросились в атаку на Кореновскую.

Генерал Казанович стоял на срубе колодца у железнодорожной будки и спокойно следил за умелыми движениями офицерских цепей, идущих без выстрела. Тонкое, изящное лицо его, с полуседыми длинными усами и подстриженной бородой (как носил государь император), было насмешливо-сосредоточенно, красивые глаза холодно, с женственной страстностью, улыбались. Он был настолько уверен в исходе боя, что ни минуты не захотел ждать дивизии Дроздовского. Он соперничал в поисках славы с Дроздовским, болезненно самолюбивым, осторожным и, часто во вред делу, медлительным. Он любил войну за ее пышный размах, за музыку боя, за громкую славу побед.

Огромный солнечный шар выкатился из-за далеких курганов, — в нем была июльская ярость; слепящий свет ударил в глаза большевикам. Застучали пулеметы, знойную тишину разорвали залпы. Видно было, как из окопов поднимались густые цепи противника. Марковцы бежали вперед, ни один не кланялся пулям. Навстречу им ползли тысячи фигурок. Казанович поднял к глазам бинокль. Странно!

— Шрапнелью три очереди по товарищам! — приказал он сидевшему у колодца телефонисту.

Две батареи, скрытые за насыпью, открыли огонь. Низко над цепями противника рванулись ватные клубки шрапнели. Фигурки заметались, выправились и продолжали наступать. Теперь все поле грохотало от выстрелов. Заревели наконец батареи большевиков. Казанович, недоумевая, усмехнулся, узкая рука его с биноклем задрожала. Марковцы ложились, торопливо окапывались. Лицо его побледнело под загаром. Он соскочил с колодца, присел над телефонным ящиком и вызвал генерала Тимановского.

— Цепи ложатся, — закричал он в трубку. — Чего бы ни стоило, опрокинь левое крыло... Дорога секунда...

Сейчас же из-за полотна, скатываясь под откос, побежали марковцы — резервы Тимановского. Пачками, цепь за цепью, решительные и взволнованные, они пропадали в высокой, уже осыпавшейся пшенице. Тимановский — молодой, румяный, всегда смешливый, в сдвинутой папахе, в грязной холщовой рубашке с черными генеральскими погонами, подхватив шашку, — побежал за цепями. Происходило непонятное: большевиков будто подменили, все моменты, когда они неминуемо должны были дрогнуть, миновали. Теперь вся степь полнилась их наступающими фигурками. Бешено стучали добровольческие пулеметы, — новые волны противника сменяли упавших.

Там, где кончалось пшеничное поле, бежали со штыками наперевес роты Тимановского — одна, другая... Казанович вытянулся, как струна, на срубе колодца. В узкое поле бинокля он видел свирепые затылки марковцев. Сколько напряжения! Падают, падают! Он вел биноклем за бегущими — и вдруг увидел разинутые рты, широкие лица, матросские шапочки, голые бронзовые груди... Большевики-матросы... Сейчас же все смешалось, сбилось в клубок, — удар и штыки. Болезненная усмешка застыла на изящно очерченных губах Казановича... Марковцы не выдержали. Остатки первой роты бежали в пшеницу, легли. Вторая рота отхлынула, легла.

Тогда он соскочил с колодца и легко побежал по полю. Его увидали. Ему удалось поднять цепи, крича: «Господа, господа, стыдно!» Он бросил их в штыки, но огонь был так жесток, люди падали в таком изобилии, что цепи снова легли... Неужели это был проигранный бой?

В девятом часу утра с запада послышались удары пушек Дроздовского. Серой черепахой, переваливаясь, появился в степи броневик. Дроздовцы методично и не спеша повели наступление. В третий раз поднялись цепи Казановича. Добровольцы надвигались теперь широким фронтом-полумесяцем. Этого удара не должны были выдержать большевики.

Между окопами большевиков появился всадник, — он бешено скакал, размахивая блистающим клинком. Взлетел на курган, осадил коня. На всаднике была пунцовая рубашка с засученными рукавами, голова закинута, он кричал и снова махал шашкой. И вот на цепи наступающих дроздовцев вылетели лавы кавалерии. Низенькие злые лошаденки стлались по земле. Выстрелы прекратились. Далеко был слышен свист клинков, вой, топот. Всадник в пунцовой рубашке сорвался с кургана и, бросив поводья, мчался впереди. Поднималась черная пыльная туча, заволакивая поле сражения. Дроздовцы и марковцы не выдержали удара конницы и побежали. Они остановились и окопались за ручьем Кирпели.

Иван Ильич Телегин, морщась и знобясь от боли, бинтовал себе голову марлей из индивидуального пакета.

Царапина была пустяковая, кости не затронуты, но больно отчаянно, — винтом сворачивало весь череп. Он так ослабел от усилий, что после перевязки долго лежал на спине в пшенице.

Странно было слышать мирный, как ни в чем не бывало, треск кузнечиков. Невидимые в трещинах земли кузнечики и большие звезды южной ночи да несколько усатых колосков, неподвижно висящих между глазами и небом, — вот чем окончилась кровавая возня, вопли и железный грохот битвы. Давеча стонал где-то неподалеку раненый, — и он затих.

Хорошая вещь — тишина. Замирала жгучая боль в голове, — казалось, успокоение наступало от этого торжественного величия ночи. Мелькнули было в памяти яркие обрывки дня, всего разметанного в клочья ударами пушек, криками разинутых по-звериному ртов, вспышками ненависти, когда бежишь, бежишь, видя только острие штыка и бледное лицо стреляющего в тебя человека. Но воспоминания вонзились в мозг так болезненно, так своротили вдруг череп, что Иван Ильич замычал: скорее, скорее — о чем-нибудь другом...

О чем же другом мог он думать? Либо эти страшные клочья длительного, не охватываемого воображением события, — революция, война, — либо далекий, запертый под замок сон о счастье — Даша! Он стал думать о ней (в сущности, он никогда не переставал думать о ней), о ее беспризорности: одна, неумелая, беспомощная, фантазерка... Сердитые глаза, а сердце, как у птицы, тревожное, порывистое, — дитя, дитя...

В откинутой руке Иван Ильич сжал комочек теплой земли. Закрыл веки. Рассталась — уверена, что навсегда. Дурочка... И никто твоих сердитых глаз не испугается... И никто вернее меня не будет любить, дурочка... Натерпишься обид, горьких, незабываемых...

Из-под ресниц у Ивана Ильича выступили слезы, — ослаб от ранения. Под самым ухом начал тыркать, трещать кузнечик. От света звезд кровавое, истоптанное поле казалось серебристым. Все прикрыла ночь... Иван Ильич приподнялся, посидел, обхватив колена. Все было, как во сне, как в детстве. Сердце жалело, плакало... Он встал и пошел, стараясь, чтобы шаги не отдавались в голове.

Кореновская была в версте отсюда. Там кое-где светились костры. Ближе, в лощинке, плясал над землей бездымный язык пламени. Иван Ильич почувствовал жажду и голод и повернул в сторону костра.

Со всего поля брели туда темные фигуры, — кто легко раненный, кто заблудившийся из растрепанной части, кто волок пленного. Перекликались, слышалась хриплая ругань, крепкий хохот... У костра, где пылали шпалы, лежало много народа.

Иван Ильич потянул носом запах хлеба, — все эти покрытые пылью люди жевали. Близ огня стояла телега с хлебом и с бочонком, откуда тощая измученная женщина в белой косынке цедила воду.

Он напился, получил ломоть и прислонился к телеге. Ел, глядя на звезды. Люди у костра казались успокоившимися, многие спали. Но те, кто подходил с поля, еще кипели злобой. Ругались, грозились в темноту, хотя их никто не слушал. Сестра раздавала ломти и кружки с водой.

Один, чернобородый, голый по пояс, приволок пленного и сбил его с ног у костра.

— Вот, сука, паразит... Допрашивай его, ребята... — Он пхнул упавшего сапогом и отступил, подтягивая штаны. Впалая грудь его раздувалась. Иван Ильич узнал Чертогонова и — отвернулся. Несколько человек кинулись к лежавшему, нагнулись:

— Вольноопределяющийся... (Сорвали с него погоны, бросили в огонь.) Мальчишка, а злой, гадюка!

— За отцовские капиталы пошел воевать... Видно, из богатеньких...

— Глазами блескает, вот сволочь...

— Чего на него глядеть, пусти-ка...

— Постой, может, у него какие бумаги, — в штаб его...

— Волоки в штаб...

— Ни! — закричал Чертогонов, кидаясь. — Он раненый лежит, я подхожу, — видишь сапоги-то, — он в меня два раза стрелил, я его не отдам... — И он закричал пленному еще дичей: — Скидай сапоги!

Иван Ильич опять покосился. Обритая круглая юношеская голова вольноопределяющегося отсвечивала при огне. Зубы были оскалены, зрачки больших глаз метались, маленький нос весь собрался морщинами. Должно быть, он совсем потерял голову... Резким движением вскочил. Левая рука его безжизненно висела в разорванном, окровавленном рукаве. Между зубами раздался тихий свист, он даже шею вытянул... Чертогонов попятился, — так было страшно это живое видение ненависти...

— Эге! — проговорил из толпы чей-то густой голос. — А я же его знаю, у батьки его работал на табачной фабрике, — то ж ростовский фабрикант Оноли...

— Знаем, знаем, — загудели голоса.

Нагнув лоб, Валерьян Оноли закрутил головой, закричал с пронзительной хрипотцой:

— Мерзавцы, хамы, крррасная сволочь! В морду вас, в морду, в морду! Мало вас пороли, вешали, собаки? Мало вам, мало? Всех за члены перевешаем, хамовы сволочи...

И, ничего уже не сознавая, он схватил Чертогонова за космату бороду, стал бить его сапогом в голый живот...

Иван Ильич сейчас же отошел от телеги. Грозно зашумели голоса, острый крик прорезал их нарастающий гнев. Над толпой поднялось растопыренное, дрыгающее ногами тело Валерьяна Оноли, подлетело и упало... Высоко поднялся над костром столб мелких искр...

В похолодевшей перед утром степи захлопали кнутами еще ленивые выстрелы, торжественно прокатился орудийный гул. Это колонны Дроздовского и Боровского снова пошли в наступление из-за ручья Кирпели, чтобы отчаянным усилием повернуть счастье на свою сторону.

В эту же ночь командарм Сорокин получил из Екатеринодара приказ от непрерывно заседающего ЦИКа быть главнокомандующим всеми красными силами Северного Кавказа.

Сообщил ему об этом начальник штаба Беляков: с телеграфной лентой кинулся в вагон главкома и, сбросив его ноги с койки, прочел приказ, освещая ленту бензиновой зажигалкой. Сорокин, не в силах проснуться, таращил глаза, валился на горячую подушку. Беляков стал трясти его за плечи:

— Да проснись ты, ваше высокопревосходительство, товарищ главнокомандующий... Хозяин Кавказа — понял? Царь и бог — понял?

Тогда Сорокин понял всю огромную важность известия, всю изумительную судьбу свою, оттиснутую точками и линиями на узкой полоске бумаги, извивающейся в пальцах начштаба. Он быстро оправил штаны, накинул черкеску, пристегнул кобуру, шашку.

— Немедленно объявить приказ по армии... Мне — коня...

На рассвете Иван Ильич Телегин после перевязки, разыскивая штаб своего полка, пробирался между возами. В это время со стороны вокзала по улице пролетела кучка конвойных с развевающимися башлыками, впереди скакал трубач, за ним — двое: Сорокин, рвавший повод у гривастого коня, и казак со значком главнокомандующего на пике. Как ночные духи в закружившейся пыли, всадники умчались в сторону выстрелов.

На телегах, мокрых от росы, поднимались заспанные головы, выставлялись бороды, хрипели голоса. И уже далеко в степи пела труба скачущего горниста, оповещая о том, что главнокомандующий близко, здесь, в бою, под пулями... «Опрокинем врага, та-та-та, — пела труба, — к победе и славе вперед... Для героя нет смерти, но слава навек, та-та-та...»

В мазаной хате с выбитыми окошками Иван Ильич нашел Гымзу. Больше никого из штаба полка здесь не было. Гымза сутуло сидел на лавке, огромный и мрачный, рука его с деревянной ложкой висела между раздвинутыми коленями. На столе стоял горшок со щами и рядом туго набитый портфель — весь аппарат начальника особого отдела.

Гымза, казалось, дремал. Он не пошевелился, только повернул глаза в сторону Ивана Ильича:

— Ранен?

— Пустяки, царапина...Провалялся полночи в пшенице... Потерял своих, — такая путаница... Где полк?

— Сядь, — сказал Гымза. — Есть хочешь?

Он с трудом поднял руку, отдал ложку. Иван Ильич набросился на горшок с полуостывшими щами, даже застонал. С минуту ел молча.

— Наши дрались вчера, товарищ Гымза, цепи и поднимать не надо: на триста, на четыреста шагов бросались в штыки...

— Поел, будет, — сказал Гымза. Телегин положил ложку. — Ты слышал приказ по армии?

— Нет.

— Сорокин — верховный главнокомандующий. Понятно?

— Ну, что ж, это хорошо... Ты видел его вчера? С брошенными поводьями пер в самый огонь, — пунцовая рубашка, весь на виду. Бойцы, как завидят его, — ура! Кабы не он вчера, — не знаю... Мы еще подивились вчера: прямо — цезарь.

— То-то — цезарь, — сказал Гымза. — Жалко — расстрелять его не могу.

Телегин опустил ложку:

— Ты... смеешься?

— Нет, не смеюсь. Тебе все равно этих делов не понять. — Тяжелым взглядом, не мигая, он глядел на Ивана Ильича. — Ну, а ты-то не предашь? (Телегин спокойно взглянул ему в глаза.) Ну, что ж... Хочу поручить тебе трудное дело, товарищ Телегин... Думаю я, — пожалуй, ты самый подходящий... На Волгу тебе надо ехать.

— Слушаю.

— Я напишу все мандаты. Я тебе дам письмо к председателю Военного совета. Если ты не сладишь, не передашь, — тогда лучше уходи к белым, назад не являйся. Понял?

— Ладно.

— Живым в руки не давайся. Больше жизни береги письмо. Попадешь в контрразведку, — все сделай, съешь это письмо, что ли... Понял? — Гымза задвигался и опустил на стол кулак, так что горшок подпрыгнул. — Чтобы ты знал, — в письме вот что будет: армия в Сорокина верит. Сорокин сейчас герой, армия за ним куда угодно пойдет... И я требую расстрела Сорокина... Немедленно, покуда он революцию не оседлал. Запомнил? Эти слова — твоя смерть, Телегин... Понятно?

Он помолчал. По лбу его ползли мухи. Телегин сказал:

— Хорошо, будет сделано.

— Так поезжай, дружок... Не знаю, — через Святой Крест, на Астрахань — далеко... Лучше тебе пробираться Доном на Царицын. Кстати, разведаешь, что у белых в тылах... Захвати офицерские погоны, покрасуйся... Какие тебе — капитанские или подполковничьи?

Он усмехнулся, положил Телегину руку на колено, похлопал, как ребенка:

— Поспи часика два, а я напишу письмо.

10

Трехнедельный отпуск был наконец получен. Вадим Петрович Рощин, разбитый, больной, растерзанный противоречиями, находился в это время в добровольческом гарнизоне на станции Великокняжеской. Крупных боев не было, — все силы красных оттянулись южнее, на борьбу с главными силами Деникина. Здесь же, по станицам на реках Маныче и Сале, вспыхивали кое-где волнения, но казачьи карательные отряды атамана Краснова проворной рукой успокаивали мятущиеся умы: где внушали честью, где шомполами, а где вешали.

Вадим Петрович уклонялся от участия в расправах, ссылаясь на контузию. По возможности не ходил на офицерские попойки, устраиваемые в ознаменование побед Деникина. И странно: здесь, в гарнизоне, так же как и в действующей армии, к Рощину все относились с настороженностью, со скрытой враждебностью.

Кем-то, где-то был пущен слух про его «красные подштанники», — так к нему это и прилипло.

В окопах под Шаблиевкой вольноопределяющийся Оноли стрелял в него. Рощин отчетливо помнил эту секунду: гул снаряда с бронепоезда, крик ротного «ложись!». Разрыв. И — запоздавший револьверный выстрел, удар, как палкой, в затылок и свирепой радостью метнувшиеся восточные глаза Оноли.

Только один человек мог поверить честному слову Рощина — генерал Марков. Но он был убит, и Вадим Петрович размыслил больше не поднимать сомнительного дела против мальчишки.

Его мучило: откуда все же такая ненависть к нему? Разве не было ясно, что он честен, что он бескорыстен, что его поступками руководит только идея величия России? Не за генеральскими погонами он пошел в эти страшные степи...

У Рощина недоставало беспощадно-ясного видения вещей. Ум его окрашивал мир и события в то, что он сам считал лучшим и главным. Неподходящее пропускалось мимо глаз, от назойливого он морщился. И мир представлялся ему законченной системой. Происходило это, по всей вероятности, от врожденного барства, от многих поколений благодушествующих помещиков. Эта исчезнувшая порода превыше всех благ ставила мирное благодушие и навязывала его всему и повсюду. Пороли мужика на конюшне, — ну, что же: покричит-покричит мужик и после лозы раскается, ему же будет лучше — раскаянному и умиротворенному. Протестуют векселя, имение идет с торгов, — что ж поделаешь? Можно прожить и во флигельке, в лопухах и крыжовнике, без шумных пиров: пожалуй, что так и душе будет покойнее под старость лет... Никакими усилиями судьбе не удавалось сбить с толку благодушествующего помещика. И вырабатывалось у него особое мягкое зрение — видеть во всем лишь прекраснейшее и благороднейшее!

Это отсутствие едкого взгляда на лица и поступки было и у Вадима Петровича. (Правда, события последних лет сильно потрепали его романтизм, вернее — от него остались одни лохмотья.) Ему теперь постоянно приходилось жмуриться. Вот отчего он уклонялся, например, от посещения офицерского собрания.

Эти люди, — горсточка офицеров и юнкеров, — должны были, по его понятию, носить, как крестоносцы, белые одежды: ведь они подняли меч против взбунтовавшейся черни, против черных вождей, антихристовых или германских — черт их там разберет — слуг и приспешников. (С этим зарядом идей Рощин и попал на Дон.)

Но на офицерских попойках было дико слушать шумное бахвальство под звон стопочек, похвалы братоубийственной лихости. Эти молодые, когда-то изящные лица «крестоносцев» обезображены нетерпением убивать, карать, мстить; вот они, стоя со стопочками девяностопятиградусного спирта, поют мертвый гимн тому, кто был ничтожнейшим из людей, был расстрелян, сожжен, развеян по ветру, как некогда Лжедимитрий, и если бы можно было собрать всю кровь, пролитую по его бессильной воле, то народ, конечно, утопил бы его живого в этом глубоком озере...

Казалось (на это и жмурился Рощин), этот мертвый гимн был единственной идеей у его однополчан... Очистить Россию от большевиков, дойти до Москвы. Колокольный звон... Деникин въезжает в Кремль на белом коне... Да, да, все это понятно. Но дальше-то что, — самое-то главное? Про Учредительное собрание, например, неприлично было и говорить среди офицеров. Значит: гимн мертвецу?

Что же увлекло этих людей на борьбу и смерть? Рощин жмурился... Подставлять грудь под пули и пить спирт в теплушках уже не было героизмом, — устарело. Этим занимались и храбрые и трусы. Преодоление страха смерти вошло в обиход, жизнь стала дешевой.

Героизм был в отречении от себя во имя веры и правды. Но тут опять жмурки, без конца жмурки... В какую правду верили его однополчане? В какую правду верил он сам? В великую трагическую историю России? Но это была истина, а не правда. Правда — в движении, в жизни, — не в перелистанных страницах пыльного фолианта, а в том, что течет в грядущее.

Во имя какой правды (если не считать московского колокольного звона, белого коня, цветов на штыках и прочее) нужно убивать русских мужиков? Этот вопрос начинал шататься в сознании Вадима Петровича, зыбиться, как отражение в воде, куда бросили камень. Тут-то и начиналось его мучительное расщепление. Он был чужой среди однополчан, «красные подштанники», «едва ли не большевичок».

Все чаще с горящими от стыда ушами он вспоминал последний разговор с Катей. Она сжимала руки, задыхалась от волнения, будто из-под ног Вадима Петровича сыпались камешки в пропасть. «Нужно делать что-то совсем другое, Вадим, Вадим!!»

Ему еще трудно было сознаться, что Катя, должно быть, права, что он безнадежно запутывается, что все меньше понимает — откуда берется, растет, как кошмар, сила «взбунтовавшейся черни», что сгоряча объяснять, будто народ обманут большевиками, — глупо до ужаса, потому что еще неизвестно, кто кого призвал: большевики революцию или народ большевиков, что ему сейчас больше некого обвинять, — разве самого себя.

Катя была права во всем. Из старой жизни она унесла в эти смутные времена одну защиту, одно сокровище — любовь и жалость. Он вспоминал, как она шла по Ростову, в платочке, с узелком, — кроткая спутница его жизни... Милая, милая, милая... Положить голову на ее колени, прижать к лицу ее нежные руки, сказать только: «Катя, я изнемог...» Но нелепая гордость сковывала Вадима Петровича. На пыльной улице станицы, в строю, в офицерском собрании появлялась его худая фигура, будто затянутая в железный корсет, голова, совсем уже седая, высокомерно поднята... «Елочки точеные, — говорили про него, — тон держит, подумаешь — лейб-гвардеец, сволочь пехотная...»

Он послал Кате два коротеньких письма, но ответа не получил. Тогда он решил написать подполковнику Теткину. Но в это время пришел отпуск, и Вадим Петрович сейчас же выехал в Ростов.

В полдень с вокзала взял извозчика. Город нельзя было узнать. Садовая улица чисто выметена, деревья подстрижены, нарядные женщины, все в белом, гуляя по теневой стороне, отражаются в зеркальных окнах магазинов.

Рощин вертелся на извозчике, ища глазами Катю. Что за черт? Женщины, как из забытого сна, — а шляпках со старомодными перьями, в панамах, белых шарфах... Белые ножки летят по вымытому мрачными дворниками асфальту, ни одного пятнышка крови на этих белых чулочках. Так вот зачем стоит заслон в Великокняжеской! Четвертую неделю бьется Деникин с красными полчищами! Вот она — простая, «как апельсин», правда белой войны!

Рощин горько усмехнулся. На перекрестках стояли немцы в тошно знакомых серо-зеленых мундирах, в новеньких фуражках — свои, домашние! Ах, вот один выбросил из глаза монокль, целует руку высокой смеющейся красавице в белом...

— Извозчик, поторапливайся!

Подполковник Тетькин стоял у ворот своего дома. Вадим Петрович, подъезжая, выскочил из пролетки и увидел, что Тетькин пятится, глаза его округляются, вылезают, толстенькая рука поднялась и замахала на Рощина, будто открещиваясь.

— Здравия желаю, подполковник... Неужели не узнали? Я... Ради бога, что Катя? Здорова? Отчего не...

— Батеньки мои, жив! — бабьим голосом крикнул Тетькин. — Голубчик мой, Вадим Петрович! — И он припал, обнял Рощина, замочил ему щеку слезами.

— Что случилось? Подполковник... говорите все...

— Чуяло сердце — жив... А уж как бедненькая Екатерина Дмитриевна убивалась! — И Тетькин бестолково стал рассказывать про то, как она ходила к Оноли, и он, непонятно зачем, уверил ее в смерти Рощина. Рассказал про Катино горе, отъезд.

— Так, так, — твердо проговорил Рощин, глядя под ноги, — куда же уехала Екатерина Дмитриевна?

Тетькин развел руками, добрейшее лицо его изобразило мучительное желание помочь.

— Помнится мне, — говорила, что едет в Екатеринослав... Будто бы даже хотела там в кондитерское заведение какое-то поступить... От отчаяния — в кондитерскую... Я ждал — напишет, — ни строчечки, как в воду канула...

Рощин отказался зайти выпить стаканчик чаю и сейчас же вернулся на вокзал. Поезд на Екатеринослав отходил вечером. Он пошел в зал для ожидания первого класса, сел на жесткий дубовый диван, облокотился, закрыл ладонью глаза — и так на долгие часы остался неподвижным...

Кто-то, с облегчением вздохнув, сел рядом с Вадимом Петровичем, видимо, надолго. Садились до этого многие, посидят и уйдут, а этот начал дрожать ногой, ляжкой, — трясся весь диван.

Не уходил и не переставал дрожать. Не отнимая руки от глаз, Рощин сказал:

— Послушайте, вы не можете перестать трясти ногой?..

Тот с готовностью ответил:

— Простите, — дурная привычка. — И сидел после этого неподвижно.

Голос его поразил Вадима Петровича: страшно знакомый, связанный с чем-то далеким, с каким-то прекрасным воспоминанием. Рощин, не отнимая руки, сквозь раздвинутые пальцы одним глазом покосился на соседа. Это был Телегин. Вытянув ноги в грязных сапогах, сложив на животе руки, он, казалось, дремал, прислонясь затылком к высокой спинке. На нем был узкий френч, жмущий под мышками, и новенькие подполковничьи погоны. На худом бритом загорелом лице его застыла улыбка человека, отдыхающего после невыразимой усталости...

После Кати он был для Рощина самым близким человеком, как брат, как дорогой друг. На нем лежал свет очарования сестер — Даши и Кати... От изумления Вадим Петрович едва не вскрикнул, едва не кинулся к Ивану Ильичу. Но Телегин не открывал глаз, не шевелился. Секунда миновала. Он понял, — перед ним был враг. Еще в конце мая Вадим Петрович знал, что Телегин — в Красной Армии, пошел туда своей охотой и — на отличном счету. Одет он был явно в чужое, быть может, похищенное у им же убитого офицера, в подполковничьи погоны (а всего он был штабс-капитан царской армии)... Рощин почувствовал внезапную липкую гадливость, какая обычно кончалась у него вспышкой едкой ненависти: Телегин мог здесь быть только как большевистский контрразведчик...

Нужно было немедленно пойти и доложить коменданту. Два месяца тому назад Рощин не поколебался бы ни на мгновенье. Но он прирос к дивану, — не было силы. Да и гадливость будто отхлынула... Иван Ильич, — красный офицер, — вот он, рядом, все тот же — усталый, весь — добрый... Не за деньги же пошел, не для выслуги, — какой вздор! Рассудительный, спокойный человек, пошел потому, что счел это дело правильным... «Так же как я, как я... Выдать, чтобы через час муж Даши, мой, Катин брат, валялся без сапог под забором на мусорной куче...»

Ужасом сжало горло. Рощин весь поджался... Что же делать? Встать, уйти? Но Телегин может узнать его — растеряется, окликнет. Как спасти?

Неподвижно, точно спящие, сидели Рощин и Иван Ильич близко на дубовом диване. Вокзал опустел в этот час. Сторож закрыл перронные двери. Тогда Телегин проговорил, не открывая глаз:

— Спасибо, Вадим.

У Рощина отчаянно задрожала рука. Иван Ильич легко поднялся и пошел к выходу на площадь спокойной походкой, не оборачиваясь. Минуту спустя Рощин кинулся вслед за ним. Он обежал кругом вокзальную площадь, где у лотков под белым солнцем, от которого плавился асфальт, под связками копченой рыбы дремали черномазые люди... Сожжены были листочки на деревьях, сожжен весь воздух, напитанный городской пылью.

«Обнять его, только обнять», — и красные круги зноя плыли у Рощина перед глазами. Телегин провалился как сквозь землю.

В тот час, когда погасла степная заря, когда Рощин, забравшись на вагонную койку, глухо заснул под стук вагонных колес, — та, кого он искал, по ком душа его, больная от крови и ненависти, мучительно затосковала, — его жена Катя ехала в степи на тачанке. Плечи ее были закутаны в шаль. Рядом сидела красавица Матрена Красильникова. Бренчало железо тачанки. Пофыркивали кони. Множество подвод растянулось впереди и позади по степи, скрытые сумраком звездной ночи.

Алексей Красильников, опустив вожжи, сидел на козлах. Семен — бочком на обочине тачанки, по сапогам его хлестали репьи и кашки. Пахло конями, полынью. Катя думала в полудремоте. Ветерком холодило плечи. Не было края степи, не было края дорогам. Из века в век шли кони, скрипели колеса, и снова идут, как тени древних кочевий...

Счастье, счастье — вечная тоска, край степей, лазурный берег, ласковые волны, мир, изобилие.

Матрена вгляделась в Катино лицо, усмехнулась. Опять только топот копыт. Армия уходила из окружения. Батько Махно велел идти тихо. Тяжелые плечи Алексея сутулились, — должно быть, одолевала дремота. Семен сказал негромко:

— Не отбиваюсь я от вас... При чем — Семен, Семен... (Матрена коротко вздохнула, отвернулась, глядела в степь.) Я Алексею говорил еще весной: не ленточка мне матросская дорога, дорого дело... (Алексей молчал.) Флот теперь чей? Наш, крестьянский. Что же, если мы все разбежимся? Ведь за одно дело боремся, — вы — здесь, мы — там...

— А что тебе пишут-то? — спросила Матрена.

— А пишут, чтобы беспременно вернулся на миноносец, иначе буду считаться дезертиром, вне революционного закона...

Матрена дернула плечом. От нее так и пышало жаром. Но — сдержалась, ничего не ответила. Спустя время Алексей выпрямился на козлах, прислушался, указал в темноту кнутовищем:

— Екатеринославский скорый...

Катя вглядывалась, но не увидала поезда, уносившего на верхней койке в купе спящего Вадима Петровича, — только услышала свист, протяжный и далекий, и он пронзительной грустью отозвался в ней...

В Екатеринославе прямо с вокзала Вадим Петрович пошел по кондитерским заведениям, справляясь о Кате. Он заходил в жаркие кофейни, полные мух на непротертых окнах и на марле, покрывающей сласти; читал коленкоровые вывески: «Версаль», «Эльдорадо», «Симпатичный уголок», — из дверей этих подозрительных ресторанчиков глядели на него выпученными, как яичный белок, глазами черномазые усачи, готовые, если понадобится, приготовить шашлык из чего угодно. Он справлялся и здесь. Потом стал заходить подряд во все магазины.

Беспощадно жгло солнце. Множество пестрого народу шумело и толкалось на двойных аллеях под пышными ясенями Екатерининского проспекта. Звенели ободранные трамвайчики. До войны здесь создавалась новая столица Южной Украины. Война приостановила ее рост. Сейчас под властью гетмана и охраной немцев город снова ожил, но уже по-иному: вместо контор, банков, торговых складов открывались игорные дома, меняльные лавки, шашлычные и лимонадные; деловой шум и торговое движение сменились истерической суетой продавцов валюты, бегающих с небритыми щеками, в картузиках на затылке, по кофейным и перекресткам, выкриками непонятного количества чистильщиков сапог и продавцов гуталина — единственной индустрии того времени, — приставаниями зловещих бродяг, завываниями оркестриков из симпатичных уголков, бестолковой толкотней праздной толпы, которая жила куплей и продажей фальшивых денег и несуществующих товаров.

В отчаянии от бесплодных поисков, оглушенный, измученный Вадим Петрович присел на скамью под акацией. Мимо валила толпа: женщины, и нарядные и чудные, — в одеждах из портьер, в национальных украинских костюмах, женщины с мокрыми от жары, подведенными глазами, со струйками пота на загримированных щеках; взволнованные спекулянты, продирающиеся, как маньяки, с протянутыми руками сквозь эту толпу женщин; гетманские, с трезубцем на картузах, глупо надутые чиновники, озабоченные идеями денежных комбинаций и хищения казенного имущества; рослые и широкоплечие, с воловьими затылками, гетманские сечевики, усатые гайдамаки в огромных шапках с малиновым верхом, в синих, как небо, жупанах и в чудовищных, с мотней шароварах, по которым два столетия тосковали самостийные учителя гимназий и галицийские романтики. Плыли в толпе неприкосновенные немецкие офицеры, глядевшие с презрительной усмешкой поверх голов...

Рощин глядел — и злоба раздувала ему сердце. «Вот бы полить керосином, сжечь всю эту сволочь...» Он выпил в открытой палатке стакан морсу и снова пошел из двери в дверь. Только теперь он начал понимать безумие этих поисков. Катя, без денег, одна, неумелая, робкая, разбитая горем (с острым ужасом он снова и снова вспоминал про пузырек с ядом в московской квартире) — где-то здесь, в этой полоумной толпе... Ее касаются липкие руки валютчиков, сводников, шашлычников, по ней ползают гнусные глаза...

Он задыхался... Лез с растопыренными локтями прямо в толпу, не отвечая на крики и ругань. Вечером он взял за огромную цену номер в гостинице — темную щель, где помещалась только железная кровать с пролежанным матрацем, стащил сапоги, лег и молча, уткнув седую голову в руки, плакал без слез...

Перейдя пешком донскую границу, Телегин спрятал полковничьи погоны в вещевой мешок; поездом добрался до Царицына и там сел на огромный теплоход, набитый от верхней палубы до трюма крестьянами, фронтовиками, дезертирами, беженцами. В Саратове предъявил в ревкоме документы и на буксирном пароходе пошел на Сызрань, где был чехословацкий фронт.

Волга была пустынна, как в те полумифические времена, когда к ее песчаным берегам подходила конница Чингисхана поить коней из великой реки Ра. Зеркальная ширина медленно уносилась в каемке песчаных обрывов, заливных лугов, поросших зелеными тальниками. Редкие селения казались покинутыми. На восток уходили ровные степи, в волны зноя, в миражи. Медленно плыли отражения облаков. И только хлопотливо шлепали в тишине пароходные колеса по лазурным водам.

Иван Ильич лежал под капитанским мостиком на горячей палубе. Он был босиком, в ситцевой рубахе распояской; золотистая щетина отросла у него на щеках. Он наслаждался, как кот на солнце, тишиной, влажным запахом болотных цветов, тянувшим с низкого берега сухим ковыльным запахом степей, необъятными потоками света. Это был всем отдыхам отдых.

Пароход вез оружие и патроны для партизан степных уездов. Красноармейцы, сопровождавшие груз, разленивались от воздуха — иные спали, иные, наспавшись, пели песни, глядя на просторы воды. Командир отряда, товарищ Хведин, черноморский матрос, по нескольку раз на дню принимался стыдить бойцов за несознательность, — они садились, ложились около него, подперев щеки...

— Должны вы понять, братишечки, — говорил он им хриповатым голосом, — не воюем мы с Деникиным, не воюем мы с атаманом Красновым, не воюем мы с чехословаками, а воюем мы со всей кровавой буржуазией обоих полушарий... Мирового буржуя надо бить смертельно, покуда он окончательно не собрался с силами... Нам, рррусским (слово это он произносил отчетливо и форсисто), нам сочувствуют кровные братья — пролетарии всех стран. Они ждут одного — чтобы мы кончили у себя паразитов и пошли подсоблять им в классовой борьбе... Это без слов понятно, братишки. Как смелее рррусского солдата ничего не было на свете, — смелее только моряк-краснофлотец, так что у нас все шанцы. Понятно, красавцы? Это арифметика, что я говорю. Сегодня бои под Самарой, а через небольшой срок бои будут на всех материках...

Ребята слушали, глядя ему в рот. Кто-нибудь замечал спокойно:

— Да... Заварили кашу... На весь свет!

Налево засинели Хвалынские горы. Товарищ Хведин глядел в бинокль. Городок Хвалынск, ленивый и сонный, яснее проступал за кущами деревьев. Здесь должны были брать нефть.

Седенький капитан стал около рулевого. Река разделялась на три русла, огибая наносные тальниковые острова, фарватер был капризный. Хведин подошел к капитану.

— В городе ни одной души не видать, — что за штука?

— Нефть нужно нам брать обязательно, как хотите, — сказал капитан.

— Надо, так подваливай.

Пароход, проходивший у самого острова, где ветви осокорей почти касались колесных кожухов, загудел, стал поворачивать. В это время с острова, из густых тальников, закричали отчаянные голоса:

— Стой! Стой! Куда вы идете?

Хведин выдернул из кобуры револьвер. Команда отхлынула от борта. Закипела вода под пароходными колесами.

— Стой же, стой! — кричали голоса. Шумели тальники, какие-то люди продирались к берегу, появились красные, взволнованные лица, машущие руки. Все указывали на город. Ничего за шумом нельзя было разобрать. Хведин покрыл наконец всех морскими словами. Но и без того стало все понятно... В городе у пристани появились дымки, по реке раскатились выстрелы. Хвалынск был занят белогвардейцами. Люди на острове оказались остатками бежавшего гарнизона, частью местными партизанами. Некоторые из них были вооружены, но патронов не было.

Красноармейцы кинулись в каюты за винтовками. Хведин сам стал за капитана и ругался на всю водную ширь такими проклятиями, что люди на острове сразу успокоились, на лицах появились улыбки. Хведин сгоряча хотел было сразу атаковать город в лоб с парохода, высадить десант и расправиться. Но его остановил Иван Ильич. В коротком споре Телегин доказал, что атаку без подготовки производить нельзя, что непременно ее нужно комбинировать с обходным движением и что Хведин не знает сил противника, и — может, у них артиллерия?

Хведин только заскрипел зубами, но согласился. Пароход под выстрелами спускался задним ходом по течению и зашел с западной стороны острова, откуда город был скрыт леском. Здесь ошвартовались. Люди с острова высыпали на песчаный берег, — было их человек пятьдесят, ободранные, взлохмаченные.

— Да вы толком слушайте, черти, что мы вам говорить будем, — кричали они.

— К нам на помощь Захаркин идет с пугачевскими партизанами.

— Мы еще третьего дня к нему ходока послали.

И они рассказали, что третьего дня местные буржуи вооруженным налетом врасплох захватили совдеп, телеграф и почту. Офицеры нацепили погоны, кинулись к арсеналу, отняли пулеметы. Вооружились гимназисты, купчики, чиновники, даже соборный дьякон бегал по улице с охотничьим ружьем. Никто не ждал переворота, не успели схватиться за винтовки.

— Наши командиры разбежались, продали командиры...

— Мы как бараны мечемся.

— Эх, вы! — только и сказал на это Хведин. — Эх, вы, сухопутные!..

На берегу все сообща стали держать военный совет. Телегина выбрали секретарем. Поставили вопрос: отнимать Хвалынск у буржуев или не отнимать? Решили отнимать. Вопрос второй: поджидать пугачевских партизан или брать город своей силой? Тут поспорили. Одни кричали, что надо ждать, потому что у пугачевцев есть пушка, другие кричали, что ждать нельзя — с минуты на минуту сверху из Самары подбегут белые пароходы. Хведину надоели споры, — махнул рукой:

— Ну, будет лязгать, товарищи. Постановлено единогласно: к вечеру чтобы Хвалынск был наш. Запротоколь, товарищ Телегин.

В это время на левом берегу, на обрыве, появились верховые: сначала выскочили двое, потом четверо — увидели пароход — ускакали. Потом сразу весь берег покрылся всадниками, на солнце блестели широкие пики, сделанные из кос. Хвалынские начали кричать:

— Э-эээ-й, чьи будете-е-е?

Оттуда ответили:

— Отряд Захаркина пугачевской крестьянской армии...

Хведин взял рупор, надувая шею, загудел:

— Братишки, мы вам оружие привезли, катись на остров... Хвалынск будем брать...

Оттуда закричали:

— Ладно... У нас пушка есть... Гони сюда пароход...

Всадники на берегу были одним из отрядов партизанской крестьянской армии, дравшейся в самарских степях против волостей, признавших власть самарского временного правительства.

Армия возникла сейчас же после занятия Самары чехословаками. Город Пугачевск — в прошлом Николаевск — стал центром формирования. Сюда собирались все горячие головы, кому любо было поездить на конях, все, кто загнан был знаменитым земельным скупщиком Шехобаловым на нищий крестьянский клин, все, кто тягался за землю с богатейшими уральскими станичниками, все, у кого через край переплескивалась душа, рожденная в бескрайних степях, где вольно шумит пшеница, где мужик, понукая медлительных волов, идет за тяжелым плугом.

Противник возникал повсюду, как степной мираж. В селе собирался сход, богатенькие мужики, унтер-офицеры царской армии, приезжие из Самары переодетые агитаторы кричали, что нет такого закону, чтобы бедняк, батрак, безземельный бродяга садился править волостью, отнимал у крепких мужиков землю и хлеб. И сход решал слать в соседние села ходоков, чтобы окапывались. Сразу поднималась целая волость, вытаскивали из потайных мест оружие, проводили плугом борозды на границе, рыли окопы на десятки верст.

В иных местах провозглашалась республика с подчинением самарскому центру. Охрана территории поручалась коннице, пехота мобилизовалась только в случае нападения красных. Для вооружения конницы годились косы, — их торчком привязывали к шестам. Такие кулацкие армии были страшны. Они появлялись неожиданно из степного марева, налетали в тучах пыли на цепи и пулеметы красных. Здесь дрались свои: брат на брата, отец на сына, кум на кума, — значит, без страха и беспощадно. Разбив красных, конница вооружалась пулеметами и винтовками, но кос не бросала.

Ни летописей, ни военных архивов не осталось от этой великой крестьянской войны в самарских степях, где еще помнились походы Емельяна Пугачева. Разве только в престольный праздник поспорят за ведром вина отец с сыном о былых боях, упрекая друг друга в стратегических ошибках.

— Помнишь, Яшка, — скажет отец, — начали вы в нас садить под Колдыбанью из орудия? Непременно, думаю, это мой Яшка, сукин сын... Вот ведь вовремя уши ему не оборвал... А здорово мы вас пуганули... Хорошо, ты мне тогда не попался...

— Хвастай, хвастай! А взяла наша...

— Ничего, придет случай — опять разойдемся.

— Что ж, и разойдемся... Как ты был кулак, так при своей кровавой точке зрения и остался.

— Выпьем, сынок!

— Выпьем, батя!

Пароход подошел к левому берегу. Бросили трап, и на борт поднялся командир пугачевского отряда Захаркин. Человек с крючковатым носом, как у орла-стервятника. Он был до того силен и кряжист, что сходни затрещали под ним. Выгоревший френч его лопнул под мышками, по высоким сапогам била кривая сабля. Его старшие братья, крестьяне Утевской волости, командовали уже дивизиями.

За ним поднялось шестеро партизан — командный состав, — одетые живописно и необыкновенно: выцветшие, в дегтю и пыли, рубахи, расстегнутые вороты, у кого валенки со шпорами, у кого — лапти; пулеметные ленты, гранаты за поясом, германские плоские штыки, обрезы.

Захаркин и Хведин встретились на капитанском мостике, пожали руки — один крепче другого. Угостились папиросами. Хведин кратко объяснил военную обстановку. Захаркин сказал:

— Я знаю, кто в Хвалынске воду мутит, — Кукушкин, председатель земской управы.... Мне бы эту сволочь живым взять.

— Насчет пушки, — сказал Хведин, — как у вас — в исправности?

— Стреляет, но прямой наводкой, без прицела, целимся через дуло. Зато бьет, проклятая: ахнешь — колокольня или водокачка вдребезги!

— Хорошо. А насчет десанта и обходного движения как думаете, товарищ Захаркин?

— Конницу перекинем на тот берег. Пароходишко может свезти сотню бойцов?

— Шутя — в два рейса.

— Ну, тогда говорить не о чем. Смеркнется — перекинем конный десант повыше города. Пушку поставим на пароход. А на зорьке атакуем.

Хведин поручил Ивану Ильичу командовать стрелковым десантом, который назначался к удару — в лоб по пристаням. В сумерки пароход осторожно, без огней, пошел по боковому рукаву Волги вдоль острова. В тишине слышался только голос матроса, промеряющего глубину.

Вслед за пароходом ушли по берегу и пугачевцы. Хвалынским было роздано оружие, они лежали на песке. Телегин ходил у самой воды, посматривая, чтобы не курили, не зажигали огня. Чуть слышно плескалась река о песок. Пахло болотными цветами. Звенели комарики. Люди на песке притихли.

Ночь становилась все чернее, все бархатнее, усыпалась звездами. Со степного берега тянуло сухостью полыни, булькали перепела: «спать пора»... Иван Ильич ходил вдоль воды, разгоняя сон.

Когда ночь переломилась, небо потеряло бархатную черноту и далеко из-за реки послышались петухи, — по воде, едва задымившейся туманом, зашлепали колеса. Подходил пароход. Иван Ильич осмотрел барабан револьвера, подтянул ремешок на штанах и пошел вдоль спящих, похлопывая их палочкой по ногам:

— Товарищи, просыпайтесь.

Люди одичало вскакивали. Знобясь, поднимались, не сразу соображали спросонок, что предстоит... Многие пошли пить, опуская голову в воду. Телегин командовал вполголоса. Надо было натаскать прикрытие, — бойцы стали стаскивать рубашки, набивали их песком и укладывали вдоль фальшборта. Работали молча, — было не до шуток.

Начинало светать. Приготовления закончились. Небольшую пушку, горное заржавленное орудие, установили на носу. Пятьдесят бойцов поднялись на борт, легли за мешками. Хведин стал на штурвал:

— Вперед, самый полный!

Закипела вода под колесами. Пароход быстро обогнул остров и по коренному руслу побежал на город. Там кое-где желтели огоньки. Позади проступала смутная линия гор, покрытая ночью. Теперь громко доносились крики петухов.

Иван Ильич стоял около орудия. Он никак не мог представить, что сейчас нужно будет стрелять в эту вековечную тишину. Хвалынский житель, вызвавшийся быть наводчиком у пушки, смирный, похожий на дьячка-рыболова, сказал ласковым голосом:

— Дорогой товарищ командир, а что — вдарить бы нам по почте? В самый аккурат... Видите — два огонька желтеются...

— Вдарить по почте! — громыхнул в рупор голос Хведина. — Готовьсь! Орудие! Прямой наводкой!

Бомбардир присел, глядя сквозь ствол пушки, — навел его на огоньки. Заложил снаряд. Обернулся к Телегину:

— Товарищ дорогой, отойдите маленько, разорвать может эту штуку...

— Огонь! — гаркнул Хведин.

Отскочив, ослепила, ударила пушка, покатился по воде грохот, отозвался в горах. Близ места, где желтели огоньки, блеснул разрыв, и второе эхо кинулось по горам.

— Огонь, огонь! — кричал Хведин, крутя штурвал. — С левого борта частый огонь! Залпами, залпами по сволочам!

Он топал ногами, бесновался, гремел сверхъестественными словами. С борта выстрелили беспорядочным залпом. Хвалынский берег быстро приближался. Бомбардир аккуратно зарядил и опять выстрелил, — было видно, как полетели щепы от какого-то сарая. Теперь отчетливо рисовались очертания деревянных домов, сады, колокольни.

Внизу на пристанях начали вспыхивать иголочки ружейного огня. И вот то, чего опасался Телегин, раздалось: отчетливо, торопливо застукал пулемет. Привычно поджались пальцы на ногах, как будто во всем теле сжались сосудики. Телегин присел у пушки, указывая бомбардиру на длинное строение на полугоре.

— Попытайся-ка попасть вон в тот угол, где кусты...

— Э-хе-хе, — сказал бомбардир, — домик-то этот хорош, ну да ладно.

В третий раз ударила пушка. Пулемет на минуту затих и застучал в другом уже месте, выше. Пароход крутым поворотом подбегал к пристани. Высоко — по трубе, по мачте, — резануло пулями.

— Не дожидайся причала, прыгай! — кричал Хведин. — Ура, ребята!

Заскрипел, затрещал борт конторки. Телегин выскочил первым, обернулся к ползущим через борта хвалынцам:

— За мной! Ура!

И побежал по сходням на берег. За ним заорала толпа. Стреляли, бежали, спотыкались. Берег был пуст. Как будто в садовые заросли метнулось несколько фигур. Кое-где стреляли с крыш. И уже совсем далеко, на холмах, застучал с перебоями, замолк и еще раза два стукнул пулемст. Противник не принимал боя.

Телегин очутился на какой-то неровной площади. Едва переводя дыхание, оглядывался, собирал людей. Подошвы босых ног горели, — должно быть, ссадил их о камни. Пахло пылью. Деревянные дома стояли с закрытыми ставнями. Не шевелились даже листы на сирени и на акации. В угловом двухэтажном доме, с провинциальной башенкой, на балконе висели на веревке четыре пары подштанников. Телегин подумал: «Это сопрут». Город, казалось, крепко спал, и бой, беготня, крики — только приснились.

Телегин спросил, где почтамт, телеграф, водокачка, и послал туда отряды по десяти человек. Бойцы пошли, все еще ощетиненные, отскакивая, вскидывая на каждый шорох винтовку. Противника нигде не обнаружилось. Уже начали запевать скворцы, и с крыш снимались голуби.

Телегин с отрядом занял совдеп, каменное здание с облупленными колоннами. Здесь двери были настежь, в вестибюле валялось оружие. Телегин вышел на балкон. Под ним лежали пышные сады, давно не крашенные крыши, пыльные пустые улочки. Провинциальная тишина. И вдруг вдалеке раздался набат: тревожный, частый, гулкий голос колокола полетел над городом. Там, откуда несся медный крик о помощи, началась частая стрельба, взрывы ручных гранат, крики, тяжелый конский топот и вой. Это десант Захаркина преградил дорогу отступающему в горы противнику. Затем по переулку, цокая подковами, проскакали всадники. И снова все затихло.

Иван Ильич не спеша пошел вниз, к пароходу, доложить, что город занят. Хведин, выслушав рапорт, сказал:

— Советская власть восстановлена. Делать нам больше здесь нечего. Поплыли дальше. — Старичка капитана, едва живого от страха, он братски похлопал по спине: — Дождался, понюхал пороху. Так-то, брат... Передаю командование, становись на вахту.

Под стук машины, журчание воды Телегин проспал до вечера. Над рекой разлился закат прозрачно-мглистым заревом. На корме негромко пели — с подголосками, уносившимися в эти пустынные просторы. Напрасная красота вечерней зари ложилась на берега, на реку, лилась в глаза, в душу.

— Эй, братишки, что приуныли? Уж петь, так веселую! — крикнул Хведин. Он тоже выспался, выпил чарку спирту и теперь похаживал по верхней палубе, подтягивая штаны. — Сызрань бы нам еще взять! Как, товарищ Телегин? Вот бы отчубучить...

Он скалил белые зубы, похохатывал. Плевать ему было на все опасности, на печаль заволжских закатов, на смертную пулю, которая где-нибудь поджидает его, — в бою ли или из-за угла... Жадность к жизни, горячая сила так и закипали в нем. Палуба трещала под его голыми пятками.

— Подожди, дай срок, и Сызрань и Самару возьмем, наша будет Волга...

Заря подергивалась пеплом. Пароход бежал без огней. Вечер покрыл берега, они расплылись. Хведин, не зная, куда девать силу, предложил Ивану Ильичу сыграть в картишки:

— Ну, не хочешь на деньги, давай в носы... Только бить, так уж бить.

В капитанской каюте сели играть в носы. Хведин горячился, подваливал, нагнал до трехсот носов, от избытка горячности едва было не сплутовал, но Иван Ильич глядел зорко: «Нет, брат, не с дураками играешь». И выиграл. Усевшись удобно на табуретке, Телегин начал бить засаленными картами. У Хведина нос сразу стал как свекла.

— Ты где это учился?

— В плену у немцев учился, — сказал Телегин. — Морду не отворачивай. Двести девяносто семь.

— Ты смотри... Без оттяжки бей... А то я — из шпалера...

— Врешь, последние три полагается с оттяжкой.

— Ну, бей, подлец...

Но Телегин не успел ударить. В каюту вошел капитан. Челюсть у него прыгала.. Фуражку держал в руке. По серой лысине текли капли пота.

— Как хотите, господа товарищи, — сказал он отчаянно, — я готов на все... Но, как хотите, дальше не поведу... Ведь на верную же смерть...

Бросив карты, Хведин и Телегин вышли на палубу. С левого борта впереди ярко горели, как звезды, электрические огни Сызрани. Огромный теплоход, весь ярко освещенный, медленно двигался вдоль берега: простым глазом можно было рассмотреть на корме огромный белый андреевский флаг, внушительные очертания пушек, прогуливающиеся по палубе фигуры офицеров...

— Не могу вертаться, товарищи. Хоть тут что, а надо пройти, — зашептал Хведин. — Нам проскочить бы до Батраков, там ошвартуемся, выгрузимся...

Он приказал всей команде сесть в трюм, быть готовой к бою. На мачте подняли трехцветный флаг. Зажгли отличительные огни. С теплохода заметили наконец буксир. Короткими свистками приказали замедлить ход. Голос в рупор пробасил оттуда:

— Чье судно? Куда идете?

— Буксир «Купец Калашников». Идем в Самару, — ответил Хведин.

— Почему поздно зажгли огни?

— Боимся большевиков. — Хведин опустил рупор и — вполголоса Телегину: — Эх, мину бы сейчас... Писал я им в Астрахань — вышлите мины... Разини советские...

После молчания с теплохода ответили:

— Идите по назначению.

Капитан дрожащей рукой надел фуражку. Хведин, скалясь, щурясь, глядел на огни теплохода. Плюнул, пошел в каюту. Там, закуривая, ломал спички.

— Иди, что ли, добивай, черт! — крикнул он Телегину.

Через час Сызрань осталась позади. Близ Батраков Телегина спустили в шлюпку. На станции Батраки он сел в двенадцатичасовой поезд и в пять пополудни шел с самарского вокзала на квартиру доктора Булавина. На нем снова был помятый и порванный френч с подполковничьими погонами. Похлопывая по голенищу палочкой, той самой, которой под Хвалынском ночью поднимал партизан, он с живейшим любопытством, как давно невиданное, прочитывал по пути театральные афиши, воззвания, объявления, — все они были на двух языках — русском, с буквой ять, и чешском...

Поднявшись с бокалом лимонада, Дмитрий Степанович Булавин вытащил из-за жилета салфетку, пожевал для достоинства губами и голосом значительным и глубоким, приобретенным за последнее время на посту товарища министра, начал речь:

— Господа, позвольте и мне...

Банкет давался представителями города по поводу победоносного шествия армии Учредительного собрания на север. Заняты были Симбирск и Казань. Большевики, казалось, окончательно теряли Среднее Поволжье. Под Мелекесом остатки Красной конной армии, в три с половиной тысячи сабель, отчаянно пробивались из окружения. В Казани, взятой чехами с налета, было захвачено двадцать четыре тысячи пудов золота на сумму свыше 600 миллионов рублей — больше половины государственного золотого запаса. Факт этот был настолько невероятен, грандиозен, что все его неисчерпаемые последствия еще слабо усваивались умами.

Золото находилось по пути в Самару. Никто еще определенно не накладывал на него властной руки, но чехи как будто решили предоставить его самарскому комитету членов Учредительного собрания, КОМУЧу. Самарское купечество держалось насчет судьбы золота своей точки зрения, но пока ее не высказывало. Чувства же к победителям-чехам достигли степени крайней горячности.

Банкет был многолюдный и оживленный. Дамы самарского общества, — а среди них были такие звезды, как Аржанова, Курлина и Шехобалова, владелицы пятиэтажных мукомольных мельниц, элеваторов, пароходных компаний и целых уездов залежного чернозема, — дамы, блистающие бриллиантами с волоцкий орех, в туалетах, если не совсем уже модных, то, во всяком случае, вывезенных в свое время из Парижа и Вены, смеющийся цветник этих дам окружал героя событий, командующего чешской армией, капитана Чечека. Как все герои, он был божественно прост и обходителен. Правда, его плотному телу было немного жарковато, тугой воротник отлично сшитого френча врезывался в багровую шею, но молодое полнокровное лицо, с короткими рыжими усиками, с блестящими глазами, так и просилось на поцелуй в обе румяные щеки. Очаровывающая улыбка не сходила с его уст, словно он отстранил от себя всякую славу, словно общество дам в тысячу раз было приятнее ему, чем гром побед и взятие губернских городов с поездами золота.

Напротив него сидел тучный, средних лет, военный с белым аксельбантом. Яйцевидный череп его был гол и массивен, как оплот власти. На обритом жирном лице примечательными казались толстые губы; он не переставая жевал, сдвинув бровные мускулы, зорко поглядывал на разнообразные закуски. Рюмочка тонула в его большой руке, — видимо, он привык больше к стаканчику. Коротко, закидывая голову, выпивал. Умные голубые медвежьи глазки его не останавливались ни на ком, точно он был здесь настороже. Военные склонялись к нему с особенным вниманием. Это был недавний гость, герой уральского казачества, оренбургский атаман Дутов.

Неподалеку от него, между двумя хорошенькими женщинами, блондинкой и шатенкой, сидел французский посол, мосье Жано, в светло-серой визитке, в ослепительном белье. Маленькое личико его, с превосходнейшими усами и острым носиком, было сильно поношено. Он гортанно трещал, склоняясь то к полуобнаженным прелестям шатенки (она ударяла его за это цветком по руке), то к жемчужно-розовому плечу блондинки, хохочущей так, будто француз ее щекотал. Обе дамы понимали по-французски, только когда говорят медленно. Было очевидно, что женские прелести свели с ума бедняжку Жано. Все же это не мешало ему во время коротких пауз обращаться к солидному мукомолу Брыкину, только что приехавшему из Омска, или поднять бокал за доблестные деяния атамана Дутова. Интерес, проявляемый мосье Жано к сибирской муке и оренбургскому мясу и маслу, указывал на его горячую преданность белому движению; в минуты продовольственных затруднений французский посол всегда мог предложить правительству полсотни вагонов муки и прочего... Находились скептические умы, утверждавшие, что не мешало бы, как это делается всяким порядочным правительством, предложить мосье Жано представить полностью верительные посольские грамоты... Но правительство предпочитало путь более тактичный — доверие к союзникам.

За столом находился еще один примечательный иностранец — смуглый, быстроглазый синьор Пикколомини (утверждавший, что это его настоящая фамилия). Он представлял в своем лице несколько неопределенно итальянскую нацию, итальянский народ. Короткий голубой мундир его был расшит серебряным шнуром, на плечах колыхались огромные генеральские эполеты. Он формировал в Самаре специальный итальянский батальон. Правительство разводило руками: «Где он тут найдет итальянцев? Черт его знает», — но деньги давало: все-таки союзники. В буржуазных кругах ему значения не придавали.

Правительство отсутствовало на этом банкете, кроме беспартийных — доктора Булавина и помощника начальника контрразведки, Семена Семеновича Говядина, высоко вознесшегося по служебной лестнице. Время обоюдных восторгов, когда скидывали большевиков, миновало. Правительство КОМУЧ, — все до одного твердокаменные эсеры, — несло такую бурду про завоевания революции, что только чехи, ни черта не понимавшие в русских делах, и могли еще ему верить. Конечно, на первых порах, — когда делали переворот и нужно было успокоить рабочих и мужиков, — эсеровское правительство было даже превосходно. Самарское купечество само повторяло эсеровские лозунги. Но вот уже и Волгу освободили от Хвалынска до Казани, и Деникин завоевал чуть ли не весь Северный Кавказ, и Краснов подходит к Царицыну, и Дутов расчистил Урал, и в Сибири что ни день возникают грозные белые атаманы, — а эти, заседающие в великолепном дворце самарского предводителя дворянства нечесаные голодранцы Вольский, Брушвит, Климушкин с товарищами, — все еще не могут успокоиться: как бы это им так все-таки довести до Учредительного собрания... Тьфу! И большое купечество решительно стало переходить на другие лозунги — попроще, покрепче, попонятнее...

Дмитрий Степанович говорил, обращаясь главным образом к иностранцам:

— ...У змеи выдернуто жало. Этот феноменальный, поворотного значения факт недостаточно учтен... Я говорю о шестистах миллионах золотых рублей, находящихся ныне в наших руках... (У мосье Жано усы встали дыбом. «Браво!» — крикнул он, потрясая бокалом; глаза Пикколомини загорелись, как у дьявола.) У большевиков выдернуто золотое жало, господа... Они еще могут кусать, но уже не смертельно. Они могут грозить, но их не больше испугаются, чем нищего, размахивающего костылем... У них больше нет золота — ничего, кроме типографского станка...

Брыкин, купец из Омска, вдруг разинул рот, громогласно захохотал на эти слова и, вытирая салфеткой шею, пробормотал: «Ох, дела, дела, господи!»

— Господа иностранные представители, — продолжал доктор Булавин, и в голосе его появился металл, какого прежде не бывало, — господа союзники... Дружба дружбой, а денежки денежками... Вчера мы были для вас почти что опереточной организацией, некоторым временным образованием, скажем — вроде шишки, неизбежно выскакивающей после удара... (Чечек нахмурился, мосье Жано и Пикколомини сделали негодующие жесты... Дмитрий Степанович с лукавством усмехнулся.) Сегодня всему миру уже известно, что мы солидное правительство, мы — хранители золотого государственного фонда... Теперь мы договоримся, господа иностранные представители... (Он сердито стукнул костяшками пальцев по столу.) Сейчас я говорю как частное лицо среди частных лиц, в интимнейшей обстановке. Но я предвижу всю серьезность брошенных мной мыслей... Я предвижу, как двинутся пароходы с оружием и с мануфактурой в русские гавани... Как возникнут гигантские белые армии. Как меч суровой кары опустится на шайку разбойников, хозяйничающих в России... Шестисот миллионов хватит на это... Господа иностранные представители! Помощь, широкая и щедрая помощь — законным представителям русского народа!

Он пригубил из бокала и сел, насупясь и сопя... Сидящие за столом жарко зааплодировали. Купец Брыкин крикнул:

— Спасибо, брат... Вот это верно, это, брат, по-нашему, без социализма...

Поднялся Чечек, коротко одернул на животе кушак:

— Я буду краток... Мы отдавали, и мы отдадим свою жизнь за счастье братьев по крови — русских... Да здравствует великая, мощная Россия, ура!

Тут уже буквально загремел весь стол от рукоплесканий, дамские протянутые ручки бешено захлопали среди цветов. Поднялся мосье Жано. Голова его была благородно откинута, пышные усы придавали мужество его лицу.

— Медам и месье! Мы все знали, что благородная русская армия, мечтавшая о славе своих отцов, была коварно обманута шайкой большевиков. Они внушили ей противоестественные идеи и изуверские инстинкты, и армия перестала быть армией. Медам и месье, не скрою — был момент, когда Франция поколебалась в своей вере в сердечность русского народа... Этот кошмар развеялся... Сегодня здесь мы видим, что нет и тысячу раз нет, — русский народ снова с нами... Армия уже сознает свои ошибки... Снова русский богатырь готов подставить свою грудь под свинец нашего общего врага... Я счастлив в моей новой уверенности...

Когда затихли аплодисменты, вскочил, потрясая густыми эполетами, Пикколомини. Но так как никто из присутствующих не понимал по-итальянски, то ему просто поверили, что он — за нас, и купец Брыкин полез к нему — черненькому и маленькому — целоваться. Затем были речи представителей капитала. Купечество выражалось туманно и витиевато, — больше кивали на Сибирь, откуда должно прийти избавление... Под конец упросили атамана Дутова сказать словечко. Он отмахивался: «Да нет же, я воин, я говорить не умею...»

Все же он грузно поднялся среди мгновенно наступившего молчания, вздохнул:

— Что же, господа! Помогут нам союзники — хорошо, не помогут — как-нибудь справимся с большевичками своими силами... Были бы деньги... Вот тут, господа, крыльев нам не подрезайте...

— Бери, атаман, бери нас с потрохами, ничего не пожалеем, — в полнейшем восторге завопил Брыкин.

Банкет удался. После официальной части к черному кофе были поданы заграничный коньяк и ликеры. Было уже поздно. Дмитрий Степанович ушел по-английски — не прощаясь.

Когда Дмитрий Степанович, подъехав к себе на машине, открывал парадное, к нему быстро подошел офицер:

— Простите, вы — доктор Булавин?

Дмитрий Степанович оглянул незнакомца. На улице было темно, он разглядел только подполковничьи погоны. Пожевав губами, доктор ответил:

— Да... Я — Булавин.

— Я к вам по очень, очень важному делу... Понимаю — неприемный час... Но я уже заходил, звонился три раза.

— Завтра в министерстве от одиннадцати.

— Умоляю вас, — сегодня. Я уезжаю с ночным пароходом.

Дмитрий Степанович опять замолчал. Было в незнакомце что-то до последней степени настойчивое и тревожное. Доктор пожал плечом:

— Предупреждаю: если вы о вспомоществовании, то это не через мою инстанцию.

— О нет, нет, пособия мне не нужно!

— Гм... Заходите.

Из передней Дмитрий Степанович прошел первым в кабинет и сейчас же запер дверь во внутренние комнаты. Там было освещено, — видимо, кто-то из домашних еще не спал. Затем доктор сел за письменный стол, указал просителю стул напротив, мрачно взглянул на кипу бумаг для подписи, сунул пальцы между пальцами:

— Ну-с, чем могу служить?

Офицер прижал к груди фуражку и тихо, с какой-то раздирающей нежностью проговорил:

— Где Даша?

Доктор сейчас же стукнулся затылком о резьбу кресла. Теперь наконец он взглянул в лицо просителя. Года два тому назад Даша прислала любительскую фотографию — себя с мужем. Это был он. Доктор вдруг побледнел, мешочки под глазами у него задрожали, хрипло переспросил:

— Даша?

— Да... Я — Телегин.

И он тоже побледнел, глядя в глаза доктору. Опомнившись, Дмитрий Степанович вместо естественного приветствия зятю, которого видел в первый раз в жизни, театрально взмахнул руками, издал неопределенный звук, точно выдавил хохоток:

— Вот как... Телегин... Ну, как же вы?

От неожиданности, должно быть, не пожал даже руки Ивану Ильичу. Кинул на нос пенсне (не прежнее, в никелевой оправе, треснувшее, а солидное, золотое) и, заторопившись, для чего-то стал выдвигать ящики стола, полные бумаг.

Телегин, ничего не понимая, с изумлением следил за его движениями. Минуту назад он готов был рассказать про себя все, как родному, как отцу... Сейчас подумал: «Черт его знает — может, он догадывается... Пожалуй, поставлю его в ужасное положение: как-никак — министр...» Опустив голову, он сказал совсем уже тихо:

— Дмитрий Степанович, я больше полугода не видел Даши, письма не доходят... Не имею понятия — что с ней.

— Жива, жива, благоденствует! — Доктор нагнулся почти под стол, к нижним ящикам.

— Я в Добровольческой армии... Сражаюсь с большевиками с марта месяца... Сейчас командирован штабом на север с секретным поручением.

Дмитрий Степанович слушал с самым диким видом, и вдруг, при слове «секретное поручение», усмешка пробежала под его усами.

— Так, так, а в каком полку изволите служить?

— В Солдатском. — Телегин чувствовал, как кровь заливает ему лицо.

— Ага... Значит, есть такой в Добровольческой армии... А надолго к нам пожаловали?

— Сегодня ночью еду.

— Превосходно. А куда именно? Простите — это военная тайна, не настаиваю... Иными словами — по делам контрразведки?

Голос Дмитрия Степановича зазвучал так странно, что Телегин, несмотря на страшное волнение, вздрогнул, насторожился. Но доктор в это время нашел то, что искал.

— Супруга ваша в добром здравии... Вот, почитайте, получил от нее на прошлой неделе... Тут и вас касается. (Доктор бросил перед Телегиным несколько листков бумаги, исписанных крупным Дашиным почерком. Эти неправильные, бесценные буквы так и поплыли в глазах у Ивана Ильича.) Я, простите, на минутку отлучусь. Да вы усаживайтесь удобнее.

Доктор быстро вышел, запер за собой дверь. Последнее, что слышал Иван Ильич, это были его слова, ответ кому-то из домашних:

— ...да так, один проситель...

Из столовой доктор прошел в темный коридорчик, где был телефон старинного устройства. Стоя лицом к стене, завертев телефонную ручку, он потребовал вполголоса номер контрразведки и вызвал к аппарату лично Семена Семеновича Говядина.

Дашино письмо было написано чернильным карандашом, буквы, чем дальше, тем становились крупнее, строки все круче загибали вниз:

«Папа, я не знаю, что со мной будет... Все так смутно... Ты единственный человек, кому я могу написать... Я в Казани... Кажется, послезавтра я могу уехать, но попаду ли я к тебе? Хочу тебя видеть. Ты все поймешь. Как посоветуешь, так и сделаю... Я осталась жива только чудом... Не знаю — может быть, лучше было бы и не жить после этого... Все, что мне говорили, внушали, — все ложь, гнусно обнаженная мерзость... Даже Никанор Юрьевич Куличек... Ему я поверила, по его наущению поехала в Москву. (Все расскажу при свидании подробно.) Даже и он вчера заявил мне буквально: «Людей расстреливают, кучами валят в землю, винтовочная пуля — вот вам цена человека, мир захлебнулся в крови, а тут еще с вами нужно церемониться. Другие и этого не скажут, а прямо — в постель». Я сопротивляюсь, папа, верь мне... Я не могу быть только угощением после стопки спирта. Если я отдам это последнее, что у меня осталось, значит, свет погас и — голову в петлю. Я старалась быть полезной. В Ярославле работала три дня под огнем как милосердная сестра... Ночью, руки — в крови, платье — в крови, повалилась на койку... Будят, — кто-то задирает мне юбку. Вскочила, закричала. Мальчишка, офицер, какое лицо — не забыть! Озверел, валит, молча вывертывает руки... Мерзавец! Папа, я выстрелила в него из его револьвера — не понимаю, как это случилось. Кажется, он упал, — не видела, не помню... Выбегаю на улицу, — зарево, горит весь город, рвутся снаряды... Как я не сошла с ума в ту ночь! И тогда-то решила — бежать, бежать... Я хочу, чтобы ты понял меня, помог... Я хочу бежать из России... У меня есть возможность... Но ты помоги мне отделаться от Куличка. Он — всюду за мной, то есть он всюду таскает меня за собой, и каждую ночь одни и те же разговоры. Но — пусть убьет — я не хочу...»

Иван Ильич остановился, передохнул, медленно перевернул страницу:

«Случайно мне достались большие драгоценности... При мне у Никитских ворот зарезало трамваем одного человека. Он погиб из-за меня, я это знаю... Когда очнулась, — в руках у меня оказался чемоданчик из крокодиловой кожи: должно быть, когда меня поднимали, кто-то сунул мне его в руки... Только на другой день я полюбопытствовала: в чемоданчикс лежали бриллиантовые и жемчужные драгоценности. Эти вещи где-то были украдены тем человеком... Он ехал на свидание со мной... Понимаешь, — украдены для меня.... Папа, я не пытаюсь разбираться ни в каком праве, — эти вещи я оставила у себя... В них сейчас мое единственное спасение... Но, если ты будешь доказывать мне, что я воровка, все равно я их оставлю у себя... После того как я видела смерть в таком изобилии, я хочу жить... Я больше не верю в человеческий образ... Эти великолепные люди с прекрасными словами о спасении родины — сволочи, звери... О, что я видела! Будь они прокляты! Понимаешь, произошло вот что: неожиданно ко мне явился поздно ночью Никанор Юрьевич, кажется — прямо из Петрограда... Он потребовал, чтобы я вместе с ним покинула Москву. Оказывается, их организация, «Союз защиты родины и свободы», была раскрыта чрезвычайкой, и в Москве — поголовные аресты. Савинков и весь штаб бежали на Волгу. Там, в Рыбинске, в Ярославле и в Муроме, они должны были поднять восстание. Они страшно торопились с этим: французский посол не давал больше денег и требовал на деле доказать силу организации. Они надеялись, что все крестьянство перейдет на их сторону. Никанор Юрьевич уверял, что дни большевиков сочтены, — восстание должно охватить весь север, всю Северную Волгу и соединиться с чехословаками. Куличек уверил, что мое имя найдено в списках организации, что оставаться в Москве опасно, и мы с ним уехали в Ярославль.

Там уже все было подготовлено в войсках, в милиции, в арсенале, всюду начальниками были их люди из организации. Мы приехали к вечеру, а на рассвете я проснулась от выстрелов... Кинулась к окну... Оно выходило на двор, напротив — кирпичная стена гаража, мусорная куча и несколько собак, лающих на ворота... Выстрелы не повторились, все было тихо, только вдалеке трескотня и тревожные гудки мотоциклеток... Затем начался колокольный звон по городу, звонили во всех церквах. На нашем дворе раскрылись ворота, и вошла группа офицеров, на них уже были погоны. У всех лица возбужденные, все они размахивали оружием. Они вели тучного бритого человека в сером пиджаке. На нем не было ни шапки, ни воротничка, жилет не застегнут. Лицо его было красное и гневное. Они ударяли его в спину, у него моталась голова, и он страшно сердился. Двое остались его держать около гаража, остальные отошли и совещались. В это время с черного крыльца нашего дома вышел полковник Перхуров, — я его в первый раз тогда увидела, — начальник всех вооруженных сил восстания... Все отдали ему честь. Это человек страшной воли, — провалившиеся черные глаза, худощавое лицо, подтянутый, в перчатках, в руке — стек. Я сразу поняла: это — смерть тому, в пиджаке. Перхуров стал глядеть на него исподлобья, и я увидела, как у него зло обнажились зубы. А тот продолжал ругаться, грозить и требовать. Тогда Перхуров вздернул голову и скомандовал — и сейчас же ушел... Двое — те, кто держали, отскочили от толстого человека... Он сорвал с себя пиджак, скрутил его и бросил в стоящих перед ним офицеров, — прямо в лицо одному, — весь побагровел, ругая их. Тряс кулаками и стоял в расстегнутом жилете, огромный и бешеный. Тогда они выстрелили в него. Он весь содрогнулся, вытянув перед собой руки, шагнул и повалился. В него еще некоторое время стреляли, в упавшего. Это был комиссар-большевик Нахимсон... Папа, я увидела казнь! Я до смерти теперь не забуду, как он хватал воздух... Никанор Юрьевич уверил меня, что это хорошо, — что если бы не они его расстреляли, то он бы их расстрелял...

Что было дальше — плохо помню: все происходившее было продолжением этой казни, все было насыщено судорогами огромного человеческого тела, не хотевшего умирать... Мне велели идти в какое-то длинное желтое здание с колоннами, и там я писала на машинке приказы и воззвания. Носились мотоциклетки, крутилась пыль... Вбегали взволнованные люди, сердились, приказывали; из-за всего начинался крик, хватались за голову. То — паника, то — преувеличенные надежды. Но когда появлялся Перхуров, с неумолимыми глазами, и бросал короткие слова, — вся суета стихала. На другой день за городом послышались раскаты орудийных выстрелов. Подходили большевики. В нашем учреждении с утра до ночи толпились обыватели, а тут вдруг стало пусто. Город будто вымер. Только ревел, проносясь, автомобиль Перхурова, проходили вооруженные отряды... Ждали каких-то аэропланов с французами, каких-то войск с севера, пароходов из Рыбинска со снарядами... Надежды не сбылись. И вот город охватило кольцо боя. На улицах рвались снаряды... Валились древние колокольни, падали дома, повсюду занимались пожары, их некому было тушить, солнце затянулось дымом. Не убирали даже трупов на улицах. Выяснилось, что Савинков поднял такое же восстание в Рыбинске, где находились артиллерийские склады, но восстание подавили солдаты, что села вокруг Ярославля и не думают идти на помощь, что ярославские рабочие не хотят садиться в окопы, сражаться против большевиков... Страшнее всего было лицо Перхурова, — я повсюду встречала его в эти дни. Это — смерть каталась на машине по развалинам города, все происходившее было будто воплощение его воли. Несколько дней Куличек держал меня в подвале. Но, папа, во всем я чувствовала и свою вину... Я бы все равно сошла с ума в подвале. Я надела косынку с крестом и работала до той ночи, когда меня хотели изнасиловать...

За день до падения Ярославля мы с Никанором Юрьевичем бежали на лодке за Волгу... Целую неделю мы шли, скрываясь от людей. Ночевали под стогами, — хорошо, что были теплые ночи. Туфли мои развалились, ноги сбились в кровь. Никанор Юрьевич где-то раздобыл мне валенки, — просто, должно быть, стащил с плетня. На какой-то день, не помню, в березовом лесу мы увидели человека в изодранном армяке, в лаптях, в косматой шапке. Он шел угрюмо, быстро и прямо, как маньяк, опирался на дубинку. Это был Перхуров, — он тоже бежал из Ярославля. Я так испугалась его, что бросилась ничком в траву... Потом мы пришли в Кострому и остановились в слободе у чиновника, знакомого Куличка, и там прожили до взятия Казани чехами... Никанор Юрьевич все время ухаживал за мной, как за ребенком, — я благодарна ему... Но тут случилось, что в Костроме он увидел драгоценные камушки, — они были в носовом платке, в моей сумочке, которую он всю дорогу нес в кармане пиджака. Я только в Костроме о них и вспомнила. Пришлось рассказать ему всю историю, — сказала, что по совести считаю себя преступницей. Он развил по этому поводу целую философскую систему: получалось, что я не преступница, но вытянула какой-то лотерейный билет жизни. С этих пор его отношение ко мне переменилось, стало очень сложным. Повлияло и то, что мы жили чистенько и тихо в провинциальном домишке, пили молоко, ели крыжовник и малину. Я поправилась. Однажды после заката, в садике, он заговорил о любви вообще, о том, что я создана для любви, стал целовать мне руки. И я почувствовала, — для него нет сомнения, что через минуту я отдамся ему на этой скамейке под акацией... После всего, что было, ты понимаешь, папа? Чтоб не объяснять всего, я сказала только: «Ничего у нас не выйдет, я люблю Ивана Ильича». Я не солгала, папа...»

Иван Ильич вынул платок, вытер лицо, потом глаза и продолжал чтение:

«Я не солгала... Я не забыла Ивана Ильича. У меня с ним еще не все кончено... Ты ведь знаешь, — мы расстались в марте, он уехал на Кавказ, в Красную Армию... Он на отличном счету, настоящий большевик, хотя и не партийный... У нас с ним порвалось, но прошлое нас связывает крепко... Прошлого я не разорвала... А Куличек подошел к делу очень просто, — ложись... Ах, папа, то, что мы когда-то называли любовью, — это лишь наше самосохранение... Мы боимся забвения, уничтожения... Вот почему так страшно встретить ночью глаза уличной проститутки... Это лишь тень женщины... Но я, я — живая, я хочу, чтобы меня любили, вспоминали, я хочу видеть себя в глазах любовника. Я люблю жизнь... Если мне захочется отдаться вот так, на миг, — о да... Но во мне сейчас только злоба, и отвращение, и ужас... За последнее время что-то случилось с лицом, с фигурой, я похорошела... Я — как голая сейчас, повсюду голодные глаза... Будь проклята красота!.. Папа, я посылаю тебе это письмо, чтобы ни о чем уже, когда увижусь с тобой, не говорить... Я еще не сломанная, ты пойми...»

Иван Ильич поднял голову. За дверью, ведущей в прихожую, послышались осторожные шаги нескольких человек, шепот. Дверная ручка повернулась. Он быстро вскочил, оглянулся на окна...

Окна докторской квартиры находились, по-провинциальному, невысоко над землей. Среднее было раскрыто. Телегин подскочил к нему. На асфальте лежала длинная, как циркуль, человеческая тень и еще длиннее — от нее — тень винтовки.

Все это произошло в какую-то долю секунды. Ручка входной двери повернулась, и в кабинет вошли сразу, плечо о плечо, двое молодцов мещанского вида, в картузиках, в вышитых рубашках. Сзади них моталось рыжебородое, вегетарианское лицо Говядина. Первое, что увидел Телегин, когда они кинулись в кабинет, — три направленных на него револьверных дула.

Это произошло в следующую долю секунды. Опытом военного человека он понял, что отступать, имея на плечах сильного и неразбитого противника, — неблагоразумно. Перебросив «браунинг» в левую руку, он сорвал с пояса, из-под френча, небольшую гранатку, к которой было прикручено письмо Гымзы, и, весь налившись кровью, завопил, срывая голосовые связки:

— Бросай оружие!

И возглас этот, весьма понятный, и весь вид Ивана Ильича были столь внушительны, что молодцы смешались и несколько подались назад. Вегетарианская физиономия метнулась в сторону. Еще секунда была выиграна... Телегин со взмахнутой гранатой навис над ними:

— Бросай...

И тут случилось то, чего никто из присутствующих, а в особенности Телегин, никак уже не мог ожидать... Немедленно вслед за вторым его окриком за ореховой одностворчатой дверью, ведущей из кабинета во внутренние комнаты, раздался болезненный крик, женский голос воскликнул что-то с отчаянной тревогой... Ореховая дверца раскрылась, и Телегин увидел Дашины расширенные глаза, пальчики ее, вцепившиеся в косяк, худенькое лицо, все дрожащее от волнения.

— Иван!..

Около нее очутился доктор, схватил ее за бока, утащил, и дверца захлопнулась... Все это мгновенно перевернуло наступательно-оборонительные планы Ивана Ильича... Он устремился к ореховой двери, со всей силы плечом толкнул ее, что-то в ней треснуло, — и он вскочил в столовую... Он все еще держал в руках орудия убийства... Даша стояла у стола, схватилась у шеи за отвороты полосатого халатика, горло ее двигалось, точно она глотала что-то. (Он заметил это с пронзительной жалостью.) Доктор пятился, — вид у него был перепуганный, взъерошенный.

— На помощь! Говядин! — прошипел он измятым голосом. Даша стремительно побежала к ореховой двери и повернула в ней ключ:

— Господи, как это ужасно!

Но Иван Ильич понял ее слова по-иному: действительно, ужасно было ворваться к Даше с этими штуками. Он торопливо сунул револьвер и гранатку в карманы. Тогда Даша схватила его за руку: «Идем», — и увлекла в темный коридорчик, а из него — в узкую комнатку, где на стуле горела свеча. Комната была голая, только на гвозде висела Дашина юбка, да у стены — железная кровать со смятыми простынями.

— Ты одна здесь? — шепотом спросил Телегин. — Я прочел твое письмо.

Он оглядывался, губы, растянутые в улыбку, дрожали. Даша, не отвечая, тащила его к раскрытому окну.

— Беги, да беги же, с ума сошел!..

Из окна неясно был виден двор, тени и крыши сбегающих к реке построек, внизу — огни пристаней. С Волги дул влажный ветерок, остро пахнущий дождем... Даша стояла, вся касаясь Ивана Ильича, подняв испуганное лицо, полуоткрыв рот...

— Прости меня, прости, беги, не медли, Иван, — пробормотала она, глядя ему в зрачки.

Как ему было оторваться? Сомкнулся долгий круг разлуки. Избежал тысячи смертей, и вот глядит в единственное лицо. Он нагнулся и поцеловал ее.

Холодные губы ее не ответили, только затрепетали:

— Я тебе не изменила... Даю честное слово... Мы встретимся, когда будет лучше... Но — беги, беги, умоляю...

Никогда, даже в блаженные дни в Крыму, он не любил ее так сильно. Он сдерживал слезы, глядя на ее лицо.

— Даша, пойдем со мной... Ты понимаешь. Я буду ждать тебя за рекой, — завтра ночью...

Она затрясла головой, отчаянно простонала:

— Нет... Не хочу.

— Не хочешь?

— Не могу.

— Хорошо, — сказал он, — в таком случае я остаюсь. — Он отодвинулся к стене...

Даша ахнула, всхлипнула... И вдруг остервенело накинулась, схватила за руки, опять потащила к окну. На дворе скрипнула калитка, осторожно хрустнул песок, Даша в отчаянии прижалась теплой головой к рукам Ивана Ильича...

— Я прочел твое письмо, — опять сказал он. — Я все понял.

Тогда она на секунду бросила тащить его, обхватила за шею, прильнула к лицу всем лицом:

— Они уже на дворе... Они тебя убьют, убьют...

От света свечи золотились ее рассыпавшиеся волосы. Она казалась Ивану Ильичу девочкой, ребенком, — совсем такой, как тогда ночью, когда он, раненый, лежал в пшенице и, сжимая в кулаке кусочек земли, думал об ее непокорном и беспокойном, таком хрупком сердце.

— Почему не хочешь уйти со мной, Даша? Тебя здесь замучают. Ты видишь, что здесь за люди... Лучше — все бедствия, но я буду с тобой... Дитя мое... Все равно ты со мной в жизни и смерти, как мое сердце со мной, так и ты.

Он сказал это тихо и быстро из темного угла. Даша закинула голову, не выпуская его рук, — у нее брызнули слезы...

— Верна буду тебе до смерти... Уходи... Пойми, — я не та, кого ты любишь... Но я буду, буду такой.

Дальше он не слушал, — его опьянила бешеная радость от ее слез, от ее слов, от ее отчаянного голоса. Он так стиснул Дашу, что у нее хрустнули кости.

— Хорошо, все понял, прощай, — шепнул он. Кинулся грудью на подоконник и через секунду, как тень, соскользнул вниз, — только легко стукнули его подошвы по деревянной крыше сарая.

Даша высунулась в окно, — но ничего не было видно: тьма, желтые огоньки вдали. Обеими руками она сжимала грудь, там, где сердце... Ни звука на дворе... Но вот из тени выдвинулись две фигуры. Пригнувшись, побежали наискосок по двору. Даша закричала так пронзительно, страшно закричала, что фигуры с разбегу завертелись, стали. Должно быть, обернулись на ее окно. И в это время она увидела, как в глубине двора через конек деревянной крыши перелез Телегин.

Даша упала на кровать ничком. Лежала не двигаясь. Так же стремительно вскочила, пошарила свалившуюся туфлю и побежала в столовую.

В столовой стояли, готовые к бою, доктор с маленьким никелированным револьвером и Говядин, вооруженный наганом. Оба наперебой спросили Дашу: «Ну, что?..» Она стиснула кулачок, бешено взглянула в рыжие глаза Говядину.

— Негодяй, — сказала она и потрясла кулачком перед его бледным носом, — вас-то уж расстреляют когда-нибудь, негодяй!

Длинное лицо его передернулось, стало еще бледнее, борода повисла, как неживая. Доктор делал ему знаки, но Говядин весь уже трясся от злобы.

— Эти шуточки с кулачком бросьте, Дарья Дмитриевна... Я далеко не забыл, как вы однажды изволили ударить меня, кажется, даже туфелькой... Кулачок ваш спрячьте... И вообще бы советовал мной не пренебрегать.

— Семен Семенович, теряете время, — перебил доктор, продолжая делать знаки, но так, чтобы Даша не видела.

— Не беспокойтесь, Дмитрий Степанович, Телегин от нас не уйдет...

Даша крикнула, рванулась:

— Вы не посмеете! (Говядин сейчас же загородился стулом.)

— Ну, мы увидим — посмеем или нет... Предупреждаю, Дарья Дмитриевна, в «Штабе охраны» очень заинтересованы лично вами... После сегодняшнего инцидента ни за что не ручаюсь. Не пришлось бы вас потревожить.

— Ну, уж вы, кажется, начинаете завираться, Семен Семенович, — сердито сказал доктор, — это уже слишком...

— Все зависит от личных отношений, Дмитрий Степанович... Вы знаете мое к вам расположение, мою давнишнюю симпатию к Дарье Дмитриевне...

Даша мгновенно побледнела. От усмешки лицо Говядина все перекривилось, как в дурном зеркале. Он взял фуражку и вышел, напрягая затылок, чтобы со спины не показаться смешным. Доктор сказал, садясь к столу:

— Страшный человек этот Говядин.

Даша ходила по комнате, хрустя пальцами. Остановилась перед отцом:

— Где мое письмо?

Доктор, пытавшийся открыть серебряный портсигар, издал шипение сквозь зубы, ухватил наконец папироску и мял ее в толстых, все еще дрожащих пальцах.

— Там... Черт его знает... В кабинете, на ковре.

Даша ушла, сейчас же вернулась с письмом и опять остановилась перед Дмитрием Степановичем. Он закуривал, — огонек плясал около кончика папироски.

— Я исполнил мой долг, — сказал он, бросая спичку на пол. (Даша молчала.) Милая моя, он большевик, мало того — контрразведчик... Гражданская война, знаешь, не шуточки, тут приходится жертвовать всем... На то мы и облечены властью, народ никогда не прощает слабостей. (Даша не спеша, будто в задумчивости, начала разрывать письмо на мелкие кусочки.) Является — ясно как божий день — выведать у меня, что ему нужно, и при удобном случае меня же укокошить... Видела, как он вооружен? С бомбой. В девятьсот шестом году, на углу Москательной, у меня на глазах разорвало бомбой губернатора Блока... Посмотрела бы ты, что от него осталось, — туловище и кусок бороды. — У доктора опять затряслись руки, он швырнул незакурившуюся папироску, взял новую. — Я всегда не любил твоего Телегина, очень хорошо сделала, что с ним порвала... (Даша и на это смолчала.) И начал-то с примитивнейшей хитрости, — видишь ли, заинтересовался, где ты...

— Если Говядин его схватит...

— Никакого сомнения, у Говядина превосходная агентура... Знаешь, ты с Говядиным слишком уж резко обошлась... Говядин крупный человек... Его и чехи очень ценят, и в штабе... Время такое — мы должны жертвовать личным... для блага страны, — вспомни классические примеры... Ты ведь моя дочь; правда, голова у тебя хотя и с фантазиями, — он засмеялся, закашлялся, — но неглупая голова...

— Если Говядин схватит его, — сказала Даша хрипло, — ты сделаешь все, чтобы спасти Ивана Ильича.

Доктор быстро взглянул на дочь, засопел. Она сжимала в кулачке клочки письма.

— Ты ведь сделаешь это, папа!

— Нет! — крикнул доктор, ударяя ладонью по столу. — Нет! Глупости! Желая тебе же добра... Нет!

— Тебе будет трудно, но ты сделаешь, папа.

— Ты девчонка, ты просто — дура! — заорал доктор. — Телегин негодяй и преступник, военным судом он будет расстрелян.

Даша подняла голову, серые глаза ее разгорелись так нестерпимо, что доктор, сопнув, занавесился бровями. Она подняла, как бы грозя, кулачок со стиснутыми в нем бумажками.

— Если все большевики такие, как Телегин, — сказала она, — стало быть, большевики правы.

— Дура!.. Дура!.. — Доктор вскочил, затопал, багровый, трясущийся. — Большевиков твоих вместе с Телегиным надо вешать! На всех телеграфных столбах... Кожу драть заживо!

Но у Даши характер был, пожалуй, покруче, чем у Дмитрия Степановича, — она только побледнела, подошла вплотную, не сводя с него нестерпимых глаз.

— Мерзавец, — сказала она, — что ты беснуешься? Ты мне не отец, сумасшедший, растленный тип!

И она швырнула в лицо ему обрывки письма...

Этой же ночью на рассвете доктора подняли к телефону. Грубоватый, спокойный голос проговорил в трубку:

— Довожу до сведения, что близ Самолетской пристани, за мучным лабазом, только что обнаружили два трупа — помощника начальника контрразведки Говядина и одного из его агентов...

Трубку повесили. Дмитрий Степанович разинул рот, захватывая воздух, и повалился тут же около телефона в сильнейшем сердечном припадке.

11

Армия Сорокина, разбив лучшие в Добрармии войска Дроздовского и Казановича, изменила первоначальному плану ухода за Кубань и вместо этого, повернувшись под Кореновской на север, начала наступление на станцию Тихорецкую, где находился штаб Деникина.

Десять дней уже длилась беспощадная битва. Одушевленные первыми успехами, сорокинцы сметали все заслоны перед Тихорецкой. Казалось, теперь ничто не могло остановить их стремительного движения. Деникин спешно стягивал разбросанные по Кубани силы. Ожесточение было так велико, что каждая стычка кончалась ударом в штыки.

Но с той же стремительностью в сорокинской армии шло и разложение. Обострялась вражда между кубанскими полками и украинскими. Украинцы и старые фронтовики по пути наступления опустошали кубанские станицы, не разбирая, за белых они стоят или за красных.

Все понятия путались. Станичники с ужасом видели, как из-за края степи в тучах пыли надвигаются полчища. Деникин по крайней мере платил за фураж, а эти сорокинцы — одно — горячи были на руку. И вот молодой садился на коня и уходил к Деникину, старый с бабами, детьми и скотом — бежал в овраги. Целые станицы поднимались против армии Сорокина.

Кубанские полки кричали: «Нас на убой посылают, а иногородние нашу землю грабят!» Начальник штаба армии Беляков отчаянно крутился в водовороте событий, он только схватывался за голову: цела ли она еще на плечах. Еще бы! Стратегия летела к черту. Вся тактика была — в острие штыка да в революционной ярости. Дисциплину заменяло неотвратимое, стремительное движение всех войсковых масс. На главнокомандующего Сорокина страшно было и смотреть: эти дни он питался спиртом и кокаином, — глаза его воспалились, лицо почернело, он сорвал голос и, как обезумевший, пер вперед на плечах армии..

Случилось неминуемое. Добровольческая армия, прокаленная насквозь железной дисциплиной, поражаемая и отступающая, но, как механизм, послушная воле единого командования, снова и снова переходила в контратаки, зацеплялась за каждую удобную складку земли, холодно и умело выбирала слабые места противника. И вот, двадцать пятого июля под Выселками, в 50 верстах от Тихорецкой, разыгрался последний, десятый день битвы.

Позиции войск Дроздовского и Казановича были даже хуже, чем в предыдущие дни. Здесь красным удалось зайти в тыл, и добровольцы попадали почти в такой же мешок, как большевики под Белой Глиной. Но сорокинская армия была уже не та, что девять дней тому назад. Страстное напряжение падало, упорство противника вселяло недоверие, сомнение, отчаяние, — когда же конец, победа, отдых?

В четвертом часу дня сорокинцы бросились в атаку по всему фронту. Удар был жестокий. Кругом по всему горизонту ревели пушки. Густые цепи шли не ложась. Напряжение, нетерпение, ярость достигли высшего предела...

Так началась гибель армии Сорокина. Первая волна наступающих была расстреляна и уничтожена в штыковом бою. Следующие волны смешались под огнем среди трупов, раненых, падающих. И тогда случилось то, чего нельзя учесть, ни постигнуть, ни остановить, — все напряжение сразу сломилось. Больше не хватало сил, не хватало страсти.

Холодная воля противника продолжала наносить расчетливые удары, увеличивая смятение... С севера марковцы и конный полк, с юга конница Эрдели врезались в перемешавшиеся полки. Поползли режущие огнем броневики, задымились бронепоезда белых. Тогда началось отступление, бегство, бойня. К четырем часам вся степь в южном и западном направлениях была покрыта отступающей, уничтоженной как единая сила армией Сорокина.

Начштаба Беляков силой повалил главнокомандующего в автомобиль. Налитые кровью глаза Сорокина были выпучены, рот в пене, черной рукой он еще сжимал расстрелянный револьвер. Продырявленный пулями, измятый автомобиль бешено промчался по трупам и скрылся за холмами.

Главная часть разгромленной сорокинской армии уходила на Екатеринодар. Туда же начала отступать с Таманского полуострова западная группа красных войск, — так называемая Таманская армия, под командованием Кожуха. На ее пути кругом восставали станицы, и тысячи иногородних — со скарбом и скотом, — спасаясь от мести станичников, бежали под защиту таманцев. Дорогу преградила белая конница генерала Покровского. Таманцы в бешенстве разбили, рассеяли ее, но все равно двигаться дальше — на Екатеринодар — было уже невозможно, и Кожух повернул свою армию с обозами беженцев круто на юг, в пустынные и труднопроходимые горы, надеясь пробиться к Новороссийску, где стоял красный Черноморский флот.

* * *

Деникина теперь ничто уже не могло остановить. Легко расчищая путь, он со всеми силами подошел к Екатеринодару, занятому остатками более уже не существующей северокавказской армии, и с налета взял его ожесточенным штурмом. Так закончился «ледяной поход», шесть месяцев тому назад начатый Корниловым с кучкой офицеров.

Екатеринодар стал белой столицей. Богатейшие области Черноморья спешно очищались ото всего, что бродило и бушевало. У генералов, еще недавно самолично искавших вшей в рубашке, возродились великодержавные традиции, старый императорский размах.

Прежний кустарный способ ведения войны путем добывания оружия и огневого снаряжения в бою или налетом у большевиков был, разумеется, неприменим для новых, обширных планов. Нужны были деньги, широкий приток оружия и снаряжения, постановка интендантской части для большой войны, мощные базы для наступления в глубь России.

Эпоха домашней междоусобной борьбы кончалась, — в игру вступали извне мощные силы.

Особенная и неожиданная опасность встала перед германским главным штабом сейчас же после первых июньских побед Деникина. Большевики были врагом, связанным по рукам и ногам Брест-Литовским договором. Деникин оказывался врагом, еще не изведанным и не изученным. С разгромом сорокинской армии Деникин выходил к Азовскому морю и к Новороссийску, где с первых чисел мая находился весь русский военный флот.

Со стороны Черного моря немцы не были защищены. Покуда флот находился в руках большевиков, они были спокойны, — на всякое его враждебное действие они ответили бы переходом через украинскую границу. Но пятнадцать эскадренных миноносцев и два дредноута в руках Деникина были уже серьезной угрозой превращения Черного моря во фронт мировой войны.

Десятого июня Германия предъявила Советскому правительству ультиматум: в девятидневный срок перевести весь Черноморский флот из Новороссийска в Севастополь, где стоял сильный немецкий гарнизон. В случае отказа Германия угрожала наступлением на Москву.

Тогда же из Одессы начальник штаба австрийских оккупационных войск писал в Вену — министру иностранных дел:

«Германия преследует на Украине определенную хозяйственно-политическую цель. Она хочет навсегда закрепить за собой безопасный путь на Месопотамию и Аравию через Баку и Персию.

Путь на восток идет через Киев, Екатеринослав и Севастополь, откуда начинается морское сообщение на Батум и Трапезунд.

Для этой цели Германия намерена оставить за собой Крым, как свою колонию или в какой-либо иной форме. Они никогда уже не выпустят из своих рук ценного Крымского полуострова. Кроме того, чтобы полностью использовать этот путь, им необходимо овладеть железнодорожной магистралью, а так как снабжение углем из Германии этой магистрали и Черного моря невозможно, то ей необходимо завладеть наиболее значительными шахтами Донбасса. Все это Германия так или иначе обеспечит себе...»

Когда десятого июня в Москве был получен германский ультиматум, Ленин — как всегда, без колебаний — решил этот тяжелый и для многих «неразрешимый» вопрос. Решение было: воевать с немцами сейчас еще нельзя, но и флота им отдавать нельзя.

Из Москвы в Новороссийск выехал представитель Советского правительства товарищ Вахрамеев. В присутствии делегатов от Черноморского флота и всех командиров он предложил единственный большевистский ответ на ультиматум: Совет Народных Комиссаров посылает открытое радио Черноморскому флоту с приказом идти в Севастополь и сдаваться немцам, но Черноморский флот этого приказания не выполняет и топится на Новороссийском рейде.

Советский флот — два дредноута и пятнадцать эскадренных миноносцев, подводные лодки и вспомогательные суда, обреченные Брест-Литовским договором на бездействие, — стоял в Новороссийске, на рейде.

Делегаты от флота съехали на берег и хмуро выслушали Вахрамеева, — он предлагал самоубийство. Но — куда ни кинь, все клин: податься некуда, у флота не было ни угля, ни нефти. Москву заслоняли немцы, с востока приближался Деникин, на рейде уже чертили пенные полосы перископы германских подводных лодок, и в синеве поблескивали германские бомбовозы. Долго и горячо спорили делегаты... Но выход был один: топиться... Все же перед этим страшным делом делегаты решили поставить судьбу флота на голосование всего флотского экипажа.

Начались многотысячные митинги в Новороссийской гавани. Трудно было понять морякам, глядя на ошвартованные серо-стальные гиганты — дредноуты «Воля» и «Свободная Россия», на покрытые военной славой быстроходные миноносцы, на сложные переплеты башен и мачт, громоздившихся над гаванью, над толпами народа, — трудно было представить, что это грозное достояние революции, плавучая родина моряков, опустится на дно морское без единого выстрела, не сопротивляясь.

Не такие были головы у черноморских моряков, чтобы спокойно решиться на самоуничтожение. Много было крикано исступленных слов, бито себя в грудь, рывано тельников на татуированных грудях, растоптано фуражек с ленточками...

От утренней зари до вечерней, когда закат обагрял лилово-мрачные воды не своего теперь, проклятого моря, — густые толпы моряков, фронтовиков и прочего приморского люда волновались по всей набережной.

Командиры судов и офицеры смотрели на дело по-разному: большая часть тайно склонялась идти на Севастополь и сдаваться немцам; меньшая часть, во главе с командиром эсминца «Керчь» старшим лейтенантом Кукелем, понимала неизбежность гибели и все огромное значение ее для будущего. Они говорили: «Мы должны покончить самоубийством, — на время закрыть книгу истории Черноморского флота, не запачкав ее...»

На этих грандиозных и шумных, как ураган, митингах решали утром — так, вечером — этак. Больше всего было успеха у тех, кто, хватив о землю шапкой, кричал: «...Товарищи, чихали мы на москалей. Нехай их сами потонут. А мы нашего флота не отдадим. Будем с немцами биться до последнего снаряда...»

«Уррра!» — ревом катилось по гавани.

Особенно сильное смятение началось, когда за четыре дня до срока ультиматума примчались из Екатеринодара председатель ЦИКа Черноморской республики Рубин и представитель армии Перебийнос — саженного роста, страшного вида человек, с четырьмя револьверами за поясом. Оба они — Рубин в пространной речи и Перебийнос, гремя басом и потрясая оружием, — доказывали, что ни отдавать, ни топить флот не можно, что в Москве сами не понимают, что говорят, что Черноморская республика доставит флоту все, что ему нужно: и нефть, и снаряды, и пищевое довольствие.

— У нас на фронте дела такие, в бога, в душу, в веру... — кричал Перебийнос, — на будущей неделе мы суку Деникина с его кадетами в Кубани утопим... Братишечки, корабли не топите, — вот что нам надо... Чтоб мы на фронте чувствовали, что в тылу у нас могучий флот. А будете топиться, братишечки, то я от всей кубано-черноморской революционной армии категорически заявляю: такого предательства мы не можем перенести, мы с отчаяния повернем свой фронт на Новороссийск в количестве сорока тысяч штыков и вас, братишечки, всех до единого поднимем на свои штыки...

После этого митинга все пошло вразброд, закружились головы. Команды стали бежать с кораблей куда глаза глядят. В толпе все больше появлялось темных личностей — днем они громче всех кричали: «Биться с немцами до последнего снаряда», а ночью кучки их подбирались к опустевшим миноносцам — готовые броситься, покидать в воду команду и грабить.

В эти дни на борт миноносца «Керчь» вернулся Семен Красильников.

Семен чистил медную колонку компаса. Вся команда работала с утра, скребя, моя, чистя миноносец, стоявший саженях в десяти от стенки. Горячее солнце всходило над выжженными прибрежными холмами... В безветренном зное висели флаги. Семен старательно надраивал медяшку, стараясь не глядеть в сторону гавани. Команда убирала миноносец перед смертью.

В гавани дымили огромные трубы дредноута «Воля». Сверкали орудия со снятыми чехлами. Черный дым поднимался к небу. Корабль, и дым, и бурые холмы, с цементными заводами у подножья их, отражались в зеркальном заливе.

Семен, присев на голые пятки, тер, тер медяшку. Этой ночью он держал вахту, и так ему было горько, раздумавшись: зря заехал сюда. Зря не послушал брата и Матрену... Смеяться будут теперь: «Эх, скажут, дюже ты повоевал с немцами — пропили флот, братишки...» Что ответишь на это? Скажешь: своими руками почистил, прибрал и утопил «Керчь».

От «Воли» к судам бегал моторный катер, махали флагами. Эсминец «Дерзкий» отвалил от стенки, взял на буксир «Беспокойного» и медленно потащил его на рейд. Еще медленнее, как больные, двинулись за ним по зеркалу залива эскадренные миноносцы: «Поспешный», «Живой», «Жаркий», «Громкий».

Затем в движении настал перерыв. В гавани осталось восемь миноносцев. На них не было заметно никакого движения. Все глаза теперь были устремлены на светло-серую, с ржавыми потеками по бортам, стальную громаду «Воли». Моряки глядели на нее, бросив швабры, суконки, брандспойты. На «Воле» развевался лениво флаг командующего флотом, капитана первого ранга Тихменева.

На борту эсминца «Керчь» моряки говорили вполголоса, тревожно:

— Смотри... Уйдет «Воля» в Севастополь...

— Братишки, неужто они такие гады!.. Неужто у них революционной совести нет!..

— Ну, если уйдет «Воля», в кого же тогда верить, братишки?..

— Не знаешь, что ли, Тихменева? Самый враг, лиса двухчаловая!

— Уйдет! Ах, предатели!..

За «Волей» на якорях стоял родной брат «Воли» — дредноут «Свободная Россия». Но он, казалось, дремал покойно, — весь покрытый чехлами, на палубах не видно было ни души. От мола отчаянно гребли к нему какие-то лодки. И вот ясно в безветренной гавани раздались боцманские свистки, на «Воле» загрохотали лебедки, полезли вверх мокрые цепи, облепленные илом якоря. Нос корабля стал заворачивать, переплеты мачт, трубы, башни двинулись на фоне беловатых городских крыш.

— Ушли... К немцам... Эх, братишки... В плен сдаваться!.. Что вы сделали?..

На мостик миноносца «Керчь» вышел командир с большим облупившимся носом на черно-загорелом лице. Запавшие его глаза следили за движениями «Воли». Перегнувшись с мостика, он скомандовал:

— Поднять сигнал...

— Есть, поднять сигнал! — сразу оживились моряки, бросаясь к ящику с сигнальными флагами. К мачте «Керчи» взлетели пестрые флажки, затрепетали в лазури. Их сочетание обозначало: «Судам, идущим в Севастополь, — позор изменникам России!..»

На «Воле» не ответили на сигнал сигналом, будто и не заметили... «Воля» скользила мимо военных судов, оставшихся верными чести, — безлюдная, опозоренная... «Заметили!» — вдруг ахнули моряки. Две чудовищные пушки на кормовой башне «Воли» поднялись, башня повернулась в сторону миноносца... Командир на мостике «Керчи», схватясь за поручни, уставил облупленный большой нос навстречу смерти. Но пушки пошевелились и застыли.

Развивая ход, «Воля» обогнула мол, и скоро горделивый профиль ее утонул за горизонтом, чтобы через много лет пришвартоваться, обезоруженной, заржавленной и навек опозоренной, в далекой Бизерте.

Командующий флотом Тихменев настоял на своем и выполнил формальный приказ Совнаркома: дредноут «Воля» и шесть эскадренных миноносцев сдались в Севастополе на милость. Экипаж и офицеры были отпущены на свободу.

Моряки разбрелись кто куда — на родину, по домам. Рассказывали, конечно, что рука, мол, не поднялась топить корабли, а больше всего испугались сорока тысяч черноморских красноармейцев, посуливших поднять на штыки весь Новороссийск.

Дредноут «Свободная Россия» и восемь эскадренных миноносцев остались в Новороссийском порту. Назавтра истекал срок ультиматума. Над городом высоко кружились германские самолеты. На рейде, среди играющих дельфинов, появлялись перископы германских подводных лодок. В Темрюке, неподалеку, — слышно, — высаживался немецкий десант. А на набережных Новороссийска, не расходясь, круглые сутки бушевали митинги, и все напористее кричали какие-то штатские личности:

— Братишки, не губите себя, не топите флота...

— Офицеры одни хотят топить флот, офицеры, все до одного, купленные Антантой...

— В Севастополе покидали же в воду офицеров в декабре месяце, что же — сейчас боитесь? Даешь вахрамееву ночь!..

Тут же вместо крикуна кидался агитатор, рвал на груди рубашку:

— Товарищи, не слушайте провокаторов. Уведете к немцам флот, немцы же вас будут расстреливать из этих пушек... Не отдавайте оружия империалистам... Спасайте мировую революцию!..

Вот тут и разберись: кого слушать? А на место агитатора вылезал фронтовик из Екатеринодара, весь обвешанный оружием, опять грозил сорока тысячами штыков... И к ночи на восемнадцатое июня многие команды не вернулись на суда, — скрылись, разбежались, попрятались, ушли в горы...

Всю ночь миноносец «Керчь» переговаривался световыми сигналами. «Свободная Россия» отвечала, что принципиально готова топиться, но команды на ней осталось из двух тысяч меньше сотни, и вряд ли можно будет даже развести пары, отойти от стенки.

Миноносец «Гаджи-бей» промигал, что на нем все еще идет бурный митинг, появились девки из города со спиртом, очевидно подосланные, и возможен грабеж судна. На миноносце «Калиакирия» остались командир и судовой механик. На «Фидониси» — шесть человек. О том же сигнализировали миноносцы «Капитан Баранов», «Сметливый», «Стремительный», «Пронзительный». Полностью команды находились только на «Керчи» и «Лейтенанте Шестакове».

В полночь к «Керчи» подошла какая-то шлюпка, и дерзкий голос оттуда позвал:

— Товарищи моряки... С вами говорит корреспондент «Известий ЦИКа»... Только что получена телеграмма из Москвы от адмирала Саблина: ни в коем случае флота не топить и в Севастополь не идти, а ждать дальнейших распоряжений...

Матросы, перегнувшись с фальшборта, молча всматривались в темноту, где качалась лодка. Голос продолжал доказывать и уговаривать... Лейтенант Кукель, выйдя на мостик, перебил его:

— Покажите телеграмму адмирала Саблина.

— К сожалению, осталась дома, товарищ, сейчас могу привезти...

Тогда Кукель громко проговорил, растягивая слова, чтобы было слышнее:

— Шлюпке с правого борта отойти на полкабельтовых. Ближе не подходить...

— Извиняюсь, товарищ, — нагло закричал голос со шлюпки, — вы не желаете слушать распоряжений центра, я буду телеграфировать.

— В противном случае буду топить шлюпку. Вас возьму на борт. За действия команды не отвечаю.

Со шлюпки на это ничего не ответили. Потом осторожно плеснули весла. Очертание лодки утонуло в темноте. Матросы засмеялись. Командир, заложив руки за спину, сутулый, худущий, ходил по мостику, вертелся, как в клетке.

Эту ночь мало кто спал. Лежали на палубе, мокрой от росы. Нет-нет — поднимется голова и скажет слово, и сон летит от глаз, говорят вполголоса. Вот уже побледнели звезды. Занялась заря за холмами. С берега пришел мичман Анненский, командир «Лейтенанта Шестакова», сообщил, что команды бегут не только с миноносцев, портовых буксиров и катеров, но на коммерческих кораблях не осталось ни одного матроса, — неизвестно, чем буксировать суда на рейд.

Командир «Керчи» сказал:

— Мичман Анненский, ответственность лежит на нас, чего бы это ни стоило — мы утопим корабли.

Мичман Анненский тряхнул головой. Помолчали. Потом он ушел. Когда заря разгорелась над заливом, «Лейтенант Шестаков» медленно отделился от стенки, таща на буксире «Капитана Баранова», и начал выводить его на внешний рейд, к месту потопления. Миноносцы держали на мачтах сигнал: «Погибаю, но не сдаюсь».

Скоро они скрылись в утреннем тумане. Все суда казались теперь опустевшими. Над стальной громадой «Свободной России» летали чайки. Дымила «Керчь». Несмотря на ранний час, толпы народу бежали на набережные, полоска мола была облеплена черно, как мухами. У кораблей начиналась давка, лезли на плечи, срывались в воду.

Семен Красильников стоял на часах у сходней. В шестом часу из толпы протолкался небольшой, красный от возбуждения, человек в черной морской тужурке без погон, застучал каблуками по сходням. Румяное лицо его с маленьким сморщенным ртом было в поту.

— Здесь старший лейтенант Кукель? — крикнул он Семену, выпучившись голубыми, веселыми, круглыми глазами на матроса, загородившего путь штыком. Он похлопал себя по бокам, по груди, вытащил и предъявил мандат на имя представителя центральной советской власти, товарища Шахова. Матрос хмуро опустил штык:

— Проходите, товарищ Шахов.

Кукель сошел ему навстречу и стал рассказывать о почти безнадежном положении дел. Он говорил обстоятельно и не спеша. У Шахова нетерпеливо вертелись глаза.

— Ерунда, бывали в переделках похуже... Я уже говорил с моряками, настроение превосходное... Сейчас достану вам буксир, все, что нужно... Устроим митинг... Утрясется как нельзя лучше...

Он потребовал катер и ушел на «Свободную Россию». Оттуда начал мотаться в катере от судна к судну. Семен видел, как его коротенькое туловище повисало на штормовых трапах торговых пароходов, как он, выскакивая на берег, нырял в толпу и оттуда неслись крики, поднимались руки. В одном месте тысячи глоток заревели «ура».

Несколько шлюпок, набитые моряками, отвалили от стенки, пошли в глубину гавани, к заржавленному небольшому пароходу, и скоро из трубы его повалил густой дым, он снялся с якоря и подошел к «Свободной России». Еще на одной шхуне заплескались паруса. Вернулся «Лейтенант Шестаков» и взял на буксир второй миноносец.

В десятом часу толпа поднаперла к сходням «Керчи». Настроение как будто снова менялось к худшему. К борту протискивались какие-то оборванцы, у каждого — колбаса, хлеб, сало. Скаля зубы, подмигивали морякам, показывая бутылки со спиртом. Тогда Кукель приказал убрать сходни и отдать концы. «Керчь» отошла от этих дьявольских соблазнов на середину гавани, откуда и наблюдала за буксированием миноносцев.

Ржавый пароход, казавшийся скорлупой, пыхтя и дымя, сдвинул наконец «Свободную Россию», и она величественно поплыла мимо тысячных толп. Многие снимали шапки, как перед гробом. «Свободная Россия» миновала боны, ворота и гавань и удалялась в глубину рейда. Опять ждали немецких аэропланов, но небо и море были спокойны. В гавани остался только эсминец «Фидониси».

Снова в толпе начался водоворот, и черная икра голов сбилась у стенки, где стоял «Фидониси». К нему подходила парусно-моторная шхуна, чтобы взять на буксир. Из толпы полетели камни навстречу шхуне, хлопнуло несколько револьверных выстрелов. Седоволосый человек, взобравшись на фонарь, кричал:

— Братоубийцы, Россию продали... Армию продали... Братцы!.. Что же вы смотрите!.. Последний флот продают...

Толпа заревела, выворачивая камни. Несколько человек перескочило через борт «Фидониси». Тогда быстро к берегу подошла «Керчь», колокол на ней пробил боевую тревогу, орудия жерлами повернулись на толпу, командир закричал в мегафон:

— Назад! Открою огонь!

Толпа попятилась, отхлынула, завизжали раздавленные. Поднялась пыль, и берег опустел. Шхуна взяла на причал и увела «Фидониси».

«Керчь» медленно шла следом до места, где на рейде лежали все корабли на легкой зыби. Семен глядел на чаек, летящих высоко за кормой, потом стал глядеть на командира, вцепившегося обеими руками в перила мостика.

Был четвертый час дня. «Керчь» обошла с правого борта «Фидониси», командир сказал одно только слово, — черной тенью мелькнула из аппарата мина, пенная полоса побежала по зыби, и вот, как раз посредине, корпус «Фидониси» приподнялся, разламываясь, косматая гора воды и пены взлетела из морской бездны, тяжелый грохот покатился далеко по морю. Когда гора воды спала, на поверхности не было «Фидониси», — ничего, кроме пены. Так началось потопление.

Подрывные команды открывали на миноносцах кингстоны и клинкеты, отдраивали все иллюминаторы на накрененном борту и, перед тем как садиться с тонущей палубы в шлюпку, зажигали бикфордов шнур, чтобы взорвать десятифунтовым патроном турбины и цилиндры. Миноносцы быстро скрывались под водой на многосаженной глубине. Через двадцать пять минут рейд был пустынен.

«Керчь» полным ходом подошла к «Свободной России» и выбросила мины. Матросы медленно сняли фуражки. Первая мина ударила в корму, — дредноут качнулся, охваченный потоками воды. Вторая попала в борт, в середину. Сквозь тучу пены и дыма было видно, как закачалась мачта. Дредноут боролся, будто живое существо, еще более величественный среди ревущего моря и громовых взрывов. У матросов текли слезы. Семен закрыл ладонями лицо...

Командир Кукель весь высох в эти минуты, — остался у него один нос, протянутый к гибнущему кораблю. Ударила последняя мина, и «Свободная Россия» начала переворачиваться вверх килем... Она сделала еще усилие, будто приподнималась из воды, и быстро пошла на дно в пенном водовороте.

От места гибели «Керчь» пошла, развивая предельную скорость, на Туапсе. Под утро команда была высажена в шлюпки. После этого «Керчь» послала радио: «Всем... Погиб, уничтожив часть судов Черноморского флота, которые предпочли гибель позорной сдаче Германии. Эскадренный миноносец «Керчь».

Миноносец открыл кингстоны, взорвал машины и затонул на пятнадцатисаженной глубине.

На берегу Семен Красильников советовался с товарищами, — куда теперь идти. Думали так и этак и сговорились идти на Астрахань, на Волгу, где, слышно, Шахов формирует речной военный флот для борьбы с белогвардейцами.

По горным тропам и бездорожью, преследуемая по пятам, окруженная повально восставшими станицами, Таманская армия под командой Кожуха пробивалась кружным путем на верховья Кубани.

Путь лежал через Новороссийск, занятый после гибели флота немцами. Колонны таманцев подошли неожиданно, — войска с песнями проходили через город. Немецкий гарнизон, не понимая их намерений, бросился на суда и обстрелял морскими орудиями заднюю колонну и заодно наседавших на хвост ее пьяных и озверевших станичников.

Из предосторожности немцы покинули город, и он, когда Кожух, отбиваясь, ушел, был занят казаками и затем регулярными войсками белых. Город был отдан на поток и разорение.

Матросов, красноармейцев и просто жителей поплоше без суда вешали на телеграфных столбах. Ломовые извозчики свезли в те дни три тысячи трупов в море. Новороссийск стал белым портом.

По голодному побережью Таманская армия, отягощенная обозами пятнадцати тысяч беженцев, дошла до Туапсе и оттуда круто свернула на восток. Деникинцы гнались по пятам, впереди все ущелья и высоты были заняты повстанцами. Каждый день разворачивался в тяжелый бой. Истекая кровью, огрызаясь, умирая от голода, армия сползала в ущелья, взбиралась на крутые холмы, таяла и шла, пробивая лбом дорогу.

Однажды к Кожуху привели отпущенного генералом Покровским пленного красноармейца с письмом, написанным с военной простотой:

«Ты, мерзавец, опозорил всех офицеров русской армии и флота тем, что решился вступить в ряды большевиков, воров и босяков; имей в виду, что тебе и твоим босякам пришел конец. Мы тебя, мерзавца, взяли в цепкие руки и ни в коем случае не выпустим. Если хочешь пощады, то есть за свой поступок отделаться арестантскими ротами, тогда я приказываю тебе исполнить мой приказ: сегодня же сложить все оружие, а банду, разоруженную, отвести на расстояние четырех-пяти верст западнее станции Белореченской. Когда это будет выполнено, немедленно сообщи мне на четвертую железнодорожную будку...»

Кожух, читая это письмо, пил чай из консервной банки. Он посмотрел на босого, в распоясанной рубашке, красноармейца, уныло стоявшего перед ним.

«Говнюк ты, братец, — сказал ему Кожух, — как же ты мне передаешь такие письма? Уйди в свою часть...»

И в эту же ночь Кожух нанес генералу Покровскому страшный удар, опрокинул и гнал конницей его части. Прорвался на Белореченскую и вышел из окружения. К концу сентября Таманская армия появилась под Армавиром, занятым деникинцами, взяла его штурмом и в станице Невинномысской соединилась с остатками армии Сорокина.

Потеряв после разгрома под Выселками и Екатеринодаром влияние в армии, хлебнув хмеля военной славы и озлобленный неудачами, Сорокин отступал все дальше и дальше на восток, крутясь, как щепка, в водовороте того, что еще недавно именовалось дивизиями, бригадами, полками. Теперь это были толпы, бегущие при первых выстрелах противника. Отступая, они все сметали на пути. Их влекло одно — поскорее оторваться от висящей за плечами смерти, уйти куда глаза глядят. Нескончаемые толпы дезертиров брели по терским степям, по древней дороге народов, покрытой полынью и курганами.

Из-под Екатеринодара ушло около двухсот тысяч войск и беженцев. Те, кто остался, были зарублены, повешены, замучены станичниками. В каждой станице качались трупы на пирамидальных тополях. Красным мстили теперь без пощады, не опасаясь их возврата. Во всем краю выжигали самое имя большевиков.

Сорокин был рожден революцией. Он звериным чутьем понимал ее взлеты и падения. Он не руководил отступлением, это было бы бесполезно. Стихия устремлялась на восток, — она остановится, когда у белых ослабнет упорство преследования.

Ему оставалось только мрачно глядеть в окно вагона, ползущего по выжженным степям, мимо курганов древних пелазгов, кельтов, германцев, славян, хозар... Личный конвой охранял его поезд, так как проходившие кричали:

— Братишки, командиры нас продали, пропили, бей командиров, мы своих убили.

Начштаба Беляков приходил в купе, вздыхал и осторожно начинал говорить туманные слова о невозможности дальнейшей борьбы. «Революция имеет свои фазы, — постоянно повторял он, поглаживая ладонью большой лоб, — подъем прошел, против нас выступают уже стихийные силы. Мы боремся не с офицерами только, а со всем народом. Нужно вовремя спасти завоевания революции... Спасти хотя бы компромиссным миром...» И он приводил убедительнейшие примеры из истории...

«За какие деньги хочешь меня купить, подлец?» — только и отвечал на это Сорокин. Попадись ему Деникин сейчас в руки — съел бы его живьем. Но всего злее разгоралось его сердце на товарищей, членов Черноморского ЦИКа, бежавших из Екатеринодара в Пятигорск. Они только и знали, что «изыскивали меры, обезоруживающие диктаторские намерения Сорокина...». Не исполняли срочных приказов, всюду вмешивались, — лезли со своим Марксом в самую душу главнокомандующего.

В салон-вагоне Сорокина опять появилась Зинка-блондиночка, — в этом чувствовалась забота Белякова. Зинка была все такая же розовенькая и соблазнительная, только голосок ее несколько осип; все ее шелковые кофточки и гитару сперли в обозе. Обращение ее с главнокомандующим стало более независимым.

По ночам, когда опускались шторы в салоне и Сорокин впадал в мрачный восторг хмеля, Зинка, побренчав на балалайке, принималась нести ту же бурду, что и Беляков: про близкий конец революции, про блистательную судьбу Наполеона, сумевшего перекинуть мост от якобинского террора к империи... У Сорокина начинали светиться глаза, билось сердце, гоня в мозг горячую кровь пополам со спиртом... Он срывал штору и глядел в окно, в ночную темноту, где ему чудились отблески его горячечной фантазии...

Натиск белых становился слабее. Красная Армия зацепилась наконец за левый берег Верхней Кубани и села в окопы. В это время из Царицына вернулся через киргизские степи командир Стальной дивизии Дмитрий Жлоба с грузовыми автомобилями. Он привез двести тысяч патронов и передал приказ кавказским войскам — двигаться на север, на помощь Царицыну, окружаемому белоказачьей армией атамана Краснова.

Сорокин наотрез отказался выполнить приказ. Украинские полки, которым надоело воевать на чужой земле, заволновались и снялись с фронта. На уговоры и угрозы Сорокина они чихали. И только Жлобе, бывшему родом из Полтавы, удалось остановить часть войск; он говорил с ними рассудительно и не спеша, по-мужицки, — похвалил их, похвалил себя. Украинцы увидели, что это не кто-нибудь, а батько, и послушались. Дмитрий Жлоба повел их в дело и под Невинномысской разбил сильную офицерскую колонну. За это Сорокин люто возненавидел его.

Поздравив с победой, он назначил Дмитрия Жлобу командующим частью фронта и в тот же день тайно приказал разоружить его части, а Жлобу и весь командный состав расстрелять. Узнав о тайном приказе, Жлоба со своей Стальной дивизией, пополненной украинцами, снялся с фронта и пошел солончаковыми степями, сыпучими песками на Царицын, исполняя приказ Реввоенсовета Десятой армии. Тогда Сорокин объявил его вне закона, вменил в обязанность каждому красноармейцу застрелить его и запретил кому бы то ни было снабжать Стальную дивизию фуражом. Но Жлоба ушел, ни одна рука не поднялась застрелить его. Когда в пути надобился фураж, он въезжал в село, снимал шапку-кубанку и со слезами на глазах просил у сельского исполкома сена, овса и хлеба и объяснял, что не он, Жлоба, изменник, а белобандит и предатель главнокомандующий Сорокин.

Вскорости пришло и второе испытание для сорокинского честолюбия: из-за гор появился Кожух, которого считали погибшим, и с налета взял Армавир, отбросив белых за Кубань. Таманцы неохотно исполняли распоряжения Сорокина, а то и вовсе не слушались. Закаленная в труднейшем походе Таманская армия вошла костяком в растрепанную сорокинскую и укрепилась теперь на линии Армавир — Невинномысская — Ставрополь.

Была осень, шли затяжные и кровопролитные бои за обладание богатым городом Ставрополем. Всюду во главе дрались таманцы.

У деникинцев также появилась новая сила — белый партизан Шкуро, отчаянной жизни проходимец и вояка, сформировавший из всякого сброда волчью сотню.

Штаб Сорокина перешел в Пятигорск. Сорокин больше не появлялся на фронте: наступали новые порядки, на Кавказ проникала власть Москвы, чувствовалась с каждым днем все крепче. Началось с того, что краевой комитет партии постановил образовать Военно-революционный совет. С Москвой Сорокин не потягался, пришлось подчиниться. В Реввоенсовет были собраны все новые люди. Власть главнокомандующего переходила к коллегии. Сорокин понял, что дело идет об его голове, и начал отчаянно бороться.

На заседаниях Реввоенсовета он сидел мрачный и молчаливый; когда брал слово, то отстаивал каждую букву. И ему удавалось проводить все, что он хотел, потому что в Пятигорске были сосредоточены верные ему войсковые части. Его боялись, и не напрасно. Он искал случая показать власть и нашел случай. Командир второй таманской колонны Мартынов заявил на войсковом съезде в Армавире, что отказывается выполнять боевые приказы главнокомандующего. Тогда Сорокин потребовал у Реввоенсовета головы Мартынова. Он пригрозил полной анархией в армии. Спасти Мартынова было нельзя. Его вызвали в Пятигорск, арестовали, и на площади перед фронтом он был расстрелян. Буря пронеслась по полкам таманцев, они поклялись отомстить.

Был сформирован новый штаб при главнокомандующем. Белякова отстранили совсем, и Сорокин не отстаивал его. Начштаба сдал дела и деньги и явился на квартиру к бывшему другу за объяснениями. Сорокин ходил по комнате, заложив руки за спину. На столе горела жестяная лампа, стояла нетронутая еда, начатая бутылка водки. За окном в сухом закате темнел лесистый Машук...

Мельком взглянув на вошедшего, Сорокин продолжал ходить. Беляков сел у стола, опустив голову. Сорокин остановился перед ним, дернул плечом:

— Водки хочешь? По последней. — Он хрипло хохотнул, быстро налил две рюмки, но не выпил и опять заходил. — Твоя песенка спета, брат... И мой совет — уноси отсюда ноги... Я за тебя заступаться не буду... Завтра назначу комиссию — для ревизии твоих дел, понял? По всей вероятности — расстреляем...

Беляков поднял к нему лицо — серое, осунувшееся, провел ладонью по лбу, и рука упала.

— Ничтожный... маленький человек, вот ты кто, — сказал Беляков. — Напрасно я тебе отдавал всю душу... Сволочь ты... А я его в Наполеоны прочил... Вошь!..

Сорокин взял рюмку, — зубы застучали по стеклу, — выпил. Заходил, сунув руки в карманы черкески. С размаху остановился:

— Ревизии не будет. Убирайся к черту. Что я тебя не застрелил сейчас, — помни, — это за твои заслуги... И оцени, — понял?

Ноздри его стали забирать воздух, губы посинели, он весь задрожал, сдерживая бешенство.

Беляков слишком хорошо знал характер Сорокина: не сводя с него глаз, стал пятиться к двери и быстро захлопнул ее за собой... Ушел он задним ходом через двор и той же ночью скрылся из Пятигорска.

Час за часом, выпивая рюмку за рюмкой, Сорокин продумал всю ночь. Бывший друг отравил его каплей презрения, но яд был страшен, страдания невыносимы...

Он закрывал руками лицо: прав, прав Беляков... В июне был наполеоновский размах, а кончилось заседаниями в военной коллегии, вечной оглядкой на московских партийцев... Беляков не свое сказал... Так говорят в армии, в партии. И Деникин, ох, Деникин! Он припомнил, и сейчас во всю глубину жала пронзила его одна статеечка в екатеринодарской белогвардейской газете — интервью с Деникиным: «Я думал: передо мной лев, но лев оказался трусливой собакой, наряженной в львиную шкуру... Впрочем, это меня не удивляет, — Сорокин был и остался малограмотным, ординарным казачьим офицером в чине хорунжего». Ох, Деникин! Погоди... придет час... Пожалеешь.

Сорокин стискивал руки, скрипел зубами. Кинуться на фронт, увлечь всю армию, опрокинуть, гнать, топтать конями офицеров, жечь с четырех концов станицы. Ворваться в Екатеринодар... Приказать привести к себе Деникина, — взять его прямо с постели, в подштанниках... «А что, не вы ли это, Антон Иванович, упражнялись в заметочках для газеты насчет ординарного хорунжего? Он перед вами, почтеннейший... Теперь как же, — ремни вам будем вырезать из спины или хватит с вас полторы тысячи шомполов?»

Сорокин стонал, отгоняя навязчивый бред мечтания... Действительность была темна, неопределенна, тревожна, унизительна... Надо было решаться. Старый друг, начштаба, сослужил ему сегодня последнюю службу... Сорокин подходил к окошку, куда легкий ветер доносил горькое, сухое веяние полынных степей. Темно-багровая полоса утренней зари, еще не светясь, проступила в мрачном небе. И снова виднелась лиловая громада Машука... Сорокин усмехнулся: ну что ж, спасибо, Беляков... Ладно, — колебания, нерешительность к черту... И в эту же ночь Сорокин решил «играть ва-банк».

В ближайшие дни Реввоенсовет Кавказской армии после долгих колебаний проголосовал наконец наступление. Тылы перебрасывались в Святой Крест, армия сосредоточивалась в Невинномысской, и оттуда предполагалось движение на Ставрополь и Астрахань, чтобы войти в соприкосновение с Десятой армией, дравшейся под Царицыном. Это был как раз тот план, который Дмитрий Жлоба привез из Царицына.

Взятие Ставрополя было поручено таманцам. Все пришло в движение, — тылы двинулись на северо-восток, эшелоны — на северо-запад. Политруки и агитаторы рвали голосовые связки, поднимая настроение в частях, бросая зажигающие лозунги. Начальники колонн выехали на фронт. Пятигорск опустел. В нем оставалось только правительство — ЦИК Черноморской республики и Сорокин со своим штабом и конвоем. В суматохе никто не заметил, что правительство, в сущности, отдано на добрую волю главнокомандующему.

Вечером, возвращаясь домой в сопровождении вестового, Сорокин пустил коня крупной рысью и, сворачивая от городского парка в гору, толкнул лошадью какого-то сутулого, широкого человека в кожаной куртке. Тот покачнулся, схватился за бедро, где висел у него наган. Сорокин гневно сдвинул брови и узнал Гымзу. Он должен был находиться на фронте... Гымза снял руку с кобуры. Взгляд его полуприкрытых бровями глаз показался странен... Такой взгляд был у Белякова при последнем разговоре... На темном, как голенище, обритом лице Гымзы вдруг забелела узкая полоска зубов. У Сорокина закатилось сердце, — и этот смеется!..

Он так стиснул шенкеля, что конь, храпнув, рванулся, унес главнокомандующего по цокающему булыжнику наверх, где блеяло, трясло курдюками, возвращаясь с поля, пахучее баранье стадо. Это было в ночь на тринадцатое октября. Сорокин вызвал к себе начальника конвоя, и тот, оглядываясь на окно, сказал шепотом, что Гымза действительно сегодня приехал в Пятигорск и предложил ЦИКу вызвать с фронта две роты для охраны... «Дураку понятно, товарищ Сорокин, против кого эти меры...»

Когда над темным и заснувшим Пятигорском, над Машуком разгорелись во всю красоту осенние звезды, конвойцы Сорокина тихо, без шума, вошли в квартиры председателя ЦИКа Рубина, членов Власова и Дунаевского, члена Реввоенсовета Крайнего и председателя Чека Рожанского, взяли их из постелей, вывели с приставленными к спине штыками за город, за полотно железной дороги, и там, не приводя никаких оснований, — расстреляли.

Сорокин стоял в это время на площадке своего вагона на станции Лермонтово. Он слышал выстрелы, — пять ударов в ночной тишине. Затем послышалось тяжелое дыхание, — подошел, облизывая губы, начальник конвоя. «Ну?» — спросил Сорокин. «Ликвидированы», — ответил начальник конвоя и повторил фамилии убитых.

Поезд отошел. Теперь главнокомандующий на крыльях летел на фронт. Но быстрее его летела весть о небывалом преступлении. Несколько коммунистов из краевого комитета, еще вчера предупрежденные Гымзой, раньше Сорокина выехали из Пятигорска на автомобиле. Тринадцатого они созвали в Невинномысской фронтовой съезд. И в то время, когда Сорокин появился перед частями своей армии, — великолепный, как восточный владыка, окруженный сотней конвойцев, с трубачами, играющими тревогу, со скачущим впереди личным знаменем главнокомандующего, — в это время фронтовой съезд в Невинномысской единогласно объявил Сорокина вне закона, подлежащим немедленному аресту, препровождению в станицу Невинномысскую и преданию суду.

Главнокомандующему закричали об этом таманцы-красноармейцы, раскрыв двери теплушек. Сорокин вернулся на станцию и потребовал к себе командиров колонн. Никто не пришел. Он просидел до темноты на вокзале. Затем велел подать себе коня и вдвоем с начальником конвоя ускакал в степь.

В Реввоенсовете, где теперь осталось только трое, была большая растерянность: главнокомандующий пропал в степях, армия вместо наступления требовала суда и казни Сорокина... Но стопятидесятитысячная человеческая машина продолжала развертываться, ничего приостановить уже было нельзя... И двадцать третьего октября началось наступление Таманской армии на Ставрополь и одновременно контрнаступление белых. Двадцать восьмого командиры всех колонн сообщили, что не хватает снарядов и патронов, и если их завтра же не подвезут, — рассчитывать на победу невозможно. Реввоенсовет ответил, что снарядов и патронов нет, «берите Ставрополь голыми штыками...». В ночь на двадцать девятое были выделены две штурмовые колонны. Под прикрытием артиллерии, стрелявшей последними снарядами, они подошли к деревне Татарской, в пятнадцати верстах от Ставрополя, куда был вынесен фронт белых. Над степью взошла большая медная луна — это было сигналом, так как в армии не нашлось ракет... Пушки замолкли... Цепи таманцев без выстрела пошли к передовым окопам противника и ворвались в них. Тогда заревели трубы оркестров, забили барабаны, и густые волны обеих штурмовых колонн таманцев под музыку, заменявшую им пули и гранаты, обгоняя музыкантов, падая сотнями под пулеметным огнем, ворвались во всю главную линию укреплений. Белые отхлынули на холмы, но и эти высоты были взяты неудержимым разбегом. Противник бежал к городу. Вдогон ему понеслись красные казачьи сотни. Утром тридцатого октября Таманская армия вошла в Ставрополь.

На следующий день на главной улице увидели главнокомандующего Сорокина, — сопровождаемый начальником конвоя, он спокойно ехал верхом, был только бледен и глаза опущены. Красноармейцы, завидев, разевали рты, пятились от него: «Що то за бис с того свиту?..»

Сорокин соскочил с коня у здания Совета, где на двери еще висела полусорванная надпись «Штаб генерала Шкуро», куда собирались уцелевшие депутаты и члены исполкома, — смело вошел по лестнице, спросил у шарахнувшегося от него военного: «Где заседание пленума?» — появился в зале у стола президиума, надменно поднял голову и обратился к изумленному и растерянному собранию:

— Я главнокомандующий. Мои войска наголову разбили банды Деникина и восстановили в городе и области советскую власть. Самочинный войсковой съезд в Невинномысской нагло объявил меня вне закона. Кто дал ему это право? Я требую назначения комиссии для расследования моих якобы преступлений. До заключения комиссии власти главнокомандующего я с себя не сложу...

Затем он вышел, чтобы сесть на коня. Но на лестнице неожиданно бросились на него шесть красноармейцев из Третьего таманского полка, свернули, скрутили руки.

Сорокин молча, бешено боролся; командир полка Висленко ударил его плетью по голове, закричав: «Это тебе за расстрел Мартынова, гадюка...»

Сорокина отвели в тюрьму. Таманцы волновались, боясь, чтобы он не вырвался из тюрьмы, не ушел как-нибудь от суда. На следующий день, когда Сорокина привели на допрос, он увидел за столом председательствующего Гымзу и понял, что погиб. Тогда еще раз в нем поднялась вся жадность жизни, он ударил по столу, ругаясь матерно:

— Так я же буду судить вас, бандиты! Срыв дисциплины, анархия, скрытая контрреволюция!.. Расправлюсь с вами, как с подлецом Мартыновым...

Сидевший рядом с Гымзой член суда Висленко, белый, как бумага, загнул руку за спину, вытащил автоматический большой пистолет и в упор выпустил всю обойму в Сорокина.

Дальнейшее движение из Ставрополя на Волгу не смогло осуществиться. Волчья конница Шкуро залетела в тыл и отрезала Таманскую армию от базы — Невинномысской. Деникин сосредоточивал все силы, окружая Ставрополь.

С Кубани были стянуты колонны Казановича, Дроздовского, Покровского, конница Улагая и новая конная кубанская дивизия, которой командовал бывший горный инженер, начавший в чине младшего офицера мировую войну, — теперь генерал Врангель.

Двадцать восемь дней дралась Таманская армия. Полки за полками гибли в железном кольце противника, богатого снаряжением. Начались дожди, не было шинелей, сапог, патронов. Помощи ждать было неоткуда, — остальная часть Кавказской армии, отрезанная от Ставрополя, отступала на восток.

Таманцы метались в кольце, удары их были страшны и кровопролитны. Командующий Кожух свалился в сыпном тифу. Почти все лучшие командиры были убиты и ранены. В середине ноября таманцам удалось наконец прорвать фронт. От героической Таманской армии уцелели жалкие остатки, разутые и раздетые. Покинув Ставрополь, они отходили в северо-восточном направлении, на Благодатное. Их не преследовали, — начались дожди, осенняя непогода остановила дальнейшее наступление белых.

12

Год тому назад, в октябре, народы, населяющие Россию, потребовали окончания войны. Многомиллионные стоны и крики — долой войну, долой буржуазию, длящую войну, долой военную касту, ведущую войну, долой помещиков, питающих войну, — вылились в один внушительный и короткий удар с крейсера «Аврора» по Зимнему дворцу.

Когда этот выстрел, пробивший украшенную свинцовыми статуями и черными вазами крышу ненавистного дома, разорвался в опустевшей царской спальне с не остывшей еще постелью, где истерическую бессонницу коротал Керенский, кто мог предвидеть, что этот заключительный, казалось, голос революции, возвещающий войну дворцам и мир хижинам, прокатится из конца в конец по необъятной стране и, отдаваясь, как эхо, усиливаясь, множась, вырастая, взревет ураганом.

Кто ждал, что страна, только что бросившая оружие, вновь поднимет его, и поднимется класс на класс — бедняк на богача... Кто ждал, что из кучки корниловских офицеров возникнет огромная деникинская армия; что бунт чехословацких эшелонов охватит войной на тысячу верст все Поволжье и, перекинувшись в Сибирь, вырастет в монархию Колчака; что блокада охватит душным объятием Советскую страну и во всем мире на всех вновь издаваемых географических картах и глобусах шестая часть света будет обозначаться как пустое — незакрашенное — место без названия, обведенное жирной чертой...

Кто ждал, что Великороссия, отрезанная от морей, от хлебных губерний, от угля и нефти, голодная, нищая, в тифозном жару, не покорится, — стиснув зубы, снова и снова пошлет сынов своих на страшные битвы... Год тому назад народ бежал с фронта, страна как будто превратилась в безначальное анархическое болото, но это было неверно: в стране возникали могучие силы сцепления, над утробным бытием поднималась мечта о справедливости. Появились необыкновенные люди, каких раньше не видывали, и о делах их с удивлением и страхом заговорили повсюду.

Изнутри Советскую страну потрясали мятежи. Одновременно с восстанием в Ярославле (перекинувшимся в Муром, Арзамас, Ростов Великий и Рыбинск) в Москве взбунтовались «левые социалисты-революционеры». Шестого июля двое из них, с подложной подписью Дзержинского на документах, пришли к германскому послу графу Мирбаху и во время разговора выстрелили в него и бросили бомбу. Посол был убит последней пулей, попавшей ему в затылок в то время, когда он выбегал из комнаты. Вечером в тот же день в районе Чистых прудов и Яузского бульвара появились вооруженные матросы и красноармейцы. Они останавливали автомобили и прохожих, обыскивали, отбирали оружие и деньги и отводили в особняк Морозова в Трехсвятительском переулке, в штаб командующего войсками восстания. Здесь уже сидел под арестом Феликс Дзержинский, который сам приехал в этот особняк в поисках убийцы Мирбаха. Весь вечер и часть ночи происходили аресты. Был захвачен телеграф. Но приступать к решительным действиям против Кремля еще не решались. Бунтовщиков было около двух тысяч, они расположились фронтом от Яузы до Чистых прудов.

Защитой Кремля в эту ночь служили телефоны да древние стены. Войска стояли в лагерях на Ходынском поле, часть их была распущена по случаю кануна Ивана Купалы. Настроение в Кремле становилось нервным. Все же под утро удалось стянуть около восьмисот бойцов, три батареи и броневики; в семь утра войска пошли в наступление и разбили пушками особняк Морозова в Трехсвятительском переулке. Было много шуму, но мало жертв, — «армия» левых эсеров бежала переулками, задними дворами в неизвестном направлении. Ее командующий Попов, губастый юноша с сумасшедшими глазами, скрылся из Москвы. Через год он появился у Махно начальником контрразведки и прославился изощренной жестокостью.

Мятеж был подавлен в Москве и на Волге. Но мятеж таился повсюду: бунтовали против большевиков, против немцев, против белых. Деревни шли на города и грабили их. Города свергали советскую власть. Начиналась эпоха независимых республик, они вырастали и лопались, как дождевые грибы, иные можно было обскакать верхом от зари до зари.

Советская власть напрягала все усилия, чтобы овладеть анархией. И в это время ей был нанесен страшный удар: тридцатого августа, после митинга на заводе Михельсона, за Бутырской заставой, «правая эсерка» Каплан (из организации человека с булавочкой-черепом) стреляла и тяжело ранила Ленина.

Тридцать первого на улицах Москвы видели отряд людей, одетых с головы до ног в черную кожу, — они двигались колонной посреди улицы, неся на двух древках знамя, на котором было написано одно слово: «Террор»... День и ночь на заводах Москвы и Петрограда шли митинги. Рабочие требовали самых решительных мер.

Пятого сентября московские и петроградские газеты вышли со зловещим заголовком:

КРАСНЫЙ ТЕРРОР

«...Предписывается всем Советам немедленно произвести аресты правых эсеров, представителей крупной буржуазии и офицерства, и держать их в качестве заложников... При попытке скрыться или поднять восстание — немедленно применить массовый расстрел безоговорочно... Нам необходимо немедленно и навсегда обеспечить наш тыл от белогвардейской сволочи... Ни малейшего промедления при применении массового террора...»

В городах в то время скудно давался свет, целые кварталы стояли темными. И вот обыватели зажиточных квартир с ужасом увидели красноватые, накаляющиеся волоски электрических лампочек... Отряды вооруженных рабочих пошли по этим предсмертно освещенным домам...

Восемнадцатый год кончался, пронесясь диким ураганом над Россией. Темна была вода в осенних хмурых тучах. Фронт был повсюду — и на далеком Севере, и на Волге под Казанью, и на Нижней Волге под Царицыном, и на Северном Кавказе, и по границам немецкой оккупации. На тысячи верст тянулись окопы, окопы, окопы. Надвигающаяся осень не веселила сердца бойцов, и многие, поглядывая на тучи, ползущие с севера, раздумывали о своих деревнях, где ветер задирал солому на крышах, крапивой зарастали дворы и гнила картошка на огородах. А войне и конца не видно. Впереди — непроглядные ночи да стародавняя лучина по родным избам, где ждут не дождутся отцов и сыновей да слушают рассказы про такие страшные дела, что ребятишки начинают плакать на печке.

В ответ на осеннее уныние Центральный Комитет партии, после того как республика справилась с мятежами, мобилизовал в Москве, в Петрограде, в Иваново-Вознесенске наиболее стойких коммунаров и направил их в армию. Поезда с коммунарами двигались к фронтам, ломая по пути вольный или невольный саботаж железнодорожников. Суровый режим террора проник в армию. Из растрепанных отрядов формировались полки, подчиняемые единой воле Реввоенсовета. Отвага и доблесть стали обязанностью каждого. Трусость была приравнена к измене. И вот красный фронт перешел в наступление. Коротким ударом была взята Казань, а за ней и Самара. Белогвардейские отряды бежали в ужасе перед красным террором. Под Царицыном, где членом Реввоенсовета Десятой армии сидел Сталин, разворачивалась огромная и кровавая битва с белоказачьей армией атамана Краснова, снабжаемого и понукаемого германским главным штабом...

Но все это было лишь началом великой борьбы, развертыванием сил перед главными событиями девятнадцатого года.

Иван Ильич Телегин выполнил поручение Гымзы. Во время боев под Казанью получил назначение командовать полком и одним из первых ворвался в Самару. В жаркий осенний день он ехал шагом на косматой лошаденке впереди своего полка по Дворянской улице. Миновали площадь с памятником Александру Второму, — его опять спешно заколачивали досками. Вот и второй дом от угла... Иван Ильич опустил голову, — он знал, что он увидит, и все же сердце его сжалось тоскливо. Все стекла во втором этаже, в квартире доктора Булавина, были выбиты, — с верха ему было хорошо видно: вот ореховая дверца, в которой тогда, как сон, появилась Даша, вот кабинет, опрокинутый книжный шкаф, криво висящий на стене портрет Менделеева с выбитым стеклом... Где Даша? Что с ней? Тут уж никто, конечно, не мог ответить.

КНИГА ТРЕТЬЯ

ХМУРОЕ УТРО

Жить победителями или умереть
со славой...

Святослав

1

У костра сидели двое — мужчина и женщина. В спину им дул из степной балки холодный ветер, посвистывая в давно осыпавшихся стеблях пшеницы. Женщина подобрала ноги под юбку, засунула кисти рук в рукава драпового пальто. Из-под вязаного платка, опущенного на глаза ее, только был виден пряменький нос и упрямо сложенные губы.

Огонь костра был не велик, горели сухие лепешки навоза, которые мужчина давеча подобрал — несколько охапок — в балке у водопоя. Было нехорошо, что усиливался ветер.

— Красоты природы, конечно, много приятнее воспринимать под трещание камина, грустя у окошечка... Ах, боже мой, тоска, тоска степная...

Мужчина проговорил это не громко, ехидно, с удовольствием. Женщина повернула к нему подбородок, но не разжала губ, не ответила. Она устала от долгого пути, от голода и от того, что этот человек очень много говорил и с каким-то самодовольством угадывал ее самые сокровенные мысли. Слегка закинув голову, она глядела из-под опущенного платка на тусклый, за едва различимыми холмами, осенний закат, — он протянулся узкой щелью и уже не озарял пустынной и бездомной степи.

— Будем сейчас печь картошечку, Дарья Дмитриевна, для веселия души и тела... Боже мой, что бы вы без меня делали?

Он нагнулся и стал выбирать коровьи лепешки поплотнее, — вертел их и так и сяк, осторожно клал на угли. Часть углей отгреб и под них стал закапывать несколько картофелин, доставая их из глубоких карманов бекеши. У него было красноватое, невероятно хитрое — скорее даже лукавое — лицо, с мясистым, на конце приплюснутым носом, скудно растущая бородка, растрепанные усы, причмокивающие губы.

— Думаю я о вас, Дарья Дмитриевна, дикости в вас мало, цепкости мало, а цивилизация-то поверхностная, душенька... Яблочко вы румяное, сладкое, но недозрелое...

Он говорил это, возясь с картошками, — давеча, когда проходили мимо степного хутора, он украл их на огороде. Мясистый нос его, залоснившийся от жара костра, мудро и хитро подергивал ноздрей. Человека звали Кузьма Кузьмич Нефедов. Он мучительно надоедал Даше разглагольствованиями и угадыванием мыслей.

Знакомство их произошло несколько дней назад, в поезде, тащившемся по фантастическому расписанию и маршруту и спущенном белыми казаками под откос.

Задний вагон, в котором ехала Даша, остался на рельсах, но по нему резанули из пулемета, и все, кто там находился, кинулись в степь, так как, по обычаю того времени, надо было ожидать ограбления и расправы с пассажирами.

Этот Кузьма Кузьмич еще в вагоне присматривался к Даше, — чем-то она ему пришлась по вкусу, хотя никак не склонялась на откровенные беседы. Теперь, на рассвете, в пустынной степи, Даша сама схватилась за него. Положение было отчаянное: там, где под откосом лежали вагоны, была слышна стрельба и крики, потом разгорелось пламя, погнав угрюмые тени от старых репейников и высохших кустиков полыни, подернутых инеем. Куда было идти в тысячеверстную даль?

Кузьма Кузьмич так примерно рассуждал, шагая рядом с Дашей в сторону, откуда из зеленеющего рассвета тянуло запахом печного дыма: «Вы мало того что испуганы, вы, красавица, несчастны, как мне сдается. Я же, несмотря на многочисленные превратности, никогда не знал ни несчастья, ни — паче того — скуки... Был попом, за вольнодумство расстрижен и заточен в монастырь. И вот, брожу «меж двор», как в старину говорили. Если человеку для счастья нужна непременно теплая постелька, да тихая лампа, да за спиной еще полка с книгами,— такой не узнает счастья... Для такого оно всегда — завтра, а в один злосчастный день нет ни завтра, ни постельки. Для такого — вечное увы... Вот я иду по степи, ноздри мои слышат запах печеного хлеба, — значит, в той стороне хутор, услышим скоро, как забрешут собаки. Боже мой! Видишь, как занимается рассвет! Рядом — спутник в ангельском виде, стонущий, вызывающий меня на милосердие, на желание топотать копытами. Кто же я? — счастливейший человек. Мешочек с солью всегда у меня в кармане. Картошку всегда стяну с огорода. Что дальше? — пестрый мир, где столкновение страстей... Много, много я, Дарья Дмитриевна, рассуждал над судьбами нашей интеллигенции. Не русское это все, должен вам сказать... Вот и сдунуло ее ветром, вот и — увы! — пустое место... А я, расстрига, иду играючись и долго еще намерен озорничать...»

Без него бы Даша пропала. Он же не терялся ни в каких случаях. Когда на восходе солнца они добрели до хутора, стоящего в голой степи, без единого деревца, с опустевшим конским загоном, с обгоревшей крышей глинобитного двора,— их встретил у колодца седой злой казак с берданкой. Сверкая из-под надвинутых бровей бешено светлыми глазами, закричал: «Уходите!» Кузьма Кузьмич живо оплел этого старика: «Нашел поживу, дедушка, ах, ах, земля родная!.. Бежим день и ночь от революции, ноги прибили, язык от жажды треснул, сделай милость — застрели, все равно идти некуда». Старик оказался не страшен и даже слезлив. Сыновья его были мобилизованы в корпус Мамонтова, две снохи ушли с хутора в станицу. Земли он нынче не пахал. Проходили красные — мобилизовали коня. Проходили белые — мобилизовали домашнюю птицу. Вот он и сидит один на хуторе, с краюшкой прозеленевшего хлеба, да трет прошлогодний табак...

Здесь отдохнули и в ночь пошли дальше, держа направление на Царицын, откуда легче всего было пробраться к югу. Шли ночью, днем спали,— чаще всего в прошлогодних ометах. Населенных мест Кузьма Кузьмич избегал. Глядя однажды с мелового холма на станицу, раскинувшую привольно белые хаты по сторонам длинного пруда, он говорил:

— В массе человек в наше время может быть опасен, особенно для тех, кто сам не знает, чего хочет. Непонятно это и подозрительно: не знать, чего хотеть. Русский человек горяч, Дарья Дмитриевна, самонадеян и сил своих не рассчитывает. Задайте ему задачу, — кажется, сверх сил, но богатую задачу, — за это в ноги поклонится... А вы спуститесь в станицу, с вами заговорят пытливо. Что вы ответите? — интеллигентка! Что у вас ничего не решено, так-таки ничего, ни по одному параграфу...

— Слушайте, отстаньте от меня, — тихо сказала Даша.

Сколько она ни крепилась, — от самолюбия и неохоты, — все же Кузьма Кузьмич повыспросил у нее почти все: об отце, докторе Булавине, о муже, красном командире Иване Ильиче Телегине, о сестре Кате, «прелестной, кроткой, благородной». Однажды, на склоне ясного дня, Даша, хорошо выспавшись в соломе, пошла к речке, помылась, причесала волосы, свалявшиеся под вязаным платком, потом поела, повеселела и неожиданно сама, без расспросов, рассказала:

— ...Видите, как все это вышло... У отца в Самаре я больше жить не могла... Вы меня считаете паразиткой. Но — видите ли — о самой себе я гораздо худшего мнения, чем вы... Но я не могу чувствовать себя приниженной, последней из всех...

— Понятно, — причмокнув, ответил Кузьма Кузьмич.

— Ничего вам не понятно... — Даша прищурилась на огонь. — Мой муж рисковал жизнью, чтобы только на минутку увидеть меня. Он сильный, мужественный, человек окончательных решений... Ну, а я? Стоит из-за такой цацы рисковать жизнью? Вот после этого свиданья я и билась головой о подоконник. Я возненавидела отца... Потому что он во всем виноват... Что за смешной и ничтожный человек! Я решила уехать в Екатеринослав, разыскать сестру, Катю, — она бы поняла, она бы мне помогла: умная, чуткая, как струнка, моя Катя. Не усмехайтесь, пожалуйста, — я должна делать обыкновенное, благородное и нужное, вот чего я хочу... Но я же не знаю, с чего начать? Только вы мне сейчас не разглагольствуйте про революцию...

— А я, душенька, и не собираюсь разглагольствовать, слушаю внимательно и сердечно сочувствую.

— Ну, сердечно, — это вы оставьте... В это время Красная Армия подошла к Самаре... Правительство бежало, — очень было гнусно... Отец потребовал, чтобы я ехала с ним. Был у нас тогда разговор, — проявили себя во всей красе — он и я... Отец послал за стражниками: «Будешь, милая моя, повешена!» Конечно, никто не явился, все уже бежало... Отец с одним портфелем выскочил на улицу, а я в окошко докрикивала ему последние слова... Ни одного человека нельзя так ненавидеть, как отца! Ну, а потом с головой в платок, — на диван и реветь! И на этом отрезана вся моя прошлая жизнь...

Так они шли по степи, мимо возбужденных гражданской войной сел и станиц, почти не встречаясь с людьми и не зная, что в этих местах разворачивались кровопролитные события: семидесятипятитысячная армия Всевеликого Войска Донского, после августовских неудач, во второй раз шла на окружение Царицына.

Ковыряя в золе картошку, Кузьма Кузьмич говорил:

— Если вы очень утомлены, Дарья Дмитриевна, можно эту ночь передохнуть, над нами не каплет. Только стойбище выбрали неудачное. Ветерок из оврага нам спать не даст. Лучше поплетемтесь-ка потихоньку под звездами. До чего хорош мир! — Он поднял хитрое красное лицо, будто проверяя: все ли в порядке в небесном хозяйстве? — Разве это не чудо из чудес, душенька: вот ползут две букашки по вселенной, пытливым умом наблюдая смену явлений, одно удивительнее другого, делая выводы, ни к чему нас не обязывающие, утоляя голод и жажду, не насилуя своей совести... Нет, не торопитесь поскорее окончить путешествие.

Он достал из кармана мешочек с солью, побросал на ладони картошку, дуя на пальцы, разломил ее и подал Даше.

— Я прочел огромную массу книг, и этот груз лежал во мне безо всякой системы. Революция освободила меня из монастырской тюрьмы и не слишком ласково швырнула в жизнь. В удостоверении личности, выданном мне одним умнейшим человеком — саратовским начальником районной милиции, у которого я просидел недельки две под арестом, — проставлено им собственноручно: профессия — паразит, образование — лженаучное, убеждения — беспринципный. И вот, Дарья Дмитриевна, когда я очутился с одним мешочком соли в кармане, абсолютно свободный, я понял, что такое чудо жизни. Бесполезные знания, загромождавшие мою память, начали отсеиваться, и многие оказались полезными даже в смысле меновой стоимости... Например — изучение человеческой ладони, или хиромантия, — этой науке, исключительно, я обязан постоянным пополнением моего солевого запаса.

Даша не слушала его. Оттого ли, что ветер бездомной тоской тоненько посвистывал в стеблях пшеницы, — ей очень хотелось плакать, и она все отворачивалась, глядя на тусклый закат. Безнадежность охватывала ее от того бесконечного пространства, по которому предстояло пройти в поисках Ивана Ильича, в поисках Кати, в поисках самой себя. Наверно, в прежнее время Даша нашла бы даже усладу, пронзительно жалея себя, такую беспомощную, маленькую, заброшенную в холодной степи... Нет, нет!.. Взяв у Кузьмы Кузьмича картошку, она жевала ее, глотая вместе со слезами... Вспоминала слова из Катиного письма, полученного еще тогда, в Петрограде: «Прошлое погибло, погибло навсегда, Даша».

— Помимо полнейшей оторванности от жизни, — бесцельная торопливость, ерничество — один из пороков нашей интеллигенции, Дарья Дмитриевна... Вы когда-нибудь наблюдали, как ходят люди свободной профессии, — какой-нибудь либерал топочет козьими ножками в нетерпении, точно его жжет... Куда, зачем?..

Этот несносный человек все говорил, говорил, бахвалился.

— Нет, надо идти, конечно, пойдемте, — сказала Даша, изо всей силы затягивая вязаный платок на шее. Кузьма Кузьмич пытливо взглянул на нее. В это время в непроглядной тени оврага блеснуло несколько вспышек и раскатились выстрелы...

Едва только раздались первые выстрелы, — ожила безлюдная степь, над которой уже смыкалась в далеких тучах щель заката. Даша, держась за концы платка, даже не успела вскочить. Кузьма Кузьмич с торопливостью начал затаптывать костер, но ветер сильнее подхватил и погнал искры. Они озарили мчавшихся всадников. Нагибаясь к гривам, они хлестали коней, уходя от выстрелов из оврага.

Все пронеслось, и все стихло. Только отчаянно билось Дашино сердце. Из оврага что-то начали кричать — и тотчас повалили оттуда вооруженные люди. Они двигались настороженно, растянувшись по степи. Ближайший свернул к костру, крикнул ломающимся молодым голосом: «Эй, кто такие?» Кузьма Кузьмич поднял руки над головой, с готовностью растопырив пальцы. Подошел юноша в солдатской шинели. «Вы что тут делаете?» Темнобровое лицо его, готовое на любое мгновенное решение, поворачивалось к этим людям у костра. «Разведчики? Белые?» И, не дожидаясь, он ткнул Кузьму Кузьмича прикладом: «Давай, давай, расскажешь по дороге...»

— Да мы, собственно...

— Что, собственно! Не видишь, что мы в бою!..

Кузьма Кузьмич, не протестуя далее, зашагал вместе с Дашей под конвоем. Пришлось почти бежать, так быстро двигался отряд. Совсем уже в темноте подошли к соломенным крышам, где у прудочка фыркали кони среди распряженных телег. Какой-то человек остановил отряд окриком. Бойцы окружили его, заговорили:

— Отступили. Невозможно ничего сделать. Жмут, гады, с флангов... Вот тут совсем неподалеку в балочке — напоролись на разъезд.

— Драпнули, хороши, — насмешливо сказал тот, кого окружили бойцы. — Где ваш командир?

— Где командир? Эй, командир, Иван!.. Иди скорей, командующий полком зовет, — раздались голоса.

Из темноты появился высокий сутуловатый человек:

— Все в порядке, товарищ командир полка, потерь нет.

— Размести посты, выставь охранение, бойцов накормить, огня не зажигать, после придешь в хату.

Люди разошлись. Хутор как будто опустел, только слышалась негромкая команда и окрики часовых в темноте. Потом и эти голоса затихли. Ветер шелестел соломой на крыше, подвывал в голых ветвях ивы на берегу прудка. К Даше и Кузьме Кузьмичу подошел тот же молодой красноармеец. При свете звезд, разгоревшихся над хутором, его лицо было худощавое, бледное, с темными бровями. Вглядываясь, Даша подумала, что это — девушка... «Идите за мной, — сурово сказал он и повел их в хату. — Обождите в сенях, сядьте тут на что-нибудь».

Он отворил и затворил за собой дверь. За ней слышался грубовато-низкий бубнящий голос командира отряда. Это длилось так долго и однообразно, что Даша привалилась головой к плечу Кузьмы Кузьмича. «Ничего, выпутаемся», — шепнул он. Дверь опять отворилась, и красноармеец, нащупав рукою обоих сидящих, повторил: «Идите за мной». Он вывел их на двор и, оглядываясь, куда бы запереть пленников, указал на низенький амбарчик, придавленный соломенной крышей. На нем была сорвана дверь. Даша и Кузьма Кузьмич зашли внутрь, красноармеец уселся на высоком пороге, не выпуская винтовки. В амбарчике пахло мукой и мышами. Даша сказала с тихим отчаянием:

— Можно сесть рядом с вами, я боюсь мышей.

Он неохотно подвинулся, и она села рядом на пороге. Красноармеец вдруг зевнул сладко, по-ребячьи, покосился на Дашу:

— Значит — разведчики?

— Слушайте, товарищ, — Кузьма Кузьмич из темноты придвинулся к нему, — позвольте вам объяснить...

— После расскажешь.

— Мы же мирные обыватели, бежавшие...

— Эге, мирные... Это как же так — мирные? Где это вы мир нашли?

Даша, прислонившись затылком к дверной обочине, глядя на темнобровое, красивое лицо этого человека, с тонким очертанием приподнятого носа, маленького припухлого рта, нежного подбородка, — неожиданно спросила:

— Как вас зовут?

— Это к делу не относится.

— Вы — женщина?

— Вам от этого легче не станет.

На том разговор бы и кончился, но Даша не могла оторвать глаз от этого чудного лица.

— Почему вы разговариваете со мной, как с врагом? — тихо спросила она. — Вы же меня не знаете. Зачем заранее предполагать, что я — враг? Я такая же русская женщина, как и вы... Наверно, только больше вашего страдала...

— Как это — русская?.. Откуда это — русское?.. Буржуи, — с запинкой и от этого нахмурясь, проговорил красноармеец.

У Даши раздвинулись губы. Порывисто, как все было в ней, она придвинулась и поцеловала его в шершаво-горячую щеку. Этого красноармеец не ждал и заморгал ресницами на Дашу...

Поднялся, подхватил винтовку, отошел, перекинул ружейный ремень через плечо.

— Это вы оставьте, — сказал угрожающе. — Это вам, гражданка, не поможет...

— Что, что мне поможет? — страстно ответила Даша. — Вы вот нашли, что делать, а я не нашла... Я без памяти убежала от той жизни. Убежала за своим счастьем... И мне завидно... Я бы тоже так — перетянула ремнем шинель!

Она так взволновалась, что откинула с головы платок, изо всей силы стискивала в кулачках его концы.

— У вас все ясно, все просто... Вы за что воюете? Чтобы женщина без слез могла смотреть на эти звезды... Я тоже хочу такого счастья...

Она говорила, и он слушал, не пытаясь ее остановить, смущенный этой непонятной страстностью. В это время из хаты вышел ротный командир и пробасил:

— А ну, Агриппина, давай сюда гадов.

Командир полка, с широко расставленными блестящими глазами, с трубкой в зубах, и ротный командир, обветренный, как кора, — оба в шинелях и картузах, — сидели в хате у стола, положив локти перед огоньком светильни. Ротный велел остановившимся у двери Даше и Кузьме Кузьмичу подойти ближе.

— Почему были в степи в расположении войск?

Глаза его уставились не куда-нибудь, а прямо в их глаза. От этого взгляда Даша вдруг изнемогла, прошелестела сухими губами:

— Он расскажет. Можно — я сяду?

Она села, держась за края лавки, и глядела на огонек, плавающий в глиняном черепке. Кузьма Кузьмич, причмокивая, переступая с ноги на ногу, начал рассказывать о том, как он подобрал в степи Дарью Дмитриевну и как они шли к Дону, размышляя преимущественно о высоких материях. Об этой стороне их путешествия он заговорил подробно, захлебываясь, торопясь, чтобы его не перебили. Но командиры за столом сидели, как две глыбы.

— Великое дело, граждане командиры, мыслить большими категориями. Что хочу сказать? Спасибо революции за то, что оторвала нас от унылых мелочей. Богоравное существо, человек, предназначенный к совершению высоких задач, — как Орфей струнами лиры оживлять камни и усмирять бешенство дикой природы, — человек этот при коптящем ночнике муслил кредитки и ум, как бы ловчее объегорить соседа... Спасибо вам, — разбили убогое житие, будь ему нелегкая память... Муслить больше стало нечего, хочешь не хочешь — перестраивайся на высокие темы... В доказательство моей искренности — вот... (Он вытащил мешочек с солью.) Вот единственная моя собственность, больше мне ничего не надо, остальное или прошу или ворую. Но, граждане командиры, хочу с вами поспорить... Боретесь вы счастья ради человека, а человека-то часто забываете, он у вас пропадает между строк. Не отрывайте революции от человека, не делайте из нее умозрительной философии, ибо философия — дым: приняв чудный облик, он исчезает... Вот чем объяснимо мое участие в судьбе этой женщины: в ней я перелистываю увлекательную и поэтическую повесть, как, впрочем, и в каждом человеке, если подойти к нему с любопытством, с жаждой... Ведь это вселенная ходит перед вами в драной бекеше и в опорках.

— Хитро загнуто, — пустив дымок, сказал командир полка.

— А ну, покажите документы, — вслед за ним сказал ротный. Взяв у Кузьмы Кузьмича и Даши паспорта, он придвинул светильню и низко нагнулся, мусоля палец, осторожно перелистывая паспортные книжки. Командир полка изредка тяжело вздыхал, посасывая обгоревшую трубочку, которая дымила у него под усами уже пятый год войны.

— Кто ваш отец? — спросил ротный у Даши.

— Доктор Булавин.

— Это, что же, не министр бывшего самарского правительства?

— Да.

Ротный взглянул на командира полка и протянул ему Дашин паспорт. Хмурясь, спросил у Кузьмы Кузьмича:

— Вы, что же, сами — из жеребячьего сословия?

Кузьма Кузьмич, будто давно ожидая этого вопроса, с восторгом зашаркал опорками:

— Дважды был изгоняем из семинарии — за осквернение пищи и за сочинение вольнодумных куплетов. Отец мой, саратовский благочинный, дважды отеческой рукой спускал мне шкуру со спины. Дальнейший послужной список приложен при паспорте...

Не слушая его, ротный покосился на Дашу:

— Тяжелое ваше дело... Придется вам рассказать всю правду. — Он сморщился и закряхтел, листая паспорт. — Это еще, пожалуй, может вас выручить. Да, тяжелое дело.

Даша молча глядела на него расширенными глазами. Тогда Агриппина, стоявшая у двери, сказала с упрямством:

— Иван, ей можно верить, я с ней говорила...

Ротный, подняв большой нос, уставился на Агриппину. Командир полка усмехнулся. Кузьма Кузьмич часто-часто закивал красным, веселым лицом. Ротный проговорил медленно:

— Это — где мы, на посиделках? (Кудрявые усы командира полка запрыгали, глаза сощурились.) Красноармеец Чебрец, на каком основании встреваете в допрос?..

Агриппина даже задышала от злости; не будь здесь командира полка, она бы не задумалась, ответила ротному, как баба на перелазе... Но он пробасил:

— Красноармеец Чебрец, выдь за дверь.

Агриппина только полыхнула темными глазами, стукнула прикладом, поджав губы, вышла из хаты. Ротный, сопя, полез в карман за табаком.

— Так, значит, и тут успели, агитировали?...

Опустив голову, Даша ответила:

— Я прошу мне верить. Если не верите, — мне незачем говорить. Мой отец, Булавин, ваш враг, он и мой враг... Он хотел меня казнить, я убежала из Самары...

Ротный развел большими руками перед светильней:

— Гражданка, как же вам верить, вы же сказки рассказываете.

Тогда командир полка вынул трубочку изо рта, обтер ее об рукав и сказал солидно:

— Не горячись, Гора, она, может, дело говорит... Ваша фамилия Телегина? (Даша — чуть слышно: «Да».) Имя, отчество вашего мужа помните?

— Иван Ильич.

— Штабс-капитан царской службы?

— Кажется... Да...

— Был ротным командиром в Одиннадцатой Красной армии?

— Вы его знаете?

Даша кинулась к столу, щеки ее залил румянец; только что сидела увядшая, мертвая, — расцвела.

— Я видела Ивана в последний раз, когда он под выстрелами бежал по крышам... Вот как это было...

— А вы сядьте, успокойтесь, — сказал командир полка. — Знаю Ивана Ильича, вместе были в германской войне, вместе ушли из плена. Мельшин моя фамилия, Петр Николаевич, может, он вам поминал когда-нибудь? И в Красной Армии его хорошо знают. — Он повернулся к ротному: — Жинка твоя правильнее тебя этот орешек раскусила. — И — Даше: — Отдохнете, завтра поговорим. Вы тут можете устроиться. Выйдете в сени, там будет кухня. Спите спокойно.

Даша и за ней Кузьма Кузьмич, — которого командиры как будто перестали замечать, — вошли через сени в тепло натопленную пустую кухню. Кузьма Кузьмич посоветовал Даше залезть на печь: «Косточки прогреете, в одну ночь за неделю отоспитесь. Дайте-ка я вас, душенька, подсажу...»

Даша с трудом влезла на печь, размотала платок, подложила его под щеку, прикрылась пальто, подобрала ноги. Здесь было хорошо, пахло теплыми кирпичами, хлебным дымком. Тыркал сверчок, неизменный сожитель. Он-то и не давал Даше заснуть сразу: сон только пленкой покрывал ее, сверчок — тырк, тырк — простегивал ее сон серой строчкой...

То ей представлялось, что стучит метроном, она сидит у рояля, в оцепенении опустив руки. От ожидания сердце тревожно бьется, но не шаги любимого, обожаемого, — снова слышно тырканье сверчка — стежка за стежкой.

«Какой покой, какой покой, — повторял в ней голос... — Вернулась на родину, бедная Даша... Но ты же никогда не знала родины. Даша, Даша... Ах, не мешайте мне... Ну, конечно, это дирижер стучит костяной палочкой, сейчас раздастся музыка...» И снова — тырк, тырк...

Кузьма Кузьмич пристроился на лавке под печкой и тоже не мог сразу заснуть, — причмокивая, бормотал:

— Поверили, поверили... Простые сердцем... На их месте я бы так скоро не поверил, — почему? Сам себя не знаешь, темен человек... Поверили — сильные люди всегда просты... В этом их сила. Теперь-то уж нам паспорт дан, — поверили. Ну да, вам нужен смышленый человек? Революции он нужен? Нужен... Вот вам — я... Дарья Дмитриевна... Я спрашиваю — революции нужен смышленый человек?..

2

Иван Ильич Телегин, после военных операций под Самарой, получил новое назначение.

Десятая Красная армия в августовских боях под Царицыном израсходовала и без того скудное боевое снаряжение. На запросы и требования — снабдить Царицын всем необходимым перед неминуемым новым наступлением Донской армии, Высший военный совет республики отвечал с крайней медлительностью и неохотой. Но в Москве сидел боевой товарищ командарма Ворошилова, посланный туда со специальной задачей — толкать и прошибать непонятную медлительность и писарскую волокиту снабженческих учреждений Высшего военного совета. Ему удавалось перебрасывать кое-что для царицынского фронта.

Ивану Ильичу было поручено погрузить в Нижнем на буксирный пароход ящики со снаряжением и две пушки и доставить их в Царицын. Снова, как этим летом, как много лет тому назад, он плыл по ленивой, необъятно могущественной пустынной Волге. Низенький коричневый буксир шлепал колесами по безветренной воде. Впереди всегда виднелся берег, будто там и кончалась река, — за широким поворотом открывалась новая даль, глубокая и ясная под осенним солнцем. В эти месяцы Волга была очищена от белых, все же пароход держался подальше от берегов, где над крутизной раскидывалось потемневшими срубами большое село, или на лысом бугре сквозь золотую листву виднелась колоколенка, откуда удобно резануть из пулемета.

Десять балтийских моряков балагурили на корме около пушки. Там же обычно полеживал на боку и Иван Ильич, — то охая и обмирая, то до слез хохоча над их рассказами. Слушатель он был простой, доверчивый, а моряку другого и не нужно: только гляди ему в рот.

Ежедневно самый молодой из моряков, комсомолец Шарыгин, высокий и степенный, шел к судовому колоколу и бил аврал: все наверх! Моряки садились в круг, из люка вылезал машинист, старичок, потерявший в революцию, говорят, не малые деньги; высовывался до пояса из люка кочегар, неуживчивый, озлобленный человек; из камбуза, вытирая руки, появлялась женщина-кок. Шарыгин садился на свернутый канат, самоуверенным голосом начинал просветительную беседу. За молодостью лет он не успел много прочитать, но успел понять главное. Под матросской шапочкой носил он темные кудри, были у него светлые красивые глаза, и только подгадил нос — маленький, торчком, попавший, казалось, совсем из другой организации.

Задача его была нелегкая. Моряки понимали революцию как люди, давно оторванные от своего хозяйства, от горемычной сохи, от рыбацкой лодки на Поморье. Прошли они тяжелую флотскую службу; когда настал час, — выкинули офицеров за борт и подняли флаг всемирной революции. Мир они видали, обегали его. Это была вещь широкая, понятная морской душе. Раньше все имущество моряка было в сундучке. Теперь нет и сундучка, теперь хозяйство моряка — винтовка, пулеметная лента да весь мир... Будь сейчас времена Степана Разина, каждый бы из них, загнув на ухо шапку с алым верхом, пошел бы — во весь размах души — вольно гулять по необъятным просторам, оставляя позади себя зарево до самого неба... «Эй, царские, боярские холопы, горе-несчастье, голь кабацкая, дели землю, дели злато, — все твое, живи!..» Пролетарская революция потребовала от них программы более сложной, потребовала ограничения размаху чувств.

— Революция, товарищи, это — наука, — самоуверенным голосом говорил им Шарыгин. — У тебя хоть семь пядей во лбу — не превзошел ее, и ты всегда сделаешь ошибку. А что такое ошибка? Лучше ты отца с матерью зарежь: ошибка приведет тебя к буржуазной точке зрения, как мышь в мышеловку, — влетел и сиди, грызи хвост, все твои заслуги зачеркнуты, и ты — враг...

Моряки ничего на это не могли возразить, — без науки и корабля не поведешь, не то что справиться с этакой контрреволюцией. Разве кто-нибудь, обхватив татуированными могучими руками колено, спрашивал:

— Хорошо, ты вот на что ответь: без таланта и печь в бане не сложишь, без таланта тесто у бабы не взойдет. Нужно это?

Шарыгин отвечал:

— Видите, товарищи, куда загибает Латугин? Талант — это вещь, нам свойственная, это вещь опасная. Она может человека привести к буржуазному анархизму, к индивидуализму...

— У, понес, — безнадежно махал на него рукой Латугин. — Ты сперва эти слова разжуй да проглоти, да до ветру ими сходи, тогда и употребляй...

А кочегар сердито хрипел из люка:

— Талант, талант! Ногти насандалит, штаны — клешем, на шее — цепочки... Видали вашего брата... Талант!

Тогда среди моряков поднимался ропот. Кочегар, прохрипев насчет того, что «вам бы годиков десять попотеть у кочегарки», от греха скрывался в машинное отделение. Шарыгин беспрестанно улаживал грозно возникающую зыбь. «Действительно, — говорил он, — есть среди нас такие товарищи с насандаленными ногтями, но это отброс. Они добром не кончат. Есть и зараженные эсерами. Но вся масса моряков беззаветно отдала себя революции. Про талант надо забыть, его надо подчинить. Гулять будем после, кто жив останется. Я лично — не рассчитываю...»

Шарыгин встряхивал кудрями. Некоторое время было слышно, как журчала вода под кормой. Суровость слов хорошо действовала на слушателей. Русский человек падок до всего праздничного: гулять — так вволю, чтобы шапку потерять; биться — так уж не оглядываясь, бешено. Смерть страшна в будни, в дождь без просвета, — в горячем бою, в большом деле смерть ожесточает, тут русский человек не робок, лишь бы чувствовать, что жизнь горяча, как в праздник; а шлепнет тебя вражеская пуля, налетел на сверкнувший клинок, — значит, споткнулся, в широкой степи раскинул руки-ноги, захмелела навек голова от вина, крепче которого нет на свете.

Морякам нравились эти слова Шарыгина, что живым он быть не рассчитывает. И они прощали ему и книжную речь, и юношескую самоуверенность, и даже вздернутый носишко его казался подходящим. А он рассказывал о хлебной монополии, о классовой борьбе в деревне, о мировой революции. Сизоусый машинист, полузакрыв глаза, сложив пальцы на животе, кивал утвердительно, особенно в тех местах, когда Шарыгин, сбиваясь с мысли, начинал выражаться туманно. Женщина-кок, Анисья Назарова, взятая в прошлый рейс в Астрахани, никогда не садилась с мужчинами, стояла в сторонке, глядя на уплывающие берега. Истощенное страданиями молодое лицо ее, с выпуклым лбом, с красивыми пепельными волосами, окрученными косой вокруг головы, было покойно и бесстрастно, лишь иногда в горле ее с трудом катился клубок.

Телегин также принимал участие в этих беседах, — рассказывая про военные дела, чертил мелом на палубе расположение фронтов.

— Контрреволюция, как видите, товарищи, задумана по единому плану: окружить Центральную Россию, отрезать ее от снабжения хлебом и топливом и сдавить. Контрреволюция поднимается на окраинах, на тучных землях. На Кубани, например, полтора миллиона казаков и столько же — крестьян-арендаторов. Между ними вражда не на живот, а на смерть. Деникин это отлично учел и с горстью офицеров-добровольцев смело кинулся в самое пекло, — разгромил стотысячную армию прохвоста Сорокина, которого в самом начале надо было расстрелять за анархию и дикую жажду предательства, — и сейчас Деникин создает себе крепкий тыл, помогая казакам вырезать красных на Кубани. Деникин умный и опасный враг.

Моряки глядели на Телегина, ноздри у них раздувались, синие жилы проступали под смуглой кожей. А машинист все кивал: «Так, так...»

— У атамана Краснова задача много у́же, — потому что казаков за границы Дона поднять трудно. Знаете поговорку: потому казак гладок, что поел — да на бок. Казак удал, когда дерется за свою хату. Но зато красновская контрреволюция в настоящее время для нас опаснее всех. Если мы будем оттеснены от Волги и потеряем Царицын, Краснов и Деникин соединятся со всей сибирской контрреволюцией. На наше счастье, между Красновым и Деникиным договоренности полной нет. Донцы называют добровольцев «странствующими музыкантами», а добровольцы донцов — «немецкими проститутками»... Но этим нечего утешаться. Плану контрреволюции мы должны противопоставить свой большой план, а это, в первую голову, правильная организация Красной Армии, без партизанщины на колесах...

Шарыгин, ревниво поглядывая на Телегина, вставлял:

— Вот это правильно... Итак, товарищи, мы вертаемся к тому, с чего я начал... Что ж такое революционная дисциплина?..

В одну из таких бесед Анисья Назарова, неожиданно протянув перед собой, как слепая, руку, сказала ровным голосом, но таким значительным, что все обернулись к ней и стали слушать:

— Извините, товарищи, что я вам скажу... Вот про такие дела я вам расскажу...

Рано утром, чуть завиднелось, Анисья Назарова пошла доить корову. Но только открыла теплый хлев, откуда из темноты просительно замычала Буренка, — послышались выстрелы из степи. Анисья поставила ведро, поправила на голове платок. Сердце у нее билось, и когда пошла к калитке, ноги обмякли. Все же она приоткрыла калитку, — по станичной улице бежали люди за тачанкой, на ходу влезая в нее. Выстрелы теперь слышались ближе и чаще, и со стороны степи, и со стороны пруда, и с одного конца широкой улицы, и с другого. Тачанка с товарищами из станичного Совета не успела скрыться, — ее окружили верхоконные. Они крутились, как собаки, когда рвут собаку, стреляли и рубили шашками.

Анисья закрыла калитку, перекрестилась и пошла было за ведром, но вдруг ахнула и кинулась в хату, где спали дети — Петруша и Анюта. Гладя их по головкам, шепча на ухо, она разбудила их, одела и повела на двор за коровий сарай, где стояла скирда кизяков, сложенная высоким муравейником, внутри пустая. Анисья разобрала несколько кизячных плиток и велела детям залезть в скирду и там сидеть, не подавать голоса.

Теперь вся улица гудела под конскими копытами, раздавались окрики, звякало оружие. Наконец в ворота Анисьиного двора начали бить прикладом: «Отворяй!» И когда Анисья открыла, ее схватили двое станичников, горячих от самогона. «Где Сенька Назаров, где муж, говори — шлепнем на месте». А муж Анисьи — не казак, иногородний — был в Красной Армии, и она даже не знала, жив ли он теперь. Так она и сказала, что не знает, где муж, — летом какие-то люди его увели. Бросив трепать Анисью, казаки вошли в хату, там все перевернули, переломали и, выйдя, опять схватили Анисью и поволокли на улицу к станичному Совету, где прежде жил атаман.

Солнце уже было высоко, а станица стояла с закрытыми ставнями и воротами, — будто и не просыпалась. Только перед Советом крутились станичники на конях и подходили пешие, ведя связанных, иных избитых в кровь, крестьян и казаков. Потом узналось, что брали по списку, всех, кто еще весной голосовал за советскую власть.

В атаманской избе сидел непроспанный офицер с нашитой на рукаве мертвой головой и двумя костями. И рядом с ним — хорошо всем известный хорунжий Змиев, полгода тому назад бежавший из станицы. О нем все и думать забыли, а он — вот он, с висячими усами, налитой, здоровый, красный, как медь. Когда Анисью впихнули в избу, хорунжий кричал арестованным, — а их под охраной стояло здесь более полусотни:

— Краснопузая сволочь, помогла вам советская власть? Ну-ка рассказывайте теперь, чему вас научили московские комиссары?..

Офицер, глядя в список, говорил тихо каждому, кого выталкивали к столу:

— Имя, фамилию признаешь? Так. Сочувствуешь большевикам? Нет? Голосовал в мае месяце? Нет? Значит, врешь. Всыпать. Следующий, казак Родионов. — И поднимал бледные, пегие, как у овцы, глаза: — Стать по форме, глядеть на меня! Был делегатом на крестьянском съезде? Нет? Агитировал за Советы? Опять нет? Значит, врешь полевому суду. Налево! Следующего...

Станичники подхватывали людей и, столкнув с крыльца, валили на землю, сдергивали шаровары, заголяли, один садился на дергающиеся ноги, другой коленями прижимал голову, и еще двое, вытащив из винтовок шомпола, били лежащего, — со свистом, наотмашь.

Офицер не мог уже разговаривать тихим голосом, — так страшно выли и кричали люди за окнами. Экзекуцию обступила толпа конных и пеших станичников из налетевшего отряда и тех из местного казачества, кто выскакивал из хаты навстречу отряду, крича: «Христос воскресе!..» Они тоже орали и матерились: «Бей до кости! Бей до последней крови! Будут знать советскую власть!»

Наконец в атаманской избе остались только Анисья и молоденькая учительница. Она приехала в станицу по своей охоте, все старалась просветить местных жителей: собирала женщин, читала им Пушкина и Льва Толстого, с детишками ловила жуков, — это в такие-то времена ловить жуков!

Хорунжий Змиев закричал на нее:

— Встать! Жидовская морда!

Учительница встала, некоторое время беззвучно трясла губами.

— Я не еврейка, вы это хорошо знаете, Змиев... И если бы даже была еврейкой, — не вижу в этом преступления...

— Давно в коммунистической партии? — спросил офицер.

— Я не коммунистка. Я люблю детей и считаю долгом учить их грамоте... В станице девяносто процентов не умеющих читать и писать, вы представляете...

— Представляю, — сказал офицер. — А вот мы вас сейчас выпорем.

Она побелела, попятилась. Хорунжий заорал на нее: «Раздевайся!» Хорошенькое личико ее задрожало, она начала расстегивать клетчатое пальтишко, стащила его, как во сне...

— Слушайте, слушайте! — И замахала на офицера рукой. — Да что вы, что вы! — А за окном кто-то нестерпимо затянул истошным голосом. А хорунжий все свое: «Снимай панталоны, стерва!»

— Мерзавец! — крикнула ему учительница, и глаза ее загорелись, лицо залилось гневным румянцем. — Расстреливайте меня, звери, чудовища... Вам это так не пройдет...

Тогда хорунжий схватил ее, приподнял и грохнул об пол. Два станичника задрали юбку, прижали ей голову и ноги, офицер не спеша вылез из-за стола, взял у казака плеть, на серое лицо его наползла усмешка. Занеся плеть, он сильно ударил девушку по стыдному месту; хорунжий, перегнувшись со стула, громко сказал: «Раз!» Офицер не спеша сек, она молчала... «Двадцать пять, довольно с тебя, — сказал он и бросил плеть. — Иди теперь, жалуйся на меня окружному атаману». Она лежала, как мертвая.

Станичники подняли ее и унесли в сени. Очередь дошла до Анисьи. Офицер, подтягивая кавказский поясок, только мотнул головой на дверь. Анисья, обезумев от ненависти, начала выбиваться, — когда ее потащили, хватала за волосы, выламывалась, кусала руки, била коленками. Вырвалась и, простоволосая, ободранная, сама кинулась на станичников и потеряла сознание, когда ее ударили по голове. Ей спустили кожу со спины шомполами и бросили у крыльца, — должно быть, думали, что скверная баба кончилась.

Карательный отряд ротмистра Немешаева навел в станице порядок, поставил атамана, нагрузил несколько подвод печеным хлебом, салом и кое-каким реквизированным барахлом и ушел. Весь день станица стояла тихая, — не топили печей, не выпускали скотину. А ночью занялось несколько иногородних дворов, в том числе запылал Анисьин двор.

Соседи побоялись тушить пожар, потому что, когда показался первый огонь на краю станицы, туда поскакало несколько казаков и были слышны выстрелы. Анисьин двор сгорел дотла. Только наутро соседи спохватились: а где же ее дети? Дети Анисьи, Петруша и Анюта, сидевшие до ночи в кизяковой скирде, и корова, овцы, птица — сгорели все.

Добрые люди подобрали Анисью, стонущую в беспамятстве у атаманова крыльца, положили ее у себя и выходили. Когда, спустя несколько недель, она стала понимать, — рассказали ей про детей. В станице Анисье делать больше было нечего, — так она и сказала добрым людям. Была уже осень. От мужа — никаких вестей. Жить ей не хотелось. Она ушла, — от станицы к станице, побираясь под окнами. Добралась до железной дороги и попала, наконец, в Астрахань, где ее взяли на пароход коком, потому что в прошлый рейс кок сошел на берег и не вернулся.

Такой случай из своей жизни рассказала Анисья Назарова.

— Спасибо вам, товарищи, — сказала она, — узнайте мое горе, спасибо вам...

Вытерла передником глаза и ушла в камбуз. Моряки, обхватив жиловатыми руками колени, нахмурясь, долго еще молчали. Иван Ильич отошел и лег в сторонке. Сдерживая вздохи, думал: «Вот встречаешь человека и проходишь мимо рассеянно, а он перед тобой, как целое царство в дымящихся развалинах...»

Понемногу от впечатлений рассказа этой женщины он перекинулся к своим огорчениям, — их он глубоко прятал от всех, от самого себя в первую очередь. Мало у него было надежды когда-нибудь еще раз встретиться с Дашей. Правда, человек живуч, ни один зверь не вынесет таких ран, таких бедствий. Но ведь пространство-то какое! Где теперь искать Дашу в потоке миллионов, хлынувших на восток. Старый дурень, доктор Булавин, чего доброго, еще махнет с ней за границу.

Покачивая головой, вздыхая от жалости, он вспоминал Дашины пристрастия к душевному комфорту, к изяществу, ее холодноватую пылкость, как кипение ледяного вина. «Не по силам ей было, не по силам... Выращена в теплице, и — на вот тебе — подул такой мировой сквознячище... Бедная, бедная, тогда в Питере, после смерти ребенка, отказывалась жить, — угасала в холодных сумерках...»

О том, что случилось с ней после Питера, Иван Ильич знал только по наспех прочитанному ее письму. Несомненно, Даша много пережила после Питера, многое поняла... С какою страстью тогда, спасая его от сыщиков, подтащила к окошку: «Верна буду тебе до смерти. Беги, беги...» Запах ее тонких русых волос, когда прильнула к нему, Иван Ильич не забыл и никогда не забудет. Странная, чудная, обожаемая женщина... «Ну, что ж, на том и покончим с воспоминаниями...»

Погода начала портиться. Волга потемнела, с севера поднялись грядами скучные, холодные тучи, засвистел ветер в тросах низенькой мачты. Не пришвартовываясь, проплыли Камышин, захолустный деревянный городок с оголенными садами на холмах. Сейчас же за Камышином начинался царицынский фронт.

3

Насыщенные холодом тучи ползли над Царицыном, ветер подхватывал пыль, вихрями застилал деревянные домишки, — они тесно и кое-как — то задом к реке, то передом — вместе с нужниками и заводами громоздились на сыпучих обрывах. Иван Ильич пробирался вверх по крутой улице, где булыжники были выворочены дождевыми потоками. На набережной, на скрипящих пристанях, и здесь, в городе, не видно было ни души. И только на площади, где сквозь пыль проступала серая громада кафедрального собора, он встретил вооруженный отряд. Одетые кто во что горазд, шли молодые и пожилые, с остервенением отворачиваясь от ветра.

Впереди шагала худая сердитая старуха в красноармейском картузе и так же, как и все, с винтовкой через плечо. Когда она поравнялась, Иван Ильич спросил у нее, где находится штаб. Старуха свирепо покосилась на него, не ответила, и весь отряд торопливо прошел, заволокся пылью.

Ивану Ильичу нужно было явиться в штаб армии, рапортовать о прибытии парохода с огнеприпасами и передать накладную. Но, черт его знает, где искать этот штаб! Заколоченные магазины, нежилые окна да гремящие железом, вот-вот готовые сорваться вывески. Внезапно Иван Ильич налетел на какого-то военного с повязанной рукой — тот болезненно потянул воздух через зубы и шепотом выругался. Иван Ильич, извинившись, спросил его все о том же. И тут только увидел, что перед ним — Сапожков, Сергей Сергеевич, его бывший командир полка.

— Ну, что ты носишься, как очумелый, — сказал Сапожков. — Ну, здравствуй. — Иван Ильич примерился было обхватить, обнять его. Сапожков отстранился. — Ну брось, в самом деле, держись спокойно. Ты откуда взялся?

— Да, понимаешь, пароход сюда пригнал.

— Вот чудак — жив! Щеки от здоровья лопаются!.. Вот — порода расейская! Тебе штаб нужен? Так вот это и есть штаб. Где остановился-то? Нигде, конечно. Ладно, я тебя подожду.

Он вместе с Телегиным зашел в подъезд каменного купеческого дома и указал на втором этаже штабные комнаты.

— Ванька, я жду, смотри...

Иван Ильич видал штабы и у Сорокина и в армиях Южного фронта, где никогда не найдешь нужную тебе дверь, — все врут, будто уговорились, всюду табачный дым, паническая трескотня машинисток, шнырянье из двери в дверь значительных адъютантов в галифе с крыльями. Здесь было тихо. Он сразу нашел нужную дверь. У пыльного окна, едва пропускавшего свет, сидел дежурный; он поднял костлявое малярийное лицо и, не мигая красными веками, уставился на Телегина.

— Никого нет, штаб на фронте, — ответил он.

— Разрешите связаться с командующим, — груз надо сдать срочно.

Дежурный, с легкостью истаявшего от бессонницы человека, приподнялся и поглядел в окно. Там кто-то подъехал.

— Подождите, — сказал он тихо и продолжал раскладывать на несколько кучек донесения и рапорты, иные написанные такими карандашными загогулинами, что из их содержания можно было понять одно лишь только величие простой и мужественной души.

Вошли двое. Один — в смушковой бекеше, с биноклем через шею и с тяжелой, на сыромятной портупее, кавалерийской шашкой. Другой — в длинной солдатской шинели, в теплой шапке с наушниками, какие носят питерские рабочие, и без оружия. Лица у обоих были темны от пыли. Дежурный сказал:

— Прямой провод на Москву исправлен.

Тот, кто был в смушковой бекеше, моложавый, с круглыми карими веселыми глазами, сразу остановился: «Вот это — отлично!» Другой, в шинели, закиданной землей, вынул платок, отер худощавое лицо, смахнул — сколько возможно — пыль с черных усов, и Телегин почувствовал на себе пристальный взгляд его блестевших глаз с приподнятыми нижними веками.

— Товарищ к вам с рапортом, — сказал дежурный.

Иван Ильич первый раз видел этих людей, не знал — кто они такие, и несколько замялся. Дежурный наклонился к нему:

— Говорите, товарищ, это военсовет фронта.

Телегин вынул документы и рапортовал. Услышав, что им только что пришвартован пароход с огнеприпасами, эти люди переглянулись. Тот, кто был в шинели, взял накладную, другой из-за его плеча с жадностью бегал по ней зрачками, и даже губы его маленького рта шевелились, повторяя цифры количества патронов, снарядов, пулеметных лент...

— Сколько у вас команды на пароходе? — спросил человек в шинели.

— Десять балтийских моряков и два полевых орудия.

Они опять переглянулись.

— Заполните анкету, — опять сказал тот же. — К семнадцати часам будьте со всей командой в распоряжении командующего фронтом.— Неторопливым движением он завертел сухо визжавшую ручку телефонного аппарата, соединился с кем-то, вполголоса сказал несколько слов и положил трубку. — Товарищ дежурный, организуйте немедленно как можно больше ломовых подвод. Для разгрузки мобилизуйте рабочих с орудийного завода. Проверьте исполнение и скажите мне.

Оба человека ушли в соседнюю комнату. Дежурный принялся накручивать телефон и сдавленным голосом повторять: «Транспортный отдел... Товарища Иванова. Нет такого? Убит? Давайте другого дежурного. Говорит штаб фронта...» Иван Ильич сел заполнять анкету. Дело было ясное: явиться к командующему — значит, прямо в окопы. Иван Ильич разленился на пароходе, и вот сейчас, поскрипывая цепляющимся за бумагу пером, чувствовал знакомое, столько раз повторявшееся за эти годы волевое движение, когда все, что есть в человеке покойного, теплого, бытового, охраняющего свою жизнь, свое счастьице, со вздохом отодвигается, и невидимым разводящим становится другой Иван Ильич — упрощенный, жесткий, волевой.

До пяти часов оставалось много времени. Телегин передал анкету и вышел в коридор. Сапожков быстро поднялся с деревянного дивана.

— Освободился? Пойдем, приткнемся куда-нибудь.

Он с усмешкой глядел на затуманенного Телегина. Сапожков был все тот же: неспокойный, напряженный, как будто знающий что-то такое, чего другие не знают, только внешне сильно сдал — розовое лицо его стало маленькое, как у моложавого старичка. Телегин объяснил, что — вот такое дело — надо бежать на пристань, собрать команду, выгружать ящики...

— Жаль. Ну, что ж, пойдем на пристань. Я три месяца молчал, Ваня, дошел до того, что в госпитале едва не начал писать «Записки бывшего интеллигента»... И не пью, брат, забыл...

Сапожков весь был потрясен встречей с Иваном Ильичом. Они вышли. Ветер погнал их по улице вниз к потемневшей Волге, махающей длинными пенными волнами.

— Где полк, Сергей Сергеевич? Каким образом ты от него отбился?

— От нашего полка остались рожки да ножки. Нет больше такого полка в Одиннадцатой армии.

Телегин молча, с ужасом, взглянул на него. Сапожков начал рассказывать, прикрываясь рукой от пыли:

— Кончились мы на хуторе Беспокойном. Известна тебе трагедия Одиннадцатой армии? Главком Сорокин натворил таких дел, — мало ему трех казней, сукиному коту. Скрыл от армии приказ Царицынского военсовета — пробиться на соединение с Десятой армией. Одна дивизия Жлобы выполнила приказ и повернула на Царицын, и то потому только, что Дмитрия Жлобу он хотел расстрелять и объявил вне закона. Представляешь: от Минеральных Вод мы отрезаны, от Ставрополя, где гибнет Таманская армия, — отрезаны. Огнеприпасы Сорокин в панике бросил еще в Тихорецкой... Справа на нас нажимает конница Шкуро, слева — конница Врангеля. И мы уходим на восток, в безводную степь... От полка моего осталась одна рота. Спим на ходу, лишь бы оторваться от противника, пробираемся балочками, жрать нечего, воды нет, ледяной ветер, — будь она проклята, эта степь! Были случаи — человек и конь окоченеют, и засыпает их песком, как скифским курганом... Добрались до хутора Беспокойного, — ни души, ни куренка, даже собак увели казачишки. А хаты, понимаешь, не заперты, — нараспашку... Ребята и давай пить молоко. Понимаешь? Начали кататься по земле, да уж поздно, — в живых осталось десятка три душ... И тут нас на утренней зоречке, как полагается, окружили с пулеметами и кончили...

Слушая его, Иван Ильич шел все шибче, покуда не споткнулся.

— Ну, а ты как же?

— Черт его знает. Подвезло... Ранили меня в самом начале, — в руку, нерв, что ли, какой-то задело, — потерял сознание... Многое я с того часа начал пересматривать... Покуда валялся кверху воронкой, — бойцы, оказывается, перевязали мне руку, отнесли к омету, закидали соломой... В такой обстановке, видишь ты, позаботились... Утверждаю: нашего народа мы не знаем и никогда не знали... Иван Бунин пишет, что это — дикий зверь, а Мережковский, что это — хам, да еще грядущий... Помнишь, мы в вагоне ночью разговаривали? Я был пьян, но я ничего не забываю. В чем была ошибка: философия-то, логика-то корректируются, как стрельба, видимой целью, глубоким познанием жизненных столкновений... Революция — это тебе не Эммануил Кант!

— Сергей Сергеевич, ну а дальше что было?..

— Дальше-то... Ночью вылез я из соломы. На хуторе орут песни, — значит, победители уже пьяны. Наткнулся на изувеченный труп, на другой, — все ясно... Поймал лошаденку, ушел в степь, где провел несколько мучительных дней... Подобрал меня конный отряд Буденного, — есть у них в Сальских степях такой всадник... Доставили меня на станцию Куберле и, значит, — сюда. Здесь околачиваюсь в госпитале... Послужной список, документы — все осталось на гумне, в бекеше... Помнишь мою бекешу? Такой теперь не построишь...

— Слушай, и Гымза там же погиб?

— Гымзу мы давно потеряли, вместе с обозом, у него сыпняк бил жестокий...

— Жалко Гымзу.

— Всех жалко, Иван... А впрочем, вру, не жалостью это называется... Привык я к полку, неудобно как-то одному оставаться в живых... Места себе не нахожу, Иван... Ходил в штаб — просить роту хотя бы... Вполне их понимаю, человек я им неизвестный, один воинский билет на руках... Ты уж меня в штабе аттестуй, пожалуйста...

— Ну, о чем говорить, Сергей Сергеевич...

— Хотя самое лучшее — бери меня в отряд, честное слово. Хоть помощником, хоть связистом... Вот сталкивает нас судьба... Помнишь, как у тебя на квартире стихи писали, пугали буржуев? Ничто не проходит даром, все отзывается: пошалил и забыл, — смотришь — а ты уже стоишь перед грандиознейшей картиной, так что волосы встают торчком. Слушай, а помнишь, как я нашел тебя в сарае у немцев? Вот был налет, вот была рубка! Я еще тогда шашку сломал... Это очень хорошо, что мы опять вместе... В тебе, Иван, есть какое-то непроворотимое здоровье... Привязался я, что ли, к тебе... Слушай, а где твоя жена?

Разговаривать им дальше не пришлось. Их перегнали ломовые телеги, рысью прогромыхавшие вниз к пристани.

За городскими крышами сквозь вихри пыли проступал закат, огромный и мрачный, насыщая кровавой силой ползущие тучи. Над Волгой закрутился редкий снег. Нагруженные телеги, охраняемые вооруженными рабочими, давно уехали. Набережная опустела. Пароход отошел от конторки и, не зажигая огней, пришвартовывался где-то ниже по течению.

Моряки в перепоясанных бушлатах, с гранатами, с вещевыми мешками, с винтовками сидели на конторке за ветром, — не курили, помалкивали. Из рассказов рабочих им уже было известно, что делалось в этом пустынном городе, озаренном мутно-кровавым закатом. Дела тут были невеселые.

Иван Ильич ждал конных упряжек для выгруженных орудий, с тревогой посматривал на часы, несколько раз звонил в штаб. Выяснилось: упряжки уже высланы, отряду приказано идти вместе с орудиями прямо на вокзал. Преодолевая наваливающийся на дверь ветер, он вышел на палубу конторки. Перед ним стояла Анисья Назарова.

— Вы зачем здесь?

Она молчала, поджав губы; под его взглядом опустила голову. Ветхая, заплатанная шаль, видимо единственная защита от стужи, была повязана у нее на плечах, за спиной — дерюжный мешок.

— Нет, нет, нет, — сказал Иван Ильич, — ступайте на пароход, Анисья, вы мне в отряде не нужны...

Покуда по сходням скатывали пушки на песок да возились с упряжками, — тучи угасли, и река слилась с потемневшими берегами. Отряд тронулся в город, понукая лошаденок, впряженных в орудия. К Ивану Ильичу подошел Шарыгин и — вполголоса:

— Что нам с Анисьей-то делать? Товарищи просят оставить при отряде...

Сейчас же, отделившись от колеса орудия, к Ивану Ильичу с другой стороны подошел Латугин.

— Товарищ командир, она вроде нам как мамаша. В таких делах, — фронт, знаешь, — добежать, принести чего-нибудь, рубашечку простирнуть... Да она воинственная, только так, с виду тиха. Пристала и пристала, как собачонка, что ты сделаешь...

Анисья оказалась тут же, позади Ивана Ильича, — она шла за отрядом все так же — с опущенной головой. Шарыгин сказал:

— Определим ее сестрой милосердной, без квалификации... Милое дело...

Иван Ильич кивнул: «Правильно, я и сам хотел ее оставить». Латугин побежал опять к орудийному колесу, ухватился за него, гаркнул на лошаденок, выбивавшихся в гору из последних сил: «Но, добрые, вывози!» Песок, сорванный с откоса, обрушился на отряд, закрутился, как бешеный. Наконец колеса покатились по улице. В едва различимых домишках не светилось ни одно окно; страшно выли провода на столбах да громыхали вывески. Иван Ильич шел и усмехался... «Вот получил урок, шлепнули по носу: эй, командир, невнимателен к людям... Правильно, ничего не скажешь... От Нижнего до Царицына валялся на боку, развесив уши, и не полюбопытствовал: каковы они, эти балагуры... Видишь ты — шагают вразвалку, ветер задирает ленточки на шапочках... Почему Анисьино горе, жалкую судьбу ее, они, не сговариваясь, вдруг связали со своей судьбой, да еще в такой час, когда приказано покинуть легкое житье на пароходе и сквозь песчаные ледяные вихри идти черт знает в какую тьму, — драться и умирать?.. Храбрецы, что ли, особенные? Нет, как будто, — самые обыкновенные люди... Да, неважный ты командир, Иван Ильич... Серый человек... Тот хорош командир, кто при самых тяжелых обстоятельствах держит в памяти сложную душу каждого бойца, доверенного тебе...»

Давешний разговор с Сергеем Сергеевичем и этот, как будто незначительный, случай с Анисьей очень взволновали Ивана Ильича. Первым делом он обрушился на самого себя и корил себя в эгоизме, байбачестве, невнимательности, серости... В такое время он, видите ли, разъел себе щеки, — даже Сергей Сергеевич это заметил... Так размышляя, Иван Ильич поймал себя еще на одной мысли, — ему вдруг стало жарко, и сердце на секунду будто окунулось в блаженство, — во всем этом подтягивании себя была и тайная мысль: вернуть Дашину былую влюбленность... Но он только фыркнул в налетевший из-за угла пыльный вихрь и отогнал эти совершенно уже неуместные мысли.

На вокзале Иван Ильич получил приказ: немедленно погрузить орудия и выступить на артиллерийские позиции в район станции Воропоново. Приказ передал ему комендант — рослый детина с черными, как мартовская ночь, страшными глазами и пышной растительностью на щеках, вроде бакенбард. Иван Ильич несколько растерялся, начал объяснять, что он не артиллерист, а пехотинец, и не может взять на себя ответственность командовать батареей. Комендант сказал тихо и угрожающе:

— Товарищ, вам понятен приказ?

— Понятен. Но я объясняю же вам, товарищ...

— В данный момент командование не нуждается в ваших объяснениях. Вы намерены выполнить приказ?

«Ох, ты, черт, как тут разговаривают», — подумал Иван Ильич и невольно подбросил руку к козырьку: «Слушаюсь», — повернулся и пошел на пути...

В этом городе были совсем не похожие ни на что порядки. На вокзалах, например, в иных городах, если нужно пройти куда-нибудь, — шагай через лежащих вповалку переодетых буржуев, дезертиров, мужиков и баб с мешками, откуда торчит петушиный хвост, либо сопит поросенок. Здесь было пусто, даже подметено, хотя пыль, гонимая ветром через разбитые окна, густо устилала плакаты на стенах и давно покинутый буфетчиком прилавок. Здесь и разговаривали по-особенному — коротко, предостерегающе, точно положив палец на гашетку.

Иван Ильич без лишней беготни и без крику быстро получил паровоз и наряд на погрузку. Позвонил в штаб о Сапожкове, и оттуда ответили: «Хорошо, берите его на свою ответственность...» Команда уже грузила орудия на две платформы под раскачивающимися фонарями. Иван Ильич стоял и всматривался в лица моряков. Вот Гагин, новгородец, с глубокими морщинами жесткого лица, с черными волосами, падающими из-под бескозырки — «Беспощадный» — на лоб до бровей; вот помор Байков, с широкой, будто подвешенной к маленькому лицу, забитой пылью бородой, с круглой головой, крепкой, как орех, — балагур и запивоха. Все девять товарищей ухватились за колеса пушки, вкатывая ее по круто поставленным доскам, а Байков то тут присядет, то с другой стороны взглянет: «Идет, идет, ребята, поднажми, давай...» Кто-то даже пхнул его коленкой: «Да берись ты сам, чудо морское...»

Вот нижегородец, из керженских лесов, Латугин, с широким, дерзким лицом, ястребиным, должно быть перебитым в драке, носом, среднего роста, силач, умница, опасный в ссоре и «ужасно лютый» до женского сословия... Вот — Задуйвитер...

— Иван Ильич, — к нему подошел Шарыгин, — вы знаете, где это Воропоново?

— Ничего я тут не знаю.

— Да вот тут же, рядом, под самым Царицыном, — здесь и фронт... Белые, говорят, так и ломят... Артиллерии — сила, и танки, и самолеты... Да за войском еще тысяч сто мародеров-казаков едут на телегах.

Шарыгин говорил тихо и возбужденно, синие глаза его блестели, улыбаясь, красивые губы дрожали. Иван Ильич нахмурился:

— Вы что, в серьезных боях еще не бывали, Шарыгин? — У того вспыхнуло лицо, и краска перелилась на маленький нос, он так и остался красным. — Мой совет: поменьше слушайте разных разговоров... Все это паника... Вы позаботились о продовольствии отряда?

— Есть! — Шарыгин подкинул ладонь к бескозырке, чего никогда обычно не делал. Лицо у него просветлело. Парень был хороший, чересчур впечатлительный, — но ничего, обломается. Иван Ильич пошел к товарному вагону, который прицепляли сзади платформ с пушками. По перрону бежал возбужденный Сапожков, с мешком и шашкой под мышкой...

— Иван, устроил?

— В порядке, Сергей Сергеевич... Грузись.

Сапожков полез в товарный вагон. Там, в углу, на матросском барахлишке, уже сидела Анисья.

Неподалеку от Воропонова — станции Западной железной дороги — еще до света орудия были выгружены и установлены в расположении одного из артиллерийских дивизионов. Здесь Телегин и его отряд узнали, что дела на фронте очень тяжелые. Под Воропоновом строилась линия укреплений, она шла полуподковой всего в каких-нибудь десяти верстах от Царицына, начинаясь на севере, у станции Гумрак, и кончаясь у Сарепты — на юге от Царицына. Эта дуга укреплений была последней защитой. В тылу за ней тянулась невысокая гряда холмов и дальше — покатая равнина до самого города. Отступать можно было только в Волгу, в ледяные волны.

Вчерашний ветер разогнал тучи, свалил их за краем степи в непроницаемый мрак. Поднялось негреющее солнце. На плоской бурой равнине копошилось множество людей; одни кидали землю, другие вбивали колья, тянули колючую проволоку, укладывали мешки с песком. Со стороны Царицына подъезжали товарные составы, выгружались люди, разбредались, исчезали под землей. Другие вылезали из складок земли и устало брели к станции. Было похоже, что сюда призвано на работы — хочешь или не хочешь — все население города, способное держать лопату...

Одна из таких партий, десятка в полтора разношерстных граждан обоего пола, подошла к расположению телегинской батареи; их привел маленький старенький военный инженер.

— Граждане! — осипшим голосом крикнул он, высовывая седые усы из толсто замотанного верблюжьего шарфа. — Ваша задача проста: мне нужно поднять бруствер до четырнадцати вершков, берите землю отсюда и бросайте сюда, до отметки на колышке... Разойдитесь на шаг и — дружно за работу!

Он ободрительно похлопал лиловыми от холода маленькими руками и бодро полез из выемки. Граждане проводили его взглядами, полными возмущения. Одна из женщин затрясла круглым лицом ему вдогонку:

— Стыдитесь, Григорий Григорьевич, стыдитесь!

Остальные продолжали стоять, держа лопаты так, будто именно эти лопаты и были гнусными орудиями пролетарской диктатуры. Только один — кадыкастый, большегубый юноша, которому было очень интересно попасть на боевые позиции, — принялся было ковырять землю, но на него сейчас же зашипели:

— Стыдно, Петя, перестаньте сию же минуту...

И все заговорили, обращаясь к человеку с желтым нервным лицом, стоявшему до этого закрыв глаза, слегка покачиваясь; форменное пальто на нем — ведомства народного просвещения — было демонстративно подпоясано веревкой.

— Ну вы-то что же молчали, Степан Алексеевич? Мы выбрали вас... Мы ждем от вас...

Он мученически поднял веки, щека его дернулась тиком.

— Я буду говорить, господа, но буду говорить не с Григорием Григорьевичем. Мы все должны надеть траур по нашем Григории Григорьевиче...

В это время с бруствера полетели комья, над выемкой появилась лошадиная морда, катающая в зубах удила, и сверху, с седла, перегнулся широкий, краснощекий, бородатый всадник в кубанской шапке. Прищуря глаза, он спросил насмешливо:

— Ну что ж, граждане, не можете договориться — чи работать, чи нет?

Тогда нервный Степан Алексеевич, в пальто, подпоясанном веревкой, выступил несколько вперед и, задрав голову к всаднику, ответил ему с убедительной мягкостью, как говорят с детьми на уроках:

— Товарищ, вы здесь старший начальник, насколько я понимаю... («Эге». — Всадник весело кивнул и рукой в перчатке похлопал коня, сторожившегося над обрывом.) Товарищ, от имени нашей группы, насильственно мобилизованной сегодня ночью на основании каких-то никому не ведомых списков, выражаем наш категорический протест...

— Эге, — повторил, но уже с угрозой, бородатый всадник.

— Да, мы протестуем! — Голос у Степана Алексеевича сорвался вверх. — Вы принуждаете людей, не приспособленных к физическому труду, рыть для вас окопы... Ведь это же худшие времена самоуправства!.. Вы совершаете насилие!..

Обе щеки у него задергались, он закрыл глаза, так как сказал слишком много, и замотал поднятым желтым лицом... Всадник глядел на него прищурясь, — большие ноздри у него задрожали, рот сложился твердо, прямой, как разрез. Он слез с лошади, соскочил в выемку и, отряхнув одним ударом кавалерийские штаны, сказал:

— Совершенно точно: мы вас принуждаем оборонять Царицын, если вы не желаете добровольно. Почему же это вас возмущает?.. А ну-ка, дайте лопату кто-нибудь.

Он, не глядя, протянул большую руку в коричневой перчатке, и та же полная, круглолицая женщина торопливо подала ему лопату и уже все время не сводила с него изумленных глаз.

— Зачем нам ссориться, это же чистое недоразумение. — Он вонзил лопату, подхватил землю и сильно кинул ее наверх, на бруствер. — Мы воюем, вы нам подсобляете, враг у нас один... Казачки же никого не пощадят, — с меня сдерут кожу, а вас перепорют поголовно, а которых порубят шашками...

От него, как от печи, дышало здоровьем и силой. Кинув несколько лопат, он быстро оглянул стоящих: «А ну, — и хлопнул по плечу кадыкастого юношу и другого — миловидного, глуповатого, с соломенными ресницами, — а ну, покажем, как надо работать». Они, смущенно улыбаясь, начали копать и кидать; за ними, пожав плечами, взялось за лопаты еще несколько человек.

Круглолицая дама сказала: «Ну, позвольте уж и я», — и споткнулась о лопату. Бородатый командир сейчас же подхватил ее и, должно быть, сильно тиснул, — она раскраснелась и повеселела. Степан Алексеевич рисковал остаться в одиночестве.

— Позвольте, позвольте, — сказал он высоким голосом, — но революция и — насилие, товарищи! Революция прежде всего отвергает всякое насилие.

— Революция, — раскатисто ответил бородатый начальник, — революция осуществляет насилие над врагами трудящихся, и сама осуществляется через это насилие... Понятно?

— Позвольте, позвольте... Это антиморально...

— Пролетариат только для того и совершает над вами насилие, чтобы освободить весь мир от насилия...

— Позвольте, позвольте...

— Нет, — твердо сказал начальник, — не позволю, вы начинаете озорничать, это саботаж, берите лопату... Товарищи, я, значит, могу надеяться — к одиннадцати часам бруствер будет готов. В добрый час, до свиданья...

Моряки, слушая издали этот разговор, помирали со смеху. Когда начальник артиллерии Десятой армии уехал, они пошли к интеллигенции — подсобить, чтобы у них не остыл энтузиазм.

4

Полк Петра Николаевича Мельшина вместе со всей дивизией отходил по левой стороне Дона, день и ночь отбиваясь от передовых частей второй колонны хорошо снаряженной и сформированной по-регулярному Донской армии. У Мельшина в полку люди были измотаны боями и ночными переходами, без горячей еды, без сна и отдыха. Красновские казаки хорошо знали каждый овраг, каждую водомоину в этих степях и оттесняли противника в такие места, где было удобно его атаковать. На рассвете их стрелковые части начинали перестрелку, отвлекая внимание, а конные сотни пробирались оврагами и балочками во фланги и неожиданно накидывались с яростью, свистом, воем.

Мельшин говорил бойцам: «Выдержка, товарищи, — это главное. Единодушие — это наша сила. Нам эти укусы не страшны. Мы знаем, за что сражаемся, смерть нам легка. А казак удал, да жаден, — ему добыча нужна, жизни он терять не хочет, и больше всего ему жаль коня».

Рота Ивана Горы шла в арьергарде, прикрывая обоз, где на каждой телеге лежали раненые. Оставить их было нельзя и негде: станичники в плен не брали, — уцелевших после боя всех, на ком красная звезда, раздевали донага и рубили — и с верха и пешие; натешась, отъезжали, оглядываясь на страшно разрубленные трупы, вытирали клинки о конскую гриву.

Ни в какие времена на Дону не слыхали такой бешеной ненависти, какая поднялась в богатых станицах Вешенской, Курмоярской, Есауловской, Потемкинской, Нижне-Чирской, Усть-Медвединской... Туда приезжали агитаторы из Новочеркасска, а в иные станицы — и сам атаман Краснов; колокольным звоном собирали «Круг спасения Дона» и, по старинному обычаю снимая шапки и кланяясь, звали казачество наточить шашки и вдеть ногу в стремя: «Настал твой час, вставай, вольный Дон... Грозной казацкой тучей двинемся на Царицын, уничтожим проклятое гнездо коммунистов, выметем с Дона красную заразу... Не хотят они, чтобы Дон жил богато и весело! Хотят они увести наши табуны и стада, земли наши отдать пришлым тульским да орловским мужикам, жен наших валять по своим постелям, а вас, — станичники, богатыри, соль земли Донской, — послать в шахты навечно... Не дайте ободрать храмы божии, постойте за алтарь нашей родины. Не пожалейте жизней... А уж атаман Всевеликого Войска Донского отдаст вам Царицын на три дня и три ночи».

Ротный командир Иван Гора, длинный и сутуловатый, с лицом, почерневшим от бессонницы, привык за эти дни к маячившим на краю степи верхоконным казакам, узнал их повадки и не клал цепь без толку, велел бойцам идти не оборачиваясь.

Впереди двигался обоз — тесно, ось к оси; позади шла цепь тяжелой развалкой — ободравшиеся, осунувшиеся, глядящие под ноги бойцы. Последним шагал Иван Гора, как опоенный. Еще полгода тому назад был он могучим человеком, но сказывалось ранение в голову, когда этим летом на продразверстке его рубили топором в сарае, сказывалась контузия, полученная в бою под Лихой. Он то бодрился, то на ходу начинал задремывать; перед мутнеющими глазами выплывало какое-нибудь приятное воспоминание, — люди в летних сумерках сидят на бревнах, над головами летает мышь... Или — зеленый подорожник, на нем ситцевая подушка, на ней смеющаяся Агриппина... Он гнал эти мечты, приостанавливался, поправляя на плече винтовку, разевал тяжелые веки, оглядывал идущих людей, телеги с мотающимися ранеными, ровную выгоревшую степь, плывущую ему в душу, — шаром по ней кати, ни деревца, ни телеграфного столба, плывет бурая, бесцветная, тоскливая, покачивается... Споткнувшись, встряхивал носом... Эх, хорошо сейчас идти за телегой, положив руку на грядку, — минутку подремать, передвигая ноги!

— Вот — опять! Съезжаются на краю степи малюсенькие всадники, и оттуда — выстрелы, и пули посвистывают, как безвинные.

— Прибодрись, товарищи, внимание! Эй, в обозе, не спать!..

В обозе ехала Агриппина, жена его, раненная в руку. Там же за одной из телег шли Даша и Кузьма Кузьмич.

В темноте начались протяжные крики. Обоз остановился. Даша сейчас же привалилась к обочине телеги, положила голову на руки. Сквозь забытье она слышала, как подошел Иван Гора и негромко заговорил с Агриппиной, сидевшей в той же телеге:

— Покурить бы, с ног валюсь.

— Почему остановились?

— До пяти часов — отдых.

— Кто тебе сказал?

— Проезжал вестовой.

— Положи ко мне головушку, Ванюша, поспи.

— Ну да, поспи. Он тебе поспит. Ребята наши — как где стоял, там и повалился... Ты чего не спишь, Гапа, рука болит?

— Болит.

Телега слабо заскрипела, — он привлек к себе Агриппину. Глубоко, как усталая лошадь, вздохнул.

— Вестовой говорит: ох, и силы у него переправляется через Дон под Калачом да под Нижне-Чирской! За полками идут попы с хоругвями, везут бочки с водкой. Казаки летят в атаки пьяные, чистые мясники...

— Поешь хлебца, Ванюша.

Он медленно начал жевать. С трудом глотая, неясно проговорил:

— Мы у самого Дона. Неподалеку здесь должен быть паром, казаки его на ту сторону угнали. Вот из-за этого остановка, пожалуй.

Телегу опять качнуло, — Иван Гора отвалился и ушел, тяжело топая. Все затихло — и люди, и лошади. Даша дышала носом в рукав... Все бы, все отдала за такую минуту суровой ласки с любимым человеком. Завистливое, ревнивое сердце! О чем раньше думала? Чего ждала? Любимый, дорогой был рядом, — просмотрела, потеряла навек... Зови теперь, кричи: Иван Ильич, Ваня, Ванюша...

...Дашу разбудил Кузьма Кузьмич. Она лежала, уткнувшись под телегой. Слышались выстрелы. Занималась зеленая заря. Было так холодно, что Даша, стуча зубами, задышала на пальцы.

— Дарья Дмитриевна, берите сумку скорее, идем, раненые есть...

Выстрелы раздавались внизу по реке, гулкие в утренней тишине. Даша с трудом поднялась, она совсем отупела от короткого сна на холодной земле. Кузьма Кузьмич поправил на ней санитарную повязку, побежал вперед, вернулся:

— Переступайте, душенька, бодрее... Наши тут, неподалеку... Не слышите — где-то стонет? Нет?

Забегая, он останавливался, вытягивая шею, всматривался. Даша не обращала внимания на его суетливость, только было противно, что он так трусит...

— Душенька, пригибайтесь, слышите — пульки посвистывают?

Все это он выдумывал, — не стонали раненые, и пули не свистели. Свет зари разгорался. Впереди виднелась белая пелена, будто река вышла из берегов. Это над рекой и по голым прибрежным тальникам лежал густой, низкий осенний туман. В нем, как в молоке, по пояс стоял Иван Гора. Подальше — боец в высокой шапке и — другой и третий, видные по пояс. Они глядели на правый — высокий — берег Дона, куда не доходил туман. Там, за черными зарослями, поднималось в безветрии множество дымков.

Увидел их и Кузьма Кузьмич, — будто захлебнувшись от восторга, раскрыл глаза:

— Смотрите, смотрите, Дарья Дмитриевна, что делается! Это же грабить приехали за армией — сто тысяч телег... Это же Батый, кочевники, половцы!.. Видите, видите — кони распряженные, телеги... Видите — у костров лежат — бородатые, с ножами за голенищами... Да глядите же, Дарья Дмитриевна, один раз в жизни такое приснится...

Даша не видела ни телег, ни коней, ни станичников, лежащих у костров... Все же ей стало жутко... Иван Гора обернулся и рукой показал им, чтобы присели в туман. Кузьма Кузьмич, будто впиваясь в страницу какой-то удивительной повести, забормотал:

— Это показать бы да нашей интеллигенции. А? Это — сон нерассказанный... Вот тебе, конституции захотели! Русским народом управлять захотели... Ай, ай, ай... Побасенки про него складывали — и терпеливенький-то, и ленивенький-то, и богоносный-то... Ай, ай, ай... А он вон какой... По пояс в тумане стоит, грозен и умен, всю судьбу свою понимает, очи вперил в половецкие полчища... Тут такие силища подпоясались, натянули рукавицы, — ни в одной истории еще не написано...

Внезапно оборвалась вдалеке ружейная и пулеметная стрельба. Кузьма Кузьмич споткнулся на полуслове. Стоящий впереди Иван Гора повернул голову. Ниже по реке раздались два глухих взрыва, и сейчас же там начало разливаться в тумане мутное пунцовое зарево. Донеслись отдаленные крики, и — снова зачастили выстрелы.

— Ей-богу, паром подожгли наши на том берегу, — Кузьма Кузьмич высовывал голову из тумана, — ох, резня там сейчас, ох, резня!

Иван Гора и цепь его бойцов, нагнувшись, побежали к берегу и скрылись в зарослях. Заря широко полыхала над степью. Туман, редея, шевелился и рвался между голыми ветками тальника. Там, под берегом, под покровом тумана, на реке внезапно раздались такие страшные крики, что Даша прижала кулаки к ушам, Кузьма Кузьмич лег ничком.

Удары, лязг, выстрелы, вопли, плеск воды, разрывы ручных гранат.

Затем из зарослей появился Иван Гора. Он шел, заглатывая воздух, тяжело отдуваясь. На голове его не было фуражки, зато в руке он нес два казацких картуза с красными околышками. Подойдя к Даше, сказал:

— Пришлю носилки, и вы бегите к воде, — перевязать надо двоих товарищей...

Он взглянул на картузы, один из них бросил, другой порывисто надвинул на лоб.

— Обойти нас хотели, сволочи, на лодках... Идите, не бойтесь, там всех кончили...

5

Шумели берега Дона между станицами Нижне-Чирской и Калачом, — по трем плавучим мостам, на паромах и лодках переправлялись конные и пешие полки Всевеликого Войска Донского. В походном строю шли конные сотни в новых мундирах, в заломленных бескозырках с выпущенными, по обычаю, на лоб чубиками, воспетыми в песнях. Пестрели флажки на пиках, брызгала меж мостовыми досками вода из-под копыт молодых коней, боязливо косившихся на серый Дон.

Плыли поперек реки длинные лодки, нагруженные пехотинцами — безбородой молодежью; разинув рты, озирались они на невиданное скопление казаков, коней, телег; выпрыгивали из лодок в воду, карабкались на обрывистый берег, строились — ружье к ноге, — срывали шапки; дьяконы со взвевающимися космами звероподобно ревели, звякая кадилами, протопопы, подобные золотым колоколам, в ризах с пышными розами, благословляли воинство.

На кургане — впереди полковников и конвойцев — стоял под своим знаменем командующий, генерал Мамонтов, наблюдая за переправой. Он был хорошо виден всем, как влитый, в походном казачьем черном бешмете, на серебристом коне, царапающем копытом курган. Войска проходили с песнями, гремели литавры, в воздух подлетали конские хвосты бунчуков. На востоке бурой степи, заволоченной пылью идущих войск, перекатывался пушечный гром.

Командующий, подняв руку с висящей нагайкой, заслонился от солнца, глядя, как плыли аэропланы со слегка откинутыми назад крыльями, он сосчитал их и следил, покуда они, снижаясь, не ушли за горизонт. Мимо кургана прошли только что сгруженные с парохода тяжелые гаубицы, их щиты и стволы были размалеваны изломанными линиями, упряжки разномастных, мохноногих, низких, косматых лошадей проскакали тяжелым галопом, бородатые ездовые, лихачествуя, били их плетями. Еще не осела пыль — пошли танки, огромные, из клепаных листов, с задранными носами гусеничных передач. Он сосчитал их — десять стальных чудовищ, чтобы давить красную сволочь на улицах Царицына. Он рысью съехал с кургана и поскакал вдоль берега, знаменосец — за ним, на полкорпуса позади, осеняя его треплющимся черно-сизым знаменем.

Подходили и грузились в лодки новые войска, плыли паромы с возами сена и всякого войскового добра. Близ переправ стояли телеги, брички, большие фуры, на которых возят снопы с поля. Около них спокойно постаивали в ожидании переправы, похаживали почтенные станичники, иные закусывали, сидя у костров. Это были посланные станицами к своим частям — сотням и полкам — торговые казаки. Они вели хозяйство, брали добычу — будь то деньги, скот, хлеб, фураж или всякие нужные вещи — одежда, одеяла, тюфяки-перины, зеркала, оружие; из этой добычи снабжали свои сотни фуражом и довольствием, если надобно — одеждой и оружием, а все остальное переписывали, укладывали на воза и с подростками или с бабами отправляли в станицы.

Мамонтов проехал хутор Рычков, где половина дворов была сожжена и гумна чернели от пепла, и свернул вдоль железнодорожного полотна, дожидаясь, когда с правой стороны Дона подойдет бронепоезд.

Донская армия, численностью в двенадцать конных и восемь пехотных дивизий, наступала пятью колоннами.

Все пять колонн двигались стремительным маршем к последней черте оборонных укреплений Царицына. Десятая Красная армия, потерявшая связь с северными и южными частями, отступала, уплотняясь на все более сужающемся фронте. Ее пять дивизий малого состава расходовали последние пули и последние силы.

Высший военный совет республики, который должен был оказать в эти дни решительную помощь Десятой армии, был парализован тайным, хорошо замаскированным предательством, — оно выражалось в крайней медлительности всех движений и в том, что царицынские дела истолковывались как второстепенные, ничего не решающие, а настроение Царицынского военсовета — паническим.

Царицыну было предоставлено отбиваться от казаков своими силами.

В эти дни военсовет Десятой отдал два приказа: первый — угнать из Царицына на север все пароходы, баржи, лодки и паромы, дабы не было и мысли об отступлении войск на левый берег Волги, и — второй — по армии: с занимаемых позиций не отступать до распоряжения; отступившие подлежат расстрелу.

На батарее Телегина первая половина дня прошла спокойно. Грохотало где-то за горизонтом, но равнина была безлюдна. Моряки копали убежище. Анисья, никого не спрашивая, ушла на станцию и часа через три вернулась с двумя мешками, — едва донесла: хлебушко и арбузы. Постелила опростанные мешки на земле между пушками, нарезала хлеб, разрезала каждый арбуз на четыре части: «Ешьте!..» И сама стала в стороне, скромная, удовлетворенная, глядя, как голодные моряки уписывают арбузы. Моряки, не вытирая щек, ели, похваливали:

— Ай да Анисья!

— Дорогого стоит такую найти.

— Моря обегаешь...

Степенный и ревнивый ко всякому разговору Шарыгин сказал:

— С инициативой она, вот что дорого. — Моряки, подняв головы от арбузных ломтей, враз загрохотали. Он нахмурился, встал, взял лопату. — Предлагаю, товарищи, вырыть для Анисьи отдельное убежище, таких товарищей надо беречь, товарищи...

Моряки отсмеялись и вырыли позади батареи в овражке небольшой окопчик для Анисьи, — отсиживаться на случай обстрела. Делать больше было нечего. Сотня снарядов, выгруженных с парохода, рядками уложена около пушек. Винтовки протерты. Сапожков наладил связь с командным пунктом дивизиона. Моряки разлеглись в котловане, на солнцепеке. Теперь жалуй к нам, генерал Мамонтов.

Иван Ильич сидел на лафете, вертел, поламывая, сухой стебель. Иван Ильич не размахивался на какие-нибудь большие рассуждения, ему дорог был этот маленький мирок людей, сошедшихся из разных концов земли, не похожих друг на друга и так дружно соединивших судьбы свои. Вон — Сергей Сергеевич, уж, кажется, никаким клеем его ни с кем не склеишь, вечно ощетинен всеми мыслями, — сразу всем стал нужен; сразу обжился, устроился у колеса и посапывает. Шарыгин, — честолюбец, парень небольшого ума, но упорный, с ясной душой без светотени, — тихо спит на боку, подсунув кулак под щеку. Задуйвитер вельможно раскинулся на песке, подставив солнцу грубо сделанное, красивое лицо: мужик хитрый, смелый, расчетливый — жив будет, вернется домой хозяином. Другой богатырь, из керженских лесов, Латугин, могуче всхрапывает, прикрыв лицо бескозыркой, — этот много сложнее, без хитрости, — она ему ни к чему, — он еще сам не знает, в какое небо карабкается с наганом и ручной гранатой...

Двенадцать человек вверили Ивану Ильичу свою жизнь. Военсовет поручил ему батарею в такой ответственный момент... Правда, он кое-что смыслил в математике, но все же следовало твердо заявить, что батареей он командовать не должен...

— Послушай, Гагин, кто-нибудь из вас умеет вычислять эти самые углы прицела? Дальномера-то у нас нет...

Гагин, стоявший на приступке, откуда через бруствер глядел в степь, обернулся.

— Дальномер? — мрачно переспросил он и уставился на Телегина черным взором. — А зачем тебе дальномер? Угол, прицел нам по телефону скажут с командного пункта.

— Ага, правильно...

— Углы, прицелы, дистанционные трубки — это мы все умеем, не в этом дело, товарищ Телегин... Бой будет страшный, без дальномеров, на злость... Кишки на руку наматывай, а бей до последнего снаряда, вот о чем думай... Иди-ка сюда, я тебе покажу.

Телегин взобрался к нему на приступку. Артиллерийская канонада усилилась, как будто приблизилась, горизонт на западе и на юге заволокло дымной мглой. Следя за пальцем Гагина, он различал на равнине ползущие с севера кучки людей и вереницы телег.

— Наши бегут, — сказал Гагин и кивнул на огромный дым, поднимающийся грибом на юге, в стороне Сарепты. — Я давно гляжу: по этому курсу тысячи, тысячи пробежали... Разрывы видишь? А давеча их не было. Из тяжелых бьет. Наутро жди сюда генерала.

Иван Ильич еще раз осмотрел хозяйство батареи. Пересчитал снаряды, патроны, — их приходилось всего по две обоймы на винтовку. Его особенно тревожило, что батарея была оголена. Саженях в двухстах отсюда виднелись свежевырытые окопчики, но в них не замечалось никакого движения, — части красных войск проходили гораздо дальше. Он присел около Сапожкова, — лицо Сергея Сергеевича было сморщенное, будто сон для него тоже не был легок.

— Сергей Сергеевич, извини, я тебя потревожу... Свяжи меня с командиром дивизиона...

Сапожков открыл мутные глаза:

— Зачем? Указания даны — не стрелять. Когда надо, скажут... Чего ты волнуешься? — Он подтянулся к колесу, зевнул, но явно притворно. — Лег бы, выспался — самое знаменитое.

Иван Ильич вернулся на приступку и долго стоял неподвижно, положив руки на бруствер. Огромное темно-оранжевое солнце садилось во мглу, поднятую где-то за горизонтом копытами бесчисленных казачьих полков. Ночная тень надвигалась на равнину, — больше уже нельзя было различить на ней движения войск. Ниже ясной вечерней звезды небо в закате стало прикидываться фантастической страной у зеленого моря, там строились китайские башни, одна отделилась и поплыла, превратилась в коня с двумя головами, стала женщиной и заломила руки...

Казалось: только вылезти из котлована — и, перебирая ногами, как бывает во сне, долетишь до этой дивной страны. Для чего же нибудь она показывается, что-нибудь она значит для тебя в час смертного боя?..

— Эх, черная галка, сизая полянка, — сказал Сергей Сергеевич, положив ему руку на спину, — это же чистый идеализм, Ванька, пялить глаза на картинки... Махорочки свернем? В госпитале украл пачку, берегу — покурить перед смертью...

Он, как всегда, говорил насмешливо, хотя в горьких морщинах у рта, в несвежих глазах затаилась тоска. Свернули, закурили: Телегин — не затягиваясь, Сапожков — вдыхая дым со всхлипом.

— Ты что похоронную-то запел? — тихо спросил Телегин.

— Смерти стал бояться... Пули в голову боюсь; в другое место — не убьет, а в голову боюсь. Голова — не мишень, для другого сделана. Мыслей своих жалко...

— Все мы боимся, Сергей Сергеевич, — думать об этом только не следует...

— А ты когда-нибудь интересовался моими мыслями? Сапожков — анархист. Сапожков спирт хлещет, — вот что ты знаешь... Тебя я, как стеклянного, вижу до последней извилинки, от тебя живым людям я передам записочку, а ты от меня записочки не передашь... И это очень жаль... Эх, завидую я тебе, Ванька.

— Чего же, собственно, мне завидовать?

— Ты — на ладошке: долг, преданная любовь и самокритика. Честнейший служака и добрейший парень. И жена тебя будет обожать, когда перебесится. И потому еще тебе жизнь легка, что ты старомодный тип...

— Вот спасибо за аттестацию.

— А я, Ванька, жалею, что тогда летом Гымза меня не расстрелял... Революции ждали, дрожа от нетерпения... Вышвырнули в мир кучу идей: вот он — золотой век философии, высшей свободы! И — катастрофа, катастрофа самая ужасная, распротак твою разэдак...

Он шлепнул себя ладонью по глазам так, что фуражка съехала на затылок.

— Хотел по этому поводу сделать сообщение человечеству — никак не меньшей аудитории, — сообщение исключительно злое, и не для пользы, — к черту ее, — а для зла... Но рукописи нет, не написал еще... Извиняюсь...

Было уже темно. По горизонту разгорались пожары, дымно-багровые зарева вскидывались все выше и шире, в особенности на юге, в стороне Сарепты. Горели хутора, освещая путь быстро наступающему врагу. Телегин слушал теперь одним ухом, — далеко, прямо на западе, как будто змеи высовывали светящиеся головы из-за горизонта, поднимались зеленые ракеты по три враз.

Сергей Сергеевич, упрямо не желая замечать всей этой иллюминации, говорил вздрагивающим голосом, от которого Ивана Ильича нет-нет да продирали мурашки.

— Или мы живем только для того, чтобы есть? Тогда пускай пуля размозжит мне башку, и мой мозг, который я совершенно ошибочно считал равновеликим всей вселенной, разлетится, как пузырь из мыльной пены... Жизнь, видишь ли, это цикл углерода плюс цикл азота, плюс еще какой-то дряни... Из молекул простых создаются сложные, очень сложные, затем — ужасно сложные... Затем — крак! Углерод, азот и прочая дрянь начинают распадаться до простейшего состояния. И все. И все, Ванька... При чем же тут революция?

— Что ты несешь, Сергей Сергеевич? Революция именно и поднимает человека над обыденщиной...

— Оставь меня в покое! Да я и не с тобой разговариваю, много ты понимаешь в революции. Она кончена... Она раздавлена, — гляди вперед носа... Советская Россия уже сейчас — в пределах до Ивана Грозного... Скоро все дороги будут белы от костей... И будут торжествовать циклы углерода и азота — вот те самые, что придут сюда утром на конях...

Телегин молчал, стоя прямо, руки за спиной, — в темноте трудно было разобрать его лицо, красноватое от зарева.

— Иван... Жить стоит только ради фантастического будущего, великой и окончательной свободы, когда каждому человеку никто и ничто не мешает сознавать себя равновеликим всей вселенной... Сколько вечеров мы разговаривали об этом с моими ребятами! Звезды были над нами те же, что при великом Гомере. Костры горели те же, что освещали путь сквозь тысячелетия. Ребята слушали о будущем и верили мне, в глазах их отсвечивали звезды, и на боевых штыках отсвечивал огонь костров... Они все лежат в степях... Мой полк я не привел к победе... Значит, обманул!

Справа, шагах в полутораста, послышался сторожевой окрик и затем негромкий разговор. Телегин обернулся, всматриваясь, — должно быть, к Гагину, стоящему с той стороны в охранении, кто-то подошел из своих.

— Иван, а если это будущее — только волшебная сказка, рассказанная в российских глухих степях? Если оно не состоится? Если так, тогда в мир входит ужас. — Сапожков вплотную придвинулся и заговорил шепотом. — Ужас пришел, никто по-настоящему еще не верит этому. Ужас только примеряется к силе сопротивления. Четыре года истребления человечества — пустяки в сравнении с тем, что готовится. Истребление революции у нас и во всем мире — вот основное... И тогда — всеобщая, поголовная мобилизация личностей, — обритые лбы и жестянки на руке... И над серым пепелищем мира — раздутый, торжествующий ужас... Так лучше уж я сразу погибну от горячего удара казацкой шашки...

— Да, Сергей Сергеевич, тебе надо отдохнуть, полечиться, — сказал Телегин.

— Другого ответа от тебя и не ждал!..

В котлован спустился Гагин вместе с каким-то высоким сутуловатым военным. Телегин несказанно обрадовался — кончить невыносимо тяжелый разговор. Подошедший человек, весь облепленный грязью, с оторванной полой шинели и почему-то в казацком картузе, сказал так густо, точно он неделю просидел по шею в болоте:

— Здорово, товарищ командир, ну, как у вас дела, снаряды имеются?

— Здорово, — ответил Телегин, — а вы кто такие?

— Качалинского полка — рота, приказано перед вами занять позицию. Я командир.

— Очень приятно. А я тревожился, — окопчики-то вырыты, а охраны-то у нас нет...

— Вот мы их и заняли. Мы тут раненых привезли, грузим в эшелон. У коменданта хлеба хотел попросить, говорит — весь, утром будет... Легко сказать — утром, — рота третий день не ела... У вас-то нет? Хоть по кусочку, запах-то его услыхать... Завтра бы отдали... А то можем коровенку вам подарить.

— Иван Ильич... — Телегин обернулся, Анисья, как тень, подошла и слушала. — Хлебушка я на три дня запасла, — можно им дать... Завтра опять достану...

Телегин усмехнулся:

— Хорошо, выдайте товарищу ротному четыре каравая...

Ротный не ждал, что так легко дадут ему хлеб. «Ну? — спросил. — Вот спасибо». И, взяв принесенные Анисьей хлебы — плотно под обе руки, засовестился сразу уйти с ними. Подошли моряки, поеживаясь со сна и разглядывая такого запачканного и ободранного человека. Он стал им говорить про подвиги полка, десять дней выходившего из окружения, не потерявшего ни одного орудия, ни одной телеги с ранеными, но рассказывал до того отрывочно и неясно, что кое-кто из моряков, махнув рукой, отошел.

Латугин сказал, холодно глядя на него:

— Ты выспись, тогда расскажешь... А вот не знаешь ли, почему там яркое освещение? — И он протянул ладонь в сторону Сарепты.

— Знаю, — ответил Иван Гора, — на вокзале встретил одного человека оттуда... Генерал Денисов штурмует Сарепту. Говорит — в германскую войну такого огня не было, артиллерия начисто метет. Казачьи лавы напускают из оврагов, ну, — ужас, — аж бороды у них в пене... Ну, такое крошево, — живых не берут... От морозовской дивизии половина осталась. А он — видишь ты — к Волге жмет, чтоб ему промеж Сарептой и Чапурниками к Волге выскочить, — тогда аминь!

Он кивнул морякам и полез из котлована, Телегин спросил его:

— Кто у вас командует полком?

Иван Гора ответил уже из темноты:

— Мельшин Петр Николаевич...

6

Под натиском пятой колонны всю ночь и следующий день морозовская дивизия медленно отступала к Сарепте и к приозерному селу Чапурники. Сотни трупов лежали на равнине. Генерал Денисов не давал красным перевести дыхания. За каждой отбитой атакой немедленно начиналась новая. Над окопами лопалась и визжала шрапнель; землю сотрясали взрывы, бойцов заваливало вихрями земли. Смолкали казачьи пушки, бойцы высовывали из окопа лица, искаженные злобой, болью, вымазанные кровью...

Из-за холмов, из оврагов появились густые кучи всадников, на скаку раскидывались лавой, — пыль у них курилась под копытами... Крутя клинками, визжали они, по древнему татарскому обычаю. Дрогни тут, побеги хоть один боец в ужасе перед налетающей лавой рыжих грудастых коней и черных всадников, вытянувшихся над гривами в стремительном движении — поскорее напоить горячей кровью клинок, — цепь бойцов сбита, зарублена, затоптана...

Фланги морозовцев, прижатые к садам Сарепты и к гумнам села Чапурники, держались стойко, но центр прогибался к Волге, — так же неумолимо, как разгибаются мускулы руки, когда навалившаяся тяжесть свыше силы. Начдив, вместе с комиссаром, адъютантом и вестовыми, сидевшими на корточках у поваленных верховых лошадей, находился здесь же, в центре, на передовых линиях. Убитых и раненых он замещал все более жидкими пополнениями, снимаемыми с флангов. Но резервов он не требовал у командарма: в Царицыне взять больше было нечего.

Там сегодня утром на главной линии обороны случилось несчастье: два полка, Первый и Второй крестьянские, мобилизованные по хуторам и ближним селам, неожиданно вылезли из окопов и, подняв над головами винтовки, пошли сдаваться в плен белым. В штабе Первого полка несколько командиров, собравшись у походной кухни, окружили полкового комиссара и коммунистов и в упор расстреляли их. В тот же час и во Втором полку были застрелены командир, комиссар и несколько коммунистов. Только две роты не поддались провокации и открыли огонь по изменникам, бегущим в плен с белыми флагами. Цепи мамонтовцев, издали увидев эти толпы, приняли их за атакующих и открыли отчаянную стрельбу по ним. Остатки двух крестьянских полков, заметавшись, бросая оружие, повернули назад. Их окружили и увели. Фронт почти на пять верст оказался открытым.

В Царицыне тревожно заревели гудки на оружейном, механическом и всех лесопильных заводах. Коммунисты, посланные военсоветом, обходя цеха, говорили:

— Товарищи, бросайте работу, берите оружие, спасай фронт.

Рабочие — а на заводах оставались пожилые, калеченые да подростки — бросали работу, прятали инструменты, останавливали станки, гасили горны и бежали в пакгаузы, где хранилось их именное оружие. За воротами строились и шли на вокзал.

Из окраинных домишек выбегали жены и матери, совали им в руки узелки с едой, и много женщин шло за нестройно шагающими отрядами до вокзала, и многие провожали дальше, до самых позиций. И там матери и жены долго еще стояли на буграх, покуда не подъехал командарм и, прикладывая руку к душе, жалостно просил идти домой, потому что здесь они не нужны и даже мешают, — изображая собой на буграх отлично различимую цель для наводчиков мамонтовской артиллерии.

Еще до конца дня три тысячи царицынских рабочих заслонили прорыв на фронте, куда уже начали вливаться белые, и с тяжелыми для себя потерями отбросили их.

Это было в часы, когда морозовская дивизия выдерживала небывалый по отчаянности натиск кавалерии и пехоты. Центр дивизии был оттеснен почти к самой Волге. Снаряды уже рвались на улицах Сарепты. Село Чапурники занялось, и пламя гуляло по соломенным крышам, горели камыши по берегам плоского степного озера.

Начдив оглядывал в бинокль равнину. Солнце было уже на ущербе. Он видел, как съезжались и разъезжались казачьи сотни, перестраиваясь открыто и нагло. Опытным глазом он определил по бойкости коней, что это — свежие части, готовившиеся к последней атаке. Видимо, к закату солнца уже вся морозовская дивизия пойдет суровым маршем по полям истории во главе со своим начдивом.

Он опустил бинокль, вынул почерневшую трубочку, не спеша насыпал в нее щепоть саратовской махорки, стал искать спичек, хлопая себя по карманам шинели. Спичек не было. Он поглядел направо и налево, — в нескольких шагах впереди него лежали перед накиданными кучками земли бойцы: у одного расплывалось на боку по суконной рубахе черное пятно, другой хрипел, как дурной, тряся щекой о ложе винтовки.

Начдив осторожно бросил трубочку на землю, она закатилась в полынь. Снова взялся за бинокль. И руки его невольно задрожали...

На юго-западе были видны новые огромные скопления конницы... Она откуда-то взялась, пока он набивал трубочку... Много тысяч всадников выезжало из-за холмов, поднимая пыль, озаренную косым солнцем. Этакая силища одним махом сомнет и потопчет!.. Начдив на мгновение оторвался от бинокля. В окопах все замерло, все насторожилось, бойцы поднялись, стоя во весь рост, сжимая винтовки. Начдив не успел раскрыть и рта, чтобы сказать им горячее слово, — издалека докатился грохот орудий. Начдив снова прилип к биноклю. Что за чертовщина! Десятка два разрывов взметнулось на равнине вблизи съезжающихся казачьих сотен... Казачьи сотни на рысях быстро разворачивались в лаву, — в ее гуще плеснуло атаманское знамя. Казаки поворачивали навстречу этим мчавшимся с холмов конным массам... Плотная казачья лава, ощетиненная пиками, пятилась, строилась и враз послала коней, — две лавы, эта и та, с холмов, сближались и сошлись... Огромная туча пыли встала над этим местом...

Начдив повел биноклем ближе и увидел, как панически поднимаются залегшие цепи пластунов... «Эге, — сказал сам себе начдив, — значит, вот почему предвоенсовета так нажимал по телефону, чтоб нам держаться до последней крови... Так то ж подошла Стальная дивизия Дмитрия Жлобы...»

Вслед за конницей, налетевшей на казаков, поднялись из-за холмов густые ряды стрелковых цепей Стальной дивизии. А дальше, на самом горизонте, уже виднелись сквозь пыль — верблюды, телеги, толпы народа. Это были огромные обозы дивизии, тащившей за собой, как вскоре выяснилось, десятки тысяч пудов пшеницы, бочки со спиртом, сотни беженцев, стада коров и овец...

Много казаков легло в этом бою. Разбитая белая конница ушла на запад, пехота, заметавшись между цепями Стальной дивизии и морозовцами, частью была побита, частью сдалась. Когда все кончилось, — а бой длился около часу, — начдив сел на коня и шагом поехал по равнине, усеянной павшими людьми и конями. Еще кое-где дымилась земля и стонали неподобранные раненые. Навстречу начдиву выехала группа всадников. Передний из них, одетый по-кубански, с газырями, с большим кинжалом на животе и башлыком за плечами, загорячил вороного коня, подскакал к начдиву и, осадив, сказал резким повелительным голосом:

— Бывайте здоровы, товарищ, с кем я говорю?

— Вы говорите с начальником морозовско-донской дивизии, здравствуйте, товарищ, а вы кто будете?

— Кто буду я? — усмехаясь, ответил всадник. — Вглядись. Буду я тот самый, кого главком Одиннадцатой объявил вне закона и хотел расстрелять в Невинномысской, а я — видишь — пришел в Царицын, да, кажется, вовремя.

Начдиву не слишком понравилась такая длинная и хвастливая речь; нахмурясь, он сказал:

— Значит, вы будете Дмитрий Жлоба...

— Так будто меня звали с детства. А ну, укажи, — где мне здесь поговорить по телефону с военсоветом.

— Я уже говорил, военсовету все известно.

— А на что мне, что ты говорил, мой голос пускай послушают, — надменно ответил Дмитрий Жлоба и так толкнул коня, что вороной жеребец сиганул, как бешеный.

7

Тогда же, поздно вечером, Иван Ильич послал полковнику Мельшину записку: «Петр Николаевич, я здесь, очень хочу тебя видеть...» Мельшин ответил с тем же посланным: «Очень рад, управлюсь — приду, много есть чего порассказать... Между прочим, здесь твоя...»

Но карандаш ли у него сломался, или писал впотьмах, только Иван Ильич не разобрал последних слов, хотя и сжег несколько спичек...

Мельшин так и не пришел. После полуночи степь начала освещаться ракетами. На батарее был получен приказ — приготовиться.

— Ну вот, товарищи, надо считать, что начинается, — сказал Иван Ильич команде. — Значит, давайте стараться, чтобы уж ни один снаряд не разорвался даром... И еще, значит, вам известен приказ командарма, чтобы без особого распоряжения ни на шаг не отступать. В бою всякое бывает, значит... («Вот черт, — подумал, — что ко мне привязалось это «значит».) В пятнадцатом году у нас в тылу ставили пулеметы, генералы не надеялись, что мужичок всю кровь отдаст за царя-батюшку... Хотя, надо сказать, уж как, бывало, в окопах честят Николашку, а Россия все-таки своя... Страшнее русских штыковых атак ничего в ту войну не было...

— Командир, ты чего нам поешь-то? — вдруг сипло спросил Латугин. — К чему? Ну?

Иван Ильич, — будто не услышав это:

— Нынче за нашей спиной пулеметов нет... Страшнее смерти для каждого из нас — продать революцию, значит — чтоб своя шкура осталась без дырок... Вот как надо понимать приказ командарма: чтобы не ослабеть в решающий час, когда земля закипит под тобой. Говорят, есть люди без страха, — пустое это... Страх живет, головочку поднимает, — а ты ему головочку сверни... Позор сильнее страха. А говорю я к тому, товарищ Латугин, что у нас есть товарищи, еще не испытавшие себя в серьезных боях... И есть товарищи с больными нервами... Бывает, самый опытный человек вдруг растерялся... Так вот, если я, командир, ослабел, скажем, пошел с батареи, — приказываю застрелить меня на месте... И я со своей стороны застрелю такого, значит... Ну, вот и все... Курить до света запрещаю...

Он опять кашлянул и некоторое время шагал позади орудий. Хотел сказать много, а как-то не вышло...

— Разговаривать не запрещаю, товарищи...

— Товарищ Телегин, — позвал опять Латугин, и Иван Ильич подошел к нему, заложив за спину руки. — Вот еще до военной службы походил я по людям... Гол и бос и неуживчив — и на пристанях грузчиком, и по купцам дрова рубил, нужники чистил, у архиерея был конюхом, да поругался с его преосвященством из-за пустых щей... С ворами одно время связался... Всего видал! Ох, и дурак же был, драчун; бивали меня пьяного, мало сказать, что до полусмерти...

— Из-за баб, надо понимать, — сказал Байков, и слабый свет далеко лопнувшей ракеты осветил его мелкие зубы в густой бороде...

— Из-за баб тоже бивали... Не к тому речь. А вот к чему: ты, товарищ Телегин, нам не то сказал, — вокруг да около, а не самую суть... Революционный долг, — ну, что ж, правильно. А вот почему долг этот мы на себя приняли добровольно? Вот ты на это ответь. Не можешь? Другую пищу ел. А нас в трех щелоках вываривали, душу из нас вытряхивали — уж, кажется, ни одно животное такого безобразия не вытерпит... Да ты бы на нашем месте давно, как мерин, губу повесил и тянул хомут. Постой, не обижайся, мы разговариваем по-человечески. Почему моя мать всю жизнь шаталась по людям? Чем она хуже королевы греческой?

— Ой, загнул! — опять перебил Байков. — В тринадцатом году мы королеву греческую видали в Афинах, чего ж ты ее вспомнил?..

— Почему мой батька жил как свинья и пришибли его стражники в поле да еще плюнули? Почему звание мое — сукин сын?

— Так не годится, — проговорил Шарыгин, приподнимаясь с колен, — сидел он на своем месте у снарядов. — Латугин, неорганизованный разговор ведешь. При чем тут — сукин сын, при чем — королева греческая? Это все надстройка. А суть в классовой борьбе. Ты должен себя определить — кто ты: пролетарий или ты деклассированный элемент...

— А ну тебя к черту! Я царь природы, — крикнул ему Латугин. — Понятно это тебе, или ты еще молод?.. Прочел я одну книжку, там сказано: человек — царь природы. Вот отчего я стою у этого орудия. Жив в нас царь природы. Долг, долг, страх, страх! Я в господа бога тарарахну сегодня очередь, не то что по генералу Мамонтову, — вот тебе и надстройка! Зубами хрящи буду перегрызать...

— Тихо, товарищи! — крикнул из прикрытия Сергей Сергеевич, сидевший у полевого телефона. — Сообщаю: под Сарептой у нас большой успех. Разбиты два полка кавалерии и полк пластунов, полторы тысячи убиты, восемьсот пленных...

Слух об успехе под Сарептой облетел фронт. Одна из частей Десятой армии, отрезанная наступлением пятой колонны, — конная бригада Буденного, — пробивалась в то время из Сальских степей на Царицын. Поход был тяжелый, и люди и кони притомились. А когда на одном из полустанков нечаянно удалось соединиться по телефону со штабом морозовцев и чей-то веселый голос, пересыпая речь крепкой солью приговорок, гаркнул в трубку: «Так что же вы спите, не знаете, что под Сарептой изрубили в собачье крошево две кавалерийских дивизии гадов, приходите пленных считать...» — услышав про такое знаменитое дело, хотя бы даже и сильно преувеличенное, бригада оставила под охраной свои обозы и стоверстным маршем пошла на север — навстречу гадам генерала Денисова.

Но успех под Сарептой все же был местный, и на главных царицынских позициях не стало от этого легче, а стало труднее. Мамонтов со всей быстротой учел счастливый случай с двумя крестьянскими полками, в ночь перестроил штурмовые колонны и с зарей все напряжение атак перенес на этот наиболее уязвимый пятиверстный участок фронта, жидко заслоненный рабочими дружинами.

Равнину, по которой наступал цвет донского войска, прорезали с запада на восток два огромных глубоких оврага, — они пересекали фронт и тянулись до самого города. По ним-то казачья конница стала подбираться вплотную к красным окопам. Вся равнина, как муравейниками, была покрыта кучечками земли: это ползла пехота. Перед нею взад и вперед слепыми гусеницами двигались огромные танки. Аэропланы кружились над батареями, над вереницами обозов, тянущихся по степи из Царицына и в Царицын, сбрасывали небольшие грушевидные бомбы, рвущиеся с ужасающей силой.

Бронепоезд Мамонтова дымил на горизонте. Справа и слева от него вся степь полнилась телегами станичников. Теснясь ось к оси, они двигались вплотную за войсками. Торговым казакам уже был виден город с куполами, фабричными трубами и дымами пожаров на окраинах. Ох, и глаза ж горели под насупленными бровями у этих дымом, салом и дегтем пропахших людей.

Над степью, надавливая воздух, неслись снаряды и с грохотом опоясывали красные укрепления взметающимися и падающими фонтанами земли. Из глубоких оврагов с визгом выносилась конница и, не глядя ни на что, шла через проволоки на окопы с такой пьяной яростью, что иного казака уже шлепнула пуля и в глазах — смертная тьма, а он все еще на скаку режет воздух шашкой, покуда не завалится в седле и, вскинув руки, будто от бешеного смеха, покатится с шарахнувшегося коня.

Пехотные цепи, подползая, кидались вперед. У красных окопов мешались в схватке конные и пешие. Мамонтов в этот день всем казакам приказал повязать белые ленточки на околыши фуражек, чтобы сгоряча свои не рубили своих. И тем страшнее, упорнее был бой, что с обеих сторон дрались русские люди... Одни — за неведомую новую жизнь, другие — за то, чтоб старое стояло нерушимо.

И каждый раз волны атак отливали, отброшенные красными бронелетучками. Эти оборудованные наспех на царицынских заводах бронепоезда, — из двух бензиновых цистерн или из двух товарных платформ с паровозом посредине, — курсировали по окружной дороге частью впереди, частью позади фронта. С пулеметами и пушками они врезались порой в самую гущу свалки. Выжимая из старых паровозов-кукушек последние силы, они сквозь взрывы, в облаках пара из простреленных паровозных боков, носились по развороченным путям, развозя в окопы воду, хлеб и огнеприпасы.

— Ложись!

Рядом рвануло так, что свет потемнел и тело вдавило, и сейчас же по спинам, по головам, обхваченным руками, забарабанили падающие комья.

— К орудию... По местам! — кричал Телегин, вскакивая и смутно сквозь пыль различая задранную одним колесом кверху пушку и людей, злобно подскочивших к ней... «Все целы — Латугин, Байков, Гагин, Задуйвитер... нет Шарыгина... здесь... цел... Второе орудие в порядке, — Печенкин, Власов, Иванов... головой мотает...»

— Левее, шесть восемьдесят, прицел шесть ноль, батарея огонь! — хрипел Сапожков, высовываясь с телефонной трубкой из завалившегося прикрытия.

Кашляя пылью, Телегин повторял команду. Шарыгин кидал снаряд Байкову, тот осматривал взрыватель и перебрасывал зарядившему — Гагину, Задуйвитер откидывал замок, Латугин, устанавливая наводку, поднимал руку.

— Огонь...

Стволы орудий дергались, снаряды уносились... Торопливые движения людей замирали, как в остановленной киноленте... Так и есть, — снова метнулась свирепая тень — молния в землю, рядом.

— Ложись!

И все повторялось — грохот, вихрь земли, удушье... Злоба была такая, — жилы, кажется, лопнут... Но что можно было сделать, когда с той стороны снарядов не жалели, а здесь оставалось их — счетом, и на дивизионном наблюдательном пункте сидел слепой черт, не мог как следует нащупать тяжелую батарею...

На этот раз ранило Латугина. Он сидел скрипя зубами. Около него мягко и проворно двигалась Анисья, — непонятно, куда она пряталась, откуда появлялась, — живо стащила с него бушлат, тельник, перевязала плечо. «Батюшка, — сказала она, присев на корточки перед его глазами, — батюшка, пойдем, я сведу на пункт». Он, голый по пояс, окровавленный, ощеренный, будто действительно грыз хрящи, оттолкнул Анисью, кинулся к орудию.

Наконец случилось то, чего нестерпимо ждала злоба, томившая всех уже много часов с начала этого неравного артиллерийского поединка. Сапожков только что сообщил на запрос командиру дивизиона о количестве оставшихся снарядов и ждал ответа; грязные слезы из воспаленных глаз его ползли по лицу, время от времени он отнимал от уха телефонную чашку и дул в нее. В самом воздухе внезапно что-то произошло: наступила тишина и загудела в ушных перепонках. Телегин, обеспокоенный, полез животом на бруствер, и — как раз вовремя... Началась решительная всеобщая атака. Простым глазом можно было различить темные массы казачьей кавалерии и пехоты и кое-где среди них — блеск золотых хоругвей, — это подвезенные на автомобилях попы благословляли войско в открытом поле, на виду у красных батарей...

Моряки тоже вылезли — животами на бруствер. Дышали тяжело. Байков сказал, чтобы насмешить:

— Эх, по ангелам прямой бы наводкой.

Никто не засмеялся. Латугин сказал резко, повелительно:

— Командир, давай выкатывать орудия на открытое, — что мы тут, как крысы, в яме...

— Без упряжек не справиться, Латугин.

— Справимся...

— Не смеешь, не смеешь ты в бою спорить с командиром, это анархия, — закричал Шарыгин до того неожиданно, некрасиво, по-ребячьему, что моряки угрюмо оглянулись на него. Он схватил в обе горсти песку и начал тереть себе лицо изо всей силы. Вернулся на место, на номер, и стал неподвижно, только большие ресницы его дрожали над натертыми щеками.

Телегин слез с бруствера, подошел к пушке, тронул ее за колесо.

— Латугин внес правильное предложение, товарищи... На всякий случай давайте-ка здесь раскидаем землю.

Моряки, до этого следившие за его движениями, молча кинулись к лопатам и начали раскидывать уступ в котловане в том месте, где легче всего можно вытащить орудие на открытое место.

— Телегин, — надрывая осипшее горло, закричал Сапожков, — Телегин, командир спрашивает — возможно ли своими силами выкатить орудия на открытое?

— Ответь: возможно.

Телегин сказал это спокойно и уверенно. Латугин, работая лопатой, хотя нестерпимо жгло и ломило раненое плечо и кровь сочилась сквозь повязку, толкнул локтем Байкова:

— Люблю антилигентов. А?

Байков ответил:

— Поучатся еще решетом воду носить, кое-чему у мужика и научатся.

Внезапно тишина разодралась грохотом ураганного огня. Телегин кинулся к брустверу. Равнина вся наполнилась движущимися войсками. Справа — наперерез им — по невысокому полотну, завывая, дымя, выбрасывая ржавые дымки, неслись бронелетучки прославившегося в этот день командира Алябьева. Внимание Ивана Ильича было сосредоточено на ближайшем прикрытии — роте качалинского полка, лежавшей за проволокой даже не в окопах, а в ямках. Только что им повезли бочку с водой. Лошадь забилась, повернула, опрокинула бочку и умчалась с передками. Телегин увидел вчерашнего чудака-верзилу Ивана Гору. Он, точно вприсядку, бегал на карачках вдоль окопов, — должно быть, раздавал патроны — по последней обойме на стрелка...

Левее расположения роты (и телегинской батареи), ближе чем в полуверсте, залегал тот самый овраг, прорезавший фронт до самого города. Весь день овраг был под обстрелом, и казачьи лавы выносились из него далеко отсюда. Сейчас Иван Ильич, следя за особенной тревогой бойцов Ивана Горы, понял, что казаки непременно должны пробраться оврагом поглубже — атаковать окопы с тылу и батарею с фланга и наделать неприятностей. Так и случилось...

Из оврага, совсем близ укреплений, вынеслись всадники, раскинулись, — часть их стала поворачивать в тыл Ивану Горе, другие мчались на батарею. Телегин кинулся к орудиям. Моряки, сопя и матерясь, вытаскивали пушку из котлована на бугор, колеса ее увязли в песке.

— Казаки! — как можно спокойнее сказал Телегин. — Навались! — И схватился за колесо так, что затрещала спина. — Живо, картечь!

Уже слышался казачий дикий визг, точно с них с живых драли кожу. Гагин лег под лафет и приподнял его на плечах: «Давай дружно!» Пушку выдернули из песка, и она уже стояла на бугре, криво завалясь, опустив дуло. Гагин взял в большие руки снаряд и, будто даже не спеша, всадил его в орудие. Всадников тридцать, нагнувшись к гривам, крутя шашками, скакало на батарею. Когда навстречу им вылетело длинное пламя и визгнула картечь, — несколько лошадей взвилось, другие повернули, но десяток всадников, не в силах сдержать коней, вылетел на бугор.

Тут-то и разрядилась накипевшая злоба. Голый по пояс Латугин, хрипло вскрикнув, первый кинулся с кривым кинжалом-бебутом и всадил его под наборный пояс в черный казачий бешмет... Задуйвитер попал под коня, с досадой распорол ему брюхо и, не успел всадник соскользнуть на землю, ударил и его бебутом. Гагин, уклонясь от удара шашки, схватился в обнимку с дюжим хорунжим, — новгородец с донцом, — стащил его с коня, опрокинул и закостенел на нем. Другие из команды, стоя за прикрытием орудия, стреляли из карабинов. Телегин замедленно-спокойно, как всегда у него бывало в таких происшествиях (переживания начинались потом уже, задним числом), нажимал гашетку револьвера, закрытого на предохранитель. Схватка была коротка, четверо казаков осталось лежать на бугре, двое, спешенных, побежали было и упали под выстрелами.

Последняя атака отхлынула так же, как прежние в этот день. Не удалось прорвать красный фронт, — лишь в одном, самом уязвимом месте цепи пластунов глубоко вклинились между двумя красными дивизиями. Наступал вечер. Раскалились жерла пушек, примахались кони, отупела злоба у конницы, и пехоту все труднее стало поднимать из-за прикрытий. Бой окончился, затихали выстрелы на опустевшей равнине, где лишь ползали санитары, подбирая раненых.

На батареи и в окопы потянулись бочки с водой и телеги с хлебом и арбузами, — на обратном пути они захватывали раненых. Потери во всех частях Десятой армии были ужасающие. Но страшнее потерь было то, что за этот день пришлось израсходовать все резервы, — город ничего уже больше дать не мог.

В классный вагон, стоявший позади станции Воропоново, вернулся командарм. Он медленно слез с коня, взглянул на подошедших к нему начальника артиллерии армии — того рослого, румяного, бородатого человека, приезжавшего разговаривать с интеллигенцией на телегинскую батарею, — на взбудораженного, похожего на студента, вернувшегося с баррикад начальника бронепоездов Алябьева. Оба товарища ответили ему на взгляд улыбками: они рады были его возвращению с передовых линий, где командарму пришлось несколько раз в этот день участвовать в штыковых атаках. Бекеша его была прострелена, и ложе карабина, висевшего на плече, раздроблено.

Командарм пошел в салон-вагон и там попросил воды. Он выпил несколько кружек и попросил папиросу. Закурил, — сухие глаза его затуманились, он положил папиросу на край стола, придвинул к себе листки сводок и наклонился над ними. Да... Потери тяжелы, чрезмерно тяжелы, и огнеприпасов на завтра оставалось мало, отчаянно мало. Он развернул карту, и все трое нагнулись над ней. Командарм медленно повел огрызком карандаша линию, — она лишь кое-где изломилась за этот день, но незначительно, а под Сарептой далеко даже загнулась к белым; но на том участке, где вчера произошла неприятность с крестьянскими полками, линия фронта круто поворачивала к Царицыну. Все медленнее двигался карандаш командарма. «А ну-ка, —

сказал он, — проверим еще...» Сводки были точны. Карандаш остановился в семи верстах от Царицына, как раз по руслу оврага, и так же круто повернул обратно, к западу. Получался клин. Командарм бросил карандаш на карту и тылом ладони ударил по этому клину:

— Это все решает.

Начальник артиллерии, насупясь в бороду и отведя глаза, сказал упрямо:

— Берусь сгрызть этот клин, подкинь за ночь снарядов.

Начальник бронепоездов сказал:

— Настроение в частях боевое: поедят, поспят часок-другой, — выдержим.

— Выдержать мало, — ответил командарм, — надо разбить, а линия фронта для этого неблагоприятна. Скажи, паровоз прицеплен? Ладно, я еду... — Он сидел еще с минуту, скованный усталостью, поднялся и обнял за плечи товарищей: — Ну, счастливо...

Начальник артиллерии и начальник бронепоездов вернулись на наблюдательный пункт, на одиноко торчащую железнодорожную водокачку, которую весь день усиленно обстреливали с земли и воздуха. Поднявшись наверх, где помещались телефоны, они нашли принесенный им ужин: два ломтя черствого хлеба и на двоих половину недозрелого арбуза. Начальник артиллерии был человек полнокровный и жизнерадостный, и такой скудный рацион его огорчил.

— Дрянь арбуз, — говорил он, стоя у отверстия, проломанного в кирпичной стене, — если арбуз режут ножиком, это уже не арбуз, — арбуз нужно колоть кулаком. — Выплевывая косточки, прищуриваясь, он поглядывал на равнину, видную, как на ладони, под закатным солнцем. — Горячих галушек миску, вот это было бы сытно. А как ты думаешь, Василий, ведь похоже на то, что в ночь будет приказ — отступить...

— То есть как отступить? Отдать окружную дорогу? Да ты в уме?

— А ты был в уме, когда допустил прорыв, — чего дремали твои бронелетучки?

Начальник артиллерии, разговаривая, нет-нет да и подносил к глазу два раздвинутых пальца или вынимал из кармана спичечную коробку и, держа ее в вытянутой руке, определял углы и дистанции с точностью до полусотни шагов.

— Да у них же саперы специально шли за цепями и успели подорвать путь в десяти местах.

— И все-таки клина нельзя было допустить, — упрямо повторил начальник артиллерии. — Слушай, взгляни-ка, ты ничего не замечаешь?

Только острый, наметанный глаз мог бы заметить, что на бурой равнине, уходящей на запад, не было безлюдно и спокойно, но происходило какое-то осторожное движение. Все неровности земли, все бугорки, похожие на тысячи муравьиных куч, отбрасывали длинные тени, и некоторые из этих теней медленно перемещались.

— Сменяются цепи, — сказал начальник артиллерии. — Ползут, красавцы... Возьми-ка бинокль... Замечаешь, как будто поблескивают полосочки?..

— Вижу ясно... Офицерские погоны...

— Это понятно, что офицерские погоны поблескивают... Ух, как поползли, мать честная, гляди, как пауки!.. Что-то много офицерских погонов... Других и не видно...

— Да, странно...

— Третьего дня Сталин предупреждал, чтоб мы этого ждали... Вот, пожалуй, они самые и есть...

Алябьев взглянул на него. Снял картуз, провел ногтями по черепу, взъерошив слипшиеся от пота волосы, серые глаза его погасли, он опустил голову.

— Да, — сказал, — понятно, почему они так рано сегодня успокоились... Этого надо было ждать... Это будет трудно...

Он быстро сел к телефону и начал названивать. Затем надвинул картуз и скатился по винтовой лестнице.

Начальник артиллерии наблюдал за равниной, покуда не село солнце. Тогда он позвонил в военсовет и сказал тихо и внятно в трубку:

— На фронте офицерская бригада сменяет пластунов, товарищ Сталин.

На это ему ответили:

— Знаю. Скоро ждите пакет.

Действительно, скоро послышался треск мотоцикла. По скрипучей лестнице затопали шаги, в люк едва пролез мужчина, весь в черной коже. Начальник артиллерии был не мал ростом, а этот мотоциклист навис над ним:

— Где здесь начальник артиллерии армии?

И, услышав: «Это я», — мотоциклист потребовал еще и удостоверение, чиркнул спичку и читал, покуда она не догорела до ногтей. Тогда только он с величайшей подозрительностью вручил пакет и затопал вниз.

В пакете лежала половинка четвертушки желтой буграстой бумаги, на ней рукой предвоенсовета было написано:

«Приказываю вам в ночь до рассвета сосредоточить все («все» было подчеркнуто) наличие артиллерии и боеприпасов на пятиверстном участке в районе Воропоново — Садовая. Передвижение произвести по возможности незаметно для врага».

Начальник артиллерии читал и перечитывал неожиданный и страшный приказ. Он был более чем рискован, выполнение его — неимоверно трудно, он означал: сосредоточить на крошечном участке (в районе прорыва) все двадцать семь батарей — двести орудий... А если противник не пожелает полезть именно на это место, а ударит правее или левее, или, что еще опаснее, — по флангам, на Сарепту и Гумрак? Тогда — окружение, разгром!..

В глубоком душевном расстройстве начальник артиллерии сел к телефонам и начал вызывать командиров дивизионов, давая им указания — по каким дорогам идти и в какие места передвигать все огромное и громоздкое хозяйство: тысячи людей, коней, двуколок, телег, палаток — все это надо было нагрузить, отправить, передвинуть, разгрузить, поставить на место, окопать орудия, протянуть проволоку, и все это — за несколько часов до рассвета.

Не отрываясь от телефона, он крикнул вниз, чтобы принесли фонарь да сказали бы всем вестовым — держать коней наготове. Расстегнув ворот суконной рубахи, поглаживая начисто обритую голову, он диктовал короткие приказы. Вестовые, получая их, скатывались с водокачки, кидались на коней и мчались в ночь. Начальник артиллерии был хитер, — он велел, чтобы на местах расположения батарей — после того как они снимутся — разожгли бы костры, не слишком большие, а такие, чтоб огонь горел натурально, — нехай враг думает, что красные в студеную ночь греют у огня свои босые ноги.

Еще раз перечтя приказ, он размыслил, что не годится совсем обнажать фланги, и решил все же оставить под Сарептой и Гумраком тридцать орудий. Когда командиры дивизионов ответили ему, что упряжки на местах, снаряды и санитарное хозяйство погружены и костры, как приказано, запалили кое-где, — начальник артиллерии сел в старенький автомобиль, ходивший на смеси спирта и керосина и гремевший кузовом, как цыганская телега, и поехал в Царицын, в штаб.

Он прогромыхал по темному и пустынному городу, остановился у купеческого особняка, взбежал по неосвещенной лестнице на второй этаж и вошел в большую комнату с готическими окнами и дубовым потолком, освещенную лишь двумя свечами: одна стояла на длинном столе, заваленном бумагами, другую высоко в руке держал командарм, — он стоял у стены перед картой. Рядом с ним председатель военсовета цветным карандашом намечал расположение войск для боя на завтра.

Хотя в комнате были только эти двое старших товарищей — друзей, — начальник артиллерии со всей военной выправкой подошел, остановился и рапортовал о предварительном исполнении приказа. Командарм опустил свечу и повернулся к нему. Предвоенсовета отошел от карты и сел у стола.

— Двадцать батарей до рассвета будут передвинуты на лобовой участок, — сказал ему начальник артиллерии, — семь батарей я оставил на флангах, под Сарептой и Гумраком.

Предвоенсовета, зажигавший трубку, отмахнул от лица дым и спросил тихо и сурово:

— Какие фланги? При чем тут Сарепта и Гумрак? В приказе о флангах не говорится ни слова, — вы не поняли приказа.

— Никак нет, я понял приказ.

— В приказе сказано (нижние веки у него дрогнули и глаза сузились), — в приказе сказано ясно: сосредоточить на лобовом участке всю артиллерию, всю до последней пушки.

Начальник артиллерии взглянул на командарма, но тот тоже глядел на него серьезно и предостерегающе.

— Товарищи, — горячо заговорил начальник артиллерии, — ведь этот приказ — ставка на жизнь и на смерть.

— Так, — подтвердил предвоенсовета.

— Так, — сказал командарм.

— Ну, что из того, что на лобовом участке мы соберем мощный кулак да начисто обнажим фланги? Где уверенность, что белые полезут именно на лобовой участок? А если поведут бой в другом месте? Одной пехоте атак не выдержать, пехота вымоталась за сегодняшний день. А снова перестраивать батареи будет уже поздно... Вот чего я боюсь... Бронелетучки нам уже не подмога, пехоту все равно придется оттянуть за ночь от окружной дороги... Вот чего я боюсь.

— Не бояться! — Предвоенсовета стукнул пальцем в стол один и другой раз.. — Не бояться! Не колебаться! Неужели вам не ясно, что белые все силы должны бросить завтра именно на лобовой участок... Это неумолимо продиктовано всей обстановкой вчерашних боевых операций. Их серьезнейшая неудача под Сарептой, — сунуться туда во второй раз они уже не захотят, им известно движение бригады Буденного в тыл пятой колонны. Их вчерашний успех на центральном участке — удачное вклинение в наш фронт. Наконец вся выгодность плацдарма под Воропоново — Садовая, — овраги и кратчайшее расстояние до Царицына. Вы сами сообщили мне о смене пластунов офицерской бригадой. Делайте отсюда вывод. Офицерская бригада — это двенадцать тысяч добровольцев, кадровых офицеров, умеющих драться. Мамонтов не станет бросать такую часть для демонстрации... У нас все основания быть уверенными в атаке на лобовой участок.

— Вечерняя сводка подтверждает это, — сказал командарм, — белые сняли с южного и северного направлений четырнадцать или пятнадцать полков и передвигают их грунтом... Это — не считая офицерской бригады...

— Таким образом, — сказал предвоенсовета, — противник сам для себя создаст обстановку, в которой — если мы без колебаний будем решительны и смелы — он сам подставит нам для разгрома свои главные силы. И наша задача завтра — не отразить атаку, а уничтожить ядро Донской армии...

Начальник артиллерии широко усмехнулся, сел, стукнул себя кулаком по колену.

— Смело! — сказал. — Смело! Возражать нечего. Так я ж ему такую баню устрою, аж до самого Дону будет бежать без памяти.

Предвоенсовета придвинул свечу к трехверстной карте, и начальник артиллерии начал давать разъяснения, как он намерен расположить батареи, — тесно, ось к оси, в сколько ярусов.

— Не закапывайся в землю, — сказал ему командарм, — ставь орудия на открытых буграх. Пехоту придвинем вплотную к батареям. Иди звони командирам.

Через несколько минут на всем сорокаверстном фронте началось молчаливое и торопливое движение. По темной равнине, над которой вызвездило небо и Млечный Путь мерцал так, как бывает только в редкие осенние ночи, мчались конные упряжки с пушками и гаубицами, ползли — по восемь пар коней — тяжелые орудия, вскачь проносились телеги и двуколки. Незаметно снимались и отступали пехотные части, уплотняясь на суженном полукольце обороны.

На седой от инея равнине горнисты заиграли зорю, поднимая на бой казачьи полки. Выкатилось солнце из-за волжских степей. Загремели вдали орудия. Застучали пулеметы. Красный фронт молчал, он был весь в тени, против солнца. Всем батареям было сказано: ждать сигнала — четырех высоких разрывов шрапнели.

Атака белых началась ураганным огнем с линии горизонта. Все живое прилегло, поджалось, притаилось, каждая кочка, каждая ямка стала защитой. Сквозь грохот слышался иногда дикий вскрик, да вместе с комьями рванувшейся земли взлетало тележное колесо или дымящаяся солдатская шинель. Сорок пять минут длилась артиллерийская подготовка. Когда люди смогли поднять головы, — вся равнина уже колыхалась от двигающихся войск. Шли в несколько рядов, уставя штыки, офицерские цепи, не торопясь и не ложась, за ними двенадцатью колоннами шли офицерские батальоны, с интервалами, как на параде. Развевались два полковых знамени, поднятые высоко. Надрывно трещали барабаны. Свистали флейты. А позади, за пехотой, колыхались черные массы бесчисленных казачьих сотен...

— ...Иван Ильич, вот это — классовые враги! Вот это вояки!

— Обуты... Одеты... Мясом кормлены...

— Ох, жалко будет такую одежду рвать...

— Товарищи, перестаньте балагурить, насторожите внимание.

— Так мы же со страху заговорили, товарищ Телегин...

...Передние ряды ускорили шаг, они были уже в пятистах шагах... Можно было разглядеть лица... Не дай господи увидеть еще раз такие лица, — с запавшими, белесыми от ненависти глазами, с обтянутыми скулами, напряженные перед тем, как разодрать пасть ревом: «Ура!»

Начальник артиллерии высунулся по пояс в пролом в кирпичной стене водокачки, вытянул позади себя руку, чтобы ею подать сигнал телефонисту: четыре шрапнели! Ждал еще минутку: колыхающиеся в мерном шаге, под барабаны и флейты, цепи и колонны должны перейти линию окружной железной дороги... Еще минутка... Только бы они, дьяволы, не перешли с шага на бег...

— ...Товарищ ротный... Не могу больше... Ей-богу...

— Лезь в окоп обратно, так твою...

— Тошнит... Я ж отойду только...

— Убью, так твою...

— Товарищ Иван Гора... Не надо!

— Бери винтовку!

...Начальник артиллерии загадал: вот эти передние дойдут до столбика... Передняя часть уже изгибается, колышется, уже люди ступают косолапо, кое-как... Сощурясь, он четко видел этот покосившийся столбик с обрывком проволоки... Он-то и решал судьбу всей атаки, судьбу сегодняшнего дня, судьбу Царицына, судьбу революции, черт возьми!.. Вот этот — в желтых сапогах — вырвался первый, шагнул за столб... Начальник артиллерии разжал за спиной кулак, растопырил пальцы, высунулся из пролома, рявкнул телефонисту: «Сигнал!..»

Высоко над идущими колоннами в ясном небе лопнули ватными облачками четыре шрапнели. Тяжелый, никем никогда не слыханный грохот потряс воздух. Зашаталась каменная водокачка. Телефонист уронил трубку и схватился за уши. Начальник артиллерии топал ногами, точно плясал, и руки его помахивали, будто перед оркестром...

Равнина, по которой только что стройно и грозно двигались серо-зеленые батальоны, стала похожа на дымно кипящий гигантский кратер вулкана. Сквозь пыль и дым можно было разглядеть, как, пораженные, залегли наступавшие цепи, смешались задние. С севера по оставшейся незанятой кольцевой дороге уже неслись им в тыл бронелетучки. Из окопов поднялись красные роты и бросились в контратаку. Начальник артиллерии выхватил у телефониста трубку: «Перенести огонь глубже!..» И, когда огневой шквал загородил отступление белым, в гущу их врезались грузовики с пулеметами, и начался разгром.

8

Даша сидела на дворике, на ящике с надписью «медикаменты»; она опустила на колени руки, только что вымытые и красные от студеной воды, и, закрыв глаза, подставляла лицо октябрьскому солнцу. На голой акации, там, где кончалась тень от крыши, топорщились перьями, чистились, хвастались друг перед другом воробьи с набитыми зобами. Они только что были на улице, где перед белым одноэтажным особняком валялось сколько угодно просыпанного овса и конского навоза. Их спугнули подъехавшие телеги, и воробьи перелетели на березу. Птичье щебетанье казалось Даше невыразимо приятной музыкой на тему: живем во что бы то ни стало.

Она была в белом халате, испачканном кровью, в косынке, туго повязанной по самые брови. В городе больше не дребезжали стекла от канонады, не слышалось глухих взрывов аэропланных бомб. Ужас этих двух дней закончился воробьиным щебетаньем. Если глубоко вдуматься, — так это было даже и обидно: пренебрежение этой летучей твари с набитыми зобами к человеку... Чик-чирик, мал воробей, да умен, — навозцу поклевал, через воробьиху с веточки на веточку попрыгал, пискнул вслед уходящему солнышку, и — спать до зари, вот и вся мудрость жизни...

Даша слышала, как за воротами остановились телеги... Привезли новых раненых, вносили их в особняк. От усталости она не могла даже разлепить веки, просвечивающие розовым светом. Когда надо будет — доктор позовет... Этот доктор — милый человек: грубовато покрикивает и ласково посматривает... «Сию минуту, — сказал, — марш на двор, Дарья Дмитриевна, вы никуда не годитесь, присядьте там где-нибудь, — разбужу, когда нужно...» Сколько все-таки чудных людей на свете! Даша подумала — было бы хорошо, если бы он вышел покурить и она рассказала бы ему свои наблюдения над воробьями, — чрезвычайно глубокомысленные, как ей казалось... А что же тут плохого, если она нравится доктору?.. Даша вздохнула, и еще раз вздохнула, уже тяжело... Все можно вынести, даже немыслимое, если встречаешь ласковый взгляд... Пускай мимолетный, — навстречу ему поднимаются душевные силы, вера в себя. Вот и снова жив человек... Эх, воробьишки, вам этого не понять!..

Вместо доктора вылез из подвала, где помещалась кухня, гражданин с желтоватым нервным лицом и трагическими глазами. Он был одет в пальто ведомства народного просвещения, но уже на этот раз не подпоясанное веревкой. Поднявшись на несколько ступеней кирпичной лестницы, он вытянул тонкую шею, прислушиваясь. Но только щебетали воробьи.

— Ужасно! — сказал он. — Какой кошмар! Бред!

Он зажал уши ладонями и тотчас отнял их. Низкое солнце сбоку освещало его лицо с тонким хрящеватым носом и припухлыми губами.

— Этому нет конца, боже мой!.. У вас когда-нибудь был звуковой бред? — неожиданно спросил он Дашу. — Простите, мы незнакомы, но я вас знаю... Я вас встречал до войны, в Петербурге, на «Философских вечерах»... Вы были моложе, но сейчас вы красивее, значительнее... Звуковой бред начинается с отдаленной лавины, она еще беззвучна, но близится с ужасающей быстротой. Нарастает разноголосый гул, какого нет в природе. Он наполняет мозг, уши. Вы сознаете, что ничего нет в реальности, но этот шум — в вас... Вся душа напряжена, кажется: еще немного — и вы больше не выдержите этих иерихонских труб... Вы теряете сознание, вас это спасает... Я спрашиваю — когда конец?

Он стоял перед Дашей против солнца, перебирал тонкими пальцами и хрустел ими.

— Я должен где-то накопать глины, замесить ее и починить печь, потому что нас выселили в подвал, как нетрудовой элемент... Мой отец всю жизнь прослужил директором гимназии и построил этот дом на свои сбережения... Вот вы это им и скажите... В подвале валяются обгорелые кирпичи; два окошка на тротуар — такие пыльные, что не пропускают света. Мои книги свалены в углу... У моей матушки миокардит, ей пятьдесят пять лет, у моей сестры от малярии — паралич ног. Надвигается зима... О боже мой!

Даша подумала, что он, как душа Сахара в «Синей птице» из Художественного театра, сейчас отломает себе все десять пальцев.

— Кто не работает, тот не ест!.. Окончить историко-филологический факультет, почти закончить диссертацию... Три года преподавать в женской гимназии, в этом роковом городе, в этой безнадежной дыре, где я скован по рукам и ногам болезнью матери и сестры... И — финал всей жизни: кто не работает, тот не ест! Мне суют в руки лопату, насильственно гонят рыть окопы и грозят, чтобы я поклонялся революции. Насилию над свободой!.. Торжеству мозолей!.. Надругательству над наукой!.. Я не дворянин, не буржуй, я не черносотенец. Я ношу на себе шрам от удара камнем во время студенческой демонстрации... Но я не желаю поклоняться революции, которая загнала меня в подвал... Я не для того изощрял свой мозг, чтобы из подвала через пыльное окошко глядеть на ноги победителей, топающие по тротуару... И я не имею права насильственно прекратить свою жизнь, — у меня сестра и мать... Даже в мечтах мне некуда уйти, некуда скрыться... «Унесем зажженные светы!..» Их некуда уносить, на земле не осталось больше уединенных пещер...

Он проговаривал все это необыкновенно быстро, глаза его блуждали. Даша слушала его, не удивляясь и не сочувствуя, как будто этот выскочивший из полуподвальной кухни нервный человек был таким же необходимым завершением ужаса этих дней — грохота, пожаров, стонов раненых.

— Что вас привело к ним? — неожиданно бытовым, ворчливым голосом спросил он. — Недомыслие? Страх? Голод? Так знайте же — я следил за вами эти два дня, я вспоминал, как в Петербурге на «Философских вечерах» безмолвно любовался вами, не смея подойти и познакомиться... Вы — почти блоковская незнакомка... (Даша сейчас же подумала: «Почему — почти?») Царевна, вышивающая золотые заставки, — в грязном халате, с красными руками, таскает раненых... Ужас, ужас!.. Вот — лицо революции...

Даша вдруг так рассердилась, что, поджав губы, ни слова не ответив этому желто-бледному неврастенику, пошла в дом, где после свежести двора в лицо ей тяжело пахнул запах йодоформа и страдающего человеческого тела.

В каждой комнате лежали раненые на тесно установленных койках из неструганых досок. В операционной, где — до выселения — учитель женской гимназии писал свою диссертацию, она нашла доктора. Он вытирал полотенцем оголенные выше локтя волосатые руки и, увидев Дашу, подмигнул ей карим глазом:

— Ну как, успели посопеть носиком? А у меня тут была интересная операция: отрезал парню аршин пять тонких кишок и через месяц буду с ним пить водку. Тут еще привезли одного командира, тяжелый случай шока... Впрыснул камфару, сердце работает, но сам пока без сознания... Последите за пульсом, если начнет падать, сделайте еще одну инъекцию...

Перекинув полотенце через плечо, он подвел Дашу к дощатой койке. На ней навзничь лежал Иван Ильич Телегин. Глаза его были с усилием зажмурены, точно в них бил ослепительный свет. Растянутые губы сжаты. Левую руку его, лежавшую на груди, доктор взял, попробовал пульс, мягко встряхнул:

— Видите, а была стиснута, как судорогой... Шок, я вам скажу, дает иногда любопытнейшую картину... Штучка мало изученная... Тут такая же механика, как родимчик у младенцев... Центральная нервная система не успевает выставить защиту против неожиданного нападения...

Доктор оборвал на полуслове, потому что, хотя и в слабой степени, сам получил неожиданный шок... Дарья Дмитриевна мягко опустилась на колени перед койкой и всем лицом прижалась к брошенной доктором руке этого командира...

9

Вадим Петрович Рощин проснулся поздно в дрянной гостиничной комнате, с грязным окном, занавешенным пожелтевшей газетой, на коротенькой койке, под тощим одеялом. Поезд уходил поздно ночью. Предстоял пустой день. В папиросной коробке оставалась одна папироса. Он помял ее, закурил и стал смотреть на свою худую, жилистую руку с гусиной кожей. Поиски Кати ни к чему не привели... Кати он не нашел. Отпуск кончился, надо было возвращаться на Кубань в полк.

Через двое суток он вылезет из вагона, сядет в бричку, поедет степью, не заговаривая с нижним чином на козлах. В станице, на широкой улице, колеса брички завязнут в колеях, полных уже бесплодной в ноябре дождевой воды. Он вылезет прямо в грязь, прикажет отнести чемодан в хату и зашагает к станичному управлению, в штаб, к командиру полка, генерал-майору Шведе.

Он застанет этого выхоленного дурака за чтением стишков символистов: «Пламенный круг» Сологуба или «Жемчуга» Гумилева. После рапорта Вадим Петрович примет взвод. Может быть, получит роту. Начнется однообразное: строевые занятия, посещение офицерского собрания, где его будут расспрашивать о девочках, о кутежах, острить по поводу его худобы, седых волос и мрачного вида. По вечерам — шаганье из угла в угол у себя в хате. В десять часов денщик молча стащит с него сапоги... Это — одна вероятность, а другая — если полк на фронте, в боях...

Ему представилась та же мертвая степь с грядами северных туч, печные трубы среди пожарища, завязшие в грязи телеги с ранеными, дохлые лошади и — крайняя черта этой степи: окоп с людьми, валяющимися среди кала и окровавленных тряпок... Он представил себя профессиональным бодряком, легендарным фаталистом, показывающим пример холодной ненависти, которой у него нет, которой у него давно больше нет. В нем только брезгливость и тошнота при мысли о людях.

Он приподнялся на койке, стараясь застегнуть пуговку на сорочке, потянулся в поисках табаку за штанами, свалившимися на пол, и лег опять, закинув руки.

«Все-таки с таким настроением нельзя», — проговорил он тихо, и этот не его голос ему не понравился, гадливость поднялась в нем к тому, как он это проговорил... «Почему нельзя? Чего это «все-таки» нельзя? Все можно! Вплоть до ременного пояска, — одним концом — к дверной ручке, другим — за шею... Давай, Рощин, по-честному... Экий ты чистоплюй... Такая же сволочь, как все».

И он зло и мстительно стал вспоминать тысячи встреч здесь, в Екатеринославе... Женщин со следами эвакуации на лицах и с жалкими остатками неприступности, бегающих по гостиницам с предложением разных вещиц, «дорогих по воспоминаниям»; генералов, которые похлопывают по спине, — называя батенькой, — иссиня-бритых, сочащихся здоровьем, бешено развязных знатоков по продаже и покупке железнодорожных накладных на казенные товары; громогласных помещиков, спугнутых из своих усадеб, — они теснились в номерах вместе со своими бестолковыми помещицами и длинными, веснушчатыми, разочарованными дочерьми, перехватывая деньжонки, полнокровно кушали в ресторане, где учили поваров готовить невиданные блюда, называли революцию заварухой и, в общем, коротали время среди самых радужных надежд, не покидавших российское дворянство даже в самые затруднительные времена. Он вспоминал в вестибюле гостиницы всякий люд, с чрезвычайной быстротой потерявший общественную устойчивость, — лишь по гербовым пуговицам да фуражкам можно было догадаться: это — прокурор и, видишь ты, вцепился в какого-то нахального мальчишку, счастливого спекулянта, силясь всучить ему сломанные часы; а этот — начальник департамента акцизных сборов, седой, кашляющий, с палочкой, — он, видимо, разбазарил уже свои ценности и с завистью поглядывает на богатые сделки, на мелькающие руки, в которых шевелятся кредитки...

Пронырливые спекулянты в шикарных костюмах влетают сквозь парадные двери, вертят пальцами и глазами, сбиваются в кучки, нервно шепчутся и уносятся снова на улицу, как крылатые Гермесы — боги торговли и удачи. В вестибюле можно узнать о продвижении казенных грузов, о затерявшейся цистерне с машинным маслом, о курсе доллара, вскакивающего и падающего по нескольку раз в день, в прямой зависимости от французских или германских контратак на Западном фронте, но это уже — дела серьезные... Мелкие спекулянты в вестибюле раздаются в стороны, прыгающие от возбуждения глаза их устремляются на «большого» человека...

Степенно и не спеша он входит в очень длинном пальто, в картузике или в бархатной шляпе на затылке, в руке зонтик, борода его от подбородка залоснена к шее, от этой неприкосновенной бороды можно лишь — для сосредоточия умственной деятельности — отделить пальцами один волосок и покрутить. Глаза его отражают напряженную духовную жизнь, отрешенную от мелочей, ибо он — мыслитель: он сопоставляет, ищет и находит те категории, которые обусловливают падение или подъем концентратов мировой энергии — то есть твердой валюты...

Здесь, в вестибюле и на улицах близ гостиницы, происходит игра. Официально гетманскими властями и германским оккупационным командованием она запрещена. Игроки находятся в постоянном движении на тротуаре — от дверей гостиницы до ближайшего перекрестка. При помощи пристально устремленных глаз, движения пальцев и нескольких слов они продают и покупают. Ни у кого из них валюты нет, она спрятана, и вообще количество ее в городе неизвестно. Играют на разницу курса и рассчитываются гетманскими карбованцами. В минуту создаются состояния, в минуту богач становится нищим. Счастливец идет с прихлебателями в кафе — кушать пирожное с желудевым кофе, неудачник отчаянно бредет по бульвару, и ноябрьский ветер, метущий бумажки и опавшие листья, подхватывает пыльные полы его длинного пальто.

Люди, населяющие эту гостиницу, скопляющиеся на тротуарах, в табачных лавчонках, кафе, шашлычных, торгующие и объегоривающие друг друга, были частью шумного, прожорливого стада, которое мычало и орало по всем отбитым у революции городам, где ему не мешали жрать, пить, совокупляться, жульничать и спекулировать... Это стадо надо было оберегать штыками и пушками, отвоевывать для него новые города, восстанавливать для него очищенную от большевистской скверны великую, единую, неделимую Россию...

— Пошлость, пошлость и ложь! — снова вслух проговорил Вадим Петрович. — Ну-с, а если дезертировать?

И он стал размышлять об этом, в первый раз за свою жизнь отпустив моральные вожжи, с острым наслаждением открывая в себе залежи подлости и низости... Он даже посмеивался со стиснутыми зубами... Мысли его были как неожиданное творчество, как первый грех...

«Во имя каких таких святынь проколесил ты, голубчик, по жизни на натянутых вожжах? Считал себя порядочным человеком, принадлежал к порядочному обществу, даже ушел из полка в университет, чтобы расширить умственный кругозор... В юности тебе казалось, что ты похож на Андрея Волконского. Нравственный импульс доставлял тебе удовлетворение, и этого было вполне достаточно: ты чувствовал себя чистоплотным. От всего сомнительного и нечистого ты воротил нос, как от помойной ямы. У тебя было всего только три связи с замужними женщинами, и ты порвал с этими бабами на высоте самых утонченных отношений, когда взволнованное любопытство начинало сменяться сочно привычными поцелуями... И вот — общий итог: куда же привела тебя безупречная жизнь с гордо поднятой головой? Пожарище! От человека — одна обгорелая печная труба!»

Подведя такой итог, Вадим Петрович методично начал обдумывать возможности дезертирства. Бежать за границу? Весь мир охвачен войной. Повсюду сыщики ищут подозрительных иностранцев, везут в тюрьмы и там вешают... Во всем мире бодрыми ребятами грузятся транспорты... «Тру-ля-ля, — орут ребята, — поскорее всыплем свиньям немцам и вернемся к веселым подружкам...» В океанах их торпедируют, и веселые ребята барахтаются в ледяной воде вокруг масляного пятна... В Европе колонны молодых людей в защитной одежде, сшитой как на покойников, густыми цепями, в безнадежном отчаянии покорно идут на пулеметы, на бомбометы, на минометы, на огнеметы, — огонь спереди, огонь сзади. Поездка за границу отпадает... Можно пробраться в Одессу, достать липовый паспорт и — в шашлычную — половым... Но кто-нибудь: «Ба, ба, ба, — удивится, — да никак это — Рощин, что же это вы, батенька?» Спекулировать по мелочам или даже — воровать? Нужен запас большой жизнерадостности... Сутенером? Стар... «Ну, хорошо, предположим — просуществую как-нибудь до окончательной победы: социалисты перевешаны, мужичье перепорото, англичане нас простили, с виноватым видом начинаем за Волгой собирать армию — колотить немцев. Оружие роздали, и в один ненастный день солдатье запарывает господ офицеров, героев «ледяного похода», и сказка начинается сначала. Бедная моя Катя, так и не найденная, где-нибудь на вокзале с выбитыми окнами, среди спящих, бредящих и мертвых, позовет в последний раз: «Вадим, Вадим...» Итак, есть еще возможность: повеситься, немедленно... Страшно? Нисколько... Противно делать это усилие над собой...»

Руки его были как лед, он затылком чувствовал их холод. Никакого решения он принять не мог. И будто маленькие человечки, бегая по нему, как мухи, растаскивали его волю, его душу... Когда стемнеет, он встанет, наденет штаны, пойдет пешком на вокзал и, наверное, даже папирос купит на дорогу... И будет жить, — такого и шашка не тронет, и пуля не шлепнет, и тифозная вошь не укусит...

За стеной, там, где была дверь, заставленная комодом, уже давно торопливо спорили два сердитых мужских голоса. Один все начинал фразу: «Слушайте, господин Паприкаки, если бы я был бог...» Но другой не давал ему договаривать: «Слушайте, Габель, вы не бог, вы идиот! Надо сойти с ума — за полчаса до выхода газеты покупать акции Крупп Штальверке...» — «Слушайте, я же не бог!» — «Слушайте, Габель, у вас не хватит потрохов, чтобы погасить мои убытки, вы — труп...»

Фразы эти насильно лезли в уши Вадима Петровича. «Вот черт, — подумал он, — хорошо бы выстрелить в дверь...» Затем за другой дверью, ведущей в гостиничный коридор, началась беготня и взволнованные голоса: «Надо же доктора...» — «При чем тут доктор, — он уже коченеет...» — «А что такое, как это случилось?» — «Как случилось, так и случилось, вам-то не все равно...»

Голоса затихли, послышался звон шпор.

— Господин вартовой начальник, простите, пожалуйста, — правда, что он племянник австрийского императора?

— Правда, все правда... Ну-ка, господа, очистите коридор.

И потом, уже у самой двери, — двое заговорили вполголоса:

— Никакое это не самоубийство, его застрелил его же адъютант, большевик.

— То есть как это, — австрийский офицер, и — большевик?

— А вы думали! Они — всюду... Не то что Вена, — Берлин со вчерашнего дня у них в руках...

— Боже мой, боже мой, это у меня не помещается...

— Да-с, бежать надо...

— Куда бежать?

— А черт его знает — на какие-нибудь острова...

— Правильно... Вчера рассказывали — в Голландской Индонезии острова с хлебными деревьями. Одежды не нужно никакой. Но как туда добраться?

Затем, без стука, в комнату вскочил мальчик, чистильщик сапог при гостинице, — с приплюснутым носом и веселым ртом — от уха до уха...

— Экстренный выпуск, революция в Германии... Пассажир, платите три карбованца...

Он бросил газету на грудь Рощину, не замечая открытых страшных глаз этого пассажира, ни его мертвенного лица...

— Деньги беру на подоконнике. Пассажир, почитайте газету...

Он выскочил из комнаты. Сердце у Вадима Петровича истерически билось, но еще долго на груди у него неразвернутым лежал слепо напечатанный газетный листок... Революция в Германии!.. Солдаты на крышах вагонов, разбитые вокзалы, толпы, поющие дикими голосами, ораторы, выкрикивающие с подножия памятников, молотя кулаками воздух: свобода, свобода! Как будто свобода заменит им хлеб, родину, чувство долга и размеренный покой веками слаженного государства! Революция, — замусоренные города, растрепанные девки на бульварах... И тоска, тоска человека, глядящего из окна на вылинявшие крыши города, где больше не осталось тайн... Даже солнце поднялось недостижимо высоко... Тоска человека, с такими усилиями пытавшегося пронести через жизнь самого себя, свою независимость, свою гордость, свою печаль.

Вадим Петрович понял наконец, что разговаривает вслух. Это уже было похоже на бред с открытыми глазами. Он развернул газетный листок. Во всю полосу большими буквами шло сообщение о начавшейся революции в Германии. Она разразилась в момент переговоров о перемирии в Компьенском лесу, когда в поезд генерала Вейгана, стоящий в артиллерийском тупике, явились германские уполномоченные.

Они спросили — каковы будут французские предложения? Генерал, не приглашая их сесть, не подавая руки, с холодной яростью ответил: «У меня нет никаких предложений... Германия должна быть брошена на колени».

В тот же день правители, которые привели Германию к позору, были свергнуты. В Берлине образовался Совет рабочих и солдатских депутатов. Император Вильгельм тайно покинул ставку в Спа и бежал в Голландию, на границе отдав голландскому армейскому поручику свою шпагу.

Через несколько минут Вадим Петрович, одетый, в шинели, туго перетянутой ремнем, в фуражке, еще раз перечел газету, стоя у окна. Сунул в карман смятые кредитные бумажки и вышел на улицу.

Он увидел: мимо гостиницы шел плотный человек, будто только что вылезший из скафандра — с большой глубины: багровое лицо раздуто, глаза выпячивались из орбит; шевеля толстыми губами, обметанными коркой, он повторял: «Продаю Крупп Штальверке, продаю, продаю...» Он перекатывал глаза на проходящих с сумасшедшей надеждой — найти дурака, еще большего, чем он...

Его начали толкать и оттиснули к стене австрийские солдаты, — они шли нестройными кучками, перекинув винтовки за спину, дулом вниз... Это был один из знаков революции, — сразу же, в первый же свой день, отказывающейся от человекоубийства... Сбоку этой толпы по тротуару шагал тоненький офицер с шелковистыми юношескими усиками; изящное лицо, напряженное до страдания, было надменно поднято, на левом погоне — красный бант. Этому мальчику, выпущенному в полк в военное время, не удалось, должно быть, пошататься в новеньком мундире, волоча металлические ножны сабли по тротуарам веселой Вены, где женщины так очаровательно беспечны. Выпало на долю — по молодости лет и добродушию — быть выбранным в солдатский комитет, и вот он ведет свою роту на вокзал, эвакуироваться, сквозь фланговый огонь злорадствующих, насмешливых взглядов... А в Вене — хаос, голод, рабочие строят баррикады...

Рощин долго глядел вслед этим гордым европейцам. У него тоже поднималось злорадство: «Недолго погостили на Украине, поели гусей и сала... Брест-то, видно, вышел боком...» Но он сейчас же насупился: «А тебе что в том? Потирают руки в Москве. А ты ступай в вонючий окоп, к своим контрреволюционерам...» И он сильнее насупился от того, что в первый раз, да еще так спокойно, цинично произнес это слово... Именно в этом слове таилась причина его душевной разодранности. Катя была прозорливее его, когда сказала в час их бешеной ссоры в Ростове: «Если ты веришь всей силой души в справедливость твоего дела, тогда иди и убивай...» По всем традиционным понятиям честного и уважающего себя интеллигента, контрреволюционер — значит подлец и негодяй... Вот и живи с этим...

Засунув руки в карманы шинели, он побрел вверх по широкому Екатерининскому бульвару. И походка у него была, как у негодяя и подлеца: шаркающая, рыхлая. Проходя мимо парикмахерской, он невольно взглянул на себя в узкое зеркало сбоку двери: ему зло и криво усмехнулось его лицо трупного цвета. Он зашел, не снимая шинели, сел в кресло: «Побрить!» Здесь тоже все внушало ему отвращение — и низенькое, теплое помещение, оклеенное отставшими от стен дешевыми обоями, и сам парикмахер с гребенкой в волосах, полных перхоти, с грязными, нежными руками, пахнущими сладкой гадостью...

Взбивая пену и не торопясь намыливать Вадиму Петровичу щеки, парикмахер говорил:

— Мало у жинки забот, — завела себе порося... Воевали четыре года, теперь у них революция... О чем они думали, почему не спросили меня? — Он раскрыл бритву и ожесточенно начал точить ее. — Большая политика и наше маленькое, тихое дело, — желаю вам иметь разницу. — Горячей пеной он начал намыливать Вадиму Петровичу щеки. — Сегодня вы у меня первый клиент. Люди сходят с ума. Если император Вильгельм убежал в Голландию, в нашем городе никто уже не хочет бриться! Я вам скажу почему. Они все боятся большевиков, они боятся махновцев, они все хотят отрастить себе щетину и походить на пролетариев. — Он с хрустом повел лезвием по щеке. — Извиняюсь, вы не любите, когда берут за кончик носа? Есть, которые это просят. Я учился в Курске, наш мастер работал по старинке, — засовывал палец в рот клиенту, а для благородных держал огурцы. С пальцем — десять, с огурцом — двенадцать, — не плохие были деньги. Вас буду брить еще раз, — времени хватит. Вот только перед вами заходил один сумасшедший. Вы знаете Паприкаки? Наш крупный финансист. У него расстроены нервы, его невозможно брить, у него сыпь на щеках, страшная боль даже коснуться кисточкой.

Сегодня у него, слава богу, высыпало уже по всему телу. Так он меня утешил: немцы собираются уходить из Украины, под Белгородом уже начали наступать большевики, а в Белой Церкви объявилось новое украинское правительство: Директория. Рада была, Советы были, гетман был, Директории еще не было. Во главе — Петлюра и Винниченко. Оба в шестнадцатом, в Киеве, были моими клиентами, Петлюра — бухгалтер, служил в Земском союзе. Винниченко — писатель, мы ходили на его пьесы, — ничего особенного: одна женщина, представьте, обманывает живописца, он крупно с ней разговаривает, а тут к ней подкатился любовник, и эта дамочка устраивается с ним рядом в комнате. Живописец войти к ним, представьте, не может — разогнать-то их и бросить эту стерву не хочет, и он грызет себе руку, чтобы сухожилие перекусить, стать инвалидом, назло этой женщине. Брил я Винниченко, у него лицо дряблое, пористое... Паприкаки говорит: Директория выпустила уже универсал, призывает хлеборобов свергнуть гетмана Скоропадского... Да, не хватало гетману забот!.. — Побрив во второй раз щеки Вадиму Петровичу, он неодобрительно прищурился на его отросшие седые волосы. — Позвольте вам подстричь а-ля бокс, если желаете, осталось у меня немного заграничной краски — вороньего крыла? Кому это нужно — седая мочала? («Побрейте голову», — сквозь зубы сказал Рощин.) Слушаюсь... — И он защелкал около своего уха ножницами, будто набирая скорость. — Знаете, господин капитан, одна моя мечта: есть же на свете где-нибудь тихий городок, ну, хоть самый захолустный, с керосиновыми фонарями... Много ли нужно? Десяток клиентов. Работу кончил, трубочку закурил и сиди у дверей. Тишина, покой, мирные старички проходят, — встанешь, поклонишься, и они тебе поклонятся. О маленьких людях, господин капитан, никто сейчас не думает, — скинуты со счета. А нас нет, — вот мочала у вас и растет. Взгляните, — какими пришли и что я из вас сделал: картинка!

Рощин глядел на себя в зеркало. Лоснящийся череп был хорошей, вместительной формы — для благородных и высоких мыслей. Лицо — узкое, с изящным переходом от едва выступающих скул к подбородку, не слишком выдающемуся, но и не безвольному. Темные, сдвинутые у переносицы, брови капризно разлетались на висках, смягчая строгость умных небольших глаз, кажущихся черными от расширенных зрачков. Такое лицо не стоило бы закрывать рукой от стыда. Пожалуй, рот портил все дело. Можно солгать глазами, глаза лживы и скрытны, но рот не поддается маскировке... Видишь ты, — никакой формы, весь в движении, как слизняк... Черт знает что такое! До Фауста не дотянул, Вадим Петрович... Он поднялся, надвинул походную, грязную простреленную фуражку — несколько набок, щедро расплатился и вышел... Решения у него все еще не было никакого... Но он уже не чувствовал дряни в ногах, не цеплялся носками сапог за булыжник. Вот что значит — побывать у парикмахера! Капелька любви к себе просочилась в мутное отчаяние его души.

В окнах зажигался свет. Шумел ветер в голых тополях, уходящих вершинами в сумрак. Между стволами их — на другой стороне улицы — яркая лампочка нагло вспыхнула над размалеванной дверью ресторана-кабаре «Би-Ба-Бо»... Этот кабак славился любительскими шашлыками. При мысли о еде у Вадима Петровича слипся желудок, — со вчерашнего дня он не ел. Это было могучее, мужественное чувство голода, оно возникло и заслонило все психологические сложности. Рощин решительно свернул к освещенной двери. От дерева отделилось, пытаясь преградить ему дорогу, существо в белой юбке и уже вслед пропищало умоляюще: «Офицерик, я вам справлю удовольствие...»

Это было низкое, длинное помещение, не так давно размалеванное бежавшим из Петрограда знаменитым левым художником Валетом. Потолок в «Би-Ба-Бо» был черный, с большими звездами из серебряной бумаги. По черным стенам как бы неслись, подхваченные ураганом, желтые, оранжевые, кирпичные призраки с растопыренными ногами и руками, — угловатые схемы мужчин и женщин. Для кабака эта стенная живопись была слишком серьезна: ужас, а уж никак не чувственность, гнал по стенам это оголенное стадо. Капиталист, вложивший деньги в это предприятие, — тот же Паприкаки, — сказал однажды: «Вырвите мне ноги из туловища, если я понимаю эту мазню, меня от нее тошнит, а публике нравится...»

Рощин пообедал и пил вино. Поезд уходил в четыре утра, — он решил пробыть здесь до трех, а там будет видно... Ему было тепло, в голове слегка шумело.

Официант, — татарин из московского невозвратного «Яра», старый знакомый, — часто подходил, брал из ведра бутылки и, нагнувшись, наливая, говорил:

— Извините, Вадим Петрович, я все к вам пристаю... Вспомнишь Москву... Эх! Видите, как здесь живем. Во сне даже снится эта шушера...

Несмотря на тревожное настроение в городе, — где на окраинах и в темноте переулков раздавались одиночные выстрелы и конные гетманские стражники, проезжая вверх к губернаторскому дворцу, старались их не слышать, — несмотря на панику сегодняшней черной биржи, ресторан был полон. Кабаре еще не начиналось. На маленькой сцене сидел у пианино длинный молодой человек с вытянутой шеей, толщиной в руку, с растущими дыбом негритянскими волосами, съехавшими на затылок. Он играл попурри из оперето́к.

Вокруг столика Рощина было шумно и пьяно. Несколько помещиков, не выдержав томления у себя в номере среди разочарованных дочерей, встряхивались здесь за графинчиком...

— Уверяю вас, — кричал один с холеными щеками, — немцам теперь капут! К новому году английский экспедиционный корпус будет в Москве. Будем пить скоч-виски. Нет худа без добра! — Разинув рот с отличными зубами, добряк хохотал. — Получается: ура германской революции!

Другой, изысканно тощий, с глазами, насмешливо мерцающими из глубины пепельных впадин, поднял руку, прося внимания:

— Лорд-канцлер в палате лордов сидит, как известно, на мешке с шерстью... А симбирское дворянство гордилось, что у них в собрании на дворе стоит мраморный столп — в утверждение того, что с господами столбовыми дворянами во веки веков ничего неприятного не случится... А посему беспечально дремали под сенью лопухов... История российского дворянства кончена, — мешка с шерстью нам не хватало... Равно как история матушки-России кончена, господа... Повесть о городе Глупове прочитана, книжку швырнули в угол. И случилось это не в грозу и бурю, как сказал один умнейший человек, а в простой понедельник, — бог плюнул и задул свечку... Еще в четырнадцатом году я продал землишку, и с тех пор — гражданин вселенной... Так-то вернее...

— Вам хорошо, батенька, вы Оксфордский университет кончили, а куда я с тремя моими девками денусь? Куда? — Румяный добряк засопел и потянулся за графинчиком. — А насчет конца России тоже не согласен, это у вас английская отрыжка-с... В приказчики пойду, в подрядчики пойду, сам буду пахать на трех десятинах, а в Россию верю. — Он налил и сейчас же грузно повернулся к третьему себеседнику: — Куда я их дену? Выросли три коломенские версты, слезливы, конопаты, плоскогруды — тургеневские барышни, это в наш-то век! Мать во всем виновата, да и я тоже виноват, каюсь. Старшая хотела на Бестужевские курсы, — отговорили, к тому же ленива... Младшая увлекалась театром и была бы, скажу я вам, первоклассней шей актрисой... С большого ума отговорили, даже грозили... Словом, — домострой, в наш-то век!.. А все от недомыслия... Англичанин на три года вперед видит, сидя на мешке с шерстью, это правильно... А мы, так сказать, мыслили по круговращению времен года. — Выпив, потряся щеками, он неожиданно добавил: — А в общем — не пропадем...

Третий собеседник был уже настолько пьян, что только скрипел зубами и ел цветы — мелкие астры, — отрывая их от горшка на столе. Он ничего не слушал, не сводя мутных глаз с соседнего столика, где сидели очень хорошенькая девушка с большим невинным узлом пепельных волос и крупный молодой человек в полувоенной гимнастерке. Подперев щеку, не обращая ни на кого внимания, будто здесь действительно были одни призраки, он молча плакал. Девушка, жалобно морща круглое синеглазое лицо, гладила его руку, брала ее и целовала; близко наклоняясь, торопливо, испуганно шептала ему. Он медленно покачивал крупным лицом. Рощин услышал его тусклый неживой голос, каким бормочут во сне:

— Оставь, Зина, оставь меня... Я ничего больше не хочу, ни тебя, ни себя...

Он мог бы и не говорить дальше, — и без того было понятно, чем кончится эта ночь для молодого человека... Девушка чем-то напоминала Катю, не лицом, — тихой ласковостью движений... Тоже кончит жизнь где-нибудь среди сыпнотифозных на узловой станции... Их заслонили двое мальчишек, торопливо присевших за освободившийся столик. У обоих — подстриженные челки до бровей, гнилые зубы, на грязных пальцах бриллианты... «Я как урежу Машку железной палкой, — хвастался один другому, — как зачал ее топтать, аж кости у нее захрустели, у стервы...»

— Господин капитан, позволите занять место за вашим столиком?

Рощин молча кивнул. За его столик сел человек в никелированных очках, подбирая под стул громоздкие ноги. На нем был зелено-серый, тесный в груди мундир германского ландштурмиста. С трудом выговаривая русские слова, он сказал официанту:

— Пожалуйста, покушать немножко, я не кушал очень давно, — и пива, пива!

Он раздул худые щеки, показывая, как он напьется пива, засмеялся, затем с некоторым изумлением взглянул голубыми, как у галки, безбурными глазами на угрюмого Рощина:

— Господин капитан говорит по-немецки?

— Говорю.

— Если я вам мешаю, — я охотно поищу другой столик.

— Вы мне не мешаете.

Рощин на этот раз ответил мягче. У ландштурмиста было одно из тех немецких лиц, — узкое, со слегка проваленным маленьким ртом, — которое до старости сохраняет детское выражение и нежный румянец. Нос его был приподнят, словно от благожелательного любопытства к каждому человеку.

— Прежде нам, солдатам, не разрешалось бывать в ресторанах, — сказал он, — со вчерашнего дня немецкая дисциплина стала более разумной.

Рощин криво усмехнулся. Ландштурмист поспешил уточнить свою мысль, подняв по-профессорски палец с твердым ногтем:

— Дисциплина должна быть разумной, тогда она есть форма общественного порядка и необходимое условие развития. Такая разумная дисциплина рождается из глубоких социальных движений. Но если это не так, если она только одно из орудий принуждения, тогда мы ее не будем называть дисциплиной...

Он весело кивнул, оканчивая эту свою, несколько туманную, мысль.

— Эвакуируетесь в Германию? — спросил Рощин.

— Да. Наша воинская часть избрала комитет, и он вынес решение, к счастью, — хотя это было сопряжено с борьбой, — чисто принципиальное.

— Ну что ж, по-русски говорится: скатертью дорога.

— Я неплохо изучил русский язык, я знаю, — когда говорят: «скатертью дорога», это значит: «убирайся ко всем чертям»...

— А хотя бы и так... Вы, кажется, умный человек: чего же нам притворяться? Врагами были, врагами и расстались...

— Так, так, — подумав и покачав головой, сказал ландштурмист, — с моей стороны было бы напрасно и даже бестактно опровергать это.

И он опять улыбнулся тонкими губами, оканчивая и эту тему. Ему принесли еду и пиво. Он извинился, что на некоторое время выключится из беседы, и принялся за шашлык, не спеша, с каким-то даже благоговением пережевывая кусочки мяса, пшеничного хлеба и поджаренных помидоров.

— Вкусно, — сказал он, чувствуя, что Рощин не сводит с него злых, темных глаз. Он съел все до крошки, корочкой вычистил тарелку и корочку положил в рот. Полузакрыв веки, вытянул большой стакан холодного пива. — Немцы к еде относятся очень серьезно. Немцы много голодали, и предстоит еще много голодать, прежде чем будет окончательно разрешена проблема еды.

И опять его длинный палец полез вверх.

— На заре истории, когда человечество переходило от первобытного собирания даров природы к насильственному вторжению в природу, еда стала результатом трудного и опасного процесса добывания ее. Еда стала священным актом. Пожрать — значит завладеть чужой жизнью, чужой силой. Отсюда происходят представления о возможности заклятия природы, то есть магия... Магический ритуал еды ложится в основу всех мистических культов. Едят тело бога... У меня записана интересная беседа с одним русским ученым о происхождении блинов. Масленица — это праздник поедания солнца. Его заклинали хороводными плясками, затем кушали его изображение — блины. Как видите, славяне в своих мировоззрениях всегда устремлялись очень высоко...

Он засмеялся. Расстегнул металлическую пуговицу мундира и вынул пухлую, в потрепанной коже, записную книжку, — ту самую, которую два месяца тому назад доставал в вагоне, чтобы прочесть Кате Рощиной одно место из Аммиана Марцеллина. Положив ее на стол, осторожно перелистал страницы, мелко исписанные заметками, выписками, адресами...

— Вот, — сказал он, положив палец на страницу.

Но Рощин глядел не на эти строки, а на то, что было написано сверху рукой Кати: «Екатерина Дмитриевна Рощина, Екатеринослав, до востребования».

— Откуда у вас эта запись? — хрипло спросил он. В лицо ему хлынула кровь, он поднес руку к воротнику гимнастерки. Ландштурмисту показалось, что другой рукой русский офицер сейчас вытащит револьвер, — нравы были военные... Но страшные глаза офицера выражали только страдание и мольбу... Ландштурмист как можно мягче сказал ему:

— Очевидно, вам хорошо известна эта дама, я могу кое-что рассказать про нее.

— Известна...

— О, это одна из печальных историй...

— Почему — печальных? Эта дама погибла?

— С уверенностью не могу этого сказать... Мне бы хотелось надеяться на лучший исход... За время войны я увидел, что человек чрезвычайно живучее существо, несмотря на то, что ранить его легко и он так чувствителен ко всякой боли... Это происходит...

И он опять поднял было палец, — Рощин весь исказился:

— Говорите, где вы видели ее, что с ней случилось?

— Мы познакомились в вагоне... Екатерина Дмитриевна только что потеряла своего горячо любимого мужа...

— Это была провокация! Я жив, как видите...

Ландштурмист откинулся на стуле, маленький рот его стал круглым, галочьи глаза — круглыми, он хлопнул ладонями по столу:

— Я прихожу в этот ресторан, где никогда не бывал, сажусь за этот столик, вынимаю книжку... И — мертвые пробуждаются! Вы муж этой дамы? Она мне рассказывала о вас, и я тогда же представил вас таким, именно таким... О нет, камрад Рощин, вы не должны, вы не должны...

Запнувшись, он поджал тонкие губы и поверх очков строго, испытующе взглянул Вадиму Петровичу в глаза, полные слез. На благожелательно приподнятом носу у ландштурмиста проступили капельки пота.

— Я слезал раньше Екатеринослава, ваша супруга записала мне свой адрес. Я на этом настаивал, я не хотел потерять ее, как пролетевшую птицу. За дорогу мне удалось внушить ей некоторую бодрость. Она очень умна. Ее ясный, но мало развитой ум жаждет добрых и высоких мыслей. Я ей сказал: «Горе — это участь миллионов женщин в наше время, — горе и бедствия должны быть превращены в социальную силу... Пускай горе придаст вам твердость». — «Для чего, — она спросила, — мне эта твердость? Разве я хочу жить дальше?» — «Нет, — я ей сказал, — вы хотите жить. Нет ничего более значительного, чем воля к жизни. Если мы видим кругом только смерть, бедствия и горе, — мы должны понять: мы сами виноваты в том, что до сих пор еще не устранили причины этого и не превратили землю в мирное и счастливое обиталище для такого замечательного феномена, как человек. Позади вечное молчание и впереди вечное молчание, и только небольшой отрезок времени мы должны прожить так, *чтобы счастьем этого мгновения восполнить всю бесконечную пустоту молчания...*» Я ей это сказал, чтобы утешить ее... Итак, я слез и прибыл в свою часть. Ночью мы получили сведения, что поезд, в котором ехала ваша жена, был остановлен бандой махновцев, ограблен и все пассажиры уведены в неизвестном направлении. Вот все, что я знаю, камрад Рощин...

На сцене началось кабаре. Пианино и музыканта с дыбом стоящими волосами задвинули за кулисы. Появился дон Лимонадо, конферансье, московская знаменитость, хорошенький, с подведенными глазами, неопределенного возраста человек в смокинге и соломенной жесткой шапочке, надвинутой на брови.

— Поздравляю вас, господа, с германской революцией! — Он сам себе крепко пожал руки. — Только что был на вокзале. «Здрасте, — говорю я германскому обер-лейтенанту, — как поживаете?» — «Очень хорошо, — говорит он, — а вы как поживаете?» — «Тоже очень хорошо, — говорю я, — на дворе ноябрь, в соломенной шапочке холодно, а теплую я в Москве оставил, теперь не знаю, когда выручу». — «А вы купите, — говорит, — теплую шапку». — «Я, говорю, на шапку тысячу марок скопил, а сегодня мне за них пять карбованцев выдали». — «Ай-ай-ай», — говорит он. «Ай-ай-ай», — говорю я. Так мы с ним поговорили о том, о сем, а его солдаты на крыши вагонов лезут. «Уезжаете?» — говорю я. «Уезжаем», — говорит он. «Совсем?» — говорю я. «Совсем», — говорит он. «Очень жалко», — говорю я. «Ничего не поделаешь», — говорит он. «А в каком смысле — ничего не поделаешь?» — говорю я. «А в таком смысле, — говорит он, — что без всякого смысла». — «Ай-ай-ай, — говорю я, — а мы надеялись, что у вас этого не будет». А тут солдаты на крышах как грянут «Яблочко», — я и пошел... Кругом-то темно, ветер-то свищет, в переулках-то стреляют, а мне программу начинать, я опаздываю, на сердце кошки скребут. Я и запел.

За кулисой грянуло пианино. Конферансье подскочил, перебив ногами:

Эх, яблочко,
Ночка темная...
Куда мне теперь идти?
Разве помню я...

Повернувшись спиной к сцене, глядя в глаза этому странному немцу, Рощин спросил:

— Вы не могли бы дать сведения — в каком районе сейчас оперирует Махно?

— По нашим последним сводкам, Махно начал серьезно теснить отступающие австрийские и кое-где германские воинские части. Штаб Махно снова теперь находится в Гуляй-Поле...

10

В начале ноября качалинский полк стоял в резерве для пополнения и отдыха. В нем по окончании боев осталось едва три сотни бойцов. Петр Николаевич Мельшин, получивший неожиданно для себя бригаду, говорил в военсовете, и, по его предложению, командиром качалинского полка был назначен Телегин, лежавший в госпитале, заместителем — Сапожков и полковым комиссаром — Иван Гора. Телегинская батарея вошла в состав полковой артиллерии.

Стояли сырые деньки, пахнущие печным дымом и мокрой псиной. Сырость капала с потемневших крыш, землю развезло, и бойцы, возвращаясь с ученья, волокли пуды грязи на сапогах. Настроение у всех было, как в праздник. Окончилась страшная страда: Донская армия была отброшена далеко за правый берег Дона. По слухам, атаман Краснов в Новочеркасске бился головой о стену, узнав об этом своем втором страшном разгроме под Царицыном.

Когда кончался день строевых занятий, политпросвещения и ликвидации неграмотности, бойцы в сумерках, поеживаясь от изморози, разбредались по селу, — кто к знакомцам, кто к новоявленной куме, а те, у кого не было ни знакомых, ни кумы, просто ходили с песнями или, забравшись в сухое место, балагурством приманивали девчат. И часто, начиная с шуток и смеха, кончали спорами, иной раз жестокими, потому что души у всех были взъерошены.

Из десяти моряков телегинской батареи двое были тяжело ранены, трое убиты. Осталось пять человек. Расквартировались моряки на хорошем казачьем дворе, брошенном убежавшим хозяином. С ними жила и Анисья, формально зачисленная в нестроевую роту. Наравне с бойцами она проходила строй, и стрельбу, и политпросвещение. Носила теперь опрятную красноармейскую форму и только не хотела стричь вьющихся красивых волос. Увидев столько страстей и смертей, она в эту октябрьскую страду перешла, как переходят вброд по горло, через свое непоправимое горе. Морщины больше не безобразили ее помолодевшего, погрубевшего лица; с тыловых харчей щеки у нее налились, стан выпрямился, походка стала легкой. Вся она приумылась. По ночам, когда моряки могуче храпели в натопленной хате, она секретно стирала на них, штопала и чинила, иной раз за этим делом ее заставал рожок горниста, игравший протяжную зорю в седом рассвете.

При полку остался и Кузьма Кузьмич Нефедов на внештатной должности писаря. В самые тяжелые дни, шестнадцатого и семнадцатого, он проявил не то что мужество, а даже особую отчаянность, вытаскивая раненых из огня. Это было отмечено всеми. Не отставал он и в дальнейшем, когда остатки качалинского полка перешли в контрнаступление, не отстал и за Доном, когда полк был сменен и отведен в тыл.

Иван Гора, встретив его однажды у полевой кухни, — промокшего, грязного, худого, возбужденного, — поманил пальцем:

— Что мне с вами делать, Нефедов?.. Никак не пойму — что вы за человек?.. Поп-расстрига, и года ваши почтенные. Чего вы к нам привязались?

Кузьма Кузьмич шмыгнул, потому что с облупленного носа его капал дождь, и рыжими веселыми глазами взглянул на комиссара:

— Привязчивый, Иван Степанович, — привязываюсь я к людям... Куда пойду, какое мне еще искать человеческое общество? Ведь я же мыслящий...

— Да не в том дело, слушайте...

— Что касается полкового пайка (Кузьма Кузьмич указал на полный котелок), — так этот кулеш с сальцем я заработал честно, шкуры своей как будто не жалел... Штаны, сапоги, как видите, сам добыл у врага на поле брани... Ничего не прошу, никого не обременяю. И в дальнейшем надеюсь быть полезным... Ведь революции смышленый человек нужен? Нужен... У вас в полку грамотного писаря нет. А я пишу даже по-латыни и гречески... Да мало ли на что я еще пригожусь...

Иван Гора подумал: «Отчего же в самом деле не использовать человека, если он смышлен и хочет работать...»

— Да вот, — сказал, — происхождение ваше смущает, как бы вы туман не стали разводить...

— Был, был когда-то соблазнен миражами, скрывать нечего, — проговорил Кузьма Кузьмич, — окунулся в их пустыню... Нет, агитации моей не бойтесь, с богом я в ссоре...

— В ссоре? — спросил Иван Гора. — Так ли? Ну, ладно, вечерком зайдите ко мне в хату, потолкуем...

В сумерках Кузьма Кузьмич явился в хату к комиссару, который сидел у окошка в шинели и фуражке и читал газету, шевеля губами. Иван Гора сложил газету, встал, запер дверь.

— Садитесь. Тут одно дело такое, некрасивое... Вы язык-то умеете держать за зубами? А впрочем, вам же будет хуже, если начнете болтать лишнее: мне все известно, даже кто из бойцов что во сне видел...

Он стал отрывать от белого края газеты узкую полоску, кряхтя, свертывал ее плохо сгибающимися пальцами.

— Народ убрался, хлеб свезли, с молотьбой маленько запоздали из-за военных дел. Но народ нам доверяет, это главное, — хочет верить, что советская власть стала прочно... Хорошо... А ведь скоро — покров...

Иван Гора чуть приподнял глаза на Кузьму Кузьмича, большой нос его смущенно потянул ноздрей...

— Скоро покров... Суеверия-то в народе еще живут... Декретом их в один день не отменишь... Нужна, так сказать, длительная... Ну, ладно... А девки ходят недовольные, ждут покрова, а сватов никто не засылает. Вчера был в селе Спасском.. Бабы остановили мою бричку и давай плакать, и ругают, и смеются... Настроение вполне советское, но дался им этот покров... Село богатое, хлеба много, хлебной разверстки у них еще не было... Подойти к ним надо умно, чтобы сознательно дали хлеб... Но как там проагитируешь, когда бабы выдернули у меня вожжи и кричат: дай им попа... Я их стыдить: мало вы, говорю, нагляделись, как ваши попы генералу Мамонтову кадилами махали... «Так то ж, говорят, были белые попы, мы их сами из села повыгоняли, а ты нам дай красного попа... Нам нужно свадьбы гулять, у нас девки застоялись, да у нас, говорят, еще полторы сотни дитенков, по люлькам кричат некрещеные...» Тьфу ты, право, даже голова у меня болит другой день... Так меня расстроили эти бабы... Не могу же я им попа ставить? А вопрос надо решать. Они подумают, подумают, да и пошлют в Новочеркасск за старым попом... Значит — конфликт... Ты, Кузьма Кузьмич, в этих делах смышлен. Выручи меня. Возьми бричку, съезди в село, поговори с бабами... Только чтобы я ничего не знал. А девок этих я видел, ужас: каменные. — Иван Гора показал себе на грудь. — Дело-то человеческое ведь... Поедешь?

— С удовольствием, — ответил Кузьма Кузьмич, тряся лицом и складывая губы трубочкой.

— Скучно ты говоришь, Шарыгин, такая мозговая сухотка, прямо беги от тебя без памяти...

Латугин взял фуражку, надел ее криво — козырьком на ухо — и двинулся на лавке, но не встал, а, подзакатив зрачки, взглянул на Анисью.

Она сидела, нахмуренная от внимания, уставясь, как всегда в часы занятий, на один какой-нибудь предмет, скажем, на гвоздь в стене. Неприученный мозг с трудом впитывал отвлеченные идеи, — они, как слова чужого языка, лишь частицами, искорками проникали к ее живым ощущениям. Слово «социализм» вызывало в ней представление чего-то сухо шуршащего, как красная лента, цепляющаяся ворсом за шершавые руки. Эта лента ей снилась. «Империализм» был похож на царя Навуходоносора с лубочной картинки, засиженной мухами, — с короной, в мантии, окрашенной мазком кармина, — царь ронял скипетр и державу при виде руки, пишущей на стене: мене, текел, фарес...

Но Анисья была трудолюбивая и упорно преодолевала эти несовершенные представления.

Она почувствовала на себе взгляд Латугина, но не оторвалась от гвоздя в стене, только медленно сжала раздвинутые колени.

— Чем же я скучно говорю, Латугин? Статья, которую мы разбираем, напечатана в «Известиях». Она, что ли, тебе не нравится? — спросил Шарыгин. — Если ты воин революции, то, заряжая свою винтовку, ты должен четко представлять себе как текущий момент, так и общие задачи.

Сказав это, Шарыгин перевел томный взгляд синих красивых глаз своих на Анисью. Она продолжала глядеть на гвоздь. Байков проговорил тонким голосом, без смеха:

— На что волку жилет, все равно об кусты обдерет. Озорнику наука — скука.

— Складно! — сейчас же ответил Латугин, тоже без усмешки. — Да не так уж верно. Нет, не наука озорнику скука. Я науку уважаю, если от нее дети бывают... А там скука, где человек не знает, — с какой стороны у слона ноги растут, а с какой голова... Да будет вам меня сердить. Настоящее слово, как баба, обнимет тебя и обожжет, за ним босиком по угольям побежишь... Вот какими словами говори со мной, Шарыгин... А то заладил, как в берестяную дуду: «Мировой пролетарьят да социализм...» Я за него на смерть пошел! Я хочу, чтоб мне про него рассказывали, я бы слушал и верил: когда, где, по какому дереву я в первый раз топором ударю, — этот дом рубить. По каким лугам я гулять пойду в шелковой рубашечке... Эх, стукнуть тебя земным шаром по голове, чтоб ты научился, как разговаривать о мировой революции.

Анисья взглянула на его широкое, сильное лицо, с глазами, расставленными, как у племенного быка, взглянула и с тоской подумала, что уж лучше бы вытекли глаза ее.

Ни Гагин, ни Задуйвитер, ни Байков не одобрили поведения Латугина. Беседовали хорошо, мирно, под тихий шум дождя по соломенной крыше. Правда, Шарыгин по молодости лет, еще не освоясь с наукой, тяжеленько иной раз размышлял, боясь простых слов, как бы не завели они его куда-нибудь в капкан. С иностранными, проверенными, ему было вольнее. Но все же не следовало Латугину, здорово живешь, поднимать на смех честного товарища, да и петушился-то он и форсил по другой, конечно, причине, — это все понимали, — и причину эту тоже не одобряли.

— Комиссар собирает продовольственный отряд, вот ты сходи к комиссару и попросись, — сказал ему Гагин. — Без дела тебе скучно, хорошего от тебя ждать не приходится, — застоялся, милок...

Байков затряс бородой и засмеялся. Задуйвитер тоже понял намек и, разинув рот с крепкими зубами, громыхнул. Анисья залилась таким горячим румянцем, что выступили слезы. Взяла шинель, отвернувшись оделась, туго перепоясалась и вышла из хаты. Получилось совсем уж нехорошо. Шарыгин, усмехаясь, медленно сложил газету.

— Пойдем поговорим, — сказал он Латугину.

Тот прищурился:

— Поговорим.

И они вышли на двор в темноту, под мелкий дождичек, щекочущий лицо. Шарыгин чувствовал, что Латугин с усмешкой только ждет начала разговора, чтобы хлестко и нагло ответить... Шарыгин хотел со всем спокойствием поставить вопрос о нарушении товарищеской дисциплины и о том, как нужно изживать в себе гнилое буржуазное наследство... Вместо этого, глубоко втянув ноздрями ночную сырость, сказал:

— Оставь Анисью... Нехорошо это... Грязно это... Баловство это...

Сказал и замолк. И Латугин, никак не ожидавший такого поворота, стоял перед ним неподвижно. Ничто не годилось, никакой ответ: ни то, что, мол: «тебя, сопляка, девственника, гувернантку, я не просил мне свечку держать», ни то, что, мол: «многие меня об этих делах просили, да мало от меня целыми уходили...» Кругом получалось, что он, Латугин, грязный человек... Поднималась в нем жгучая обида... В прежнее время тут бы и лезть на рожон... Он даже зажмурился, скрипнув зубами... Нельзя!..

— Да-да, — сказал, — вот когда ты меня попрекнул, значит, я кровь свою проливал напрасно, значит — как был я бродяга, бандит, сукин сын, так и остался?.. Ну, спасибо тебе, Костя...

Он пошел к воротам и бешено ударил кулаком в калитку.

Жизнь медленно возвращалась к Ивану Ильичу Телегину. (Он, помимо нервного потрясения, был ранен во многих местах крошечными кусочками стали от разорвавшегося снаряда.)

Вначале было забытье. Потом оно сменилось сном с короткими перерывами, когда ему давали еду. Затем он стал ощущать блаженное состояние покоя. Глаза его были прикрыты повязкой. Он лежал в уединенной комнате с плотно занавешенным окошком. Иногда он слышал мягкие шаги, шепот, — не более громкий, чем шелест листьев, — звон ложечки, шорох платья. Непрерывно около головы его тикали часики, то явственнее, то слабее. Ощущения, идущие к нему извне, ограничивались только этим и еще невидимым присутствием какого-то осторожного существа. Он вздохнет, и сейчас же — легкое движение воздуха, и «оно» наклоняется над ним, и он даже чувствует запах, нежный и свежий...

Время от времени вторгалось грубое существо, пахнущее крепким потом, главным образом — табаком:

«Ну, как пульс?»

Нежное существо едва слышно шелестело в ответ. А грубое гудело бодро:

«Прекрасно! Мужик крепкий... Главным образом следите: абсолютный покой, никаких внешних раздражителей...»

Иван Ильич мысленно медленно произносил: «Сам ты внешний раздражитель... Уйди, не гуди... А ты, заботливая, наклонись, поправь чего-нибудь, а еще лучше — погладь руку... Вот видишь, — подумал — и поняла. Что это за сиделка, откуда такую милую нашли?»

Говорить ему было запрещено. Но думать запретить нельзя. Много лет не было с ним такого случая, чтобы остаться — без угрызений и забот — наедине с самим собой. Это была большая награда за все тяжелые годы честной службы. Нечестного он не сделал ничего, и совесть его спокойно дремала, как дымчатый кот в ненастный день. Мысли его бродили по какому-то полуреальному миру. Чаще всего вспоминалось летнее северное солнце, какое бывало в Петербурге, когда в холодноватый день оно льет свет на синеватый асфальт тротуара, по которому метет ветерок... Сколько думано, сколько было прожито в Петербурге... И вот перед его закрытыми веками выплывает окошко деревянного дома, солнце неярко светит на пузырчатые стекла, за ними чудится ему... Но воспоминание гасло и уплывало, оставалась только любовная грусть от его прикосновения.

Неотвязно в памяти повторялись давно забытые слова песенки, — слышал он ее, точно не вспомнить, должно быть, в Новой Деревне, что за рекой Крестовкой, на даче. В голубоватом полусвете ночи ленивая худая цыганка пела вполголоса, перебирая струны: «Пойдете вы направо и налево и потом — темным коридором обогнете вы весь дом, направо будет дверца, а за дверцею чердак, все, что вы искали, — не найдете вы никак...»

Пела им — мужчинам, сидевшим молча на стульях перед ней, — о вечном томлении, без него и жизнь не жизнь... Ищи, ищи, заглядывая на чердаки, — нет ли и там? Эх вы, глупые, с похмелья! Кого вы ищете? Идете по длинной улице на закат северного солнца, под ногами ветерок гонит пыль, ищете — где же это окошко, с пузырчатыми стеклами? Не за ним ли сидит на подоконнике самая милая на свете, в ситцевом платьице, подняв колени, — читает книжку, а в книге написано про тебя, который идет, ищет. Все это вздор, — ищете вы самих себя...

В тишине и темноте, под тиканье часиков, Иван Ильич полудремал, полугрезил: вместе с возвращением к жизни в нем пробуждалась любовь к себе, глубоко запрятанная, принципиально им осуждаемая. В этом полуфантастическом мире он будто собирал свои воспоминания, самые добрые, самые невинные, самые любовные, — то, что человек за свою жизнь теряет по пути, и часто безвозвратно. Любовь к себе приходила к нему, как здоровье. Он уже и ел с аппетитом, и потихоньку от сестры крепко потягивался.

Однажды, хорошо выспавшись, поев гречневой каши, удобно устроясь на подушке, он неожиданно громко сказал:

— Сестрица, можно поболтать с вами немножко о пустяках...

Она поспешно нагнулась к нему.

— Тсс, — прошептала испуганно и ладонью сжала его губы — Тсс! — А когда отняла руку, он опять — уже с озорством:

— Тогда вы что-нибудь расскажите... Вот у вас рука приятная, маленькая. Сколько вам лет? Как вас зовут?

Она несколько раз коротко вздохнула, не то всхлипывая, не то задыхаясь... Чудная какая-то была. А он ей хотел сказать вот что: «Я проснулся, и вдруг мне пришло в голову... Если человек сам себя не любит, тогда он никого не может любить, — на что он тогда пригоден? Например, бесстыдники, подлецы — они себя не любят... Спят они плохо, все у них чешется, вся кожа свербит, то злоба к горлу подходит, то страх обожжет... Человек должен себя любить и любить в себе такое, что может любить в нем другой человек... И в особенности — женщина, его женщина...»

Но Иван Ильич ничего этого не сказал; сестра ушла из комнаты и скоро вернулась с доктором, врагом внешних раздражителей, который нахальнейше начал гудеть:

— Это что же вы, батенька, озорничаете? Нет, нет... Несколько слов, самых необходимых, еще разрешаю... Мне вас нужно представить в полк в самой лучшей форме. И ваша обязанность, красавец, как можно скорее стать полноценным человеком... Дайте-ка ему снотворного, сестра...

— Стой, мила душа, я здесь вылезу, в село я пешком войду, — сказал Кузьма Кузьмич.

— Чего же пешком-то?

— Ты уж меня не учи. Войду как странник, — понятно тебе?

— Дело твое... — Латугин остановил сытого артиллерийского мерина на разъезженной дороге около плотины с корявыми и уже облетевшими ветлами. Село Спасское было на той стороне плоского пруда. Близко к берегу подходили гумна с ометами свежей соломы. На камышовых крышах, низко и тепло прикрывавших мазаные хаты, из труб курились дымки.

— Самогон гонят всем селом, — сказал Латугин и, глубоко вздохнув, стал глядеть на гусей. Сытые, белые, важные птицы шли по плотине. Передний гусак, увидав стоявшую тачанку с двумя людьми, неодобрительно остановился, и за ним остановилось полсотни гусей. Они погоготали между собой, совещаясь, и вперевалку, сползая на животах, спустились с откоса плотины на воду и поплыли, будто гонимые легким ветерком, по темной воде к болотцу.

— В таком гусе фунтов пятнадцать, в подлеце, — сказал Латугин. — Варить его надо, ух, мать честная!..

— Ты, мила душа, поезжай. — Кузьма Кузьмич торопливо стал совать ему руку. — И скажи комиссару, мне нужно здесь обсмотреться, то да се — покрутиться. А уж тогда через недельку, что ли, — приходите с продотрядом. Все будет полюбовно.

— Сопьешься ты здесь, Кузьма.

— Я, мила душа, его и в рот не беру. Ну, поворачивай, поворачивай, а то нас еще увидят...

Латугин повернул тачанку, сердито ударил хворостиной задастого мерина и укатил, не оборачиваясь. А Кузьма Кузьмич пошел через плотину на село. Ветхая до зелени бекеша его, в свое время переделанная из поповской шубы, была подпоясана ситцевым платком, за спиной — красноармейский холщовый мешок, на голове — солдатская высокая шапка времен недоброй памяти империалистической войны. Словом, вид у него был подходящий.

Скучно в селе глубокой осенью. Вишни и яблони обронили листву, и она лежит, мокрая от ночного инея, на развороченных грядах, откуда повытаскали овощи. Вместо подсолнухов, приманивающих солнце в маленькие окошки хат, торчат одни гнилые стебли. Грязь повсюду — до самого порога. Полинявшие ставни скрипят и хлопают от студеного ветра, и не хочется выглянуть в окошко, откуда увидишь разве только ворону на плетне, угрюмо ожидающую, когда хозяйка выкинет на двор что-нибудь съедобное.

«Живут, не разбужены, кряхтят да почесываются. Страсти дремлют, желания без фантазии... А ведь каждый создан по образу и подобию какого-нибудь Аристотеля или Пушкина. Те же у вас два глаза, чтобы видеть чудеса земли, к которым нельзя привыкнуть... Та же у каждого на плечах голова — самое удивительное из всех чудес... (Кузьма Кузьмич даже тряхнул высокой шапкой.) Если ее сопоставить со вселенной, то головы и нет совсем. А с другой стороны, вся вселенная в этой голове, — она, голова, в такие тайны проникает, куда библейский бог и носу не совал... Так что же из окошек-то на ворон смотреть?»

Примерно так рассуждая, причмокивая от удовольствия, Кузьма Кузьмич шел мимо низеньких плетней и хат, придавленных камышовыми крышами. Ему встретилась девушка в сапогах, в нагольном коротком полушубке, — несла на коромысле полные ведра. Широка, статна, неприветлива.

— Надеждой зовут-то? Ай не ошибся? Здравствуйте.

Девушка остановилась, медленно повернула к нему широкое лицо:

— Ну, Надеждой. А вам откуда известно?

— Духовидец.

— У нас такие нынче не водятся. Идите своей дорогой.

— Ну, прогнали меня, — сказал Кузьма Кузьмич, — пошел я опять в степь — считать курганы. Эх, длинна дорога — идти одинокому. Боже мой, какая даль!..

Девушка передернула губами. Она шагнула было, чтобы отойти, но опять остановилась, подозрительно глядя на улыбающееся, невероятно хитрое лицо этого человека. Кузьма Кузьмич развел перед ней руками:

— Спать захочу — в стогу высплюсь, есть захочу — сворую чего-нибудь... Не это мне нужно, хорошая моя... Пророки по острым каменьям босиком ходили, пророчествовали. Святители на столпах стояли, акридами питались... А знаешь — что такое акриды? Кузнечики... Из-за чего терпели? Ну-ка ответь... Задумалась... (Он придвинулся к ней, вытянул губы.) Человека любили... Каждый человек — чудо, а ты, Надежда, чудо двойное... А что вижу: пшеничку вы намолотили, самогону накурили, по дворам паленой свининой пахнет... Всего у вас довольно... А веселья нет... Света у вас нет...

— Ты керосин, что ли, продаешь? — уже неуверенно спросила девушка, оглядываясь.

— Ничего не продаю и милостыни не прошу. Пришел я к вам веселиться и вас веселить.

Девушка помолчала, опять взглянула на него длинными глазами, серыми, как туча. Присев, поставила ведра, положила на них коромысло:

— У нас на селе угрюмо, нас не развеселишь... А чем ты собрался веселить?

— Значит, знаю средство, когда говорю... Я — поп-расстрига...

Девушка раскрыла рот, такой свежий, с такими ровными белыми зубами, что Кузьма Кузьмич затопотал от удовольствия. И неприветливость у нее как ветром сдунуло с лица.

— Ох, — сказала она, положив руки под грудь, на которой не сходился полушубочек, — ох, — повторила она, переступив широкими бедрами, — так пойдемте же в хату... Отец с вами поговорит, у него ключи от церкви...

— Нет, — сказал Кузьма Кузьмич, — не пойду... Вы ко мне придите... Так-то, чернобровая...

Подмигнул, весело подернул плечами и пошел по улице, посматривая, где двор поплоше.

Настал день, когда Ивану Ильичу сняли повязку с глаз. Произошло это в сумерки. За дверью сестра что-то испуганно шептала доктору... «Глупости, — повторял он, — мужик не орхидея, — делайте, как я сказал...» Сестра вернулась к кровати, нагнулась так, что тонкие волосы ее защекотали нос Ивану Ильичу, сняла повязку, и в первый раз, вместо шелеста и шепота, он услышал ее голос — слабый и прерывающийся.

— Больной, лежите спокойно, привыкайте к свету...

С некоторым страхом он открыл глаза после долгой, долгой темноты. Все было неясно. В комнатку проникал полусвет, — на окне с одного угла было отогнуто занавешивающее его одеяло. В ногах кровати сидела около столика сестра, — лица ее он не мог разобрать, — она низко склонилась и делала что-то с марлевым бинтом.

Иван Ильич лежал и улыбался. Над головой — покатый потолок, там, конечно, лестница на чердак, а это — то самое пузырчатое окошко. Лучше места не найти... И сейчас же, будто отдирая свежую плеву на ране, поползло воспоминание о другом месте, дымном, грохочущем, взрытом, когда перед ним блеснул ослепительно желтоватый разрыв... «Не надо, не хочу». — Иван Ильич отстранил воспоминание, едва не начавшее скручивать ему мозг... Снова стало слышно, как тикают часики, мягко и безбольно отрывая ровные промежуточки жизни...

— Сестра, — позвал Иван Ильич, — я плохо вас вижу.

Она затрясла головой. Бинт покатился с ее колен, размотался, она опять принялась его скручивать. У нее были легкие движения, — должно быть, совсем еще молоденькая... И ведь какая опытная! Сколько ни силился Иван Ильич всмотреться в нее, сумерки сгущались, и теперь только неясно различался ее холщовый халат и косынка, закрывающая плечи, как у сфинкса.

«Понятно, понятно... Бедняжка, должно быть, изуродована оспой или уж как-нибудь особенно некрасива. Чувствует, конечно, как я ей благодарен. — Иван Ильич вздохнул. — А сколько таких — нежных и преданных, — друзей на жизнь и смерть. И умненькая, наверно, — некрасивые все умницы... На них-то и надо жениться, их-то и любить... А мужики готовы шкуру с себя содрать — только бы у них на подушке лежала смазливая головка с кукольными ресницами, пришепетывая всякую дребедень и пошлости... Даша другое дело, не за красоту ее полюбил... — Иван Ильич закрыл глаза, положил кулак под щеку. — Врешь, врешь... За особенную красоту полюбил... А вот она и не захотела...»

Сестра неслышно встала, думая, что он заснул, ушла и долго не возвращалась. Потом едва скрипнула дверью. Появился желтый, неяркий свет. Иван Ильич, не шевелясь, чуть-чуть приоткрыл веки. Он увидел, что вошла Даша в белом халате и косынке. Она несла маленькую жестяную лампу, прикрывая огонь просвечивающей розовой ладонью. Иван Ильич не удивился, увидев Дашу, — только он не поверил, что это Даша.

Она поставила лампу на стол, приспустила огонек, села и начала глядеть на Ивана Ильича. Лицо у нее было худенькое, как у девочки, перенесшей тиф. В углу слегка припухшего рта — морщинка. Освещена одна щека и глаз, спокойный и огромный, с точечкой лампового огонька в зрачке. Устраиваясь сидеть долго, она оперлась локтем о колено и опустила подбородок на кулачок. Так сидеть умела только одна Даша.

...В тот вечер в Петербурге она пришла на «Центральную станцию по борьбе с бытом» — телегинскую квартиру, там он увидел ее впервые, она показалась ему прекрасной, как весна. Щеки ее горели, ей было тепло в суконном черном платье. Комната, где на досках, положенных на чурбаны, сидели поэты, участники «великолепных кощунств», наполнилась нежным запахом духов. Слушая заумные стишки, она опустила подбородок на кулачок и мизинцем трогала чуть-чуть припухшие, капризные губы... Стул, на котором она сидела, он унес потом к себе в кабинет...

Все это вспыхнуло в памяти между двумя ударами сердца. Все громче оно стучало у Ивана Ильича, как сторож в полночь: очнись! Но эта женщина на табурете — в ногах кровати — не могла же быть Дашей! Не шевелясь, он жадно глядел на нее сквозь щелки век... Должно быть, она заметила это и вся подалась вперед...

— Сестра, — позвал он, — сестра!..

И, широко раскрыв глаза, приподнялся... Даша сорвалась навстречу ему с тревожным, слабым, счастливым криком... Он схватил ее за плечи, за спину, будто страшась, что растает видение... Это была Даша, худенькая, хрупкая, живая! Он прижимал к себе ее лицо и чувствовал, как дрожат ее губы, все тело ее вздрагивало... Он взял ее голову и отстранил, чтобы глядеть в ее любимое, всегда новое, всегда неожиданно прекрасное лицо. Она повторяла с закрытыми глазами:

— Я с тобой, все хорошо, все хорошо...

Он стал целовать ее рот, уголки ее рта, где страдания проложили две ниточки, ее закрытые глаза.

— Теперь успокойся, успокойся, Иван, милый, — шептала она, — я никуда не уйду, — я — с тобой навсегда, навсегда...

К вечеру все село знало, что у вдовы-бобылки, Анны Трехжильной, в хате сидит какой-то человек, который догнал Надьку Власову на улице и сказал ей: «Пришел вас веселить, я поп с красной стороны...» Женщины все, старые и молодые, этому поверили. У Надьки язык заболел рассказывать то же самое, как она несла ведра, и еще у нее было будто предчувствие, он и окликни: «Надежда!» («Да, батюшки, — перебивали слушательницы, — откуда же он узнал?») «Вот то-то, что духовидец...» И лицо у него — русское, красное, будто вся кожа содрана, волосы до плеч, одет худо-плохо, но не голодный, веселый, все загадками говорит...

Мужчины, слыша бабьи пересуды, смеялись: «Как бы этот духовидец село не поджег с четырех концов... Был бы он доподлинно поп, первым делом — шасть в самую богатую хату... А у Трехжильной и тараканам-то есть нечего... Нет, бабочки, надо его вести в сельсовет, пусть предъявит документы... Может, он разведчик от бандитов? То-то...»

«Полно зубы скалить, людям смешно, — отвечала жена такому человеку, и другие женщины поддакивали единодушно. — Слушались мы вас до революции, — кричала жена, бесстрашно сверкая глазами, — доброго от ваших приказов мало видели... — И упирала кулаки в могучие бедра. — Ума у нас не меньше вашего, да понятия больше... Милые мои, — обращалась она к женщинам, — да взгляните на мою Надьку, у нее кофта на груди лопается... В зеркальце поглядит: мама, зовет, мама, за что я пропадаю? Так что же ей — до нового покрова ждать? — И опять мужу: — Нет, почему он к тебе в хату не пошел — свинину жрать? Христос по одним богатым, что ли, ходил? Потому он у этой Анки, у дубленой шкуры, сидит, что он — красный поп, ему не свинина твоя нужна, у него забота о нашем горемычном счастье».

Человек только махал рукой, уходил куда-нибудь. К вечеру женщины собрались толпой около Анниной хаты и послали туда делегаток. Прежде чем войти, делегатки узнали от девчонки, от соседей, что Анна Трехжильная топила сегодня с утра баню (плохонькую черную баньку на задах, на берегу озера) и поп там мылся, и она дала ему покойного мужа чистую рубашку. Поп сейчас, после бани, собирается пить с Анной шалфей (в селе его пили вместо чая).

Поп сидел в голубой линялой рубахе на лавке, положив руки на стол, и — Надька не обманула — лицо у него было красное, можно испугаться, губы сладко сложены, как у медведя. Вдова жарила на лучинках яичницу; из самовара сквозь худую трубу, наставленную в отдушник, гудело синее пламя.

Три делегатки вошли, с поклоном сказали: «Здравствуйте» — и сели на лавку поближе к двери. Они ничего не говорили, но все замечали.

— Выкладывайте, зачем пришли? — вдруг громко спросил Кузьма Кузьмич. У делегаток заметались глаза. Одна, Надеждина мать, ответила приторным голосом:

— Обычаи-то, говорят, отменили? А мы, батюшка, за обычаи. Свадьбу играют один раз, а жить долго... Так, что ли?

— Долго жить — много доброго нажить, — ответил Кузьма Кузьмич. — За чем же у вас дело стало?

— Да ты нас не бойся, мы советские. Мы в сельсовет выбирали, голосовали за советскую власть. Церковь запечатали и попа постановили сдать в уездную Чеку за храненье пулемета.

— Ого, — сказал Кузьма Кузьмич, — поп-то у вас был серьезный.

— И ведь как энтот поп нам грозил: «Я, говорит, антихристы, ваш митинг из «максима» полью, из окошка-то...» Так нас напугал... Наши невесты, конечно, голосовали со всем обществом, а когда подошло к покрову, захотели венчаться в церкви, — уперлись, сговорились, что ли, а знаешь, — девки собьются в стадо, — ни одну не оторвешь... Вот ты и растолкуй нам — что делать? Ты, говорят, расстриженный?

— Обязательно, — ответил Кузьма Кузьмич.

— Как же так?

— За вольнодумство, — с богом в ссоре.

Делегатки тревожно переглянулись. Надеждина мать шепнула одной и другой на ухо, те ей — тоже на ухо. Она — уже голосом пожестче:

— Значит, венчанье будет недействительное?

— Отчего же, — была бы у девки охота... Обвенчаю и в книгу запишу, — на вселенском соборе не развенчают. И венец надену, как на бубновую даму, и вкруг аналоя обведу, и спрошу, что положено, и скажу, что положено, и погуляем без греха и досыта... Чего вам еще нужно?

Другая делегатка сказала:

— У нас еще младенцы некрещеные, без имечка.

— Сколько?

— Можно сосчитать. Много.

— Что же они — некрещеные — хуже соску сосут?

Делегатки опять переглянулись, пожали плечами. Вдова поставила на стол сковороду и, отойдя к печи, мрачно глядела, как Кузьма Кузьмич, захватывая ложкой яичницу, уплетает и жмурится.

— И крещенье будет действительное? — спросила вторая делегатка.

— Самое действительное, как при Владимире Святом.

— Как же ты служить будешь — без дьякона, без певчих?

— А мне зачем они? Один справлюсь, — на разные голоса.

Тогда Надеждина мать подошла к нему, села около и ребром ладони постучала по столу:

— Много денег возьмешь?

Кузьма Кузьмич ответил не сразу. Она даже тяжело задышала, и рука у нее начала дрожать, а другие две делегатки, сидя у двери, вытянули шеи.

— Ни копейки я с вас не возьму, вот что. Не для этого я сюда пришел. Заплатите только в сельсовете писарю за документы.

Со всех сторон заманчивым показалось предложение этого человека, но и страшно было: а вдруг он — какой-нибудь перевертень... Месяца полтора тому назад, когда село еще было под атаманом Мамонтовым, так же пришел один, в калошах на босу ногу, — зарос бородой от самых глаз. Подошел к хате, где, сумерничая, сидел народ, постоял, покуда к нему привыкли, и сел около старого деда Акима. Думал, должно быть, что ему дадут покурить, но ему не дали. Он нога на ногу закинул и деду — секретно на ухо: «Узнаешь меня, старый солдат?» — «Никак нет». Тот еще секретнее: «Так узнай — я император Николай Второй, в Екатеринбурге не меня казнили, я хожу по земле тайно, покуда не придет время открыться...» Дед Аким был туговат на ухо, не все разобрал, да и зашумел. Народ не дурак, — сейчас же этого императора поволокли на плотину топить, — только тем и жив остался, что все вскрикивал: «Что вы, что вы, братцы, я же пошутил...»

— На юродивого ты не похож, да и нет их теперь, — сказала Надеждина мать и расстегнула бекешу, так стало ей жарко. — Почему ты денег не берешь? Какие у тебя мысли? Как тебе поверить?

— Я соль люблю. От каждого двора, где буду венчать и крестить, дадите мне по щепотке соли. — Кузьма Кузьмич положил ложку и обернулся к вдове: — Давай самовар! Вот видите, — и указал делегаткам на Анну, худую, с темным опущенным лицом, плоскогрудую, в заплатанной подоткнутой юбке, — она в меня поверила, за мной куда хочешь пойдет. А вы, сытые, гладкие, все ищете — где в человеке гадость, ищете в человеке мошенника. Кулачихи вы, скучно мне с вами, рассержусь, чуть зорька, уйду — искать веселья в другое место...

Анна поставила на стол самовар, и делегатки увидели, что она улыбается, испитое некрасивое лицо ее было счастливое. Надеждина мать, как соколиха, полоснула ее глазами:

— Ладно! — И протянула жесткую ладонь Кузьме Кузьмичу. — Не сердись, далеко ходить тебе нечего, все здесь найдешь...

С утра Кузьма Кузьмич влез на колокольню и ударил в большой колокол, — покатился медный гул по селу, к окошкам прильнули старики и старухи. Ударил во второй и третий раз, подхватил веревки от малых колоколов и начал вызванивать мелко, дробно и опять — бум! — в трехсотпудовый. Не успеешь поднести персты ко лбу, — трени-брени! — так и чешет расстрига-поп плясовую.

Кое-кто из почтенных селян вышел за ворота, неодобрительно глядя на колокольню.

— Озорничает поп...

— Стащить его оттуда за волосья, да и отправить...

— Куда отправишь-то, он тебя сам отправит...

— А складно у него выходит, однако... Что ж, девки рады, бабенки рады, пускай народ потешит.

Все село — званые и незваные — готовилось гулять. День был мглистый, на траве лежал иней, пахло печеным хлебом, паленой свининой. На ином дворе начиналась беготня, птичий крик, через ворота взлетали гуси, куры... В одной хате томился на лавке в красном углу одетый, побритый жених, не ел, не курил. В другой обряжали невесту. Старухи, почуявшие, что в таких делах теперь без них не обойтись, — учили ее прилично выть.

Не уточка в берегах закрякала,
Красна-девица в тереме заплакала... —

запевала бабушка мертвячьим голосом, и другая подхватывала, горемычно уронив на ладонь морщинистую щеку:

Ты прости, прости, красное солнышко,
Желанный кормилец-батюшка
И родительница-матушка,
Обвенчали меня, продали,
Продали меня, пропили
На чужую дальнюю сторонушку...

Но невесты ни одна на захотели выть, даже досадовали:

— Это в ваши времена, бабушка, пропивали на чужую сторону, у нас одна сторона — советская...

Повсюду варили и пекли, бегали с ведрами и вениками. Из хаты в хату ходили сваты, от которых уже крепко пахло вином. На церковном дворе собиралась молодежь, два гармониста перебирали лады...

В это же время приехал с почты председатель сельсовета, инвалид и кавалер четырех Георгиев, Степан Петрович Недоешькаши. Не обращая внимания на колокольный звон, будто его и не слышит, он отпер дверь в сельсовете, зашел туда и через некоторое время вышел на крыльцо с молотком и листом бумаги; четырьмя гвоздями прибил лист к двери, вынул из кармана завернутую в обрывок газеты печать, подышал на нее и приложил к своей подписи. На листке стояло:

«Граждане села Спасского, по случаю происшедшей в Германии революции назначаю собрание-митинг сегодня в одиннадцать часов».

Народ повалил к сельсовету. Кузьма Кузьмич, увидев сверху, что церковная площадь опустела, перестал звонить и слез с колокольни. Церковный староста, Надеждин отец, в синем кафтане с галуном, хлопнув с досадой крышкой свечного ящика, сказал:

— Этот сукин сын, Степка Недоешькаши, летось неделю за мной ходил, просил двести целковых — избу тесом крыть. Мстит, одноногий черт! Сорвал свадьбу.

— А что случилось?

— Да где-то еще революция, в Германии, что ли... Митинг согнал, без политики ему минуты не терпится! А уж дурак-то, господи!

На крыльце сельсовета Степан Петрович, работая в воздухе кулаками, стуча по доскам деревяшкой, говорил народу. Лицо у него было плотное, рот раззявистый, усы как шипы.

— Международное положение складывается благоприятно для советской власти! — кричал он, когда Кузьма Кузьмич протискивался поближе к крыльцу. — Германцы протягивают нам свою трудящуюся руку. Это означает большую помощь нашей революции, товарищи. Германцев я видал, в Германии бывал. Одно скажу: скупо живут, каждый кусок у них на счету, но живут лучше нашего. Над этим фактом надо призадуматься, товарищи. В таком селе вот, как наше, у них — водопровод, канализация с выбросом дерьма на огороды, телефон, проведен газ в каждую квартиру, парикмахерская, пивная с бильярдом... О школах я и не говорю, о поголовной грамотности не говорю... Велосипед в каждом хозяйстве, граммофон...

По толпе пошел гул, кто-то хлопнул в ладоши, и тогда все похлопали.

— Мне оторвало нижнюю конечность германьским снарядом в Восточной Пруссии. Но я, в данный момент, становлюсь выше личных отношений...

— Понятнее говори! — отчаянно крикнул юношеский голос.

— В этом моем жалком увечье я виню не германьский народ, — не он виноват, а виноват международный империализм... Вот кому нужно горло перервать со всей решимостью... Мы, русские, это поняли раньше, но и германьцы это, наконец, поняли. И мы, товарищи, на настоящем митинге бросаем лозунг обоим народам: да здравствует мировая революция...

— Ура! — закричал молодой голос, и собрание опять захлопало.

— Перехожу к местным делам... В школе у нас крыша течет, как решето, об этом было постановление. Я спрашиваю — деньги собраны, тес для крыши куплен? Нет. А на гулянку у вас деньги есть. На попа у вас деньги нашлись. От трезвону на десять верст кругом скучно... Ради этих фактов, что ли, германьцы протягивают нам трудящуюся руку? Предлагаю вынести постановление: покуда не будет произведен сбор на ремонт школы, на оплату труда учительницы, также на тетради и карандаши, до покрытия общей суммы: четырех тысяч девятисот семи рублей семи копеек, — свадьбы не играть и трезвона не производить...

Речь председателя произвела впечатление, — главное, что стало стыдно. После него выступило несколько ораторов, и все они повторили его слова, добавив только, что раз уж свадьбы залажены, — канителиться нет расчета, и деньги надо собрать немедля, но не по общей разверстке, а пускай эти шестнадцать богатых дворов, где играют свадьбы, и заплатят. На том общее собрание и вынесло резолюцию.

Невесты подняли такой крик, узнав о резолюции, наговорили родителям таких слов, — отцы отмуслили денежки и внесли в сельсовет. Степан Петрович выдал расписки и сказал только: «Качайте».

Было уже под вечер, когда повели невест в церковь. Народ так и ахнул: чего только на них не было наверчено! Шубы с меховыми воротниками, фаты с серебряной, с золотой бахромой, ботинки на двухвершковых каблуках, — невесты шли, как на цыпочках. А когда в притворе они разделись, — батюшки! что за наряды, что за невиданные платья! Разных цветов, в заду узкие, чуть не лопаются, внизу — букетом, шеи голые, а у Надьки Власовой и руки голые до подмышек.

«Глядите, глядите, да неужто это Ольга Голохвастова?», «На Стешку-то взгляните!», «Откуда это у них?», «Известно, — она с отцом пять раз в Новочеркасск на волах муку, сало возила... У новочеркасских барынек наменяно...»

Некоторые бывалые люди говорили так:

«Видал я губернаторские балы, — ну — куда!»

«Что балы... Трехсотлетие Романовых было в Новочеркасске, в соборе собрались барыни, — из карет вылезали, по сукну шли, но до этих — далеко...»

Кузьма Кузьмич вышел без ризы, в одном стихаре и в засаленной камилавке, прикрывавшей лысину. (Прежний поп мало того что убежал из-под ареста, — успел ограбить ризницу.) Кузьма Кузьмич оглянул невест, — красавицы, пышные, налитые! Женихи с испуганными лицами казались мельче их. Кузьма Кузьмич, удовлетворенно крякнув, потер зазябшие руки и начал обряд — быстро, весело, то бормоча скороговоркой, то гудя за дьякона, то подпевая, но все — честь честью, слово в слово, буква в букву, как положено.

Окончив венчание, он велел молодым поцеловаться и обратился к ним со словом:

— В прежние времена вам говорили притчи, — расскажу вам быль. Лет пятнадцать до революции имел я приход в одном глухом селе. Жил я тогда уже в большом смущении, дорогие мои граждане. Я человек русский, беспокойный, все не по мне, все не так, ото всего мне больно, до всего мне дело: ищу справедливости. И вот один случай окончил мои колебания. Пришел ко мне древний старик, слепой, с поводырем-мальчиком.. Из-за онучи вытащил трешницу, тоже старую, помял ее, пощупал, положил передо мной и говорит: «Это тебе за сорокоуст по моей старухе, помяни ее за спокой ее души...» — «Дедушка, говорю, ты трешницу возьми, твою старуху я и так помяну... А ты издалека пришел?» — «Издалёка, десять дён шел». — «Сколько же тебе лет будет?» — «Сбился я, да, пожалуй, за сто». — «Дети есть?» — «Никого, все померли, старуха жива была, шестьдесят лет прожили, привыкли, жалела она меня, и я ее любил, и она померла...» — «Побираешься?» — «Побираюсь... Сделай милость — возьми трешницу, отслужи сорокоуст...» — «Да ладно, говорю, имя скажи». — «Чье?» — «Старухи твоей». Он на меня и уставился незрячими глазами: «Как звали-то ее? Позабыл, запамятовал... Молодая была, молодухой звали, потом хозяйкой звали, а уж потом — старухой да старухой...» — «Как же я без имени поминать ее буду?» Оперся он на дорожный посошок, долго стоял: «Да, говорит, забыл, от скудости это, трудно жили. Ладно, пойду, добьюсь, может люди еще помнят...» Вернулся этот старик уже осенью, достал из-за онучи ту же трешницу: «Узнал, говорит, в деревне один человек вспомнил: Петровной ее звали».

Все шестнадцать невест стояли опустив глаза, поджав губы. Молодые мужья, напряженно-красные от тугих воротов рубашек, стояли обок с ними не шевелясь. И народ затих, слушая.

— Русский человек как бурьян глухой рос, имени своего не помнил. Господа господствовали, купцы денежки пригребали, наше сословие ладаном кадило, и вам бы, красавицам, в те проклятые времена не из жилочки в жилочку горячую кровь переливать, а увядать, как цветам в бурьяне, не расцветши. — Кузьма

Кузьмич прервал речь, будто задумавшись, снял камилавку, поскреб лысину. Надежда Власова спросила негромко:

— Теперь можно идтить?

— Нет, подожди... Вот мне на склоне жизни и довелось увидать самое справедливость. Не такая она, как о ней писано у Некрасова. Читали, чай? Нет... и не такая, как мечталось мне, бывало, у речки, вечерком, на одинокой рыбалке, сидя у костерка да похлопывая на шее комаров. Справедливость — воинственная, грозная, непримиримая... Греха нечего таить, — не раз я пугался ее... Как начнут строчить из пулемета да вылетят всадники с клинками, — тут уж не до философии. (По толпе прошел сдержанный смех.) Справедливости не найдешь ни там, — он указал на купол, — ни вокруг себя. Справедливость — это ты сам, бесстрашный человек. Желай и дерзай... Что же вы смотрите на меня? Или я непонятно говорю? Пришел я сюда, чтобы научить вас пировать... Будете вы сегодня, — и он стал указывать рукой поименно, — Оля, Надя, Стеша, Катерина, — плясать так, чтобы половицы стонали, чтобы у Миколая, Федора, Ивана глаза бы горели, как у бешеных. Все... Проповедь кончена...

Кузьма Кузьмич повернулся к народу спиной и пошел в ризницу.

Комиссар полка, Иван Гора, вернулся из Царицына, где ему рассказали, что продотряды, приезжие из Петрограда и Москвы, не всегда справляются с задачей. Люди в них попадаются неопытные, озлобленные от голода и, видя, как в деревне едят гусей, теряют самообладание. Один такой отряд исчез без вести, другой был обнаружен на станции Воронеж в запечатанном товарном вагоне, там лежали трое питерских рабочих со вспоротыми животами, набитыми зерном, у одного прибита ко лбу записка: «Жри досыта».

Комиссар обещал царицынским товарищам помочь. По возвращении в полк он начал подбирать людей в отряды, предварительно ведя с ними беседы. В село Спасское назначил ехать Латугину, Байкову и Задуйвитру; вызвал их к себе в хату, — где раньше было голо и нетоплено, а теперь, когда вернулась из госпиталя Агриппина, пол был подметен, у порога лежала рогожа, на столе — вышитое полотенце, и пахло уже не кислой махрой, а печеным хлебом, — попросил товарищей хорошенько вытереть ноги.

— Седайте. Что скажете хорошего?

— Ты что скажешь? — ответил Латугин.

— Да вот слышал, будто наши ребята не с охотой едут за хлебом.

— А при чем — охота, неохота? Надо — поехали. Тебе еще — с охотой!

— Да дело-то очень тонкое.

Иван Гора, сидя спиной к окошку, обратился к Задуйвитру, угрюмо стучавшему ногтями по столу:

— Ты, хлебороб, что об этих делах думаешь?

— Тебе сколько пшеницы надо взять в Спасском?

— Многовато. Со ста шестидесяти двух дворов — четыре с половиной тысячи пудов зерна, по классовой разверстке, само собой...

— Столько вряд ли дадут.

— Затем вас и посылаю, чтобы дали. Посылаю без оружия, товарищи.

— Оно и ни к чему, — проворчал Латугин.

— Без него бойче будешь доказывать, — сказал Байков, подмигнув. — Не к врагам едем, — к своим.

— И к своим, и к врагам, — сурово сказал Иван Гора.

— Слушай, комиссар, — сказал Задуйвитер, — я не прячусь, заметь это. Но не наше все-таки это дело — в чужие амбары лазить. Противно.

— А ты как думаешь, Латугин?

— Не лезь ты ко мне в душу, Иван... Привезем тебе хлеб и — точка.

— А ты, Байков?

— А я помор, я человек артельный.

— Товарищи, вот для чего я вас позвал. — Иван Гора положил большие руки на стол и стал говорить тихим голосом, как батька с сыновьями: — Хлебная монополия — это становая жила революции. Отмени сейчас монополию, — сколько бы мы пота и крови своей ни проливали, — хозяином окажется кулак. Не прежний лавочник, с ведерным самоваром, но — подкованный, в семи щелоках вываренный, каленый...

— Да какой — кулак, кулак? — крикнул Задуйвитер. — Растолкуй ты мне. У меня в хозяйстве две коровы. Кто я?

— Не в коровах дело, а чья будет власть? Деревенский кулачок день и ночь об этом думает. Он и работника отпустил, он и корову зарезал, и землю осенью не пахал, и на митингах кричит, голосует за Советы. Он крепенький, как блоха.

— Хорошо, Иван... Я домой вернулся, купил еще корову или пару волов. Тогда как?

— А ты волей или неволей пошел в Красную Армию?

— Ну, волей, — согласился Задуйвитер.

— Тогда волов не купишь...

— Почему? Не знаю — почему бы мне не купить волов.

— Интерес у тебя должен быть шире, не из-за этих же двух волов ты взял винтовку...

— Да купит он волов, — сказал Латугин, — чего ты его мучаешь. Говори дальше.

Иван Гора качнул головой, усмехаясь:

— Спорить не стану, а хочется в человека верить. Ну, ладно... Какая же задача у этого класса? Задача у кулака — перехватить хлебную торговлю. Революция ему раскрыла глаза, он уж теперь не деревенскую лавчонку, не кабак видит во сне, — видит элеваторы да пароходы. Если он революцию оседлает, поработаешь ты на него, Задуйвитер, до кровавого пота, и твои волы будут его волы. Он и монополию думает повернуть к своей выгоде. Был случай, — приезжаем мы в село с продотрядом; как ни бьемся, — все мимо: вражда, никакие слова не действуют. Ихний кровопивец, Бабулин, — в плохоньком тулупчике, в худых валенках, ласковый, смирный, только все бороденку покусывает... Что, думаю, такое? Мы в амбары к нему, — там ни зерна. Само собой, порыли, — ничего нет. На скотном дворе — паршивенькая лошаденка да две коровьих шкуры под крышей. Что же он сделал? Узнал, сукин кот, о нашем приезде, пошел по мужичкам: «Ах да ах, царские исправники вас так не мучили, как мучает советская власть. Мне-то, говорит, все равно, я к дочери в город переберусь, дочь моя — за председателем исполкома, а вы — уж не знаю — как этот год переживете. Большевики все берут, и солому у вас с крыш возьмут для Красной Армии... Бог любит милостливых, — идите, братцы, ко мне в амбары, берите хлеб до последнего зерна, живы будем — сосчитаемся...» Расписочки все-таки он с них взял, но — благодетель... Нам он ничего не дал, а зерно свое с мужиков вернет вдвое. Он мал, да он — везде, его много. Справиться с ним нелегко. Он тысячу лет сидит у мужичьего рта, он знает — кого за какую нитку потянуть. Да, ребята, хлебная монополия — капитальное, дальновидное дело. Тяжелое, — правильно. А чего легко-то делается? Целину пахать всегда трудно. Легко только на балалайке играть... Если крестьянин этой большой политики не понимает, — виноват в первую голову ты. Заходишь ты на зажиточный двор, говоришь хозяину: «Отопри амбар». Каждое зерно в нем как слеза. Но каждое зерно — святое, для святого дела.

— А где ключи от сельсовета?

— У председателя же...

— А где председатель?

— Там же гуляет...

Латугин, Байков и Задуйвитер вылезли из тачанки и не знали — что им делать. Человек, у которого они спрашивали, ушел. Они долго глядели, как он колесил по улице, будто земля под ним сама лезла вверх и валилась пропастью. Они сели на крыльцо сельсовета, свернули и закурили. В лицо им дул холодный ветер, гнавший тучи; посыпалась, как из решета, колючая крупа и сразу забила снегом колеи на черной дороге; стало еще скучнее.

— Послушаешь комиссара, аж рука до клинка просится, — сказал Задуйвитер. — А на деле — село как село. Где они, эти враги-то? Видишь ты, как наяривает знатно!

Вдали, дворов через десяток отсюда, виднелась небольшая толпа, — должно быть, те, кого не звали в хату или просто не поместились там. Оттуда доносились широкие, во весь размах разгульных рук, звуки гармонии и топот ног.

— Ты только цыпочки хочешь замочить, а нырять надо до дна, дорогой товарищ, — сказал Латугин. — Революция требует углубления, — об этом говорил комиссар.

— Углублять, углублять! До каких же пор? Разворочаем все, а жить надо, хлеб сеять надо, детей рожать надо. Это когда же?

— А черт его знает — когда, не у меня спрашивай.

Латугин был зол, кусал соломинку. Задуйвитер, наморща лоб, думал, не отрываясь, не сбиваясь, — по-мужицки, — над вчерашними словами комиссара. Байков сказал:

— Так у нас дело не двинется, ребята. Сходить, что ли, за председателем?

Он приподнялся. Латугин — ему:

— Не пойдешь.

— То есть — как это? Почему?

— Неинтересно объяснять тебе причину.

Тогда Задуйвитер — решительно:

— Идти, так уж всем вместе. Пошли за председателем.

— Не пойду.

— Должен подчиниться.

— Будет тебе, Латугин, — примирительно сказал Байков, — да мы к столу и не подойдем, да мы и капли не выпьем, мы председателя из сеней вызовем.

Они пошли искать председателя. Степан Петрович Недоешькаши крепился два дня, на третий стал думать, что село от него может оторваться. Он соскоблил грязь с деревяшки, надел черные брюки навыпуск, закрутил усы и важно пошел в обход по селу.

«Ну, слава богу... Степан Петрович, пожалуйте...» Хозяин обнимал его, иной крепко хлопал в руку: «Председателю — первое место!» Сажали его в красный угол. Сваха подносила густо соленой каши на блюдечке, чтобы он откупился, и он откупался рублем (много не давал), принимал полный стаканчик, закусывал вяленой рыбкой. Он ошибся, думая, что на третий день гулянка подходит к концу. На третьи сутки только и началось широкое гулянье, пляски, песни, обниманье, сердечные разговоры, ссоры, миренье.

Ох, и крепок был народ! Чего только не вынесли за эти годы: и царские мобилизации, когда, уже под конец, начали брать пятидесятичетырехлетних, и пахать пришлось одним женщинам; где-нибудь на севере баба и справляется с одноконной сохой, — в этих местах пахали чернозем тяжелым плугом на двух, а то и на трех парах волов; женщины до сих пор вспоминали эту осень. Много народу умерло от испанки. Село горело два раза. Не успели мужчины вернуться с мировой войны, — начались красновские мобилизации, тяжелые поборы и постои казачьих сотен. Казаки — известно — легки на руку. Кажется уж — свой, кум любезный, а сел казак в седло, и он уж — казак не казак, если, проехав по улице, не подденет на пику пробежавшего поросенка. Все это осталось позади. Теперь власть была своя, недоимки похерены, земельки прибавлено, — народ хотел погулять без оглядки.

Степан Петрович, посидев в одном месте ровно столько, чтобы не обидеть хозяев, шел в другую хату, где пировали. Заводил в красном углу разумные речи с тестем и тещей, со свекром и свекровью — о гражданской войне, кипевшей теперь на севере Дона, под Воронежем и Камышином, где Краснов трепал Восьмую и Девятую армии, — «...так что, свекор дорогой, тестюшка дорогой и сваты дорогие, дремать нам нельзя, — как бы не продремать-ся! — а надо нам помогать советской власти...» Говорил о домашних делах, и о том и о сем, и хозяева только дивились, до чего Степану Петровичу все известно: у кого что лежит в амбаре, и стоит в хлеву, и у кого что припрятано.

Все труднее становилось ему переползать на деревянной ноге из хаты в хату и опять начинать сначала: здороваться и садиться. В одном месте он вдруг взял у свахи блюдечко с кашей и эту кашу — голую соль — съел, вытащил из кармана солдатской шинелишки скомканные кредитки, — все, что у него осталось, — шваркнул их свахе в руку, вытянул большой стакан самогону и крикнул невесте, третьи сутки танцевавшей в жаркой духоте, в тесноте, кадриль в десять пар: «Степанида, поддай жару!»

В это время ему сказали, что его спрашивают трое красноармейцев. «Зови их сюда!» — «Да мы звали, они не хотят...»

Степан Петрович оперся руками о стол, нагнув голову, постоял некоторое время. Вылез и, расталкивая народ, пошел в сени, где действительно стояли три серьезных человека.

— Что вы за люди? — спросил он твердым голосом.

— Продотряд!..

Латугин ответил угрожающе, ожидая, что председатель по крайней мере пошатнется. Но Степан Петрович, — от которого шел такой густой и приятный запах, что Байков даже придвинулся ближе, — нисколько не пошатнулся:

— В самый раз угодили! Давно вас жду... Народ! — заревел Степан Петрович в раскрытую дверь, за которой стоял шум, звон, топотня. — Временно прекратите музыку! — На этот раз его так сильно качнуло, что Байков взял его на буксир. — Товарищи, вы не куда-нибудь приехали, — в спасский сельсовет! — И, ухватясь за притолоку, он еще решительнее закричал в хату: — Граждане, все на митинг!

Он пошел из сеней на двор, где трое пожилых крестьян, прислонясь к распряженной телеге, пели вразноголос казачью песню, двое, обнявшись, что-то доказывали друг другу, а еще один крутился, никак не находя раскрытых ворот, чтобы уйти домой. И здесь, и за воротами, где плясали под гармонию, Степан Петрович повторил, чтобы шли, не мешкая, к сельсовету.

Бешено вонзая деревяшку в мерзлую землю, он говорил на ходу:

— Гульба гульбой, а дело делом... Списки готовы, запасы выяснены... Посылайте телеграмму в Царицын: хлеб сдан полностью. — На уговоры Байкова и Задуйвитра — отложить митинг хотя бы до завтра, когда народ по крайней мере вытрезвится, он повторял: — Кто пьян да умен — два угодья в нем. Вы меня не учите. Завтра будет хуже: надо не дать кое-кому опомниться.

Покуда собирался народ к сельсовету, Степан Петрович разложил перед товарищами из продотряда ведомости и списки и начал горячо шептать:

— Кулацких дворов у нас три: Кривосучки, — это бандит, в девятьсот седьмом ограбил почту, убил почтальона и десять лет прятал деньги, за давностью лет поставил каменный амбар и лавку, в войну нагреб деньжищ на поставках воловьей кожи. В одном Спасском зарезал половину скота. Сейчас добивается устроить кооперативное товарищество и передать свою лавку, — эту хитрость я раскушу скоро... Про себя он говорит, что у него чахотка, и по ночам видит свет... Опасный человек. Другой двор Миловидова, — этот был подрядчиком на шахтах, вернулся в село перед войной, стал держать тайный шинок с закладом... Такой паук, ростовщик, сволочь, — все село высосал по мелочам. Это он, мы узнали, подослал сюда для пробы одного человека, который говорил про себя, будто он император Николай Второй... Третий двор: Микитенко, — потомственный прасол от отца к деду, у него свои баржи были на Дону. Кроме этих дворов, считай — их родня, сватья, кумовья, — еще дворов десяток. Да есть осторожные мужички: «Чем-то, мол, все это еще окончится, чья-то будет власть, умнее ни с кем не ссориться». Это — противный фронт... А вот это — все наши, все наши, — Степан Петрович водил толстым пальцем по спискам. — Положение в селе острое, — либо меня убьют, либо я кое-кому подрежу крылья...

Народ подваливал к сельсовету, — и трезвые, и пьяные. Толпа теснилась, колыхалась и гудела. Байков, глядевший в окошко, приговаривал про себя морскую присказку:

Чайки ходят по песку,
Моряку сулят тоску,
И пока не сядут в воду, —
Штормовую жди погоду...

И — громко, товарищам:

— Давайте на крыльцо скорее, а то не было бы качки...

Девчонка от соседей, маленькая, веснушчатая, голубоглазая, всезнающая, вскочила в Аннину хату и скороговоркой сказала, втягивая в себя воздух:

— Да батюшки, что у сельсовета делается, мужики колья из плетня уж выворачивают...

Она зыркнула немигающими глазами и все заметила: и то, что Анна — в бордовом платье, которое один раз в жизни надевала при живом муже, в ботинках с ушами, на ней белые чулки, и она, простоволосая, сидит на краешке кровати, а расстрига на этой кровати лежит, подняв коленки, и Анна опять ему чистую рубашку дала — черненьким горошком, и он держит Аннину руку...

— Куда же ты в дверь мечешься! — смущенно прикрикнула на нее Анна, и девчонка выскочила из хаты, ничего не договорив со страху. Но Кузьму Кузьмича она все-таки разбудила. Он притомился за эти дни, — много пил и ел и еще больше разговаривал. Крестьяне ни слова тогда не упустили из его проповеди, кое-чего не поняли, но эти темные места лишь придали ей значительность. В каждой хате ему приходилось толковать преимущественно о том, что сильнее всего их задело: о справедливости. Когда за столом оставались одни пожилые и почтенные, кто-нибудь, кому вино развязало мысли, — отодвинув рукавом кости и объедки, — начинал:

— Кузьма Кузьмич, обидел ты нас... Как же так, — справедливости нет? Тогда — дикий лес.

Другой перебивал его:

— Молодежь наша, — и кивал на другой конец хаты, где крутились юбки, вертелись косы, ленты, возбужденные лица. — Сладу нет с ними. Теперь, они говорят, все можно: бога нет, царя нет, отец с матерью дураки, — вот и хорошо... За какой прикол детей наших теперь привязывать? Где эта становая жила? А ты еще: справедливости нет...

Третий, бородач, вмешивался в разговор;

— Если она — от человека, кто посильней, тот и взял верх, тот и справедлив.. И опять мы оказываемся, как обкошенный куст...

— Ты силен? — спрашивал Кузьма Кузьмич.

— Я силен... А рупь сильнее меня, рублем меня всю жизнь били.

— А ты кому-нибудь жаловался?

— Да куда бы я пошел жаловаться?

— В Киево-Печерскую лавру к мощам ходил?

— Нет, туда не ходил.

— Значит, нет справедливости?

— Как так нет? Злоба-то у меня накипела. Я с войны винтовку принес, встал на меже, — вы что, говорю, меня убитым считали? Приверстывай мне три десятины!..

— Приверстали?

— А как же...

— Есть, значит, справедливость?

— Какая же это справедливость, — винтовкой народ пугать? Нет, брат, я никого не обижаю, но и меня не обижайте. А то вон дедушка Аким — один-одинок... Работать больше не может, живет у людей за печкой, дают ему горький кусок. Куда его все труды ушли? Была хатенка, — Миловидов за долги взял... А мои труды куда пойдут? За пятьдесят лет я столько наворочал — четыре каменных дома можно поставить, а у меня локти рваные... Мои труды, как голуби, от меня летят, кому-то на крышу сядут, только не ко мне. Складно ты говорил: «Справедливость это ты —

бесстрашный человек». Кузьма Кузьмич, я смерти не боюсь, на хребте еще сейчас двадцать пудов поднимаю, а справедливости не могу добиться. Вот была бы справедливость; чтобы человека считать не на рубли, а на труды... Как этого добиться? Вот тогда бы — спасибо советской власти...

— Чудак голова, так это же и есть закон советской власти...

— Ну, значит, до нас еще не дошел.

Кузьма Кузьмич досадовал, что при всей своей хитрости нечего ему ответить такому человеку, С интеллигенцией разговаривать было много легче, чем с мужиками. Во всех застольных беседах он улавливал и будто довольство, и будто недовольство, и смущение, и ожидание. Казалось, эти люди смутно ждут от революции чего-то коренного и торопят ее вперед.

На вторые сутки ночью он приплелся к Анне совсем плох. Сел на пол мимо лавки, хлопал себя ладонями по лицу, закрывался, смеялся, повторял: «Слаб я становлюсь, Аннушка, стар я стал, Аннушка».

Ни слова не говоря, Анна повела его на берег озера в баньку. Сама его мыла и парила. У Кузьмы Кузьмича только лицо было старое, а тело — белое, гладкое, и у Анны клокотала нежность, когда он, как рыбка, подскакивал на полке: «Ну-ка веничком, воздух-то, воздух надо мной секи!»

После бани он успокоился и спал, тихо дыша, до позднего утра. Проснулся, поел молочка, сказал: «Уж ты на меня не сердись, Аннушка, что-то голова болит» — и опять заснул. А когда разбудила его соседская девчонка, он был уже весел по-прежнему.

— Чего девчонка прибегала?

— Да собрание, что ли, красноармейцы приехали за хлебом, ну и шумят.

— Батюшки, это наши!

Кузьма Кузьмич стал торопливо одеваться. Анна молча, исподлобья, поглядывала на него. В это время опять дернули дверь, и девчонка уже только просунула голову:

— Дерутся, народу побили! Власиха мужа повела, весь в кровище... На всю улицу кричит, вас ругает... Митрофан Кривосучка лошадь стал запрягать, ему не дали, — как потащили его за ворота, зачали трепать, батюшки!

Она опять скрылась. Кузьма Кузьмич только шагнул вслед за ней в дверь, — Анна крикнула страшным голосом:

— Не пущу!

Она стояла у печки, высокая, худая, поднимая мужские плечи — закидывалась, будто ей ломали спину. Кузьма Кузьмич изо всей силы сжал ей руку:

— Анна, не дури! Ай, возьму ухват... Успокойся. Я скоро приду... С товарищами, обедать. Напеки нам блинов, слышишь... Ну, перестань, тебе говорят!

Анна — с трудом сквозь стиснутые зубы:

— Хорошо, батюшка...

Соседской девчонке хотелось чего-то гораздо более страшного, чем она видела, бегая к сельсовету и обратно — по дворам, разнося вести. Но собрание действительно было шумное. Вопрос о сдаче хлеба не вызвал больших споров: «Надо — так надо». Прочитанный председателем список справедливой разверстки выслушали в тишине и заставили повторить. В толпе начались короткие разговоры, движение, — одни люди стали ближе тесниться к крыльцу, другие подавались налево, к соседнему огороду, где был плетень.

«Неправильно!» — крикнул всем знакомый властный голос Микитенко. «Правильно, правильно!» — ответило много голосов. На крыльцо кинулся бородатый человек с оторванным рукавом, бросил шапку под ноги и начал выкладывать старые обиды:

— Куда все мои труды пошли? Вон они к кому пошли. Что же, мне у него за кусок хлеба в ногах валяться? Это, что ли, советская власть?

Его отпихнул другой человек, — бледный от злобы, — стал говорить еще более страшные слова. Тогда часть толпы, стоявшая поодаль, кинулась к плетню, вывернула колья и налетела на собрание с тылу, Латугин, Задуйвитер и Байков сбежали с крыльца в толпу, раскидывая людей, выхватывая из рук у них колья, — кричали: «Никакой паники, все в порядке, мать вашу так, собрание продолжается...»

Стычка была коротка, нападающих оказалось не так много. Кое-кто из них скрылся, кое за кем гнались по улице. Несколько человек осталось лежать на земле, запорошенной снежной крупой...

Кузьма Кузьмич пошел для сокращения пути перелазами через плетни и огороды, запутался и попал на чей-то двор. Там стояли женщины, — одна причитала, другие слушали ее. Увидев Кузьму Кузьмича, они заговорили, и Варвара Власова, Надеждина мать, гневно подбирая длинные рукава бекеши из чертовой кожи, стала подходить к Кузьме Кузьмичу; другие двинулись за ней.

— Вот почему ты с нас денег не взял, расстрига! — сказала Варвара. — А мы-то, глупые, ему поверили... Все село споил... Все у нас выведал... Всех дураков смутил, смутьян... Продал нас коммунистам... Да что вы на него смотрите, сатану, бейте его до смерти...

— Нельзя меня бить, — ответил Кузьма Кузьмич, отступая, — жалеть будете, бабы... Не трогайте меня!

— А ты нас пожалел?

Сбивая с голов своих платки, разъяряясь, женщины закричали все враз, обвиняя расстригу в каторжной разверстке и в побоище у сельсовета, и в том, что теперь хорошему хозяину места нет на селе, и в том, сколько гусей и поросят было сожрано за эти дни, — во всем оказался он виноват. Женщины прижали его к плетню. Напрасно Кузьма Кузьмич силился снова очаровать их, насильно улыбаясь и бормоча: «Ну посердились, ну и ладно... Давайте тихо поговорим...» Варвара Власова первая вцепилась ему в волосы с боков ушей, по согнутой спине его замолотили кулаки. Он сообразил, что умнее всего лечь и закрыться руками. Ребра у него так и трещали. «Ох, только бы твердым чем-нибудь не наладили...» И он услышал дикий голос: «Колом его, перевертня!» Попробовал вскинуться, но лишь потемнело в глазах. И вдруг его отпустили. Тогда он услышал свое кряхтенье и с усилием перестал кряхтеть. Его подняли и прислонили к плетню. Кузьма Кузьмич разлепил забитые снегом и мякиной глаза и увидел Анну, из-за юбки ее — восторженное личико веснушчатой девчонки; увидел Латугина, Задуйвитра, Байкова.

— Жив? — спросил Латугин. — Ему стакан самогона сейчас же, принесите кто-нибудь. Ну, Кузьма, натворил ты тут делов... На собрании постановлено благодарить тебя за антирелигиозную агитацию.

* * *

— Ты не можешь представить, Даша, до чего я был серым и занудливым человеком все это время, то есть с самого Петрограда, когда мы расстались... Был, понимаешь, был... Есть в нас какая-то подсознательная жизнь. Как недуг, — томит, и тлеешь на медленном огне... Объясняется, конечно, просто... Ты меня разлюбила, и я...

Даша быстро обернула к нему голову, — серые, влажные, всегда страшные глаза ее сказали, что он ошибается, — она его не разлюбила. От этого взгляда Иван Ильич на минуту онемел, рот его расползся в улыбку, не слишком умную, во всяком случае— счастливую. Даша продолжала укладывать в маленькую корзинку то, что сегодня утром Иван Ильич, обегав десяток учреждений, получил в виде вещевых пайков.

Здесь были вещи нужные и полезные: чулки; несколько кусочков материи, из которых можно было сшить платье; очень красивое батистовое белье, к сожалению, на подростка, но Даша была так хрупка и тонка, что могла сойти за подростка; были даже башмаки, — этим приобретением Иван Ильич гордился не меньше, чем если бы захватил неприятельскую батарею. Были и вещи, о которых нужно было думать: пригодятся ли они в предстоящей походной жизни? Ивану Ильичу их всучили вместо простынь на одном складе, — фарфоровую кошечку и собачку, кожаные папильотки, дюжину открыток с видами Крыма и чрезвычайно добротного матерьяла корсет с китовым усом, такой большой, что Даша могла им обернуться два раза...

— Дашенька, я говорю о нашем прощанье на вокзале... Ты мне сказала тогда что-то вроде: «Прощай навсегда...» Может быть, просто послышалось, я был тоже очень подавлен... Ты была зелененькая, бледненькая, далекая, разлюбившая...

— Какая гадость, — сказала Даша, не оборачиваясь. Она завертывала кошечку в толстый чулок, чтобы не побилась в дороге. Даша всегда была рассеянна к вещам, но эти две фарфоровые безделушки, хорошенькая кошечка и спящая собачка с большими ушами, почему-то ей очень нравились: будто они сами пришли к ней, чтобы устроить для Даши в этой большой, страшной, разоренной жизни, над которой неслись грозовые тучи идей и страстей, — маленький мирок невинных улыбок...

— Во всяком случае, с этим образом твоим я уехал из Петрограда... Унес его, с ним жил... Ты была со мной, как мое сердце со мной. Я так и решил: проживу одиноко, холостяком...

Он старался двигаться по комнате так, чтобы Даша была в центре его вращения. Косынку она сняла, вьющиеся пепельные волосы ее были перехвачены на затылке красной атласной ленточкой (выдали на складе артиллерийского управления). Даша то нагибалась над корзинкой, поставленной на табурет, то, опустив руки на бока, обдумывала что-то. На ней был, очаровательнее всякого какого-нибудь расфуфыренного платья, белый сестрин халат, и она его еще перетянула в талии (тоже, как и ленточка, было это не без умысла)...

— Как странно, Дашенька, опасность, смерть раньше казались как-то безразличны — убьют так убьют... В военном деле это совсем не значит, что ты храбрец, а просто — меланхолик... А теперь мне задним числом иной раз страшно... Хочу жить тысячу лет, чтобы вот так тебя трогать, смотреть на тебя...

— Хороша я буду через тысячу лет... Слушай, Иван, что же все-таки мне с ним делать? — Она опять развернула корсет и приложила его к себе. — Здесь три женщины могут поместиться. Может быть, не брать его?

— А вдруг пополнеешь, пригодится.

— Не ношу я никогда корсетов, ты с ума сошел. Знаешь что, — если вытащить из него усы и распороть, — может выйти хорошенький жилет.

Иван Ильич воспользовался тем, что обе руки ее были заняты, подошел со спины и нежно привлек Дашу:

— Так — правда? Скажи еще раз...

— Конечно — правда... Ты единственный человек на земле, без тебя я — ничто... Я же пошла тебя искать... Иван, ты все-таки соображай, — она высвободила плечи и слегка отстранилась, — нужно соразмеряться с силой, ты когда-нибудь просто меня сломаешь... Слушай, чего мы забыли? Хотя теперь уж поздно...

— Моментально слетаю...

— Хорошо бы достать губку...

— Есть губка...

Иван Ильич кинулся к шинели и вытащил из кармана губку и еще несколько принудительных предметов.

— А вот это, Даша, мне никто не мог объяснить — для чего это, но я все-таки взял.

— Иван, это роскошная вещь, это — резиновая штучка для массажа лица, какой ты милый, это мне страшно нужно...

Уложив корзинку, Даша подошла к Ивану Ильичу, сидевшему на краю койки и готовому каждую минуту сорваться, подняла его лицо, внимательно взглянула в глаза ему:

— Я дала себе зарок. В моей новой жизни — не ждать ничего, я не Сольвейг, не хочу больше глядеть в морские туманы. Только любить и делать... Такой ты меня и бери... Плоха ли, хороша ли, но я тебе верная жена. Начнем с тобой все сначала...

Как всегда, не постучав, ворвался доктор со свежей газетой и громогласно начал сообщать военные новости:

— Этот самый адмирал Колчак, который разогнал в Омске Директорию и устроил рабочим кровавую баню, провозглашен не более, не менее как верховным правителем всея России!.. И французы и англичане его признали... Как вам это понравится? У него шестисоттысячная армия, — Дальний Восток он, изволите ли видеть, любезно уступает японцам! Слушайте дальше: соединенный английский и французский военный флот появился на рейдах Севастополя и Новороссийска... Союзнички! Кому мы, черт их возьми, помогли выиграть войну своими боками! — Доктор страшно выпятил губы. — Интервенция, и самая при этом неприкрытая! Дарья Дмитриевна, не смотрите на меня такими страшными глазами... Берите-ка вашего благоверного, идемте ко мне есть борщ... Помните, у нас один лежал со штыковыми ранами, — прислал мне мешок капусты, гуся и поросенка... Да, Иван Ильич, жаль, жаль, жаль: эдакую сестру у меня из-под носа вытащили... Между прочим, сегодня мы с вами выпьем водки, черт бы побрал всех интервентов...

11

Немного понадобилось Вадиму Петровичу, чтобы кончить с колебаниями, — это немногое был отыскавшийся след Кати. Так на песке у прибоя отпечаток босой женской ноги заставит иного человека написать в воображении целую повесть о той — прекрасной, — кто здесь прошла под шум волн большого моря. Ревнивая и мучительная страсть ворвалась к нему, расправилась с его безнадежными мыслями, с его безвольным унынием, и все стало казаться ему просто и очевидно.

В ту же ночь (после разговора с ландштурмистом) он уехал из Екатеринослава. Чемодан бросил в гостинице, лишь взял смену белья и вещевой мешок. И уже в пути снял офицерские погоны, кокарду, спорол с левого рукава нашивки и выбросил в окошко, — вместе с этим мусором полетело все, что до ночи в «Би-Ба-Бо» казалось ему необходимым для самоуважения. Раздвинув ноги, засунув ладони за ременный пояс, он сидел на койке в почти пустом, темном вагоне, — дикая радость наполняла его. Это была свобода! Поезд мчал его к Кате. Что бы там с ней ни происходило, — он продерется к ней, хоть все тело изорвать в клочья.

В Екатеринославе начальник станции предупреждал, что на половине дороги до Ростова опять сильно шалят бандиты, и это будет последний поезд, отправляемый на восток, и неизвестно даже — пойдет ли он низом, через Гуляй-Поле, или верхом, через Юзовку. Там же, на вокзале, старший кондуктор рассказывал обступившим его пассажирам про бандитов: носятся они по степи на телегах, на бричках, — ищут добычи; жгут помещичьи усадьбы, где еще по дурости сидят помещики; дерзко нападают на военные склады, на спиртовые заводы, кружатся около городов.

— Все бы ничего, не будь у атаманов батьки, — рассказывал старший кондуктор басовитым говорком, — а батько у них нашелся, атаман надо всеми атаманами — Махно. Популярный человек. У него целое государство и столица — Гуляй-Поле. Этот по мелочам не балуется. Поезда пропускает беспрепятственно, с осмотром, конечно, — кое-кого ссадят, тут же около семафора шлепнут из нагана. В прошлый рейс подходим к перрону — Махно стоит под колоколом, курит сигару. Я соскакиваю, подхожу, беру под козырек. Он мне — так-то жестко: «Прими руку, я тебе не царь, не бог... Коммунистов везешь?» — «Никак нет», — говорю. «Белогвардейцев везешь?..» — «Никак нет, одни местные пассажиры». — «Денежные переводы везешь?» У меня даже в груди оторвалось. «Идемте, говорю, убедитесь сами — багажный и почтовый вагоны пустые». — «Ну, ладно, отправляй поезд».

Мучительны были остановки на полустанках, — замолкнувший говор колес, неподвижность, томительное ожидание. Вадим Петрович выходил на площадку: на темном перроне, на путях — ни души. Лишь в станционном окошке едва желтеет свет огонька, плавающего в масле, да видны две сидящие фигуры — кондуктора и телеграфиста, готовых так просидеть всю ночь, уткнув нос в воротник. Пойти к ним, спросить — бесполезно, — поезд тронется, когда дадут путь с соседней станции, а там, может быть, и в живых никого нет.

Вадим Петрович захватывал холодный воздух, все тело его вытягивалось, напрягалось... В ветреной ноябрьской тьме, в необъятной пустынной России, была одна живая точка — комочек горячей плоти, жадно любимый им. Как могло случиться такое потемнение, что из-за ненавистнического желания мстить, карать он оторвал от себя Катины руки, охватившие его в последнем отчаянии, жестоко бросил ее одну, в чужом городе. Откуда эта уверенность, что, разыскав ее и без слов (только так, только так) бросившись целовать ступни ее ног, в чулочках, которые уж и штопать-то, наверное, нечего, получишь прощение?.. Такие измены нелегко прощают!

Покуда Вадим Петрович так мечтал один на площадке, сердито бормоча и двигая бровями, кондуктор вышел со станции и стал около вагона, равнодушный ко всякому преодолению пространства... Вадим Петрович спросил — долго ли еще ждать? Кондуктор даже не удосужился пожать плечом. Закопченный фонарь, который он держал в руке, покачивался от ветра, освещая треплющиеся полы его черного пальто. Внезапно погасло тусклое окошко на вокзале, хлопнула дверь. К кондуктору подошел телеграфист, и оба они долго глядели в сторону семафора.

— Гаси, — шепотом сказал телеграфист.

Кондуктор поднял фонарь к усатому одутловатому лицу, дунул на коптящий огонек, и сейчас же они с телеграфистом полезли на площадку и отворили дверь на другую сторону путей.

— Уходите, — сказал кондуктор Рощину, торопливо спустился и побежал.

Рощин спрыгнул вслед за ними. Спотыкаясь о рельсы, налетев на кучу шпал, он выбрался в поле, где было чуть яснее и различались две идущие фигуры. Он догнал их. Телеграфист сказал:

— Тут ямы где-то, — темень проклятая! Песок брали, тут я всегда прячусь...

Ямы оказались немножко левее. Рощин вслед за своими спутниками сполз в какой-то ров. Сейчас же подошли еще двое, — машинист и кочегар, — выругались и тоже сели в яму. Кондуктор вздохнул тяжело:

— Уйду я с этой службы. Так надоело. Ну разве это движение.

— Тише, — сказал телеграфист, — катят, дьяволы.

Теперь из степи слышался конский топот, различался стук колес.

— Кто же это у тебя тут безобразничает? — спросил кондуктор у телеграфиста. — Жокей Смерти, что ли?

— Нет, тот в Дибривском лесу. Это разве Маруся гуляет. Хотя, видать, тоже не она, — та скачет с факелами... Местный какой-нибудь атаманишка.

— Да нет же, — прохрипел машинист, — это махновец Максюта, мать его...

Кондуктор опять вздохнул:

— Еврейчик один у меня в третьем вагоне, с чемоданами, — не сказал ему, эх...

Конский топот приближался, как ветер перед грозой. Колеса уже загрохотали по булыжнику около станции. Раздались крики: «Гойда, гойда!» Звон стекол, выстрел, короткий вопль, удары по железу... Кондуктор начал дуть в сложенные лодочкой руки:

— И непременно им — стекла бить в вагонах, вот ведь пьяное заведение...

Вся эта суета длилась недолго. Истошный голос «садись!». Затрещали телеги, захрапели кони, прогрохотали колеса, и атаманская ватага унеслась в степь. Тогда сидевшие в ямах вылезли, не спеша вернулись к темному поезду и разбрелись по своим местам: телеграфист зажег масляный фитилек и начал связываться с соседней станцией, машинист и кочегар осматривали паровоз, — не утащили ли бандиты какую-нибудь важную часть; Рощин полез в вагон; кондуктор, хрустя на перроне стеклами разбитых окошек, ворчал:

— Ну, так и есть, шлепнули беднягу... Ну, взяли бы чемоданы, — непременно им нужно душу из человека выпустить.

Прошло еще неопределенное и долгое время, кондуктор дал, наконец, короткий свисток, паровоз завыл негодующе в пустой степи, и поезд тронулся в сторону Гуляй-Поля.

Вадим Петрович, положив локти на откидной столик и лицо уткнув в руки, напряженно решал загадку: Катя уехала из Ростова на другой же день после того, как негодяй Оноли сообщил ей о его смерти. Встреча ее с ландштурмистом в вагоне была, значит, через двое суток... Предположим, этот немчик утешал ее без каких-либо покушений на дальнейшее...Предположим, она тогда очень нуждалась в утешении. Но на второй день потери любимого человека написать так аккуратненько в чужой записной книжке свой адрес, имя, отчество, не забыть проставить знаки препинания, — это загадка!.. Небо ведь обрушилось над ней. Любимый муж валяется где-то, как падаль... Уж какие-то первые несколько дней естественно, кажется, быть в отчаянии безнадежном. Оказывается — адресок дала до востребования. Значит — просвет какой-то нашла... Загадка!..

— Гражданин, документики покажите. — Кондуктор сел напротив Рощина, поставил около себя закопченный фонарь. — Проедем Гуляй-Поле, — тогда спите спокойно.

— Я в Гуляй-Поле вылезаю.

— Ага... Ну, тем более... С меня же спросят — кого привез...

— Документов у меня нет никаких...

— Как же так?

— Изорвал и выбросил.

— Тогда об вас должен заявить...

— Ну и черт с вами, заявляйте...

— Что же черта поминать в такое время... Офицер, что ли?

Рощин, у которого мысли были обострены, напряжены, ответил сквозь зубы:

— Анархист.

— Так, понятно... Возил много из Екатеринослава вашего брата. — Кондуктор взял фонарь и, держа его между ног, долго глядел, как за черным окном проносились паровозные искры. — Вот вы, видать, человек интеллигентный, — сказал он тихо. — Научите, что делать?.. В прошлый рейс разговорился я также с анархистом, серьезный такой, седой, клочковатый. «Нам, говорит, твои железные дороги не нужны, мы это все разрушим, чтобы и помнить об них забыли. От железных дорог идет рабство и капитализм. Мы, говорит, все разделим поровну между людьми, человек должен жить на свободе, без власти, как животное...» Вот и спасибо!.. Я тридцать лет езжу, да наездил домишко в Таганроге, где моя старуха живет, да коза, да две сливы на огороде, — весь мой капитал. На что мне эта свобода-то? Козу пасти на косогоре? Скажите — был при старом режиме порядок? Эксплуатация, само собой, была, не отрицаю. Возьмем вагон первого класса, — тихо, чинно, кто сигару курит, кто дремлет так-то важно. Чувствуешь, что это — эксплуататоры, но ругани прямой не было никогда, боже избави... Берешь под козырек, тихонечко проходишь вагоном... В третьем классе, конечно, мужичье друг на дружке, там не стесняешься... Это все верно, бывало... Но и курочка жареная у тебя, и ветчинка, и яички, а уж хлеб-то, батюшки, калачи-то, помните? — Он замолк, приглядываясь к искрам в окошке. — Это букса горит в багажном вагоне. Смазки нет, и без анархистов транспорт кончается... Вот мне и скажите — что теперь будет? Променяли царя на Раду, Раду — на гетмана, а его на что менять будем? На Махно? Дурак один взялся ковать лемех, жег, жег железо, половину сжег, давай ковать топор, опять половину сжег, выходит одно шило, он по нему тюкнул, и вышел пшик... Так-то... Порядка нет, страха нет, хозяина нет. Вы в Гуляй-Поле приедете — посмотрите, как живут «вольным анархическим строем». Одно могу сказать — весело живут, такой гульбы отродясь никто не слыхал. Весь район объявлен «виноградным». Сколько я туда проституток провез! Да... Скажу вам по-стариковски, извините меня, товарищ анархист: пропала Россия...

Много хозяйственных мужичков, бежавших летом в атаманские отряды, стали теперь подумывать о возвращении домой. Увязывали на телегу все добро, что по честному дележу пришлось им после удачных набегов, меняли разные местные деньги на николаевские, крепко зашпиливали полог, подвязывали к задней оси котелок и, тайно, — иные и явно, придя к атаману и говоря: «Прощевай, Хведор, я тебе больше не боец». — «А что так?» — «По дому скучаю, ни пить, ни есть, ни спать не могу. Когда еще понадоблюсь, кликни, придем», — запрягали добрых коней и уезжали на хутора, в деревни и села, освобожденные от немецкого постоя.

Задумался об этом и Алексей Красильников. Советовался с Матреной — братниной женой — и даже с Катей Рощиной: не рано ли домой? Как бы чего не вышло. Незаметно в село Владимирское не явишься, могут еще потянуть к ответу за убийство германского унтера. Немцы народ серьезный. С другой стороны — вернешься на пожарище, — придется строить хату, ставить двор, делать это надо теперь же, осенью.

Пять молодых сильных коней и три воза барахла, мануфактуры и всякого хозяйственного добра числилось за Алексеем Красильниковым в обозе махновской армии. Все это не столько Алексей, сколько собрала Матрена. Она бесстрашно приходила на собрания, где атаман отряда или сам Махно делил добычу, — всегда нарядная, красивая, злая, — брала, что хотела. Иной мужик готов был и поспорить с ней, — кругом начинался хохот, когда она вырывала у него какую-нибудь вещь — шаль, шубу, отрезок доброго сукна: «Я женщина, мне это нужнее, все равно пропьешь, бандит, ко мне же принесешь ночью...» Она и меняла, и скупала, держа для этого на возу бочонок спирта.

Алексей раздумывал и не решался, покуда не пришла радостная весть, что Скоропадский, оставленный немцами и своими войсками, отрекся от гетманства, в Киев вошли петлюровские сичевики и там объявлена «демократична украинска республика». Одновременно с этим с советского рубежа двинулась украинская Красная Армия. Это уже было совсем надежно.

Алексей без огласки, ночью пригнал из степи коней, разбудил Матрену и Катю и велел собирать завтракать, покуда он запрягает; сытно поели перед долгой дорогой и еще до рассвета, в тумане, тронулись грунтом домой, в село Владимирское.

Трудно было бы узнать в Кате Рощиной, ехавшей на возу, в нагольном полушубке, в смазных сапогах, со щеками, обветренными, как персик, прежнюю хрупкую барыньку, готовую, кажется, при малейшем наскоке жизни поджать лапки, вроде божьей коровки. Полулежа на сене, она подстегивала лошадь, чтобы не отставать от передней тройки, которую вел Алексей, пуская иногда рысью соскучившихся караковых. Задний воз вела Матрена, не доверявшая ни одному человеку — ни пешему, ни конному.

Степь была пустынна. Кое-где в складках оврагов белел снег, снесенный туда декабрьским ветром с меловых плоскогорий. Кое-где из-за горизонта поднимались ржавые пирамиды шахтных отвалов. В краю, покинутом оккупантами, еще не начиналась жизнь. Много народу с шахт и заводов ушло в красные отряды и воевало теперь под Царицыном. Многие бежали на север, где у советских рубежей формировались части украинской Красной Армии. Дороги заросли, на брошенных нивах стоял бурьян, в котором кое-где желтели конские ребра. В этих местах редко попадалось жилье.

Матрена повторяла деверю: «Держись от людей подальше, хорошего от них не жди». Алексей только посмеивался: «Ух, зверюга... А что была за бабочка — медовая... Хищницей стала, Матрена моя дорогая...»

У Кати для раздумья времени было досыта. Потряхивалась на возу, покусывала соломинку. Она отлично понимала, что везут ее в село Владимирское как добычу, — для Алексея Ивановича, может быть, самую дорогую изо всего, что было у него на трех телегах. Чем иным была она, как не полонянкой из разоренного мира? Алексей Иванович поставит на своем пепелище хороший дом, огородит его от людей крепким забором, спрячет в подполье все свои сокровища и скажет твердо: «Катерина Дмитриевна, теперь одно осталось — последнее — слово за вами...»

Как сожженный войною город, — кучи пепла да обгорелые печные трубы, — такой казалась ей вся жизнь. Любимые умерли, дорогие пропали без вести. Недавно Матрена получила письмо от мужа, Семена, из Самары, где он сообщал, между прочим, что заходил по указанному адресу на бывшую Дворянскую улицу, — никакого там доктора Булавина нет, никто не знает, куда он делся с дочерью. У Кати остались только два человека, жалевших и любивших ее, как приставшего котенка, — Алексей и Матрена. Разве могла она в чем-нибудь отказать им?

Ей, пережившей такие годы, длительные и наполненные. как столетие, давно бы надо было стать старухой с погаснувшими от слез глазами. Но щеки ее лишь румянил студеный ветер, и под бараньим полушубком ей было тепло, как в юности. Это ощущение неувядаемой молодости даже огорчало ее, — душа-то была старая? Или и это тоже не так?

Матрена не раз заговаривала с Катей о том, что «бог уж связал ее с ними, один бог и развяжет». Алексей ни разу не принуждал ее к таким разговорам. Но было несколько случаев, когда он жестоко рисковал, выручая Катю из прямой беды: поступал, как мужчина из-за женщины, которую бережет для себя. Катя не могла бы ему отказать, — не нашла бы слов, оправдывающих ее неблагодарность. Но ей хотелось, чтобы это как можно дольше не случилось. Алексей Иванович был привлекателен — грубоватым прямодушным лицом, всегда будто освещенным солнцем; невозмутимый и сильный, с негнущейся спиной и широкой грудью, с густой шапкой волос; смелый и рассудительный в минуты опасности, ласково-насмешливый и добрый с Катей. Но при мысли о том, что настанет день, когда нужно стать близкой ему, — Катя закрывала глаза, и все тело ее поджималось, будто в желании зарыться в сено на возу.

Однажды в обед свернули с дороги к речонке, разлившейся в этом месте в небольшую заводь, с остатками свай водяной мельницы и полегшим камышом. Матрена ушла за дровами для костра. Катя — к речке мыть котелок. Немного погодя туда пришел Алексей. Бросил на траву шапку и рукавицы, присел у воды около Кати, ополоснул лицо и вытерся полой полушубка...

— Руки застудите...

Катя поставила на траву котелок, поднялась с колен, — руки у нее застыли до ломоты, она стряхнула с них капли воды и тоже стала вытирать их об овчину.

— Руки-то, чай, целовали вам в прежнее-то время, — сказал он напряженно, недобро, выжидающе.

Она ясно взглянула на него, будто спрашивая, — что с ним случилось? Катя никогда не знала силу своей красоты, простодушно считала себя хорошенькой, иногда очень хорошенькой, любила нравиться, как птичка, встряхивая перышками (когда на седой росе начнет отсвечивать розоватое солнце, поднимающееся между стволами). Но то, что было ее красотой, что, как сейчас, заставило Алексея Ивановича отвести сухо заблестевшие глаза, — оставалось ей неизвестным.

— Говорю — руки-то смажьте, у меня в телеге подсолнечное масло в склянке, цыпки наживете...

Под жестко-кудрявыми усиками на свежих губах его была прежняя усмешка. Катя вздохнула облегченно, хотя и не вполне поняла, как близко на этот раз было то, чего она так не хотела. От дремоты ли в сене на покачивающемся возу, от наступившего ли степного покоя, Алексей — как только Матрена ушла за дровами — стал пристально глядеть на присевшую у воды Катю. И он пошел туда, как мальчишка, что заслышал вдруг стук валька на мостках, где какая-нибудь соседская Проська, подоткнув юбку, желанно белея икрами, полощет белье, и он тайком пробирается к ней через лопухи и крапиву, жадно втягивая ноздрями все запахи, нежданно ставшие дурманящими. Но тут Алексей Иванович не то что оробел, — напугать его было мудрено, — Катя взглядом покойных прекрасных глаз сказала: так нехорошо, так не годится.

Он владел собой и не в таких пустых происшествиях, все же руки его дрожали, как после усилия поднять жернов. Он взял с травы котелок:

— Что ж, пойдемте кашу варить. — Они пошли к возам. — Екатерина Дмитриевна, вы два раза были замужем, отчего детей нет?

— Такое время было, Алексей Иванович... Первый муж не выражал желания, а я глупа была.

— Покойный Вадим Петрович тоже не хотел?

Катя сдвинула брови, отвернулась, промолчала.

— Давно хочу спросить... Практика у вас большая... Как у вас эти сладкие-то дела начинались? Что ж, мужья, женихи-то, ручки вам целовали? Разговоры вокруг да около? Так, что ли? Как это у господ-то делалось?

Подошли к возам. Алексей со всей силой швырнул на землю сбрую, лежавшую на телеге, взял из-под нее дугу и, подперев ею оглоблю, на конце стал подвязывать котелок...

— Вы с господского верха пришли, а я — с мужицкой печи... Вот встретились на тесной дорожке. Вам назад возврата нет, аминь. Что еще не разворочали — до конца скоро разворочаем... Идти вам некуда, окромя нового хозяина...

— Алексей Иванович, чем я вас обидела?

— А ничем... Я вас хочу обидеть, да слов у меня не хватает. Мужик... Дурак... Ох, и дурак же я, мать твою... Вижу, вижу, — вы только и ждете — задать стрекача... За границу — самое место для вас...

— Как вам не стыдно, Алексей Иванович, разве я что-нибудь сделала — так меня обвинять... Я обязана вам всей жизнью и никогда этого не забуду...

— Забудете... Вы видели, как Матрена людей боится? Я тоже людям не верю. С четырнадцатого года в крови купаюсь. Человек нынче стал зверем. Может быть, он им и раньше был, да мы не знали. Каждый из-под каждого — только и ждет — днище вышибить... И я — зверь, не видите, что ли, эх вы, птичка сизокрылая... А я хочу, чтобы дети мои в каменном доме жили, по-французски говорили получше вас, — пардон, мерси...

Подошла Матрена с охапкой хворосту и щепок, бросила их под котелок, висевший на конце оглобли, и внимательно взглянула на Алексея и на Катю.

— Напрасно ее, Алексей, обижаешь, — сказала она тихо. — Коней поил?

Алексей повернулся и пошел к лошадям. Матрена стала укладывать щепки под котелком.

— Любит он тебя. Сколько я ему девок ни сватала, не хочет... Не знаю уж, как у вас выйдет, — трудно вам обоим...

Матрена ждала, что Катя скажет что-нибудь. Катя молча достала крупу, сало, расстелила на земле полог, стала резать хлеб.

— Ты что же молчишь?

Катя, нарезая ломти хлеба, ниже склонила голову, по щекам ее текли слезы.

Плодородные степи Екатеринославщины, падающие к Черному и Азовскому морям, были новым краем. Это была та Дикая Степь, где в давние времена проносились на косматых лошадках, по плечи в траве, скифы, низенькие, жирные и длинноволосые; пробирались под надежной охраной греческие купцы — из Ольвии в Танаис; двигались со стадами рогатого скота готы, кочевавшие в огромных повозках между двумя морями; от северных границ Китая, подобно тучам саранчи, вторгались сюда многоязычные полчища гуннов, наводя столь великий ужас, что степи эти пустели на много столетий; раскидывали полосатые арамейские шатры хозары, идя от Дербента воевать днепровскую

Русь; кочевали с бесчисленными табунами коней и верблюдов половцы в хорезмских шелковых халатах, доходя до степного вала Святослава; и позже топтали их легкоконные татарские орды, собираясь для набегов на Москву.

Людские волны прошли, оставив лишь курганы да кое-где на них каменных идолов с плоскими лицами и маленькими ручками, сложенными на животе. Екатеринославские степи стали заселяться хлеборобами-украинцами, русскими, казачьими выходцами с Дона и Кубани, немецкими колонистами. Новыми были в ней огромные села и бесчисленные хутора, без дедовских обычаев, без стародавних песен, без пышных садов и водных угодий. Здесь был край пшеницы и серых помещиков, хорошо осведомленных о заграничных ценах на хлеб. Новым был и Гуляй-Поле — скучный городишко, растянувшийся вдоль заболоченной и пересыхающей речонки Гайчур.

От станции до Гуляй-Поля было семь верст степью. Рощин подрядил «фаэтон», который довез его до большого базара, раскинувшегося на выгоне. Тут же Вадим Петрович стал торговать жареную курицу у нахальной бабы, сидевшей растопыркой на возу среди деревенского добра, привезенного для продажи. Неумелая баба горячилась, то совала под самый нос покупателю свой товар, то хватала у него из рук, и бранила его визгливо, и вертелась, озираясь, чтобы с воза не стащили что-нибудь. За жареную курицу она заломила пять карбованцев и сейчас же не захотела отдавать за деньги, а только за шпульку ниток.

— Да ты возьми у меня деньги, дура, — сказал ей Рощин, — нитки купишь, вон ходят — продают нитки...

— Некогда мне с воза отлучаться, спрячьте деньги, отойдите от товара...

Тогда он протолкался к чубастому военному человеку, увешанному оружием, который, шатаясь по базару, потряхивал на ладони двумя шпульками ниток. Мутно поглядев на Рощина, он прошевелил опухшими губами:

— Не. Меняю на спирт.

Так Рощину и не удалось купить курицу. На базаре шла преимущественно меновая торговля, чистейшее варварство, где стоимость определялась одной потребностью; за две иголки давали поросенка и еще чего-нибудь в придачу, а уж за суконные штаны без заплат продавец пил кровь у покупателя. Сотни людей торговались, кричали, бранились, крутясь среди множества телег; здесь же — на табурете или просто на колесе — пристраивались парикмахеры с передвижным инвентарем; моментальные фотографы, с ящиком-лабораторией на треноге, через пять минут подавали клиенту сырую фотографию; слепые скрипачи собирали в кружок слушателей, не брезгуя залезть в карман к зазевавшемуся дурню... Все эти люди в самое короткое время готовы были сняться с места, разбежаться и попрятаться, если начиналась серьезная стрельба, без которой в Гуляй-Поле не проходило ни одного базара.

Пробираясь между телегами, Вадим Петрович попал в праздную толпу около карусели; на деревянных конях с немыслимо выгнутыми шеями и взлетами ног крутились, сидя важно, усатые люди в гусарских куртках, в бушлатах, в кавалерийских тулупчиках, увешанные гранатами и всяким холодным и огнестрельным оружием. «Шибче, шибче», — грозным басом повторял кто-нибудь из них. Двое оборванцев из всех сил крутили карусель. Два гармониста играли «Яблочко», бешено раздувая мехи, будто забирая в них всю ширь и удаль души махновской вольницы. «Довольно, слезай!» — кричали те, кто дожидался своей очереди. «Шибче!» — ревели крутящиеся на конях. И уже с кого-то слетела папаха, кто-то в восторге выхватил шашку и размахивал ею, рубя причудившегося гада. Тогда стоящие вокруг кидались и на лету стаскивали всадников. Начиналась возня, под пронзительный свист бухали кулаки, и снова крутилась карусель, и новые всадники подбоченивались на конях с вывороченными красными ноздрями.

Вадим Петрович отошел, не видя здесь разумного человека, с кем бы можно было заговорить. У лоточника купил кусок пирога с творогом и, жуя, зашагал по широкой булыжной улице. Надо было обеспечить себе ночлег. Денег у него осталось немного, и, если считать, сколько он заплатил за пирог, — денег не хватит и на неделю. Он рассеянно поглядывал на двухэтажные кирпичные дома купеческой стройки, на лабазы, лавки, размалеванные вывески, жевал и думал тоже рассеянно: после скачка в дикую свободу жизненные мелочи не слишком тревожили его.

Навстречу ему ехал человек на велосипеде, вихляя передним колесом. За ним верхами — двое военных в черкесках и заломленных бараньих шапках. Маленький и худенький человек на велосипеде был одет в серые брюки и гимназическую курточку, из-под околыша синего с белым кантом гимназического картуза его висели прямые волосы почти до плеч. Когда он поравнялся, Вадим Петрович с изумлением увидел его испитое, безбровое лицо. Он кольнул Рощина пристальным взглядом, колесо в это время вильнуло, он с трудом удержался, жестоко сморща, как печеное, желтое лицо свое, и проехал.

Минуту спустя один из всадников повернул коня, коротким галопом подскакал к Рощину и нагнулся с седла, всматриваясь в него бегающими зрачками.

— В чем дело? — спросил Рощин.

— Ты что за человек? Откуда?

— Что я за человек? — Рощин отвернулся от крепкого запаха лука и сивухи. — Я свободный человек. Еду из Екатеринослава.

— Из Екатеринослава? — угрожающе спросил всадник. — А для чего здесь?

— А для того я здесь, что ищу жену.

— Жену ищешь? А почему погоны спорол?

Дрожа от бешенства, Рощин ответил сколько мог спокойно:

— Захотел спороть погоны и спорол, тебя не спросил.

— Смело отвечаешь.

— А ты меня не пугай, я не из пугливых.

Всадник так и шарил зрачками по лицу Рощина, ища ответа. Вдруг выпрямился, узкое, перекошенное асимметрией лицо его нахально усмехнулось, он ударил шпорами коня и поскакал к велосипедисту. Рощин зашагал дальше, спотыкаясь от волнения.

Но его сейчас же нагнали эти трое. Велосипедист в гимназической фуражке крикнул высоким голосом, застревающим в ушах:

— Нам не хочет говорить, Левке скажет...

Всадники заржали и с обеих сторон конями придавили Рощина. Велосипедист проехал вперед, со всей силой пьяного человека вертя педалями. «Шагай, шагай», — повторяли всадники, заставляя Рощина почти бежать между лошадьми. Вырываться, протестовать было бессмысленно. Остановились на этой же улице у кирпичного дома с вытоптанным палисадником. Окна были замазаны мелом, над дверью висел черный флаг, и под ним надпись на фанере: «Культпросвет народно-революционной армии батьки Махно».

Рощин был так зол, что не помнил, как его втолкнули в дом, провели темными закоулками в заплеванную, замусоренную комнату с таким кислым запахом, что перехватило дыхание. Сейчас же вошел, несколько переваливаясь от полноты, лоснящийся, улыбающийся человек в короткой поддевке, какие в провинции носили опереточные знаменитости и куплетисты.

— А ну? — спросил он и сел у расшатанного столика, смахнув с него окурки.

— Батько велел спытать — чи это гад, чи нет, — сказал ему криволицый, сопровождавший Рощина.

— А ну, выдь, товарищ Каретник, — (и когда тот вышел) — а ну, сядь.

— Послушайте, — волнуясь, сказал Рощин улыбающемуся толстому человеку в поддевке, — я понимаю, что попал в контрразведку. Я объясню — кто я такой, зачем я здесь, мне скрывать нечего... Я приехал для того, чтобы...

— А ну, подивись на меня, — не слушая его, сказал человек в поддевке, — я Лева Задов, со мной брехать не надо, я тебя буду пытать, ты будешь отвечать...

Имя Левки Задова знали на юге все не меньше, чем самого батьки Махно. Левка был палач, человек такой удивительной жестокости, что Махно будто бы даже не раз пытался зарубить его, но прощал за преданность. Слышал о нем и Рощин. В первый раз ему стало зябко. Он стоял перед столом. Левка Задов сидел, пышно кудрявый, румяный, наслаждаясь властью над человеком, ужасом, который он внушал.

— А ну, давай балакать. Деникинский офицер?

— Да. Бывший...

— Бывший? Ай, ай, ай... Откуда едешь?

— Из Екатеринослава в Гуляй-Поле, — я же вам рассказываю...

— Ай, ай, ай... Зачем ты говоришь Леве, что едешь из Екатеринослава, когда ты приехал из Ростова...

— Нет, я приехал из Екатеринослава.

Рощин торопливо стал отыскивать билет, на минуту опять похолодев, — а вдруг он его выбросил? Билет оказался в кармане френча, вместе с помятой и выцветшей фотографической карточкой Кати. Он протянул Левке билет, и тот долго вертел его и рассматривал на свет. Билет, что ни говори, был правильный, это несколько озадачило Левку, у которого, видимо, уже сложилось убеждение вплоть до приговора. Билет менял всю картину. Левка даже перестал скалиться, толстые губы его брезгливо вздрагивали.

— А для чего, везя в штаб Деникина разведку, вылезаешь в Гуляй-Поле?

— Я не везу разведку. Я уже два месяца из армии. Я больше не служу. Я разорвал воинский билет. Сюда я приехал как вольный человек...

Левка не сводил с него черных глаз. Под этим взглядом, в котором не было ничего разумного и человеческого, Рощин напрягал все усилия, чтобы побороть волнение, отвечать обдуманно, и он начал было рассказывать (упрощенно, доступно) о причинах, заставивших его дезертировать.

— Если ты, сволочь, — перебил его Левка тихим голосом, — будешь мне еще врать, я с тобой сделаю, что Содома не делала с Гоморрой...

Быстрым, воровским движением он взял у Рощина Катину фотографию. Улыбаясь, как ценитель женщин, разглядывал ее и, — щелкнув по ней ногтем:

— А это что за сучонка?

— Моя жена... Ради нее я приехал... Отдайте мне фотографию...

— Ее положат на твой кровавый труп. — Левка прикрыл карточку толстой, налитой сальцем рукой. — А ну, давай сведения разведки...

— Ни слова я тебе больше не скажу! — крикнул Рощин.

— Мне скажешь. У меня балакают. — Левка легко приподнялся и, как кот лапой, ударил Вадима Петровича в лицо. Удар пришелся неудачно — по виску. Рощин упал без сознания.

Советская республика представлялась врагам ее обреченной в какие-то самые короткие сроки пасть под ударами. Но она всю изощренность ума, науки, все духовные и материальные силы народа организовала для того, чтобы самой перейти в наступление. Военный план большевиков заключался в том, чтобы, подчиняя все задачам обороны, ни на один час не ослабевать в проведении глубоких социальных изменений, бесстрашно внедряя в жизнь те принципы, осуществление которых лежало за пределами сегодняшнего дня. Затем: создать трехмиллионную Красную Армию; заслониться обороной на севере; вести наступление на Сибирь и Южный Урал и основное напряжение наступательных операций развить против красновского казачества на Дону и против Деникина на Северном Кавказе.

Российская советская республика, сдавленная со всех сторон белыми армиями, создала фронт длиной свыше пятнадцати тысяч километров; к этому за последнее время прибавился сложный и путаный фронт Украины.

С особенной силой на богатой Украине разгоралась гражданская война. Население ее к тому времени было глубоко расслоено недавней оккупацией, гетманской властью и мстительной реставрацией помещиков. Рабочий и шахтерский Донбасс, малоземельное крестьянство и батрачество тянули к советской власти; богатое крестьянство и буржуазия, боясь ревкомов, комбедов, исполкомов, комиссаров и хлебной разверстки, тянули к самостийной Директории и главе ее — батьке Петлюре. Его же поддерживала и та часть интеллигенции, у которой вся огромная тема советской революции укладывалась в ответ: «Геть, проклятые москали!», а старая романтика шаровар с Черное море, оселедцев, казачьих жупанов и кривых сабель заслоняла печальные исторические справки о кровавых жертвах украинского народа, три столетия боровшегося за свою независимость.

Петлюра сбросил гетмана, сел с Директорией в Киеве, объявил самостийную республику и начал безнадежную борьбу с пролетарской революцией. У него было несколько дивизий из перешедших на его сторону гетманских сичевиков и из стойких дисциплинированных галицийцев, поверивших, что сбывается старая мечта о соединении их с вильной Украиной, и из всякого сброда отчаянных людей, кормившихся военным грабежом. Но он не был достаточно умен или хитер, чтобы предложить украинскому селянству, расслоенному и бушующему, что-либо вещественное, кроме пышных универсалов. Резервов у него не было.

В декабре в Полтавщине, в городке Судже, организовалось подпольное советское правительство Украины. Председатель царицынского военсовета послал в Суджу командарма Десятой Ворошилова с тем, чтобы он вошел в правительство. В Судже был организован реввоенсовет.

К тому времени регулярная украинская Красная Армия, задолго до этих событий формировавшаяся под Курском преимущественно из бежавших от суда и казни украинских крестьян, численностью в две дивизии, начала наступление на запад в направлении Киева и на юг — на Харьков и Екатеринослав. Так как сил двух дивизий было явно недостаточно, расчет строился на поддержку партизанских отрядов. Из них наиболее мощным представлялась армия батьки Махно.

Махно гулял. В добытой после налета на Бердянск гимназической форме колесил на велосипеде напоказ всему городу, или вместе со своим адъютантом Каретником пел песни под гармонь, шатаясь по улице, или появлялся на базаре, злой и бледный, ища ссоры, но все от него прятались, зная, как легко у него из кармана штанов вылетает револьвер. Дюжие махновцы, не боящиеся ни бога, ни черта, увидев его около карусели, слезали с деревянных коней и пускались наутек. Батьке приходилось одному вместе с Каретником крутиться до одури.

По всему Гуляй-Полю шли разговоры, что батько за последнее время стал много пить, и как бы не пропил армии. Но только немногие догадывались, что он хитрит. Был он хитер, скрытен, живуч, как стреляный дикий зверь.

Махно тянул время. В эти дни ему надо было принимать большое решение. На Екатеринославщине не стало ни немцев, ни гетмана с сичевиками, с кем он дрался. Разбегались помещики. Малые города были пограблены. И с трех сторон надвигались, тесня его, новые враги: из Крыма и Кубани — добровольцы, с севера — большевики, с Днепра — петлюровцы, занявшие только что Екатеринослав. Кто из них опаснее? В какую сторону повернуть пулеметные тачанки? Решать надо было не мешкая. Армия редела, в ней начиналось шатание. Бойцы из мужиков-хлеборобов говорили: «Вот спасибо, что на Украину идут большевики, теперь можно и по домам, а кому еще не надоело — шлепай на лоб красную звезду». Ядро армии — «Черная сотня имени Кропоткина» — рубаки, отбившиеся от всякой работы ради разгульной воли на конях, кричали:

«...А захочет батько продать нас большевикам, — зарубим его перед фронтом, и только... Вон уже Петлюра забрал Екатеринослав, а мы все ждем... Проелись вчистую, босы и голы, скоро нам в степи с волками выть... Братва, даешь Екатеринослав!»

Третий день в Гуляй-Поле сидел матрос Чугай, делегат от главковерха украинской Красной Армии, и непоколебимо дожидался, когда Махно проспится, чтобы с ним говорить. В эти же дни из Харькова приехал знаменитейший философ, член секретариата анархистской конфедерации «Набат», тоже чтобы разговаривать с батькой. Члены махновского военно-политического совета, местные анархисты, ближайшие советчики, ловили, где только могли, батьку и ревниво предупреждали его никого не слушать и держаться высшей свободы личности.

Махно понимал, что, не прими он теперь же твердого, угодного армии решения, — конец его делу, его славе. Только два выбора было перед ним: поклониться большевикам, делать, что прикажет главковерх, и ждать, когда его в конце концов расстреляют за своевольство. Или, зарубив делегата Чугая, поднимать на Украине мужицкое восстание против всякой власти. Но вовремя ли это? Не ошибиться бы...

Мысли эти были настолько тайные, что опасно было их высказывать даже преданным собакам Левке и Каретнику. Ему было тесно от мыслей. Армия ждала. Делегат Чугай и старикашка, мировой анархист из Харькова, ждали. Махно пил спирт, не теряя разума, нарочно дурил и безобразничал, — глаз его был остер, ухо чуткое, он все знал, все видел. Злоба кипела в нем.

Велев арестовать и отвести к Левке неизвестного человека в офицерской шинели, который говорит, что он из Екатеринослава, Махно вскорости и сам явился в культпросвет, пройдя с велосипедом в камеру, где допрашивали. Левка Задов, неудачно ударив Рощина, сидел за столом, положив кулак на кулак и на них подбородок. Махно оглядел валяющегося на полу человека, поставил велосипед:

— Ты что с ним сделал?

— А ну, погладил, — ответил Левка.

— Дурак... Убил?

— Так я же не хирург, почем я знаю...

— Допрашивал? (Левка пожал плечом.) Он — из Екатеринослава? Что он говорит? Деникинский разведчик?

Махно глядел на Левку так пристально и невыносимо, что у того глаза томно подзакатились под веки.

— У него должны быть сведения... Где они? Со смертью играешь...

— Так я же не успел, только начал, Нестор Иванович... Черт его душу знает — до чего сволочь хлипкая...

Рощин в это время застонал и подогнул колени. Левка — обрадованно:

— Да ну же, психует.

Махно опять взялся за велосипед и увидел на столе Катину фотографию. Схватил, всмотрелся:

— У него взял? Кто? Жена?

Как у людей волевых, сосредоточенных, недоверчивых, с огромным опытом жизни, — у Нестора Ивановича была хорошая память. Он сейчас же вспомнил первое появление Кати (когда он заставил ее делать себе маникюр) и заступничество Алексея Красильникова, и все сведения, какие ему сообщили об этой красивой женщине. Он сунул фотографию в карман, ведя велосипед, приостановился, — лицо Рощина оживало, рот приоткрылся.

— Приведешь его ко мне, я сам допрошу...

Одно твердо сложилось в уме Нестора Ивановича за эти дни гулянья: необходимость вести армию на Екатеринослав, взять его штурмом и поднять знамя анархии над городской думой. Такая добыча воодушевит и сплотит армию. Екатеринослав богат — на целую губернию хватит в нем мануфактуры и всякого барахла, чтобы по селам и деревням выкидывать из вагонов и тачанок штуки сукна, ситца, высыпать лопатами сахар, швырять девкам ленты, позументы, чулки и ботинки: «Вот вам, мужички-хлеборобы, подарочки от батьки Махно! Вот вам вольный строй безвластия, без помещиков и буржуев, без Советов и чрезвычаек...»

Все остальное было еще не решено. Сейчас, взглянув на Катину фотографию, он вдруг нашел это решение, — оно выскочило у него, как петрушка из раешника. Но он и виду не подал, что все в нем заплясало от торжества... Сел на велосипед и поехал через улицу к длинному дому с большими окнами и оголенными тополями перед ним. Это была школа, где помещался штаб; его адъютанты и он сам квартировали в одной комнате.

Через час к нему привели Рощина. Впереди него шел Левка, позади махновец, — в енотовой шапке из поповского воротника, с черной лентой наискосок, — подталкивал Рощина в спину дулом револьвера. Махно сидел на ситцевом диванчике, продранном до пружин.

— Это что? — крикнул он высоким голосом. — В стражников, в царских жандармов играете? Отставить оружие! Выдь! — кивнул он снизу вверх желтым, испитым лицом на махновца. (Тот сейчас же, топая сапожищами, кинулся за дверь.) Махно поднялся с диванчика, сжал сухой кулачок и ударил Левку в лицо, в губы, в нос. — Кат! Кат! — завизжал он. — Алкоголик! Сифилитик! Пачкаешь идею! Пачкаешь меня!

Левка Задов, хорошо зная батьку, не стал дожидаться разворачивания его гнева, втянул голову в жирные плечи, закрывшись руками от ударов, выпятился за дверь и прикрыл ее за собой.

Махно снял фуражку, — лоб его был мокрый. Он опять сел на диванчик. Ему не хватало четок, чтобы совсем походить на изувера-послушника.

— Сядьте, пожалуйста. — Он махнул длинной рукой, указывая Рощину на стул. — Если вас и придется расстрелять, все равно — позор, позор — оскорблять человеческое достоинство. Возьмите папиросу, закуривайте. Вы разведчик?

— Нет, — глухо ответил Рощин, усмехнулся и взял папиросу.

— Добровольческий офицер?

— Я дезертировал. Кончил с этим. Вы же мне все равно не верите, — чего я буду рассказывать...

— Мне не врут, — сказал Махно тем же высоким, особенным голосом, который трудно было бы записать на нотные знаки. Рощину он показался похожим на клекот. — Мне не врут, — повторил он, и глаза его, сухие и немигающие, выражали такое превосходство воли, что трудно было глядеть в них. Навертывались слезы у того, кто хотел бы выдержать этот взгляд. Все же Рощин выдержал. У него после давешнего трещала голова, — преодолевая эту боль, он весь собрался для последней схватки.

— Если вам нужны сведения о Добрармии, — спрашивайте. Но сведения мои старые. Я ушел в отпуск два месяца тому назад. Этой весной я сделал неверный ход, цена ему — жизнь... Вы собираетесь меня расстрелять... Так или иначе, не сейчас — после, — мне не избежать пули за мою ошибку...

В глазах Махно появилась и пропала искорка юмора... «Не верит...» Вадим Петрович глубоко затянулся папиросой, положил ее на край стола, засунул руки за кушак: «Погоди ж ты у меня...»

— Прежде всего — как я попал в белый лагерь? Прикатился, как яблочко под горку. Ну что ж... Были мы русскими интеллигентами, значит — соль земли, читали Михайловского, Канта, Кропоткина и даже Бебеля, помимо других утешительных книг. Помню, с Алексеем Боровым* не одну бессонную ночь провел вот в таких же разговорах... (Как он и ждал, при упоминании этого имени у Махно сейчас же затуманились глаза, точно поглупели, но лишь на мгновение, не больше.) Полны были восторженных ожиданий. И вот — Февральская революция! Кончилось все это кислотой: вместо роскошного праздника — бульвары, засыпанные семечками, да матросня, да серое солдатье, — не великая страна, а тесто, ржаной кисель без соли...

Махно завозился на диванчике и вдруг, сам не замечая этого, сел, будто на какой-нибудь маевке, обхватив худые колени. Даже в глазах его появилось что-то внимательно-собачье..

— Оказалась интеллигенция не у дела. А уж в октябре взяли нас за шиворот, как котят, и — на помойку... Вот, собственно, и все... Добрармия — это всероссийская помойка. Ничего созидательного, даже восстановительного в ней нет и быть не может. А наломать она может, и даже весьма серьезно... Жалко, что поздно все это понял... Но рад, что понял... Так вот, Нестор Иванович... (Как-то само собой вышло, что назвал его по имени-отчеству.) Жить мне не следовало бы, да и не хотелось... Но есть одно существо... Дороже мне всех философий, дороже моей совести... Это меня и остановило...

---

* Алексей Боровой — теоретик-анархист того времени, популярный среди анархистов, окружавших Махно.

— Вот эта? — вдруг спросил Махно, показывая ему фотографию.

— Да, эта.

— Да вы возьмите, мне она не нужна...

Рощин спрятал в карман френча Катину карточку. Взял окурок, закурил. Руки его не дрожали. Он не сбился с рассказа.

— Воинский билет — в клочки, и сюда — по ее следам. А раз уже ухватился снова за жизнь, — подавай опять и философию и идеологию: мы не ремесленники... Единственно, что для меня приемлемо... Совершенно отвлеченно, конечно, совершенно отвлеченно... Это абсолютная свобода, дикая свобода... Пускай безумная, невозможная, а впрочем... Умирать надо за какие-то пределы фантазии.

— Разведку все-таки дайте, где она у вас запрятана? — тихо сказал Махно.

Рощин осекся, отвернулся и слабо, безнадежно махнул рукой. Махно долго не шевелился на диванчике. Вдруг вскочил и стал шарить среди кучи вещей в углу комнаты, — среди оружия, седел, сбруи, бумажных свертков... Нашел несколько коробок консервов, две бутылки спирту, поставил все это на стол и, вертя ключом, стал отдирать крышку с коробки сардин.

— Я беру вас в штаб, — сказал он. — Ваша жена в шестой роте, у Красильникова, на хуторе Прохладном... Сейчас придет делегат от большевиков. Нехай его думает, что я снюхиваюсь с добровольцами. Ваша задача тень на плетень наводить. Понятно? В карты играете?

Тут Вадим Петрович действительно растерялся и только моргал, даже не пытаясь понять — как это все обернулось и что все это значит. Махно, сломав сардиночный ключ, вытащил из кармана перламутровый ножик с полусотней лезвий и им продолжал орудовать, открывая жестянки с ананасами, французским паштетом, с омарами, от которых резко запахло в комнате.

— Расстрелять я вас всегда успею, а использовать хочу, — сказал он, как бы отвечая на растерянные мысли Рощина. — Вы штабист или фронтовик?

— В мировую войну был при штабе генерала Эверта...

— Теперь будете при штабе батьки Махно... На царской каторге меня поднимали за голову, за ноги, бросали на кирпичный пол... Так выковываются народные вожди. Понятно?

Зазвонил телефон в желтом ящике, стоявшем среди хлама на полу. Махно, присев на корточки, крикнул в трубку клекотным голосом:

— Жду, жду!

Делегат Чугай, медлительный человек, очень сильный, в поношенном, но опрятном бушлате, в бескозырке, сдвинутой на затылок, сидел, распустив карты, так, чтобы нельзя было в них подглядывать, и блестящими, навыкате, глазами следил за всеми движениями Нестора Ивановича. Широкое в скулах, неподвижное лицо его с черными усиками не выражало ничего, лишь гнутый стул потрескивал под его тяжестью. Казалось — возьми такого, подогни ему ноги в матросских штанах, заправленных в короткие и широкие голенища, посади под семь медных змей с раздутыми горлами и молись на него.

Играли в «козла», игру, выдуманную на фронтах, чтобы под смех и шутки забывать о ранах и тревогах. Нестор Иванович, как только вошли гости, не встав даже от стола, не подав руки, предложил было перекинуться в девятку на интерес (за этим-де и позвал). Быстро — не уследить глазами — сдал карты, бросил на стол бумажку в тысячу карбованцев и прикрыл ее банкой с омарами. Но Чугай взял свои две карты и подсунул их туда же под банку.

— Боишься? — спросил Махно.

Чугай ответил:

— На интерес со мной не садись. Давай в козла.

Махно, с картами под столом, откинувшись, сидел спиной к двери, имея позади себя свободное пространство (что немедленно и отметил Чугай). По левую руку его сидел Рощин, по праву — Леон Черный, член секретариата конфедерации «Набат», — клочковатый, неопределенного возраста, маленький, очень сухой, без легких в птичьей груди, про которого только и подумаешь, что жив одним духом. Мятый пиджачок его был обсыпан перхотью и седыми волосами, карты в рассеянности он развернул всем на виду.

Идя сюда, он приготовился к жестокой борьбе с Чугаем, намеревавшимся узурпировать Махно и его армию, — явление, полное неисчерпанных возможностей. Мысли Леона Черного были сосредоточенны, как динамит в жестянке. Несколько озадаченный тем, что вместо генерального боя с большевиком ему приходится играть в козла, он сбрасывал не те карты или ронял их под стол. Он уже четыре раза подряд остался козлом. «Бээшка, бээшка, вонючий!» — кричал ему Махно, смеясь одной нижней частью лица.

После каждой партии Махно обезьяньим движением протягивал руку к бутылке со спиртом и наливал в чашки и рюмки, следя, чтобы все пили вровень. Разговор за столом был самый пустой, будто и вправду собрались друзья коротать ненастный вечер, когда в черные окна сечет дождь, а ветер, забравшись в голые тополя перед домом, качает их, и свистит, и воет, как нечистая сила.

Махно выжидал. И Чугай спокойно выжидал, готовый ко всяким случайностям, особенно когда по некоторым намекам хозяина понял, что этот четвертый за столом, молчаливый, приличный, с синяками под глазами, седоголовый человек — деникинский офицер. По всей видимости, первым должен был взорваться Леон Черный, он уже вытащил грязный носовой платок, судорожно скатал его в клубочек и прикладывал к носу и глазам после каждой рюмки спирту. Так оно и случилось.

— Еще в Париже мы начали спор с вашими большевиками, — ворчливо проговорил он, взмахнув растопыренными картами в сторону Чугая. — Спор не кончен, и никто еще не доказал, что Ленин прав. Вместо феодально-буржуазного государства создавать рабоче-крестьянское!.. Но — государство, государство! Вместо одной власти — другую. Снять барский кафтан и надеть сермяжный! И у них-то будет бесклассовое общество!

Он мелко засмеялся, прижимая платок к сухоньким губам. У Чугая на лице ничего не отразилось, он только уставился на банку с омарами, придвинул ее и, — захватив вилкой сколько влезло:

— А вы что предлагаете, интересно? Анархию, мать порядка?

— Разрушение! — зашипел на него без голоса, перехваченного спиртом, Леон Черный, и клочки его сивой бородки ощетинились, как у барбоса. — Разрушение всего преступного общества! Беспощадное разрушение, до гладкой земли, чтобы не осталось камня на камне... Чтобы из проклятого семени снова не возродилось государство, власть, капитал, города, заводы...

— Кто же у вас жить-то будет на пустом месте?

— Народ!

— Народ! — крикнул Махно, вытягиваясь к Чугаю. — Вольный народ!

— Что же с крику-то начинать, — проговорил Чугай, — тогда уже надо кончать стрельбой. — Он взял бутылку и налил всем. (Леон Черный оттолкнул свою рюмку, она пролилась.) — Взять да и развалить, это дело нехитрое. А вот как вы дальше намерены жить?

Леон Черный, — предупреждая ответ Нестора Ивановича:

— Наше дело: страшное, полное и беспощадное разрушение. На это уйдет вся энергия, вся страсть нашего поколения. Вы в плену, матрос, в плену у бескрылого, трусливого мышления. Как жить народу, когда разрушено государство? Хе-хе, как ему жить?

Махно ему — сейчас же:

— Тут мы разошлись, товарищ Черный. Мелкие предприятия я не разрушаю, артели я не разрушаю, крестьянское хозяйство не разрушаю...

— Значит, вы такой же трус, как этот большевик.

— Ну зачем, в трусости его не упрекнешь, — сказал Чугай и одобрительно подмигнул Нестору Ивановичу (испитое лицо у того было красное, как от жара углей). — Крови своей Нестор Иванович не жалел, это известно... Здорово живешь мы его вам не отдадим... За него будем драться.

— Драться? Начинайте. Попытайтесь, — неожиданно спокойно проговорил Леон Черный, и клочья бороды на его щеках улеглись. Рассеянно и жадно он занялся паштетом. Чугай покосился на Рощина, — тот равнодушно курил, подняв глаза к потолку. Нестор Иванович оскалил большие желтые зубы беззвучным смехом. «Так, понятно, сговор», — подумал Чугай. Стул под ним заскрипел. Помимо того, что надо было выполнить наказ главковерха — склонить Махно на совместные действия, — в первую голову против Екатеринослава, — Чугай имел все основания опасаться тяжелых организационных выводов в случае неудачного спора с этим анархистом, обглодавшим, наверное, не одну сотню толстенных книг. Не нравился ему и молчаливый деникинец, тоже — по морде видно — из интеллигентов. Что он из батькиного штаба, Чугай, конечно, не верил.

Он плотней надвинул шапочку на затылок.

— Я вам задам вопрос.

Леон Черный, — с набитым ртом:

— Пожалуйста.

— Товарищ Ленин сказал: через полгода в Красной Армии будет три миллиона человек. Можете вы, Леон Черный, мобилизовать в такой срок три миллиона анархистов?

— Уверен.

— Аппарат у вас имеется для этой цели, надо понять?

— Вот мой аппарат. — Леон Черный указал вилкой на Махно.

— Очень хорошо. Остановимся на этой личности. Вы, значит, снабжаете Нестора Ивановича оружием и огнеприпасами на три миллиона бойцов, само собой — амуницией, продовольствием, фуражом. Лошадей одних для такой армии понадобится полмиллиона голов. Это все имеется у вас, надо понимать?

Леон Черный отсунул от себя опустевшую жестянку. Лоб его собрался мелкими морщинами.

— Слушайте, матрос, цифрами меня не запугаете. За вашими цифрами — пустота, убогие попытки заштопать гнилыми нитками эту самую Россию, рвущуюся в клочья. Скрытый национализм! Три миллиона солдат в Красной Армии! Запугал! Мобилизуйте тридцать. Все равно подлинная, священная революция пройдет мимо ваших миллионов мужичков-собственников, декорированных красной звездой... Наша армия, — он стукнул кулачком, — это человечество, наши огнеприпасы — это священный гнев народов, которые больше не желают терпеть никаких государств, ни капитализма, ни диктатуры пролетариата... Солнце, земля и человек! И — в огромный костер все сочинения от Аристотеля до Маркса! Армия! Пятьсот тысяч лошадей! Ваша фантазия не поднимается выше фельдфебельских усов. Дарю их вам. Мы вооружим полтора миллиарда человек. Если у нас будут только зубы и ногти и камни под ногами, — мы опрокинем ваши армии, в груду развалин превратим цивилизации, все, все, за что вы судорожно цеплялись, матрос...

«Эге, старичок-то легкий», — подумал Чугай, следя, как Махно, вначале весь вытянувшийся от внимания, опускал плечи и румянец угасал на его впавших щеках: он переставал понимать, учитель отрывался от здравого смысла.

Тогда Чугай сказал:

— Второй вопрос вам, Леон Черный...

— Ну-те...

— Я так вас понял, что общая мобилизация у вас не подготовлена. Но всякому делу нужен запал: бомбе — капсуль, костру — спичка. На какой запал вы рассчитываете? Где эти ваши кадры? Батька Махно? (У Леона Черного забегали зрачки, — он искал подвоха.) Армия у него боевая, правильно, но процент анархистов не велик. Это не ваша армия.

Он покосился на Махно, — не лезет ли рука его в карман за шпалером, но он сидел спокойно. Леон Черный презрительно заулыбался:

— Наша беседа свелась к тому, что мне приходится вас учить азбуке, матрос..

— Очень желательно.

— Разбойничий мир — вот наш запал, вот наши кадры!.. Разбой — самое почетнейшее выражение народной жизни... Это надо знать! Разбойник — непримиримый враг всякой государственности, включая и ваш социализм, голубчик... В разбое — доказательство жизненности народа... Разбойник — непримиримый и неукротимый, разрушающий ради разрушения, — вот истинная народно-общественная стихия. Протрите глаза.

Махно во время этого страстного взрыва идей подошел на цыпочках к двери, приотворил ее, заглядывая в коридор, и опять вернулся к столу. Рощин теперь с любопытством приглядывался к фантастическому старичку, — не дурачит ли он?

— Я вижу — вы уже моргаете, матрос, вы поражены, ваши добродетели возмущены! — кричал Леон Черный. — Так знайте: мы сломали наши перья, мы выплеснули чернила из наших чернильниц, — пусть льется кровь! Время настало! Слово претворяется в дело. И кто в этот час не понимает глубокой необходимости разбоя как стихийного движения, кто не сочувствует ему, тот отброшен в лагерь врагов революции...

Махно, щурясь, стал кусать ногти. Рощин подумал: «Нет, старичок знает, что говорит». Чугай, навалясь на стол, поставил на него локоть и поднял палец, чтобы Леону Черному было на чем сосредоточиться.

— Третий вопрос. Хорошо, эти кадры вы мобилизовали. Дело свое они сделали.. Разворочали... Заваруха эта должна когда-нибудь кончиться? Должна. Разбойники, по-нашему — бандиты, люди избаловавшиеся, работать они не могут. Работать он не будет, — зачем? — что легко лежит, — то и взял. Значит, как же тогда? Опять на них должен кто-то работать? Нет? Грабить, разорять — больше нечего. Значит, остается вам — загнать бандитов в овраги и кончить? Так, что ли? Ответьте мне на этот вопрос...

В комнате стало тихо, будто собеседники сосредоточили все внимание на поднятом пальце, загнутом ногте Чугая. Леон Черный поднялся, — маленький (когда сидел, казался выше), неумолимый, как философская мысль.

— Застрели его! — сказал он, повернувшись к Махно, и выбросил руку в сторону Чугая. — Застрели... Это провокатор...

Махно сейчас же отскочил в свободное пространство комнаты, к двери. Чугай торопливо зацарапал ногтями по крышке «маузера», висевшего у него под бушлатом. Рощин попятился от стола, споткнулся и сел на диванчик. Но оружие не было вынуто: каждый знал, что вынутое оружие должно стрелять. Глаза у Махно светились от напряжения. Чугай проговорил наставительно:

— Некрасиво, папаша... Прибегаете к дешевым приемам, это не спор... А за провокатора следовало бы вас вот чем... (Показал такой кулачище, что у Леона Черного болезненно дернулось лицо.) Принимая во внимание вашу слабую грудь, не отвечаю... Папаша, со словами надо обращаться аккуратнее...

Махно и на этот раз не вступился за учителя. Леон Черный насупился, будто спрятался в клочья бороды, взял свое пальто, с вытертым, когда-то бобровым, воротником, такой же ветхий бархатный картуз, оделся и ушел, мужественно унося неудачу.

— Ну, поехали дальше? — сказал Махно, возвращаясь к столу и берясь за бутылку. — Товарищ Рощин, пойди к дежурному, чтобы указал тебе свободную койку.

Рощин козырнул и вышел, уже за дверью слыша, как Махно говорил Чугаю:

— Одни — «батька Махно», другие — «батька Махно», ну, а ты что скажешь батьке Махно?..

12

Только приехав домой в село Владимирское, походив по своему пепелищу, присыпанному снежком, потянув ноздрями дымок, тянувший от соседей, поглядев, как жирные гуси, уже хватившие первого ледка, гордо вскидывая крыльями и гогоча, бегут полулетом по седому лугу, — Алексей Красильников понял, до чего ему надоело разбойничать.

Не мужицкое это дело — носиться в тачанках по степи меж горящими хуторами. Мужицкое дело — степенно думать вокруг земли да работать. Земля, матушка, только не поленись, а уж она тебе даст. Все веселило Алексея Ивановича, — и хозяйственные думы, от которых он отвык в бытность у Махно, и мягонький, серый денек, редко сеющий медленные снежинки, и деревенская тишина, и запах родного дыма. Похаживая, Алексей нет-нет да и поднимал ржавый кровельный лист, гвоздь, кусок железа в окалине, — бросал их в одну кучу. Не нажива, привезенная на трех возах, была ему дорога, было ему дорого то, что, не стесняясь теперь в каждом рубле, он будет строить и заводить хозяйство. От первого кола на пепелище до того дня, когда Матрена выкинет из печи пахучий хлеб своего урожая, — «Новая печь, — скажет, — а как хорошо печет», — до этого дня трудов — не оглянуть, не измерить. И это веселило Алексея: ничего, мужицкий пот произрастает...

Разгребая носком сапога пепел, он нашел топор с обгорелым топорищем. Долго рассматривал его, с усмешкой качнул головой: тот самый! От него тогда все и пошло. Вспомнилось, как брат Семен, услышав жалобный крик Матрены, бешено выскочил из хаты. Алексей зачем-то воткнул топор в сенях, в чурбан около самой двери. Не метнись он в глаза Семену, — ничего бы, пожалуй, и не было...

«Эх, Семен, Семен, — и Алексей бросил заржавленный топорик в ту же кучу. — Вдвоем бы вот как горячо взялись за дело... Да, брат, я уж отшумел, будет с меня...»

Он глядел себе под ноги, думая. В том письме, полученном от Семена еще под Гуляй-Полем, брат писал такие слова: «Матрене моей передай, чтобы от баловства какого-нибудь, пожалуйста, сохраняла себя, не нужно ей этого, не то время... Убьют меня — тогда развязана... Время такое, что зубы надо стиснуть. Вас только во сне вспоминаю. Скоро меня не ждите, — гражданской войне и края не видно...»

Алексей встряхнулся, — а ну ее к черту, дальше носа все равно ничего не увидишь. Снова стал глядеть на тихие дымы — то там, то сям поднимались они за плетнями, за голыми садами, над хатами, укутанными камышом и соломой. Мужики приготовились тепло прожить зиму. Ну, и правы. Красная Армия не через неделю, через две будет здесь. Как это так — не видно конца гражданской войне? Что Семен брешет! Кто еще сюда сунется? «Эх, Семен, Семен... Конечно, болтается на миноноске в Каспийском море, ему кровь глаза и застилает...»

Все же у Алексея неясно было на душе. Вытащил было кисет, — тьфу ты, черт, бумаги нет... Этим летом один фельдшер рассказывал, что в махновской армии много нервных, — с виду человек здоров, полпуда каши осилит, а нервы у него, как кошачьи кишки на скрипке. «Ладно, нервы, — проворчал Алексей, — раньше мы о них и не слыхивали». Он подошел к одиноко торчащей обгорелой печной трубе, попробовал ее раскачать, — крепка ли? Навалился плечом, и она качнулась... «То-то, нервы...»

Алексей поселился с Катей и Матреной у родственницы, вдовы. Было у нее тесно и неудобно. Матрена побелила печь, смазала серой глиной земляной пол, занавесила кружевцами подслеповатые окошечки. Алексей купил муки, картошки и достаточно фуражу для лошадей — у кого воз, у кого два. Он ни с кем не торговался, денег не жалел и даже, если очень просили, давал немножко соли, что было дороже золота. Он знал, что односельчане его деньги считают легкими и три воза добра и пять голов коней долго не простят ему.

Труднее было уломать односельчан относительно постройки дома. Он надумал снести флигель в княжеской усадьбе, которая стояла, разоренная и брошенная, за голым парком на горе. В барском доме ничего не осталось — одни выбитые окна зияли между облупившимися колоннами. Флигель же, где жил управляющий, был цел. Его нетрудно разобрать и перенести на пепелище.

Но мужички все еще чего-то боялись. В селе не было никакой власти, — гетманскую изгнали, петлюровская кое-как держалась только в городах, красная еще не пришла. Без власти, может быть, с непривычки, было все-таки страшновато: как бы кто потом не спросил. Решили избрать старосту. Но в старосты никто не захотел идти, — богатые и умные только махали рукой: «Да что вы, да зачем мне это надо...» Поставить на эту должность бобыля какого-нибудь, которому терять нечего, — не хотелось. С советской стороны шел слух про этих бобылей, что из смирных становятся они — ой, какие бойкие.

Подходящего человека нашли бабы, — одна надоумила другую, и защебетали по всему селу, что старостой сам бог велел выбирать деда Афанасия. Этот дед жил на покое при двух своих снохах (сыновей его убили в германскую войну), в поле не работал, смотрел за птицей да вокруг дома и покрикивал на снох. Старик был мелочный, придирчивый. В незапамятные времена служил при генерале Скобелеве.

Дед Афанасий сразу согласился быть старостой: «Спасибо, почтили меня, но уж не отступайтесь — слухать себя заставлю». С седой бородой, расчесанной по-скобелевски на две стороны, в подпоясанном низко кожухе, с высокой ореховой палкой ходил он по селу и высматривал — к чему бы придраться.

Алексей, встречая его, каждый раз снимал шапку и почтительно кланялся. Дед Афанасий, навалив на глаза страшенные брови, спрашивал:

— Ну, что тебе?

— Ничего, спасибо, Афанасий Афанасьевич, все на том же месте горюю.

— С мужиками все не можешь поладить?

— Одна надежда на вас, Афанасий Афанасьевич... Зашли бы когда-нибудь...

— Не много ли тебе чести будет, а?

Алексей все же заманил Афанасия Афанасьевича: послал Матрену к его снохам — купить гуся пожирнее да сказать, что завтра, мол, справляем именины, звать никого не зовем, — тесно, а добрым людям рады. Дед Афанасий был к тому же любопытен. Едва зимние сумерки заволокли село, он пришел на именины в жарко натопленную хату, с половичком от порога до богато накрытого стола. Повсюду жгли лучину или сальные фитили в консервных жестянках, — здесь над столом горела керосиновая лампа.

Дед Афанасий вошел суров, как и подобает власти, и, снимая шапку, увидел красавицу Матрену — с поджатыми губами, с черными недобрыми глазами, и — эту, другую, про которую в селе ходили всякие разговоры, именинницу, тоже красивую женщину. Обе, и Матрена и Катя, были одеты в городские платья, одна — в красное, другая — в черное. Дед Афанасий размотал шарф, стащил кожух и быстро сбил бороду на обе стороны.

— Ну, — сказал он польщенно, — приятному обществу мое почтение.

Вчетвером сели за стол. Алексей из-под лавки достал бутылку николаевской водки. Начался приятный разговор.

— Афанасий Афанасьевич, именинница наша, будьте знакомы, — моя невеста, любите и жалуйте.

— Вот как? Будем, будем жаловать, женщины ласку любят. А из каких она?

Алексей ответил:

— Офицерская вдова. У ее покойного мужа служил я вестовым...

— Вот как!.. — Дед все удивлялся, — было чего потом рассказать бабам. Ему и самому захотелось хвастнуть. — Когда я Георгия получил под Плевной, генерал Скобелев меня определил при себе — вестовым... Под ядра, пули посылал... Скажет, бывало: «Скачи, Афонька...» Ах, любил меня!.. Значит, невеста ваша благородного звания. Трудновато ей будет на деревенской работе...

— Деревенская работа не по ней, Афанасий Афанасьевич. Слава богу, достатка у нас найдется на рабочие руки...

— Само собой... Ну что ж, выпьем за здоровье невесты, горьким за сладкое. — Выпив, дед крякал, шибко ладонью ерошил желтоватые усы. — Вот мои снохи пятипудовые мешки таскают. А в первое время, как мужьев угнали на войну, пришлось, дурам, взяться за мужицкую работу: «Ой, спинушку развалило, — стонут, — ой, рученьки, ноженьки!» Умора! — Дед вдруг засмеялся глупым смехом. — А я с бабами лажу...Меня генерал Скобелев так и прозвал: Афонька — бабий король...

Матрена порывисто встала, скрывая смех, пошла за занавеску к печи — доставать жареного гуся. Катя, не поднимая глаз, сидела — тихая, скромная. Алексей, наливая, сказал душевно:

— Не то нам горько и обидно, Афанасий Афанасьевич. Я бы хоть завтра свадьбу сыграл, да разве могу я устроить молодую жену в такой конуре? Она с Матреной на коечке теснится, я на голом полу сплю... Обидно — сельский мир к нам, как к чужим... Чего они уперлись? Этот флигель без толку стоит на отшибе. Случаем только его ведь и не сожгли. Кому он нужен? Ждут, что князь сюда опять вернется да их поблагодарит?

— Есть такое соображение, — сказал дед Афанасий, разламывая гусячью ногу.

— Черт сюда скорее вернется, чем помещик... Ну, ладно... Этот флигель я покупаю у общества, я за все отвечаю... (Матрена зыркнула глазами на Алексея, он стукнул по столу.) Покупаю! Я — человек нетерпеливый... Эх, да что там... Ради такой встречи, — Матрена, достань у меня под подушкой в тряпице одна вещь завернута. (Матрена, сдвинув брови, затрясла головой.) Подай, подай, не жалей. Жальчее жизни ничего нет.

Матрена подала. Алексей развернул тряпочку, вынул вороненые часы с боем и со стальной цепочкой. Потряс их, приложил к уху.

— Случаем достались, как будто знал — для кого доставал. Носите их на здоровье, Афанасий Афанасьевич.

— Что же, ты мне взятку даешь? — сурово спросил дед Афанасий, и все-таки рука у него задрожала, когда Алексей положил ему часы на ладонь.

— Не обижайте нас, Афанасий Афанасьевич, дарим от сердца... У меня десятка два этой чепухи, Матрена все на спирт выменивала. А эти, — в них то дорого, что с боем. Чем вам под утро слушать петухов, пружинку эту нажали, — бьют; валенки надевайте, идите смотреть скотину...

— Ах, — сказал дед Афанасий и разинул рот с редкими зубами, — ах, бабенок моих будить!.. Теперь они у меня не проспят, толстомясые.

Дед замотал шарфом жилистую шею, пошатываясь, надел кожух и ушел. Матрена, подвернув огонь в лампе, вместе с Катей убирала за занавеской посуду. Алексей сидел у стола.

— Николаевская это, что ли, крепка, или не пил я давно, — проговорил он глухим голосом. — Матрена, пошла бы ты скотину взглянуть.

Она не ответила, будто не слыхала. Немного спустя взглянула на Катю, усмехнулась.

— Не пойму, не разберу... То ли вы гнушаетесь нами, — опять сказал Алексей, — то ли совсем блаженная...

Матрена огненным взором приказала Кате не отвечать, — щеки ее пылали.

— Да хоть заплачьте, что ли... В первый раз таких вижу, ей-богу. Ее аттестуешь, — хоть поперхнулась бы... Сидит, опустила глаза... Ни рыба ни мясо... русалка, честное слово... Матрена! — позвал он. — А этого она не понимает, что малые дети на нее пальцами показывают. Алексей на возу привез, в карты ее у Махны выиграл... Это ей ничего... А мне чего! — бешено крикнул он. — Пускай теперь знают — моя невеста!

Катя побледнела, с полотенцем и тарелкой пошла было за занавеску. Матрена сильно дернула ее за плечо.

— Мы знаем теперь — с какого конца за жизнь хвататься... Я первого человека убил в четырнадцатом году. — Алексей коротко засмеялся. — Сижу, немец ползет, нос поднял, я — щелк, он и свалился на бок. А я жду — вылетит у него душа али нет? Я много людей убил, ни у одного души не видел... Ну и довольно, спасибо за науку... На угольках дом будем ставить: первый — деревянный, второй — каменный, третий — под золотой крышей... Напрасно, напрасно, Екатерина Дмитриевна, ведете со мной такую политику. Я вас силой не удерживаю, не мил, поган, — идите на четыре стороны. Невеста! От нынешнего моего жениховства удовольствия ждать не приходится...

Матрена скользнула губами по Катиной щеке и в самое ухо: «Дурак пьяный, не слушай его...» Катя повесила на протянутую веревочку полотенце и вышла за занавеску. Алексей сидел у стола боком, — нога на ногу, — свесив набухшую большую руку, и провалившимися глазами глядел на Катю. Она села на табурете, напротив него. Взгляд Алексея был не пьяный, пристальный, — она опустила глаза.

— Алексей Иванович, нам давно нужно поговорить... Алексей Иванович, я вас считаю хорошим человеком. За все время нашей походной жизни я видела от вас только настоящую доброту. Я к вам привязалась... Что вы объявили сегодня, — чему же удивляться, я давно этого ждала... Алексей Иванович, здесь, по приезде, что-то случилось... Вы здесь — другой человек...

Алексей захрипел, прочищая горло, потом спросил:

— То есть как — другой? Тридцать лет был одним, теперь стал другой?

— Алексей Иванович, моя жизнь была, как сон без пробуждения... Ну, вот... Я была бесполезное домашнее животное... Ах, меня любили, — ну, и что ж! — немножко отвращения, немножко отчаяния... Когда нас окружила война, — это было пробуждение: смерть, разрушение, страдания, беженцы, голод... Бесполезным домашним животным оставалось, поскулив, умереть... Так бы и случилось, — меня спас Вадим... Он говорил, и я верила, что наша любовь — это весь смысл жизни... А он искал только мщения, уничтожения... Но ведь он был добр? Не понимаю... (Она подняла голову, глядя на привернутый огонек жестяной лампы над столом.) Вадим погиб... Тогда меня подобрали вы.

— Подобрал! — Он усмехнулся, не спуская с нее глаз. — Кошка вы, что ли...

— Была, Алексей Иванович... А теперь не хочу... Была ни доброй, ни злой, ни русской, ни иностранкой... Русалкой... — Уголки ее губ лукаво приподнялись, Алексей нахмурился. — Оказалось, что я просто — русская баба... И с этим не расстанусь теперь... С вами я увидела много тяжелого, много страшного... Выдержала, не пискнула... Помню один вечер... Распрягали телеги, подъезжали всадники... Около кипящего котла собрались разгоряченные, шумные люди...

— Помнит! Матрена, смотри...

— Их все больше собиралось у кипящего котла... Каждый рассказывал о славных ударах, как он срубил голову, и налетел еще, и сшибся... Наверно, они много выдумывали... Но в этом было большое и сильное.

— Матрена, это она вот что вспоминает, — бой с германцами под Верхними хуторами... Лихое было дело...

— Я помню, как вы соскочили с тачанки. К вам страшно было подойти... — Катя помолчала, будто всматриваясь куда-то расширенными зрачками. — Вот, это было... Когда мы ехали сюда, я думала: передо мной широкая жизнь... Не на маленьком кусочке земли, — тут только поросята, куры, огород, и дальше — глухой забор, и — серые деньки без просвета... (Катя наморщила лоб, — ее бедный ум только хотел выразить это большое, ощутимое, что ей почудилось в степях, но выразить не мог.) Когда мы приехали — точно вернулись с праздника... Сегодня вы огласили меня невестой, огласили обдуманно. Вот, все и кончилось. Дальше — ну, что? Рожать... Вы построите дом, скоро будете зажиточным, а там и богатым... Все это я знала, все это осталось по ту сторону... Было в Петербурге, было в Москве, было в Париже, теперь начинается сызнова в селе Владимирском...

Такая тоска была в ее руках, упавших на колени, в ее склоненной голове с чистым пробором в темно-русых, как пепел, теплых волосах, — Алексей с силой зажмурился... Улетела, не давалась ему в руки эта жар-птица...

— Глупая вы очень, Екатерина Дмитриевна, — сказал он тихо. — Такая у вас путаница... Вроде брата Семена, что ли, — хотите в кровях умываться?.. Удивили вы меня этим разговором... Нет, все равно, не отпущу я вас...

13

Иван Ильич и Даша приехали в полк и поселились на хуторе в мазаной хате. Приемная Телегина, с телефонами, денежным ящиком и знаменем в чехле, находилась рядом, через сени. А здесь было только Дашино царство: теплая печь, в которой не варили, но где Даша мылась, как ее научили казачки, залезая внутрь на расстеленную солому; кровать с двумя жесткими подушками и тощим одеяльцем (Иван Ильич покрывался шинелью); накрытый чистым полотном стол, где ели; зеркальце на стене; веник у порога, и в углублении штукатуренной печи — в печурке — стояли фарфоровые кошечка и собачка.

Два года тому назад Даша и Иван Ильич так же поселились вдвоем, влюбленные и шалые. Даша никогда не забывала того первого вечера на их молодой квартире, с окнами, раскрытыми на влажный после дождя Каменноостровский: ей было по-девичьему ясно и покойно, Иван Ильич сидел в сумерках у окошка, она видела, что он смущен почти до страдания, и она первая решилась, — зная, что сейчас доставит ему огромную радость, она сказала: «Идем, Иван». Они вошли в спальню, где на полу в банке стояла огромная охапка сладко пахнущих мимоз. Даша отворила дверцу шкафа, за ее прикрытием разделась, босиком перебежала комнату, залезла под одеяло и спросила скороговоркой: «Иван, ты любишь меня?»

Даша была несведуща в любовных делах, хотя они занимали ее больше, чем было нужно. То, что произошло в тот вечер между ней и Иваном Ильичом, — разочаровало Дашу. Это оказалось не тем, ради чего было написано столько поэм, романов и музыки, — этой заклинательной силы, вызывающей восторги и слезы, когда, бывало, Даша, одна, в пустой Катиной квартире, сидела за черным «стейнвеем» и вдруг, оборвав, вставала, сунув пальцы в пальцы, и если бы все тело ее не было в эти минуты холодноватым и прозрачным, как стекло, — то, что клубилось и кипело в ней, наверно бы, задушило ее.

Даша вскоре тогда забеременела. Она очень любила Ивана Ильича, но стала гнать его от себя. Потом начались страшные месяцы, — голод и тьма петроградской осени, дикий случай на Лебяжьей канавке, окончившийся преждевременными родами, смерть ребенка и одно желание — не жить. Потом — разлука.

Теперь все началось заново. Их чувство было сложнее и глубже былой невесомой влюбленности, в которой все казалось загадками и ребусами, как в пестро раскрашенном волшебном ящичке с неизвестными подарками. Оба они много пережили и ничего еще не успели передать друг другу. Теперь любовь их, — в особенности для Даши, — была полна и ощутима так же, как воздух ранней зимы, когда отошли ноябрьские бури и в легкой морозной тишине первый снег пахнет разрезанным арбузом. Иван Ильич все знал, все умел, на все мог найти ответ, разрешить любое сомнение. И раскрашенный волшебный ящичек снова выплыл перед Дашей, но в нем уже не своевольные, самодовлеющие ощущения, не ребусы и загадки, — в нем были подарки, радости и горести суровой жизни.

Одно ей не совсем было понятно в Иване Ильиче и стало даже огорчать Дашу, — его сдержанность. Каждый вечер, ложась спать, Иван Ильич делался озабоченным, — переставал глядеть на Дашу, снимая сапоги, кряхтел на лавке, иногда, уже разувшись, говорил: «Дашенька, родная, спи, милая», — и уходил босиком через холодные сени в канцелярию; возвращался на цыпочках и осторожно, чтобы не заскрипела кровать, ложился с краю и сразу засыпал, накрывшись с головой шинелью.

А днем он был весел, жизнерадостен, румян, — убегал и прибегал, целовал Дашу в щеки, в ее русую, теплую, милую голову.

— Еще раз здравствуй, мать командирша... Ну что — налаживается у тебя?

Об этом он спрашивал тридцать раз на дню. Даше было предложено комиссаром Иваном Горой наладить местными силами полковой театр.

С перепугу Даша отказалась было: «Господи, так я же ничего не понимаю...» Иван Гора похлопал ее по руке:

— Справитесь, голубка, научитесь на ошибках, — и не такие дела вытягивали. Лишь бы нам от этой обыденщины отойти. Валяйте что-нибудь революционное, задушевное, чтобы у бойцов глаза щипало.

Комиссар очень заторопил с театром. Качалинский полк, пополненный и переобмундированный из скудных запасов царицынского интендантства, готовился вскорости выступить на фронт. Несмотря на утомительные строевые занятия, на два часа ежедневного политпросвещения, бойцы, отъевшись на хуторах, начинали баловаться от избытка сил. Был созван митинг.

Сергей Сергеевич Сапожков выступил на нем, после стольких лет молчания дождавшись случая раскрыть рот, чтобы выбросить в мир кучу идей, распиравших его. Он сказал о революционной ломке театра, об уничтожении всяких границ между сценой и зрителем, о будущем театре под открытым небом или в гигантских цирках на пятьдесят тысяч зрителей, где будут участвовать целые полки, стрелять пушки, подниматься воздушные шары, низвергаться настоящие водопады и героическими персонажами будут уже не отдельные актеры, но массы.

— Где вы, грядущие драматурги? — размахнув руками, будто силясь взмыть под стропила сарая, спрашивал Сапожков у красноармейцев, весело слушавших его, хотя и туманны были многие его слова и чересчур быстро он низал их одно к одному. — Где вы, драматурги нашей непомерной эпохи? Новые Шекспиры? Софоклы, сошедшие с мраморных пьедесталов, чтоб разделить с нами пир искусства, пир творчества? Разве был когда-нибудь так раскрыт перед вами человек? Разве история выбрасывала когда-нибудь столь роскошные груды идей?

Само собой, Даша после такого выступления совсем оробела. Но отступать было некуда.

Она поехала вместе с Сапожковым в Царицын за книжками, холстом, красками. Кое-что удалось достать. Сергей Сергеевич надавал ей много полезных, а еще более сумасшедших советов. Решено было безо всякой предварительной волокиты подобрать актеров и сразу начинать репетировать «Разбойников» Шиллера.

Телегин был в восторге не столько от предстоящей постановки «Разбойников», сколько от того, что Даша, наконец, нашла работу, увлечена ею, бегает, суетится, разговаривает с красноармейцами, сердится, иной раз плачет от досады и теперь уже не вернется (как ему в простоте душевной казалось) к напряженной сосредоточенности на одних своих переживаниях.

Приказом по полку в драматическую труппу были отчислены Агриппина, Анисья, Латугин, — ходивший к комиссару, чтобы его не обошли в этом деле, — Кузьма Кузьмич, Байков и еще несколько красноармейцев, гармонистов, балалаечников и певцов.

Вечером в сарае при свете огарка Даша прочла пьесу. В скудном освещении лица актеров едва проступали сквозь пар от дыхания. В щели ворот поднявшийся ветерок наносил снег. Даша читала ясным, чистеньким голосом, стараясь по памяти подражать тому, как читал когда-то Бессонов: одна рука за лацканом черного сюртука, отрешенный от жизни голос, и слова, как кусочки льда, и жадно глотающие их, тяжело дышащие литературные дамы — вокруг на креслицах...

Уже с середины чтения Даша поняла, что пьеса не нравится, хотя в ней были сделаны большие вымарки. Под конец Даша совсем заторопилась. Окончив, сказала после тягостного молчания:

— Ну вот, это — «Разбойники» Шиллера, которых мы должны играть...

Мужчины закурили, один из них, Латугин, — негромко:

— Умственная штучка.

Тогда Кузьма Кузьмич, достав из кармана свежий огарок, зажег его и сел рядом с Дашей.

— Товарищи, Дарья Дмитриевна ознакомила нас с произведением, теперь я его прочту.

И он, взяв у нее книгу, начал громко читать, изображая голосом и всем лицом то отцовскую скорбь старика графа Моора, то шипел с присвистом, и нос его приплющивался, и глаза лезли наискось: «...Я был бы жалким ротозеем, когда бы не смог исторгнуть любимчика сына из родительского сердца, хотя бы он был прикован к нему железными цепями... О ссвесть! Отличное пугало для воробьев... Плыви, кто может плыть, а кто тяжел, — тони...»

И слушатели воочию видели ползучего гада Франца Моора. Но вот голос Кузьмы Кузьмича крепнул, рукой он ерошил волосы, сбивая их над лысиной, страшно вытягивались губы у него, блестели глаза благороднейшим гневом: «О люди! люди! Лживые, коварные отродья крокодилов! На устах — поцелуй, в руке — кинжал, чтобы вонзить в сердце... Ад и тысячу дьяволов! Пылай огнем, терпенье благородного мужа, превращайся в тигра, кроткая овца...»

Анисья Назарова тихо ахала; Латугин весь подался к свече, озаряющей волшебную книгу, по строчкам которой ползал ноготь Кузьмы Кузьмича. Сам Карл Моор гремел в темном сарае, — взбунтовавшийся человек, понятный взволнованным слушателям. Да еще какие находил слова, чтобы рассказать о своих обидах, вот это — пьеса, бьет под самый корень!

Когда догорел огарок и Кузьма Кузьмич мрачно проговорил последние слова Карла, вспомнившего, идя на страшную казнь, о бедняке-поденщике, — Анисья и Агриппина стали вытирать глаза рукавами шинелей. «Правдивая вещица», — проговорил Латугин. И все сошлись на том, что Карл зря, сгоряча, неправильно убил возлюбленную Амалию, ее надо было взять в шайку, перековать. В этом месте Шиллера придется поправить, иначе из-за такой мелочи хорошая пьеса не понравится красноармейцам, и могут быть даже вредные последствия среди бойцов. Амалию, тут же у стола, решили не закалывать, а Карл ей говорит: «Иди домой, несчастная», — заплакав горько, она уходит.

Анисье поручили играть Амалию, Карла — взялся Латугин. Подлеца и гада Франца хотели дать Байкову, — побоялись: не удержится, станет смешить публику; красноармейцы, как увидят его бороду, — так и грохнут. Решили: Франца играть Кузьме Кузьмичу, а чтобы он казался помоложе — обязать его наголо обриться. Старика графа Максимилиана фон Моора отдали красноармейцу Ванину, с густым голосом. Остальные роли расхватали Агриппина и молодые бойцы. Кто-то принес паклю и керосину, в сарае стало светло от дыма горящего факела. Не расходясь, начали репетировать.

Даша вернулась домой только под утро и еще долго рассказывала Ивану Ильичу, — он, босиком, в накинутой шинели, сидя на кровати, хохотал до слез...

— Латугин Карла Моора играет? (И он прыскал и хрюкал, держась за живот.) Ой, не могу... Да знаешь ли ты, зачем он Карла Моора взялся играть, прохвостище? Он за Анисьей ухаживает... А ему Шарыгин обещался печенку вырвать... А Кузьма Кузьмич? Франца... Этот может... В чем же они — не в гимнастерках же будут ломаться? Я пошлю завхоза, на хуторе одном какой-то присяжный поверенный из Петрограда застрял с чемоданами... Разживемся сюртуками и фраками...

— Ты так хрюкаешь, что просто нет охоты ничего тебе рассказывать. Пусти меня. — Даша залезла в кровать и улеглась к самой стене, спиной к мужу. Когда он осторожно подоткнул ей одеяло и прикрыл ноги шинелью, так как печь уже остыла и в хате было свежевато, Даша проговорила, засыпая: — Все будет хорошо.

В полку теперь только и говорили, что о театре. Сапожков прочел лекцию о немецкой литературе времен «Бури и натиска», где сравнивал бурных гениев — Шиллера, Гете, Клингера — с молодыми орлятами, разбуженными приближающимися зарницами Великой французской революции. Сапожкову посыпалось столько вопросов, что пришлось объявить ряд лекций по истории конца восемнадцатого века. Он все ночи просиживал при свете коптилки, строча карандашом и выжимая свою память, так как за неимением книг и справочников довольствовался дымом махорки. На лекциях вопросы сыпались, как горный обвал, — красноармейцы хотели все знать. Упомяни он о чем-либо, — давай подробно. Дернуло его обмолвиться о декабристах, — давай их сюда, рассказывай.

Его слушали по многу часов, перемогая усталость, — иные задремывали и опять встряхивались. Увлекательна была повесть о давно прошедшем времени, о чужой стране, где вот так же люди, вздев на пику красный колпак, пошли напролом одни против всего мира. Голодные и разутые, выдумали новую военную тактику, чтобы победить. И, победив, были скручены по рукам и ногам теми, кому не догадались вовремя отрубить головы.

— О Максимилиан Робеспьер, Максимилиан Робеспьер! — восклицал Сапожков одним хрипом сорванного голоса. — Ты мог победить, ты мог спасти революцию! Твой роковой день, когда ты сорвал черное знамя Коммуны с парижской ратуши...

Уже пели петухи по дворам, приходил комиссар Иван Гора и гудел:

— Товарищи, через три часа побудка.

Суфлируя, Даша прерывала:

— Стоп! Товарищ Ванин, вы изображаете какого-то покойника. Не нужно нарочно кашлять, откуда у вас этот отвратительный натурализм? Горячее, вкладывайте больше души... Все сначала.

Даше попался среди привезенных из Царицына книг театральный журнал со статьей Кугеля «За неимением гербовой — пишут на простой», наполненной руганью по адресу Художественного театра. Автор вспоминал великих русских трагиков, потрясавших умы и сердца звероподобной гениальностью. Тогда театр был языческим храмом, занавес казался таинственным покрывалом Таниты*. Увы, порода гигантов-трагиков вымерла, последний из них, Мамонт Дальский, променял свои котурны** на колоду карт. Великих потрясателей душ заменил режиссер, ученый господин, предложивший почтеннейшей публике вместо распятой перед зрительным залом человеческой души — настроение, колышущиеся занавески, двери с настоящими косяками и жужжание комаров... «Нет, — восклицал автор, — истинный театр — это косматое чудовище страстей!» Из статьи Даша почерпнула также кое-какие практические сведения, помогавшие ей репетировать.

---

* Танита — богиня луны у древних гуннов.

** Котурны — башмаки на подставках для увеличения роста, — у древнегреческих актеров.

* * *

Латугин и Анисья сидели в стороне, дожидаясь выхода. За эти несколько дней у нее осунулось лицо, — еще бы, нелегко было влезать в чужую жизнь. Анисья потеряла аппетит, еда стала ей противна. Думала, думала, как ей поверить в Амалию? — и нашла лазейку, увидав в книге изображение этой барышни в широком платье (Амалия грустила, подперев рукой щечку). Анисья долго, со вздохами, рассматривала картинку, прикинула: вот тогда, в моем-то горе, куда горчайшем, брела я, спотыкаясь, от села к селу, не видя света от слез, протягивала руку за куском черствого хлеба... Нет, картинка неправильная. Ей бы, Амалии, — пускай в шелках, бархатах, — Анисьино горе, — вот бы как заломила руки в коротеньких рукавчиках с кружевцами, вот бы как завела глаза!

Так, понемногу, Амалия фон Эдельрейф, возлюбленная Карла Моора, стала Анисьей. Вчера на репетиции все даже приумолкли, когда она, сняв высокую шапку с нашитой звездой из кумача и коснувшись рукой рассыпавшихся волос, села на табурет и заговорила, будто беря рукой за сердце:

«О ради бога! Ради всех милосердий! Мне уже не нужно любви... Одной смерти прошу я... Покинута, покинута! Понимаешь ли ты ужасные звуки этого слова: «покинута...»

Сегодня утром на строевых занятиях отделенный за полнейшую невнимательность Анисьи вкатил ей наряд вне очереди; пришлось вмешаться комиссару, и ограничились строгим выговором. Сейчас она тихо сидела рядом с Латугиным, — в больших синих глазах ее бродила мечта, губы ее, то улыбаясь, то вздрагивая, беззвучно произносили слова.

— Была у нас Саша, девчонка, с ясненькими глазами, — вполголоса говорил ей Латугин, — мне четырнадцать в ту пору, ей — семнадцать. Походка у нее, что ли, была особенная? Идут девушки с поля, и она с ними, — полушалочка, кофтенка канареечная, идет с граблями, будто вот сейчас к тебе прильнет... Пропили за хрыча, поникла моя Саша... А ты спрашиваешь, отчего наш брат мечется! (Он говорил, у Анисьи чуть розовели щеки, будто ее ласкали.) Небывалой жизни ищем, небывалой, непробованной, дорогая моя Анисья. Об одной все думаем, о такой, какую и во сне не увидать...

— Таких не бывает.

— Тебе знать! В Тихом океане на коралловом острове такие-то живут.

Анисья посмотрела на его бычье лицо с широко расставленными глазами, и опять в ней что-то дрогнуло, и горячая, влажная нежность прошла по ее телу. Но теперь не томление покорное, бабье, — нет, этого уже больше нет, спасибо за то времечко! — теперь ей стало весело, — усмехнулась:

— А ты там бывал?

— Что ж из того... В лоции об этом написано.

— В какой такой лоции?

— В морской книге о разных чудах.

— Несешь ты, Латугин, горе тебя слушать.

— А ты слушай, а я буду врать. А вот тебе правда: задумал я, Анисья, с тобой нехорошо сделать, да был у меня разговор с одним человеком. Сунули меня, как кота мордой, в это самое... Ладно... Человек — царь природы. Спасибо за науку...

Анисья опять, но уже с удивлением, взглянула на него. Латугин так повысил голос, что Даша постучала карандашом: «Товарищи, мешаете репетировать».

— На Керженце у нас скопцы живут, — шепотом продолжал он. — Холостят себя через то, что не могут с собой справиться. Один рассказывал: «Снится мне жар-птица, снится, — раскроешь глаза — серая тоска...» И злодействуют, и жен лупят до полусмерти... Идет он к своему коновалу — белому голубю: «Спаси мою душу», и тот его гасит, как свечу... «Живи, мерин, благополучно, Господь с тобой...» Нет, Анисья, кровью умоемся, в трех щелоках вываримся, — поймаем ясную птицу, хоть она на край жизни улети...

Даша стучала карандашом:

— Товарищи, Карл, Амалия, последняя сцена, делайте перестановку...

Когда утренняя малиновая, морозная заря проступила за дымами хутора, — около хаты, где помещался штаб полка, соскочил верхоконный, бросил заиндевевшую лошадь и бешено начал стучать в дверь. Иван Ильич сам отворил ему. Красноармеец передал пакет. В тот же день были мобилизованы подводы на ближних хуторах, и полк выступил в поход.

Начиналось окружение Царицына Донской армией, — третье по счету с августа месяца. На этот раз генерал Мамонтов брал Царицын в клещи, с флангов. Верстах в пятидесяти севернее города три конных полка генерала Татаркина внезапным ударом прорвали фронт и выскочили к Волге около поселка Дубовка.

На день позже, на юге под Сарептой, стала наступать конница генерала Постовского. Сарепту прикрывали части Стальной дивизии Дмитрия Жлобы. Самого Жлобы уже не было: он разругался с военсоветом, запретившим ему самоснабжение и своевольство, и, опасаясь ареста, кинулся в Москву — жаловаться. В Стальной дивизии шло брожение, — одни говорили, что батько Жлоба вернется командармом, другие, что батько арестован и «треба всей громадой» идти на Царицын — выручать его, но больше верили слухам, что батько бежал в Астрахань и там собирает вольницу. Тысячи полторы конных бойцов, снявшись с фронта, переправились через Волгу и ушли левым берегом на Астрахань. Стальная дивизия была растрепана, генерал Постовский занял Сарепту и навис с юга над Царицыном.

В предвидении этих фланговых ударов военсовет Десятой еще за неделю до того стал сосредоточивать ударную группу из двух кавалерийских бригад: доно-ставропольской и бригады Семена Буденного. Но они не успели соединиться, — произошел прорыв, и всю силу удара приняли на себя доно-ставропольцы. На помощь к ним день и ночь гнал коней Буденный.

К месту сосредоточивания ударной группы были брошены качалинцы. Весь остаток дня и с коротким привалом всю следующую ночь полк двигался в направлении на мутное зарево в морозной мгле. Оно сбивало свет зари; солнце поднялось правее его, лишь ненадолго показавшись между раскалившимися, как медь, слоистыми тучами.

Телегин, Иван Гора и Сапожков ехали верхами, позади них по снежной степи во много рядов растянулись телеги с красноармейцами, пушки и обозы. Вдалеке маячили конные разведчики. Оба командира и комиссар с удивлением слушали сердитые вздохи артиллерийской стрельбы, доносившиеся не так уже издалека. Они пустили коней рысью, опередив полк — съехались, остановились и, вынув из планшета карту, стали рассматривать ее. Место, куда приказано было прибыть полку, находилось еще далеко, но слышимость орудийной стрельбы указывала, что фронт придвинулся. Связи у них с ним не было ни по проволоке, ни по конной цепочке. Такая неясность могла быстро повернуться гибелью.

— Степь проклятая, ползем, как жуки по скатерти, — сказал Иван Гора, — хорошо, если казачишки нас еще не выследили.

— Ну, как не выследили, — сказал Телегин, — у них своя почта, от самых хуторов за нами следят.

Сапожков, нахлобучив папаху по самые брови, ускакал к разведчикам.

Подходили передние воза на тяжело дышащих, косматых от пота лошадях. Иван Ильич приказал соскочившим красноармейцам бежать — махать и кричать отставшим, чтобы подтягивались и держались плотнее. Пробираясь между телегами, он увидел Кузьму Кузьмича, обвязанного по ушам тряпицей, — он правил лошадью; на куче декораций сидела Даша, в башлыке, в нагольном белом кожухе, лицо ее было, как у маленькой, яркорумяное и заспанное. Щурясь от снежного света, она что-то закричала ему, но за скрипом телег, шумным говором он ничего не расслышал. Потом увидел Агриппину, сидевшую с тремя красноармейцами, — она тоже что-то начала кричать, указывая варежкой на небо. Чего ей там понадобилось? — Иван Ильич запрокинулся в седле. Ясно виднелся самолет — черной птичкой, пониже слоистого облака, под которым расходились мглистые солнечные лучи.

Теперь его увидели все. Иван Ильич, ударив лошадь, врезался между возами. «Рассыпайся!» Огромный Иван Гора, привстав на стременах, заорал басом: «Огонь по самолету!» Мимо Ивана Ильича промчалась телега, — Даша со страшными глазами и Кузьма Кузьмич, хлещущий лошадь концами вожжей. Началась беспорядочная стрельба. Свирепо ревущий самолет с отогнутыми крыльями стал уходить за облака, из брюха его посыпались яйца, со свистом понеслись вниз и взорвались на чистом снегу черными кустами.

Такую страсть многие из красноармейцев видели в первый раз, — иные телеги ускакали далеко в степь. Протяжно заиграла труба, собирая рассыпавшийся строй. И долго еще молодые ребята опасливо поглядывали на облака.

Теперь надо было ждать и самих казаков. Телеги шли ось к оси, тесными рядами. С пушек, ползущих внутри вытянутого четырехугольника, были сняты чехлы. На закате дня впереди залиловели очертания селенья. Оттуда рысцой возвращался Сапожков с двумя разведчиками. Возбужденный и веселый, подъехал к Телегину и Ивану Горе, снял папаху, взъерошил мокрые волосы:

— Все в порядке, на хуторе никого, кроме баб и ребят. Дальше, верстах в пяти, станица, там — казаки...

— Казаки, казаки, утешили тоже! — сердито перебил Иван Гора. — А где наши?

— Не знаю же, тебе говорят... Наши от станицы отошли, а на хуторе их и не было...

— Хутор надо занимать, — сказал Иван Ильич, — покуда не свяжусь с фронтом — ни шагу дальше хутора не двинусь.

В сумерках заняли хутор, раскинувшийся по берегу запруженного оврага. Красноармейцы стучали в ставни, кричали устрашающе: «Хозяева, вылазь!» Заходили в натопленные, темные хаты. Лишь кое-где за печкой обнаруживали где женщину с ребенком, где бормочущую со страху бабушку. Все мужское население убежало в станицу. Телегин приказал окапываться. Оба конца улицы загородили сдвинутыми возами. Сапожкова он еще засветло послал с охотниками в глубокую разведку, чтобы за ночь связаться с фронтом.

Ночь прошла тревожно. Хотя казаки не большие охотники драться по ночам, все же можно было ждать от них всякой пакости. Иван Ильич и Иван Гора ходили из конца в конец хутора, пробирались по еще зыбкому льду на ту сторону пруда. Небо было непроглядно, орудийная стрельба на северо-востоке затихла. Поднимался ветер, тянущий сыростью, мороз спадал, и снег уже не хрустел под ногами.

— В мышеловку, ну чисто в мышеловку попали, — гудел Иван Гора, угрюмо шагая рядом с Телегиным, — не смогли довести полка... Позор! Нас ищут, мы ищем, что за хреновина! Кто виноват, ну — кто?

— Брось ты, никто не виноват.

— С кого первого спросят? С меня. И правильно. Комиссар в степи с полком потерялся, ах, хреновина!..

Гулко раздался одинокий выстрел. Иван Гора с размаху остановился. Были слышны удары его сердца. И сразу началась ураганная стрельба и так же внезапно затихла. В темноте лишь переговаривались люди, выскочившие спросонок из хат.

— Нервничают ребята, — сказал Иван Ильич. — Молодежь необстрелянная. Давай покурим.

Перед рассветом он зашел на минутку в хату, осторожно шагая через ноги спящих, ощупью добрался до печки. Дашина рука в темноте отыскала его и погладила по лицу, он прижал к губам ее теплую ладонь.

— Что ты не спишь?

— Знаешь, я о чем, Иван, — если мы долго простоим на хуторе, — в конце концов можно сыграть «Разбойников» под открытым небом и даже просто в шинелях, не в этом суть...

— Ну, конечно, Дашенька.

— Так горячо у нас пошло — жалко, если они все растеряют...

— Правильно... Я завтра взгляну, — может быть, сарай какой-нибудь найдется... Спи, деточка...

Он опять вышел на улицу и глубоко вдохнул сырой ветер. После стольких лет тоски по счастью Иван Ильич никак не мог привыкнуть к тому, что оно было в двух шагах, в низенькой хате, на теплой печи, под овчинным тулупчиком...

«Не спит, в тревоге... И ведь ни словечка... Только обрадовалась, лапку протянула... Что за удивительная женщина!..»

То, что она отыскала его в темноте, и погладила, и прижала ладонь к его губам, так взволновало Ивана Ильича, что и на ветру лицо его пылало... Неужели он все-таки ошибается? «Нет, дорогой мой, эти глупости — прочь... Подруга — да, да, да... Верная — да, да, да... И на том будь счастлив...»

Он никогда не мог забыть тех темных вечеров в Петрограде, когда, прибегая с добытым пирожком, с конфеткой какой-нибудь для Дашеньки, он внушал ей только отвращение и ужас... Значит, в нем было такое и никуда оно не девалось. Но, боже мой, до чего он любил эту женщину, до чего желал ее!

Из темноты подошел Иван Гора, глубоко засунувший руки в карманы бекеши.

— А если они Сапожкова у нас перехватят?

— Очень возможно. Я на рассвете высылаю вторую разведку.

— Раньше, гораздо раньше надо было все это делать!.. — Иван Гора вытащил руку из кармана и постукал себя кулаком по лбу. — Не оправдал доверия, коммунист! Выдеремся из этой истории благополучно, — все равно не прощу себе... Я бы такого комиссара повел вон за тот амбарчик: прощай, товарищ!

— Иван Степанович, я в такой же мере виноват, если хочешь...

— Брось, брось. Ну — пойдем, давай закуривай...

Всю эту ночь Сергей Сергеевич Сапожков с пятью разведчиками-охотниками колесил по степи, в надежде обнаружить какие-либо признаки фронта. Но степь была глуха и непроглядна. Зажигали спичку и ориентировались по компасу. Некормленые лошади приустали, а та, на которой был навьючен пулемет, захромала и тянула повод. Сапожков приказал спешиться, разнуздать, отпустить подпруги. Из заседельных мешков достали пшеницы, насыпали в шапки, стали кормить лошадей, поставив их спиной к ветру.

— Товарищ командир, я нашел объяснение, почему мы не могли соприкоснуться с фронтом, — сказал Шарыгин, как всегда вдумчиво подбирая слова. — Фронт сконцентрировался... (Он озяб, губы у него плохо шевелились.) Мы подтянули фланги в район боя, и казаки сконцентрировались... Возможен такой факт?

— О казаки, казаки, лживые и коварные отродья крокодилов! Ад и тысячу дьяволов! — серьезно проговорил Латугин. Трое молодых красноармейцев (мобилизованные на казачьих хуторах) прыснули со смеху. Шарыгин сейчас же ответил:

— Не всегда шутка к месту, товарищ Латугин. Нахальство надо попридержать в серьезных делах.

Сапожков тихо:

— Будет, ребята, не ссориться.

Лошади позвякивали удилами, с хрустом жуя пшеницу. За спинами у разведчиков посвистывал ветер в дулах винтовок.

— Жри, не балуй, холера! — прикрикнул Латугин, когда лошадь, выдернув голову из шапки, начала ему кланяться.

Давеча, на хуторе, у колодца, где собрались красноармейцы, Сергей Сергеевич Сапожков крикнул охотников в разведку, и первым подошел к нему Шарыгин: «Я иду с вами», причем не удержался, добавил, волнуясь: «Не подумайте, товарищ командир, я не из лихачества выскакиваю, но, как комсомолец, сознательно, так сказать...»

Латугин, который привел к колодцу артиллерийскую упряжку и смеялся с красноармейцами, услышал это, увидал красное, возбужденное лицо Шарыгина... «Ах, черт курносый, — подумал, — нет, врешь, не обскачешь...» И, подернув плечами, подошел к Сапожкову:

— Не лишний буду у вас, Сергей Сергеевич? А то — сбегаю на батарею, отпрошусь.

Всю дорогу он цеплялся к Шарыгину и смешил красноармейцев. Сейчас его обозвали нахалом, и командир сделал замечание. Так! Латугин высыпал из шапки в горсть остатки зерна, бросил их в рот.

— Языка надо добыть, что ж без толку по степи кружиться... Тогда будем знать — где фронт сконцентрировался...

— Правильно, — подтвердил Шарыгин, — дельное предложение.

— Ну, товарищи, по коням!

Сапожков надел шапку, взнуздал лошадь, кряхтя, подтянул подпруги и вскочил в седло. Перед рассветом стало подмораживать, и ночь была уже не так темна. Предутренний зеленоватый свет обозначил мутные края облаков. Ребята, нахохлившись, трусили рысцой.

— Стой! Вон они! — Латугин, роняя шапку, через голову потащил карабин. — Шестеро... семеро! — В зеленоватой мути только его морские глаза могли увидать что-то совсем неразличимое... — Да нет же, черт, — шипел он съехавшимся разведчикам. — Не туда глядишь, вон они — чуть брезжут...

Пока торопливо развьючивали пулемет, послышался топот лошадей и обозначились преувеличенные, неясные очертания всадников.

— Снохачи, клади оружие, сдавайся! — диким голосом закричал Латугин.

Не по-кавалерийски ударил лошадь дулом карабина и поскакал, и, догоняя его, поскакал вслед Шарыгин. «Назад, назад!» — надрывался Сапожков. Приостановившиеся было казаки, — видимо, тоже разведчики, — повернули коней и стали уходить. Латугин с седла выстрелил несколько раз; под одним, скакавшим позади (остальные уже едва были видны), лошадь кинулась вбок и повалилась. Латугин и Шарыгин завертелись вокруг соскочившего человека. «Давай сюда, товарищи!» — звал Латугин, возясь с ним около упавшей лошади. Когда к нему подбежали, он уже сидел верхом на казаке и крутил ему руки. «Небольшой, а какой здоровый дядька...» Казак лежал ничком, щекой в снегу, и хрипел, морщинисто зажмурив глаза.

Ему приказали встать, толкали его, перевернули на спину. Казак начал ругаться забористо, сложно, так, будто нарывался, чтобы его скорее прикончили. Сапожков, побледнев, ударил его ножнами шашки: «Встань!» Казак, приподняв голову, дико взглянул на него, встал, пошатываясь. Был он невелик ростом, покатый в плечах, с широкой, как сияние, бородой, забитой снегом.

— Типун тебе на язык, матершинник, куродав! — закричал на него Сапожков. — Перед тобой командир полка, отвечай на мои вопросы.

Казак потянул за спиной скрученные ремнем руки. Круглыми желтыми глазами, поворачивая бороду, глядел на стоящих перед ним. Вдруг облизнул губы.

— Я тебя знаю, — сказал он одному из красноармейцев, румяному и смешливому, — ты Куркина родной племянник, не стыдно тебе?

— Тю! И я тебя знаю, Яков Васильевич...

— Яков Васильевич, здравствуй, желанный, — сказал Латугин, и смешливый красноармеец опять прыснул. — Чудо бородатое, мы-то вас всю ночь ищем. Какого полка? В составе какого корпуса?

Сапожков, отстранив его, достал карту и начал допрос. Казак отвечал неохотно, потом, видимо, рассудил, что за разговором можно выгадать время, — краснопузые немного поостынут, можно будет выпутаться, — и разговорился. Из его слов узнали о прорыве фронта генералом Татаркиным и о том, что дальнейшее развитие успеха приостановлено доно-ставропольцами и что сейчас идет кровопролитный бой под Дубовкой, куда стягиваются и белые, и красные.

Конец ниточки был найден. Решили казака отправить в полк с одним человеком, остальным, не щадя коней, идти на Дубовку — рапортовать командующему о прибытии качалинского полка. И тут только спохватились — где же Шарыгин?

— Мишка, — позвал Латугин, — заснул с конями?

Брошенная лошадь Латугина стояла, наступив на повод. Из-под брюха другой лошади, повесившей худую шею, виднелись странно подогнутые ноги Шарыгина. Он обхватил седельную подушку, прижался к ней лицом.

— Мишка! — С тревогой Латугин взял его за плечи, потянул к себе. — Братишка, чего дуришь?

Шарыгин откачнулся и тяжело повалился на него. Лицо его было землистое. Шинель от груди до патронташа набухла кровью. Латугин опустил его на снег, заголил белый живот его, прижал ладонью кровоточащую колотую рану.

— Ты его угодил шашкой? Эх, Яков, Яков!.. — Латугин сорвал с себя шинель и гимнастерку, от ворота разодрал рубаху, скрутил ее жгутом и живо и ловко стал перевязывать Шарыгину живот. — Сергей Сергеевич, надо его на хутор везти.

— Позволь, как же...

— Что — как же!.. Я один его довезу и пленного пригоню.

На мертвенном лице Шарыгина выступил пот, закаченные глаза ожили, к ним возвращалось сознание, и изумление, и страх: что такое произошло с ним, — молодое, никогда не болевшее, сильное тело его сломалось...

— Товарищи, родные, как же мне теперь?

— Снегу, снегу схвати, дурной! — Латугин щипал снег и клал ему на губы.

Покуда возились с Шарыгиным и перевьючивали пулемет с захромавшей лошади, — стало уже совсем светло, ветер гнал низкие, растрепанные облака, сеющие мелким ледяным дождичком. За хлопотами не заметили, как с юга, вместе с клочьями тумана, надвинулись огромные скопления конницы.

От топота ее загудела степь. На рысях проходили колышущиеся колонны всадников, упряжки пушек, четверни тачанок. Разведчики глядели на них, держа лошадей в поводу. Уходить было поздно.

Разведчиков заметили, десятка два верхоконных отделились от головы проходившей колонны и вскачь погнали к ним. Оглянувшись, Сапожков видел, как Латугин, серьезный и побледневший, медленно потянул шашку; смешливый красноармеец, неосмысленно щелкая затвором винтовки, все лицо собрал морщинками, как от боли...

Передний всадник, в заломленной бараньей шапке, в плечистой бурке, покрывающей до репицы небольшую лошадку, что-то закричал и указал на разведчиков. Сапожков выстрелил, и тотчас Латугин, падая на него с седла, схватил за руку:

— Г...но! Не стреляй! Свои!

Они подскакивали. Фланговые, окружая, стлались на конях. Высокий человек в бурке налетел на Сапожкова и так тряхнул за грудь, что тот потерял оба стремени...

— Ослеп!.. Что за люди, какой части?

Черные глаза у него вращались, усы взъерошились, он едва удерживался, чтобы рукоятью шашки не стукнуть оробевшего Сапожкова.

— Мы качалинского стрелкового полка. Ищем связь с фронтом.

— Плохо же вы ищете связь с фронтом, когда он у вас на носу, — остывая, ответил усатый и с треском бросил шашку в ножны. — Садись, езжай с нами.

— У нас раненый, вот в чем дело-то...

— Ах, боже ж ты мой, весь полк у вас такой бестолковый? Подымай раненого на коня, вот к тому здоровому, — указал он на Латугина. — А это что за герой?

— Языка взяли.

— Давай нам языка. (Сапожков заикнулся было, что языка нужно отослать в полк.) Ах, с вами трудно мне разговаривать. С вами будет разговаривать начштаба бригады, надо же иметь понятие. — Он поправил плечом бурку и пошел крупной рысью, так, будто лошадь выплясывала под ним, поблескивая копытами, кидая снег. За ним поскакали все, — и Латугин с привалившимся к нему Шарыгиным, и насупившийся от стыда и горя в широкую бороду пленный казак, которому развязали руки.

Кавалеристы несказанно удивились вопросу Сергея Сергеевича: что это за кавалерия, идущая так быстро в походных колоннах, теперь уже смутно виднеющихся сквозь туман и дождь?

— Как, что за кавалерия? То ж бригада Семена Михайловича Буденного.

— Отдохнули немножко, Дарья Дмитриевна? Что-то личико озабоченное? С утра-то и не покушали? Так, так... А я целое ведро молока надоил. Сбегал бы, честное слово, принес, — красноармейцы все съели. Хлеба мы накрошили и втроем прититюшили. Вот как животы набили...

Кузьму Кузьмича распирало от переизбытка жизни. Даша не могла смотреть на его лицо, обритое наголо, — до того оно было неприличное: маленький суетливый подбородок и рот, такой откровенный и голый, будто сам просился, чтобы его прикрыли... Даша проснулась поздно, ни в хате, ни на дворе никого уже не было. В воздухе пахло оттепелью, хлевами, по камышовым крышам цеплялись клочья тумана. Кузьма Кузьмич увидел ее с соседнего двора, живо перелез через плетень и давай вокруг нее притоптывать, потирая маленькие грязные руки.

— Во-первых — все хорошо, благополучно, Дарья Дмитриевна... Супруг ваш на том берегу пруда. Вы изволили крепко спать, не слышали, — была перестрелка. Казачишки хотели нас пощупать, мы их так стукнули — они кубарем назад в станицу. Пока что окапываемся... Бегал я на батарею, — Карл Моор еще не вернулся из разведки. Проезжала с бочкой Анисья — на ней лица нет, губы сжаты, нос вострый, не пожелала со мной разговаривать. Таков обзор внешних событий. Что касается вас, — берите ведро, налейте в ковшик теплой воды из чугуна, идем доить корову. Ничего нет более успокоительного для души и тела, особенно для мечтательной интеллигенции, как прикосновение к коровьим соскам.

Даша засмеялась. Но он настаивал:

— Шиллер — Шиллером, а на вашем дворе хозяева удрали, бросили скотину не поену, не кормлену, не доену. Это не порядок. Идите за ведром.

— Я же не умею, Кузьма Кузьмич.

— Вот типичный ответ. Ничего вы не умели, Дарья Дмитриевна, иголки держать не умели, мужа из-за неуменья едва не потеряли навек. А вот мы надоим молока, я вас научу, как наводить молочные блины, на лучинках яичницу жарить. Придет Иван Ильич, голодный, как зверь. И красавица жена подаст ему сковороду, на ней сало шипит как бешеное. Он накинется, а вы ему еще — блинков! Садитесь напротив и глядите на него со спокойной улыбкой, и она ему кажется загадочной, как у Джиоконды. Вот какие жены у командиров Красной Армии!

Кузьма Кузьмич настоял на своем, — уж если попала ему идея какая-нибудь, как шип в голову, лучше было с ним согласиться. В полутемном хлеву Даша, подобрав юбку, присела под коровой, — та ее не боднула и не лягнула. Даша помыла теплой водой вымя и начала тянуть за шершавые соски, как учил Кузьма Кузьмич, присевший сзади. Ей было страшно, что они оторвутся, а он повторял: «Энергичнее, не бойтесь». Широкая корова обернула голову и обдала Дашу шумным вздохом, горячим и добрым дыханием. Тоненькие струйки молока, пахнущие детством, звенели о ведро. Это был бессловесный, «низенький», «добрый» мир, о котором Даша до этого не имела понятия. Она так и сказала Кузьме Кузьмичу — шепотом. Он — за ее спиной — тоже шепотом:

— Только об этом вы никому не сообщайте, смеяться будут: Дарья Дмитриевна в коровнике открыла мир неведомый! Устали пальцы?

— Ужасно.

— Пустите... (Он присел на ее место.) Вот как надо, вот как надо... Ай, ай, ай, вот она, русская интеллигенция! Искали вечные истины, а нашли корову...

— Слушайте, а вы сами-то...

— Я? — От возмущения он даже бросил доить.

— Сидите под коровой и философствуете.

— Душенька, вы с бывшим попом лучше и не связывайтесь спорить.

Он взял ведро и вместе с Дашей пошел из коровника в хату. Там он стал колоть лучинки.

— Философствование есть праздношатание мыслей. Иоганн Георг Гаман, прозванный северным магом, утверждал: «Наше собственное бытие и существование других предметов вне нас никак доказаны быть не могут и требуют только веры...» А если веры нет, значит, и мира нет? И вас, и меня нет? И не лучинка это, а — ничто? На ничто яичницу будем жарить?

Он положил лучинки на шесток, из печи выгреб несколько угольков и стал раздувать их.

— Иное дело — философия жизни, Дарья Дмитриевна. Изучи жизнь, познай ее и овладей... Без вмешательства высокого разума жизнь идет по злым путям. Существование мое есть факт, самый несомненный и лично для меня чрезвычайно важный. И так как я общителен и любопытен, то хочу все видеть и все понять. И скоро пойму многое из того, что совершается вокруг нас и с нами самими, потому что это — не стихия, но руководится человеческим разумом. Я вот не могу добиться поговорить с нашим комиссаром. А мне бы не с ним, мне бы с человеком в штатском пиджачке, вот с такой головой, посидеть бы часок... Дарья Дмитриевна, сбегайте на двор, там в глубине — амбарчик, я его давеча заприметил и даже замок на двери сломал. Принесите муки — ну, горсти две...

Завтрак был готов. Вместо Ивана Ильича, которого Даша ждала с минуты на минуту, в хату ворвался красноармеец с винтовкой и набитым подсумком.

— Командир приказал, запрягай, грузись... Собирай барахло! — Он потянул носом, сдвинул шапку на затылок, придерживая винтовку, подошел к печи, взял со сковороды, сколько мог захватить, горячих блинов, стеснительно подшмыгнул и пошел.

— Товарищ, — крикнула Даша, — товарищ, а что случилось?

— Как что случилось? Взгляните на улицу...

Совсем близко, должно быть, на дворе, рвануло с такой силой, что вылетели стекла в обоих маленьких окошечках.

План декабрьского наступления на Царицын был разработан военными специалистами в ставке Деникина. На огромную важность овладения этим городом указывал один из самых молодых генералов, барон Врангель. Атаман Краснов принял план. На помощь Донской армии была послана освободившаяся после разгрома красных на Северном Кавказе дивизия под командой Май-Маевского, усиленная лучшими боевыми частями корниловцев, марковцев и дроздовцев. Май-Маевский двинулся через Донбасс, чтобы прикрыть тыл Донской армии, которая была открыта ударам с запада, со стороны Украины и на своих северных границах оставила лишь сильные заслоны. Пятьдесят тысяч отборных донских войск устремились к Царицыну.

В то же время Ставка Главного командования красных армий республики разрабатывала план встречного наступления. Восьмая и Девятая Красные армии, стоявшие на северной границе Донской области, вторгались в нее по обеим сторонам Дона, прижимали красновских белоказаков к штыкам Десятой и совместно перемалывали Донскую армию в царицынских степях. Разгромив ее, красные армии поворачивались на сто восемьдесят градусов и двигались на запад, к Днепру, очищать Украину от петлюровцев.

В этом плане опущено было главное: то, что под линиями и кружочками военной карты, под сеткой знаков и цифр кипела классовая борьба со своими особенными законами и возможностями. Точки и линии были различные по качеству: одни могли влить новые силы в красные полки, бригады и дивизии, другие — ослабить их.

План Главкома посылал красные армии не по тем направлениям, которые предусматривались высшей стратегией гражданской войны. Движение их с севера на юго-восток, по Дону, Хопру и Медведице, мимо враждебно настроенных казачьих станиц, ослабляло силы наступления, затягивало время его, давало противнику возможность маневрировать и перестраиваться.

Таковы были дальнейшие крадущиеся шаги тайного предательства в недрах Высшего военного совета республики, принявшего порочный план Главкома к исполнению. Ошибка, на первый взгляд как будто трудно уловимая, выросла через полгода в грозную опасность.

Декабрьское контрнаступление красных армий началось. Оно происходило значительно восточнее Донбасса, где в заводских и шахтерских районах нетерпеливо ожидали Красную Армию, чтобы поднять восстание. Но туда с юга вторглась дивизия Май-Маевского с шомполами и виселицами. Правый фланг красного наступления оказался под угрозой. Наступление затормозилось. Всю силу удара снова, в третий раз с августа месяца, принимала на себя Десятая армия.

Враг был многочисленнее, лучше вооружен и богаче снабжаем. У него был злобный наступательный порыв. Силы оказались слишком неравными. Царицын послал на фронт последнее пополнение, все, что мог, — пять тысяч рабочих. На помощь пришло творчество революции.

Французский народ в 1792 году, голодный, разутый, вооруженный самодельными пиками, для того чтобы победить обученные войска европейской коалиции, придумал ураганный артиллерийский огонь и, противно всем военным уставам, массовую атаку пехоты против знаменитых каре короля Фридриха.

Русский народ создал новые формы организации конной боевой части. Такой была вышедшая из Сальских степей бригада Семена Буденного. Не в одной только храбрости заключалась ее сила. Белоказаки тоже умели рубить до седла. От обозного бородача до знаменосца, с усами в четверть, буденновская бригада была спаяна верностью и дисциплиной. Ее эскадроны, ее взводы формировались из односельчан. Бойцы, когда-то вместе ловившие кузнечиков в степи, шли рядом на конях. Сыновья, племянники — в строю, отцы, дядья — на тачанках и в обозе. С того первого дня, когда Семен Буденный вывел из станицы Платовской отряд сотни в три сабель, и по сей день у них не было ни одного случая дезертирства... Да и куда бы отъехал такой боец? Не к себе же в станицу или на хутор — на позор и на суд.

По обычаю, не написанному в уставе, в бригаде было два суда: официальный — трибунальский и неофициальный — товарищеский. Провинившегося бойца, — сплоховал ли в бою, не подчинился ли приказу, или дрогнула рука на чужое добро, — судил трибунал. А помимо трибунала, в особых случаях, бойцы сами судили виновных. Собирались где-нибудь подальше от глаз, в сумерках, и начинали свой суд над этим человеком. И случалось так, что трибунал, принимая во внимание то-то и то-то, оправдает, а товарищеский суд рассудит суровее, и человек пропадал, и не у кого было допроситься об его участи.

По новому и опять-таки ни в каких полевых уставах еще не написанному правилу был построен боевой порядок. Эскадрон разворачивался для атаки лавой в два ряда. Впереди шли опытные рубаки с тяжелой рукой, обычно кавалеристы старой службы, — бывали у них такие удары, что вражеский конь уносил на себе одну нижнюю половину хозяйского туловища. За ними скакали меткие стрелки с наганами и карабинами, каждый охраняя в бою своего переднего. Передние, под завесой огня товарищей, смело и без оглядки врезались с клинками в противника, и еще не было случая, чтобы вражеская конница, даже вдвое и втрое сильнейшая численностью, могла выдержать такую, слитую из отдельных осмысленных звеньев сосредоточенную атаку буденновцев.

Хутор горел во многих местах. Валил дым среди скученных крыш, выбивалось пламя, выбрасывая под низко летящие облака искры и клочья пылающей соломы. Голуби, кружась, падали в огонь. По хлевам мычала скотина. Разломав плетень, вырвался племенной бык и с ревом носился по улице. Женщины с детьми на руках выбегали из горящих хат, ища — куда им скрыться. Со стороны станицы, из-за холмов, била и била казачья артиллерия...

В середине дня оттуда показались первые цепи пластунов, редкими точечками на большом протяжении, намереваясь охватить и окружить горящий хутор и загнать в огонь качалинский полк, сидевший в наспех вырытых окопах. Они начинались от кузницы — с краю хутора, тянулись по берегу пруда, где гранатами был взорван лед, и загибали к ветряной мельнице на кургане.

Вдоль окопов ехали верхами Телегин и Иван Гора, за ними — вестовой комиссара Агриппина, в заломленной, как она переняла это от казаков, барашковой шапке. Около отделения, сидевшего по пояс в узенькой канавке, нахохлившись под такой погодой, или около пулеметного расчета останавливались: Иван Ильич — румяный, с веселыми глазами, Иван Гора — потемневший и спавший в лице от ночных переживаний, но теперь успокоившийся, когда ясна стала обстановка. Телегин поправлялся в седле, рукой в перчатке проводил по губам будто для того, чтобы согнать с них улыбку, и говорил, выгадывая тишину среди грохота разрывов:

— Товарищи, вам представляется возможность нанести врагу кровавый урон. Стрелять без паники, спокойно, с выбором, —

по пуле на человека: такой стрельбы мы с комиссаром ждем от вас. В штыковую контратаку переходить дружно, зло... Приказываю — не отступать ни при каких обстоятельствах.

Комиссар, Иван Гора, мотнув головой, вскрикивал:

— Да здравствует товарищ Ленин! Да похилится и позавалится мировой капитализм!

Сказав, ехали к следующей группе бойцов. Обогнув весь фронт, слезли с коней у ветряной мельницы. Разведка к этому времени установила, что за ночь в станицу вошли крупные силы казаков. По тому, как они очертя голову наступали, можно было понять, что появление на хуторе качалинского полка застало их врасплох при выполнении какого-то другого задания и что они, видимо, решили смести красных с пути одним ударом.

Под крышей мельницы свистел ветер, поскрипывали деревянные шестерни, домовито пахло мукой и мышами. Иван Гора, тяжело вздыхая, нет-нет да и высовывался между оторванными досками, поглядывая, не покажется ли в бурой степи на востоке Сергей Сергеевич. Телегин, кричавший внизу в телефон, взбежал по отвесной лесенке.

— Повторяем царицынскую операцию! — возбужденно проговорил он, поднимая бинокль.

— Какая, к черту, операция, окружены, как бараны... А я тебе говорю — убили его, ведь второй час.

— Сергея Сергеевича не так-то легко убить...

— Ты-то чего больно весел?..

— Драться надо весело, Иван Степанович.

Дым от горящей на гумнах соломы тянул низко над землей в сторону наступающих. Теперь можно было различить отдельные перебегающие фигуры. Передовые заставы, отстреливаясь, отошли к окопам. Весь фронт качалинского полка, опоясавший неправильной подковой горящий хутор, затаился.

— Ага! Ложатся! — крикнул Телегин. — Нервы не выдержали, желторотые! Смотри, смотри — ложатся цепи... Иван Степанович, беги, Христа ради, скажи посерьезнее, только бы не стрелять... Без моего приказа ни одного выстрела.

— Комиссар! — нарочно испуганно прикрикнул Байков. — Расчет по местам!

Расчет первого орудия: Байков, Задуйвитер, Гагин и Анисья — подносчица — поднялись и стали на места. Из-за глиняной стены обгоревшей хаты показался Иван Гора, на шаг позади него — Агриппина. Они шли к отделению, прикрывавшему батарею, Иван Гора начал говорить красноармейцам. Агриппина, вытянутая, как хлыст, стояла рядом с ним, держа в опущенной руке наган.

— ...без особого приказа — строжайше — ни одного выстрела, — донесся напористый голос Ивана Горы. — Товарищи, предупреждаю, за ослушание — расстрел на месте...

Байков тряхнул бородой, поседевшей от капелек дождя:

— Братва, бойся этой девки с наганом, шлепнет — глазом не моргнет...

Анисья ответила:

— Зачем над ней смеешься? Агриппина правильный товарищ...

Иван Гора повернул к орудию, такой серьезный, что расчет замер. Агриппина шла, как привязанная, шаг в шаг — за мужем. Первое орудие стояло на невиданном сооружении из сколоченных досок, тележных колес, кругом валялись пилы, топоры, щепки. Иван Гора взглянул на эту диковину, — моргал, моргал, спросил:

— Это что ж такое?

— Наше изобретение, товарищ комиссар, — ответил Байков. — Вроде морской поворотной башни...

— Тележные колеса к чему?

— Для быстрого поворота орудия. Способная вещь...

— Так, так, так. — Иван Гора пошел дальше, Агриппина — вслед. Байков повел веком на нее.

— В одной с ней драматической труппе, товарищи, а комиссара не боюсь — ее боюсь... Глаза круглые, как у мыши, ну — никакой жалости... Эх, бабы, бабы, за что воюем!..

— Дарья Дмитриевна, отнес... На мельницу не пустили... Он сверху мне покивал: «Да неужто сама Дашенька пекла?» — «Сама, говорю, да жалко — холодные...» — «А я, говорит, холодные блины больше люблю... Передай ей тысячу поцелуев...»

— Это вы все сочинили.

— Ей-богу, нет... Происшествие слыхали? Наш-то Иванов, ну — врач, до того струсил, мальчишка, — рвота, колики... Комиссар рассвирепел: «Поправить ему нервы!» Приказал раздеть и у колодца облить водой... Слышите — верещит, третью бадью на него льют... Смеху-то! А ведь я тоже трус, Дарья Дмитриевна...

Даша, как в клетке, ходила от окна к двери в хате, где были разложены перевязочные средства и уже пахло карболкой и йодоформом. Кузьма Кузьмич вертелся около нее.

— Ко мне один сон привязался, чуть не каждую ночь вижу: в руках ружье, сердце трясется, как тряпочка, и я стреляю, я нажимаю изо всей силы эту самую собачку, и весь бы я так и влез в это проклятое ружье... А оно не то что стреляет, а вяло-вяло спускается курок, вялый дымишко ползет из дула, а тот — в кого стреляю — без лица, — никогда лица не вижу, — надвигается, ширится... Фу, какая гадость!..

— Почему так тихо? — спросила Даша, хрустнула пальцами и остановилась около окошка... Уже начинались ранние сумерки... Пожары отгорали. Разрывов и надрывающего посвиста снарядов больше не было слышно. Затихла ружейная стрельба. Казачьи цепи придвинулись, подползли, — они почти окружили хутор. Даша отвернулась от окна и опять заходила. — Будет много раненых. Как мы справимся?

— Комиссар пришлет Агриппину, это большая подмога. Слушайте, я у него и Анисью выпросил: «Ей, говорю, не место около пушки, из чистой романтики она — около пушки...» Так вот, мой сон, — что это такое?

— Вы правду скажите — Иван Ильич здоров? Все хорошо?

— Высунулся ко мне в дыру в крыше, — рот до ушей. Абсолютно уверен в победе...

— Ах! — Даша встряхивала головой. Нужно было заставить себя не думать об этих тысячах мужчин, подползающих, как звери. Все равно — этого не понять... Она изо всей силы, точно сказочное чудовище за веревку, тащила свое воображение сюда, на эти мелкие предметы, разложенные на столе, — бинты, склянки, хирургические инструменты... Вот йоду мало, это ужасно! Воображение мягко повиновалось и незаметно, какими-то неуловимыми лазейками, снова оказывалось там, расширив глаза, как два озера... Почему, почему этим людям так нужно убить всех невиноватых, всех хороших, любимых? Ненависть, — что может быть страшнее в человеке? Ненависть окружала Дашу, подступала — выжидающая, неумолимая, — чтобы вонзить штык, за который судорожно схватишься пальцами...

— Нет, это просто бесстыдно — так, — сказала Даша, и дикий взгляд ее раскрытых глаз испугал Кузьму Кузьмича. — Ну чего на меня глядите? Мне тошно, понимаете, так же, как нашему доктору... Не могу вынести ненависти... Деликатно воспитана?.. Ну, и подавитесь этим...

Она бесцельно переставляла пузырьки и пакетики.

— Тоже не понимаю — для чего мне какой-то сон начали рассказывать...

— Ага, Дарья Дмитриевна, сон в руку... Есть ненависть, очищающая, как любовь... Ненависть — как утренняя звезда на высоком челе... Есть ненависть утробная, звериная, каменная, — ее-то вы и боитесь... Я тоже ужаснулся, помню, в четырнадцатом году... рассказывали: русских застигла мобилизация за границей, кинулись к последнему поезду... Деткам маленьким ручки отхлопывали вагонными дверями немецкие кондуктора... А сон вот к чему, — я его комиссару не стал бы рассказывать, никому, кроме вас, и то уж в такую минуту. Бессилен я, кончено мое путешествие по земле. — Он неожиданно всхлипнул. — Ружье мое не стреляет, а только шипит.

— Ненавижу! — вдруг крикнула Даша и щепотью стала ударять себя в грудь. — Я видела, я знаю эти лица: глаза несостоявшихся убийц, угри на щеках от вожделения, отвалившиеся подбородки... Сволочи! Тупые, темные... Таким нет, нет места на земле!..

— Спокойно, спокойно, Дарья Дмитриевна. Давайте лучше посмотрим — вскипела вода в чугуне?

Даша быстро подошла к окошку, — в сизых сумерках пробегали, нагнувшись, красноармейцы с винтовками, уставленными, как в атаку. Она разглядела даже лица, напряженные до морщин. Один споткнулся, падая, пробежал и, взмахнув руками, выправился, обернулся, оскалив зубы.

В степи взвилась ракета, раскинула зеленые ядовитые огни. Медленно падая, они озарили приникшие серые спины в окопах и близко, — саженях в двухстах, не более, — поднимающиеся фигуры пластунов. Между ними бежал человек, крутя над головой шашкой. Огни погасли. В мгновенной черной темноте начался крик, усиливаясь, как грозовой ветер: «Уррр-а-а-а!..»

Телегин снял шапку, провел ладонью по мокрым волосам. Все, что можно было продумать, предусмотреть и сделать, — сделано. Теперь начиналась психология боя. Враг был, наверно, вчетверо сильнее, если считать скопление его резервов, едва различимых в бинокль.

Всматриваясь, он по самые плечи высунулся в пролом в крыше. Вдруг хутор опоясался огнем выстрелов. У Ивана Ильича все поплыло в глазах... То там, то там по окопам сбивались кучки людей... Он стал было искать шапку: «Черт, обронил такую шапку!..» И затем очутился уже внизу и побежал с кургана к окопам.

Первая казачья атака почти повсюду отхлынула, лишь около кузницы, как и предполагал Иван Ильич, бой разгорался. Там была свалка, дикие крики, рвались гранаты. Он добежал до земляной стены сарая, где находился резерв, но его там не было, — красноармейцы, не выдержав, распорядились сами и кинулись к кузнице на подмогу. Туда же трусил рысцой, согнувшись под тяжестью мешка с гранатами, Иван Гора.

— Комиссар! — крикнул Иван Ильич. — Что делается! Беспорядок! Нельзя так!

Иван Гора только повернул к нему свирепый нос из-под мешка. Через два шага Иван Ильич увидел Дашу, — она уходила в ворота, поддерживая бойца, ковылявшего на одной ноге. Иван Ильич остановился... Поднял руку с растопыренными пальцами. «Так, — сказал он, — так вот я зачем шел...» Повернулся и побежал обратно к батарее.

— На батарее все благополучно?

— Как у господа бога в праздник. Здравствуйте, Иван Ильич.

— Товарищи, — шрапнель... По резервам!..

Взобравшись поблизости на крышу, Иван Ильич влип глазами в бинокль. Резервы, которые он давеча заметил с мельницы, приближались густыми массами. Он закричал с крыши:

— Беглый огонь!

В свинцовых сумерках начали вспыхивать один за другим шрапнельные разрывы. Ряды наступающих шарахались и шли.

Все ниже и ниже лопались шрапнели над головами их, — цепи шли. Поднялась ракета и повисла, как змея, огненными головками над рядами оловянных солдатиков, осеняя их молодецкий подвиг: погуляйте, братцы, нынче на большевистских косточках... И только погасла — справа на востоке взвились подряд три ракеты, распавшись красными огнями, мутными и зловещими, по всему небу. Телегин закричал:

— Ответить ракетами: три красных подряд!

Буденновцы, подойдя в сумерках руслом плоского оврага, бросились на левое крыло наступающих неожиданно и с такой злостью, что в минуту ряды пластунов были смяты, опрокинуты, и началось то страшное для пехоты при встрече с конницей, от чего нет спасения, — рубка бегущих. Огни ракет, поднимающиеся с хутора, освещали степь, где повсюду — смерть от свистящего клинка. Люди на бегу бросали оружие, закрывали голову руками, — их настигала черная тень от коня и всадника, и буденновский кавалерист, пружиня на стременах, завалясь влево, во весь размах плеча рубил, и катилось казачье тело под конские копыта.

Буденный, когда увидал, что уже по всему полю казачьи массы опрокинуты и бегут, придержал коня и поднял шашку: «Ко мне!» Со съехавшейся к нему полусотней он повернул и поскакал к хутору. Конь под ним был резвый. Семен Михайлович скакал, откинувшись в седле, держа клинок опущенным к стремени, чтобы отдохнула рука, серебристую барашковую шапку сдвинул на затылок, чтобы ветер освежал вспотевшее лицо и вольно гулял по усам. Кавалеристам приходилось, поспевая за ним, шпорить коней. Проскакали по берегу пруда, где в полыньях отражались падающие звезды ракет. Какие-то люди кидались от всадников и прилегали к земле. Не обращая на них внимания, Семен Михайлович указал шашкой туда, где около кузницы все еще не могли расцепиться пластуны с качалинцами: та и другая сторона по нескольку раз кидалась в штыки, отступала и залегала.

Буденновская полусотня рассыпалась лавой и, отпустив поводья, глядя на подпрыгивающую впереди серебристую шапку, налетела от пруда с пригорка на пластунов, — ни пулеметная очередь, ни выстрелы, ни уставленные штыки не могли остановить храпящих от натуги коней. Что попалось под клинки — было порублено. Семен Михайлович осадил коня только на улице хутора.

К нему торопливо шел Телегин. Семен Михайлович не сразу ответил ему, — платком вытер лезвие, платок этот бросил на землю, положил в ножны большую, с медной рукоятью, шашку и, поднеся к виску прямую ладонь, сказал:

— Здравствуйте, товарищ, с кем я говорю? С командиром полка?.. С вами говорит командующий группой комбриг Буденный. Приказываю вам: оставить одну роту для охраны обоза и раненых, с остальными силами и с артиллерией немедлённо наступать к станице, занять ее и очистить от белоказаков.

— Слушаю, будет исполнено...

— Минутку, товарищ...

Он соскочил с коня, подсунул ладонь под подпругу, ударил пальцами по губам коня, норовившего схватить его за рукав, и протянул руку Ивану Ильичу.

— Потери большие?

— Никак нет.

— Это хорошо. А что — продержались бы своими силами, кабы не мы?

— Да продержались бы, отчего же, огнеприпасов достаточно.

— Это хорошо. Ступайте.

— Боли в области живота окончательно прошли, Анисья Константиновна, я даже не чувствую — где у меня живот... Так это неконструктивно устроено, — в самый серьезный аппарат, и никакой защиты... Шашка-то вошла не больше чем на вершок — и такое разрушение... такое разрушение... Попить дайте...

Анисья сидела около него — утомленная, молчаливая. Госпиталь помещался теперь в станице, в двухэтажном кирпичном доме. В нем оставались только легко раненные да те, которых тяжело было везти, остальных несколько дней тому назад эвакуировали в Царицын. Шарыгин умирал. Так ему не хотелось умирать, так было жалко жизни, что Анисья замучилась с ним. Она уже не утешала его, — только сидела около койки и слушала.

Анисья встала, чтобы зачерпнуть кружкой воды из ведра и дать ему попить. Лицо его горело. Большие, синие, как у ребенка, глаза не отрываясь следили за Анисьей. Она была одета по-женскому — в белый халат; золотые волосы, которые он часто видел во сне, завиты в косу и обкручены вокруг головы.

Он боялся, что она уйдет, тогда — только закинуть голову за подушку, стиснуть зубы и слушать неровные удары крови, отдающиеся в висках. Он говорил не переставая. Мысли его вспыхивали, как в догорающей плошке огонь фитиля, — то лизнет по краям и поднимется и ярко осветит, то поникнет и зачадит.

— Некрасивая вы тогда были, Анисья Константиновна, старше вдвое казались... Подопрет рукой щеку и глядит, ничего не видит, — в глазах темно от горя... Однако я нежалостливый, это я в себе вытравил... Жалостливые люди — самые черствые. Надо один только раз в жизни пожалеть... И стоп! — выключил рубильник... Сердце давай на наковальню, да еще раз его — в горящие угли, да опять под молот... Такие должны быть комсомольцы... Я тогда на пароходе собрал секретное совещание и товарищам разъяснил, что недостойно борцам за революцию вас трогать... Латугин тогда завернул насчет судомойки... Ах, Латугин, Латугин!.. Совсем не нужно это вам, Анисья Константиновна... Подобрала вас революция. Налились вы красотой, — не для него же... Это же тупик... Вопрос этот надо ставить, надо бороться за этот вопрос...

Огонек его лизнул края жизни, измерил близкую темноту и поник. Шарыгин провел по губам сухим языком. Анисья поднесла ему кружку. Он снова заговорил:

— Я знаю, за что умираю, у меня это не вызывает сомнений... Хочется мне, чтобы вы обо мне помнили... Я из Петрограда, с Васильевского острова. Папаня мой столяр, я в ремесленном учился, у папани работал... Он строгает — я строгаю, он строгает — я строгаю... Оба молчим и молчим... Ушел я работать на Балтийский судостроительный... Там открылось мне самое главное — для чего я существую... Началась горячка мыслей, нетерпение. Высокое поманило, внизу уж ни часу нет сил оставаться... Ну, а там — война, призвали во флот, — от злобы зубы во рту крошились... Как вы не можете понять, Анисья Константиновна, что увидел я живого человека, которого мы сами выдумали, завоевали, сами сделали... Да как же — отпустить вас опять бродить с опущенной головой?.. Зачем тогда революция? Неправильно это... Вы должны быть актрисой... Я каждый вечер у того сарая крутился, видел, слышал... «О, ради бога! Ради всех милосердий... Покинута, покинута...» Будете фронты потрясать... Кончится гражданская война — станете мировой актрисой... По этой дороге вам идти... Слабость вам ни к чему... Он вам будет петь, а вы не слушайте, Анисья Константиновна, хочется мне вам доказать: на личную жизнь вы прав не имеете. Милая... Зачем отвернулась?.. Отдохну, соберусь, еще хочу сказать... Что-то я упустил, одно важное доказательство...

Голова его заметалась на подушке, потом он затих и молчал так долго, что Анисья близко наклонилась: зрачков у него не было видно сквозь полуоткрытые веки. Не его разговоры, а в тоске закаченные глаза сотрясли Анисьино сердце. Ей стало понятно все, что он старался ей высказать горячечными и смутными словами. Наверно, те двое маленьких так же тогда звали ее, напугавшись огня, зашумевшего кругом их скирдочки, где они присели близенько друг к другу. Анисья с тех пор ни разу не вспоминала детских лиц, боялась этого, — сейчас они, точно живые, выплыли перед ней: Петрушка — четырехгодовалый и младшая — Анюта, кудрявые, толстощекие, смешливые, с маленькими носиками... И теперь этот, третий, звал ее. С ним она простится, его она проводит.

Анисья тихонько приглаживала его слежавшиеся волосы. Ресницы его дрожали, и она видела, что синеватые пятна разливаются по вискам его...

14

Главнокомандующий Деникин каждую пятницу вечером играл в винт у Екатерины Алексеевны Квашниной, своей дальней родственницы по материнской линии. Этот винт начался еще в девяностых годах, когда Антон Иванович учился в академии и снимал комнату у Екатерины Алексеевны на 5-й линии Васильевского острова в опрятной — по-петербургскому — квартире ее в полунизку. С того времени из четырех постоянных партнеров в живых остались только они двое, заброшенные жестокими временами в Екатеринодар, где Антон Иванович, волей бога, встал во главе вооруженных белых сил, а Екатерина Алексеевна, бежавшая из Петербурга в начале восемнадцатого года, скромно проживала здесь со своей дочерью — тоже Екатериной Алексеевной — младшей.

Главнокомандующий не раз предлагал ей под тем или иным предлогом вспомоществование, но она отвечала: «Лучше, чтобы это не стояло между нами, Антон Иванович, — деньги портят дружбу». Она брала на дом корректуры изданий Осведомительного агентства, и, кроме того, у нее с дочерью оставались коекакие ценные мелочи про черный день.

Вечер пятницы был священным, никто, даже начальник штаба, генерал Романовский, не смел отрывать главнокомандующего от традиционного винта. Ровно в двадцать часов у деревянного неказистого домика с воротами — в отдаленной степной части города — останавливалась одноконная коляска с поднятым кожаным верхом. Главнокомандующий приказывал кучеру — бородачу, с Георгиями во всю грудь, — приехать за ним в полночь, тихим шагом входил в калитку и поднимался на крылечко, где уже сама собой открывалась перед ним дверь.

Шпики, каждую пятницу посылаемые сюда начальником контрразведки, старались не попадаться на глаза главнокомандующему. Один, сидя на крыше, прятался за печной трубой, другой — за старым пирамидальным тополем на другой стороне улицы, и еще двое — на дворе за помойкой. Деникин как военный человек терпеть не мог шпиков. Однажды, с картами в руках, он рассказал по поводу этой печальной необходимости историю про покойного государя. Николай II любил уединенные прогулки в царскосельском парке. Шпиков сажали с утра за куртинами и кустами вдоль тропинок, где мог пройти царь. В зимнее время их заносило снегом и совсем не было видно. Прогуливаясь однажды, он услыхал, как за спиной его раздался осипший голос из-за куста: «Седьмой номер прошел». Николай был крайне раздосадован — почему именно он проходит у шпиков под кличкой «седьмой», и сместил начальника охраны, после чего его именовали уже «номером первым».

Войдя в крошечную прихожую, где горела свеча, Деникин стаскивал кожаные калоши с медными задками, снимал, — всегда сам, без чьей-либо помощи, — просторную солдатского сукна шинель на малиновой подкладке, приглаживал поредевшие и зачесанные назад волосы свинцового оттенка и подходил к ручке Екатерины Алексеевны. Он брал в свои руки и ласково трепал красивую, слабую ручку Екатерины Алексеевны младшей и здоровался кратко и мягко — «Здравствуйте, господа» — с остальными двумя партнерами: своим адъютантом, князем Лобановым-Ростовским, и с Василием Васильевичем Струпе, бывшим начальником отделения какого-то из министерств, старым петербуржцем, приятнейшим человеком.

В гостиной уже был раскрыт стол, с двумя свечами и веером раскинутыми картами на зеленом сукне. Даже мелки и круглые щеточки были традиционные, как в те светлые годы, на Васильевском.

Екатерина Алексеевна, в черном поношенном платье, всегда веселая, очень маленького роста, с преувеличенно полной нижней частью тела, катилась на коротеньких ножках к столу. Круглое лицо ее смеялось, большой рот уютно пришепетывал. Из-за ее непоседливости под ней непрестанно скрипел старый гнутый стул, под который она ставила скамеечку для ног. Прежде чем вытянуть карту, чтобы разместиться за столом, она загадывала, и каждый раз так случалось, что ее партнером оказывался главнокомандующий. Она весело хлопала в пухлые ладошки перед своим носом:

— Вот видите, господа, я загадала... Катя, мы опять с Антоном Ивановичем...

— Прелестно, — мрачным голосом говорил Василий Васильевич Струпе, садясь и выбирая себе мелок и щеточку.

Василий Васильевич — хладнокровный, всезнающий, остроумный скептик, с худощавым, строгим, рано состарившимся лицом, был опаснейшим соперником в винт и, как все петербуржцы, относился с серьезным изяществом к этой игре.

— Прелестно, как сказал один титулярный советник, отдавая все козыри, — повторил он, и холеные пальцы его с твердыми ногтями быстро начинали тасовать колоду.

Четвертый партнер, князь Лобанов-Ростовский, несмотря на молодость, был также сильным винтером. Этим да кое-какими личными поручениями главнокомандующего ограничивались его адъютантские обязанности. Для оперативных дел имелись другие люди, современной складки. Как все Лобановы-Ростовские, князь был некрасив, с вытянутым плешивым черепом и величественным лбом при незначительных чертах лица. Если не считать одного недостатка — дерганья длинными ногами под столом, как бы от нетерпенья по малой нужде, — князь был прекрасно воспитан. Он никогда не выражал своего мнения; если его о чем-либо спрашивали — отвечал неожиданной глупостью, так как прекрасно понимал, что ни с чем дельным к нему не обратятся; был предупредителен без услужливости, и этим летом в боях, до своего ранения и отчисления, выказал храбрость.

Играли, как бы священнодействуя. В этом доме в эти часы о политике и о войне не говорили. Слышались только: «Бубны... Черви... Без козыря... Два без козыря...» Потрескивала свеча. Дымилась папироса, положенная на край стеклянной пепельницы. И — наконец:

— Ну что ж, Екатерина Алексеевна, отдадим?

— Жалко, ах, как жалко, Антон Иванович...

Екатерина Алексеевна младшая сидела тут же на плюшевом диванчике и, не поднимая головы, вязала и улыбалась... Лицо, глаза и волосы у нее были бесцветные, в изгибе нежной шеи и в красивых руках чувствовалась неутоленная жажда ласки. Екатерина Алексеевна младшая была влюбчива, ей шел двадцать шестой год, все ее чувствительные истории оканчивались печально: то он, наспех простившись, уезжал на войну, то у него неожиданно оказывалась любимая женщина, и он безжалостно сообщал об этом. Теперь она влюбилась в некрасивого, но ужасно милого Лобанова-Ростовского. Он шутливо ухаживал за ней, — это доставляло удовольствие главнокомандующему, относившемуся к Екатерине Алексеевне почти как к дочери. Она старомодно мечтала о том, как он забудет у них свой портсигар, на следующее утро, в отсутствие Екатерины Алексеевны старшей, появится перед окном домика верхом на лошади, войдет, звякнув шпорами, поздоровается (на ней черное шерстяное платье с белым воротничком и манжетками), извинится, и одна из шуточек его замрет на губах, — всмотревшись в ее лицо, он поймет. Они войдут в гостиную, оба взволнованные... Вдруг он берет ее за руки выше локтей, привлекает к себе: «Я вас не знал, — скажет взволнованно, — я вас не знал, вы другая, вы благоуханная...» На этом слове полет фантазии обрывался... Екатерина Алексеевна вязала и улыбалась, не поднимая глаз на князя, сидевшего между двумя свечами: ей было достаточно, что он здесь и она чувствует запах его дорогого табака...

Таков был маленький мирок, осколочек старой России, где по пятницам отдыхал от тяжелых забот главнокомандующий Деникин.

Сегодня главнокомандующий, против правил, прибыл с опозданием, чем-то озабоченный и несколько рассеянный. Снимая калоши, он наступил на лапу коту, вертевшемуся под ногами, — кот взвыл гадким голосом, Лобанов-Ростовский схватил его и унес на кухню. Екатерина Алексеевна старшая засмеялась. Василий Васильевич сказал: «Коты бывают несносны». Все ждали, что Деникин пройдет в гостиную, Но он задумчиво повесил шинель и продолжал стоять, пощипывая седую — клинышком — бородку. Тогда лица все стали серьезны, и тревожная пауза длилась, покуда князь, вернувшись, не сообщил, что с котом все благополучно...

— Ага, — сказал Деникин, — тем лучше... Не будем терять времени.

Играл он хуже, чем обычно, сбрасывая не те карты, и все оборачивался к окошкам, хотя они были закрыты ставнями. Екатерина Алексеевна младшая тихонько встала, накинула шубку и вышла на двор — проверить, на местах ли охрана. Шпик, который сидел на крыше за трубой, где свистел колючий ветер, а выше, как сумасшедшая, ныряя в тучи, неслась половинка мутного месяца, — крикнул оттуда, стуча зубами:

— Барышня, вынеси, Христа ради, водочки...

Около десяти часов подъехал автомобиль. Главнокомандующий положил карты, напряженные глаза его заблестели. Вошел в офицерской шинели, перехваченной на груди концами башлыка, высокий, румяный, надменный генерал Романовский. Сняв фуражку, сухо звякнул шпорами, отдал общий поклон.

— Антон Иванович, я за вами.

— Итак — свершилось?

— Так точно, Антон Иванович.

Деникин заторопился:

— Я вернусь, господа, вы уж простите, — такие обстоятельства. — И в прихожей, не сразу попадая в рукава: — Вы-то, князь, оставайтесь, сыграйте робберок с болваном... Так я не прощаюсь, Екатерина Алексеевна...

Партнеры вернулись к столу, но играть не хотелось. Екатерина Алексеевна старшая сдержанно вздыхала. Василий Васильевич, сдвинув густые брови, рисовал мелом на сукне маленькие виселицы и чертиков. Князь подсел на диван к Екатерине Алексеевне младшей, она расцвела и опустила вязанье. Подрыгивая ногой, он стал рассказывать про то, что здесь разыскал необыкновенную гадалку и хочет привезти ее к Антону Ивановичу.

— Она берет у вас волос, сжигает его на свечке, и у нее показывается пена изо рта...

— Что она вам нагадала?

— Предсказала дорогу на коне, представьте, — буду ранен три раза, и все кончится веселой свадебкой.

Дрыгнув обеими ногами и раскачиваясь, точно его трясли за плечи, князь начал давиться смехом. Нежная шея и маленькое ухо Екатерины Алексеевны порозовели.

— Все так тревожно, право, — сказала Екатерина Алексеевна старшая, вытирая глаза. — Так натянуты нервы у всех... Боже мой, когда мы думали, что так будем жить...

— Да, да, маловато мы думали, — ответил Василий Васильевич и нарисовал топор и плаху. — Россия — курьезная страна...

Главнокомандующий сдержал обещание: когда английские часики в футляре тоненько прозвонили одиннадцать, за окнами заквакал автомобиль, и Антон Иванович, снова стаскивая калоши, говорил:

— Я знал, я знал, Екатерина Алексеевна, что у вас сегодня индейка с каштанами... Посему, князь дорогой, достаньте-ка у меня из автомобиля бутылочку шампанского...

Он был очень оживлен, потирал руки, но предложение — докончить роббер — отклонил: «А бог с ним, мы с Екатериной Алексеевной заранее капитулируем, спасаем только честь». Он даже взял у Василия Васильевича из золотого портсигара папироску и закурил, чего с ним никогда не бывало. С ужином заторопились. Все прошли в маленькую столовую, где две свечи мягко, по-старинному, озаряли дешевенькие обои и на столе — на побитых тарелочках — домашние вкусные паштеты и закусочки. Не было только любимого кушанья Антона Ивановича — миног в горчичном соусе. И не было обычного спокойствия, когда по окончании роббера садятся за стол, продолжая спорить: «Да уж вы мне поверьте — надо было сбрасывать пики...» Или: «Матушка моя, да ведь я знаю, что у него на руках туз, король, дама, а вы меня под столом толкаете...»

Князь, чувствуя некоторую натянутость, самоотверженно овладел вниманием, рассказав об одном дворнике с Петербургской стороны, обладавшем таинственной силой заговаривать зубную боль, ожоги и рожу, он же, между прочим, и предсказал германскую войну, глядя в блюдечко с кофейной гущей. Упоминание о войне прозвучало не совсем уместно. Василий Васильевич сейчас же, взяв графинчик, налил водки:

— Приходится выпить за то, чтобы на Руси не перевелись чудесные дворники...

В это время внесли индейку. Главнокомандующий, откинувшись на спинку стула, строгим взором следил, как несли это блюдо, как его поставили среди тесноты на столе, от него поднялся пар к огонькам свечей, и они слегка заколебались.

— А ведь только в России такие индейки, — сказал он и выбрал себе крыло. Князь поднялся, без звука раскупорил бутылку шампанского и налил вино в чайные стаканы. Антон Иванович медленно вытащил салфетку из-за воротника, взял стакан, поднялся, держась за стул, и сказал:

— Господа, я не могу удержаться, чтобы не порадовать вас... Дело в том, что сегодня утром французские войска высадились в Одессе, греческие войска заняли Херсон и Николаев. Наконец-то долгожданная помощь союзников пришла...

В Екатеринодаре приземлился на английском самолете человек настолько странный, что в правящих и влиятельных кругах не знали, как и подумать: то ли это тайный агент Клемансо, то ли просто проходимец, а может быть, и серьезная птица. Фамилия его была французская — Жиро, звали — Петр Петрович, по-русски говорил без запинки, с южным акцентом; паспорт — уругвайский, хотя это обстоятельство указывало не столько на его национальность, сколько на пронырливость. Приехал он из Парижа на пароходе, выгрузившем в Новороссийске винтовки, патроны и другое оружие. Документы, предъявленные им военному коменданту города, оказались в блестящем порядке, это были: рекомендательные письма от парламентских депутатов; письмо от министра исповеданий и еще одно — от французской герцогини с трудно произносимой фамилией; журналистская карточка газеты «Пти паризьен» и, наконец, деловые предложения разных контор, начавших в то время возникать, как мухоморы, на гигантских запасах всевозможных товаров и скоропортящихся грузов, свезенных со всего света во Францию.

Сколько ни ломай голову — деваться было некуда: из Парижа в захолустный Екатеринодар, еще хранивший следы мартовских и летних боев, свалился с неба шикарно одетый, вполне европейский человек, в куцей шубейке со скунсовым воротником, в пестром кашне во всю грудь, с двумя новенькими чемоданами и фотографическим аппаратом через плечо, в невиданно красивых желтых башмаках с такими толстыми подметками на ранту, что даже военный комендант не мог оторвать от них глаз, не говоря уже о публике на улице, где Петр Петрович Жиро шел позади казака с его чемоданами, весело подняв голову в изящно надвинутой светло-серой шляпе.

Иностранца поместили в лучшей гостинице, в номере «люкс», выкинув оттуда приезжего спекулянта Паприкаки вместе с его девкой. На другой день Жиро нанес визит генералу Деникину.

Антон Иванович смутился и выслал к нему в приемную генерала Романовского с извинением, что главнокомандующий несколько недомогает, но рад видеть у себя в городе такого интересного гостя.

Жиро заехал с визитом к профессору Кологривову, одному из столпов Государственной думы, группирующему здесь вокруг Деникина атмосферу государственной мысли под именованием «Национальный центр». Профессор Кологривов хорошо знал и любил Париж и продержал милейшего Жиро несколько часов, с восторгом вспоминая обеды в маленьких ресторанчиках и ночные развлечения на Монмартре. Он вспоминал запах бульваров и, несмотря на дряблый живот и беспорядочно отросшую бороду, изобразил на лице молодое лукавство:

— Шер ами, да что говорить, — а этот особенный, неповторимый запах парижских женщин!.. Ах, я готов целовать камни на улицах Парижа. Да, да, пусть это не покажется вам странным, —

в каждом русском вы найдете пылкого патриота Франции... Вот о чем вам надо писать!..

Было решено: собраться в частном доме ограниченному кругу представителей «Национального центра» и за завтраком выслушать сообщения господина Жиро о международной политике.

— Шер ами! — восклицал профессор Кологривов, дружески откручивая пуговицы на пиджаке гостя. — Вы увидите людей, которые поняли раньше, чем вы в Европе, чудовищную опасность красной мясорубки... Большевизм — это всеразрушающая злоба низов, ярость подонков человечества... Вы, даже лучшие, умнейшие из вас, делаете реверанс в сторону социализма. Чушь! Пошлость, о пошлость! Социализм есть, но социалистов нет, потому что социализм неосуществим... Мы это вам докажем! Волею истории Россия призвана быть барьером, о который разбиваются вечные волны анархии, — тем самым мы, платясь нашими боками, даем возможность спокойного развития европейской цивилизации... Ради этого, ради спасения Европы, всего мира от красного призрака мы простираем к вам руки: помогите же нам... Мы готовы идти на любые уступки, Россия принесет любые жертвы... Вот о чем вам надо писать...

Много хлопот было с этим завтраком: достань-ка в Екатеринодаре что-либо тонкое, все — сало, гусятина да свинина: не галушками же кормить парижанина! Член «Национального центра» фон Лизе, известный гурман, посоветовал меню: бульон, пирожки, матлёт из налима в красном вине и на третье — курицу, варенную без капли воды в мочевом пузыре свиньи. Приличное вино достали через спекулянта Паприкаки. Ровно в час на квартире у члена Государственной думы и редактора-издателя газеты «Родная земля» Шульгина собрались шесть человек, включая Петра Петровича. Завтрак действительно оказался тонким. Когда подали кофе из жженого ячменя, Жиро начал свое сообщение:

— Несколько слов о Париже, господа... Вы его хорошо знали. Иностранцы оставляли в нем ежегодно свыше четырех миллиардов франков золотом. Немудрено, что испарения его улиц кружили голову даже таким мечтателям, кто смотрел на потоки блистающих автомобилей с высоты мансардных окошек. Увы, мечтателей в Париже больше нет, их трупы, заражая воздух, гниют на Сомме, в Шампани и в Арденнах. Париж более не веселый город, где пляшут на улицах и хохочут во все горло над бородой короля Леопольда или над любовными неудачами русского гранд-дюка. Парижу и Франции не хватает полутора миллионов мужчин, — они убиты. Париж наводнен мальчишками, профессионально занимающимися гомосексуализмом. На террасах кафе печально сидят одни старики, не интересные даже двадцатифранковым девчонкам. По разбитым торцам дребезжат такси, помятые на Марне. В шикарные рестораны и кафе до сих пор еще пускают американских солдат с темпераментом стоялых жеребцов. Женщины! О — женщины всегда на высоте: они обрезали юбки по колено и упразднили нижнее белье.

Голоса за столом:

— Яснее, пожалуйста...

— Женщины вечером — в театре, в ресторане — прикрывают сверху только то, что не существенно; точнее, все их платье — это две узкие полоски материи, на которых держится коротенькая юбка. Весь шик в открытых ногах, — у парижанок они прелестны. При чем тут нижнее белье? Для чего-нибудь мы терпели лишения в окопах, черт возьми! Но все это мелочи. Париж сегодня — это город-победитель. Он мрачен, он плохо подметен, но весь пронизан тревожными и двусмысленными разговорами. Париж выиграл мировую войну, он готовится выиграть мировую контрреволюцию.

Трое за столом тихо сказали: «Браво!» Четвертый воздержался, так как был занят катаньем хлебного шарика. Пятый с неопределенной усмешкой неопределенно пожал плечом.

— Париж сегодня — это логовище разъяренного тигра. Клемансо жаждет мщения: раньше, чем будет подписан мир, — а это случится еще не скоро, — Германия испытает все ужасы голодной блокады. У нее навсегда вырвут зубы и обрежут когти. В одной частной беседе Клемансо сказал: «Я убью у немцев самую надежду стать чем-либо иным, кроме заштатной страны. Гороха и картофеля у них хватит, чтобы не умереть с голоду». Но, господа, пятьдесят лет тому назад Клемансо, кроме унижения стыда под Седаном, испытал унижение страха перед Парижской коммуной. Однажды, на завтраке журналистов, он предался воспоминаниям и рассказал о своем впечатлении, когда на Вандомской площади увидел осколки колонны великого императора, опрокинутой коммунарами при помощи множества канатов и лебедок: «Я был потрясен не самым фактом разрушения, а идеей, которая воодушевила французских рабочих сделать это. На цивилизацию надвигается смертельная опасность, ее можно отдалить, но она придет, и придет в тот день, когда в руки народа дадут оружие. Это будет день нашего реванша за Седан, день, когда нам придется драться на два фронта». Господа, Клемансо оказался прав: в Париж возвращаются демобилизованные. Они перешагнули через ужасы Вердена и Соммы, и строить баррикады и драться на улицах для них одно развлечение. По всем кабачишкам, собирая у стойки слушателей, они кричат, что их обманули: те, кто дрался, получили нашивки, кресты и протезы, а те, за кого они дрались, прикарманили миллиарды чистыми денежками... С крикунами чокаются буржуа, разоренные инфляцией. Парижские предместья взволнованы. Заводы остановлены. Войска парижского гарнизона загадочны. В Германии — хаос революции, социал-демократы едва сдерживают ее напор. Венгрия не сегодня-завтра объявит Советы... Англия бьется в параличе забастовок, — правительство Ллойд-Джорджа старается только лавировать между рифами. Взоры всех обращены на Клемансо. Он один понимает, что смертельный удар всеевропейской революции должен быть нанесен у вас, в Москве: итальянские рыбаки, когда вытаскивают из сети осьминога, перегрызают ему зубами воздушный мешок, — щупальца его с чудовищными присосками повисают бессильно.

За столом ерошили волосы, снимали запотевшие очки. Когда Жиро приостановился, чтобы откусить кончик у свежей сигары, посыпались вопросы:

— Сколько французских дивизий послано в Одессу?

— Французы намереваются наступать в глубь страны?

— В Париже известны последние неудачи красновского наступления на Царицын? Краснову будет помощь?

— Разделены ли уже сферы влияния в России? В частности, кто намерен серьезно помогать Добровольческой армии?

Жиро медленно выпустил сизый дымок:

— Господа, вы спрашиваете меня, как будто бы я — Клемансо. Я — журналист. Русским вопросом заинтересовались некоторые газеты, меня послали к вам. Вопрос о непосредственной помощи войсками осложняется. Ллойд-Джордж не хочет дразнить гусей. Если он пошлет в Новороссийск хотя бы два батальона английской пехоты, он потеряет на дополнительных выборах в парламент две дюжины голосов. Мои последние сведения таковы: Ллойд-Джордж примчался в Париж на самолете, предпочитая этот способ передвижения возможности взлететь на воздух, потому что из-за штормов Ла-Манш опять полон блуждающих мин, и — это было на днях — в Совете десяти высказал следующие мысли: надежда на скорое падение большевистского правительства не осуществилась, имеются сведения, что сейчас большевики сильнее, чем когда-либо, а влияние их на народ усилилось; что даже крестьяне становятся на сторону большевиков. Принимая во внимание, что большевистская Россия вошла в свои естественные границы времен Московско-Суздальского царства пятнадцатого века и не представляет ни для кого серьезной опасности, — нужно предложить московскому правительству приехать в Париж и предстать перед Советом десяти, подобно тому как Римская империя созывала вождей отдаленных областей, подчиненных Риму, с тем, чтобы те давали ей отчет в своих действиях... Вот, господа, таково положение у нас на Западе... У вас есть еще какие-нибудь вопросы?..

Через несколько дней после этого завтрака (занесенного профессором Кологривовым в анналы) военный комендант на докладе у главнокомандующего сообщил:

— Аккурат напротив гостиницы «Савой», ваше высокопревосходительство, открылся скупочный магазин, — берут только золото и бриллианты, платят даже чересчур хорошо донскими купюрами... Сомневаемся насчет качества денег: бумажки новенькие...

— Вы всегда сомневаетесь, Виталий Витальевич, — сердито сказал Деникин, просматривая гранки военных сводок, — вот опять потихоньку от меня высекли какого-то еврея, а он оказался не еврей совсем, а орловский помещик... Среди орловских попадаются брюнеты, даже похожие на цыган... Эх, вы!..

— Виноват-с, затемнение нашло, ваше высокопревосходительство... Так вот-с, насчет магазина, — патент на него взят екатеринославским спекулянтом Паприкаки, а мы выяснили, что истинный хозяин, вложивший в скупочное предприятие капитал сомнительного качества (тут комендант наклонился, поскольку позволяла ему тучность), — француз, Петр Петрович Жиро...

Деникин бросил на стол гранки.

— Слушайте, полковник, вы мне тут из-за каких-то мелочей, из-за каких-то цепочек, колечек хотите испортить отношения с Францией! Что вы там еще натворили с этим магазином?

— Опечатал кассу...

— Ступайте немедля — все распечатать и извиниться... И чтобы...

— Слушаюсь...

Комендант на цыпочках унес за дверь свой живот. Главнокомандующий долго еще барабанил пальцами по военным сводкам, седые усы его вздрагивали.

— Жулье народ! — сказал он, неясно, к кому относя это, — к своим или к французам...

15

Новое разочарование поджидало Вадима Петровича на хуторе Прохладном. Хата, где жила Катя с Красильниковым, стояла с настежь раскрытыми воротами, чистый снежок занес все следы и лежал бугорком, источенным капелью, на пороге опустевшей хаты.

Ни один человек не захотел сказать Вадиму Петровичу — куда уехал Красильников с двумя женщинами. Был здесь такой Красильников — это не отрицали, но откуда он, из какого села, — кто его знает, много тут всякого народа прибивалось к батьке Махно.

В хате пахло холодной печью, на полу— мусор, через разбитое стеклышко нанесло снег, у стены — две голые койки. На облупившихся стенах даже тени не осталось от ушедшей Кати. После стольких усилий скрестились пути, и вот — опоздал.

Вадим Петрович присел на койку из неструганых досок. На этой или на той было у них супружеское ложе? Алексей — мужик красивый, нахальный. «Поплакала — и будет, подотри глаза», — сказал он ей не грубо, — он умен, чтобы не грубить нежной барыньке, — сказал весело, категорично... И кошечка затихла, подчинилась, покорилась. Стыдливо и опрятно предоставила ему делать с собою все, что ему хочется... Да ну же, — не разбила небось голову об стену! — без страсти, без воли обвилась вокруг такого ствола бледной повиликой, прильнула горькими цветочками...

Вадим Петрович заметался по хате, топча пустые жестянки из-под консервов. Воображение, распущенное, блудливое, лжешь! Катя боролась, не далась, осталась верна, чиста! О трус, о пошляк! Честна, верна — светлой памяти твоей, что ли? Ответь лучше: убил бы ты их обоих на этой скрипящей койке? Или так: с порога взглянул бы на них, увидал Катюшины глаза, — твой потерянный мир: «Простите, — сказал бы, — я, кажется, здесь лишний...» Вот тебе, вот тебе испытание на боль... Вот оно, наконец, страшное испытание!.. Терпеть больше не можешь? Нет, можешь, можешь! Катю искать будешь, будешь, будешь...

Криволицый Каретник, сопровождавший Вадима Петровича, ждал в тачанке. Рощин вышел за ворота, влез в тачанку и поднял воротник шинели, загораживаясь от ветра. Личный кучер Махно, он же телохранитель, приводивший в исполнение на ходу короткие батькины приговоры, — под кличкой Великий Немой, — длинный и неразговорчивый мужчина, с вытянутой, как в выгнутом зеркале, нижней частью лица, погнал четверку коней так, что едва можно было сидеть, цепляясь за обочья тачанки.

Каретник, подскакивая и шлепаясь, говорил фамильярно:

— Брось скулить, дурья голова, — батька прикажет — под землей найдем твою жинку. Эх, мать честная, есть о чем горевать! Бабы снаружи только размалеваны, а все они — одна сырая материя. Одна зараза... Плюнь на свою, не уйдет она от него, — Алешка Красильников три воза ей добра награбил... Первый в роте мародер, — его счастье, что вовремя ушел...

Вадим Петрович, прячась до бровей в поднятый воротник, повторял про себя: «Можешь, можешь. Это начало, только начало твоих испытаний...»

Не сбавляя хода, пронеслись по булыжной мостовой Гуляй-Поля. Около штаба Великий Немой осадил взмокшую четверку.

Рощина дожидались и сейчас же позвали к батьке. Махно заседал на большом военном совете в нетопленой классной комнате, где командиры неудобно разместились на маленьких партах, а Нестор Иванович, в черном френче, перетянутом желтыми ремнями, ходил, как ягуар, перед партами. Лицо у него, у трезвого, было еще более испитое, руки он держал за спиной, схватясь правой рукой за левую, висящую плетью. Он с минуту выдержал под немигающим взглядом Вадима Петровича.

— Поедешь в Екатеринослав, — сказал он въедающимся голосом, — предъявишь в ревкоме мандат. От моего штаба будешь инспектировать план восстания. Ступай.

Рощин коротко козырнул, повернулся и вышел. В коридоре его ждал Левка Задов.

— Все в порядке. Мандат у меня. — Он обнял Вадима Петровича за плечи и, ведя по коридору, бедром подтолкнул его к одной из дверей. — Шинелишку придется сбросить. Я тебе подарю бекешу. — Не отпуская его плеча, он тремя ключами отмыкал дверь. — Лично мою, на роскошном меху. С Левой дружить надо. Лева такой: кому Лева друг — у того девятка на руках.

Заведя Рощина в комнату с тем же прокисшим запахом, как и в культпросвете, продолжая хвастаться собой и своими вещами, наваленными повсюду, он обрядил Вадима Петровича в бекешу, действительно хорошую, лишь несколько попорченную пулевыми дырками в груди и спине. Кряхтя от тучности, залез под койку; вытащив оттуда кучу шапок, выбрал одну — смушковую с малиновым верхом — и через комнату бросил ее Рощину, уверенный, что тот ее подхватит на лету. И — уже роскошествуя — сорвал со стены кавказскую шашку в серебре: «Была не была — пользуйся, — конвойская...» Он и сам стал снаряжаться, — на обе руки надел золотые часы-браслеты, — опоясался поверх поддевки ремнем с двумя «маузерами», прицепил шашку в облупленных ножнах, предварительно приложив палец к лезвию: «Это моя — рабочая...» Вбил ноги в высокие резиновые калоши: «Ну, скажем, я не кавалерист, как говорят в Одессе-маме...» Поверх всего надел нагольный тулуп: «Едем, котик, я тебя сопровождаю...»

На вокзал их повез тот же Великий Немой. Про него Левка сказал — так, чтобы тому не было слышно:

— Редкой силы человек, уголовник. Батька с ним с царской каторги бежал. Ты с ним будь осторожен, — не любит, зверь, чтобы на него долго глядели... Его даже я боюсь...

Левка самодовольно развалился в тачанке, счастливый, румяный:

— Подвезло тебе, Рощин, нравишься ты мне почему-то... Люблю аристократов... Пришлось мне — вот недавно — пустить в расход трех братьев князей Голицинских... Ну, прелесть, как вели себя...

В купе вагона, куда Левка велел принести из станционного буфета спирту и закусок, продолжались те же разговоры. Левка снял кожух, распустил пояс.

— Непонятно, — говорил он, нарезая толстыми жербейками сало, — непонятно, как ты раньше обо мне не слыхал. Одесса же меня на руках носила: деньги, женщины... Надо было иметь мою богатырскую силу. Эх, молодость! Во всех же газетах писали: Задов — поэт-юморист. Да ну, неужто не помнишь? Интересная у меня биография. С золотой медалью кончил реальное. А папашка — простой биндюжник с Пересыпи. И сразу я — на вершину славы. Понятно: красив как бог, — этого живота не было, — смел, нахален, роскошный голос — высокий баритон. Каскады остроумных куплетов. Так это же я ввел в моду коротенькую поддевочку и лакированные сапожки: русский витязь!.. Вся Одесса была обклеена афишами... Эх, разве Задову чего-нибудь жалко, — все променял шутя! Анархия — вот жизнь! Мчусь в кровавом вихре. Да ты, котик, не молчи, поласковей с Левой, — или все еще сердишься? Ты меня полюби. Многие бледнеют, когда я говорю с ними... Но кому я друг, — тот мне предан до смерти... Шибко любят меня, шибко...

У Вадима Петровича голова шла кругом. После утреннего потрясения ему было впору завыть, как псу на пустыре под мутной луной. Неожиданное поручение — короткий и неясный приказ — было новым испытанием сил. Он понимал, что за каждый неверный или подозрительный шаг он ответит жизнью, — для этого и приставлен к нему Левка. Что это за военревком, куда нужно явиться для инспектирования? Что это за план восстания? Кого, против кого? Левка, конечно, знал. Несколько раз Рощин пытался задавать ему наводящие вопросы, — у Левки только бровь лезла кверху, глаза стекленели, и, будто не расслышав, он продолжал бахвалиться; ел — чмокал, не вытирая губ, раскраснелся, расстегнул ворот вышитой рубашки.

Вадим Петрович тоже вытянул стакан спирту и без вкуса жевал сало. Всеми силами он подавлял в себе отвращение к этому страшному и смешному, поганому человеку. О таких он даже не читал ни в каких романах... Видишь ты, придумал про себя: «Мчусь в кровавом вихре...» Спирт разливался по крови, отпускались клещи, стиснувшие мозг, и на место почти уже автоматического, почти уже не действующего повеления: «Можешь, можешь», — находило уверенное легкомыслие.

— Ты все-таки брось со мной дурака валять, — сказал он Левке, — батька дал мне определенную директиву, я человек военный, загадок не люблю. Рассказывай — в чем там дело?

У Левки опять остановилась улыбка. Пухлая, с крупными порами, рука его повисла с бутылкой над стаканом.

— Советую тебе — меньше спрашивай, меньше интересуйся. Все предусмотрено.

— Значит, мне не доверяют? Тогда — какого черта!..

— Я никому не доверяю... Я батьке не доверяю... Ну, давай выпьем...

Раскрыв рот так, что край стакана коснулся нижних зубов, Левка медленно влил спирт в глотку. От него пахло сладкой прелью, сырым мясом с сахаром... Помотав пышными, насыщенными электричеством волосами, он начал выламывать куриную ногу.

— Я бы на твоем месте не принял этого поручения. Мало что — батько приказал. Батько любит дурить. Засыплешься, котик...

Рощин шибко ладонями потер лицо, рассмеялся:

— Советуешь уклониться? Может быть, пойти в уборную, да и выскочить на ходу?.. Как друг, значит, советуешь?

— А что ж... Я сказал, ты делай вывод...

— Дешевка, дешевка... Ты как думаешь — я смерти боюсь?

— А чего мне думать, когда я тебя насквозь вижу, ползучего гада... Спрячь зубы, вырву... Ну, наливай стакан...

Рощин с трудом глубоко вздохнул:

— Ты меня знаешь?.. Нет, Задов, ты меня не знаешь... Вот тебя поставить к стенке — вот ты-то, сволочь, завизжишь, как свинья...

Левка, приноровившийся укусить курячью ногу, закрыл рот так, что стукнули зубы, вспотевшее лицо его обвисло.

— Покуда замечалось обратное, — проговорил он брюзгливо. — Покуда визжали другие. Интересно, не ты ли меня собираешься гробануть?

— Да уж попался бы мне месяца три назад...

— Нет, ты не виляй, белый офицер, договаривай до конца...

— Не терпится тебе, мясник?..

— Ну, жду, договаривай...

Говорили они торопливо. Оба уже дышали тяжело, подобрав ноги под койку, глядя с напряжением в зрачки друг другу. Свеча, прилепленная к откидному столику, потрескивала, и огонек начал гаснуть. Тогда Рощин заметил, что багровое Левкино лицо сереет, — он сказал глухо:

— А ну, выйдем в коридор... Выходи вперед.

— Не пойду...

— А ну...

— А ты не нукай, я не взнузданный...

Синенький огонек остался на кончике фитиля, как кощеева смерть. Левка, видимо, понимал, что в тесном купе у жилистого, небольшого Рощина все преимущества, если в темноте они кинутся друг на друга... Он заревел бычьим голосом:

— Встать... в коридор!

Дверь в купе дернули, — огонек свечи мигнул и разгорелся, — вошел Чугай.

— Здорово, братки. — Под усиками рот его усмехался, выпуклые глаза перекатывались с Левки на Рощина. — А я вас ищу по всему поезду.

Он сел рядом с Рощиным — напротив Левки. Взял пустую бутылку, встряхнул, понюхал, поставил.

— А чего невеселые оба?

— Характерами не сошлись, — сказал Левка, отворачиваясь от его насмешливого взгляда.

— Ты при нем вроде как комиссар?

— Не вроде, а поднимай выше, а ну — чего спрашиваешь.

— Тем более должен понимать — на какую ответственную работу везешь товарища. Характер надо придержать. Ты, браток, выйди из купе, я с ним без тебя хочу поговорить.

Чугай сидел плотно, — руки сложены на животе, ляжки широко раздвинуты; при огоньке свечи лицо его казалось розовым, как из фарфора, детская шапочка с ленточками чудом держалась на затылке. Он спокойно ожидал, когда Левка переживет унижение и подчинится.

Засопев, надутый, багровый, Левка угрожающе взглянул на Рощина, шумно поднялся и, блеснув в дверях лакированными голенищами, вышел. Чугай задвинул дверь:

— Чего вы с ним не поделили-то?

— А пустяк, — сказал Рощин, — просто напились.

— Так, правильно отвечаешь. Но вот что, браток, — ты поступил в мое прямое распоряжение, отвечать должен на каждый мой вопрос.

Чугай пересел напротив и близко у свечи развернул четвертушку бумаги, подписанную батькой Махно, где сбитыми машинными буквами, с грамматическими ошибками, без знаков препинания, было сказано, что Рощин отчисляется в распоряжение военно-революционного штаба Екатеринославского района.

— Убедительно для тебя? (Рощин кивнул.) Вот и отлично. Скажи — что тебя привело в эту компанию?

— Это — формальный допрос?

— Формальный допрос, угадал. Не зная человека, довериться нельзя, да еще в таком важном деле. Согласен? (Рощин кивнул.) Кое-какие справки я о тебе навел... Неутешительно: враг, матерый враг ты, браток...

Рощин вздохнул, откинулся на койке. За черным окном, где отражался огонек свечи, проносилась ночь, темная, как вечность. Ему стало спокойно. Тело мягко покачивалось. За эти трое суток, проведенных почти без сна, начинался третий допрос и, видимо, последний, окончательный. В конце концов, какую правду он мог рассказать о себе? Сложную, запутанную и мутную повесть о человеке, выгнанном в толчки неизвестными людьми из старого дома — с той улицы, где он родился, из своего царства. Но так ли это? Не сам ли он взял себя за шиворот и швырнул в помойку? Чего он, собственно, испугался? Что он, собственно, возненавидел? Так ли нужен был ему для счастья и старый дом, и старое уютное царство? Не призраки ли они его больного воображения? Вспоминать — так ничего разумного не найти в его поступках за этот год и ничего оправдывающего. Здесь, в купе, не суд с присяжными заседателями и красноречивым адвокатом, взмахивающим романтической гривой. Здесь с глазу на глаз нужно сделать почти невозможное — рассказать правду, не о поступках маленького человека, — это не важно, в этом разговоре они не в счет, — но о своем большом человеке... Здесь ты и подсудимый, и сам себе судья... И не важен и практический вывод из этого разговора, — если уж дошло дело до большого человека...

— Ты чего бормочешь про себя, говори уж вслух, — сказал Чугай.

— Нет, я не враг, это слишком просто, — проговорил Рощин, прижимаясь затылком к спинке койки. — У врага — цель, злоба, коварство... Вопрос хочу вам задать...

— Давай.

— Я вам нужен как военный спец?

Чугай помолчал, разглядывая его лицо с глубокими тенями во впадинах щек.

— А ты сам как ответишь?

— Думаю, что нужен, и в особенности не батьке, а вам.

— Ты меня лучше тыкай, мне легче разговаривать-то.

— Ладно, буду тыкать.

— Батька сказал, что ты будто по мобилизации попал в Добровольческую армию, убежденный анархист, и происхождения вроде даже подходящего...

— Все это вранье... Происхождения самого неподходящего. В Добрармию пошел по своей охоте. И ушел по своей охоте.

— Стыдно стало?

— Нет... А ты чего мне подсказываешь? Я за соломинку не цепляюсь, — давно уж на дне... Если бы верить в возмездие за грехи тяжкие!.. Нет у меня даже этого утешения...

— Налютовал, что ли, много?

— Было, было... Всю жизнь я требовал от себя честности, моя честность оказалась бесчестьем... И все так, — перевернулось с живота на спину, из белого стало черным...

— Биографию, браток, расскажи для порядка.

— Кончил Петербургский университет... Юрист... Ах, вам нужно о происхождении... Помещик, из мелкопоместных. После смерти матери продал последние крохи — дом, сад и могилы за оградой. Вышел из полка... Ну, что еще... Был, как все мало-мальски порядочные люди, либералом... (Вадим Петрович брезгливо поморщился.) Будущей революции, разумеется, сочувствовал, даже во время забастовок, — в тринадцатом, что ли, году, — открыл форточку и крикнул проходящим конным полицейским: «Палачи, опричники...» Вот вроде как этим и ограничилась моя революционная деятельность... Зачем было особенно торопиться, когда и так жилось сладко... (На этот раз у Чугая дрогнули усики.) Нет, уж ты погоди мной брезговать... Я говорю честно. Я все-таки бокалов с шампанским на банкетах не поднимал за страждущий русский народ. А в семнадцатом на фронте от стыда и позора сошел с ума. В окопах два с половиной года просидел, не подав рапорта... И шелкового белья от вшей не носил.

— Заслуга.

— А ты не издевайся, обойдись без этого... (Вадим Петрович сморщил лоб. Глубокими тенями избороздилось его худое лицо.) Ты ответь: что для тебя родина? Июньский день в детстве, пчелы гудят на липе, и ты чувствуешь, как счастье медовым потоком вливается в тебя... Русское небо над русской землей. Разве я не любил это? Разве я не любил миллионы серых шинелей, они выгружались из поездов и шли на линию огня и смерти... Со смертью я договорился, — не рассчитывал вернуться с войны... Родина — это был я сам, большой, гордый человек... Оказалось, родина — это не то, родина — это другое... Это — они... Ответь: что же такое родина? Что она для тебя? Молчишь... Я знаю, что скажешь... Об этом спрашивают раз в жизни, спрашивают — когда потеряли... Ах, не квартиру в Петербурге потерял, не адвокатскую карьеру... Потерял в себе большого человека, а маленьким быть не хочу, — стреляй, если хоть в одном моем слове смущен... Серые шинели распорядились по-своему... Что мне оставалось? Возненавидел! Свинцовые обручи набило на мозг... В Добрармию идут только мстители, взбесившиеся кровавые хулиганы... «Так за царя, за родину, за веру мы грянем громкое ура...» И — на цыганской тройке за расстегаями к Яру...

— Готов, браток, прямо — на лопате в печь, — сказал Чугай, и напряженный взгляд его выпуклых глаз повеселел. — Что за оказия — разговаривать с интеллигентами! Откуда это у вас — такая мозговая путаница? Ведь все-таки русские же люди, умные как будто... Значит — буржуазное воспитание. Сам себя потерял! Есть он, нет его, — и этого не знает. Ах, деникинцы! Ну, ну, развеселил ты меня... Как же мы теперь с тобой договоримся? Хочешь работать не за жизнь, а за совесть?..

— Если так ставишь — буду работать.

— Без охоты?

— Сказал — буду, значит — буду.

Чугай опять взял пустую бутылку, тряхнул; посмотрел под откидной столик; взглянул на багажную сетку.

— Давай уж твоего сукиного кота позовем. — Он открыл дверь и позвал: — Комиссар, куда спирт спрятал? — И значительно подмигнул Рощину: — Ты с ним покороче, чуть что, — его на мушку. Самый у батьки вредный человек.

Рощин, Чугай и обрюзгший за ночь Левка вылезли на последней остановке перед мостом. Туман, поднимавшийся с Днепра, застилал Екатеринослав на том берегу. Все трое, помалкивая, поеживались от сырого холода. Поезд наконец загромыхал буферами и пополз через мост. Тогда на дощатой платформе появилась женщина, закутанная в шерстяной платок, видны были только ее быстрые глаза. Прошла мимо стоящих, прошла в другой раз, и, когда все медленнее проходила в третий, Чугай сказал не ей, а вообще:

— Где бы чайку попить?

Она сейчас же остановилась.

— Можно провести, — ответила, — только у нас сахару нет.

— Сахар свой.

Тогда она отгребла с лица шерстяной платок, — лицо у нее оказалось до удивления миловидное, юное, с ямочкой на круглой щеке, с маленьким припухлым ртом.

— Откуда, товарищи?

— Ну, оттуда же, оттуда, будет тебе, — конспирация! — веди, — сердито ответил Левка.

Девушка удивленно подняла брови, но Чугай сказал ей, что «они те самые, кого она встречает». Она спрыгнула с платформы и повела их по путям, где стояло много искалеченных составов. Ни одна живая душа не попалась им, когда они, то перелезая через тормозные площадки, то проныривая под вагонами, подошли к товарной теплушке. Девушка постучала:

— Это я, Маруся, — привела.

Створы вагона осторожно прираздвинулись, выглянуло худое, суровое, бледное лицо с антрацитовыми глазами.

— Лезьте скорее, — тихо сказал этот человек, — холоду напустите.

Все трое — за ними Маруся — влезли в вагон. Человек задвинул створы. Здесь было тепло от раскаленной железной печурки; огонек, плавающий в банке из-под гуталина, слабо освещал непроницаемое лицо председателя военревкома и две неясные фигуры в глубине.

Чугай предъявил мандат. Левка тоже вытащил бумажку. Председатель, присев на корточки у огонька, читал долго.

— Добре, — сказал, поднявшись, — мы вас третью ночь ждем. Седайте. — Он покосился на Левкины лакированные голенища. — Не торопится что-то батько Махно.

Левка сел первым на единственный табурет у дощатого столика. Чугай примостился на чурбане. Рощин отошел к вагонной стенке. Так вот он каков, штаб большевиков... Голый вагон и суровые лица, — по обличью железнодорожных рабочих, молчаливых и настороженных.

Председатель говорил ровным голосом:

— Мы готовы. Народ горит. Начинать надо вот-вот... Есть сведения: петлюровцы что-то уже пронюхали, вчера в городе выгрузилась тяжелая батарея. Ждут войск из Киева. У нас предателей нет, — значит, сведения могут поступать только из Гуляй-Поля..

Левка — угрожающе:

— Но, но, легче на поворотах!

Тотчас две фигуры из темноты придвинулись. Председатель продолжал так же ровно:

— У вас все нараспашку. Так нельзя, товарищи... В Екатеринославе начались аресты. Пока что хватают беспорядочно, но уже взяли одного нашего товарища...

— Мишку Кривомаза, комсомольца, — звонко, слегка по-девичьему ломая голос, сказала Маруся. Отбросив на плечи платок, она стояла рядом с Вадимом Петровичем.

— Допрашивал его сам Нарегородцев, начальник сыскного. Значит, у них тревога...

— Мишку Кривомаза били резиной по лбу, глаза вылезли у бедного, — быстро сказала Маруся и вдруг всхлипнула носом. — Отрубили ему два пальца, распороли живот, он ничего не выдал.

Левка, поставив шашку между ног, сказал презрительно:

— Дешевая работа. Нарегородцев, говоришь? Запомним. А кто здесь прокурор? Кто начальник варты?

— Фамилии и адреса мы вам скажем...

Председатель остановил Марусю:

— Давайте организованно, товарищи. Федюк нам сделает доклад о силах противника. (Он указал на плотного человека с пустым рукавом засаленной куртки, засунутым за кушак.) О работе ревкома доклад сделаю я. О Махно предоставлю слово вам. Четвертый вопрос — о меньшевиках, анархистах и левых эсерах. Сволочь эта чувствует, что пахнет жареным, как чумные готовятся драться за места в Совете. Начинай, Федюк.

Твердым голосом Федюк начал издалека, — о кровавых планах мировой буржуазии, — председатель сейчас же перебил его: «Ты не на митинге, давай голые факты». Голые факты оказались очень серьезны: в Екатеринославе стояло петлюровцев около двух тысяч штыков и шестнадцать орудий, из них четыре тяжелых. Кроме того, имелись добровольческие дружины из буржуазных элементов и офицеров, с большим количеством пулеметов. Да еще Киев готовился подбросить подкрепления.

Из второго доклада выяснилось, что военревком может рассчитывать на три с половиной тысячи рабочих, которые без колебаний пойдут за большевистской организацией, и на приток крестьянской молодежи из окружных сел, где проведена агитация. Но оружия мало: «можно сказать, десятую часть вооружим, а остальные — с голыми руками».

Видя, как завертелся Чугай, как Левка отвалил нижнюю губу, — председатель, антрацитово блеснув глазами, повысил голос:

— Мы не настаиваем, если батько побоится сам идти на город, пускай сидит в Гуляй-Поле, только даст нам оружие и огнеприпасы.

Левка побагровел, стукнул в пол шашкой.

— Не дурите мне голову, товарищ... Мы не торгуем оружием... Батько выметет петлюровскую сволочь, как мух, одним мановением...

Тогда сказал Чугай:

— Товарищ Лева, не горячись, помолчи минутку. Так вот, товарищи, с батькой Махно мы договорились. Батько подчиняется Главковерху Украинской. Народная армия батьки, теперь — Пятая дивизия, выступает на Екатеринослав немедленно по приказу. Приказ Главковерха у меня в кармане. Давайте согласуем действия... С нами — военный спец. Товарищ Рощин, притуляйся поближе.

Чугай уехал в ту же ночь обратно к батьке в Гуляй-Поле. Он увез с собой и Левку, — чтобы рабочие не косились на его толстую морду, на лакированные голенища и высокие калоши, да и не хотелось оставлять такого дурака вдвоем с Рощиным.

К Рощину приставили для связи и наблюдения Марусю. Военный план ревкома никуда не годился, Рощин высказал это тогда же со всей прямотой. Ревком предложил ему самому обследовать город и представить свой план. Каждое утро они с Марусей переплывали на лодке среди льдин дымящийся Днепр, вылезали на правом берегу, в слободе Мандыровке, просили кого-нибудь из крестьян, едущих на базар, подвезти их до вокзала, и оттуда — пешком или на трамвае — попадали в центр.

Вокзал с железнодорожным мостом находился на южной стороне, оттуда через весь город тянулся широкий, в акациях и пирамидальных тополях, Екатерининский проспект; по обеим сторонам его стояли новые, солидные, с зеркальными окнами, здания — банков, гостиниц, почты и телеграфа, городской думы. Проспект круто поднимался к старому городу, раскинутому вокруг соборной площади. Там же помещались казармы.

Вадим Петрович научил Марусю считать шаги, на глаз определять углы, запоминать особо важные точки обстрела. Время от времени они заходили в кофейню и на листочке набрасывали план. Листочек этот, сложенный конвертиком, Маруся носила зажатым в кулаке, чтобы сунуть в рот и проглотить, если их остановят вартовые. Но на них ни разу никто не покосился, хотя хорошенькая Маруся в простом платке, повязанном по-украински, и Рощин в шапке с малиновым верхом только ленивому могли бы не примелькаться. Но здесь было не до них. Петлюровские власти, объявившие себя республиканско-демократичными, барахтались среди всевозможных комитетов: боротьбистов, социалистов, сионистов, анархистов, националистов, учредиловцев, эсеров, энесов, пепеэсов, умеренных, средних, с платформой и без платформы; все эти дармоеды требовали легализации, помещений, денег и угрожали лишением общественного доверия. Окончательную путаницу вносила городская дума, где сидел Паприкаки-младший (Паприкаки-старший, более умный, бежал к Деникину). Дума проводила политику параллельной власти и даже настаивала на учреждении отдельного полка, — по-петлюровски — куреня, — имени покойного городского головы Хаима Соломоновича Гистория.

Понятно, что петлюровским властям оставался один свободный участок для деятельности — хватать кое-где в ночное время по квартирам рабочих-коммунистов, и то тех, кто жил на правом берегу.

После дня беготни Рощин и Маруся возвращались уже кратчайшим путем — через мост — на левый берег, в слободу, в белый мазаный домик на обрыве над Днепром.

В домике всегда была горячо натоплена печь и уютно пахло особенно кисловатым запахом кизяка. Марусина мать входила с толстой вагонной свечой (Марусин отец работал на железной дороге), трогала ладонью печь, спрашивала тихим голосом:

— Тепло ли?

— Тепло, мама.

— Ужинать будете?

— Как собаки, голодные, мама.

Вздохнув, она говорила:

— Мы уж с отцом отужинали. Идите, поужинайте, молодым всегда есть хочется..

Медленно, будто думая о чем-то невыразимо грустном, она шла за перегородку. Брала ухват, приседая от натуги и приговаривая: «Христос с тобой, не свались, не развались», — вытаскивала из печи большой чугун с борщом. Отец, куря трубочку, неудобно сидел на кровати. И он, и мать старались не замечать Рощина (между собой они называли его «секретным», но если Вадим Петрович просил чего-нибудь — ковш воды, спичек, — Марусин отец торопливо срывался с койки и мать готовно топотала).

Рощин и Маруся хлебали борщ, подливая из чугуна в облупленные тарелки. Маруся не переставая разговаривала, — впечатления дня отражались с мельчайшими подробностями в прозрачной влаге ее памяти.

— Христос с тобой, ешь разборчивее, — говорила ей мать, стоя у печки, — еда не впрок за разговором.

— Мама, я за день намолчалась. — Маруся изумленными ярко-синими небольшими глазами взглядывала на Рощина. — Вы знаете, я ужасно разговорчивая, за это меня в комсомол не хотели брать. Ну где же конспирация, понимаете, если человек болтлив? Испытание проходила, семь суток молчала.

После ужина Маруся накидывала теплый платок и бежала на партийное собрание. Рощин, поблагодарив за хлеб-соль, шел за глухую перегородку, в узенькую комнатку, такую низкую, что, подняв руку, можно было провести по шершавому потолку. Засунув ладони за кушак, он ходил от окошка, закрытого ставней, до Марусиного соснового комодика. Снимал кушак и гимнастерку и садился у окна, слушая сквозь ставню, как далеко внизу глухо и мягко шуршат льдины на Днепре. За перегородкой уже легли спать. В тишине маленького дома потрескивала печная штукатурка да, пригревшись, пилил сверчок крошечной пилой крошечную деревяшку. Вадиму Петровичу было неожиданно хорошо и покойно, и лишь простые, обыденные мысли бродили в голове его.

До Марусиного возвращения лечь спать не хотелось, и, чтобы отогнать дремоту, он снова вставал и ходил. Ему ужасно нравилась эта выбеленная мелом, крошечная комната; Марусиных вещей здесь было немного: юбка на гвозде, гребешок и зеркальце на комоде да несколько книжек из библиотеки... У стены — коротенькая железная кровать, Маруся уступила ее Рощину, а сама стелила себе на полу, на кошме.

Хлопала дверь в сенях, осторожно скрипела дверь на кухне. Появлялась Маруся, румяная от холода. Разматывая платок, говорила:

— Вот и хорошо, что вы меня подождали. Знаете новость? Махно будет здесь через три дня. Завтра вам уже надо представить план. А ночь какая, мамыньки! Тихо, звезд высыпало!..

Маруся до того была поглощена важными делами, разными впечатлениями, до того простодушна, что, постлав себе на полу, без стеснения раздевалась при Вадиме Петровиче. Юбку, кофту, чулки швыряла как попало. Секунду сидела на кошме, обхватив коленки: «Ой, устала», — и, ткнув кулаком в подушку, укладывалась, натаскивая на голову ватное одеяло. Но сейчас же высовывалось ее лицо, с неугасаемым румянцем, с ямочкой, с коротеньким носом. Она бросала голые руки поверх одеяла.

— Вот так жарко! Слушайте, вы не спите?

— Нет, Маруся, нет.

— Это правда, что вы были белым офицером?

— Правда, Маруся.

— Вот я сегодня спорила... Некоторые товарищи вам не верят. Есть у нас такие, знаете, угрюмые... Мать родная у них на подозрении... Да как же не верить в человека, если верится! Уж лучше я ошибусь, чем про каждого думаю, что — гад. С кем, говорю, вы революцию будете делать, если кругом одни гады? А ведь мы — всемирную делаем... Революция, говорю, — это особенная сила... Понятно вам? Ну что бы я делала без революции? Мазала бы столярным клеем по двенадцати часов в картонажной мастерской... Одна радость — в воскресенье погрызть семечки на Екатерининском бульваре... Ну, разжилась бы высокими ботинками, — подумаешь, радость! Так как же, говорю, вы, товарищи, не верите: интеллигент ошибался, ну, — хорошо, — служил своему классу, но ведь он тоже человек... Революция и не таких затягивала. Может он свой классишко паршивый променять на всемирную? Может... И он сознательно приходит к нам — драться за наше рабочее дело... Угрюмым надо быть, если не верить в это... Ну! Я многих убедила.

Рощин, подобравшись, лежал на коротенькой кровати и глядел на Марусю. Она то взмахивала голыми руками, то страстно сжимала их. Низенькая комната, казалось, была наполнена ее девичьей свежестью, точно внесли сюда ветку белой сирени.

— Другое дело, слушайте, что интеллигентов надо перевоспитывать... Мы и вас будем перевоспитывать... Чего смеетесь?

— Я не смеюсь, Маруся... За много, много лет я не чувствовал себя таким пригодным для хорошего дела... Вот что я сейчас думаю: с первым отрядом для занятия моста — пойду я...

— Ой, ей-богу, пойдете?

Маруся живо вылезла из-под одеяла и присела к нему на край койки:

— Вот теперь верю, что вы наш по-настоящему... А то — кричала, кричала, спорила, спорила, а все-таки, знаешь, доказательства-то прямого нет.

Днем двадцать шестого по железным плитам моста через Днепр с грохотом пронеслась полусотня конных петлюровцев, наскочила на товарную станцию, порубила рабочих, стоявших на охране состава из четырех платформ, бронировавшихся мешками с песком, и рассыпалась по путям, стреляя в вагоны, — все это торопливо, с опаской. Налет предполагался на штаб ревкома, но петлюровцы побоялись засады в тесноте между составами, поскорее выскочили в поле и ушли, откуда пришли.

На мосту с той стороны они поставили пулеметы и у каждого проходящего спрашивали документы. Напряжение росло. Из городских районов поступали сведения о повальных обысках. Пригородные крестьяне приходили в этот день уже не поодиночке, а десятками, налегке, в туго подпоясанных кожухах. Ревком формировал из них отдельный полк. Формальности были короткие, — каждого спрашивали:

— Зачем пришел?

— А затем пришел — давай оружие.

— Зачем тебе оружие?

— Советы надо ставить, а то чепуха опять начинается.

— Советскую власть признаешь без оговорки?

— Да уж какие там оговорки...

— Ступай во вторую роту.

Но с оружием было плохо, покуда в середине дня неожиданно на паровозе с одним вагоном не прикатил Чугай, привез триста австрийских винтовок с патронами. Это несколько облегчило положение. И, наконец, поздно вечером загремело, застучало в степи, — начала подходить долгожданная армия батьки Махно.

Первой появилась в поселке конная сотня — гвардия «имени Кропоткина», — дюжие батькины сынки — рост в рост. Они сейчас же заняли школу, выкинули оттуда книжки, парты и учительницу и пошли властно стучать по хатам. За ними въехало до двухсот телег и тачанок с пехотой. И позже всех около школы остановилась большая, по видимости архиерейская, дорожная карета — четверней в ряд — с Великим Немым на козлах, из нее важно вышел Махно с Левкой и Каретником.

Батько немедленно потребовал к себе на совещание штаб ревкома. К тому времени около ревкомовского вагона собралось уже немало взволнованных рабочих. Они кричали председателю:

— Мирон Иванович, ты поди сам взгляни — какие это советские войска, это ж бандиты... Вот послушай-ка тетку Гапку — она тебе скажет, что они с ней сделали...

Тетка Гапка заливалась слезами.

— Мирон Иванович, прожитки мои ты знаешь... Шасть ко мне в хату два хлопца... Давай молока, давай сала... Ну, такие великаны голодные... Веди на двор, показывай — где кабан, где птица... Все слизнули, чтоб им на пупе нарвало, проклятым...

Председателю пришлось суровым голосом растолковывать, что, коль скоро дело сделано, — Махну с войском позвали, — пятиться поздно, и теперь одна задача: штурмом взять город и передать власть Советам. И вдруг прикрикнул на тетку Гапку:

— Двух кабанов, — мало тебе? — стадо кабанов тебе подарим... Перестань народ смущать...

На заседании Махно вел себя странно, — нахально и трусливо. Он потребовал, чтобы его назначили главнокомандующим всеми силами, и пригрозил: в противном случае армия сама повернет коней обратно. Он повторял, что у советской власти нет еще другой такой боевой единицы и эту единицу надо беречь, а не разбазаривать в непродуманных выступлениях. Он грыз ногти и нет-нет — да запускал руку под куртку и почесывался. Выяснилось, что он больше всего на свете боится шестнадцати орудий у петлюровцев. Тогда Чугай сказал ему:

— Хорошо! Если у тебя свербит от этих пушек, — нынче ночью я съезжу в город, поговорю с командиром артиллерии.

— То есть — как поговоришь?

— А уж это мое дело — как...

— Врешь!

— Нет, не вру. Кто у них командир артиллерии? Мартыненко. Наш — балтиец, комендор с броненосца «Гангут», мой земляк, а может — свояк, а может — кум... Он по нас стрелять не станет...

— Врешь! — повторил Махно, вцепляясь ногтями ему в рукав. И видимо, поверил, и вдруг успокоился, и приосанился. — Рассказывайте — какой у вас план наступления...

Ревком представил ему такой план: отряд рабочих, вооруженных гранатами, ночью переправляется на ту сторону, люди поодиночке сходятся близ железнодорожного моста, на рассвете атакуют пулеметчиков у предмостного укрепления, захватывают пулеметы и держат под обстрелом улицы, выходящие к мосту. Когда раздадутся взрывы гранат, — бронепоезд (из четырех платформ), с вооруженными рабочими и частью только что сформированного крестьянского полка, двинется через мост и атакует городской вокзал. В то же время штаб оповещает по одному ему известным адресам и телефонам районные большевистские комитеты, и те поднимают восстание в городе, — сбор у вокзала, где будет роздано оружие, привезенное на бронепоезде. Туда же к тому времени перенесет свои операции штаб. Конница Махно врывается в город по пешеходному мосту. Пехота двумя колоннами переправляется через Днепр выше и ниже моста и соединяется в указанных местах на Екатерининском проспекте, оттуда ведет наступление вверх для захвата городских учреждений и казарм. Успех восстания зависит от быстроты и неожиданности нападения, поэтому штурм нужно назначить сегодня ночью.

— Люди приустали в походе, кони побились, надо ковать, — сказал Махно.

Председатель ревкома ответил ему на это:

— Люди отдохнут, когда заберем город, а коней перековывай уж на советские подковы.

Чугай сказал:

— Ты что, батько, расположился табором на виду у всего города, — отдыхать? Попотчуют тебя завтра из шестидюймовых. Коротко говори: или нынче в ночь, или уходи...

Днепр в эту ночь стал, но лед был ненадежный. Рабочие всю ночь таскали на берег доски для переправы, приволакивали половинки ворот, целые плетни. Работали наравне и все члены ревкома вместе с председателем.

Одни батькины сынки, роскошно увешанные оружием, похаживали по берегу, боясь вспотеть, и подмигивали друг другу на редкие городские огни на той стороне. Велик и богат был Екатеринослав!

Часа за два до рассвета двадцать четыре человека вышли на лед. Их вел Рощин. Все было заранее объяснено. Лед потрескивал в спайках между льдинами, местами приходилось бросать доски, которые несли в руках. Один только раз блеснуло на берегу близ черной и смутной громады решетчатого моста, раскатился одинокий выстрел. Все прилегли. И отсюда уже поползли, насколько возможно отделяясь друг от друга.

Рощин вылез на берег там, где он и наметил, около полузатопленной баржи. Отсюда в гору шла глухая уличка. Он поднялся по ней и свернул к задней стороне как раз того двора, — торгового склада, теперь опустевшего, — где был назначен сбор. Огни вокзала посылали сюда неясный свет. Весь город крепко спал. Рощин некоторое время ходил вдоль забора легкими шагами, повторяя одну и ту же фразу: «Ишь ты, поди ж ты, что же говоришь ты». Он с удовольствием посматривал на высокий забор, зная, как без усилия перебросить через него свое невесомое тело. Поодиночке, как тени, стали появляться товарищи. Всем он велел прыгать на двор и идти к воротам. И опять ходил легким шагом.

Из двадцати четырех человек собралось двадцать три, один или заблудился, или был взят разъездами. Рощин подпрыгнул, подтянулся на руках, зацарапал носками сапог по доскам и не так легко, как думалось, перекинулся на ту сторону и спрыгнул в битые кирпичи.

Рабочие стояли у ворот, молча глядя на подходившего Рощина. Некоторые сидели на земле, опустив лица в поднятые коленки. До рассвета оставалось недолго. Решающими и самыми томительными были эти последние минуты ожидания, в особенности у людей, впервые идущих в бой. Рощин смутно различал стиснутые волевым напряжением рты, сухой блеск немигающих глаз. Это были честные ребята, доверчиво и просто думающие, тяжелорукие русские люди. По своей воле пошли черт знает на какое опасное дело. За всемирную, — как говорила Маруся в белой комнатушке, озаренной свечой. К нему подступило чувство налетающего восторга и опять та же легкость, — волнением стиснуло горло.

Все это было не похоже ни на что, все — небывалое...

— Товарищи, — сказал он, нахмуриваясь. — Если мы спокойно сделаем это дело, — будет удача и дальше. От нас сейчас зависит успех всего восстания. (Те, кто сидел на земле, поднялись, подошли.) Еще раз повторяю — хитрости тут большой нет, главное — быстрота и спокойствие. Этого враг боится больше всего, — не оружия, а самого человека... Вот если у тебя... — Он взглянул снизу вверх на юношу с оголенной сильной шеей. — Если у тебя, товарищ... — Ему неудержимо захотелось, и он положил руку ему на плечо, коснулся его теплой шеи. — Если у тебя под сердцем холодок, так ведь и у врага тоже под сердцем холодок... Значит, кто прямее, — тот и взял.

Юноша мотнул головой и засмеялся:

— А ведь и верно ты говоришь, — кто кого надует... Они дураки, а мы умные... Мы-то знаем, за что... — Он вдруг освободил надувшуюся шею, красивый рот его исказился. — Мы-то знаем, за что помирать...

Другой, протискиваясь, спросил:

— Ты вот скажи — я кинул гранаты, что я дальше буду, без оружья-то?

Кто-то сиплым шепотом ответил ему:

— А руки у тебя на что? Дурила!

— Товарищи, еще раз повторяю вам всю операцию, — сказал Рощин. — Мы разделимся на две группы...

Рассказывая, он поглядывал — когда же, наконец, в непроглядной тьме за Днепром забрезжит утренняя заря... Плотные тучи скрывали ее. Дальше томить людей было неблагоразумно.

— Пора. — Он осунул кушак. — Разделяйся. Отворяй ворота.

Осторожно отворили ворота. Вышли по одному и, крадучись, дошли до того места, где кончался забор. Отсюда хорошо был виден мост на пелене замерзшей реки. Перед ним неясно различался бугор предмостного окопа, с пулеметами и, видимо, спящей командой. Второй такой же окоп находился по другую сторону полотна.

— Бери гранаты... Побежали...

Побежали разом все двадцать три человека молча, из всей силы, как бегают в лапту, — половина людей — прямо на окоп, другие тринадцать человек — сворачивая направо к полотну. Рощин старался не отстать. Он видел, как длинные тени в подпоясанных куртках высоко перепрыгивают через железнодорожную насыпь. Он свернул туда, за ними. Он понял, что произошла ошибка, — они не успеют добежать до второго окопа, нарвутся на тревогу. За спиной его раздался взрыв, дико закричали голоса, еще, и еще, и еще рвались гранаты... Первый окоп взят... Не оборачиваясь, захватывая разинутым ртом режущий воздух, он карабкался на насыпь. Тринадцать человек — впереди него — неслись огромными прыжками... Они подбегали... Навстречу им забилось бешеной бабочкой пламя пулемета. Будто ветер пронесся над головой Рощина... «Господи, сделай чудо, это бывает, — подумал он, — иначе — только погибнуть...» Он видел, как тот, — высокий парень с голой шеей, — не пригибаясь, бросил гранату, и все тринадцать, живые, свалились в окоп. Он увидел барахтающиеся, хрипящие тела. Один, бородатый, в погонах, выдираясь, приподнялся и шашкой остервенело колол тех, кто хватался за него. Рощин выстрелил, — бородатый осел, уронил голову. И сейчас же оттуда полез другой, в офицерской шинели, лягаясь и вскрикивая. Рощин схватил его, офицер, вырвав руки, вцепился ему в шею: «Сволочь, сволочь!» — и вдруг разжал пальцы:

— Рощин!..

Черт его знает, кто это был, — кажется, из штаба Эверта. Не отвечая, Рощин ударил его револьвером в висок...

И этот окоп был взят. Рабочие поворачивали пулеметы. За Днепром выл паровоз. И по мосту, грохоча, пополз бронепоезд на штурм вокзала.

Солнце давно поднялось и жгло и не грело. Бронепоезд опять, черно дымя, пошел через мост, перевозя к захваченному вокзалу людей и оружие. Ребята криками проводили его из окопов. Дела шли хорошо. Махновская пехота давно уже переправилась по льду, как мураши, полезла на крутой берег, сбила полицейские заставы и рассыпалась по улицам. Не ослабевая, грохотали выстрелы то издалека, то — вот-вот — близко.

— Сашко, ступай на вокзал, найди главнокомандующего и скажи, что мы здесь сидим с пяти утра, зазябли и не ели, пускай нас сменят, — сказал Рощин парню с голой шеей. Безусое, лишь опушенное кудрявыми волосиками, мужественное и ребячье лицо его было в кровавых царапинах, — так его давеча обработал дюжий пулеметчик, прощаясь с жизнью.

Сашко прозяб в легкой куртке и резво побежал по открытому месту, хотя в воздухе часто посвистывали пули. Ему кричали: «Пропадешь, дура... Сашко, папирос принеси...» Он скоро вернулся, присел на корточки перед окопом, кинул товарищам пачку папирос и Рощину передал записку со свежесмазанным штампом: «Ожидайте, пришлю. Махно».

— Вам поклон от Маруси, — сказал он Рощину.

Вадим Петрович от неожиданности разинул рот, с минуту глядел из окопа на присевшего Сашко.

— Товарищ Рощин, хорошая девочка, повезло тебе, слышь...

— Ты где видел ее?

— На вокзале шурует... Без нее я бы к Махне и не пробился. Что делается, ребята, — народу! Не поспевают оружие раздавать... Наш Екатеринослав!

Штаб Махно расположился на вокзале. Батько сидел в зале I—II класса за буфетной стойкой с искусственными пальмами — с нее смахнули только на пол всякую стеклянную ерунду — и писал приказы. Каретник хлопал по ним печатью. Тот, кто получал их, опрометью кидался прочь. Не переставая вбегали возбужденные люди, требуя патронов, подкреплений, походных кухонь, папирос, хлеба, санитаров... Иной командир, разъяренный тем, что уже вплотную подобрался к торгово-промышленному банку, — осталось два шага до двери, — за недостатком огнеприпасов залег, кусая от досады землю, — подходил к батьке и, захватив висящие у пояса гранаты, для устрашения с грохотом бросал их на стойку:

— Ты что тут — богу молишься? В душу, в веру, в мать, — гони патроны!..

Батько отдавал приказы только тем, кто их требовал. Устрашающе шевеля челюстями, он делал вид, что распоряжается. На самом деле в голове его была невообразимая путаница. Продирая бумагу, он ставил крестики на карте города — там, где наступали или отступали части войск. В этом чертовом городе негде было развернуться, всюду теснота, враг — сверху, сбоку, сзади... Таращась на карту, батько не видел ни этих улиц, ни этих домов. Он терял всякую ориентировку. Игра шла вслепую. Недаром он всегда называл города вредной вещью, всем заразам — заразой.

Кроме того, тревожила его неопределенность с Мартыненко. Чугай подтвердил, что Мартыненко стрелять по своим не хочет. Виделся ли Чугай с ним этой ночью, или они сговорились раньше, — действительно в артиллерийском парке было все спокойно, половина орудийной прислуги разбежалась, и сам Мартыненко, должно быть от щекотливости, напился вдребезги пьян. Из его парка только две полевые пушки стояли у вокзала, брошенные петлюровцами. Махно обрадовался, — пушек он никогда не захватывал, — приказал выкатить их на проспект и сам дернул за спусковой шнур; лицо его морщинисто засмеялось, когда пушка рявкнула, — люди даже присели, — и снаряд завыл над высокими тополями.

Штаб ревкома помещался на привокзальной площади. Там горели костры, и около них кучками стояли рабочие, прибывающие из всех районов. Члены ревкома знали почти каждого в лицо и откуда он. Выкрикивали товарищей по заводам и мастерским — металлистов, мукомолов, кожевников, текстильщиков, — рабочие отходили от костров и строились человек по пятьдесят. Если среди них находился подходящий, — его назначали командиром или команду принимал кто-нибудь из членов ревкома. Раздавали винтовки, тут же показывая незнающим — как с ними обращаться. Отряду давалась боевая задача. Командир поднимал винтовку, потрясал ею:

— Вперед, товарищи!..

Рабочие тоже поднимали эту дорогую вещь, наконец-то попавшую им в руки:

— За власть Советов!..

Отряды уходили в сторону Екатерининского проспекта, в бой.

Рощин протискался к главнокомандующему и подробно рапортовал о занятии предмостных укреплений и о потерях в личном составе: четверо раненых, один задавленный насмерть. Махно, кусая карандаш, глядел на коричневое, осунувшееся лицо Рощина с твердым до дерзости и почти безумным взглядом.

— Хорошо, будешь награжден серебряными часами, — сказал он и на край стойки подвинул лежавшую перед ним карту города. — Гляди сюда. — И повел карандашом линию по крестикам. — Наступление задерживается. Мы доскочили вон куда, — улица, кривой переулок, бульвар... И дальше — вон куда кресты загибают... Я хочу знать причину — почему топчемся, как в дерьме? — крикнул он резким, птичьим голосом. — Ступай и выясни. — На клочке бумаги он нацарапал несколько слов, и Каретник из-под его локтя, дыхнув на печать, стукнул по подписи. — Можешь расстреливать трусов, — даю тебе право...

Рощин вышел на площадь, где продолжали строиться неровными рядами рабочие отряды, раздавались крики команды и крики «ура!». От дыма костров, на которых уже кое-где пристроили варить в котлах кашу, у него закружилась голова, и в памяти проплыло: знакомый чугун со щами, который Маруся, вскочив из-за стола, подхватывала из рук матери, и Марусины зубы, кусающие ломоть душистого хлеба. Ну, ладно!

За Рощиным шли с винтовками Сашко и еще двое из команды: один — рябой, веселый, плотный, как казанок, по фамилии Чиж, другой — все время усмехающийся красивый юноша, с жестоким лицом и подбитым глазом, прикрытым низко надвинутым козырьком черного картузика, — водопроводчик, называл он себя Роберт. По Екатерининскому проспекту пришлось пробираться, хоронясь за выступами домов, от подъезда к подъезду. Пули так и пели. Бульвар был пуст, но повсюду за окнами, заваленными тюфяками, появлялись и прятались любопытствующие лица. В подъезде ювелирного магазина сидел человек в тулупе, — маленькое, высосанное нуждою лицо его было запрокинуто, будто он поднял его вместе с седой бородой к старому, еврейскому небу, вопрошая: что же это, господи?

— Ты что тут делаешь? — спросил Чиж.

— Что я делаю? — скорбно ответил человек. — Жду, когда меня убьют.

— Иди домой.

— Зачем я пойду домой? Господин Паприкаки скажет: что дороже — твоя паршивая жизнь или мой магазин?.. Так лучше я умру около магазина...

Не успели они отойти, сторож высунул бороду из-за дверного выступа:

— Молодые люди, там дальше убивают...

Когда дошли до угла, — над головами по штукатурке резанула очередь пулемета. Нагнувшись, побежали в боковую улицу и прижались в углублении ворот. Тяжело дыша, увидели и сосчитали: на перекрестке, на мостовой — семь лежащих трупов и отброшенные винтовки. Здесь нарвался на огонь один из рабочих отрядов. Роберт, усмехаясь и раздельно, со злобой произнося слова, сказал:

— Режут с чердака гостиницы «Астория». Предлагаю ликвидировать эту точку.

Предложение показалось дельным. Гостиница «Астория», где два месяца жил Рощин, находилась на той стороне бульвара, подойти к ней можно было только под огнем. Рощин раскинутыми руками прижал товарищей к воротам:

— Только по одному, с интервалами, быстро, риска никакого.

Нагнувшись, почти падая, он пробежал до перекрестка и прилег за труп. С чердака «Астории» стукнуло два раза. Вскочив, он кинулся зигзагами, как заяц, к тополям, на середину бульвара. С чердака, с опозданием, торопливо застучало, но он был уже в «мертвом» пространстве. Прислонясь к стволу тополя, сняв шапку, вытер ею лицо, забрал воздуху, крикнул:

— Сашко, беги ты...

В зеркальную дверь гостиницы пришлось постучать ручными гранатами, — тогда изнутри отвалили комод и дверь открыли. Роберт оттолкнул солидного швейцара, завопившего было: «Ромка, куда ты, стервец...», — и кинулся с поднятой гранатой. В вестибюле было полно постояльцев, спустившихся со всех этажей, — при виде романтически настроенного юноши с гранатой и за ним еще троих вооруженных публика молча начала удирать вверх по лестнице. Запыхавшиеся приплющивались к перилам. Рощин, поднимаясь, узнавал многих. И его узнали, — если бы можно было убить взглядом, он бы сто раз упал мертвым. Один только благодушный помещик, тот, на чьей шее висели три незамужние дочери, выйдя с запозданием из своего номера, где он в это время обедал всухомятку, едва не заключил Рощина в объятия, обдав запахом мадеры:

— Голубчик, Вадим Петрович, так это вы, а мои-то девки трещат, будто какие-то большевики ворвались...

Но слова замерли у него, когда он увидел огромного Сашко с кровавыми царапинами на щеках и прикрытый козырьком глаз водопроводчика, и веселого, розового, но мало расположенного к классовому снисхождению Чижа...

Водопроводчик знал в гостинице все ходы и выходы. Когда взбежали на третий этаж, он повел на черную лестницу и оттуда — на чердак. Железная дверь туда была приотворена... «Здесь они», — прошептал он и, распахнув дверь, кинулся с такой злобой, будто ждал этого всю жизнь... Когда Рощин, нагибаясь в полутьме под балками, добежал до слухового окна, Роберт все колол штыком какого-то человека в шубе, лежавшего ничком около пулемета.

— Я говорил — это сам хозяин!

Когда спускались с чердака, мальчик вдруг сплоховал, у него так задрожали губы — сел на ступени и закрыл лицо картузиком. Сашко, приняв у него винтовку, сказал грубо: «Ждать нам тебя!», и Чиж сказал ему: «Эх, ты, а еще Роберт...» Он вскочил, вырвал у Сашко свою винтовку и побежал вниз, прыгая через ступени. Его и Чижа Вадим Петрович оставил стеречь гостиницу. Сашко послал в штаб с запиской, чтобы в «Асторию» выслали наряд, и один вернулся на бульвар.

День был уже на исходе. Рабочие отряды заняли почту и телеграф, городскую думу и казначейство. Все эти места Рощин обошел и отовсюду послал в штаб связистов. По всем признакам, бой затягивался. Махновская пехота, исчерпав первый отчаянный порыв, начала скучать в городских условиях... Будь драка в степи, — давно бы уже делили трофеи, варили на кострах кулеш да, собравшись в круг, глядели бы, как заядлые плясуны чешут гопака в добрых сапожках, содранных с убитых. Петлюровцы в свой черед оправились от растерянности, — отступив до середины проспекта, окопались и уже начали кое-где переходить в контратаки.

Только в сумерки Рощин вернулся на вокзал. Но Махно там не было, свой штаб он перенес в гостиницу «Астория». Рощин пошел в «Асторию». Со вчерашнего дня не ел, выпил только кружку воды. Ноги от усталости подвертывались в щиколотках, бекеша висела на плечах, как свинцовая.

В гостиницу его не пустили. У дверей стояло два пулемета, и по тротуару похаживали, звеня шпорами, батькины гвардейцы, с длинными, по гуляй-польской моде, волосами, набитыми на лоб. Чтобы не застудиться, один поверх кавалерийского полушубка напялил хорьковую шубу, другой обмотал шею собольей шалью. Гвардейцы потребовали у Рощина документы, но оба оказались неграмотными и пригрозили шлепнуть его тут же на тротуаре, если он будет настаивать и ломиться в дверь. «Идите вы к такой-сякой матери со своим батькой», — вяло сказал им Рощин и опять пошел на вокзал.

Там, в полутемном, разоренном буфете, куда сквозь высокие окна падали отблески костров, он лег на дубовый диван и сейчас же заснул, — какие бы там ни раздавались крики, паровозные свистки и выстрелы. Но сквозь тяжелую усталость плыли и плыли беспорядочные обрывки сегодняшнего дня. День прожит честно... Не совсем, пожалуй... Зачем ударил того в висок? Ведь человек сдался... Чтобы концы, что ли, в воду? Да, да, да... И увиделось: карты на столе, стаканчики глинтвейна... И тут же — убитый — капитан Веденяпин, карьеристик, с кариозными зубами и мокрым ртом, как куриная гузка, сложенным, будто для поцелуя в афедрон командующему армией, генералу Эверту, сидящему за преферансом... Ну, и черт с ним, правильно ударил...

Сон и тревожные удары сердца боролись. Рощин открыл глаза и глядел на спокойное, прелестное лицо, озаренное красноватым светом из окна. Вздохнул и пробудился. Рядом сидела Маруся, держа на коленях кружку с кипятком и кусок хлеба.

— На, поешь, — сказала она.

* * *

В эту ночь Чугай и председатель ревкома пробрались в артиллерийский парк, где на охране остались только свои люди, разбудили Мартыненко, и Чугай сказал ему так:

— Пришли по твою черную совесть, товарищ, хуже, как ты поступаешь, — некуда... Либо ты определенно качайся к Петлюре, но живым мы тебя не отпустим, либо — впрягай орудия...

— А что ж, можно, — утречком приведу к вам пушки...

— Не утречком, давай сейчас... Эх, проспишь ты царствие небесное, Мартыненко...

— Да я что ж, сейчас — так сейчас...

На следующий день все окна в Екатеринославе задребезжали от пушечной стрельбы. На проспекте полетели в воздух булыжники, ветви тополей, куски бульварных киосков. Увлекаемые этой суровой музыкой, рабочие отряды, крестьянский полк и махновская пехота кинулись на петлюровцев и оттеснили их до полугоры. Тогда представители различных партийных и беспартийных организаций, а также Паприкаки-младший, неся на тросточках белые флаги, с великими опасностями добрались до ревкома и предложили посредничество для скорейшего достижения перемирия и прекращения гражданской войны.

Мирон Иванович, сидя — сутулый, в пальтишке с оторванными пуговицами и в засаленной кепке — у стола в вестибюле «Астории» и без малейшего выделения слюнных желез жуя черствый хлеб, сказал делегатам:

— Нам самим не интересно разрушать город. Предлагаем ультиматум: к трем часам пополудни все петлюровские части складывают оружие, контрреволюционные дружинники прекращают стрельбу с чердаков. В противном случае в три часа одну минуту наша артиллерия открывает огонь по городу в шахматном порядке.

Председатель говорил медленно, жевал еще медленнее, лицо его было темное от копоти. Делегаты упали духом. Долго шепотом совещались и захотели спорить. Но в это время на мраморной лестнице в вестибюль с шумом спустились пестро и разнообразно одетые люди: впереди шли двое, держа в руках — в обнимку — пулеметы Льюиса, за ними — дюжина нахальных парней, обвешанных оружием, и в середине — длинноволосый человечек с окаянными глазами...

Делегаты выхватили из рук председателя ультиматум и поспешили на бульвар, на свежий воздух, под летящие пули.

Петлюровское командование отклонило ультиматум. В три часа одну минуту батько Махно бесновался и стучал револьвером по столу, за которым заседал Реввоенсовет, требуя раскатать город без пощады в шахматном порядке. Членам Реввоенсовета, местным рабочим, родившимся здесь, жалко было города. Все же слабости обнаруживать было нельзя, решили попугать буржуев. С запозданием, четырнадцать пушек Мартыненко рявкнули. Кое-где из стен больших домов, поднимавшихся уступами, брызнули осколки кирпича и штукатурки. Представители комитетов забегали, как мыши, от петлюровцев в Реввоенсовет. Атаки рабочих отрядов не прекращались. Петлюровцы стали отступать в конец бульвара, на самую гору.

В ночь на четвертые сутки восстания ревком объявил в городе советскую власть.

Всю ночь ревком формировал правительство. Как тогда в вагоне и предполагал Мирон Иванович, — анархисты и левые эсеры заключили блок с батькой Махно, на его плечах ворвались на заседание и бешено дрались теперь за каждое место. Эсеры подобрались почему-то все небольшого роста, но крепенькие, выспавшиеся, и переспорить их было очень трудно.

Каждый из них, вскакивая, со свежей улыбкой первым делом обращался к батьке: он-то, Махно, — истинный представитель народной стихии, он-то — сказочный вождь и великий стратег, всеочищающий огонь и железная метла... А что за красота его хлопцы, беззаветные удальцы!

Батько, сжав бледные губы, слушал и только кивал испитым лицом. А неукротимый эсер поднимал голос так, чтобы слышали его за раскрывающимися дверями в коридоре, где толпились махновцы и разная публика, черт ее знает как просочившаяся в гостиницу.

— Товарищи большевики, о чем нам спорить? Вы за Советы, и мы за Советы... Расхождение наше чисто тактическое. Мы получаем в наследство буржуазный аппарат городского хозяйства.

Вы хотите сделать его советским в один день. А мы знаем, что с коммунистами городской аппарат работать не станет. Саботаж обеспечен. Гарантированы голод и разруха. А с нами работать они хотят, — есть постановление городской думы. Вот почему мы деремся за кандидатуру комиссара продовольствия товарища Волина. Предлагаю закрыть прения и голосовать...

Анархисты, державшиеся загадочно и даже презрительно, выкинули неожиданно такое, что даже батько завертел цыплячьей шеей.

Их представитель, студент, в красной, как мак, феске, выставил кандидатуру в комиссары финансов Паприкаки-младшего...

— Мы его будем отстаивать всеми имеющимися у нас средствами... Паприкаки-младший — наш единомышленник, анархист кабинетного типа, знаток финансов, и в наших руках будет послушным и полезным орудием восставшего свободного народа... Предлагаю прений не открывать и голосовать простым поднятием рук...

Маруся с Вадимом Петровичем сидели тут же у стены, на одном стуле. Маруся возмущалась, негодующе сжимала руки, вскакивала, чтобы крикнуть надломанно и высоко: «Это позор!» — или: «А где вы были, когда мы дрались!» — и опять садилась с пылающими щеками. У нее был только совещательный голос.

За эти дни она похудела и обветрела. В расстегнутой бараньей куртке ей было жарко, волосы у нее распустились. В паузах между речами она торопливо рассказывала Рощину про свои похождения... Сначала работала в комиссии по снабжению отрядов хлебом и кипятком... Была переброшена в санитарный отряд и, наконец, назначена связистом... Носилась по всему городу... Ее обстреливали «сто раз». Она показывала Рощину подол юбки с дырками...

— Не будь я проворная, мне бы каюк. Кричат: «Маруська!» Я завертелась, а тут бомба на этом месте, где я минуточку была, как тарарахнет, а я — за тополь... Ну, так напугалась, до сих пор коленки трясутся.

Жизнерадостности у Маруси хватило бы еще на десяток восстаний. Во время ее болтовни в дверях появилось исцарапанное лицо Сашко. Он едва продрался сюда и поманил Марусю пальцем. Она подбежала, и он что-то ей зашептал. Маруся всплеснула руками... Чугай гудел, отводя кандидатуры:

— Товарищи, мы не спорить собрались, мы тут не доказывать собрались, мы собрались повелевать... А повелевает тот, у кого сила...

Маруся едва могла дождаться, — подбежав к столу, сообщила:

— В городе идет повальный грабеж... Вот послушайте товарищей... Их сюда пускать не хотят... Им руки вывернули...

Тогда за дверью начался шум, возня, надрывающиеся голоса, и в комнату ввалились Сашко и несколько рабочих с винтовками. Враз они заговорили:

— Это что ж такое! Тут у вас полицию поставили! Подите лучше взгляните... Весь бульвар оцеплен, батькины хлопцы магазины разбивают... Возами вывозят...

У Махно обтянулись губы, точно он собрался укусить... Вылез из-за стола и пошел... Махновские хлопцы в коридоре и вестибюле расступились, видя, что батько кажет желтые, как у старой собаки, зубы. Идти ему далеко не пришлось, — на противоположной стороне проспекта у окон большого магазина суетились какие-то тени. Едва он шагнул за дверь гостиницы, на тротуаре появился Левка.

— В чем дело, из-за чего хай? — спросил Левка и пошатнулся. Махно крикнул:

— Где ты был, мерзавец?

— Где я был... Шашку тупил... Тридцать шесть одной этой рукой... Тридцать шесть...

— Ты мне порядок в городе подай! — завизжал Махно, сильно толкнул Левку в грудь и побежал через бульвар к магазину. За ним — Левка и несколько гвардейцев. Но там уже догадались, что надо утекать, тени около окон исчезли, и только несколько человек, тяжело топая, вдалеке убегали с узлами.

Гвардейцы вытащили все же из магазина одного зазевавшегося батькина хлопца с большими усами. Он плаксиво затянул, что пришел сюда только подивиться, як проклятые буржуи пили громадяньску кровь... Махно весь трясся, глядя на него. И, когда со стороны гостиницы подбежали еще любопытствующие, — выкинул руку в лицо ему:

— Это известный агент контрреволюции... Не будешь ты больше творить черное дело!.. Рубай его и только...

Усатый хлопец завопил: «Не надо!..» Левка вытянул шашку, крякнул и наотмашь, с выдохом, ударил его по шее...

— Тридцать седьмой! — хвастливо сказал, отступая.

Махно стал бешено бить ногой дергающееся тело в растекающейся по тротуару кровавой луже.

— Так будет поступлено со всяким... Вакханалия грабежей кончена, кончена... — И он круто повернулся к шарахнувшейся от него публике. — Можете идти спокойно по домам....

Маруся неожиданно заснула на стуле, привалившись к плечу Рощина, растрепанная голова ее понемногу склонялась к нему на грудь. Был уже седьмой час утра. Старый, хмурый лакей, сменивший по случаю установления советской власти свой фрак на домашнюю поношенную куртку с брандебурами, принес чай и большие куски белого хлеба. Правительство было уже сформировано, но оставалось еще много неотложных вопросов. Так, еще с вечера, был подан запрос железнодорожниками: кто будет им платить жалованье и в каком размере? Махно, поддерживаемый анархистами, предложил такую формулировку: пусть железнодорожники сами назначат цены на билеты, сами собирают деньги и сами же себе платят жалованье...

Но прения не успели развернуться. В комнате, прокуренной до сизого тумана, вдруг задребезжали стекла в окнах. Донесся глухой взрыв. Мартыненко, спавший на диване, замычал. Стекла опять задребезжали. Мартыненко проснулся: «А чтобы их черти взяли, чего балуют...» — и стал нахлобучивать папаху на обритый череп. Долетел третий тяжелый удар. Чугай и Мирон Иванович, опустив куски хлеба, тревожно переглянулись. В дверь ворвались Левка и кавалерист, мотающий, как медведь, головой без шапки.

— Пропали, — проговорил кавалерист и помахал рукой над ухом, — пропал весь эскадрон...

— Под Диевкой! — крикнул Левка, тряся щеками. — Все разговариваешь, батько!.. Полковник Самокиш подходит с шестью куренями... Бьет по вокзалу из тяжелых...

* * *

Злорадно и открыто, не прячась уже за матрацы, изо всех окон глядели жители Екатерининского проспекта, как уходит махновская армия. Мчались всадники, хлеща нагайками направо и налево, ветер взвивал за их плечами шубы, бурки, гусарские ментики, шелковые одеяла... Кони, тяжело обремененные узлами в заседельных тороках, спотыкались на обледенелой мостовой, — и конь, и всадник, и добыча катились к черту, под копыта... «Ага! — кричали за окнами, — еще один!» Скакали груженные награбленным добром телеги; разметывая все на пути, мчались четверни с тачанками, так что искры сыпались из-под кованых колес. Бежали пехотинцы, не успевшие вскочить в телеги...

Все это с дикими воплями, грохотом и треском устремлялось вверх по проспекту, к нагорной части города, потому что полковник Самокиш уже захватил железнодорожный мост и вокзал... Батько Махно, выбежав тогда из ревкома, в бессильной злобе затопал ногами, заплакал, говорят, кинулся в тачанку, которую Левка пригнал к гостинице, накрылся с головой тулупом, — от стыда ли, не то для того, чтобы его не узнали, — и ушел из проклятого города в неизвестном направлении.

Бегущая без единого выстрела батькина армия при выходе из города неожиданно наткнулась на петлюровские заставы, заметалась в панике и повернула коней к Днепру, на явную гибель. Берег здесь был крут. Ломая кусты и заборы, перевертываясь вместе с телегами, махновцы скатились на лед. Но лед был тонок, стал гнуться, затрещал, и люди, лошади и телеги забарахтались в черной воде среди льдин. Лишь небольшая часть махновской армии — жалкие остатки — добралась до левого берега.

В эту ночь многие рабочие из отрядов отпросились — сходить домой, погреться, переобуться, похлебать горячего. Под ружьем оставались только патрульные отряды да бойцы крестьянского полка, которым некуда было пойти. Этому крестьянскому полку и пришлось в неравных условиях принять весь удар петлюровских куреней полковника Самокиша. Полк был окружен близ вокзальной площади и истреблен почти весь в штыковом бою, лишь немногим удалось пробиться и уйти через проходные дворы и, возвратясь в деревни, рассказать про страшное дело, где легло три сотни добрых хлопцев, пришедших в Екатеринослав, чтобы ставить советскую власть.

Члены ревкома, Мирон Иванович и Чугай, кинулись собирать рабочие отряды и стягивать патрули. Они не рассчитывали удержать город, — задача была в том, чтобы дать возможность всем принимавшим участие в восстании уйти через пешеходный мост на левый берег. Собранные отряды засели за углами домов, за вывороченными камнями, за баррикадами, отбрасывая пулеметным огнем наседающих петлюровцев. Отовсюду к мосту и через мост бежали сотни рабочих с женами и детьми... Иные уносили на руках жалкий скарб, который без сожаления можно было бросить. По ним стреляли с крыш, стреляли снизу, с берега.

Чугай, Мирон Иванович, Рощин, Маруся, Сашко, Чиж и десяток товарищей отступали последними. Волоча пулемет, они перебегали от угла к углу, от прикрытия к прикрытию. Серые папахи самокишцев то и дело высовывались неподалеку от подъездов. Оставалось самое тяжелое — ступить на мост, где не было никакой защиты, кроме трупов да брошенных узлов... Чугай повернул пулемет, прилег за щитком, оставив около себя Сашко, и крикнул остальным: «Бегите прытко...» Под грохот пулемета, заработавшего на расплав ствола, все побежали.

На самой середине моста Маруся споткнулась и пошла тяжело, неуверенно... Рощин нагнал ее, поддержал, она удивленно взглянула, что-то хотела выговорить и только глядела на него. Рощин, присев, поднял ее, как берут ребят, на руки. Маруся все тяжелее прижималась к нему. Вот и конец моста, — по бедру Вадима Петровича ударило будто железной палкой. Он силился удержаться на ногах, чтобы не уронить, не зашибить Марусю. Сзади набежал Чугай. Рощин — ему: «Уроню ведь, возьми ее...» И сейчас же с него сбило шапку, и начало темнеть в глазах. Он еще слышал голос Чугая:

— Сашко, нельзя его бросать...

16

«Разбойники» были поставлены только в феврале, во время короткой передышки качалинского полка. Длинные переходы в мороз и метели, когда впереди вместо теплой ночевки разливалось под тучами мрачное зарево и в снежных степях не найти было щепки — обогреть закоченевшее тело у костра, — затяжные бои, утренние тревоги, злобные короткие схватки с казаками — все осталось позади. Мамонтов с остатками потрепанных полков был далеко за Доном. Армия его таяла. Ему больше не верили: напрасно он уложил десятки тысяч — цвет донского войска — в трех наступлениях на Царицын.

Качалинцы, заняв без боя большую замирившуюся станицу, повеселели, — поели сытно и выспались тепло. Впереди — весна, а там и конец, может быть, затяжной войне.

Полтора месяца тяжелого похода изнурили Дашу, — ей и в голову не приходило браться снова за этот спектакль. Театральное имущество растерялось, несколько человек из труппы было ранено, пропала и сама книжка с пьесой. Даше хотелось хоть несколько вечеров побыть в тепле с Иваном Ильичом, посидеть около него, — без слов, без дум, коротая в сумерках тихий покой под бессонную песенку того же сверчка под печкой.

Надо было постирать и поштопать белье, отдать подшить Ивану Ильичу валенки. Привести себя немножко в порядок, а то и муж, и все на свете, да и сама она в том числе, забыли, что она женщина. В первый же вечер Даша и Агриппина шли из бани по замерзшим лужам, легкий мороз веял около горячих, распаренных щек, — вот было счастье! Они с Агриппиной поставили самовар, собрали ужинать. Иван Ильич и Иван Гора тоже вернулись из бани, и вчетвером сели за стол, — мужчины кряхтели от удовольствия, — щи-то как пахли, из самовара-то как хорошо пахло! Иван Гора сказал:

— Вот, Иван Ильич, по трудам и отдых...

Отдохнуть Даше не пришлось. На второй день, перед тем часом, когда вернуться Ивану Ильичу, пришла Анисья с книжкой — Шиллером, — сдержанная, серьезная, и заговорила, поднимая мечтательные глаза:

— Тоска у меня, Дарья Дмитриевна... То ли я испорченная... Все люди как люди, а я испорченная. У меня еще у маленькой это замечалось... Ну, потом, конечно, рано вышла замуж, дети... Да вот — горе мое случилось... Мне двадцать четыре года, Дарья Дмитриевна. Кончится война — куда я пойду? С мужиком жить в хате, глядеть в степь пустую? После всего, что видела, что я слышала, — мне другое нужно...

У Анисьи под шинелью поднялась грудь, глаза полузакрылись.

— Я эту книгу всю прочла, в боях не расставалась с ней... Может быть, я малосознательная, темная, необразованная, но это можно поправить. Дарья Дмитриевна, во мне разные голоса живут... Про себя я ничего не знаю, а про людей знаю... Слезы кипят, когда думаю, как бы могла хоть про ту же графиню Амалию рассказать... Живая бы она встала из этой книжки... Мне и Шарыгин покойный про то же говорил... Дарья Дмитриевна, мы сегодня нашли помещение, в школе, — человек на триста... Здесь и плотники есть, и лесу можно достать, и холстины... Отчего бы нам не сыграть «Разбойников»? Роли мы помним... Сегодня ребята поминали: хорошо бы посмеяться...

Пришел Иван Ильич и, разумеется, восхитился: «Великолепная идея! Недельку здесь постоим... Замечательный будет праздник ребятам!..» Удивительный был человек Иван Ильич, — ничто в нем не могло затуманить жизнерадостности: раз Даша около него, — значит, мчимся полным ходом к счастью... Как в те далекие, синие, ветреные июньские дни на пароходе...

Так Даше и не удалось послушать в сумерки, как бьется сердце у любимого человека, подобраться осторожно, будто кошачьей лапкой, к его затаенным мыслям... Да и было ли у него затаенное? Да и зачем оно тебе, Даша? Иван Ильич — просто щедрый человек, все, что есть у него, до последнего, — бери... И лицо его, огрубевшее от морозов и ветра, — простое, как солнце... Ах, все бы обернулось по-другому, если бы у Даши, в нежной тьме ее худенького тела, зачалась добрая жизнь, плоть от его плоти...

Труппа начала репетировать. Что это были за муки! Даша молча плакала, артисты стыдились глядеть в глаза друг другу. Огрубели, ожесточились, застудили голоса... Помог Сапожков, — прочел доклад о происхождении театра вообще, где доказал, что театр свойствен даже некоторым птицам и животным, например, лисице, которая «мышкует», то есть поймает мышь и устраивает с ней перед лисенятами настоящее представление: и подпрыгивает, и навзничь опрокидывается, и ходит на лапках, крутит хвостом... Труппа ободрилась, и дело понемногу пошло на лад. В школе сколотили помост, размалевали холсты. Рампу устроили из сальных плошек. Пропавшие в походе фраки и сюртуки, — те, что Иван Ильич еще на хуторе реквизировал у проезжего адвоката, — неожиданно отыскались в обозе.

И, наконец, настал этот день: только закатиться солнцу, — по станице проехал на артиллерийской сивой лошади красноармеец (выдумка Ивана Ильича), затрубил в медную трубу и начал кричать: «Граждане и товарищи, представление «Разбойников» Шиллера начинается...»

К школе сбежалась вся станица. Крыльцо и вход в зал штурмовали так, что туда вваливались люди с выпученными глазами, без шапок, без пуговиц... Те, кто не попал на представление, недолго горевали. Над станицей стоял молодой месяц в глубоком предвесеннем небе. Перед школой залились гармошки. Красноармейцы удивляли недавно замирившихся казачек любимой песней: «По небу полуночи ангел летел...» Знакомились, а там уже пошли и шутки, — «ласки в глазки, а поцелуй в роток...» А то еще и так: «Военному человеку жениться — не чихнуть, можно и подождать».

Публика в зале поначалу грохала хохотом, узнавая в размалеванном старике, с волосами из пакли, в балахоне, перефасоненном из поповской рясы, — красноармейца Ванина... «Он это! — кричали. — Давай, Ванин, жги, не бойся...» Когда особенными, ползучими шагами из-за полога в кулисах появился человек в мешковатой одежде с двумя хвостами, в бабьих чулках, — зубы все на виду, глаза врозь, — и зашипел по-змеиному: «Папаша, здесь я, ваш верный сын, Франц», — публика тоже сразу узнала Кузьму Кузьмича и легла со смеху...

Даша за кулисами, схватившись за виски, повторяла Сапожкову:

— Это конец, это чудовищный провал, я так и ждала...

Но артисты преодолели веселое настроение в зале. Публика всех узнала и начала слушать. Латугин подходил к дымно горящим плошкам, — они озаряли снизу его могучее лицо, с наклеенной из бараньей шерсти бородкой, с бешено изломанными бровями, — стиснув руки на груди так, что трещал черный адвокатский сюртук, он говорил сильным голосом:

— «О, если бы я мог призвать к восстанию всю природу, и воздух, и землю, и океан, и броситься войной на это гнусное племя шакалов...»

Тут уже публика затихла, понимая, к чему клонится пьеса.

Декораций не меняли, перестановок особенных не делали. Перед началом каждой картины сквозь занавес просовывался Сергей Сергеевич, — лицо у него улыбалось, будто он знал что-то особенное.

— Картина третья. Представьте роскошный замок графов Моор. В окно льется аромат из сада. Прекрасная Амалия сидит в своей комнате...

Лицо его, освещенное плошками, пряталось. Занавес раздвигался. Никому и не хотелось признавать в этой гневной красавице в широкой юбке, в пестреньком платке, завязанном косынкою на груди, — румяной, кудрявой, с глазищами во все лицо, — Анисью Назарову из второй роты.

Заговорила она низко, с дрожью, будто запела, кулачишком застучала по столу на Франца: «Прочь от меня, негодяй...» И пошла пьеса, как волшебная сказка, что в детстве, в зимние вечера, бывало, рассказывает дед, а ты слушаешь, свесив голову с печи...

Кузьма Кузьмич боялся за одно место, где Амалия ударяет его по щеке. У нее все же, при ее мечтательности, рука была красноармейская. Кузьма Кузьмич шепнул ей: «Легче...» Она же ото всей души: «О бесстыдный клеветник!» — размахнулась, будто вся тяжесть прошлой жизни легла в ее руку, и ударила, — Кузьма Кузьмич отлетел в кулису. Но никто не засмеялся. Из публики крикнули: «Правильно...» И все захлопали, потому что каждому хотелось так же стукнуть негодяя.

Потом она сорвала с шеи бусы, бросила их, растоптала:

— «Носите вы золото и серебро, богачи! Пресыщайтесь за роскошными столами, покойте члены свои на мягком ложе сладострастия! Карл! Карл! Люблю тебя...»

Сергей Сергеевич, ведя за собой занавес, улыбаясь, многозначительно сказал: «Антракт...» Анисья, подойдя за кулисой к Даше, прижалась к ней, уткнула лицо ей в грудь, мелко дрожа в ознобе:

— Не хвалите меня, не надо, не надо, Дарья Дмитриевна...

Дальше спектакль пошел самокатом. В первом акте актеры вспотели, напряженные мускулы у них обмякли, стиснутые голоса стали человечными, и плевать уж им было, если чего и не расслышали от суфлирующего свистящим шепотом Сергея Сергеевича, — не стесняясь, сочиняли свое, хлеще, чем у Шиллера, во всяком случае — доходчивее.

Публика осталась очень довольна спектаклем. Телегин, сидевший рядом с комиссаром в первом ряду, несколько раз прослезился; Иван Гора, которому полагалось быть сдержанным, шумно сопел носом, будто во время какой-нибудь удачной военной операции. И в особенности довольны были артисты, — не хотелось раздеваться, разгримировываться, впору было начинать второй сеанс, не глядя на то, что уже по всей станице кричали петухи.

Праздник кончился. Затихли песни и гармошки, лишь кое-где хлопала калитка. Отпели и петухи. Станица спала. По улице медленно шла Анисья, рядом — Латугин, в шинели, накинутой на одно плечо, — ему все еще было жарко.

— Да, Анисья, да, чудно́... Идешь ты в этой скорлупе в своей, в шинелишке, а я сквозь нее тебя вижу... Не подходят обыкновенные слова, и не хочется их тебе говорить...

Шли они в конец станицы, туда, где степь вдали сливалась с темнотой. Месяц высоко забрался в почерневшее небо. А перед Анисьиными глазами все еще горели плошки, за ними в горячо надышанной темноте каждое ее слово с силой отзывалось, и оттуда шли к ней взволнованные вздохи, и было в этой ее силе бездонное, небывалое, женское. Ей приятно было слушать Латугина...

— Многих я знал, краля моя... Да ну их всех к черту... Такой не встречал... Зарезался я, — хочешь слушай, хочешь нет...

Он остановился, и она остановилась. Он обнял ее, — шинель с его плеча упала на снег. Долго, сильно поцеловал Анисью в холодноватые губы. Отстранив, глядел в ее будто равнодушное лицо со щеками, подрумяненными свекольным соком. А она — не на него, подведенные глаза ее глядели на месяц.

— Вот она где, мука моя! Ну, ладно...

Он поднял шинель, и они опять пошли...

Этой ночью Даше тоже не спалось. Опираясь локтем о подушку, она говорила:

— Я понимаю — сейчас это неосуществимо... Но, послушай — Анисья у нас есть, Латугин у нас есть. Кузьма Кузьмич — это просто талант. Это Яго... Мы будем ставить «Отелло»... По-

полним труппу, завтра же ты дай приказ по полку... Увидишь — в дивизии, в корпусе будем играть... Но необходимо, во-первых, сохранить наши декорации... Поговори с комиссаром, пусть он выделит нам специальные подводы... А как слушали! У меня было впечатление, что зритель — это губка, впитывающая искусство...

— Ты права, права, — отвечал Иван Ильич. Заложив руки за спину, в рубахе распояской, без сапог, в мягких чоботах, которые ему Даша купила у казачки, он ходил, каждый раз заслоняя большим черным телом огонек на столе, и почему-то Даше это было неприятно. А когда доходил до окошка, оборачивался и огонек освещал его красноватое, крепкое, как из бронзы, улыбающееся лицо, — у Даши тревожно стукало сердце.

— Ты права... Русский человек любит театр... У русского человека особенная такая ноздря к искусству. Потребность какая-то необыкновенная, жадность... Скажи — полтора месяца боев, истрепались люди — одна кожа да кости, ведь так и собака сдохнет... При чем тут еще Шиллер? Сегодня — будто это тебе в Москве премьера в Художественном театре. А возьми Анисью!.. Ничего не понимаю, — настоящий самородок... Какие движения, благородство... Какие страсти! Красавица при этом.

Размахивая руками, он опять заслонил свет, Даша сказала:

— Иван, ты можешь не ходить по комнате?..

В голосе ее было давно, давно им не слышанное раздражение: облокотясь о подушку, она глядела пристально потемневшими глазами. Иван Ильич сразу осекся, подошел к постели, присел на край. Не скрываясь, струсил.

— Иван, — и она села в постели, — Иван, я давно хотела тебе задать один вопрос. — Она быстро провела пальцами по глазам. — Это очень трудно, но я не могу больше...

По его лицу она увидела, что он понял — какой будет этот вопрос, и все же она сказала, потому что тысячу раз повторяла его про себя:

— Иван, ты уже совсем не считаешь меня за женщину?

У него начали подниматься плечи, он пробормотал невнятное, взялся за голову. Даша пронзительно глядела на него, у нее еще была какая-то надежда... Неужели это приговор?

— Даша, Даша, так не понимать... Все-таки нужно быть великодушной.

— Великодушной? (Вот он — приговор!..)

— Я тебя, Даша, так люблю... Ты меня можешь ненавидеть... Хотя, в сущности, не знаю — за что?.. Органически, так сказать, отталкиваться... Это мне очень понятно... Полюбил я тебя на всю жизнь, тяжело ли мне, легко ли, это — честное слово — не важно... Сердце мое со мной, так и ты со мной... Живи покойно, будь счастлива...

Даша, слушая, трясла головой, он, морщась, с усилием говорил:

— Почему-то я всегда представлял твои бедные ножки, — сколько они исходили в поисках счастья, и все напрасно, и все напрасно...

Даша выпростала из-под одеяла голые худенькие ноги, соскочила на земляной пол и, подбежав, погасила огонек на столе.

Иван Гора, вернувшись с Агриппиной со спектакля, зажег огарок и просматривал накопившиеся за день разные бумажонки, — такая у него была привычка: прежде чем лечь спать, привести все в порядок. Агриппина, не снимая шинели и шапки, сидела в стороне от него, на лавке около двери.

— Ты тоже ничего себе сыграла, — говорил он, зевая и поскребывая шею. — Не расслышал я, что ты там пропищала, ролишка-то уж очень маленькая... Но — Анисья, Анисья! — Опустив нос к свечке, усмехаясь, он листал бумажки. — Чересчур она, пожалуй, как это говорится по-вашему, юбкой вертела — мужика чувствует, это у нее есть... Поберечь ее нужно, поберечь... А что думаешь — мало таких революция наверх вытянула? В этом все и дело... На этом все и спланировано, народ не серый, нет... Богатый народ... Воюем-то уж больно расточительно... Машин бы нам надо... Вот прочти... — Он разгладил один из листков. — Захватили мы танк голыми руками... Ведь это же варварство... Будь у меня сын, — я бы ему, сопляку, на груди выжег: помни, не забывай, кому обязан счастьем, чьи кости в бурьянах белеются...

Агриппина, прислонившись к стене, закрыв глаза, сжав губы, вспоминала самое жалобное про себя, что могло припомниться... Как Иван Гора лежал ночью в степи, не шевелясь, не дыша, и ей было все равно тогда — живой он еще или уже мертвый. В винтовке у нее осталась последняя обойма... Агриппина не захотела уйти с другими, уж его-то она не бросила в той степи, ночью... Жалко, что там с той поры не валяются белые косточки Агриппины...

— Ты что спать не ложишься, Гапа?

Иван Гора заслонился ладонью от свечи и всмотрелся, — у Агриппины текли слезы из зажмуренных глаз, часто капали с длинных ресниц, черные брови высоко были подняты... Он собрал в полевую сумку листочки, подошел к Агриппине и присел на корточки перед ней.

— Ты чего, глупая... Устала, что ли?

— Жги, жги ему грудь, учи его, учи про белые косточки...

— Гапа, чего ты несешь?

Она ответила девчоночьим отчаянным голосом:

— На втором месяце я... Не видишь ты ничего... Знаешь одно — Анисья, Анисья...

Иван Гора тут же и сел у ног Агриппины. Рот у него самостоятельно раздвинулся, как у глупого...

— Гапа, а ты не врешь? Гапа, счастье какое, — неужто беременна? Милая ты моя, желанная, Гапушка...

И, когда он так сказал, она — уже низким, бабьим голосом:

— Да ну тебя, уйди с глаз долой...

Потянулась к нему, обняла и припала, все еще всхлипывая, с каждым разом короче и слабее...

Третий разгром атамана Краснова под Царицыном вызвал оживление всего Южного фронта, нависшего тремя армиями — Восьмой, Девятой и Тринадцатой — над Доном и Донбассом. Враждовавшее казачество, казалось, готово было махнуть рукой на вражду, повесить седла в сарай, — пускай их пачкают голуби, — завернуть в сальные тряпочки винтовки, зарыть поглубже в землю. Какой черт выдумал, что под большевиками нельзя жить! Земля никуда не делась, вон она дымится на оголенных буграх под весенним солнцем, и руки при себе, и кони просятся в хомут, волы — в ярмо...

Главком из Серпухова торопил с наступлением. Первоначальный порочный план главкома несколько менялся. Армии перестраивались на ходу: вместо движения по Дону, на юго-восток, красным армиям, в распутицу и бездорожье, приходилось поворачиваться на юго-запад, на Донец. Но делать это было уже поздно: столбовая дорога революции — пролетарский Донбасс — была закрыта крепко: за эти два месяца топтанья на месте дивизия Май-Маевского, ворвавшаяся в Донбасс, пополнилась сильными добровольческими частями, снятыми с Северного Кавказа после того, как там, в астраханских песках, была рассеяна Одиннадцатая Красная армия. На правом берегу Донца стояло теперь пятьдесят тысяч отборных белых войск под командой Май-Маевского, Покровского и Шкуро.

Весна началась дружно. Под косматым солнцем разом тронулись снега, налились синей водой степные овраги, вздулся Донец, невиданно разлились поймы. Так как железнодорожные линии в этих местах шли по меридианам, перегруппировку приходилось производить грунтом, по бездорожью. Армейские обозы вязли в непролазной грязи, отрываясь от своих частей. Все это тормозило и замедляло перегруппировку. Переправы через широко разлившийся Донец были заняты белыми. Наступление выливалось в затяжные бои. И тогда же в тылу, в замирившейся станице Вешенской, неожиданно вспыхнуло организованное деникинскими агентами упорное и кровавое казачье восстание. Белые аэропланы перебрасывали туда агитаторов, деньги и оружие.

Только одна левофланговая Десятая армия, согласно приказу главкома, продолжала двигаться на юг вдоль железнодорожной магистрали, отбрасывая и уничтожая остатки красновских частей.

Десятая армия шла навстречу своей гибели.

В степь, на полдень, откуда дул сладкий ветер, больно было глядеть, — в лужах, в ручьях, в вешних озерах пылало солнце. В прозрачном кубовом небе махали крыльями косяки птиц, с трубными криками плыли клинья журавлей, — провожай их, запрокинув голову, со ступеньки вагона!.. Куда, вольные? На Украину, в Полесье, на Волынь и — дальше — в Германию за Рейн, на старые гнезда... Эй, журавли, кланяйтесь добрым людям, расскажите-ка там, постаивая на красной ноге на крыше, как летели вы над Советской Россией и видели, что льды на ней разломаны, вешние воды идут через край, такой весны нигде и никогда не было, — яростной, грозной, беременной...

Даша, Агриппина, Анисья часто собирались теперь на площадке вагона, ошалелые от солнца и ветра. Эшелон шел на юг, а весна летела навстречу. Бойцы уже ходили в одних рубахах, расстегивая ворота. Иногда впереди, за горизонтом, постукивало, погромыхивало, — это передовые части Десятой выбивали из хуторов последние банды станичников. Без большого труда взята была Великокняжеская. Проехав ее, эшелон качалинского полка выгрузился на берегу реки Маныча и стал занимать фронт.

Сальские степи, по которым весной Маныч гонит мутные воды поверх камышей, пустынны и ровны, как застывшая, зазеленевшая пелена моря. Здесь, по Манычу, с незапамятных времен летели стрелы с берега на берег, рубились азиатские кочевники со скифами, аланами и готами; отсюда гунны положили всю землю пустой до Северного Кавказа. Здесь, сидя у войлочных юрт, калмыки слушали древнюю повесть о богатырских подвигах Манаса. Роскошны были эти степи весной, — напившаяся земля торопилась покрыться травами и цветами; влажные вечерние зори румянили край неба в стороне Черного моря; огромные звезды пылали до самого горизонта: из-за Каспия, как персидский щит, выкатывалось яростное солнце.

Штаб качалинского полка расположился в единственном жилом помещении в этой пустыне — за изгородью брошенного конского загона, в землянке, крытой камышом. Противника поблизости не обнаруживалось, армейские разъезды ушли далеко на юг в сторону Тихорецкой и на запад — к Ростову. Бойцам трудно было растолковать, что пришли они сюда не рыбу глушить в Маныче гранатами, не тратить дорогие патроны по уткам на вечерней заре, — предстоит тяжелая борьба: армия брошена в тылы врагу, и враг этот — не доморощенный и еще не пытанный...

Иван Гора однажды вернулся из штаба дивизии, позвал Ивана Ильича, — молча пошли на берег, сели над водой, закурили; красное сплющенное солнце опускалось, застилаясь испарениями земли; кричали лягушки по всему Манычу, — нагло, громко квакали, ухали, стонали, шипели...

— Икру, сволочи, мечут, — сказал Иван Гора.

— Ну, чего же ты узнал?

— Все то же. Тревога, — все понимают, и ничего нельзя сделать: железный приказ главкома — наступать на Тихорецкую. Что ты скажешь на это?

— Рассуждать не мое дело, Иван Степанович, мое дело — выполнить приказ.

— Я тебя спрашиваю, что ты сам-то про себя думаешь?

— Что я думаю?.. А ты не собираешься ли меня расстрелять?

— Тьфу ты, чудак... Все вот так вот отвечают... Трусы вы все...

Иван Гора, сдвинув картуз, поскреб голову, потом у него зачесался бок; с берега под ногами оторвался кусок земли и с мягким всплеском упал в мутные водовороты. Лягушки орали со сладострастной яростью, будто собирались населить всю землю своим скользким племенем...

— Значит, ты считаешь правильной директиву главкома?

— Нет, не считаю, — тихо и твердо ответил Иван Ильич.

— Ага! Нет! Хорошо... Почему же?

— Мы и здесь уже почти оторвались от резервов, от баз снабжения; противник перережет где-нибудь нашу ниточку на Царицын, — тогда снимай сапоги. Не солидно это все.

— Ну, ну?..

— Наступать нам еще дальше на юг, на Тихорецкую, — значит, лезть, как коту головой в голенище. Ничего хорошего из этого не получится. Я еще мог бы понять, если наша армия послана для демонстрации, чтобы любой ценой оттянуть силы белых с Донбасса...

— Так, так, так...

— Но это слишком уж дорогое удовольствие — ради демонстрации угробить армию...

— Вывод какой твой?

Иван Ильич надул щеки, бросил погасшую собачью ножку в воду.

— Вот вывода-то я не делал, Иван Степанович...

— Врешь, брат, врешь... Ну уж — молчи. Без тебя все понятно... Ты мне как-то, Иван, рассказывал про твоего комиссара Гымзу, — помнишь, как он тебя послал... к главкому с секретным донесением на предателя Сорокина... Так вот... (Иван Гора оглянулся и понизил голос.) Я бы, кажется, сам сейчас поехал, и не в Серпухов к главкому, а в Москву, прямо туда... Где-то сидит сволочь, — в главном командовании, что ли, в Высшем военном совете, что ли... Да иначе и быть не может: война... Уж очень мы доверчивы... Если у нашего брата, у какого мысли — высоко, сердце — широко, — ему и кажется, что, кроме буржуев, весь мир хорош: руби честно направо и налево... Я присматривался в Питере к Владимиру Ильичу, — у него такой глазок русский, прищуренный... Энтузиаст, мыслитель, — руки заложит за пиджак, ходит, лоб уставит и вдруг — глазком на человека: всё поймет... Вот как надо... Я за тобой, за каждым движением, за каждым словом твоим слежу... А ты за мной не следишь, ты мне слепо доверяешь... Я тебе дам вредное задание, — ты промолчишь и выполнишь...

— Нет, не выполню...

— Ты же только что сказал: рассуждать не твое дело... Ну, а что ты сделаешь?

— Постараюсь разубедить, уговорить...

— Уговорить! Интеллигент... Стрелять надо!.. Ах, боже мой...

Иван Гора положил большие руки на картуз, на голову, уперся локтями в коленки. Он не рассказал Телегину про главное, про то, что вчера в дивизии на партийном собрании была прочитана телеграмма из Москвы председателя Высшего военного совета республики, — ответ на тревожный запрос командарма Десятой, — телеграмма высокомерная и угрожающая, в которой категорично подтверждались ранее данные директивы...

— А вот тебе и последние сведения: на правом фланге у нас сосредоточиваются четыре дивизии генерала Покровского, переброшенные с Донбасса, в лоб двигается корпус генерала Кутепова, он уже отрезал нам дорогу на Тихорецкую, — разгадал план главкома... На левом фланге накапливается конница генерала Улагая... А позади на четыреста верст — пустота...

— Вот это все и решает, — сказал Иван Ильич. — Если хочешь мое мнение: немедленно эвакуировать всех больных, все лишнее отправить в тыл и быть налегке. Маныча нам не удержать...

Иван Гора ничего не ответил. Помолчав, с ожесточением плюнул в реку.

— За такие разговоры следовало и меня и тебя — в ревтрибунал... Сказано будет тебе: умереть на Маныче — и умрешь...

— От этого я не отказывался никогда, кажется, и не отказываюсь.

Второго мая за рекой показались разъезды кутеповцев. Сначала это были небольшие, сторожкие кучки всадников. Они сновали по степи, то приостанавливаясь, то во всю прыть под выстрелами мчались по сверкающим лужам. Их накапливалось все больше, они смелее приближались к фронту, спешивались и, кладя коней, обстреливали передовые заставы.

Третьего мая в грохоте орудийной стрельбы подошли главные силы Кутепова. Сосредоточиваясь в районе железной дороги, они уверенно последовательными волнами атаковали берега Маныча. Налетали бипланы-разведчики, не похожие ни на русские, ни на немецкие. Раскидывая воду и грязь, шли грузовики с понтонами. В тот же день ударная часть кутеповцев прорвалась через реку, в расположение морозовской дивизии, но была истреблена в штыковом бою.

К ночи цепи отхлынули и залегли. Нигде не зажигали костров. Стихла перестрелка, и ночь взошла над степью такая же тихая, влажная, пахнущая цветами. Заквакали, будто ничего особенно не случилось, наглые лягушечьи хоры. Некоторым людям, спавшим ухом к земле, чудился мягкий шорох травы, раздвигающей могильную тьму нежными и сильными ростками.

В штабной землянке у Ивана Ильича всю ночь шло совещание. Нетерпеливо ждали приказа из дивизии о наступлении, — для всех было очевидно, что такому врагу нельзя давать ни часу времени безнаказанно маневрировать и наносить удары там, где он хочет, по жидкому фронту Десятой армии, растянутой чуть ли не на полсотни верст, открытой и с флангов, и с тыла. Командиры доносили о настроении своих частей: красноармейцы возбуждены, не спят, шепчутся по окопам, — будь это восемнадцатый год, весь полк сбежался бы на митинг, грозя разорвать командира, если тут же не будет приказа — вперед! Бывают такие особенные минуты отчаянности и злобы, когда все, кажется, возможно смести на пути своем.

В землянку вошел ротный командир Мошкин, — он только что перебрался по шею в воде через Маныч с того берега, где находился один взвод из его роты. Был он из царицынских металлистов, военное дело любил со страстью охотника.

— Симпатично у вас попахивает, товарищи, — сказал он, жмурясь от табачного дыма, в котором едва мерцала свеча. Прыгая то на одной, то на другой ноге, стащил сапоги, вылил из них воду. — Мои ребята кадета подранили, хотел его привести, жалко — кончился... Парнишечка — сопляк, но злой до чего, — «хамы, хамы!» — Ребята диву дались... Снаряжен, — сукнецо, ботиночки, ремешки... Что казаки! Казак — дурак, — мужик, свой брат, — ты его тюк, он тебя тюк, и отскочил... А эти — такие белоручки беспощадные, ай-ай!.. Во взводе — одни офицеры, взводный — полковник. У каждого на руке — часы... Я уж моим ребятам сказал: вы, бродяги, про часы забудьте, к белым постам за часами не ползать, зубы разобью...

Мошкин засмеялся, открывая хорошие зубы, — добротой осветилось некрасивое, рябоватое, умное лицо его.

— Положение такое, товарищи: в степи — шум, давно мы его слышим, как смерклось. Послал разведчика, Степку Щавелева, — дух святой, а не человек... Уполз, приполз... Артиллерия, говорит, у них подошла и вроде как на телегах пехота... Готовьтесь, товарищи...

Иван Ильич, одурев от дыма, на минутку вышел из землянки на воздух. Среди поблекших звезд стоял острый, пронзительно светлый серп месяца. На изгороди из трех жердей сидели три женские фигуры. Иван Ильич подошел.

— Сказано — всем ночевать только в окопах, — я не понимаю!

— Нам не спится, — сказала Даша, сверху, с жерди, наклоняясь к нему.

И Даша, и Анисья, и Агриппина казались большеглазыми, худенькими, необыкновенными... И он не мог разобрать — улыбаются они ему или как-то особенно морщатся.

— Мы здесь подождем, когда у вас кончится, — сказала Агриппина.

— А я с ними, товарищ командир полка, разрешите остаться, — сказала Анисья.

— Слезьте на землю, ну что, как куры, уселись... Пули же летают, — слышите?..

— Внизу навоз и блохи, а здесь поддувает хорошо, — сказала Даша.

— Это не пули, это — жуки, вы нас не обманывайте, — сказала Агриппина.

Даша, — опять наклоняясь:

— Лягушки с ума сошли, мы сидим и слушаем...

Иван Ильич обернулся к реке, только сейчас обратив внимание на эти вздохи, ритмические стоны томления и ожидания, и вот он — победитель, большеротый солист, в три вершка ростом, с выпученными зелеными глазами — начинает песню и распевает, уверенный, что сами звезды слушают его похвалу жизни...

— Здóрово, браво, — сказал Иван Ильич и засмеялся. — Ну уж ладно, сидите, только, если что начнется, — немедленно в укрытие... — Он за плечо притянул к себе Дашу и шепнул на ухо: — Черт знает, как хорошо... Правда?.. Ты очень хороша...

Он махнул рукой и пошел к землянке. Когда они опять остались одни, Анисья сказала тихо:

— Век бы так сидеть...

Агриппина:

— Счастье-то кровью добываешь... Оттого оно и дорого...

Даша:

— Девушки мои, чего я только в жизни не видела, и все летело мимо, летело, не задевая... Все ждала небывалого, особенного... Глупое сердце себя мучило и других мучило... Лучше любить хоть одну ночь, да вот так... Все понять, всем наполниться, в одну ночь прожить миллион лет...

Она склонилась головой к плечу Анисьи. Агриппина подумала и тоже прислонилась с другой стороны к Анисье. И так они долго еще сидели на жерди, спиной к звездам.

Кутеповскую артиллерию корректировали новенькие бипланы, — покружась над разрывами, сбросив красным парочку бомб, они, как ястребы, планировали в степь к горизонту, к батареям, начавшим на рассвете сильный обстрел Маныча.

Для острастки противника из дивизии прилетела единственная поднимающаяся на воздух машина — старый тихоходный ньюпор, отбывший службу в империалистической войне и кустарно отремонтированный в Царицыне.

На него страшно было глядеть, когда он, противно всем естественным законам аэродинамики, деревянный, с заплатанными крыльями, треща и — вот-вот — замирая, проносился над головами. Зато летал на нем известный всему Южному фронту и прекрасно известный белым летчикам Валька Чердаков — маленький, как обезьяна, весь перебитый, хромой, кривоплечий, склеенный. Его спрашивали: «Валька, правда, говорят, в шестнадцатом году ты сбил немецкого аса, на другой день слетал в Германию и сбросил ему на могилу розы?» Он отвечал писклявым голосом: «Ну, а что?» Известный прием его был: когда израсходована пулеметная лента, — кинуться сверху на противника и ударить его шасси. «Валька, да как же ты сам-то не разбиваешься?» — «Ну, а что, и угробливаюсь, ничего особенного...»

Когда увидели его машину, летевшую низко над степью, все повеселели, хотя веселого было мало. Бризантные снаряды рвались по обоим берегам Маныча, прижимая красноармейцев в окопы. Против одной нашей грохало без роздыху с их стороны по крайней мере шесть батарей. Цепи противника быстрыми перебежками, азартно и неудержимо приближались.

Валька Чердаков подлетел, покачал крыльями, приземлился неподалеку, вылез из самолета и, прихрамывая, ходил около него. К нему подбежали красноармейцы. Все лицо его было залито машинным маслом.

— Чего, ну, чего не видали? — сердито сказал он, вытаскивая из фюзеляжа чемоданчик с инструментами и запасными частями. — Отгоняйте от меня самолеты противника, — я буду работать.

Действительно, белые его заметили, и три их самолета начали кружиться над этим местом, — довольно высоко, так как красноармейцы стреляли по ним. Бомба за бомбой падали и взметали землю. Валька, не обращая внимания, чинил маслопровод. Одна бомба разорвалась так близко, что самолет его качнуло и по крыльям забарабанили комья земли. Тогда он поглядел на небо и погрозил пальцем. Закончив ремонт, крикнул красноармейцам:

— Давай сюда, берись, крути пропеллер. — Влез в машину, уселся. — Товарищи, как вы крутите, это же не бабий хвост, а ну, не бойся вспотеть!

Мотор зачихал, запукал оглушительно, заревел, красноармейцы отскочили, машина, покачиваясь, подпрыгивая, покатила в степь так далеко, — казалось, сроду ей не оторваться, — и поднялась. Валька набрал высоту и начал кувыркать машину, чтобы хорошенько взболтать в баке дрянную смесь бензина со спиртом. Описав широкую мертвую петлю, с разгона пустился на противника. Но три биплана быстро стали уходить, не принимая боя.

Полетав над фронтом, сколько он нашел нужным, Валька Чердаков опять приземлился и послал Телегину записку:

«Видел восемь новых легковых автомобилей, на фронте — Деникин с иностранцами, это факт, примите во внимание. Два орудия противника подбиты. Обстрелял походную колонну. Лечу на базу за бензином...»

Деникин был на фронте. Прошло немного больше года с тех пор, как он, больной бронхитом, закутанный в тигровое одеяло, трясся в телеге в обозе семи тысяч добровольцев, под командой Корнилова пробивавших себе кровавый путь на Екатеринодар. Теперь генерал Деникин был полновластным диктатором всего Нижнего Дона, всей богатейшей Кубани, Терека и Северного Кавказа.

Деникин взял с собой на эту прогулку на фронт к генералу Кутепову военных агентов — англичанина и француза, чтобы им стало очень неприятно и стыдно за Одессу, Херсон и Николаев, позорно отданные большевикам. Хотя бы регулярная Красная Армия выбила оттуда французов и греков! Мужики, партизаны, на виду у французских эскадренных миноносцев, изрубили шашками в Николаеве целую греческую бригаду. В панике, что ли, перед русскими мужиками отступили победители в мировой войне — французы, трусливо отдав Херсон, и эвакуировали две дивизии из Одессы... Чушь и дичь! — испугались московской коммунии. Антон Иванович решил наглядно продемонстрировать прославленным европейцам, как увенчанная эмблемой лавра и меча его армия бьет коммунистов.

У него затаилась еще одна обида: на решение Совета десяти в Париже о назначении адмирала Колчака верховным правителем всея России. Дался им Колчак. В семнадцатом году он сорвал с себя золотую саблю и швырнул ее с адмиральского мостика в Черное море. Об этом сообщили газеты чуть не во всем мире. В это время генерал Деникин был посажен в Быховскую тюрьму, — газеты об этом молчали. В восемнадцатом Колчак бежит в Северную Америку и у них, в военном флоте, инструктирует минное дело, — в газетах печатают его портреты рядом с кинозвездами... Генерал Деникин бежит из Быховской тюрьмы, участвует в Ледовом походе, у тела погибшего Корнилова принимает тяжелый крест командования и завоевывает территорию большую, чем Франция... Где-то в парижской револьверной газетчонке помещают три строчки об этом и какую-то фантастическую фотографию с бакенбардами, — «женераль Деникин»! И правителем России назначается мировой рекламист, истерик с манией величия и пристрастием к кокаину — Колчак!

Антон Иванович не верил в успех его оружия. В декабре колчаковский скороиспеченный генерал Пепеляев взял было Пермь, и вся заграничная пресса завопила: «Занесен железный кулак над большевистской Москвой». Даже Антон Иванович на одну минуту поверил этому и болезненно пережил успех Пепеляева. Но туда, на Каму, послали из Москвы (как сообщала контрразведка) комиссара Сталина, — того, кто осенью два раза разбил Краснова под Царицыном, — он крутыми мерами быстро организовал оборону и так дал коленкой прославленному Пепеляеву, что тот вылетел из Перми на Урал. Этим же, несомненно, должно было кончиться и теперешнее наступление Колчака на Волгу — ведется оно без солидной подготовки, на фуфу, с невероятной международной шумихой и под восторженный рев пьяного сибирского купечества...

— Тактика у нас несколько иная, чем вы, и мы, и немцы применяли в мировую войну, цепи — более редкие и со значительно большими интервалами, каждый взвод выполняет самостоятельное задание, — говорил Деникин, стоя в новеньком открытом щегольском «фиате» и рукой, в белой замшевой перчатке, указывая на четкое, как на параде, развертывание стрелковой бригады генерал-майора Теплова.

Рядом с главнокомандующим в машине стоял француз в небесно-голубом, тончайшего сукна френче и таких же галифе, на маленькой голове глубоко и ловко надвинуто бархатное кепи с золотым галуном; из-под бинокля, в который он глядел, торчали шелковистые усики; на боку алюминиевая фляжка с коньяком.. С ума сойти, до чего комфортабельный француз! На подножке машины стоял, также глядя в бинокль, англичанин, — погрубее и одетый попроще, в хаки с огромными карманами, набитыми фотографическими катушками, табаком, трубками, зажигалками; фуражка его, — блином, — сдвинутая на нос, служила предметом обсуждения у русской свиты, стоявшей в почтительном отдалении. «Что там ни говори, — не умеют англичане носить форму, штафедроны! То ли дело кавалергардская фуражечка! А как носили фуражки царскосельские гусары ее величества, а? Идет такой барбос!»

Около машины на калмыцком жеребчике сидел неприветливый Кутепов — коренастый, полуседой, в расстегнутом бараньем полушубке: ради парада он надел перчатки и нацепил шпоры; маленькие глаза его были воспалены: он пятый день долбил этот проклятый Маныч и прекрасно понимал, что происходящее сейчас на глазах у этих франтов развертывание бригады Теплова — балет, который дорого обойдется бригаде.

— Особенность этой войны — ее большая маневренность, — объяснял Деникин. — Отсюда все значение, которое у нас приобретает конница. Здесь у меня решающее преимущество: Терек, Кубань и Дон дадут мне сто тысяч кадровых сабель...

— О ла-ла-ла-ла, — легкомысленно пропел француз, не отрываясь от бинокля.

— У красных конницы нет, и им не из чего ее создать, исключая бригады Буденного, наделавшей столько хлопот бедному экс-атаману Краснову...

— Сто тысяч седел и уздечек — их надо иметь, — сквозь зубы проговорил англичанин, тоже не отрываясь от бинокля.

— Да, в этом все и дело, — сухо ответил Деникин. Он сдержался, хотя ему очень хотелось сказать всю правду этим союзничкам, именно сейчас — среди своих войск, под грохот орудий (автомобили стояли всего в версте от батарей). Сказать, что они — лавочники, что вся их политика — близорукая, трусливая, копеечная, — на грош наменять пятаков... Доказано же им, как дважды два, что большевизм опаснее для них, чем двести пятьдесят германских дивизий. Так давайте же оружие, сколько мне нужно, господа, если боитесь посылать в Россию ваших солдат... Рассчитаемся после в Москве.

— А не хватит у меня седел — охлюпкой посажу казака на коня, — не удержавшись все же, хотя и не слишком резко, но без излишнего добродушия сказал Деникин и повернулся к переводчику. — Переведите им обоим, что значит — «охлюпкой».

Переводчик, предупредительный до отвращения, южного типа молодой человек, вдруг вместо ответа начал с ужасом тянуть в себя воздух. И сейчас же Кутепов крикнул, задирая лошади голову и шпоря ее:

— Господа, немедленно — под машину!

За шумом боя не заметили, как подлетел прямо на автомобили желтый неуклюжий самолет. Никто дажс не успел выстрелить по нему, — он круто взмыл. Перегнувшись с него, маленький, вихрастый Валька Чердаков швырнул две лимонки, — ручные гранаты, — одну прямо в капот великолепного «фиата», другую около... Мелькнул оскаленными белыми зубами и ушел высоко.

Генерал Деникин, англичанин и француз успели все же кинуться под автомобиль, — особенно трудно было залезать под него Антону Ивановичу с его животиком и в толстой шинели. Отделались только испугом. Свита, как разбрызганная, кинулась в стороны, успел отскакать и генерал Кутепов.

Добровольцы напирали с невиданной злобой. Много их лежало на ровной степи, ткнувшись носом. Но все новые и новые цепи придвигались к Манычу. Под настильным огнем легких пулеметов они — то там, то там — поднимались, нагибаясь, перебегали и накапливались на той стороне реки. Телегин приказал вынести из землянки полковое знамя и снять чехол с него.

Решительная минута наступала. Артиллерия белых перенесла огонь на качалинские резервы и там подняла сплошной вал земли. С того берега несся ливень свинца. Не ложась, набегали последние цепи добровольцев. Сразу пулеметный огонь прекратился, и сотни людей бросились в Маныч с таким ожесточением, что закипела вода, — потрясая винтовками, шли по грудь, по шею, плыли, вскидывались, пораженные пулями, барахтались, тонули, — по телам их лезли новые и новые... Шириною река была здесь всего саженей в тридцать... Никаким пулеметным огнем нельзя уже было остановить обезумевших людей, орущих без памяти... Но напрасно генерал-майор Теплов, стоя на том берегу в камышах, махая шашкой и крича: «Вперед, вперед!», рассчитывал, что столь устрашающий порыв атаки заставит красных в панике отхлынуть и побежать.

Качалинцы весь день ждали этой минуты, и те, у кого тоской закатывалось сердце, пережили томность, закостенели в злобном напряжении. Когда атака началась, командиры и коммунары, вцепившись в рубаху ли, в штаны ли, удерживали красноармейцев: «Стреляй, стреляй...» Чудовищная ругань катилась по окопам. Немало здесь было таких, кто парнишкой или уже в возрасте зимою на льду, на мосту или посреди улицы, — туго подтянув кушак, надев кожаные рукавицы, — ломил стена на стену, конец на конец. В крови была старая лихацкая охота кулачных боев. «Ах, гады, ах, гады!..» И злоба дебелила сердце... «Пусти, так твою так!!!» С диким вскриком, уставя штык, первым кинулся из окопа Латугин... За ним с пологого берега навстречу атакующим хлынули красноармейцы: «Ура, ура, ура!..» И в ответ гады: «Ура, ура, ура!..» Штыковой удар качалинцев был неудержимый, бешеный. Опрокинули тех, кто уже добрался до берега, кинулись в воду, дрались уже на середине реки, колотя прикладами, швыряя гранаты, схватываясь врукопашную... Где же было офицерам, хоть и боевым, да нежным телом господским сынкам, выдержать против насадистых, высигивающих из воды, кидающихся на плечи деревенских парней, донбассовских шахтеров, волжских портовых грузчиков, лесокатчиков... Над взволнованным Манычом, покрасневшим от крови, стояли вопли, лязг оружия, грохот рвущихся гранат. Белых ломили, теснили, и они уже стали вылезать на тот берег. Генерал-майор Теплов бросил новые подкрепления. Тогда комиссар Иван Гора взял у знаменосца полковое знамя, — вишневого шелка с золотой звездой, пробитое пулями в прежних боях, — высоко поднял его и, окруженный коммунарами, побежал на тяжелых ногах к Манычу.

Выше по реке, там, где начала спадать вода и на пойме обнажились заросли камыша, Телегин еще до начала атаки расположил резерв под командой Сапожкова. Когда Иван Гора взял знамя, Телегин оставил командный пункт, вскочил на лошадь и поскакал на пойму. Он заехал в камыши и закричал красноармейцам, которые полдня лежали в грязи, как кабаны:

— Товарищи, противник бежит, не давай ему опомниться!

Полтораста бойцов, таща на руках тяжелые пулеметы, оставляя сапоги в вязком иле, — где ползком, где вплавь, — переправились под прикрытием камыша на ту сторону, вышли во фланг кутеповцам и ударили по ним. Исход боя был решен. Белые отхлынули от Маныча и под перекрестным огнем начали отступать и побежали. Далеко с правого их фланга, растянувшись по степи жидкой лавой и загибая наперерез им, мчались кавалеристы подоспевшего в помощь качалинцам эскадрона с соседнего участка.

Остатки бригады Теплова выходили из окружения. Только отдельные отставшие кучки белых падали под штыками красноармейцев. Дальнейшее преследование становилось опасным. Телегин приказал Сапожкову выровнять фронт и окапываться и поскакал туда, где в полуверсте ползло по степи полковое знамя. Он давно следил за ним — как оно переправлялось через реку, двинулось вперед, остановилось и вдруг поникло, и опять поднялось и, колыхаясь, двинулось вперед...

Мглистые тучи закрыли закатывающееся солнце, степь быстро темнела. Блеснули на горизонте кутеповские пушки, ширкнули снаряды, уносясь черт знает куда, и все затихло, — ночь прикрыла поле кровавого боя.

Покуда можно было еще видеть, Телегин ходил, разыскивая комиссара Ивана Гору. Встречные красноармейцы говорили про него разное. Все видели, как он со знаменем перешел Маныч. Но знамя потом нес уже комроты Мошкин. Но и Мошкина ранило. Под конец знамя оказалось в руках у одного здорового парняги. К Ивану Ильичу подошли Латугин и Гагин. Они остались единственными в живых из орудийной прислуги, когда снарядами вконец разбило их орудие, отслужившее свою верную службу.

Латугин сказал, с трудом разжимая зубы:

— Иван Ильич, вот страховище-то было, вспомнить жутко.

— К ребятам и сейчас опасно подойти к иному, — так же тихо сказал обычно молчаливый Гагин. — Дышат — во как, ребрами, того и гляди, штыком пхнет...

— Иван Ильич, вы Ивана Степановича, что ли, ищете?

— Да, да, ты его видел?

— Пойдемте.

Они пошли к реке, обходя трупы. Из темноты кое-где слышались стоны, бормотанье. Перекликались санитары, отыскав раненого. Иван Ильич различил захлебывающийся шепот Кузьмы Кузьмича. Идущий впереди Латугин вдруг остановился и присел.

Иван Гора лежал ничком, большой и длинный, — как сразила его пуля в сердце, так и упал он, раскинув руки, будто обхватывая всю землю, не желая и мертвый отдать ее врагу.

Старые качалинцы, из тех, кто знал Ивана Гору еще красноармейцем, а потом ротным командиром, собрались ночью в поле и рассудили похоронить комиссара на видном и памятном месте, на высоком кургане на берегу Маныча.

Курганов было здесь разбросано достаточно, а этот один возвышался, как холм. Может быть, в древние времена его насыпали для ханской юрты, чтобы с высоты далеко были видны бесчисленные табуны на степи. Может быть, в еще более древние времена под ним скифы погребли своего вождя вместе с конем и любимой женой и на вершине уложили рядами срезанные лозины и утвердили — острием к небу — огромный бронзовый меч, который они почитали как божество плодородия и счастья.

Комиссара Ивана Гору на поднятых руках перенесли через реку, положили наверху кургана на весеннюю траву, причесали ему волосы и покрыли его вытянутое тело полковым знаменем.

Ночь была тиха и ясна от лунного света. В ногах комиссара стал с обнаженной шашкой Иван Ильич, в головах — комиссар первой роты Бабушкин — петроградский коммунар. Красноармейцы проходили по очереди мимо, — каждый брал винтовку на караул.

— Прощай, товарищ...

Когда простились все и надо было браться, чтобы опустить комиссара в могилу, на курган опять взбежал Латугин.

— Сегодня, — крикнул он, — сегодня смертельные враги убили нашего лучшего товарища... Он нас учил — для чего мне дадена эта винтовка... Воевать правду! Вот для чего она у меня в руке... И сам он был правдивый человек, коренной наш человек... Нас учил, — уж если мамка тебя родила, запищал ты на свете на этом, — другого дела для тебя нет: воюй правду... Я прошу командира полка и комиссара Бабушкина принять от меня заявление в партию... Говорю это по совести, над этим телом, над знаменем...

Комиссара похоронили. Поздно ночью Даша вызвала Ивана Ильича из землянки и сказала, хрустя пальцами:

— Поди ты к ней, пожалуйста, уведи ты ее.

Она повела Ивана Ильича к кургану. Ночь потемнела перед рассветом, месяц закатился, степной ветерок посвистывал около уха.

— Мы с Анисьей исстрадались, она ничего не слушает...

На кургане у засыпанной могилы Ивана Горы сидела Агриппина, угрюмо опустив голову, шапка и винтовка лежали около нее. Поодаль сидела Анисья.

— Она как каменная, главное — оторвать ее, увести, — прошептала Даша и подошла к Агриппине. — Видишь, командир полка тоже просит тебя.

Агриппина не подняла головы. Что людские слова, что ветер над могилой равно для нее летели мимо. Анисья, продолжавшая сидеть поодаль, склонилась лицом в колени. Иван Ильич покашлял, сказал:

— Не годится так, Агриппина, скоро светать начнет, мы все уйдем на ту сторону, что же — одна останешься... Нехорошо...

Не поднимая головы, Агриппина проворчала глухо:

— Тогда его не покинула, теперь — подавно... Куда я пойду?

Даша опять прошептала, показывая себе на лоб:

— Понимаешь — помутилось у нее...

— Гапа, давай рассудим. — Иван Ильич присел около нее. — Гапа, ты не хочешь от него уходить... Так разве это только и осталось от Ивана Степановича? Он в памяти нашей будет жить, воодушевлять нас... Пойми это, Гапа, ты — его жена... А в тебе еще — плоть его живая зреет...

Агриппина подняла руки, сжала их перед лицом и опустила.

— Ты нам теперь вдвойне дорога... Дитя твое усыновит полк, подумай — какую ты несешь обязанность. — Он погладил ее по волосам. — Подними винтовку, пойдем...

Агриппина горестно покивала головой тому месту, у которого она сидела всю ночь. Встала, подняла винтовку и шапку и пошла с кургана.

Кровавые бои на Маныче продолжались до середины мая и затихли. Генерал Деникин, раздосадованный бесплодными усилиями Кутепова прорвать фронт Десятой армии и чрезвычайно большими потерями, вызвал его в Екатеринодар. У себя в кабинете, в присутствии высокомерного, презрительного Романовского, — несправедливо, с бросанием толстого карандаша на лежащие перед ним бумаги, — Антон Иванович говорил в повышенном тоне:

— В конце концов, мы воюем или мы устраиваем цирковые представления для господ союзников? Мы не гладиаторы, ваше превосходительство! К чему все это лихачество? Скандал! Совершенно некультурная операция, партизанщина какая-то!

Кутепов хорошо знал Деникина и понимал, почему он так кипятится. Он молчал, угрюмо — вкось — глядя на маленький букетик цветов рядом с чернильницей.

— Вот прочтите, порадуйтесь, — Деникин взял верхний листочек из пачки бумаг. — Фронт Красной Девятой армии прорван с ничтожными потерями для нас, прорван блестяще... Мы вступили в район казачьего восстания. Очевидно, на днях займем станицу Вешенскую... Но операции на Донце могли бы уже вылиться в широкое наступление — не свяжи мы здесь, на Маныче, столько наших сил. Мне стыдно, господа, за нашу стратегию... Весь мир смотрит на нас... Там они очень впечатлительны, будьте уверены... Пожалуйте сюда...

Он отыскал среди бумаг свое пенсне и подошел вместе с Кутеповым и Романовским к дубовому столу, где лежали военные карты.

План заключался в том, чтобы генералам Покровскому и Улагаю, закончившим сосредоточивание крупных конных масс на флангах Десятой, прорваться в тылы, разбить полевую конницу большевиков, захватить станцию Великокняжескую и в четыре-пять дней закончить полное окружение красных на Маныче.

Деникин вынул из бокового кармана тужурки чистый полотняный платок, пахнущий одеколоном, и стал протирать пенсне, — короткие пальцы его с блестящей сухой кожей слегка дрожали.

— Добрармия решает вопросы мировой политики. На Западе — после провала Одессы, Херсона и Николаева — это начинают понимать... Мы должны действовать молниеносными и сокрушающими ударами, — аплодисменты в этой войне превращаются в транспорты с оружием... Я всегда предостерегал против авантюр, я не люблю азартных игр. Но я не люблю и проигрывать... Если наши успехи в Донбассе не приобретут размаха общего наступления в глубь страны и не закончатся Москвой, — я пущу себе пулю в висок, господа...

Красавец Романовский со всезнающей надменной улыбочкой постукивал папироской о серебряный портсигар. Косясь на него из-под наморщенного низенького лба, генерал Кутепов понял, откуда у Антона Ивановича вдруг такой размах мыслей. Здорово, значит, ему здесь накручивают хвост. Но Кутепов был не штабной, а полевой генерал: вопросы высшей стратегии казались ему слишком туманными и утомительными, его дело было на месте рвать горло врагу.

— Сделаем все, что можем, ваше высокопревосходительство, — сказал он, — прикажете взять Москву этой осенью — возьмем...

Третьи сутки, без глотка воды, без куска хлеба, качалинцы пробивались к железной дороге. Приказ об отступлении был дан двадцать первого мая. Десятая армия отхлынула от Маныча на север, на Царицын, с огромными усилиями и жертвами разрывая окружение. Дул сухой ветер, пристилая к земле полынь, — серой была степь, мутна даль, где волчьими стаями собирались кавалеристы Улагая.

Обозные лошади падали. Раненых и больных товарищей перетаскивали в телеги, на которых и без того некуда было приткнуться. За телегами, спотыкаясь, шли легко раненные и сестры. От жажды распухали и лопались губы. Воспаленными глазами, щурясь против восточного ветра, искали на горизонте очертания железнодорожной водокачки. Из широких степных оврагов не тянуло даже сыростью, а еще недавно здесь переправлялись по пояс в студеной воде, — хотя бы каплей той влаги смочить черные рты!

В одном из таких оврагов наткнулись на засаду: когда телеги спустились туда по травяному косогору, — близко раздались выстрелы, и, подняв коней черт их знает из-за какого укрытия, на смешавшийся обоз налетели казаки в расчете на легкую поживу. С полсотни снохачей-мародеров мчались по косогорам, выставив бороды. Но они так же легко и отскочили, когда из-за каждой телеги начали стрелять по ним, — винтовки были у каждого раненого; даже Даша стреляла, зажмуриваясь изо всей силы.

Казаки повернули коней, только один покатился вместе с лошадью. К нему побежали, надеясь взять на нем флягу с водой. Человек оказался в серебряных погонах. Его вытащили из-под убитой лошади. «Сдаюсь, сдаюсь... — повторял он испуганно, — дам сведения, ведите к командиру...»

С него сорвали флягу с водой да еще две фляги нашли в тороках.

— Давай его сюда живого! — кричал комроты Мошкин, сидевший с перебитой рукой и забинтованной головой в телеге.

Пленный офицер вытянулся перед ним. Такой паскудной физиономии мало приходилось встречать: дряблая, с расшлепанным ртом, с мертвыми глазами. И пахло от него тяжело, едко.

— Вы кто — регулярные или партизаны?

— Иррегулярной вспомогательной части, так точно.

— Восстания в тылу у нас поднимаете?

— Согласно приказу генерала Улагая, производим мобилизацию сверхсрочных...

Обоз опять тронулся, и офицер пошел рядом с телегой. Отвечал он с живейшей готовностью, предупредительно, четко. Знал — как покупать себе жизнь, видимо, был матерый контрразведчик. Кое-кто из красноармейцев, чтобы слушать его, зашагал около телеги. Люди начали переглядываться, когда он, отвечая на вопрос, рассказал об отступлении с Донца Девятой красной армии и о том, как в разрыв между Девятой и Восьмой врезался конный корпус генерала Секретева и пошел гулять рейдом по красным тылам.

— Врешь, врешь, этого не было, — неуверенно сказал комроты Мошкин, не глядя на него.

— Никак нет, это есть, — разрешите: при мне сводка верховного командования...

Анисья Назарова слезла с телеги и тоже пошла с кучкой красноармейцев около пленного, Мошкин читал треплющиеся на ветру листочки сводки. Все ждали, что он скажет. Анисья слабой рукой все отстраняла товарищей, чтобы подойти ближе к пленному, — ей говорили: «Ну, чего ты, чего не видала...» Ноги ее были налиты тяжестью, голова болела, глаза будто запорошило сухим песком. Не пробившись, она обогнала товарищей, споткнувшись, схватилась за вожжи и остановила телегу. Никто сразу не понял, что она хочет делать. Вытянув шею, большими — во все потемневшее, истаявшее лицо — бледными глазами глядела на пленного.

— Я знаю этого человека! — сказала Анисья. — Товарищи, этот человек живыми сжег моих детей... Меня бил в смерть... В нашем селе двадцать девять человек запорол до смерти...

Офицер только усмехнулся, пожал плечом. Красноармейцы, сразу придвинувшись, глядели то на него, то на Анисью. Мошкин сказал:

— Хорошо, хорошо, мы разберемся, — поди ляг на телегу, голубка, поди приляг...

Анисья повторяла, будто в забытьи:

— Товарищи, товарищи, его нельзя оставить живого, лучше вырвите мне сердце... Обыщите его... Зовут его Немешаев, он меня помнит... Смотрите, узнал меня! — радостно крикнула она, указывая на него пальцем.

Десятки рук потянулись, разорвали на офицере пропотевший казачий бешмет, разорвали рубаху, вывернули карманы, — и — правильно — нашли воинский билет на имя ротмистра Николая Николаевича Немешаева...

— Ничего не знаю, не понимаю, — угрюмо повторял он, — женщина врет, бредит, у нее сыпняк...

Красноармейцы знали историю Анисьи и молча расступились, когда она, взяв у кого-то винтовку, подошла к Немешаеву, коснулась рукой его плеча, сказала:

— Пойдем.

Он дико оглянулся на серьезные лица красноармейцев, задохнувшись, хотел сказать что-то Мошкину, который отвернулся от него, продолжая читать листочки сводки; вцепился в обочье телеги, будто в этом было спасение. Но его отодрали, пхнули в спину

— Иди, иди...

Тогда он изумленно пошел в степь, втягивая голову в плечи, ступая, как слепой. Анисья, идя — в десяти шагах — следом, подняла тяжелую винтовку, вжалась плечом в ложе.

— Обернись ко мне.

Немешаев живо обернулся, готовый к прыжку. Анисья выстрелила ему в лицо и, больше не глядя, не оборачиваясь, вернулась к товарищам, глядевшим неподвижно и сурово, как совершается справедливая казнь.

— Чья винтовочка, возьмите, — сказала Анисья и пошла к задней телеге, влезла в нее, легла и потянула на себя попону..

17

Катя поправляла диктант в школьных тетрадках. Эти тетради, нарезанные и сшитые из разных сортов обоев (писали на них только с обратной стороны), были крупным достижением в ее бедной жизни. За ними она самостоятельно ездила в Киев. До народного комиссара дойти было легко. Наркомпрос, узнав, кто она и зачем приехала, взял ее за локти и посадил в кресло; из закопченного чайника, стоявшего на великолепном столе, налил морковного чая и предложил ей с половиной леденца; расхаживая в накинутом на плечи меховом пальто и в валенках по ковру, он развивал головокружительную программу народного просвещения.

— За десять — пятнадцать лет мы будем просвещенной страной. Сокровища мировой культуры мы сделаем достоянием народных масс, — говорил он с фанатической улыбкой, теребя бородку. — Предстоит гигантская работа по ликвидации неграмотности. Этот позор должен быть смыт, — это дело чести каждого интеллигентного человека... Все молодое поколение должно быть охвачено воспитанием — от яслей и детских садов до университета... Никто и ничто не помешает нам, большевикам, осуществить на деле то, о чем могли только мечтать лучшие представители нашей интеллигенции...

Наркомпрос обещал Кате десять тысяч тетрадей, учебники, литературу, карандаши и грифельные доски. Она уходила от него по мраморной лестнице, как во сне. Но затем начались затруднения и неувязки. Чем ближе Катя придвигалась к тетрадкам и учебникам, тем дальше — в нереальность — отодвигались они, и тем двусмысленнее, ироничнее или угрюмее становились люди, от которых зависело выдать ей по ордеру тетради и учебники. В гостинице, в нетопленом номере, где на кровати не было даже тюфяка и под потолком предсмертным накалом едва дышала электрическая лампочка, Катя предавалась отчаянию, сидя в шубе на егозливом диванчике.

Однажды к ней в номер — без стука — вошел рослый человек в косматой шапке, в перепоясанной куртке и — прямо к делу — спросил басовито:

— Вы все еще здесь? Я ваше дело знаю. Покажите, какие у вас там справочки...

Стоя под красноватой лампочкой, он просматривал документы. Катя доверчиво глядела на его насмешливое, сильное, красивое лицо.

— Сволочи, — сказал он, — саботажники, подлецы... Завтра пораньше приходите ко мне в городской комитет, устроим, чего-нибудь придумаем... Ну, будьте здоровы.

Через этого человека Катя получила со складов обои, карандаши и целиком — реквизированную у одного эстета-сахарозаводчика — библиотеку, наполовину на французском языке. Самым утомительным, пожалуй, был обратный путь с этими сокровищами в товарном вагоне, куда на каждой остановке врывались бородатые, страшноглазые мужики с мешками и взбудораженные бабы, раздутые, как коровы, от всякого съестного добра, припрятанного у них под кацавейками и под юбками.

Оказалось, что у Кати есть кое-какая силешка. Не такой уж она беспомощный котенок, — с нежной спинкой и хорошенькими глазками, — мурлыкающий на чужих постелях.

Силешка у нее нашлась в тот вечер неудачного оглашения ее Алексеевой невестой. Катя заглянула тогда в уготованное ей благополучие деревенской лавочницы и попятилась так же, как остановится и с отвращением содрогнется человек, увидев на пути своем вырытую могилу. Могилой представились ей налитые водкой, жадные Алексеевы глаза — хозяина, мужа! В Кате все возмутилось, взбунтовалось, и было это для нее самой неожиданно и радостно, как ощущение сил после долгой болезни. Так же неожиданно она решила бежать в Москву, — когда станет потеплее. У нее нашлась и хитрость, чтобы все это скрыть. Алексей и Матрена только замечали, что она повеселела, — работает и напевает.

Алексей постоянно теперь за обедом, за ужином (в другое время его дома и не видели) подмигивал: «Невестится наша...» Он тоже ходил веселый, — добился решения сельского схода, ломал флигель на княжеской усадьбе и возил лес и кирпичи к себе на участок.

В начале января, когда Красной Армией был взят Киев, через село Владимирское прошла воинская часть, и Алексей на митинге первый кричал за Советы. Но вскоре дела обернулись по-иному.

В селе появился товарищ Яков. Он реквизировал хороший дом у попа, выселив того с попадьей в баньку. Созвал митинг и поставил вопрос так: «Религия — опиум для народа. Кто против закрытия церкви, тот — против советской власти...» — и тут же, никому не дав слова, проголосовал и церковь опечатал. После этого начал отслаивать батраков, безлошадных бобылей и бобылок — а их было человек сорок на селе — ото всех остальных крестьян. Из этих сорока организовал комитет бедноты. Собирая в поповском доме, говорил с напористой злобой:

— Русский мужик есть темный зверь. Прожил он тысячу лет в навозе, — ничего у него, кроме тупой злобы и жадности, за душой нет и быть не может. Мужику мы не верим и никогда ему не поверим. Мы щадим его, покуда он наш попутчик, но скоро щадить перестанем. — Вы — деревенский пролетариат — должны крепко взять власть, должны помочь нам подломать крылья у мужика.

Яков напугал все село, даже и членов комитета. На деревне известно каждое сказанное слово, и пошел шепот по дворам:

«Зачем он так говорит? Какие же мы звери? Кажется, русские, у себя на родине живем, — и вдруг нам верить нельзя... Да как это так — огулом всем крылья ломать? Ломай Алешке Красильникову, — он бандит... Ломай Кондратенкову, Ничипорову, — известные кровопийцы, правильно... А мне за мою соленую рубашку ломать крылья? Э, нет, тут чего-то не так, ошибка...» А другие говорили: «Батюшки, вот она какая советская-то власть!..»

Когда Яков выходил со двора по какому-нибудь своему недоброму делу, неумытый, давно небритый, в драной солдатской шинелишке и в картузе с оторванным козырьком, — но, между прочим, в добрых сапогах да, говорят, и под шинелишкой одетый хорошо, — изо всех окошек следили за ним, — мужики качали головами в большом смущении, ждали: что будет дальше?

В марте, когда вот-вот только начали вывозить навоз в поле, Яков созвал общее собрание и, опять грозя обвинением в контрреволюции, потребовал поголовной переписи всех лошадей, реквизиции лошадиных излишков и немедленного создания в княжеской усадьбе коммунального хозяйства... Сорвал возку навоза и весеннюю пахоту, неумытый черт!

Вскоре за этим в село приехал продотряд. Сразу стало известно, что Яков представил им такие списки хлебных излишков, что продотрядчики, говорят, руками развели. Яков сам с понятыми пошел по дворам, отмечая мелом на воротах — сколько здесь брать зерна...

«Да сроду я этих пудов-то и в глаза не видал!» — кричал мужик, пытаясь стереть рукавом написанное. Яков говорил продотрядчикам: «Ройте у него в подполье...» Мужику страшно было перед Яковом креститься, — со слезами драл полушубок на себе: «Да нет же там, ей-богу...» Яков приказывал: «Ломай у него печь, под печью спрятано...»

Его стараниями начисто подмели село, вывезли даже семенную пшеницу. Алексея Красильникова он вызвал отдельно к себе в комитет, запер дверь, на которой был приколочен гвоздиками портрет председателя Высшего военного совета республики, на стол около себя положил револьвер и с насмешкой оглядывал хмурого Алексея.

— Ну, как же мы будем разговаривать? Хлеб есть?

— Откуда у меня хлеб? Осень — не пахал, не сеял.

— А куда лошадей угнал?

— По хуторам рассовал, по знакомцам.

— Деньги где спрятаны?

— Какие деньги?

— Награбленные.

Алексей сидел, опустив голову, — только пальцы у него на правой руке разжимались и сжимались, отпускали и брали.

— Некрасиво будто получается, — сказал он, — ну, налог, понятно, — налог... А это что же; хватай за горло, скидавай рубашку...

— В Чека придется отправить...

— Да я не отказываюсь, надо так надо, деньги принесу.

Алексей дома прямо кинулся в подполье и начал выволакивать оттуда дорожные сумы, мешки и свертки с мануфактурой. В одной суме были у него николаевские и донские деньги, — эти он рассовал по карманам и за пазуху. Другую суму, набитую керенками, — дрянью, ничего не стоящей, — дал Матрене:

— Отнеси в комитет, скажешь — других у нас не было. Они не поверят, придут сюда половицы поднимать, так ты не противься. Часы и цепочки брось в колодезь. Мануфактуру положи в тачанку, припороши сеном, ночью возьми у деда Афанасия лошадь, отвезешь на Дементьев хутор, я там буду ждать.

— Алексей, ты куда собрался?

— Не знаю. Скоро не вернусь — тогда по-другому обо мне услышите.

Матрена опустила на брови вязаный платок, концами его прикрыла суму с керенками и пошла в комитет. Алексей накинул крюк на дверь и повернулся к Кате, стоявшей у печи. Глаза у него были весело-злые, ноздри раздуты.

— Одевайтесь теплее, Екатерина Дмитриевна... Шубку меховую да чулочки шерстяные. Да вниз — теплое... Да быстренько, времени у нас в обрез...

Он глядел на Катю, расширяя глаза, вокруг зрачков его точно вспыхивали искорки, жесткие русые усы вздрагивали над открытыми зубами. Катя ответила:

— Я с вами никуда не поеду...

— Это ваш ответ? Другого ответа нет?

— Я не поеду.

Алексей придвинулся, раздутые ноздри его побелели.

— Одну тебя не оставлю, не надейся...Не для этого сладко кормлена, сучка, чтобы тебя другой покрывал... Барынька сахарная... Я еще до твоей кожи не добрался, застонешь, животная, как выверну руки, ноги...

Он взял Катю налитыми железными руками и захрипел, — она уперлась ему локтем в кадык, — в два шага донес до кровати. Катя вся собралась, с силой, непонятно откуда взявшейся, вывертывалась: «Не хочу, не хочу, зверь, зверь...» Вскакивала, и он опять ее ломал. Алексею было тяжело и жарко в полушубке, набитом деньгами. Он вслепую стал бить Катю. Она прятала голову, повторяла с дикой ненавистью сквозь стиснутые зубы: «Убей, убей, зверь, зверь...»

Крючок на двери прыгал, Матрена кричала из сеней: «Отвори, Алексей!..» Он отступил от кровати, схватил себя за лицо. Она сильнее стучала, он отворил. Матрена, — войдя:

— Дурак, уходи скорее. Сюда собираются...

Минуту Алексей глядел на нее, — понял, лицо стало осмысленнее. Захватил в охапку свертки мануфактуры, мешки и вышел. На единственном оставленном при хозяйстве коне он уехал со двора задами через перелазы в плетнях, рысцой спустился к речке и уже на той стороне поскакал и скрылся за перелеском.

Немного позже Матрена достала из сундука юбку и кофту и бросила их на кровать, где, вся ободранная, лежала Катя.

— Оденься, уйди куда-нибудь, стыдно глядеть на тебя.

Яков с понятыми обыскал Алексеев дом от подполья до чердака, но того, что было припрятано в тачанке, не нашли, Матрена ночью привела лошадь и уехала на хутор. Всю ночь Катя, не снимая шубы, сидела в темной, настуженной хате, ожидая рассвета. Нужно было очень спокойно все обдумать. Как только рассветет, — уйти. Куда? Положив локти на стол, она стискивала голову и начинала всхлипывать. Шла к двери, где стояло ведро, и пила из ковшика. Конечно — в Москву. Но кто там остался из старых знакомых? Все, все растеряно... Тут же у стола она уснула, а когда сильно вздрогнула и проснулась, — было уже светло. Матрена еще не возвращалась. Катя поправила на голове платок, взглянула в зеркальце на стене, — ужасно! И пошла в комитет.

Она долго дожидалась на черном крыльце, когда в поповском доме проснутся. Наконец вышел Яков с помойным ведром, выплеснул его на кучу грязного снега и сказал Кате:

— А я собрался посылать за вами... Пойдемте...

Он повел Катю в дом, предложил Кате сесть и некоторое время рылся в ящике стола.

— Вашего мужа, или как он там вам приходится, мы расстреляем.

— Он мне не муж, никто, — быстро ответила Катя. — Я прошу только — дайте мне возможность уехать отсюда. Я хочу в Москву...

— «Я хочу в Москву», — насмешливо повторил Яков. — А я хочу спасти вас от расстрела.

Катя просидела у него до вечера, — рассказала все про себя, про свои отношения с Алексеем. Время от времени Яков уходил надолго, — возвращаясь, разваливался, закуривал.

— По инструкции Наркомпроса, — сказал он, — в селе нужно восстановить школу. Не очень-то вы подходите, но на худой конец — попробуем... Вторая ваша обязанность — сообщать мне все, что делается на селе. О подробностях этой корреспонденции условимся после. Предупреждаю: если начнете болтать об этом, — будете наказаны жестоко. О Москве покуда советую забыть.

Так, неожиданно, Катя стала учительницей. Ей отвели маленькую пустую хатенку около школы. Бывший здесь старичок учитель умер еще в ноябре от воспаления легких; петлюровцы, занимавшие одно время школу под воинскую часть, спалили на цигарки все книжки и тетради, даже географическую карту. Катя не знала, с чего и начать, — и пошла за советом к Якову. Но его на селе уже не было. Внезапно, так же как тогда появился, он уехал, получив какую-то телеграмму с нарочным, — успел сказать только деду Афанасию, который околачивался теперь около комитета бедноты, боясь утратить свое влияние:

— Передай товарищам, — поблажек мужичкам — ни-ни, никаких. Вернусь, — проверю...

С отъездом Якова на селе стало тихо. Мужички, приходя к поповскому дому посидеть на крылечке, говорили комитетчикам:

— Натворили вы делов, товарищи, как уж будете отвечать?.. Ай, ай...

Комитетчики и сами понимали, что — ай, ай, и на селе тихо только снаружи. Яков не возвращался. Прошел слух про Алексея Красильникова, будто он собрал в уезде отряд и перекинулся к атаману Григорьеву. А скоро все село заговорило про этого Григорьева, который выпустил универсал и пошел громить советские города. Опять стали ждать перемен.

В сельсовете Кате обещали кое-чем помочь: поправить печи, вставить стекла. Катя сама вымыла в школе полы и окна, расставила покалеченные парты. Она была добросовестная женщина и по вечерам одна у себя в хатенке плакала, потому что ей было стыдно обманывать детей. Чему она могла научить их — без книг, без тетрадей? Какие могла преподать правила, когда всю себя считала неправильной... И вот, рано утром, около школы раздались веселые голоса мальчиков и девочек. Ей пришлось собрать все самообладание. Волосы она гладко зачесала и завязала тугим узлом, руки чисто-чисто вымыла. Отворила школьную дверь, улыбнулась и сказала маленьким, задравшим к ней курносые носишки мальчикам и девочкам:

— Здравствуйте, дети...

— Здравствуйте, Екатерина Дмитриевна... — закричали они так чисто, звонко, весело, что у нее вдруг стало молодо на сердце. Она рассадила детей по партам, взошла на кафедру, подняла указательный палец и сказала:

— Дети, пока у нас нет книжек и тетрадей и чем писать, я буду вам рассказывать, а вы, если чего не поймете, то переспрашивайте... Сегодня мы начнем с Рюрика, Синеуса и Трувора...

Хозяйство у Кати было совсем бедное. С Алексеева двора она ничего не захотела брать, да и тяжело ей было встречаться с осунувшейся, мрачной Матреной. В Катиной хатенке лежал веник у порога, на шестке — два глиняных горшка да в сенях старая деревянная бадейка с водой. Утехой был маленький садик, обнесенный плетнем, — две черешни, яблоня, крыжовник. За плетнем начиналось поле.

Когда зацвели вишни, Катя почувствовала, что ей будто семнадцать лет.

В садике она обычно готовилась к урокам, читала французские романы из библиотеки сахарозаводчика и часто вспоминала Париж в голубой дымке прошлых лет. Тогда — в четырнадцатом году — она жила в предместье Парижа, в полумансардной квартирке с балконом, повисшим над тихой узенькой улицей, над крышей небольшого дома, в котором некогда жил Бальзак. Окна его кабинета выходили не на улицу, а в сады, спускающиеся к Сене. В его время здесь была глушь. Когда со стороны улицы появлялись кредиторы, он потихоньку удирал от них через сады на Сену. Теперь сады принадлежали какой-то богатой американке, и там по вечерам, когда Катя выходила на балкон, кричали павлины резкими весенними голосами, и Кате, приехавшей в Париж после разрыва с мужем, — в тоске, в одиночестве, — казалось, что жизнь уже кончена.

Дети полюбили Катю, на уроках очень внимательно слушали ее рассказы из русской истории, похожие на сказки. Конечно, задачи по арифметике, таблица умножения и диктанты были более трудным делом для детей и для самой Кати, но общими усилиями справлялись. На селе теперь к ней относились гораздо лучше, — все знали о том, как Алексей едва не убил ее. Женщины приносили кто молочка, кто яичек, кто хлеба. Что принесут, то Катя и ела.

Сидя под старой, покрытой лишаями яблоней, Катя правила тетрадки. За низеньким, тоже ветхим, плетнем давно уже хныкал маленький мальчик.

— Тетя Катя, я больше не буду.

— Нет, Иван Гавриков, я на тебя сердита, и я с тобой два дня не разговариваю.

Иван Гавриков — с голубыми, невинными глазами — был невероятный шалун. На уроках он тянул девочек за косицы; когда ему за это выговаривали, он будто бы засыпал и сваливался под парту, — нельзя даже описать всех его шалостей.

— Нет, нет, Гавриков, я прекрасно вижу, что ты не раскаиваешься, а пришел сюда от нечего делать...

— Раз-ей-боженьки, больше не буду...

В хату с улицы кто-то вошел, и голос Матрены позвал Катю. Что ей было нужно? Катя быстро простила Гаврикова и пошла в хату. Матрена встретила ее пристальным, недобрым взглядом.

— Слыхала? Алексей близко... Катерина, не хочу я этого больше, не ко двору ты нам... Все равно — убьет он тебя... Зверем он стал, что крови льет! Ты во всем виновата... Один человек вот только что рассказывал — Алексей идет сюда на тачанках... Катерина, уезжай отсюда... Подводу тебе дам и денег дам...

Покуда Вадим Петрович лежал в харьковском госпитале, времени для всяких размышлений было достаточно. Итак, он оказался по эту сторону огненной границы. Этот новый мир был внешне непривлекателен: нетопленая палата, за окнами падающий мокрый снег, скверная еда — серый супчик с воблой — и будничные разговоры больных о еде, махорке, о температуре, о главном враче. Ни слова о неведомом будущем, куда устремилась Россия, о событиях, потрясающих ее, о нескончаемой кровавой борьбе, участники которой — эти больные и раненые люди с обритыми головами, в байковых несвежих халатах — то спали целыми днями, то тут же, на койке, играли в самодельные шашки, то кто-нибудь вполголоса заводил тоскливую песню.

Вадима Петровича не чурались, но и не считали его за своего. А ему впору было разговаривать с самим собой — столько накопилось у него непродуманного и нерешенного, и столько воспоминаний обрывалось, как книга, где вырвана страница в самом захватывающем месте. Вадим Петрович принял без колебаний этот новый мир, потому что это совершалось с его родиной. Теперь надо было все понять, все осмыслить.

Однажды главный врач принес ему московские газеты. Вадим Петрович прочел их совсем иными глазами — не так, как бывало, заранее злобно издеваясь... Русская революция перекидывалась в Венгрию, в Германию, в Италию. Газетные строки были насыщены дерзостью, уверенностью, оптимизмом. Россия, раздавленная войной, раздираемая междоусобицей, заранее поделенная между великими державами, берет руководство мировой политикой, становится грозной силой.

Он начинал понимать будничное спокойствие товарищей в серых халатах, — они знали, какое дело сделано, они поработали... Их спокойствие — вековое, тяжелорукое, тяжелоногое, многодумное — выдержало пять столетий, а уж, господи, чего только не было... Странная и особенная история русского народа, русского государства. Огромные и неоформленные идеи бродят в нем из столетия в столетие, идеи мирового величия и правдивой жизни. Осуществляются небывалые и дерзкие начинания, которые смущают европейский мир, и Европа со страхом и негодованием вглядывается в это восточное чудище, и слабое, и могучее, и нищее, и неизмеримо богатое, рождающее из темных недр своих целые зарева всечеловеческих идей и замыслов...

И, наконец, Россия, именно Россия, избирает новый, никем никогда не пробованный, путь, и с первых же шагов слышна ее поступь по миру...

Понятно, что с такими мыслями Вадиму Петровичу было все равно — какие там грязные ручьи за окнами гонят по улице мартовский снег и бредет угрюмый и недовольный советский служащий, с мешком для продуктов и жестянкой для керосина за спиной, в раскисших башмаках — заседать в одной из бесчисленных коллегий; было все равно — какой глотать суп, с какими рыбьими глазками. Ему не терпелось — поскорее самому начать подсоблять вокруг этого дела.

Украина очищалась от петлюровцев. Недавно был взят Красной Армией Екатеринослав. Петлюра еще цеплялся за Белую Церковь, но оттуда его наконец выбили, и он с остатками куреней ушел за границу, в Галицию. Впереди наступающих войск Красной Армии катился широкий вал партизанских восстаний. Их размах трудно поддавался учету и руководству. Они вспыхивали, как пожары, по селам и волостям, раздираемым жестокой борьбой малоземельного крестьянства с крепким кулачеством. И те и другие выставляли отряды, сшибавшиеся со всей яростью — конные и пешие — в кровавых битвах. Повсюду шныряли, маскируясь и провоцируя, тайные агенты — петлюровские, деникинские и польские, и еще более темных и скрытных организаций. Советская власть была по городам да по магистралям железных дорог, а за ними в стороны — на полет снаряда с бронепоезда — бушевала война.

Вадим Петрович получил наконец долго ожидаемое назначение — в штаб курсантской бригады, где комиссаром был Чугай, в середине марта выписался из госпиталя — еще прихрамывающий, с палочкой — и поехал в Киев, в свою часть.

Отколовшаяся от атамана Григорьева банда Зеленого, громя сельсоветы и охотясь за коммунистами, подскакивала на сотнях тачанок к самому Киеву. По следам Зеленого на дорогах находили людей с содранной кожей, иных — посаженными на расщепленный пенек, комитетчиков он жег живыми в амбарах, евреев прибивал гвоздями к воротам, взрезывал животы, зашивал туда кошек. План ликвидации этой банды был разработан с участием Рощина в штабе наркомвоена. Сил было немного. Наркомвоен Украины выехал из Киева на пароходе, чтобы руководить операцией на месте.

Днепр был еще широк. Пароход шлепал колесами по ясной воде, возмущаемой лишь ленивыми водоворотами. Ни плеск колес, ни голоса курсантов не могли заглушить соловьиного пения по берегам, опушенным пахучей и клейкой зеленью, — в сережках, в пуху, в цыплячьей желтизне. На палубе было горячо от солнца, поднявшегося над разливом, Вадим Петрович стоял у борта и глядел на сверкающую воду.

Много было прожито весен, но никогда с такой силой не бродило в нем вино жизни... Да еще в самое неподходящее и непоказанное время... Туманилась голова неясными предчувствиями... Лучше и не лезь в карман за папиросой, не хмурь брови, серьезный деловой человек, — не отряхнешься от налетающих очарований... Вон она, весенняя мгла, поднимается над разливом, над островками, над полузатопленными хатами, пронизанная повисшим в ней огромным солнцем. Свет его мягко ложится на воду, на деревья с бледными и зыбкими отражениями, на спины коров, по колено зашедших в воду, на травянистый бугор, куда взобрался бык, озираясь на невиданное, неиспытанное чудо весны.

Странно, очень странно, — Рощин все это время, начиная с Екатеринослава, мало вспоминал о Кате. Как будто она отошла вместе с его прошлым, — слишком неразрывно была связана с жизнью, страстно им самим осужденной... Возвращаясь мыслью к Кате, — он возвращался к тому самому Рощину, увиденному им когда-то в парикмахерском зеркале: тогда у него не хватило отвращения, чтобы выстрелить, по крайности хоть плюнуть в свое отражение, — теперь бы он сделал это.

Две весны тому назад его чувство к Кате, казалось, наполняло вселенную, — всю вселенную за его сморщенным лбом смертельно растерянного и обиженного человека. Тогда ему нужна была Катина любовь, особенно нужна была в одинокий час, в екатеринославской гостинице, когда он глядел на дверную ручку, на которой можно повеситься... А теперь — не нужна? Так, что ли? В Ростове предал Катю в первый раз, в Екатеринославе — во второй?

Он глядел на плывущие берега, втягивал всей грудью медовый влажный воздух и не чувствовал ни угрызений, ни раскаяний. Нет, в Екатеринославе предательства не было... Там кончался расчет с прошлым. И была Маруся... Пропела коротенькую, невинную, страстную песню о новой жизни, — вот об этом весеннем полноводье, о неизмеримом, неизведанном счастье.

Бык, стоявший на травянистом холме, заревел, и на корме парохода засмеялись курсанты, кто-то из них тоже заревел, передразнивая. Рощин блаженно закрыл глаза. Разве смерть — безнадежность? Марусина смерть была светла. Смерть ее была как вскрик уходящего оставшимся: любите жизнь, возьмите ее со всею страстью, сделайте из нее счастье!..

Он не отложил попыток разыскать Катю. По его просьбе из военного наркомата в уездные исполкомы Екатеринославщины и Харьковщины был послан запрос об Алексее Красильникове, но сведений о его местонахождении до сих пор не поступало. Большего Вадим Петрович сделать сейчас не мог, — эти несколько часов на палубе парохода были единственным свободным временем за полтора месяца работы по восемнадцать часов в сутки.

К нему подошли Чугай и наркомвоен. Это был худощавый человек, в парусиновой толстовке, с покрасневшим от солнца лицом и глазами, влажными и будто пьяными, хотя он никогда не пил и ненавидел пьяных так, что едва не расстрелял хорошего человека, комбрига, застав его в халупе за баклажкой горилки... Указывая на высокий берег, где белела колокольня, наркомвоен говорил:

— Мое село... Бабушка, бывало, заслышит, гудит пароход, — беспокойная была старуха, — сейчас мне слив в лукошко, груш, орехов и гонит на пристань торговать... Ну — купец из меня не вышел...

— А у меня бабуня до-обренькая была, — сказал Чугай, — все по святым местам ходила, до десяти лет меня с собой брала — побираться...

Наркомвоен, — не слушая его.

— Потом уж отдали меня в кузницу — подмастерьем, она и сейчас, должно быть, стоит, вон — пониже колокольни. До сих пор люблю запах древесного угля, угара. Когда мне затылок отбили хорошо, я и подался в Киев, в паровозное депо, — вот как было... А потом уж — в Харьков, на механический...

Чугай, — не слушая его:

— Мастер я был гнусить на церковной паперти. Расцарапаешь себе чего-нибудь, морду кровью измажешь, глаза завел и — давай «Лазаря»... Потом с бабкой, бывало, драка у нас из-за копеечек.

Чугай повторил, уже рассеянно:

— Значит, драка у нас с бабкой...

Он глядел на берег, выдавшийся мысом, у которого Днепр заворачивал к луговому разливу. Выпуклые глаза Чугая напрягались. Он пришлепнул ладонью шапочку с ленточками и быстро пошел к капитанскому мостику...

— Эй, папаша, — крикнул он капитану — сухонькому старичку с висячими усами, — держи подальше к луговой стороне!

— Нельзя, товарищи, идем фарватером, а там же мели...

— Давай, давай не фарватером! — Чугай хлопнул себя по кобуре. — Давай круче!..

Пароход огибал мыс, и понемногу открывалось на покатом берегу большое село с высокой колокольней, мельницами, белыми хатами и свежей зеленью низеньких, пышных садов.

— Видите, на отшибе, вон — чуть видна — хатенка, там я и родился, — говорил наркомвоен Рощину.

Чугай крикнул серьезно:

— Давай, зараза, круче лево руля!

На берегу стояло много телег, у берега — много лодок, к ним теснились люди, прыгая в лодки, и на одной уже торопливо гребли. Чугай в развевающемся бушлате бегом по трапу спустился на палубу. И почти одновременно хлестнули выстрелы с берега и лодок по пароходу и — с парохода загрохотали пулеметы. С плывущей лодки в воду посыпались люди. Толпа на берегу заметалась, кидаясь по тачанкам, и они вскачь, поднимая пыль, поскакали вверх по широкой улице. Загудел и набатно забил колокол на колокольне.

Стрельба и бегство длились всего несколько минут. Берег опустел. Чугай, весело поблескивая выпуклыми глазами, поднялся по трапу.

— Зеленый! Ну и сукин же сын, прорвался-таки! Вот, Вадим Петрович, тебе и план окружения! Что же, нарком, десант надо высаживать...

Банда Зеленого металась в окружении, как стая волков, была, наконец, прижата к железнодорожному полотну под огонь бронепоезда и уничтожена в густом орешнике, куда кинулись на прорыв бандитские тачанки. Все заросшее поле было там заранее перекопано, — четверни вспененных коней, поражаемые пулями и гранатами, взвивались из орешника, задние врезывались в телеги, ломая и опрокидывая их. Бандиты кидались по кустам, где их ждала смерть, — никто из них и не пытался молить о пощаде. Атамана Зеленого взяли под кучей прошлогоднего хвороста; когда его вытащили оттуда за ноги, курсанты удивились — думали: великан какой-нибудь страховитый, оказался — щуплый, корявый, плюнуть не на что, только бегающие глазки — бесцветные, ненавистные — выдавали его волчью породу. Ему скрутили руки, ноги, чтобы живым доставить в Киев.

Один отряд из его банды все же прорвался стороной и ушел на восток. В погоню за ним наркомвоен послал кавалерийский полк в триста сабель с Чугаем и Рощиным. Началась долгая и осторожная погоня. Бандиты на хуторах сменяли лошадей, красные шли на бессменных, по следу. Выяснилось, что бандиты держат путь на село Владимирское. Об этом рассказали крестьяне в одной деревне, где у них за сутки до того бандиты реквизировали коней и пограбили — что могли взять наспех.

— Да уж кончили бы вы их, товарищи, поскорее, так, признаться, нам — ужас — надоели военные-то действия, — говорили крестьяне Чугаю и Рощину у колодца, где кавалеристы поили коней. — Атамана ихнего мы хорошо знаем: он из села Владимирского, Алешка Красильников, правильный был мужик, спору нет, но избаловался, такой, сатана, стал бешеный...

Так Вадим Петрович напал неожиданно на след Алексея, за которым гнался вторую неделю, на след Кати. Было от чего ему смутиться: от Кати отделял его один дневной переход. Какой найдет ее? Замученной, неузнаваемой? — такой, что лишь молча только прижать ее седую голову к груди... Седую, седую... «Ну, вот, Катя, теперь — отдохнешь, будем жить, надо жить...» Нет, нет, немыслимо, — покорной женой Алексея она не стала!.. А — вернее — в конце дневного перехода конь его остановится у Катиной могилы... И, может быть, так лучше для нее... Катин образ останется нетронутым, неоскверненным...

Полк быстро шел по пыльной дороге. Вадим Петрович покачивался в седле. Образ Кати путался и стирался в его суровой памяти. Какой найдет ее, — такой и примет в свою жизнь.

В селе Владимирском еще дымились сожженные хаты, еще со страхом дети приходили глядеть на лужи крови, не запорошенные золой, еще прятались по чужим дворам дрожащие, распухшие от слез женщины, когда Чугай и Рощин с двух концов двумя лавами ворвались в село. Но Красильникова там уже не было. Кто-то предупредил его, и он, после расправы с комитетчиками, зарубив саблями семнадцать человек и осьмнадцатого деда Афанасия, — этого уж прямо из озорства, — ушел со своими бандитами за какие-то полчаса до появления красных.

Крестьяне так были злы на него, что сбежались чуть не всем селом, окружив кавалеристов, под которыми шатались лошади.

— Догоните его, — кричали, — убейте Алешку, у него сил немного, у него патронов нет. Он далеко не ушел, мы знаем, куда они, сволочи, пошли... Вы их голыми руками возьмете.

— А что, граждане товарищи, — спросил Чугай, — дадите нам свежих коней?

— Дадим... Для этого — дадим.

— Сколько?

— Да полсотни наберем... Своих вы у нас оставите, потом обменяем... Ей-богу, ведь он нам жить не даст.

Покуда бегали за лошадьми да переседлывали, Вадим Петрович, разминая ноги, подошел к женщинам. Они, видя, что человек что-то хочет спросить, придвинулись.

— Красильникова я знавал в германскую войну, — сказал он. — Брат у него был женатый, а сам он, кажется, был не женат... Как он теперь? Семейный?

Женщины, не понимая еще, к чему он клонит, с охотой заговорили:

— Женатый, женатый...

— Да какой он женатый! Не жена она ему...

— Ну, жил просто с ней...

— И не так... Товарищ военный, я тебе расскажу... Выиграл он эту женщину в карты у Махны и привез ее сюда, хотел на ней жениться... Она, конечно, говорит ему, женись, только жить по-мужицки я не привыкла... Сама-то она из господских, красивая, молодая... А двор у Алешки еще в прошлую весну немцы сожгли... Вот он и давай строиться... А тут пошли эти дела с Яковом...

Третья женщина, еще более осведомленная, протискалась к Вадиму Петровичу:

— Слушай, бил он ее, так бил, товарищ командир, да не удалось ему, окаянному черту, ее убить... С марта месяца она у нас учительницей...

— Так, так, — проговорил Вадим Петрович, покашливая, — что же — она и сейчас здесь, в селе?

Женщины стали взглядывать одна на другую. Тогда четвертая, — только что подойдя:

— Увез он ее, в тачанке под сеном, живую, мертвую, — не знаем...

Маленький мальчик, глядевший очарованными глазами на Рощина, — на шашку с медной рукоятью, на пыльные сапоги со шпорами, на большие часы на руке, на револьвер со шнуром, — совсем запрокинувшись, чтобы увидеть его лицо, сказал грубым голосом:

— Дяденька, врут они. Они про тетю Катю ничего не знают. Я все знаю.

Стоявшая за его спиной худенькая, с болячкой на губе, некрасивая девочка сказала:

— Дяденька, вы ему верьте, этот мальчишка все знает.

— Ну, что ты знаешь?

— Тетю Катю Матрена на станцию увезла. Тетя Катя не хотела ехать, да как заплачет, а Матрена — тоже как заплачет... Потом тетя Катя мне сказала: «Я вернусь, скажи детям...» Алешка на тачанках в село въезжает, а Матрена с тетей Катей с другого конца уехали!.. Как они на горку въехали, так с телеги меня согнали...

— По коням!.. — крикнул Чугай.

Вадиму Петровичу не удалось дослушать. Отряд на свежих лошадях, с пулеметными тачанками, двинулся из села. Рядом с Чугаем и Рощиным скакал, подкидывая локти, низенький черный мужик из тех, кому весь этот день пришлось отсиживаться в колодце по пупок в воде и тине. Он так и взобрался охлюпкой на лошадь, весь заскорузлый, в рваной рубахе, босиком, со взъерошенной бородой. Он повел отряд в обход к дубовому лесу, куда бандитам была одна дорога в этих местах.

Туда поспели еще засветло и начали окружать лес, оставляя один свободный выход бандитам, — в засаду. Низкое солнце из-под глянцевой листвы пробивалось между корявыми стволами. Лошадь под Вадимом Петровичем шла неспокойно — мотала головой, останавливаясь, покусывала себя за коленку, била задней ногой по брюху. Он, наконец, бросил повод и держал карабин обеими руками наготове. Лучи солнца, с золотящимися в них тучами комаров, пестрили и полосатили лес, — трудно было что-нибудь разглядеть впереди и в стороне от себя, где — справа и слева — редкой цепочкой, осторожно похрустывая валежником, пробирались спешенные курсанты сквозь поросль и высокий папоротник.

Где-то здесь, как предупреждал проводник, должна была попасться лесникова сторожка и дорога, по которой бандиты и могли только проникнуть в лесную чащобу. Мшистая крыша, осевшая седлом, показалась неожиданно в нескольких шагах. Вадим Петрович остановился, вглядываясь из-за густой поросли. Негромко посвистал. Сильнее и ближе затрещали сучья под ногами курсантов. Он опять тронул лошадь, проехал сквозь кусты и увидел заброшенную сторожку, — на небольшой поляне около нее стояло несколько распряженных тачанок, валялась какая-то ветошь и тряпье. Бандиты отсюда ушли.

Вадим Петрович, держа наготове карабин, осторожно стал объезжать сторожку. Алексей Красильников так же осторожно пятился впереди него от одного угла к другому, намереваясь завладеть лошадью этого всадника. Рощин, оглядываясь, остановился у боковой стены, Алексей — у передней, с выбитым окном и сорванной дверью. Чтобы все сделать без шума, он держал только нож наготове. Когда Рощин выехал из-за угла, — Алексей с ножом кинулся на него, но Рощин успел загородиться карабином. Алексей, отпрянув, сильно ударился спиной о стену сторожки. Нож у него упал, он глядел на Вадима Петровича, на ожившего мертвеца. Завизжал в суеверном ужасе и, нагнувшись, побежал, беспорядочно махая руками.

— Алексей, — крикнул Рощин, рванул повод и поскакал за ним. Алексей вдруг, добежав до дерева, схватился за него в обнимку, прижался лицом к дубовому стволу. Рощин на скаку соскочил с седла и почти в упор стал стрелять в широкую, вздрагивающую спину Алексея.

— Здесь она жила?

— Ага.

Рощин, нагнувшись, перешагнул через порог в покосившуюся избенку об одно окошко, такое низенькое, что лопухи снаружи совсем закрыли его. В зеленоватом свете у окошка, на столе, тоже маленьком и низеньком, лежали тетрадки, сшитые из обоев, и несколько книг. Одна из тетрадей была раскрыта, и около — пузырек с чернилами и перо. Значит, Катя успела только выбежать. Он присел на корточки перед столом. Маленький мальчик, тихонько прикрыв рот рукой, начал давиться смехом и указывать глазами Рощину на печку.

В печном устье, на шестке, сидел галчонок, с круглыми, глупыми глазами, — должно быть, вывалившийся из трубы, где было гнездо. Увидев, что на него обратили внимание, галчонок, подсобляя себе крыльями, бочком упрыгал в печку.

— Их там четыре штуки, — сказал мальчик, — ужо их переловлю...

Перебирая то, что лежало на столе, Вадим Петрович нашел Катин школьный дневник, где она записывала уроки и некоторые особенные происшествия. Почти каждая дневная запись кончалась: «Иван Гавриков опять шалил...» Или: «Даю себе честное слово три дня не разговаривать с Иваном Гавриковым...» Или: «Иван Гавриков опять ходил по самому краю крыши, чтобы напугать девочек. Я просто в отчаянии...»

— Кто это Иван Гавриков? — спросил Рощин.

— Я.

— Зачем же ты шалишь, огорчаешь Екатерину Дмитриевну?

Иван Гавриков тяжело вздохнул, голубые глаза его стали совсем невинными.

— Приходится... Я учусь-то хорошо. Ты посмотри у девчонков чистописание: забор — палки. Вот моя тетрадка. То-то, удивишься. Таблицу умножения всю знаю, хочешь, спроси? — Он изо всей силы зажмурился.

— Верю, верю.

Вадим Петрович сел на пол, поджав ноги, продолжал перелистывать дневник. В нем ни слова не было о себе. Но с каждой страницы будто поднималась к нему Катина вечная юность, доверчивая и чистая нежность. И он видел ее руку с голубоватыми жилками, ее теплые, ясные глаза...

— Девятью девять — восемьдесят один, что, не правда? — сказал Иван Гавриков..

— Молодец, молодец... Слушай; она тебе ничего не сказала — куда поехала?

— В Киев.

— Ты не врешь?

— Очень мне нужно врать.

— У нее, — может быть, ты знаешь, — где-нибудь еще спрятаны письма, тетрадки?

— Все тут... Я и эти нынче домой возьму, она наказывала — пуще глаза беречь тетрадки, а то мужики опять раскурят.

На последней страничке дневника он прочел:

«...Я почему-то верю, что ты жива и мы встретимся когда-нибудь... Ты представляешь — я вышла из долгой, долгой ночи... Мне хочется рассказать тебе о маленьком мире, в котором я живу. Птицы за окошком меня будят. Я иду на речку купаться. Потом, по дороге, я пью молоко у тетки Агафьи, — я ей должна уже рубль шестьдесят копеек, но она подождет. Потом приходят дети, и мы учимся. Нам ничто не мешает, у нас нет никаких забот. Оказывается — человеку совсем не то нужно, что нам казалось нужным и без чего мы не могли жить... Прямо стыдно сказать — мне будто опять семнадцать лет, — я знаю, Дашенька, ты поймешь, о чем я хочу сказать... Меня только огорчает иногда мой самый любимый мальчик, Иван Гавриков... Он необычайно...»

На этом письмо обрывалось, потому что не хватило больше места в тетради. Вадим Петрович подтянул Ивана Гаврикова, поставил его у себя между колен.

— Ну? Чего тебе подарить?

— Патрон.

— Пустого-то у меня нет...

— А ты выстрели, пойдем на двор.

Вадим Петрович поднялся с пола, сложил тетрадь и стал засовывать ее за гимнастерку.

— Эту тетрадку, Иван, я возьму.

— Ни, она заругает.

— Я тетю Катю скоро увижу и скажу ей, что взял... Пойдем на двор — стрелять...

18

Солнце в безветрии жгло пустынные улицы Царицына, где у подъездов с настежь распахнутыми дверями лежали груды мусора. Обыватели попрятались. Лишь на спусках к Волге погромыхивали вскачь ломовые телеги с казенным имуществом и учрежденскими архивами. Город доживал последние часы. На подступах к нему Десятая армия, сильно поредевшая после Маныча, едва сдерживала натиск свежей Северокавказской армии генерала Врангеля.

Еще работала телефонная станция, но в городе уже не было ни воды, ни электричества. Заводы остановились. Все, что можно было вывезти с них, было отвинчено, снято, разобрано и увезено на пристани. В рабочих слободах остались лишь малые да старые. Царицынский пролетариат, за эти десять месяцев понесший огромные жертвы на обороне города, не ждал пощады от белых, — те, кто еще мог, дрались в армии, другие уезжали на крышах вагонов, на палубах и в трюмах пароходов. Люди уходили на север — куда глаза глядят. Догорали на берегу Волги лесные склады. Все явственнее и ближе слышались раскаты пушек.

Вся жизнь города сосредоточилась на вокзалах да на пристанях. Берег Волги был завален мешками, ящиками, частями машин и станков, — сотни людей, обливаясь потом, с криками и руганью ворочали все это и тащили по сходням на суда. Тысячи людей, в ожидании погрузки, стояли в тесных очередях или, молчаливые, голодные, лежали на берегу, глядя сквозь неподвижно висящую пыль на маслянистую воду, сверкающую под солнцем. Широкая Волга в конце июня обмелела так, что невиданно придвинулась с той стороны песчаная мель, где ходили нагишом, купались какие-то люди. Купались и на этой стороне между конторками, среди плавающего мусора в парной воде. Но даже от реки не веяло прохладой.

Один за другим к пристаням подчаливали ободранные и грязные пароходы, с них неслись бредовые крики. Палубы были переполнены беженцами и красноармейцами, — живыми среди трупов и стонущих, бормочущих, беснующихся в бреду сыпнотифозных. Десятки пароходов и буксиров, дожидаясь разгрузки и погрузки, терлись бортами о борта, гудели сипло. Все они прибыли снизу, из Астрахани и Черного Яра.

Осыпанные известью санитары бежали на палубы, шагали через лежащих больных, отбирали трупы и сбрасывали их на берег, чтобы очистить место для живых. Порошили известь и лили карболку. Был приказ — складывать трупы на берегу в лимонадные и квасные киоски. От жары трупы начали вздуваться и распирали эти легко сколоченные балаганы. Тяжелый смрад в особенности торопил людей покинуть царицынский берег. Над городом проплыли — тенями сквозь пыльное марево — врангелевские самолеты. Они сбросили бомбы в реку.

Люди прорывали заставы у пристаней, — цепляясь мешками за штыки красноармейцев, кидались на палубы. С треском туда же летели ящики, мешки. Пароход оседал так, что вода подходила к бортам.

В этой толчее, на берегу у самых сходен, стояла телега, в которой лежали Анисья и Даша. Привез их с фронта Кузьма Кузьмич — согласно жесткому приказу командира полка: хоть самому сдохнуть, но обеих женщин эвакуировать не по железной дороге, но непременно пароходом. Телегин сказал ему:

— Товарищ Нефедов, вы никогда не выполняли более ответственного поручения. Вы их высадите и устроите там, где это будет возможно. Воруйте, убивайте, но вы должны их хорошо кормить... Отвечаете за их жизнь...

Кое-как прикрытые тряпьем, они лежали в сене на телеге, как два обтянутых кожей скелета. Анисья была уже в сознании, но слаба так, что не могла сама открыть рта. Кузьме Кузьмичу приходилось пальцем раздвигать ей зубы, чтобы дать попить из бутылки теплой воды. Даша, захворавшая сыпняком позже Аниськи, была в бреду и не переставая что-то бормотала тихим, сердитым голосом.

Кузьма Кузьмич пропустил уже много пароходов. Со слезами он умолял и прибегал ко всяким хитростям, прося людей помочь ему перетащить женщин на палубу, — в такой суровой обстановке его и не слушали. Прислонясь к телеге, он глядел воспаленными глазами на этот мираж, — на красноватые сквозь пыль отблески солнца на теплой душной реке и ревущие в нетерпении пароходы, набитые трупами. Снова послышался грозный рев моторов, — бомбы на этот раз взметнули землю где-то неподалеку, и пылью застлало всю набережную. Много людей кинулось в Волгу и поплыло к подходящему теплоходу, крича: «Кидайте концы...» Но концов им не кинули, и долго еще около его бортов крутились головы, как черные арбузы.

Теперь остался едва ли не последний пароход — желтый, низенький буксир с огромными измятыми кожухами колес. Он подваливал не к конторке, а — около нее — прямо к мосткам, где не было людей. Кузьма Кузьмич повернул телегу по глубокому песку и рысью первый подъехал к мосткам, побежал по ним и отчаянно замахал руками.

— Эй, капитан, товарищ, — закричал он серенькому старорежимному старичку на мостике, — я эвакуирую жену и сестру командующего фронтом, дело пахнет для вас расстрелом, давайте-ка мне двоих из команды — перенести женщин на буксир...

Возбужденное лицо его и решительные слова подействовали. Через борт на мостки перелез голый по пояс, мрачный, грязный кочегар в изодранных штанах.

— Где они у вас?

— Товарищ, вам одному не справиться...

— Ну да...

Кочегар подошел к телеге, взглянул на лежащих женщин, указал на Анисью:

— Эта, что ли, жена командующего фронтом?

— Эта, эта самая... Если что с ней не в порядке будет, — ну, прямо, всем расстрел...

— Чего вы мне вкручиваете, это же наш кок Анисья, — спокойно сказал кочегар.

— Вы очумели, товарищ, какой там кок...

— Да ты на меня не кричи, чудак. — Он легко вынул Анисью из телеги, взвалил на плечо, подкинул ловчее. — Подсоби-ка — и эту, что ли, взять...

Захватил в охапку обеих женщин и пошел к буксиру, — доски гнулись под ним до самой воды.

Кузьма Кузьмич, очень довольный, тащил за ним мешок с хлебом и салом и сумку с медикаментами...

Утром третьего июля Степан Алексеевич, учитель гимназии, вытаскивал из подвальной кузни на дворик матрацы, подушки, кресла, обитые зеленым плюшем, стопки книг и рукописей. Выволок, шатаясь, огромную охапку пыльных штанов и сюртуков, юбок и шерстяных платьев, бросил все это на землю и раскрыл рот, вытирая рукавом ручьи пота. У него все было мокрое — желтые волосы и борода, парусиновые брюки и несвежая рубашка, прилипшая вместе с помочами к сутулым лопаткам.

Его матушка, сырая женщина в черном, сидя здесь же на венском стуле, слабо колотила палочкой ковер. Его параличная сестра, с выпуклым лбом и маленькой сплюснутой остальной частью лица, блаженно лежала в кресле на колесиках, в тени акации. Воробьи и те разинули клювы от жары.

— Мама, кажется, все, — сказал Степан Алексеевич, — я больше не могу! Господи, что бы я сейчас дал за кружку холодного пива!

— Степушка, у нас — ни капли воды, придется тебе, голубчик, взять ведро и сходить.

— Неужели, мама! Нельзя ли обойтись? Ах! Вот уж действительно проклятье!

Степан Алексеевич предался острому отчаянию: принести воды — значило спуститься на берег Волги, где еще лежали кучи пепла и обгорелых трупов, сожженных в квасных и лимонадных киосках, зайти по грудь в реку, где вода почище, зачерпнуть ведро и тащить его по щиколотку в песке в гору по такой адовой жаре...

— Нельзя ли кого-нибудь нанять, я бы, кажется, заплатил десять рублей за ведро. Свое сердце дороже, я думаю...

— Делай, как знаешь...

— Да, но ты, мама, предпочитаешь, чтобы я сам надрывался над этими ведрами...

Матушка не ответила, продолжая слабо ударять по ковру. Степан Алексеевич тяжело задышал, глядя на ее полное лицо со струйками пота.

— Где ведро? — тихо спросил он. — Где ваше ведро? — крикнул он таким неприятным голосом, что больная сестра под акацией проговорила умоляюще:

— Не надо, Степа...

— Нет, надо, надо! Буду вам носить воду, буду носить горшки! До конца жизни буду работать, как водовозная кляча! Черт с моим будущим, с моей карьерой, с моей диссертацией! Все кончено, разрушено!.. Вшивая пустыня, обгорелые трупы, кладбище!.. Никаким Деникиным ничего не восстановить!..

Он стал ломать мокрые от пота пальцы, как тогда, перед Дашей. Так или иначе он намеревался отвертеться от ведра воды. Неожиданно гулко ударил большой колокол на соборной колокольне, молчавший уже больше года. Ударил и поплыл над опустевшим городом торжественный звук, успокаивающий все волнения. Степан Алексеевич оборвал на полуслове, дергающееся худое лицо его вдруг успокоилось и даже стало глуповатым от улыбки.

— Степушка, — сказала мама, — надо тебе все-таки приодеться и сходить к обедне.

— Он неверующий, атеист, мама, — с тихой злобой сказала сестра из-под акации.

— Ну, что ж из этого, — по крайней мере покажется, и так уж нас считают за каких-то красных...

— Мама, о чем ты говоришь! — болезненно воскликнул Степан Алексеевич. — Только что мы освободились от большевистских прелестей, ты уже торопишься тащить меня в мещанское болото... Именно, именно! — оскалился он в сторону акации, где его сестра закрыла глаза, чтобы не слушать. — Кто считает меня за красного? Твои Шавердовы, Прейсы... Обыватели, ничтожества... Опуститься до них, — боже мой! Зачеркнуть тогда самого себя! Зачем было учиться, мыслить, мечтать! Я ненавижу большевиков не за то, что они загнали меня в подвал. И не за то, что увезли весь уголь с водопроводной станции... Нет, за то, что растаптывали мою внутреннюю свободу... Я желаю мыслить так, как велят моя совесть, мой гений. Я желаю читать те книги, которые меня вдохновляют... Но не желаю, слышите ли, не желаю читать Карла Маркса, будь он хоть тысячу раз прав... Я есть я!.. И совершенно так же, мамочка и сестрица, я не буду целовать руку вашему Деникину... По совершенно тем же соображениям...

Выговорив все это с сильнейшей жестикуляцией на сорокаградусном солнцепеке, Степан Алексеевич также совершенно непоследовательно вытащил из кучи одежды свой сюртук и брюки и спустился в подвал. Он появился через полчаса — одетый, в крахмальной сорочке, держа в руке форменную фуражку и трость. Никто на дворике больше не произнес ни одного слова. Он вышел на улицу и по теневой стороне зашагал к соборной площади.

Низенькие акации вокруг собора были серые от пыли, под ними сидели несколько оборванцев. Один — снизу вверх, прямо в глаза — с юмором взглянул на проходившего учителя гимназии.

— Ряд волшебных изменений чудного лица, — сказал он внятным баском.

За оградой стояла спешенная сотня казаков в защитных рубахах, да взвод юнкеров, в полной парадной форме, с катанками через плечо, с котелками и лопатками, лежал на выжженной траве... Около паперти расположилась кучка граждан. Степан Алексеевич увидел приодевшегося в вышитую косоворотку елейного галантерейщика Шавердова, с женой и двумя детьми; маленького, растрепанного, суетливого типографщика Прейса — выкреста, с женой и шестью детьми. Степан Алексеевич кивнул им небрежно и вошел в прохладный собор, — из-за форменного сюртука его беспрепятственно пропустили, даже кое-кто посторонился.

Хотя собор еще сохранял следы запустения (при большевиках в нем помещался продовольственный склад), стекла в огромных окнах были выбиты и на облупившихся стенах сохранились надписи: «Картошки 94 меш... Принял (неразборчиво)», но сияющий отсветом множества свечей золотой иконостас и дымок ладана, поднимающийся к куполу, и раскатывающиеся звероподобно под сводами возгласы дьякона, и бесстрастные детские голоса певчих — все это произвело на Степана Алексеевича смешанное впечатление: ему стало привычно торжественно, и так же привычно он испытал чувство приниженности, — торчавший независимо интеллигентский хвостик его сам собою поджался между ног.

Впереди стояло — лицом к алтарю — высокое начальство, диктаторы: десять генералов, низенькие и высокие, плотные и худые, в белоснежных кителях, с мягкими, широкими, золотыми и серебряными погонами. Каждый в согнутой левой руке держал фуражку, правой — при возгласах дьякона: «Господу помолимся...» — помазывал себя щепотью по груди. Впереди, отдельно на коврике, стоял генерал среднего роста, в просторной защитной куртке, в длинных брюках с лампасами; полуседые, зачесанные назад волосы его были как будто вытерты на затылке. Гораздо реже, чем другие генералы, он поднимал небольшую, полную, очень белую руку и крестился медленно, широко, плотно прикладывая щепоть к морщинам слегка откинутого лба.

Степан Алексеевич понял, что это — Деникин. Жадно разглядывая его, он все же не переставал — но уже совершенно бессознательно — усмехаться тонкими губами с едким скептицизмом. Один из офицеров, внимательно наблюдавший за ним, незаметно приблизился и стал рядом. Степан Алексеевич был поглощен противоречивыми переживаниями. Его особенно привлекала эта белая рука генерала Деникина. Кому незнакомы генеральские руки, их особенная медлительная вялость. Сколько ни старайся, руке особой важности не придашь, от этих тщетных попыток генеральская рука всегда смешна, — особенно когда начальник снисходительно свешивает ее вам для рукопожатия или когда он придает своим безмускульным сосискам значительность, сдавая карты или засовывая салфетку за шею. Все это так. Но белая рука Деникина хватала саму историю за горло, от ее движения армии устремлялись в кровавый бой...

Степан Алексеевич так разволновался от этих мыслей, что не заметил, как окончилась обедня, на амвон вышел благочинный — низенький старик в очках — и, глядя на генерала Деникина, начал слово:

— Исторический приказ возлюбленного нашего вождя, главнокомандующего белыми силами Юга России, генерал-лейтенанта Антона Ивановича Деникина, выжжен огненными знаками в каждом сердце русского православного человека. Главнокомандующий начинает свой приказ словами: «Имея своей конечной целью захват сердца России, Москвы, сего третьего июля приказываю начать общее наступление...» Господа, не разверзлось ли небо над нами, и глас архангела Михаила созывает белое, чистое воинство...

Степан Алексеевич почувствовал щипание в носу, грудь его под размокшей крахмальной манишкой часто задышала, восторг охватывал его. Он видел, как Деникин медленно поднес ладонь ко лбу. Степан Алексеевич понял внезапно, что должен, должен поцеловать эту руку... И когда, через несколько минут, Деникин, приложась первый к кресту, пошел по ковровой дорожке, — простенький, с подстриженной седой бородкой, похожий на уютного дядюшку, — Степан Алексеевич в крайнем восторге стремительно шагнул к нему. Деникин отшатнулся, заслонился рукой, лицо его болезненно и жалко исказилось. Его сейчас же заслонили генералы. Степана Алексеевича кто-то схватил сзади за локти и сильно потянул вниз так, что подогнулись колени.

— Слушайте, слушайте, я хотел...

Офицер, схвативший его, бегал зрачками по его лицу.

— Вы как сюда попали?

— Я хотел только руку...

— Где пропуск?

Офицер продолжал оттирать Степана Алексеевича в толпу, не выпуская его. Около бокового выхода он кивком головы подозвал двух мальчишек-юнкеров с винтовками:

— Взять этого. В комендатуру...

«Как изволите убедиться, дорогой и многочтимый Иван Ильич, продрали мы до самой Костромы. Нигде по пути я не отважился высадиться, даже Нижний Новгород не показался мне надежным местом в смысле военных случайностей. В Костроме мы и осели, на окраине города, над Волгой, в деревянном домишке с калиной и рябиной, все — честь честью... Городок привольный, стоит на холмах, как Рим, а уж тишина, а уж дичь!.. — но это нам и нужно.

Дарья Дмитриевна поправляется, хотя и медленно, — еще весьма слаба, я ее, как малого ребенка, беру из кровати и выношу во двор. Аппетит у нее, по всей видимости, волчий, хотя говорить она не может, но глазами показывает: поесть... Кроме глаз, у нее, пожалуй, ничего не осталось — личико с кулачок, — и часто плачет от слабости, просто так — текут слезы по щечкам. В бреду и без сознания она пробыла почти три недели, покуда мы шлепали колесами по Волге. Бред у нее был беспокойный и мучительный, душа ее непрерывно боролась с какими-то видениями прошлого. Значительную роль, как это ни покажется удивительным, играло у нее какое-то сокровище, какие-то бриллианты, доставшиеся ей будто бы после какого-то преступления. И весь бред был в том, что Дарья Дмитриевна разговаривала двумя голосами: один осуждал, другой оправдывался, — тоненький такой, хнычущий голосок. Не стал бы я вам писать об этом, кабы не одно случайное и чрезвычайное открытие...

Твердо помня ваш наказ — кормить наших дорогих больных хорошо — и в этом ставя себе главную задачу, не раз я впадал в уныние и даже в панику. Время жесткое. Люди или мыслят большими категориями, чувствуя никак не меньше, как в объеме всего земного шара, либо с обнаженнейшим цинизмом спасают свою шкуру. И в том и в другом случае отсутствует бытовое милосердие: одного человека можно увлечь, другого можно напугать, но разжалобить, попросить фунтиков десять хлеба, ради голодных слез своих, — это обычно не удается.

Лишнее барахлишко, все, что мы захватили, я обменял на хлеб, яйца, рыбку. Сколько раз брало искушение — загнать Дарьи Дмитриевны драповое пальтецо, в котором она бежала осенью из Самары. Но — удерживался, и не столько из благоразумия, — глядя на осень, — сколько из-за того, что это пальтецо неизменно присутствовало, как некий, непонятный мне обличитель, в бреде Дарьи Дмитриевны. Значит, — приходилось прибегать к хитростям, к обману доверчивых душ и прямому воровству. Выручала опять-таки хиромантия. Нацелишься на пристани на деревенскую бабу с мешком и начинаешь ей точить лясы, ища слабого места. А оно всегда находится, — жизненный опыт великая вещь. Заведешь разговор про антихриста, — на Волге сейчас о нем много говорят, особенно выше Казани. Много ли нужно, чтобы напугать глупую бабу? Нужно, чтобы она тебе поверила, и уже половина ее мешка — мое...

Не далее как вчера, в день воскресный, утречком занимался я приведением в порядок туалетов Дарьи Дмитриевны. В Костроме я один, кажется, владею большой шпулькой ниток, — факт немаловажный, к нам даже паломничают: пуговицу пришить к штанам или заплаточку там... Не стесняясь, беру за это разной снедью. Сижу на крылечке, развернул пальтецо Дарьи Дмитриевны: подкладка на нем, как вы, наверно, помните, фланелевая, шотландская, в клетку. Вот, думаю, если подкладку снять и сделать из нее прелестную юбочку? Старая-то у нее — как решето... А на подкладку загнать что-нибудь поплоше. И так меня одолела эта мысль, — спрашиваю Анисью Константиновну, она тоже: «Юбка будет хороша, порите...» Начал я пороть подкладку, — оттуда посыпались бриллианты, большой цены, тридцать четыре камушка... Вот вам и бред наяву! В тот же день показываю камушки Дарье Дмитриевне. И вдруг вижу, — вспомнила! В глазах у нее — мольба и ужас, и губами что-то хочет выразить... Говорить-то разучилась... Я наклоняюсь к ее бледным губкам, и пролепетала она первое слово за время болезни: «Выбросить, выбросить...»

Иван Ильич, без вас ничего не смею. Не знаю — откуда у нее это сокровище, и почему оно ей так отвратно, не знаю, как поступить, — держать дома боюсь и выбросить считаю неразумным. Дарье Дмитриевне побожился, что, взяв лодку, уплыл на середину Волги и бросил туда камушки. Она сразу успокоилась, глазки ее просияли, как будто что-то, наконец, от себя оторвала прилипшее...

Извините, Иван Ильич, что так обо всем пишу подробно, но есмь многословен и болтлив. Исхитритесь — известите нас о вашем здоровье и о том — зимовать ли нам здесь, в Костроме, или подаваться в Москву?.. За всем тем остаюсь преданный до гроба вам и Дарье Дмитриевне Кузьма Нефедов...»

— Я взял с собой почту, — сказал Сапожков, влезая в плетеный тарантас и усаживаясь в сене рядом с Телегиным. — Поздравляю, Иван.

— Грустно это все, Сергей Сергеевич. По своей-то воле я бы так уж и остался командиром наших качалинцев. Новые люди, новые заботы, — не по мне это все.

— Чего стариком-то прикидываешься?

— Да пройдет, — устал немножко...

Лошади шли рысцой по проселочной дороге, плетушку встряхивало, налево темнел дубовый лес, направо на жнивье едва различались в сумерках кучки снопов, уложенные крестами. Пахло пшеничной соломой. Высыпали августовские звезды.

— А кто у тебя в бригаде будет начальником штаба?

— Назначат кого-нибудь.

Дорога свернула ближе к лесу, откуда слабо потянуло сыростью. Лошади начали пофыркивать.

— Мне писем нет, конечно? — спросил Телегин.

— Ой, прости, Иван, тебе письмо.

Иван Ильич сидел — согнувшись, усталый, задремывающий, — вдруг вскинулся:

— Как же ты, ах, Сергей Сергеевич! Где оно?

Сапожков долго рылся в сумке. Остановили лошадей и чиркали спичками, которые шипели и отскакивали. Телегин взял письмо, — оно было от Кузьмы Кузьмича, — и вертел его в пальцах.

— Толстое какое, сколько написал-то, — шепотом сказал Сапожков.

— А что? — так же шепотом спросил Телегин. — Это плохо?

Он выскочил из тарантаса и пошел к лесной опушке. Там торопливо начал ломать сучья, зажег спичку и дул на веточки.

— Да ты возьми сноп, он сразу займется. — Сапожков бегом принес ему пшеничный сноп и отошел. Солома сразу запылала. Телегин опустился на корточки, читая письмо. Сапожков видел, как он прочел, рукавом вытер глаза и опять начал читать. Значит, дело ясное, Сергей Сергеевич шмыгнул носом, влез в тарантас и закурил. Сидевший на козлах старик, которому хотелось поскорее вернуться домой, сказал:

— Как бы на поезд не опоздать, тут дальше дорога — один песок, да еще броду искать... Проканителимся...

Сапожков не стал глядеть на Телегина, когда тот подошел к плетушке, тяжело перегнув ее, влез и опустился в сено. Лошади тронули рысцой. На расстоянии трех миллионов световых лет над головой Сапожкова протянулся раздваивающейся туманностью Млечный Путь. Поскрипывало вихляющееся заднее колесо у плетушки, но старик на козлах не обращал на это внимания, — сломается так сломается, чего же тут поделаешь...

Телегин сказал придушенным голосом:

— Какая сила духа у нее. Вечная борьба за обновление, за чистоту, совершенство... Просто я потрясен...

— Да жива она?

— Ну, а как ты думаешь! В Костроме и поправляется...

Сергей Сергеевич живо обернулся к нему, и оба засмеялись. Сапожков толкнул его кулаком, и Телегин толкнул его. Потом он подробно рассказал содержание письма, опустив только случай с бриллиантами. Это были те самые драгоценности, о которых она прошлым летом писала отцу, так обнаженно борясь за жизнь и вместе уничтожая себя. Видимо, тогда же, в дни ее смятения, Даша зашила камушки в пальто. И она ни разу не упомянула о них Ивану Ильичу. Очевидно, забыла — это так на нее похоже, — забыла и вспомнила только в бреду. И — «выбросить, выбросить», — у Ивана Ильича схватывало горло восторженным волнением... Конечно, во всей этой истории много было темного, но он никогда и не пытался до конца понимать Дашу.

— Мне одно ясно, Сергей Сергеевич, заслужить любовь женщины, скажем, такой, как Даша, — это большой выигрыш в жизни.

— Да, тебе здорово повезло, я всегда это говорил.

— Ох, как надо постоянно быть на высоте, Сергей Сергеевич! А ведь — срываешься... Ты ведь тоже, наверно, срываешься?

— У меня — совсем другое...

— Неужели у тебя нет вечной тоски — найти такую женщину, как моя Даша?

— Женщины как-то не играют такой роли в моей жизни... Я к этим вещам отношусь гораздо проще... Без хлопот...

— Поехал! Знаю я тебя... Сергей Сергеевич, жизнь у нас приподнятая: победа или смерть, — к этому все сведено. И — живем! И еще как живем с этим! В отношениях с женщиной всякие мелочи должны быть устранены... Любовь надо беречь. Всегда будь начеку! Пробовал ты заглядеться в любимые глаза? Это чудо жизни...

Сергей Сергеевич не ответил, понемногу фуражка его совсем съехала на затылок, — он опять глядел на Млечный Путь.

— В той стороне где-то есть провал во вселенной, — сказал он, — беззвездное, черное место в виде очертания лошадиной головы... На фотографии это очень страшно. Настанет время, когда мы поймем, — совершенно просто и очевидно, — что ужаса непомерного пространства нет. Каждый атом нашего тела — та же непомерная звездная система. И в ту и в другую сторону — бесконечность. И мы сами — бесконечны, и все в нас бесконечно. И воюем мы с тобой за бесконечность против конечного...

Впереди показались неясные очертания огромных деревьев, но оказалось, что это невысокие прибрежные кусты. Запахло речной сыростью. Плетушка спускалась под гору. Лошади, сторожась, громко зафыркали и зашлепали по мелкой воде.

— Как бы нам в яму не угодить, — сказал старик. Но речку проехали благополучно. На той стороне он легко, как молодой, соскочил с козел и побежал сбоку плетушки, дергая вожжами и покрикивая. Лошади вынесли по песку на подъем и остановились, тяжело дыша. Старик взобрался на козлы. Отсюда до станции было уже недалече. Он обернулся:

— Не выйдет у него ничего из этих делов, только зря народ бьют. На деревне у нас так говорят: землю назад все равно не отдадим, силой с нами не справишься, сегодня не девятьсот шестой год, мужик окреп, ничего не боится. В Колокольцевке, — он указал в темноту кнутовищем, — с аэроплана бросили листок, мужики прочли, — значит, он предлагает выкупать землицу. Вот куда повернул, — уж не надеется, что мы даром отдадим... Ничего, мы подождем: как он прикатился, так и укатится... Ах, Деникин, Деникин!

Утром Телегин и Сапожков приехали в штаб Южного фронта, в Козлов, в яблочное царство. Вот уж — матушка Россия! Домишки с линялыми крышами, герани в маленьких окошках, да пролетающий клуб пыли вслед за драной извозчичьей пролеткой по горбатой булыжной мостовой мимо унылых телеграфных столбов с обрывками бумажных змеев на проволоках, да кирпичная лавка с навесом и — крест-накрест — досками заколоченной дверью, да босая девочка испуганно перебегает дорогу, таща кривоногого, переваливающегося братишку, да неубранный щебень разрушенной часовни около общественного водопоя на грязной площади, где раньше был базар, а теперь — пусто. За ветхими и наполовину разобранными заборами — тяжелые от румяных и зелено-восковых плодов яблони. И над садами, и над крышами летает веселая стая скворцов, враз показывая изнанку крыльев.

Здесь, кажется, так бы и прожил в безвременье обыватель еще тысячу лет, кабы вот не такая оказия — революция. А впрочем, и терять-то здесь ничего не жалко, — жизнь копеечная. Только что спали много.

— И ведь подумай, — говорил Сапожков, трясясь рядом с Телегиным в извозчичьей пролетке, — за морем секунды переводят на деньги, человека штампуют под чудовищным прессом, чтоб был пригоден для производства, как в бреду, у них валятся из фабрик товары, товары, — десять миллионов человек пришлось убить, чтобы на короткое время расторговаться. Цивилизация! А тут бумажные змеи на проволоках висят... Вон, гляди, дядька в окошке чешет спросонок всклокоченную башку... И прямо отсюда перемахиваем в неведомое, — строить всечеловеческую мечту... Вот, Россия-матушка!.. Весело жить, Ванька... Яблоками здорово пахнет, почти что как молодой бабенкой... Дожить бы! Чувствую — напишу я книжку...

Извозчик подвез их к штабу фронта, откуда изо всех раскрытых окон неслась трескотня пишущих машинок.

Дожидаясь приема, Телегин и Сапожков тут же узнали все военные новости. Общая картина была такова: вооруженные силы главнокомандующего Деникина, после короткой заминки, продолжают наступление на Москву тремя группами. Отрезая от Центральной России хлебные края — Заволжье и Сибирь, — вдоль Волги движется Северокавказская армия генерала Врангеля (от которой в июле месяце Десятой армии удалось оторваться, пожертвовав Камышином); походный атаман Сидорин с Донской армией, восстановленной новым донским атаманом Богаевским, — ставленником Деникина, — жмет в направлении на Воронеж, имея во главе два ударных конных корпуса — Мамонтова и Шкуро; Добровольческая армия под командой Май-Маевского, талантливого, но всегда пьяного генерала, развивает наступление широким фронтом, одновременно очищая Украину от красных войск и партизанских отрядов и нацеливаясь своим кулаком, — гвардейским корпусом генерала Кутепова, на Орел — Тулу — Москву.

Военные успехи Деникина — налицо, снабжение у него великолепное, добровольческие полки, хотя и сильно уже разбавленные крестьянскими контингентами, дерутся уверенно, умело. Но в тылах у него настроение с каждым днем все более угрожающее (причем он катастрофически это недооценивает): Кубань хочет отделения, полной самостоятельности, и ему, чтобы навести там великодержавный порядок, пришлось повесить двух виднейших членов кубанской рады; на Тереке — кровавые раздоры; донское казачество, когда был объявлен поход на Москву, заговорило: «Тихий Дон был наш и будет наш, а Москву Деникин пускай сам себе добывает»; крестьянский вопрос в занятых добровольцами областях разрешается с военной простотой — поркой шомполами; сажают губернаторов, уездных начальников и царских жандармов, и мужики опять, как при германцах в прошлом году, пилят винтовки на обрезы и ждут Красную Армию; Махно, после того как ухитрился лично застрелить своего главного соперника — атамана Григорьева, открыто объявил вольный анархический строй во всей Екатеринославщине, собрал тысяч пятьдесят бандитов и грозится отобрать у Деникина Ростов, и Таганрог, и Крым, и Екатеринослав, и Одессу... Появились еще зеленые, — особая разновидность атаманщины, — убежденные дезертиры, и там, где леса и горы, — там и они под боком у Деникина.

Красная Армия, после тяжелых поражений Тринадцатой и Девятой и героического отступления Двенадцатой с Днестра и Буга, выравняла фронт. Настроение улучшается, и боеспособность растет главным образом потому, что идет массовый прилив коммунистов из Петрограда, Москвы, Иванова и других северных городов. Со дня на день ждут приказа главкома о контрнаступлении.

Оформив новые назначения, — Телегин — командиром отдельной бригады, Сапожков — командиром качалинского полка, — они в тот же день выехали обратно, всю дорогу рассуждая о полученных новостях: оба сходились на том, что грандиозный план Деникина повисает в пустоте, и то, что в прошлом году ему удалось на Кубани, повторить в Великороссии не удастся: там он побил Сорокина, а здесь ему придется схватиться с самим Лениным, с коренным, потомственным пролетариатом, да и мужик здесь жилистый, — здешний мужик Наполеона на вилы поднял...

— Знамя вперед! Снять чехол!

Знаменосец и стоявшие с ним на карауле — Латугин и Гагин — шагнули вперед. Телегин, передававший полк новому командующему, Сергею Сергеевичу Сапожкову, был серьезен, хмуро сосредоточен, и даже обычный румянец сошел у него с загорелого лица. В руке держал листочек, на котором набросал речь.

— Качалинцы! — сказал он и взглянул на красноармейцев, стоявших под ружьем: он знал каждого, знал, у кого какая была рана и какая была забота, это были родные люди. — Товарищи, мы с вами исколесили не одну тысячу верст, в зимнюю стужу и в летний зной... Вы дважды под Царицыном покрыли себя славой... Отступая, — не по своей вине, — дорого отдавали врагу временную и ненадежную победу. Много было у вас славных дел, — о них не написано громких реляций, рапорты о них потонули в общих сводках... Это ничего... (Телегин покосился на листочек, лежавший у него в согнутой ладони.) Предупреждаю вас — впереди еще много трудов, враг еще не сломлен, и его мало сломить, его нужно уничтожить... Эта война такая, что в ней надо победить, в ней нельзя не победить. Человек схватился со зверем, — должен победить человек... Или вот пример: проросшее зерно своим ростком, — уж, кажется, он и зелен, и хрупок, — пробивает черную землю, пробивает камень. В проросшем семени вся мощь новой жизни, и она будет, ее не остановишь... Ненастным, хмурым утром вышли мы в бой за светлый день, а враги наши хотят темной разбойничьей ночи. А день взойдет, хоть ты тресни с досады.... (Он опять озабоченно взглянул на записку и смял ее.) Признаюсь вам, товарищи, мне не весело, тяжело будет без вас... Много значит — просидеть вместе целый год у походных костров. Покидаю вас, прощаюсь с вашим боевым знаменем. Хочу и требую, чтобы оно всегда вело к победам славный качалинский полк...

Иван Ильич снял фуражку, подошел к знамени и, взяв край полинявшего, простреленного полотнища, поцеловал его. Надел фуражку, отдал честь, закрыл глаза и крепко зажмурился, так, что все лицо его сморщилось.

После проводов, устроенных в складчину Сапожковым и всеми командирами, у Ивана Ильича шумело в голове. Сидя в плетушке, придерживая под боком вещевой мешок (где между прочими вещами находились Дашины фарфоровые кошечка и собачка), он с умилением вспоминал горячие речи, сказанные за столом. Казалось — невозможно было сильнее любить друг друга. Обнимались и целовались и трясли руки. Ох, какие хорошие, честные, верные люди! Молодые командиры, вскакивая, пели за всемирную — словами простыми и даже книжными, но уверенно. Батальонный, скромный и тихий человек, вдруг захотел лезть на стол, и влез, и отхватил бешеного трепака среди обглоданных гусячьих костей и арбузных корок. Вспомнив это, Иван Ильич расхохотался во все горло.

Тележка остановилась при выезде из села. Подошли трое — Латугин, Гагин и Задуйвитер. Поздоровались, и Латугин сказал:

— Мы рассчитывали, Иван Ильич, что ты нас не забудешь, а ты забыл все-таки.

— Да, мы ждали, — подтвердил Гагин.

— Постойте, постойте, товарищи, вы о чем?

— Ждали тебя, — сказал Латугин, поставив ногу на колесо. — Год вместе прожили, душу друг другу отдавали... Ну, тогда прощай, если тебе все равно. — Голос у него был злой, дрожащий.

— Постой, постой. — И Телегин вылез из плетушки.

Задуйвитер сказал:

— Что мы здесь, в пехоте? — чужие люди! Что же нам, — век ногами пылить?

— Морские артиллеристы, ты поищи таких-то, — сверкнув глазами, сказал Гагин.

— В Нижнем сели, было нас двенадцать, — сказал Латугин, — осталось трое да ты — четвертый... Ты сел в тарантас — и до свиданьица... А мы — не люди, мы Иваны, серые шинели... Были и прошли. Да чего с тобой, пьяным, разговаривать!

Задуйвитер сказал:

— Теперь у вас, Иван Ильич, бригада, имеется под началом тяжелая артиллерия...

— Да иди ты в штаны со своей артиллерией, — крикнул Латугин. — Я капониры буду чистить, если надо! Мне обидно человека потерять! Поверил я в тебя, Иван Ильич, полюбил... А это знаешь что — полюбить человека? А я для тебя оказался — пятый с правого фланга. Ну, кончим разговор... По дороге остальное поймешь...

— Товарищи! — У Ивана Ильича и хмель прошел от таких разговоров. — Вы раньше времени меня осудили. Я именно так и рассчитывал: по приезде в бригаду — отчислить вас троих к себе в артиллерийский парк.

— Вот за это спасибо, — просветлев, сказал Задуйвитер.

А Латугин зло топнул разбитым сапогом.

— Врет он! Сейчас он это придумал. — И уже несколько помягче, хотя и погрозив Телегину согнутым пальцем: — Совести одной мало, товарищ, на ней одной далеко не ускачешь. Хотя и на том спасибо.

Телегин рассмеялся, хлопнул его по спине:

— Ну и горячка! Ну и несправедливый же ты человек...

— А на кой мне, к лешему, справедливость, — я не собираюсь людей обманывать. Только за то тебя можно простить, что ты прост. За это тебя бабы любят. Ну, ладно, не сердись, садись в тарантас. — И крепко схватил его за локоть:— Знаешь, как за товарища на нож лезут? Не случалось? — И шарил светлыми, широко расставленными, холодно-пылкими глазами по лицу и глазам Ивана Ильича. — Соврал ведь, а? Соврал?

Иван Ильич нахмурился, кивнул:

— Ну, соврал. А вы хорошо сделали, что напомнили, надоумили...

— Теперь правильно разговариваешь...

— Отпусти его, чего ты привязался... Опять — царь природы, царь природы, — прогудел Гагин.

Ни слова более не говоря, Иван Ильич простился с ними, влез в плетушку и долго еще в пути усмехался про себя и покачивал головой.

До штаба отдельной бригады можно было долететь на самолете за один час, на лошадях — потратить сутки с гаком, Иван Ильич ехал по железной дороге четверо суток, пересаживаясь и до одури томясь на грязных, голодных вокзалах. Отдельного салон-вагона, как ему твердо обещали, разумеется, не было, последний отрезок пути пришлось ехать в теплушке, до половины загруженной мелом, непонятно кому и для чего понадобившимся в такое время. Кроме того, на нарах находился пассажир, с жирным лицом, похожим на кувшин в пенсне.. Он все время мурлыкал про себя из Оффенбаха: «...ветчина из Тулузы, ветчина... Без вина эта ветчина будет солона...» А когда стемнело, — начал возиться со своими мешками, что-то в них перекладывая, вынимая, нюхая и опять засовывая.

Иван Ильич, который устал до тошноты и был голоден, начал отчетливо различать запахи разного съестного. Когда же этот мерзавец принялся колоть, посапывая, лупить и есть каленое яичко, Иван Ильич не выдержал:

— Слушайте-ка, гражданин, сейчас будет остановка, немедленно выкатывайтесь с вашими мешками.

Тот, в темноте, сейчас же перестал жевать и не шевелился. Через минуту Иван Ильич почувствовал резкий запах колбасы около своего носа и со злостью оттолкнул протянутую невидимую руку.

— Вы меня не так поняли, товарищ военный, — мягким теноровым голоском сказал этот человек, — просто предлагаю выпить и закусить. Ах! — Он вздохнул, и Телегин опять носом почувствовал, что колбаса тянется к нему. — Все у нас теперь принципы да принципы. Ну какой же в малороссийской колбасе особый принцип? — с чесночком да с жирком. Спирт есть, — по глотку. — Он выжидающе замолчал, и Телегин молчал. — Вы, наверно, принимаете меня за спекулянта или мешочника?.. Извиняюсь! Я артист. Может быть, я — не Качалов, не Юрьев, не Мамонт Дальский, упокой господи его черную душу. Вот был великий трагик! Вообразил, скотина, себя вождем мировой анархии, понравилось ему грабить московские особняки; а уж в карты с ним, бывало, и не садись... Фамилия моя — Башкин-Раздорский, небезызвестная в провинции, — пишусь с красной строчки... — Он ожидал, должно быть, что Телегин воскликнет: «А! Башкин-Раздорский, ну как же, очень приятно...» Но Телегин продолжал молчать. — Два сезона играл в Москве, в Эрмитаже и у Корша... Владимир Иванович Немирович-Данченко начал уже вокруг меня петли делать. «Э, нет, — отвечаю я ему, — дайте мне,

Владимир Иванович, еще поиграть досыта, тогда берите...» В восемнадцатом открылись мы у Корша «Смертью Дантона», — я играл Дантона... Рыкающий лев, трибун, вывороченные губы, бык, зверь, гений, обжора, чувственник... Что было! Какой успех! А дров нет, в Москве темнота, сборов никаких, труппа разбежалась. Мы — пять человек — давай халтурку по провинции, эту же «Смерть Дантона». В Москве наркомпрос Луначарский нам запретил, а уж в провинции мы распоясались, — в последнем акте вытаскиваем на сцену гильотину, и мне голову — тюк... Сборы — ну! Публика, не поверите, кричит: «Давай еще раз, руби...» Играли — Харьков, Киев, — это еще при красных, потом — Умань — в пожарном сарае, Николаев, Херсон, Екатеринослав. Черт нас понес в Ростов-на-Дону. Сыграли — успех дикий. Один офицер даже наладил стрелять из ложи в Робеспьера... И на другой день городоначальник вызывает меня и по-старорежимному лезет кулаком в рожу: «Молитесь богу за главнокомандующего Деникина, а я бы вас повесил... Вон из Ростова в два счета...» Да, тяжело сейчас с искусством. Мечемся по медвежьим углам, как цыгане. Декорации истрепали вдрызг, стыдно ставить... Гильотину нам в Козлове не позволили грузить в вагон, как предмет неизвестного назначения... Пожалуйста! — будем рубить мне голову топором! Спички у вас есть? А то бы я вам показал: голова у меня в мешке. В Малом театре в Москве бутафор сделал, — гений... А уж эта цензура! Приносишь экземпляр, товарищ читает, читает... Объясняешь: это исторический факт... Опять он муслит страницы... «А где здесь удостоверено, что это исторический факт?» Показываешь восторженную рецензию Луначарского... Он ее тоже читает... «А нельзя ли вам что-нибудь повеселее изобразить?» Так, знаете ли, дернет когтями по нервам... Не знаю, что сейчас с нами будет... Едем играть в Энск, в штаб отдельной бригады...

Неожиданно для него Телегин спросил:

— А где же ваша труппа?

— Рядом, в теплушке с декорациями. Робеспьер — на паровозе, — артист Тинский, слыхали, конечно, лучший Робеспьер в республике... Это уже будьте покойны: спирт он из-под земли достанет, — гений! — сейчас же садится на паровоз, и мы едем спокойно. Так как же, товарищ военный, — закусим? — не откажите...

— Да уж, пожалуй, не откажусь.

— Очень обяжете. — Башкин-Раздорский шарил по мешкам, кряхтя и шепча: «Куда, ну куда ее засунул...» В руку Телегину попало яичко, кусок колбасы, сухарь. — Отыграем в Энске и — в Москву... Спасибо, — поцыганили! На Неглинном проезде, в доме номер пять, во дворе, один армянин устроил закусочную, — гений! Сосиски, поджарки, все, что хотите. Милиция каждый день — обыск. В чем дело? — ото всех посетителей пахнет спиртом. Обыскивают и спирт найти не могут, и не найдут... У него бидон — на четвертом этаже, на чердаке, и присоединен к пустой водопроводной трубе. А внизу — в закусочной — раковина и обыкновенный кран. Открываете кран, наливаете себе стопочку спирту, и вы дома.

С наслаждением жуя колбасу и чувствуя умиление от глотка спирта, Телегин сказал ему:

— Я вам постараюсь предоставить все удобства, отдохните, прорепетируйте не торопясь, — и уж дайте нам хороший спектакль. В Энске вы будете моими гостями, я командир бригады...

— У-у-у-у, — тихо затянул Башкин-Раздорский, — так вот вы кто... А я-то все время смотрел на вас, — ох, думаю, вот она, моя смерть! Напустили вы страху! — говорю, говорю и сам не понимаю, — почему я еще не под откосом... Голубчик, сыграем мы вам, сыграем от души, для себя, по-актерски.

Телегин с вещевым мешком вылез из теплушки. Разбитый керосиновый фонарь едва освещал на перроне несколько человек военных.

— Здравствуйте, товарищи, — сказал Иван Ильич, подходя к ним. — Поджидаете комбрига? Так это я, Телегин. Извините, что в таком виде...

Пожимая им руки, он с удивлением взглянул на одного — седого, небольшого роста, сухого, строгого, с хорошей выправкой... Когда шли через вокзал на темную площадь, он еще раз покосился на него через плечо, но лица так и не разобрал. Ивана Ильича усадили в пролетку, и он долго ехал по непроглядному полю, где пахло свалками. У какого-то длинного дома, похожего на сарай с высокой крышей, остановились. Здесь Ивану Ильичу была приготовлена комната, только что выбеленная и пустая. На подоконнике горела свеча и стояла тарелка с едой, прикрытая тарелкой. Он бросил мешок на пол, снял гимнастерку, потянулся и, сев на чисто постеленную койку, начал стаскивать запачканные мелом сапоги.

В дверь тихо постучали. «Надо бы сразу задуть свечку, пойдут теперь разговоры, черт, ведь пятый час...» — с досадой подумал он и ответил:

— Да, войдите...

Быстро вошел тот самый, небольшого роста, седой военный, притворил за собой дверь и коротким движением поднял прямую ладонь к виску.

Телегин, наступив каблуком на до половины стянутый сапог, так и остановился, уставился на этого двойника...

— Простите, товарищ, — сказал он, — на перроне не совсем ловко вышло, но я уж решил представления, вообще дела отложить до завтра... Если не ошибаюсь, вы мой начальник штаба?

Военный, продолжавший стоять у двери, ответил коротко:

— Так точно...

— Простите, ваша фамилия?

— Рощин, Вадим Петрович.

Телегин начал беспомощно оглядываться. Раскрыл рот и несколько раз заглотал воздуху.

— Ага... Значит... — Лицо его задрожало, и он — уже шепотом: — Вадим?

— Да.

— Понимаю, понимаю... Очень странно... Ты — у нас, мой начальник штаба... Господи помилуй!

Рощин сказал все так же твердо, сухо:

— Иван, я решил теперь же поговорить с тобой, чтобы не создавать для тебя завтра неловкости.

— Ага... Поговорить...

Иван Ильич быстро натянул полуснятый сапог, поднял с пола и начал надевать гимнастерку, Вадим Петрович, опустив лоб, следил за его движениями, как будто наблюдая, без нетерпения, без волнения.

— Боюсь, Вадим, что мы несколько не поймем друг друга.

— Поймем...

— Ты умный человек, да, да... Я горячо тебя любил, Вадим... Я помню прошлогоднюю встречу на ростовском вокзале... Ты проявил большое великодушие... У тебя всегда было горячее сердце... Ах, боже мой, боже мой...

Он подтягивал пояс, вертел пуговицы, шарил в карманах — то ли от величайшей растерянности, то ли чтобы как-нибудь оттянуть неизбежность тяжелого разговора...

— Ты, очевидно, рассчитываешь, что мы поменялись местами, и я, в свою очередь, должен проявить большое чувство... Есть оно у меня к тебе, очень большое чувство... Так мы были связаны, как никто на свете... Ну, вот... Вадим, что ты здесь делаешь? Зачем ты здесь? Расскажи...

— Для этого я и пришел, Иван...

— Очень хорошо... Если ты рассчитываешь, что я могу что-то покрыть... Ты умный человек, — условимся: я ничего не могу для тебя сделать... Тут в корне мы с тобой разойдемся...

Телегин нахмурился и отводил глаза от Рощина. А Вадим Петрович слушал и улыбался.

— Ты что-то затеял... Ну, понятно, что... И слух о твоей смерти, очевидно, входит в этот план... Рассказывай, но предупреждаю — я тебя арестую... Ах, как это все так...

Телегин безнадежно — и на него, и на себя, и на всю теперь сломанную жизнь свою — махнул рукой. Вадим Петрович стремительно подошел, обнял его и крепко поцеловал в губы.

— Иван, хороший ты человек... Простая душа... Рад видеть тебя таким... Люблю. Сядем. — И он потянул упирающегося Телегина к койке. — Да не упирайся ты. Я не контрразведчик, не тайный агент... Успокойся, — я с декабря месяца в Красной Армии.

Иван Ильич, еще не совсем опомнясь от своего решения, которое потрясло его до самых потрохов, и еще сомневаясь и уже веря, глядел в темно-загорелое, жесткое и вместе нежное лицо Вадима Петровича, в черные, умные, сухие глаза его. Сели на койку, не выпуская рук друг друга. Вадим Петрович начал рассказывать о всем том, что привело его на эту сторону, — домой, на родину.

В самом начале рассказа Телегин перебил его:

— А где Катя, — жива она, здорова, где она сейчас?

— Я надеюсь, что Катя сейчас в Москве... Мы опять разминулись с ней, — в Киев я попал слишком поздно, перед самой эвакуацией... Но я нашел ее след...

— Но она знает, что ты жив и ты у нас?..

— Нет... Это и сводит меня с ума...

19

Прошло два месяца.

Наступление армий генерала Деникина остановить не удалось. Колчак, верховный правитель России, с последним отчаянным усилием нажимал на Урал. В Прибалтике горе-злосчастье взгромоздилось на плечи Седьмой Красной армии, отступавшей по непролазной грязи от генерала Юденича, теряя и Псков, и Лугу, и Гатчину, и генерал уже отдал приказ по войскам: «Ворваться в Петроград...»

Советская республика была начисто отрезана от хлеба и топлива. Транспорта едва хватало для перевозки войск и огнеприпасов. Октябрьское небо плакало над русской землей, над голодными и цепенеющими городами, где жизнь тлела в ожидании еще более безнадежной зимы, над недымившими заводскими трубами и опустевшими цехами, откуда рабочие разбрелись по всем фронтам, над кладбищами паровозов и разбитых вагонов, над стародревней тишиной соломенных деревень, где осталось мало мужиков, и снова, как в дедовские времена, зажигалась лучина и уже постукивал, поскрипывал кое-где домодельный ткацкий станок.

В это ненастное время генерал Мамонтов опять, во второй раз, прорвался через красный фронт и, громя тылы и разрывая все коммуникации, пошел со своим казачьим корпусом в глубокий рейд.

Над потрепанной картой, подклеенной слюнями, сидели Телегин, Рощин и комиссар Чесноков, новый человек (недавно присланный в бригаду на место их комиссара, заболевшего сыпняком), москвич, рабочий, надорвавший здоровье на царской каторге, истощенный голодом и раньше времени состарившийся. Поглаживая залысый лоб, точно у него болело над бровью, он в десятый раз перечитывал очередной оперативный приказ главкома.

Телегин посасывал трубочку. За последнее время он бросил вертеть собачьи ножки и пристрастился к трубочке, — ее подарил ему Латугин, добыв на разведке у белого офицера. Она оказалась утехой и успокоительным средством в тяжелые минуты, — а их за последнее время было хоть отбавляй, — и, если долго ее не чистить, уютно посвистывала, вроде как самовар на столе в ненастный вечер.

Вадим Петрович, которому с первого взгляда была ясна вся бесперспективная истерика приказа, ждал, когда комиссар кончит свои размышления над этим штабным сочинением; откинувшись к бревенчатой стене, он зло мерцал глазами из-за полуприкрытых век.

Сидели они на хуторе, где расположился полевой штаб бригады, верстах в десяти от фронта. В обоих полках, которые в августе принял Телегин, за два месяца не осталось и трех сотен бойцов, — присылаемые пополнения трудно было назвать бойцами. Главное командование формировало их наспех, преимущественно из дезертиров, вылавливая «зеленых» по городам и деревням, куда они теперь стали подаваться, глядя на осенние дожди. Без обработки и подготовки их кое-как спихивали в маршевые роты и везли на фронт, где они должны были выполнять боевые задания, четко осуществимые только в движении красного карандаша по трехверстной карте в торжественно тихом кабинете главкома.

— Не понимаю, — сказал комиссар Чесноков и посмотрел на листочек с обратной стороны, хотя там ничего не стояло. — Общего смысла не понимаю...

Рощин ответил:

— И понимать нечего: академический приказ по фронту. Главком скушал за завтраком парочку яичек, чашку какао, закурил хорошую папиросу, подошел к карте. Начальник штаба, только того и ожидая, чтобы в одно прекрасное утро, как сон, миновало проклятое наваждение, вытаскивает двумя пальцами красный флажок, изображающий 123-й полк нашей бригады, —

по сводкам отдела кадров в две тысячи семьсот штыков, — и перекалывает его изящно на сто верст южнее: «Таким образом, заняв деревню Дерьмовку, мы создаем фланговую угрозу противнику...» Берет другой флажок, изображающий 39-й полк нашей бригады, — в две тысячи сто штыков по сводкам отдела кадров, — перекалывает его юго-восточнее на девяносто пять верст: «Таким образом, тридцать девятый лобовой атакой и так далее...» Главком через дымок щурит глаз на карту и соглашается, потому что все равно у начштаба за ночь все продумано, линии и стрелки аккуратно проведены красными и синими чернилами, и потому, — так ли переставляй флажки, эдак ли, — результат получается один: оживленная деятельность на фронте... Что и требуется...

— Ну, знаешь, — перебил Чесноков, качая большой лысой головой. — Это, брат, не критика, это уже злоба...

— Да, злоба... Почему я должен молчать, если я так думаю... И Телегин так думает, и бойцы наши так думают и так говорят.

Телегин, не вынимая трубочки изо рта, тяжело вздохнул. В душе комиссара поднималась горечь, сомнения, растерянность — все, что он старался подавлять в себе. За десять лет царской каторги не то чтобы он отстал от жизни, но уж слишком много в ней появилось сложного, — такие омуты — не приведи бог... Высветлившееся за годы страданий сердце его с трудом воспринимало недоверие к людям, борющимся на стороне революции. Он сразу начинал любить такого человека, а не раз оказывалось — человек-то затаившийся. Рощин потому и нравился ему, что был зол, прям и не боялся ни черта, хоть приставь ему пушку между глаз.

— Ну, а что ж такое особенное говорят бойцы? — спросил комиссар. — Скоро выдадим теплые ватники да валенки — другие пойдут разговоры. Кто болтает? Дезертиры болтают? Пробьет его дождем до костей да в брюхе пусто, вот и стучит зубами...

— Когда мы выдадим валенки и ватники? — спросил Рощин.

— В главном интендантстве мне твердо обещали... Накладную видел... Полторы тысячи гусей колотых обещали, сала полвагона...

— Жареных райских птиц не предлагали?

Комиссар только крякнул, ничего не ответил на это. Действительно, кроме обещаний да бумажонок, он ничего не мог предъявить в бригаду. Он ездил в Серпухов, и бранился по телефону, и перестал спать по ночам, шагая, по старой тюремной привычке, из угла в угол по избе... Что-то происходило непонятное, — всюду, куда толкался его здравый революционный смысл, вырастала загадочная преграда, в которой все путалось и все вязло.

— Ну, а что же все-таки они говорят?.. — спросил комиссар.

Рощин с яростью ткнул пальцем в приказ:

— Здесь сказано: силою двух рот занять деревню Митрофановку и хутор Дальний и удержать их. Деревню Митрофановку и хутор Дальний мы уже занимали однажды, согласно приказу главкома. И вылетели оттуда пулей. Совершенно то же самое повторится послезавтра, когда мы выполним то, что здесь написано.

— Отчего?

— Оттого... Эту позицию нельзя удержать, и мы не должны туда идти.

— Правильно, — кивнул трубкой Телегин.

— А мы пойдем, уложим сотню бойцов на этой операции, вклинимся в белый фронт, не имея никакой связи со своими, и, когда на нас нажмут справа и слева, немедленно выскочим из этого мешка, причем придется три раза переходить речку, где нас будут расстреливать на переправах, затем — ровное поле, где нас атакует конница, и — болото, где мы увязим половину телег.

— Позволь, в общем-то стратегическом плане для чего-нибудь нам нужны эта деревня и хутор...

— Нет... Взгляни на карту... Вот об этом и говорят бойцы — что ни смысла, ни цели, ни плана нет во всех наших операциях за последние два месяца... Топчемся на месте безо всякой перспективы, наносим бессмысленные удары, теряем людей, теряем веру в победу... Увидишь — сегодня ночью несколько десятков бойцов самовольно покинут фронт... А через месяц их привезут нам обратно... Что случилось, я спрашиваю, что происходит? Паралич!..

Похрипев трубочкой, Телегин сказал:

— Сегодня мне сообщили у нас в эскадроне, — откуда они, дьяволы, узнают? — Мамонтов будто бы опять прорвался через Дон и идет по нашим тылам.

Рощин схватил приказ, забегал по нем зрачками, бросил листочек и опять откинулся к стене.

— Очень возможно... Хотя здесь — ни намека...

В избу вошел дневальный, низенький бородатый дядька с грязным холщовым подсумком:

— Товарищ комбриг, вас лично требуют к телефону.

Телегин изумленно взглянул на комиссара, торопливо натянул шинель, вышел. Комиссар сказал, опять потирая лоб:

— Поверить тебе, Рощин, так — всю веру потеряешь. Что же получается? Измена, что ли, у нас?

— Ничего не предполагаю, не утверждаю. Но знаю, что дальше так воевать нельзя.

— Боевой приказ должен быть выполнен?

— Да, должен. Я его завтра и выполню...

Комиссар, подумав, усмехнулся:

— Смерти, что ли, ищешь?

— Это совершенно к делу не относится и меньше всего тебя касается... А кроме того, я не ищу смерти... Если бы ты к нам не вчера приехал, так знал бы, что полк этот приказ не захочет выполнить. А нужно, чтобы они его выполнили... Жизнь армии — в выполнении боевого приказа. Если этого нет, — развал, анархия, смерть... Я сам прочту приказ и поведу их в наступление... Считай эту операцию проверкой дисциплины... И на этом — кончим...

Вернулся Телегин, не вынимая рук из карманов шинели, — сел. Глаза у него были круглые.

— Товарищи, по фронту едет председатель Высшего военного совета. Через час будет у нас...

Прошел и час, и другой. Моросил дождь. Эскадрон в полном составе и комендантская команда стояли на линейке, на выгоне, за хутором. Каплями дождя убрались завившиеся конские гривы, расчесанные холки и поседевшие шинели конников. Лошади натоптали грязь под копытами. Лошади все больше походили на падаль, вытащенную из воды, — ребра наружу, мослаки торчат, губы отвисли... Командир эскадрона Иммерман, бывший поручик гусарского гродненского, круглолицый, с мальчишеским вздернутым носом, в отчаянии поглядывал на Телегина. Позор! И еще не хватало, — откуда-то явился большеногий грязный щенок и, полный благодушного любопытства, сел перед эскадроном.

Иммерман зашипел, замахал на него, щенок только насторожил уши, свернул голову набок. И вот неподалеку на бугре стоявший конный махальщик, торопливо колотя каблуками, повернул лошадь и тяжелым галопом, кидая грязью, поскакал к Телегину.

Огромный блестящий радиатор, с широко расставленными фарами, дыбом взлетел на бугор, и показалась открытая светло-серая длинная машина.

От мощного ее рева лошади в эскадроне начали переступать и вскидывать головы. Иммерман скомандовал: «Смирно!» Машина остановилась, едва не задавив щенка, который боком отскочил в сторону, как ватный, и опять сел. Телегин подъехал, отсалютовал шашкой наугад кому-то из трех военных, сидевших в машине, — в рыжих чапанах поверх шинелей. Тот, кто сидел рядом с шофером, поднялся и, положив руку на ветровое стекло и не глядя на Телегина, принял рапорт.

Затем он резко повернулся к фронту. Двое военных на заднем сиденье, — один — бледно-бумажный, с мокрой бородой, и другой — полный, надутый, свирепый, — поднялись и взяли под козырек. Он заговорил лающим голосом, вскидывая лицо так, что чернели его ноздри и плясало на переносице запотевшее пенсне:

— Бойцы, именем рабоче-крестьянской власти приказываю вам острее наточить шашки и крепче привинтить штыки. Кто из вас не хочет напоить своего коня в устье тихого Дона? Только трус не хочет этого... Почему вы еще здесь, а уже не там? Республика ждет от вас легендарных подвигов. Вперед! Опрокиньте врага и развейте его прах по степи-матушке...

Он говорил все напористее, в том же роде. Кончил и оглянул фронт. «Ура!» — крикнул он, поднимая над головой стиснутый кулак, и бойцы разноголосо ответили. Смутила их эта речь. Будто человек с луны свалился. Чего-чего, а уж такой обиды, что обозвал их трусами, — они не ждали.

Кивком головы он подозвал Телегина:

— Я недоволен состоянием ваших бойцов, — это сброд на лошадях! Я недоволен состоянием ваших коней, — это клячи! Следуйте за мной...

Он упал на сиденье рядом с шофером. Огромная машина с места рванулась к хутору.

Телегин поскакал вслед, торопливо соображая, — пожалуй, не был бы верный расстрел...

Машина остановилась у избы полевого штаба. Телегин и за ним Чесноков, неумело плюхающийся в седле, подскакали. На крыльце стоял дежурный телефонист с испуганным лицом, у него дрожала рука, поднесенная к виску. Он глазами умолял Телегина о разрешении говорить. Заикаясь от усилия выражаться формально, он сообщил, что минуту тому назад его вызвал штаб бригады (все учреждения, имущество, казна и архивы бригады находились верстах в сорока севернее, в селе Гайвороны). Ему успели передать, что на село Гайвороны наскочили разъезды белых, не иначе как мамонтовцев, и тут же телефонная связь порвалась.

Надутый военный, — начальник штаба главкома, — тяжело сползая на колено, перегнулся к переднему сиденью и начал шептать председателю. Тот кивнул и — через плечо Телегину:

— Мои директивы вы получите полевой почтой.

Телегин и Чесноков долго еще, молча и ошалело, глядели на черную дорогу, по которой, как видение, унеслась и растаяла в дождевой мгле звероподобная машина.

Даша работала в исполкоме, в отделе мелиорации, вторым помощником начальника «стола проектов». Иногда она раскрашивала акварелью пятна на карте Костромской губернии, где предполагалось осушать болота, добывать торф в неисчерпаемом количестве и болотную руду. Иногда переписывала записки, которые сочинял инженер Грибосолов для того, чтобы держать исполком в постоянном нервном возбуждении от грандиозности его замыслов, по существу совершенно бесплодных, так как, кроме ящичка с красками, кисточки и небольшого запаса ватманской бумаги, в мелиоративном отделе не было ничего: ни лопат, ни телег, ни лошадей, ни насосов, ни денег, ни рабочей силы.

Даша получала паек, — четверть фунта остистого хлеба, иногда немного лаврового листа или перца в зернышках. Анисья, работавшая в исполкоме курьершей, получала за боевые заслуги усиленный паек: кроме хлебной осьмушки и перца, еще полторы воблы, иногда ржавую селедку.

По совместительству Анисья работала в драматическом кружке и бегала слушать общедоступные лекции на историко-филологическом факультете, эвакуированном сюда из Казани. К своим прямым обязанностям — сидеть в коридоре, в продранном вольтеровском кресле, у дверей зампредисполкома — Анисья относилась крайне высокомерно: либо она, обхватив голову, чтобы заткнуть пальцами уши, и нагнувшись к коленям, читала трагедии Шекспира и, когда ее звали, отвечала рассеянно: «Сейчас, сейчас...» — и даже огрызалась на повторные предложения — отнести какой-нибудь пакет в какую-нибудь одну из многочисленных комнат, загроможденных столами и набитых людьми, выдумывавшими себе занятия; либо ее вообще не оказывалось на месте. Однажды, когда по этому поводу одна из сотрудниц, с картофельным лицом, сделала ей замечание, — Анисья так темно взглянула на нее: «Не возвышайте голос, товарищ, казачьей шашки я не боялась...», — что интеллигентная сотрудница, прежде много потрудившаяся на почве женской эмансипации, сочла за лучшее не связываться с этой рабоче-крестьянской нахалкой...

Даша возвращалась домой в шестом часу. Анисья — иногда только поздно ночью. Жили они в деревянном домике над Волгой. Кузьма Кузьмич, крепко помня наказ Ивана Ильича, — кормить Дашу и Анисью досыта, — продолжал, против своей совести, заниматься туманными делами по добыче съестных продуктов и дровишек, — хотя тяжеленько ему иной раз приходилось: и года сказывались, и осенняя непогода клонила от суеты к тихим философским размышлениям у натопленной печурки, под мягкий шум дождя по крыше.

Обычно, когда утренний полусвет уже синел в окошке, Даша и Анисья кушали морковный чай с чем-нибудь и уходили на работу. Кузьма Кузьмич, вымыв посуду, вынеся помойное ведро и подметя веником пол в обеих комнатушках, начинал не спеша, а часто и со вздохами, обдумывать и прикидывать: у кого бы сегодня можно стрельнуть парочку яичек, кусочек сала, бутылку молока, полшапки картошки... Кузьма Кузьмич не побирался, — боже сохрани! Он лишь производил честный обмен философских и моральных идей на предметы питания. За эти два месяца его знала почти вся Кострома, и он не раз путешествовал даже в пригородные села.

Размышляя, он обычно что-нибудь чинил или пришивал у рассветающего окошка. Жизнь — могучая сила. Даже во времена глубочайших исторических сдвигов и тяжелых испытаний люди вылезают из материнского чрева головой вперед и со злым криком требуют себе места в этом бытии, по вкусу или не по вкусу оно приходится их родителям; люди влюбляются друг в друга, не глядя на то, что внешних средств для этого у них несравненно меньше, чем, скажем, у тетерева, когда он, приплясывая на весенней проталине, распускает роскошный хвост. Люди ищут утешения и готовы половину каравая отрезать человеку, который прольет неожиданный покой в их душу, истерзанную сомнением: «Куда же мы придем в конце-то концов, — траву будем есть, срам капустным листом прикрывать?» Другие благодарны понятливому слушателю, перед кем, не опасаясь Губчеки, можно вывернуть себя наизнанку со всей прикипевшей злобой.

Кузьма Кузьмич отправлялся по дворам. Вытирал в темных сенях ноги и заходил на кухню. Иная хозяйка крикнет ему со злобой:

— Опять, дармоед, приплелся! Нету ничего сегодня, нету, нету...

— О Марье Саввишне пришел справиться, — приветливо тряся красным лицом и морща губы, отвечал Кузьма Кузьмич. — Плоха она?

— Плоха.

— Анна Ивановна, не смерть страшна, — сознание бесплодно прожитой жизни томит нас тоской. Вот где нужно утешение человеку, — положив руку ему на холодеющий лоб, сказать: жизнь твоя была скудная, Марья Саввишна, и нечего жалеть о ней, но ты потрудилась, как самая малая мурашка, — безрадостно и хлопотливо тащила свою соломинку. А труды никогда не пропадают даром, все складывается, — дом человеческий растет и широк и высок, и где-то твоя соломинка чего-то подпирает. Детей, внуков ты выходила, вот и вечер твой настал: закрой глаза, усни тихо. Не жалей ни о чем: не ты в твоем убожестве виновата...

Кузьма Кузьмич журчал, сидя у двери на табурете, а хозяйка, коловшая лучину, вдруг бросала косарь, часто — несколько раз — вздыхала, и ползли у нее слезы по щекам...

— Живи, живи... Сдохнешь, никто спасибо не скажет...

— А потому, что жизнь у нас еще неправильная... Каждому человеку за его труды памятник надо бы ставить... Впереди так и будет, Анна Ивановна, впереди жизнь будет добрая...

— Это — на том свете, что ли?..

— Зачем, на этом...

— Ты один урод добрый нашелся...

— Это моя профессия, Анна Ивановна, а я не добрый... Я любопытный. Человека не жалеть нужно. Человек любит, когда о нем любопытствуют. Что же, можно пройти к Марье Саввишне?

— Пройди уж...

Из такого дома Кузьма Кузьмич уходил не с пустыми руками. Вечером, распилив и наколов унесенную с чьего-нибудь двора доску, затопив печку на женской половине, обдув пепел с кипящего самовара и поставил его на стол, Кузьма Кузьмич рассказывал Даше и Анисье о своих похождениях.

— Появился у меня конкурент, — говорил он, дуя на блюдечко. — Стал шляться по дворам старичок, в одной рубахе из мешка, босой, с нарочно всклокоченной бородой, с необыкновенно впечатляющим носом — во все лицо. Зовут — отец Ангел. Придумал этот мошенник простой анекдот, — вваливается в дом, садится на пол и начинает раскачиваться, всплеснет руками и раскачивается: «Вот тебе, Ангел, вот тебе и не верил, тьфу, тьфу, тьфу... Своими глазами видел, своими руками трогал, тьфу, тьфу, тьфу...» Слушатели рты разинут, он еще поломается и рассказывает: намедни, в ночь под пяток, у одной женщины, у которой муж в Красной Армии, родился дебелый мальчик с зубами. Помыли его, спеленали, дали матери на руку. Она грудь вынимает, дает ему, а он грудь не взял, да как взглянет на мать и сказал: «Мама, мама, я уже пришел!..» — Хлебнув с блюдечка, Кузьма Кузьмич засмеялся. — Отобьет у меня Ангел клиентуру. Ревнивый! Сегодня встретились на одном дворе, он мне пальцами рога показывает: что, говорит, Кузька, за моими объедками пришел? А будешь ходить за мной по следам, спознаться тебе с моим жезлом...

— Бросайте вы все эти глупости, Кузьма Кузьмич, — сказала Даша строго. — Поступайте на советскую службу. Ничего, ничего, проживем и на одном пайке... А то про вас уже начали поговаривать нехорошее, — мне это очень неприятно...

Анисья, как всегда, — очнувшись от налетающей мечты, сказала:

— Сегодня я с одним поговорила, такая сволочь. — И она показала в лицах и в разных голосах: — Я сижу, читаю, конечно. Подходит наш сотрудник из отдела гражданского снабжения, гнилой такой, дряблый, косоротый.

«Очень бы хотел, говорит, с вашим дядей познакомиться». — «С каким таким дядей?» — «А с которым вы, говорит, живете... Нужно у него духовный совет получить...» — «Он, говорю, никаких советов не дает...» — «А я, говорит, слышал обратно, — многие к нему ходят и получают облегчение...» — «Товарищ, говорю, мне некогда слушать ваши глупости, видите, я занята...»

А он мне — на ухо со слюнями:

«А вы про младенца говорящего не слыхали?..» — «Убирайтесь, — я ему говорю, — к черту...» — «Не далеко ходить, — он говорит, — мы все давно уж у черта... Ан младенец-то не антихрист ли?»

— Очень, очень неприятно, — сказала Даша.

— Да — глушь... — Кузьма Кузьмич задумчиво налил себе еще стаканчик кипятку. — Такая глушь — в ушах звенит. А все-таки русский человек пытлив — и пытлив, и впечатлителен. Драгоценная у него голова. Ему бы — знание да путь верный из этой византийской вязи. Давно хочу, да вот все не решаюсь, дорогие мои, бесценные женщины, предложить вам перебраться в Москву.

— В Москву? — переспросила Анисья, расширяя синие глаза.

— К свету, к идеям, поближе к большим делам. Даю честное слово — баловство свое брошу... Мне уж и самому давно стало тошно... А как увидал свой портрет, — отца Ангела, — расстроился, совсем расстроился...

— В Москву, в Москву! — сказала Даша. — У нас там есть даже где приткнуться: у Кати осталась квартира вместе со старушкой — Марьей Кондратьевной... Может быть, этого ничего уже и нет?.. Ах, Кузьма Кузьмич, миленький, давайте не будем откладывать... Ведь мы здесь за ваши пышечки, ватрушечки самое дорогое свое продаем. И вы здесь другой стали, хуже стали... Слушайте, в Москве сейчас же Анисью определим в театральное училище...

Анисья на это ничего не сказала, только залилась краской, приспустила веки.

— Кузьма Кузьмич, завтра же сбегайте, узнайте — идут еще какие-нибудь пароходы до Ярославля?..

Даша ужасно взволновалась, замолкла и вздыхала. Кузьма Кузьмич, нахохлившись, прижав ладони к животу, раздумывал над тем, что в Москве, пожалуй, особого риска не будет в смысле питания женщин: на крайний случай оставались — тайно им припрятанные — Дашины драгоценные камушки... Да и с собой из Костромы можно взять ржаной муки пудика два... И как это у него сегодня вырвалось про Москву! Вырвалось — так вырвалось, — эка! Да и к лучшему, конечно... И он мысленно уже сочинял объяснительное письмо Ивану Ильичу, от которого недавно была коротенькая открытка, сообщавшая, что — жив, здоров, любит и целует.

Анисья, облокотясь о стол, глядела на слабый огонек жестяной коптилки, и ей чудилась то лестница (как в исполкоме), по которой она спускается с голыми плечами, волоча шелковый подол, и потирает окровавленные руки, то сосновый — длинным ящиком — гроб, из которого она поднимается и видит Ромео, и видит склянку с ядом...

Так они, втроем, долго еще сидели у поющего самовара. Ночь порывисто хлестала дождем в стекла маленького окошечка. Но что было им до непогоды, до убожества жилища, до всей случайной скудости, — сердца их горячо, уверенно стучали в преддверье жизни, как будто были они вечно юные...

Иван Ильич считал себя человеком уравновешенным: чего-чего, а уж головы он никогда не терял, — так вот надо же было случиться такому, что он, безо всякого раздумья, вдруг точно ослепнув, плохо слушающимися пальцами отстегнул кобуру, вытащил револьвер и, приставив его к голове, щелкнул курком. Выстрела не произошло, потому что кем-то для чего-то патроны из его нагана были вынуты.

К Ивану Ильичу обернулись Рощин и комиссар Чесноков и начали злобно ругать, обзывая соплей, интеллигентом, тряпкой, негодной даже, чтобы вытереть под хвостом у старой кобылы. Кричали они на него в поле, спешившись у стога сена, почерневшего от дождя. Тут же неподалеку стоял эскадрон и комендантская команда, посаженная на коней. Это было все, что осталось от бригады Телегина.

Корпус Мамонтова широким фронтом прошел по его тылам, порвал все связи, разрушил коммуникации, уничтожил в селе Гайвороны склады продовольствия и боеприпасов; за какие-нибудь сутки весь тыл бригады превратился в хаос, где безо всякой связи с какой-либо командной точкой отступали, прятались, бродили разбросанные части и отдельные люди.

Оба стрелковых полка, не успев опомниться, оказались в мешке, — с тыла на них налетели мамонтовцы, с фронта нажали донские пластуны. Красноармейцы оставили фронт и рассеялись.

Размеры катастрофы выяснялись постепенно, понемногу. Телегин с эскадроном и комендантской сотней двинулись на поиски своей бригады. У него еще оставалась надежда собрать какие-нибудь остатки, — паника миновала, и Мамонтов был уже далеко, — но скоро выяснилось, что под свинцовым небом, на взбухающих жнивьях и непролазных пашнях, по оврагам и перелескам, где путается туман, никаких людей собрать невозможно... Одни ушли разыскивать какую-нибудь фронтовую часть, чтобы с ней соединиться, другие разбрелись по хуторам, прося под окошками пустить обогреться, третьи только того и ждали, — задали стрекача подальше от этих мест — по домам, к бабам, на печки.

Два красноармейца из 39-го полка, отощавшие до того, что без сил сидели под стогом, рассказали наехавшим на них Телегину, Рощину и комиссару Чеснокову очень невеселую историю...

— Напрасно ездите по полю, никого не соберете, — сказал один. — Был полк, нет его.

Другой, продолжая сидеть спиной к стогу, оскалил зубы:

— Продали нас — и весь разговор... Что мы — не понимаем боевых приказов? Мы все понимаем — продали... Командование, мать твою! Картонные подметки ставят! — И пошевелил пальцами, торчавшими из сапога. — Кончили воевать... Кончено... Аминь!

У этого стога Телегин и сплоховал. В памяти его выплыл чудовищный радиатор с двумя, разнесенными в стороны, прожекторами. Ну, где же тут оправдаться! С ленивым благодушием все проворонил, прошляпил, растерял...

— Подождите на меня кричать, — сказал он Рощину и Чеснокову. — Ну, ослабел, ну, струсил, ну, виноват... — И он, отвратительно морщась, начал прятать наган в кобуру. — Всю жизнь мне везло, всю жизнь ждал, что сорвусь когда-нибудь... Ладно, пускай судит ревтрибунал...

— Да черт тебя возьми, не в тебе сейчас дело! — дергая щекой, закричал на него Рощин. — Куда ты ведешь эскадрон? На восток, на запад? Какие у тебя соображения? Какая непосредственная задача? Думай!

— Дай карту...

Телегин сердито взял карту из рук Рощина и, рассматривая ее, бормотал под нос всякие обозные выражения, относящиеся к самому себе. Названия городов, сел, хуторов прыгали у него в глазах. Он и это, наконец, преодолел. После спора было решено — двинуться на восток, ища встречи с частями Восьмой армии.

Весь остаток дня шли на рысях — где только было возможно. Темной ночью, когда уже не видать конских ушей, выслали разведчиков поискать поблизости затерявшееся в непроглядной тьме село Рождественское. Остановились, не спешиваясь, и долго ожидали. Вадим Петрович придвинул лошадь к лошади Телегина, коснулся коленом его колена.

— Ну? — спросил он. — Может быть, все-таки объяснишь?.. Разговаривать с тобой можно?

— Можно.

— Для чего ты устроил этот спектакль?

— Какой спектакль, Вадим?

— С незаряженным револьвером...

— Ты с ума сошел!.. — Иван Ильич перегнулся в седле к нему, но так ничего и не различил, кроме неясного пятна с черными глазницами. — Вадим, значит, не ты вынул патроны?

— Не я вынул патроны из твоего револьвера... Начинаю думать, что ты хитрее, чем кажешься...

— Не понимаю... Смалодушничал... при чем тут хитрость... я бы на твоем месте не вспоминал бы уж...

— Не виляй, не виляй...

Говорили они тихо. Рощин весь дрожал, как на парфорсном ошейнике.

— Весь эскадрон прекрасно видел эту омерзительную сцену у стога... Знаешь, что они говорят? Что ты комедию ломал... Жизнь покупал в ревтрибунале...

— Черт знает что ты говоришь!..

— Нет! Ты уж выслушай! — Лошадь под Рощиным тоже начала горячиться. — Ты должен ответить мне во всю совесть... В такие дни испытывается человек... Выдержал ты испытание? Понимаешь ты, что на тебе пятно?.. Ты не имеешь права быть с пятном...

Лошадь его, ерзая, больно хлестнула хвостом по лицу Телегина. Тогда Иван Ильич прохрипел голосом, упертым в горловую спазму:

— Отъезжай!.. Я тебя зарублю!..

И сейчас же комиссар Чесноков сказал из темноты:

— Ребята, будет вам лаяться, — патроны я вынул.

Ни Рощин, ни Телегин ничего не ответили на это. Не видя друг друга, они тяжело сопели, — один от жестокой обиды, другой — весь еще ощетиненный от ненависти. Из темноты раздались короткие, как выстрелы, голоса:

«Стой! Стой!» — «Что за люди?» — «Не хватай...» — «Чьи вы?» — «Мы свои, а вы чьи, туды вашу растуды?»

Это разведка наскочила на разведку, и верхоконные, крутясь друг около друга и боясь в такой чертовой тьме обнажить оружие и от злого задора не желая разъехаться, кричали и ругались, уже чувствуя по крепости выражений, что и те и другие — свои, красные.

«Так чего же ты за узду хватаешь?..» — «Какой части?..» — «Мать твою богородицу не спросили, — мы крупная кавалерийская часть». — «Где ваша часть?» — «Заворачивай с нами...»

Обе разведки, наконец, угомонились и мирно подъехали к эскадрону. Оказалось, что село Рождественское — неподалеку, за лесом и речкой. На вопрос — какая войсковая часть находится в селе — один из чужих разведчиков ответил не слишком вежливо:

— А вот приедете, узнаете...

В избе за столом сидели Семен Михайлович Буденный и два его начдива и пили чай из большого самовара. Семен Михайлович, увидев входящих Телегина, Рощина и Чеснокова, сказал весело:

— Нашего войску прибыло. Здравствуйте. Садитесь, пейте с нами чай.

Они подошли к столу и поздоровались с Буденным, лукаво поглядывающим на бродячего комбрига и его штаб (ему уже все было известно), поздоровались с начдивом Четвертой, который был небольшого роста, но с такими устрашающими усами, что их легко можно было заложить за уши, с начдивом Шестой, протянувшим каждому большую руку, сжимая ее так, будто сгибал подкову, — молодое и румяное лицо его выражало глубочайший покой.

Семен Михайлович спросил, хорошо ли они расквартировали на ночь свою часть и нет ли какой жалобы или просьбы? Рощин ответил, что расквартировались, как могли, жалоб никаких нет.

— А нет, так тем лучше, — ответил Буденный, отлично зная, что в селе, где стал на короткую ночную передышку его конный корпус, даже мухе негде приткнуться как следует. — Так что ж вы стоите, берите лавку, присаживайтесь. А ведь я вас хорошо запомнил, товарищ Телегин, баню тогда устроили донским казакам... Эге... — И он, очень довольный, щурясь, оглянул собеседников за столом; начдив Шестой спокойно кивнул, подтверждая, что действительно была тогда баня казакам, и начдив Четвертой гордо, сухо кивнул калмыцким лицом. — Значит, на этот раз Мамонтов вас потрепал маленько. А что с вами — комендантская команда или боевая часть?

— Боевая часть, усиленный эскадрон, — сказал Телегин.

— Кони в каком состоянии?

— Кони в прекрасном состоянии, — быстро ответил Рощин, — кованы на передние ноги.

— Скажи — даже кованы на передние ноги!— удивился Буденный. — Я думаю, зачем вам идти далеко — искать Восьмую армию, может быть, она уже не там, где была...

— Я должен подать рапорт командарму, — сказал Телегин.

— Подай рапорт мне... А что, начдивы, берем комбрига с его усиленным эскадроном?

Оба начдива согласно кивнули. Буденный из жестяной коробочки взял щепоть табаку и начал свертывать.

— Далеко ходить вам некуда, — повторил он. — Присоединяйтесь к нам. Мы так вот с начдивами как-то посидели и подумали, а подумав, решили: кони у нас жиреют, бойцы у нас скучают, — пойдем на север — искать генерала Мамонтова. Вот и бегаем, — он от нас, а мы за ним...

Семен Михайлович шутил, а дела были очень серьезные. Узнав о переходе корпуса Мамонтова через красный фронт, он рискнул своей головой, ослушался личного приказа председателя Высшего военного совета — неуклонно продолжать выполнение явно теперь глупого и давно уже опороченного, если не предательского, военного плана, — и по собственному разумению бросился в погоню за Мамонтовым. И Буденный, и его начдивы хорошо представляли себе, как яростно заскрипели перья в канцелярии главкома и какие, пахнущие могилой, угрозы ожидают их на «морзянке», на конце прямого провода. Но спасение Москвы было им дороже, чем свои головы. А спасение они видели только в немедленной погоне за Мамонтовым, в разгроме этой лучшей конницы белых. А то, что она не выдержит удара семи тысяч буденновских сабель и ляжет, порубленная, где-нибудь на широких полях между Цной и Доном, в этом они не сомневались, — лихое дело было настичь Мамонтова, который перенял у бандитов обычай сменять подбитых и усталых коней по селам и хуторам.

У Мамонтова, в его лихих, но избаловавшихся донских полках, насчитывалось значительно больше сабель. Но он не искал встречи с Буденным, он боялся гнавшегося за ним опытного противника: это была уже не партизанская конница, но самое страшное, с чем — не дай боже — встретиться, сшибиться в чистом поле, — регулярная русская кавалерия. Буденный двигался медленнее, но умнее, — то выбирал короче или удобнее дорогу, то жал Мамонтова в такие места, где трудно было добыть фураж или свежих коней.

День за днем шла эта погоня, смертельная игра двух мощных конниц. Дымами с заревами в осенних туманах отмечался путь Мамонтова. Он набрасывался на тыловые части красных и торопливо отскакивал в сторону. И, наконец, Буденный обманул и настиг его. Ранним утром, чуть только проступили угольные очертания старых ветел на огородах, Семен Михайлович ворвался с эскадроном в плохонькую деревеньку, где ночевал Мамонтов.

Но тотчас на другом конце деревеньки из ворот вылетела рыжая тройка и стала уходить. В открытой коляске, обернувшись на сиденье, Мамонтов, с непокрытой головой, в незастегнутой шинели, несколько раз выстрелил по скачущему головному усатому всаднику в черной бурке, — он узнал Буденного, но карабин плясал у него в руках. За тройкой погнались, но рыжие донские кони, как ветер, унесли коляску.

По дворам еще раздавались дикие вскрики, лязг оружия, одиночные выстрелы, — это насмерть дрались казаки личной генеральской охраны. Буденновцы, обшаривая деревню, начали выгонять изо всех углов на улицу каких-то перепуганных людей, — кто был в подштанниках, кто, со страху, об одном сапоге. Оказались — музыканты. Их окружили, стали над ними смеяться. Подъехал Семен Михайлович и, узнав, в чем дело, приказал им принести инструменты.

Видя, что большевики их не рубят шашками, а только смеются, музыканты побежали, живо приоделись и принесли свои фанфары, огромные геликоны, рожки, корнеты, — все трубы у них были чистого серебра. Буденновцы, удивляясь, цыкали языками. Вот это добыча!

— Ну что ж, — сказал Семен Михайлович, — с паршивой собаки хоть шерсти клок... А умеете вы играть «Интернационал»?

Музыканты могли играть все, что угодно, — среди них были ученики Московской консерватории, вот уже полтора года — в поисках заработка и белых булок — бегавшие из города в город, спасаясь от погромов, заполнения анкет и уличной стрельбы, покуда в Ростове их не мобилизовали. Капельмейстер, с губчатым носом, пропитанным алкоголем, заявил даже, что он — старый убежденный революционер. Глядя на его сизо-лиловый нос, ему поверили, что вредить не станет.

Мамонтов и на этот раз уклонился от встречи. Корпус его быстрым маневром вышел из соприкосновения. Погоня продолжалась. Но уже было очевидно его намерение — проскочить через красный фронт на свою сторону. Этого Буденный опасался больше всего: тогда весь поход — впустую и тогда, пожалуй, не пришлось бы отвечать перед главкомом и, еще хуже, — перед председателем Высшего военного совета.

Плохо было и то, что не удавалось установить никакой связи и узнать, что делается на белом свете в эти дни... Наконец дошли до железной дороги. Буденный со своим начштабом и комиссаром поскакал вперед, на вокзал, и сел на аппараты. По телефонным проводам понеслись на него такие новости, что он срочно вызвал на вокзал начдивов и старших командиров.

Собрались в буфетном зале, где в большие разбитые окна было видно, как в походном строю приближались эскадроны и проходили через полотно. Позади них раскинулся мрачный закат — у самой земли, под гнетом туч. Ряды всадников, со значками на пиках, поднимаясь на изволок, казались чугунными, непомерно сильными на сильных конях. Телегина поразило лицо Вадима Петровича, глядевшего в окно, — в отсвете заката — гордое, застывшее, будто в исступлении.

— Мы должны были знать, что она такая... — глухо проговорил он, и Иван Ильич придвинулся, чтобы яснее расслышать. — Мы забыли это... Нет той казни, чтобы казнить за такую измену... Поцелуй землю за то, что простила тебя...

После ссоры у стога Вадим Петрович в первый раз так заговорил. Телегин понимал, что мучается и молчит он не от гордости, а, вернее, от отчаяния, что нечем — не словами же: «Прости, Иван...» — повиниться перед Телегиным. Сейчас, в длительном напряжении и усталости, настала у него минута переполняющего ощущения им потерянной, забытой и вновь обретенной родины, и это было также его мольбой о прощении...

Иван Ильич, покашляв, тоже захотел сказать доброе Вадиму Петровичу, зачеркнуть, к чертям, — как будто и не было ее —

дурацкую ссору... В это время из телеграфного отделения вышел Буденный. Его окружили. Он сказал:

— Товарищи, большие новости... Начнем с неприятных. Орел, товарищи, взят Кутеповым. Разведки его уже под Тулой. Этим наступлением он вбил широкий клин в наш фронт. Восьмая и Десятая отброшены на восток. Девятая и Тринадцатая — на запад... Так вот, это было на прошлой неделе. — Буденный помолчал, и глаза его весело блеснули. — С тех пор многое изменилось, товарищи... Во-первых, могу вас порадовать: все главное командование сменено. И председатель Высшего военного совета больше не хозяйничает на Южном фронте... Орел взят нами обратно... Прославленные корниловские, марковские и дроздовские полки вдребезги разбиты между Орлом и Кромами... Чего мы долго ждали, — началось... Подробности пока еще не известны, но против Кутепова удачно действует особая ударная группа...

Семен Михайлович опять остановился, вертя в руках обрывок телеграфной ленты, пошевелил усами и ястребом взглянул на стоящих вокруг него командиров.

— Операции нашего корпуса происходили не согласно приказу главкома, но против приказа... Нам приказано было идти на юг, в Сальские степи, на Маныч, где едва не сложила головы Десятая армия, — мы поднялись на север. Вместо левого берега — оказались на правом берегу Дона. Вместо чем уходить от донской конницы, — вцепились ей в хвост. Нехорошо, не годится!.. А что до нашего простого разумения, так наши головы — мужицкие, казацкие, не должно у нас быть своего разумения, — на то в штабе у главкома имеются просвещенные, светлые головы... Вот мы и шли, а приказы главкома шли за нами, — я их не брал, не читал: прочтешь, и шашка, пожалуй, из руки вывалится... Все-таки хочешь не хочешь, а приказ догнал меня... Приказ без длинных слов... — Он развернул телеграфную ленту так, чтобы она не перекручивалась, и прочел: — «Комкору Конного Буденному... Последние данные разведки указывают на движение неприятельской конницы из района Воронежа на север. Приказываю комкору Конного Буденному разбить эту конницу противника...» Вот и все, коротко и ясно. Значит — правильно разумели наши головы... Приказ подписан председателем Реввоенсовета Южного фронта Сталиным в ставке главного командования, в Серпухове.

Катя вернулась в Москву, в тот самый Староконюшенный переулок на Арбате, в особнячок с мезонином (куда в начале войны Николай Иванович Смоковников переехал вместе с Дашей из Петербурга и куда из Парижа вернулась Катя), в ту самую комнату, где в печальный день похорон Николая Ивановича так безнадежно сгустилось уныние над Катиной жизнью. Тогда, прикрывшись на постели шубкой, она не захотела больше жить... Повздыхав, вылезла из-под шубки и пошла в столовую, чтобы принести немножко воды — запить морфий, и в сумерках неожиданно увидела свою вторую жизнь: Вадим Петрович сидел и ждал ее...

И вот и этот второй круг ее жизни, — напряженный, любовный, мучительный, — завершился. Позади остался долгий, долгий путь невозвратимых потерь. Особенно остро почувствовала это Катя, когда — в середине июля — шла с узелком с Киевского вокзала... В обмелевшей Москве-реке плескались маленькие дети, и голоса их пронзительно грустно звучали в тишине, да на берегу, на чахлой траве, сидел старый человек с удочкой; выйдя на Садовую, где по всему бульвару исчезли изгороди и решетки, Катя поразилась тишине, — только шелестели огромные липы, важно прикрывая зеленой тенью своей опустевшие особнячки; на когда-то многолюдном Арбате — ни трамваев, ни извозчиков, лишь редкий прохожий, повесив голову, переходил ржавые рельсы. Катя дошла до Староконюшенного, свернула по нему и, наконец, увидела свой дом, — у нее ослабли ноги. Она долго стояла на противоположной стороне тротуара. В воспоминаниях этот особнячок представлялся ей прекрасным, золотистого цвета, с плоскими белыми колонками, с чистыми окнами, занавешенными шторами... Там жили тени Кати, Вадима Петровича, Даши... Разве может без следа исчезнуть то, что было? Разве жизнь уносится, как сновидение в лежащей на подушке голове, и, поманив бесплодным обманом, истаивает после вздоха пробуждения? Нет, нет, в минувших днях где-то так и застыли в нежданной радости — Катя, уронившая на ковер склянку с морфием и без сил повисшая на закаменевших руках Вадима Петровича, и он, шепчущий ей слова любви, весь точно обуглившийся от волнения. Это не было сном, это не исчезло, это и сейчас там — за черными окнами. И там же их первая ночь, без сна, в молчаливых и глубоких, как страдание, поцелуях и в повторении все тех же и все новых слов изумления оттого, что это — единственное на земле чудо, соединившее так тесно сплетенными смуглыми сильными и белыми хрупкими руками — самое нежное и самое мужественное...

Особнячок стоял кривенький, убогий, весь облупленный, и никаких на нем не было белых полуколонок. Катя их выдумала. Два крайних окна в первом этаже закрыты изнутри газетными листами, остальные так забрызганы сухими лепешками грязи, что ясно: там никто не живет... В мезонине, где была Дашина спальня, выбиты все стекла.

Катя перешла улицу и постучала в парадную дверь, на которой коричневая краска отлуплялась целыми стружками. Катя долго постукивала, покуда не заметила, что вместо дверной ручки — дыра, забитая пылью. Тогда она вспомнила, что на черный ход нужно пройти с переулка. Калитка была открыта, и от нее через дворик, заросший травой, вела едва заметная тропинка. Значит, здесь все-таки жили.

Катя постучала в кухонную дверь. Немного спустя дверь открыл маленький человек, бледный, как бумага, блондин, в очках, с большой всклокоченной головой:

— Я же кричу вам, что дверь не заперта. Что вам нужно?

— Простите, я хотела спросить: здесь еще живет Марья Кондратьевна, старушка?

— Да, здесь, — ответил он голосом, каким рассуждают о математических формулах. — Но она умерла...

— Умерла! Когда?

— Как-то недавно, точно не помню...

— Что же я буду делать теперь? — растерянно проговорила Катя. — Моя квартира занята?

— Понятия не имею — ваша или не ваша эта квартира, но она занята...

Он хотел было уже закрыть дверь, но, видя, что у красивой женщины глаза полны слез, помедлил.

— Как это неприятно... Я прямо с вокзала, — куда же теперь деваться? Два года не была в Москве, вернулась домой и — вот...

— Домой вернулись? — переспросил он с изумлением. — В Москву?..

— Да. Я все время жила на юге, потом на Украине...

— Вы что — ненормальная?

— Нет... А почему, — разве вернуться домой так странно?

На истощенном, бумажном лице этого человека тонкие губы приподнялись с одного угла, морща ввалившуюся щеку.

— Вы что же — не знаете, что в Москве умирают с голоду?

— Я слышала, что с едой плохо... Но мне мало нужно... Потом — ведь это же временно... Когда очень трудно — лучше быть дома.

— Вы, собственно, кто же такая?

— Я — учительница, Рощина Екатерина... Да я вам сейчас покажу...

Катя зубами начала развязывать узелок на холщовом мешке. Достала удостоверение Наркомпроса.

— Я работала до самой эвакуации в Киеве, в русской школе для самых маленьких... Нарком потребовал, чтобы я ни за что не оставалась при белых... Я бы сама не осталась... И дал еще вот это письмо к наркому Луначарскому... Но оно запечатано...

Человек прочел удостоверение, прочел адрес на конверте, — все движения у него были замедленные.

— Собственно, комната старухи никем не занята. Если вам непременно хочется жить именно здесь, — въезжайте... Хотя здесь все гниль и рухлядь... В Москве можно занять любой пустой особняк...

Он посторонился и пропустил Катю в полутемную кухню, заваленную изломанной мебелью. Он указал на ключ от комнаты старухи, висящий на гвозде в закопченном коридорчике, и медленно ушел к себе (в бывший кабинет Николая Ивановича). Катя с трудом отворила дверь в душную комнату с двумя окнами, залепленными снаружи грязными лепешками. Это была ее спальня, и на том же месте стояла ее кровать, и все так же на стене висел резной шкафчик-аптечка с поблекшим Алконостом и Сирином на дверцах, — из него она взяла тогда морфий. Покойная Марья Кондратьевна стащила сюда лучшие вещи со всей квартиры, — диваны, кресла, этажерочки были навалены друг на друга, поломанные и покрытые паутиной и пылью.

Катю охватило отчаяние, — в огромной, раскаленной под июльским солнцем, пустынной и голодной Москве, в этой загроможденной ненужными вещами, непроветренной комнате нужно было начать жить, начать третий круг своей жизни. Она села на голый матрац и молча заплакала. Она очень устала и была голодна. Предстоящие трудности и сложности показались непреодолимыми для ее силенок. Ей вспомнилась милая, обожаемая, покосившаяся хатенка около школы, палисадник, холмистое поле за плетнем... Веник у порога, кадка с водой в сенях, зеленоватый свет сквозь листву в окошке, падающий на детские тетрадки... Беспечные, веселые дети, любимый мальчик — Иван Гавриков...

Почему нельзя было там остаться навсегда?

Катя слезла с кровати, чтобы принести немного воды, — размочить сухую булочку, привезенную из Киева. Но даже стакана не нашлось, чтобы начать жить! Катя уже сердито вытерла глаза и пошла к бледному человеку.

Тихонько постучав, она сказала тоненьким голосом:

— Простите, пожалуйста, я вам все мешаю...

Он медленно подошел, отворил дверь и, будто с трудом соображая, пристально глядел на Катю.

— Простите, пожалуйста, нет ли у вас стакана, мне хочется пить.

— Меня зовут Маслов, товарищ Маслов, — сказал он. — Какой вам нужен стакан?

— Какой-нибудь лишний...

— Хорошо...

Он пошел в глубь комнаты, оставив дверь открытой, и Катя увидела много книг на прогнувшихся полках из неструганых досок, раскрытые книги и рукописи на письменном столе, жалкую железную койку, на которой тоже валялись книги, мусор на полу и пожелтевшие газеты на окошках. Маслов все так же замедленно вернулся к Кате и подал ей грязный стакан:

— Можете его взять совсем...

В кухне Катя с трудом пробралась к раковине, доверху заваленной мусором, но вода шла. Вымыв стакан, Катя с наслаждением напилась и вернулась к себе. Ей захотелось — раньше, чем съесть булочку, — отворить окна и хотя бы немного помыться. Но отодрать замазанные рамы оказалось нелегко. Катя долго возилась, ковыряла, колотила ножкой от стула по шпингалетам, громко вздыхала. На шум явился Маслов и некоторое время с тихим изумлением глядел на Катю.

— Зачем вам понадобилось отворять окошки?

— Здесь можно задохнуться.

— Вы думаете, уличный воздух будет чище? Пыль и смрад. По всем дворам гниет... Не советую. — Катя выслушала это, стоя на подоконнике, поджала губы и опять принялась стучать ножкой от стула. — Предположим, вы отворите, а на ночь опять придется затворять... Зачем лишние усилия...

Шпингалет, наконец, поддался. Катя соскочила с подоконника, распахнула окно и высунулась, жадно вдыхая уличный воздух.

— Да, да, — раздумчиво проговорил Маслов, — проблему города мы не решили. — Колени его вдруг, дрыгнув, подогнулись, он оглянулся — куда бы сесть — и прислонился к косяку, засунул большие пальцы за шнурок, слабо перепоясывавший его холщовую несвежую рубашку. — Стаял снег, и вся грязь, мусор, собачья, кошачья и даже лошадиная падаль осталась на улицах и дворах... Кое-что смыло дождями, но это не решение проблемы...

Катя перебила его:

— Скажите, ванная у вас действует?

— Понятия не имею... Жил здесь одно время водопроводчик... По воскресеньям возился на кухне и в ванной — в порядке личной инициативы, но ушел на фронт...

— Знаете что, вы уйдите, — решительно сказала Катя. — Я хоть немножко приберу комнату, помоюсь и приду к вам... Во-первых, мне необходимо узнать разные адреса... Я же ничего не знаю в Москве... Вы мне поможете, хорошо?

— Да, да, сегодня воскресенье, я весь день буду дома...

Он медленно отделился от косяка и ушел. Катя повернула за ним дверной ключ. Важно было рассердиться, и тогда дело закипит. Она сняла кофточку и юбку, чтобы не запачкать их, и начала борьбу с пылью. Тряпья по разным ящикам было сколько угодно. Роясь, Катя нашла постельное белье со своими метками, потом нашла свои рубашки и штанишки и несколько пар штопаных чулок. Вот золотой человек Марья Кондратьевна, — сохранила такие бесценные вещи!.. Покойная старушка в общем-то была вороватая и жадная... Ну и пусть — земля ей пухом...

В этот же вечер Маслов показал Кате свои рукописи и даже прочел кое-что из них, это было историческое исследование о классиках утопистах-социалистах. Он говорил Кате, сидевшей на его неприбранной койке:

— Вам покажется странным, что в такое время можно заниматься утопистами? Утопия — в эпоху пролетарской диктатуры! Где же внутренняя логика? Сознайтесь — вы удивлены?

Катя, у которой слипались глаза, покивала, подтверждая, что удивлена.

— А между тем тут есть логика... Я подробно останавливаюсь на попытках отдельных лиц и небольших групп в середине девятнадцатого века провести в жизнь утопические идеи. Это одна из самых любопытных страниц истории социального движения...

Он отвернулся от Кати, чтобы скрыть усмешку, обнажившую его мелкие зубы.

— Но писать приходится только по воскресеньям. Я нагружен в районном комитете, и нас мало: в Москве почти не осталось партийцев... Я был освобожден от мобилизации на фронт только по крайне слабому состоянию здоровья... Я истощен физически и морально...

Несмотря на свое болезненное состояние и кажущуюся почти полную невещественность, Маслов оказался довольно расторопен. На другой же день он пошел с Катей в Наркомпрос, познакомил ее с нужными товарищами и помог ей оформиться и получить продовольственные карточки.

Без него Катя совсем бы растерялась в огромном наркомате, со множеством отделов, столов и заведующих, тем более что дух беспокойства и отвращения к рутине гнал сотрудников, по крайней мере раз в неделю, перетаскиваться, вместе со столами, шкафами и архивами, с места на место, из этажа в этаж, а также менять внутреннюю систему подчинения, связи и ответственности.

Катя сейчас же получила назначение педагогом в начальную школу на Пресне. У другого стола ее мобилизовали в порядке общественной нагрузки на вечерние курсы по ликвидации безграмотности. У третьего стола ее зачалил невероятно худой, оливковый человек, с лихорадочными, огромными глазами, — он повел Катю по коридорам и лестницам в отдел пропаганды искусства. Там ее нагрузили выездными лекциями на заводы.

— Содержание лекций мы уточним после, — сказал ей оливковый человек, — вам будет дана соответствующая литература и план. Не нужно паники, вы — культурный человек, этого достаточно. Наша трагедия в том, что у нас слишком мало культурных людей, — больше половины интеллигенции саботирует. Они горько пожалеют об этом. Остальное поглотил фронт. Ваш приход произвел на всех очень благоприятное впечатление...

И, наконец, в одном из коридоров на Катю наскочил плотный, чрезвычайно суетливый человек с большими губами и в парусиновой толстовке, прозеленевшей под мышками.

— Вы актриса? Мне на вас только что указали, — торопливо заговорил он и, не обращая внимания на ответ Кати, что она учительница, обнял ее за плечи и повел по коридору. — Я вас включаю в летучку, поедете на фронт в отдельном вагоне, по выезде из Москвы — хлеб не ограничен, сахар и лучшее сливочное масло... Репертуар — а! С вашей-то фигуркой — спели, протанцевали, красноармейцы будут хлопать... Я послал на фронт профессора Чебутыкина, ему шестьдесят лет, он химик или астроном, — я знаю? так он называется теперь «король летучки», — поет куплеты из Беранже... Можете меня не благодарить, я чистый энтузиаст...

— Слушайте! — крикнула Катя, освобождаясь из-под его руки. — У меня школа, лекции и либкез... Я физически не могу...

— Что значит физически? А я могу физически? Шаляпин тоже не может физически, однако я достал ему ящик коньяку, так он теперь сам просится на фронт... Хорошо, вы подумайте... Я вас найду...

Катя шла домой, подавленная ответственностью. Горячий ветер, дуя из пустынных переулков, закручивал вихри пыли и бумажек на булыжной мостовой. Катя свернула на Тверской бульвар. Она высчитывала — хватит ли ей времени, если спать шесть часов? Значит, остается восемнадцать... Мало! Занятия в школе, проверка тетрадей, подготовка к завтрашним урокам... Ликбез — два часа, не меньше... Боже мой, а ходьба туда и обратно? А чтение лекций с ходьбой туда и обратно? Потом — надо же к ним готовиться... Восемнадцати часов мало!

Катя присела на бульваре, кажется, на ту самую скамейку, где они с Дашей в шестнадцатом году встретили Бессонова, он шел — весь пыльный, едва волоча ноги... Какая чушь! Две абсолютно ни к чему не пригодные женщины не знали, что им делать от переизбытка времени, и переживали невесть какую трагедию, когда Бессонов — совсем из стихов Александра Блока: «Как тяжко мертвецу среди людей живым и страстным притворяться...» — поклонился им и медленно прошел мимо, и они глядели ему вслед, и особенно жалким показалось им то, что у него будто сваливались на ходу полувоенные штаны...

Надо спать четыре часа и отсыпаться по воскресеньям. А еще ведь продуктовые очереди! Катя закрыла глаза и застонала... Ветер раздувал у нее завитки волос на тоненькой шее; залетая в старую липу над Катиной головой, жестоко шумел листьями... И под этот шум Катя в конце концов перестала мучить себя разрешением задачи, как из суток выкроить больше, чем двадцать четыре часа. Ничего, обойдется!.. Мысли ее пошли блуждать вокруг той странной в ней самой перемены, которая не переставала ее изумлять и радовать. В тот час, когда, прижавшись затылком к печи, глядя в разъяренное лицо Алексея, она сказала: «Нет!» — в ней начало расти покойное и уверенное ожидание какого-то нового счастья. Немножко этого счастья она испытала весной: каждый вечер перед сном она вспоминала проведенный день, — в нем ничего не было темного, ничего душного. Катя сама себе нравилась. И вот сейчас она преувеличенно играла в ужас и отчаяние — будто бы от невозможности справиться с общественными нагрузками... Совсем не в этом дело: еще недавно жалкий подобранный котенок вдруг оказался значительным существом, — в Кате, оказывается, даже нуждались, ответственный товарищ с оливковым лицом и очень красивыми глазами говорил с ней с большим уважением... Надо было все это оправдать, — настоящий ужас, если в Наркомпросе скажут: «А мы-то на нее понадеялись...» Здесь, в Москве, было совсем не то, что трястись в степи на возу позади Алексеевой тройки, грызть соломинку и думать: «На что тебе, полонянка, твоя красота?»

Маслов потребовал у Кати подробный отчет. Когда она передала ему разговор с оливковым товарищем, вся правая щека у Маслова собралась концентрическими морщинами кривой усмешки.

— Да, да, — и он отвернул лицо от Кати, — трагедия с интеллигенцией еще половина беды... Есть кое-что гораздо более трагичное.

Первого августа Катя открыла школу. Маленькие босые девочки с косичками, завязанными тряпочками или веревочкой, и маленькие, наголо стриженные мальчики в драных рубашонках тихо пришли и тихо расселись на партах. У многих лица были прозрачны и стариковские от худобы.

Катя весь первый день знакомилась с детьми, присаживаясь к ним на парты, расспрашивала и вызывала их на разговоры. У нее уже был небольшой опыт, как можно сразу заинтересовать детей. Она брала книжку, раскрывала: «Вот книжка, — белые страницы, черные буквы, серые строчки. Глядите на нее хоть с утра до вечера, — ничего в ней больше нет. А если научишься читать, писать да узнаешь историю, географию и арифметику и еще много другого, книжка эта вдруг оживет...»

Она вспоминала — каким любопытством, бывало, начинали блестеть глазенки у девочек и мальчиков у нее в школе в селе Владимирском. Особенно она увлекательно рассказывала про «царя Салтана»:

«Ты начал учить — а, б, в, потом писать буквы на доске, потом по буквам читать слова, а потом — непременно вслух — читать слова подряд от точки к точке... И вдруг, в один прекрасный день, строчки начнут пропадать у тебя в глазах, вместо строчек — увидишь синее море и бегущую на берег волну и услышишь даже, как волна разобьется о берег, и выйдут из морской пены сорок богатырей в железных кольчугах и шлемах, веселые и мокрые, и с ними бородатый дядька Черномор...»

Рассказывая это здесь, на Пресне, она чувствовала, как слова ее будто не попадают в детские уши, слова тускло увядают в классной комнате, где половина звеньев в окнах забита фанерой и на стенках штукатурка облупилась до кирпича. Девочки с такими худыми руками, что их можно пропустить в салфеточное кольцо, и мальчики, с морщинками и болячками, тихо слушали, и в их глазах она замечала лишь снисходительность... Все они думали о другом.

На большой перемене дети пошли на двор, но только несколько девочек стали прыгать на одной ноге, перебрасывая камушек, да двое мальчиков затеяли угрюмую ссору. Большинство уселось в тени забора, где росли лопухи, и так сидели, — никто из них не принес с собой еды. Все они были сыновьями и дочерьми рабочих, живших в этом районе, у многих из них отцы ушли на фронт. Один из мальчиков, опустив руки на землю, глядел на облако, стоявшее над Пресней, похожее на дым. Катя села около, спросила деловито:

— Петров Митя, правильно я запомнила?

— Ага.

— Папа твой где работает?

— Папаня давно на войне.

— А мама как твоя?

— Мама — дома, больная.

— Папа пишет с фронта?

— Не.

— А что же он не пишет?

— А чего писать-то... Радости мало... Он уходил, сказал маме: я за твою трудовую грыжу десять генералов убью... Он страсть смелый.

— Ты вырастешь, — кем хочешь быть?

— Не знаю... Мама говорит — эту зиму не переживем...

На Москву надвигались белые полчища, а еще скорее надвигалась осень. Просияло несколько золотистых грустных дней бабьего лета, и ветер упорно заладил с севера, гоня тучи беспросветными грядами.

В школе нечем было топить железную печку. Катя ходила в Наркомпрос к оливковому человеку жаловаться, он только кивал головой, не отрывая лихорадочных глаз от Катиного милого лица: «Понимаю, Екатерина Дмитриевна, ваше беспокойство и ценю вашу горячность, но с топливом будет ужасно в эту зиму: Наркомпросу обещаны дрова, но они в Вологодской губернии, откуда их нужно везти гужом... В общем, толкайтесь, нажимайте, где только можно...»

Дети приходили в школу посиневшие и мокрые, в таких худых пальтишках, в старых мамкиных кацавейках, которые разве только на огород повесить, что Катя, наконец, решилась на открытый бандитизм и назначила субботник по снесению забора. Школьный сторож — глухой старик с деревянной ногой, Катя и дети, — а они пришли почти все, — темным вечером, под шум ненастного ветра, разломали забор и все снесли в школьные сени. Сторож напилил дров, и наутро в классной комнате было тепло, влажно, от сырых стен шел пар, дети сидели повеселевшие, и Катя рассказывала им с кафедры о солнечной энергии (об этом она сама узнала только вчера из полезной книжки «Силы природы»).

— Все, что вы видите, дети, — эта кафедра, эти парты и огонь в печи, и вы сами — это солнечная энергия... Овладеть ею — задача человечества... Вот для чего нужно учиться и учиться, бороться и бороться... А теперь мы перейдем к уроку русского языка... Русский язык — это ведь тоже солнечная энергия, поэтому им нужно хорошо овладеть...

Во время перемен дети рассказывали Кате всякие новости. Дети знали все, что делалось на Пресне в Москве, и даже за границей у лордов-мордов. Катя очень многое почерпнула из этих рассказов. Так, раньше чем из газет, она узнала о прорыве белых под Орлом, откуда стали прибывать раненые. Две девочки собственными ушами слышали, как у Микулиных — куда они нарочно бегали — Степан Микулин, токарь, только что вернувшийся, бедный, весь простреленный, приподнялся на койке, — а ему докторами строго велено лежать, — и кричал дурным голосом жене и матери:

— Измена у нас на фронте, измена! Дайте мне бумаги, чернил, я напишу Владимиру Ильичу! Лучшие пролетарии кровью умываются, сырой землей укрываются, а Москву не хотят отдавать белому генералу... Не мы виноваты, что Орел сдан, — измена!..

Петров Митя, слушая эти рассказы девочек, сделался бледный, как штукатурка, и глаза у него все расширялись, такие мученические, что Катя села рядом на парту, прижала его голову к груди, но он молча выпростался, — ему было не до утешения, не до ласк.

Несколько дней ливмя лил дождь, и Пресня, казалось, по колено погрузилась в жидкую, оловянную грязь, — дети приходили совсем растерянные от страшных слухов, как чума распространявшихся по городу. Было трудно заставить детей сосредоточиться на уроках. Рыженькая девочка, Клавдия, не приготовившая сложения и вычитания, громко заплакала посреди урока арифметики. Катя постучала карандашом о кафедру:

— Возьми сейчас же себя в руки, Клавдия.

— Не могу, те-е-е-тя Ка-а-а-а-тя...

— Что случилось?

Девочка ответила хриповато:

— Мама говорит: все равно, не учись, Клашка, арифметике...

— Что за глупости, мама твоя никогда этого не говорила!

— Нет, она сказала: все равно — вышла из грязи и уйдешь в грязь... Офицеры всех нас конями потопчут...

В сумерках Катя пошла на ликбез, — пробиралась под самыми заборами, чтобы как можно меньше замочить ноги, в отчаянии останавливалась на перекрестках, не зная, как перебраться через улицу. На квартиру рабочего Чеснокова (не так давно посланного на фронт комиссаром) из десяти женщин, с которыми она занималась, не пришла в этот вечер ни одна. Чесночиха, полгода тому назад вышедшая замуж, беременная, страшно исхудавшая, вся в желтых пятнах, сказала Кате:

— Не ходите вы сейчас к нам, погодите, не до того нам... Да и вам будет лучше.

Она показала Кате записочку от мужа, с фронта: «Люба, если Тулу возьмут, тогда готовьтесь. Москву отдавать не будем, только через последний труп... Пишу наспех с оказией... Может случиться, к тебе зайдет военный товарищ Рощин — ты ему верь. Он расскажет обо всем, — хорошо, если его послушают наши товарищи... Да пусть ему помогут, если ему что будет нужно. За всем тем жив, здоров, научился ездить верхом, о чем никогда не гадал...»

— Ждем этого товарища Рощина, да что-то не едет, — сказала Чесночиха, тоскливо глядя на мокрое окошко. — Приходите тогда, послушайте, я за вами девчонку пришлю... Это кто же Рощин — не ваш ли муж?

— Нет, — ответила Катя, — мой муж давно убит.

Вернувшись домой, она затопила железную печурку с трубой в форточку — «пчелку», окрещенную так потому, что печечки эти попевали, когда их топили лучинками, — ее сделали на Пресне рабочие и сами установили в Катиной комнате, полагая, что их учительнице будет много работоспособнее ночевать в некотором тепле. Катя сняла размокшие башмаки, чулки и юбку, забрызганную грязью, вымыла ноги в ледяной воде, надела все сухое, налила чайник и поставила на пчелку, вынула из кармана пальто кусочек серого колючего хлеба, — нарезав кусочками, положила на чистую салфетку рядом с чашкой и серебряной ложечкой. Все это она делала рассеянно. Когда стукнула кухонная дверь и в коридоре проволоклись невыносимо медленные шаги Маслова, она пошла и постучалась к нему.

— А! Мое почтение, Екатерина Дмитриевна. Присаживайтесь. Сволочь погода... А вы все, я вижу, хорошеете. Хорошеете. Так-с...

Он был почему-то необыкновенно зол в этот вечер. На вопрос Кати: что, в конце концов, происходит, почему такая повсюду тревога? — он, не отворачиваясь, устроил тонкими губами одну из своих самых ядовитых усмешечек:

— Вас интересуют партийные новости или что еще? Фронт? Наших бьют. Что еще я могу вам сказать? Бьют! А в Москве, как всегда, оптимистическое, бодрое настроение... Массовая мобилизация коммунистов против Деникина... В Петрограде массовые обыски в буржуазных кварталах... Вынесено решение о закрытии всех фабрик и заводов из-за недостатка топлива... Последняя, уже окончательно ободряющая новость: объявлена перерегистрация партийных билетов, то есть очистка авгиевых конюшен... И вот тут-то мы и победим и Деникина, и Юденича, и Колчака...

Он возил ноги по комнате, забросанной окурками; из-под концов мокрых, грязных брюк его волочились развязавшиеся тесемки подштанников... Расхаживая, он щелкал пальцами, которые от вялости плохо щелкали.

— Вот тут-то и победим, тут-то и победим, — повторял он издевательским голосом. — Вам, разумеется, это все непонятно... И неудивительно, что вам непонятно.... Гораздо удивительнее, что и мне, например, непонятно... Не понимаю больше ни-че-го... Социализм строится на базе материальной культуры... Социализм — высшая форма производительности труда. Так. Наличие высокоразвитой индустрии — обязательно? Да. Наличие высокоразвитого многочисленного рабочего класса — обязательно? А как же! Мы Карла Маркса читали, крепко читали... Ну что ж, займемся перерегистрацией... Есть еще у нас порох в пороховницах...

Катя так от него ничего не узнала толком. В Наркомпросе, куда на следующий день она пошла за инструкциями, в главном коридоре, где никогда не замечалось сквозняка, а сегодня (не то где-то вышибли окошко, не то нарочно растворили) дуло пронзительным холодом, и, несмотря на это, повсюду собирались шепчущиеся кучки сотрудников; Катя напрасно ходила из комнаты в комнату, — ей только сообщила одна сотрудница, пряча нос в скунсовый вытертый воротник:

— Да вы что — спросонок, гражданка, не знаете, что мы, должно быть, эвакуируемся в Вологду...

И вдруг, так же внезапно, произошла крутая перемена. Утром, только забрезжило, Катя побежала в школу. На Садовой ей пришлось остановиться и пережидать. По закаменевшей грязи, дробя замерзшие лужи, под огромными, воющими уже по-зимнему, голыми липами проходили вооруженные отряды рабочих. За ними ехали телеги. И снова, тесно ряд к ряду, шли колонны, ступая медленно, как зачарованные. То тут, то там суровые неспевшиеся голоса затягивали «Интернационал». На кумачовых полотнищах, которые они несли, наспех, кривыми буквами было написано: «Все на борьбу с белыми бандами Деникина!», «Да здравствует пролетарская революция во всем мире!», «Осиновый кол мировой буржуазии!» Из утренней хмурой мглы приближались и проходили все новые колонны. Катя глядела на эти лица — обросшие, худые, истощенные, темные, и, казалось, у всех у них было единое во взгляде, в плотно сложенных ртах: преодоленное страдание, решимость, неумолимость...

В школе дети сейчас же рассказали Кате новость: вчера на Пресне, на Механическом заводе, был Ленин, и началась партийная неделя...

Неподалеку от Воронежа к Мамонтову присоединился кубанский корпус Шкуро. Теперь у него было шесть кавалерийских дивизий против двух у Буденного. Он остановился и стал поджидать его. Мамонтов был осторожен. Он выделил часть сил для укрепления обороны Воронежа; оба корпуса перестроил в три колонны и выбрал место для боя, где будет окружена и уничтожена красная конница, — огромное поле, упирающееся в полотно железной дороги, по которой крейсировал бронепоезд — стальная черепаха с шестидюймовками.

Буденный был смел, но расчетлив. Он получал подробные сведения о всех приготовлениях и махинациях генерала Мамонтова... Какая-нибудь девчонка, с коряво нацарапанной запиской, запрятанной под платок — под косу, или горемычная бабушка, с мешком для кусков, проходили через заставы белых, — мало кто польстится на вшивую девчонку, а уж от бабуни отплюется всякий казак, — и они находили буденновских разведчиков и передавали им сведения.

Буденный остановился между лесом и болотами, не дойдя до широкого поля, предназначенного ему для гибели. Он приказал вволю кормить коней и хорошо осмотреть подковы (кони были кованы только на передние ноги). Приказал пополнить огнеприпасы и взамен пшена да пшена — приелось пшено — выдать бойцам трофейной солонины с бобами, сладкого консервированного молока да разного рассыпчатого печенья и духовитого табаку, чтобы позабавиться у костров. Все это добывалось из «передвижного арсенала», как назывались богатые обозы белых. Сейчас они день и ночь тянулись из Воронежа к Мамонтову. Особенно наказывал Семен Михайлович — взять новенькие японские карабины, чтобы заменить ими, насколько возможно, старые винтовки, расшлепанные в боях, а также канцелярские принадлежности.

Прикрываясь лесом и болотами, можно было спокойно отоспаться перед серьезной операцией. Но она представлялась бойцам все же столь серьезной, — схватиться врукопашную с шестью донскими дивизиями, — что мало у кого наблюдалось спокойствие. Они чистили коней не как-нибудь, а до белого платочка, чинили седла, точили шашки. Ни песен, ни гармошек не слышалось по эскадронам, — велись глубокомысленные разговоры. Завидят комиссара и машут, — поди сюда, коммунист... «Расскажи нам, товарищ дорогой: кончим Мамонтова — неужто не будем брать Воронеж, ведь эдакая сила у них там всякого добра?..» Комиссар отвечал, что насчет Воронежа Семен Михайлович пока распоряжения не давал. Тогда начинались споры: можно ли кавалерией брать укрепленный район? Одни говорили, что можно при большом одушевлении, другие утверждали, что это противозаконно.

Телегинский эскадрон, назначенный в сторожевое охранение, стоял у края болота. На юг начиналось поле, где время от времени маячили белые разведчики. Было известно, что в той стороне группировалась одна из трех мамонтовских колонн. Там по ночам мерцал в тучах слабый отсвет костров.

В эскадроне также много было разговоров вокруг да около предстоящей битвы, на которую съехались такие небывало крупные и могучие конные массы. Старый кавалерист Горбушин рассказывал, как в четырнадцатом году был один такой бой под Бродами: австрийская гвардейская дивизия — четыре полка — лихо атаковала нашу легкую кавалерийскую дивизию, да после этого боя австрияки уж отвели всю свою конницу в тыл... Атаковали они сверху с полугоры, рассчитывая опрокинуть наших в лощину. А наши вылетели навстречу из лощины в гору, на флангах по четыре казачьих сотни с пиками, в центре уланы, с пиками же, да ахтырские гусары, с желтыми околышами, желтыми кантами, — лихие были гусары! Наши понимают, что австриякам с горы, с такого разгона, нельзя будет поворачивать, — и как начали они с нами сближаться, не ожидали они такой нашей злости, сдерживают коней, — поздно! Наши их пиками — снизу вверх — очень способно; ткнет, да пику-то бросит, да через строй проскочит, да обернется и — рубит шашкой, да не по плечам, — у них под погонами подложены стальные пластины, — а поперек туловища... Так и остались лежать на полугоре все четыре гвардейских полка, порубленные, приколотые к земле пиками, — страховище!

Латугин, который не особенно любил, когда кто-нибудь при нем занимательно рассказывал, перебил этого старого рубаку:

— Ну да, было, было, мало что было, это игра случая... А ты расскажи-ка про то, как трое наших красноармейцев германский батальон захватили... Не знаешь? А-а!.. То-то, что надо бы тебе знать...

— А ну, рассказывай, Латугин, — раздались голоса.

Он сидел на коленках у костра, у самых углей, озарявших его

осунувшееся лицо, на нем остались одни жилы после трех недель мотанья в седле. Он, Гагин и Задуйвитер с самого начала взяты были Телегиным в комендантский батальон и два месяца наедали щеки, а теперь числились кавалеристами в составе эскадрона.

— Был у нас в Десятой Ленька Щур, другого такого головореза едва ли можно найти, если даже хорошо искать, — начал рассказывать Латугин, положив руки на эфес шашки, упертой торчком. — Прошлой осенью, в бытность свою еще в одной украинской бригаде, выехал он в разведку с двумя товарищами. Едут они, ничего не думают и напоролись на немцев, на — без малого — целый батальон. Расположились немцы в глухой местности и варят себе суп...

— Ну, уж это ты врешь, — сказал кто-то из слушателей, — станет германец в глухой местности варить суп...

Латугин тяжело поглядел на этого человека:

— Объяснить тебе — почему они варили суп?.. Хорошо... Немцы пробирались домой, это уж у них была революция... На Украине кругом все села восстали, обгородились пулеметами, никуда не сунешься, германцы обголодались... Теперь понятно тебе?.. Не успели немцы всполошиться, Ленька выхватывает из сумы чистую портянку, нацепил на шашку и смело едет к ним. «Сдавайтесь, говорит, вы окружены огромной силой кавалерии, мы даже и шашек кровянить не станем, потопчем вас одними конями...» Нашелся переводчик, эти слова его перевел. Командир батальона, унтер-офицер, плотный немец, отвечает Леньке: «Сомневаюсь, чтобы в ваших словах была правда...» А Ленька ему: «Это правильно, что вы сомневаетесь, садитесь на коня, едем в наш штаб, там предложат вам приличные условия...» Немцы серьезно посовещались, командир говорит: «Гутморген, — ладно, — мы с вами поедем в тройном против вас количестве, в случае, — если будет коварство с вашей стороны, — по дороге вас шлепнем...» Ленька ему: «Пожалуйста, а коварства никакого не будет, вы имеете дело с бойцами революции...» Поехали. Приезжают в штаб. Начинаются с германцами переговоры. Они требуют пропустить их к железной дороге и хотят, чтобы дали им пшена пудов двадцать пять. А наши требуют, чтобы немцы отдали оружие и две пушки. Немцы уперлись, и наши уперлись. А Ленька тут же все время вертится и говорит: «Товарищ комбриг, они голодные — оттого несговорчивые, я их проагитирую, прикажи выдать доброго сала и пшеничного хлеба». О спирте он, сатана, официально не упомянул, а заведующий хозяйством был ему любезный кум, он у него и спроворил четверть. Сел он с немцами в хате, нарезал сала, хлеба, налил спирту в кружку и давай разговаривать о том и о сем, — как у нас на Украине хорошо едят да хорошо пьют, да и народ, вообще, располагающий к симпатии. Похвалил он и немцев за то, что они Вильгельма скинули. И, хотя разговор у них происходил без переводчика на этот раз, — немцы все понимали: он их и кулаком по спине оглаживал дружески и, взяв за уши, целовал. Скоро за столом остались двое, он да командир ихний, унтер-офицер. Ленька надрывается, а немец только смеется, пальцем качает... Прислали от начштаба — узнать, как дела? Ленька отвечает: «Плохо, командир не поддается агитации, надо еще четверть...» Ну, уж когда кончили они эту вторую четверть, у стола остался один Ленька. Немцы переночевали. Утречком унтер-офицер оставил своих товарищей заложниками — все равно они с перепою и на коня не могли влезть — и вдвоем с Ленькой уехал. А к вечеру привел весь батальон, — человек четыреста, — с красным флагом... Так ему понравилась Ленькина агитация...

Когда Латугин кончил рассказ, — гораздо более выдающийся, чем у Горбушина — про бой под Бродами, — и красноармейцы дружно смеялись: кто ржал, показывал все зубы, кто вытирал слезы, кто только охал, помахивая рукой, — к костру подошел Рощин и, наклонившись к Латугину, сказал:

— Разыщите Гагина и Задуйвитра и с ними приходите к палатке.

В утреннем белом тумане, плотно лежащем по всему полю, мчались пятеро всадников, — на гнедой кобыле со стриженой гривой — Рощин, на полкорпуса впереди него, на вороном жеребчике, — маленький Дундич, серб, командир одного из буденновских эскадронов; на своем непримиримом пути Дундич нашел вторую родину и со всем пылом простодушного, жизнерадостного и отчаянно смелого человека полюбил необозримую Россию и ее необозримую революцию; он и Рощин были одеты в светлые офицерские шинели с золотыми погонами; позади, понукая, скакали, в лихо смятых фуражках с кокардами, в полушубках с урядническими погонами, Латугин, Гагин и Задуйвитер.

Им была поставлена задача: проникнуть в Воронеж, высмотреть расположение артиллерии, наличие конных и пеших сил и напоследок вручить командующему обороной — генералу Шкуро — запечатанный пакет, в котором находилось письмо Буденного.

Дундич любил жизнь и любил играть с ней в опасную игру, а в эти бодрящие октябрьские дни, когда мускулы так и потягивались под гимнастеркой, — лишь потяни ядреный воздух утреннего тумана, полный всяких отличных запахов, — ему в особенности не терпелось без дела. Он сам вызвался передать Шкуро запечатанный пакет. Он пошел разыскивать Рощина и сказал ему:

— Вадим Петрович, вы очень подходящий человек для одного небольшого приключения, — вы знаете офицерские обычаи и всякую обходительность. Вы бы не согласились сбегать со мной в Воронеж? Это займет один день. Будет добрая проскачка. Буденный обещал нам личных коней, Петушка и Аврору...

Смешно было — соглашаться или не соглашаться. Вадима Петровича неприятно только кольнуло упоминание об офицерской обходительности. Но и вправду ему пришлось провозиться весь вечер, обучая товарищей — как нужно нижним чинам тянуться, козырять и отвечать и какой должен быть внешний вид у офицера-добровольца: у дроздовцев — в лице ирония, любят носить пенсне — в честь их покойного шефа; у корниловцев — традиционно тухлый взгляд и в лице — презрительное разочарование; марковцы шикарят грязными шинелями и матерщиной.

Было условлено: если остановят и будут спрашивать, — отвечать: «Везем в Воронеж секретный пакет от командира резервного добровольческого полка, прибывшего с юга в район Касторной». Это и туманно, и убедительно.

Часа через три хорошего хода, в белесом свете, прорвавшемся ненадолго из-под свинцовых туч, показался Воронеж, — купола, пожарные каланчи, красноватые крыши. За все время пути не привязалась ни одна разведка, — посмотрят в бинокль на пятерых всадников, скачущих в направлении города, и шагом едут дальше. Первая задержка произошла на мосту. Деревянный, на живую нитку построенный мост охранялся. По нему похаживали какие-то солидные люди в бескозырках, в белых нагольных кожанах, какие носят бабы на Украине, и все почему-то с окладистыми бородами. На той стороне около предмостных окопов курила кучка юнкеров.

Дундич остановил коня, спрыгнул и начал подтягивать подпругу.

— Показывать липовые документы не совсем желательно, — сказал он вполголоса. — Река вздулась, переезжать где-нибудь вброд, — замочимся по шею, это еще более нежелательно. Придется ехать через мост.

— Ладно, отругаемся, — мрачно сказал Латугин.

Задуйвитер тут же задавился смехом:

— Ой, товарищи, лопни глаза — так ведь это ж попы на мосту, жеребячья команда...

— Шагом и весело, вперед, — сказал Дундич, как кошка вскакивая в седло. Бородатые люди на мосту разноголосо зашумели: «Стой, стой». Дундич ехал на них, туго держа повод и щекоча шпорами Петушка. Но они подняли такой крик, размахивая винтовками, что конь под ним начал поджимать зад, зло схлестываться хвостом. Пришлось остановиться. Несколько рук потянулось, чтобы схватить за узду. Латугин закричал, напирая лошадью:

— Очумели: у его высокоблагородия повод трогать! Кто вы такие вообще, — покажи документы!

— Молчать! Осади коня! — спокойно, через плечо, сказал ему Дундич и — с белозубой под торчащими усиками улыбкой — нагнулся с седла к бородачам: — Вы требуете пропуск через мост? У меня его нет... Я подполковник Дундич, со мною — моя охрана... Вы удовлетворены? Благодарю вас...

И он, засмеявшись, послал Петушка так, что тот храпнул, взвился, показывая серо-замшевое брюхо, и прыгнул мимо бородачей, едва отскочивших в стороны. Но сейчас же Дундич осадил его и перевел на шаг. На том берегу началась тревога. Юнкера побросали папироски и, путаясь в полах длинных, до земли, шинелей, побежали к глинистым окопам, откуда на всадников повели стволами два пулемета. Командир предмостного укрепления, — высокий офицер с вялым усатым лицом, — крикнул, лениво растягивая слова, таким знакомо наглым голосом, что Рощин от омерзения стиснул зубы:

— Эй, там, на мосту, спешиться, приготовить документы... По счету два — открываю огонь...

Дундич, — свернув рот в сторону Рощина:

— Ничего не поделаешь, придется атаковать.

Рука его потянулась к шашке. Рощин быстрым движением остановил его.

— Теплов! — крикнул он высокому офицеру. — Отставь пулеметы... Это я — Вадим Рощин...

И он неторопливо слез с лошади и, ведя ее в поводу, один пошел через мост. Офицер этот был тот самый Васька Теплов — когда-то его однополчанин — пьяница, хвастун и дурак, которого Рощин однажды серьезно предупредил, что набьет ему морду за сплетни и пошлость. Теплов подозрительно глядел на приближающегося Рощина, медленно пряча наган в кобуру.

— Не узнал... С перепою, что ли? Здравствуй, елки точеные... — Рощин, не снимая перчатки, подал ему руку. — Чего ты тут делаешь? Набрал себе команду пузатых бородачей, вот идиотина! Тебе же время полком командовать... Опять разжалован, что ли? За пьянство, конечно?

— Фу ты, елки точеные! — проговорил Теплов, шепелявя из-за того, что под усами у него чернела дыра вместо передних зубов. — Вадим Рощин!.. — И лиловые под глазами мешочки у него задрожали. — С неба свалился... Мы же считали тебя дезертиром...

— Спасибо!.. — Рощин взглянул упорно и горячо в глаза ему (Теплов, чувствуя неудобство от этого взгляда, счел за лучшее не продолжать разговора о дезертирстве). — Очень вы хорошего мнения обо мне... Я все время был в Одессе у Гришина-Алмазова... А теперь начальник штаба Пятьдесят первого резервного. Может быть, тебе все-таки предъявить мои документы?.. — вызывающе спросил он, обернулся и махнул: — Дундич, подъезжай, можешь не слезать с коня...

Теплов только сердито засопел, он всегда побаивался Рощина.

— Брось в самом деле дурака валять... Ты усвоил какую-то особую манеру со мной разговаривать, Рощин... Куда вы едете?

— К генералу Шкуро. Подошли с полком вам на выручку. Говорят, вы тут очень Буденного испугались...

— Да, понимаешь, такой у нас тут бордель... Все гражданское население мобилизовали, отставных генералов, какую-то сволочь чиновников... Попов нарядили, мне прислали...

Рощин вынул портсигар, в нем были иностранные папиросы, захваченные вчера в штабном обозе. Теплов закурил, побросал себе на усы душистый дымок.

— Вот! — удивился. — Елки точеные, настоящие заграничные! Откуда? А нам махру выдают... Адская изжога от нее... Дай, пожалуйста, хоть парочку, про запас...

— Ну, как, в общем, живешь, Васька?

— Живу сволочно, — денег нет... Все надоело... — Он исподлобья покосился на соскочившего с коня Дундича, на трех мрачных кавалеристов позади него. — Если рассчитываете в Воронеже повеселиться — ма́ком, господа... Краснопузая сволочь все вычистила, — ни одного кабака, ни одного заведения с девочками, — прямо отдохнуть негде...

— Познакомься, — сказал Рощин, — подполковник Дундич.

— Штаб-ротмистр Теплов.

Они откозыряли друг другу. Дундич, — морща смехом смуглое быстроглазое лицо:

— Жалко, жалко, — сказал, — а мы на самом деле мечтали повеселиться... Деньжонок захватили...

— Да есть, конечно, по частным квартирам девчонки, и николаевку можно достать, и шампанское припрятано у спекулянтов... Пятьсот рублей бутылка! Ну, что это такое! — Припухшие, с постоянно набегающей слезой, глаза Теплова изобразили негодование. — Комендатура прямо, как со святыми, носится с этими спекулянтами... Спасители отечества! В Тамбове, понимаешь, мы напились... Ну, — счет дикий, ну, — платить же нечем, ну, я в рожу и заехал... И разжаловали... Понимаешь, Вадим, у нас в частях очень подавленное настроение. В конце концов — отдаем жизнь... Уходит молодость... А что — впереди? Разоренная Москва? Безденежье... Тебе хорошо, ты университет кончил, — снял, к черту, вшивый мундир и читай себе лекции какие-нибудь... А мне — тяни лямку... Да и армии-то настоящей нам не позволят держать...

— Штаб-ротмистр, вам необходимо рассеяться, — сказал Дундич. — Едемте в город. Де́ла у нас только передать пакет командующему и потом — на всю ночь... Я отвечаю шампанским...

— Черт знает что такое! — проговорил Теплов, потянувшись скрести за ухом, — неудобно оставить пост, так — здорово живешь...

— А ты передай команду старшему по взводу, — сказал Рощин. — А коменданту скажешь, что у тебя закралось подозрение — не переодетые ли мы красные разведчики... На худой конец — обругают тебя дураком...

Теплов разинул беззубый рот и захохотал и, — вытирая глаза:

— Это идея! И я еще даже хотел вас арестовать...

— Правильно...

— Старший унтер-офицер Гвоздев! — уже раскатисто-бодро крикнул Теплов, обернувшись к окопу, где опять скучали юнкера около пулемета. И когда старший унтер-офицер, лет восемнадцати мальчишка с голубыми наглыми глазами, подошел и отчетливо, держа локоть вровень плеча, взял под козырек, Теплов ему передал командование и приказал подать лошадь.

По дороге к городу, ерзая от нетерпения в седле, Теплов рассказал все, что было нужно: какие в Воронеже воинские части и сколько артиллерии, где она расположена...

— Собачья паника, и больше ничего... Извольте видеть — у Кутепова под Орлом какая-то неудача — так наши в штаны валят... Никогда этого прежде не было... А помнишь, Вадим, Ледовый поход? У нас теперь пошло одно словечко: «сердце потеряли...» Да, да, что-то утеряно, — прежний пыл... Да и мужики здесь сволочи, — волками смотрят... Прав, прав генерал Кутепов, — он, говорят, отрезал главнокомандующему: «Москву можно взять при условии: дать населению земельную реформу и виселицу...» Чтобы ни одного телеграфного столба порожнего не осталось... Вешать, как при Пугачеве, — целыми деревнями... А впрочем, все это скучная материя... Мне дали один адресок: две сестры, обязательнейшие девушки, играют на гитарах, поют романсы, — с ума сойти, елки-палки! Знаете что, — давайте уж прямо сразу к ним...

Теплова, видимо, хорошо знали, — несколько встретившихся патрулей только откозыряли, даже и не покосившись на Дундича и Рощина. На главной улице свернули к чугунному подъезду гостиницы. Теплов слез и, раздвигая ноги, сказал застенчиво:

— Не люблю лишний раз глаза мозолить, я лучше вас здесь подожду... Главный штаб — во втором этаже... Только, господа, скорее. — И строго — рябому, с татарскими усиками, кубанскому казаку, стоящему в подъезде: — Пропусти, болван...

Дундич и Рощин поднялись по чугунной сквозной лестнице. На пакете Буденного стояло: «Генерал-майору Шкуро, лично, секретно...» Решено было — передать пакет через адъютанта. В зале ресторана с ободранными окнами помещалась канцелярия, — Дундич и Рощин вошли туда, и сейчас же перед ними в другие двери вошли два человека: один, длинный и громоздкий, с пышными подусниками на грубо красивом лице, был на костыле, топорщившем под мышкой его светло-серую генеральскую шинель. Рощин узнал Мамонтова. Другой — в коричневой черкеске — с воспаленным, скуластым, хулиганским лицом с разинутыми ноздрями вздернутого носа, был генерал Шкуро. Войдя, они остановились около стола, где штабной офицерик в широких, как крылья летучей мыши, галифе диктовал что-то хорошенькой блондиночке, которая высоко подбрасывала руки, печатая на ундервуде.

Рощин указал Дундичу на Шкуро, спрашивая: «Что же теперь делать?» Мамонтов в это время обернулся и, увидев двух незнакомых офицеров, басовито приказал:

— Подойдите, господа...

Рощин вытянулся, оставшись у дверей. Дундич подошел к Шкуро:

— Имею передать вашему превосходительству пакет.

Шкуро стоял почти спиной к Дундичу, он не обернулся, только повел крепкой красной шеей, в которую врезался галунный ворот, и, не глядя в лицо, подняв по-волчьи верхнюю губу, спросил:

— От кого пакет?

— От командира Пятьдесят первого резервного, прибывшего на правый берег Дона в ваше распоряжение...

— Это что еще за Пятьдесят первый полк? — теперь уже повернувшись, но все так же неприязненно проговорил Шкуро, взял пакет и вертел его в пальцах. — Кто командир?

Вадим Петрович, стоявший в дверях, почувствовал неприятный холодок и опустил руку в карман шинели на рукоятку нагана. Получалось в высшей степени глупо, и неумело, и напрасно... Дундич сейчас брякнет какую-нибудь несусветную фамилию... Жаль! Могли бы привезти Буденному ценные сведения...

— Командует Пятьдесят первым полком граф Шамбертен, — не задумываясь, ответил Дундич и веселым взглядом поймал косой, налитый желчью, непроспанный взгляд Шкуро. — Разрешите идти, ваше превосходительство?

— Постойте, постойте, подполковник. — Мамонтов неуклюже начал поворачиваться на костыле. — Что-то знакомая фамилия, позвольте-ка... — Мясистое красивое лицо его вдруг болезненно исказилось: неловким движением он разбередил ногу в лубке, раздробленную пулей на прошлой неделе, когда он на тройке уходил от Буденного. — А, черт! — пробормотал он. — А, черт!.. Можете идти, подполковник...

Дундич, откозырнув, сделал четкий полуоборот и пошел к двери. Рощин видел, как Шкуро, говоря что-то все еще сморщенному от боли Мамонтову, медленно разрывал пакет: в нем находилось письмо, подписанное Семеном Буденным; содержание было известно Дундичу и Рощину: «24 октября, в шесть часов утра, я прибуду в Воронеж. Приказываю вам, генералу Шкуро, построить все контрреволюционные силы на площади у круглых рядов, где вы вешали рабочих. Командовать парадом приказываю вам лично...»

Они спускались по чугунной лестнице. Навстречу им поднимались — гуськом — юнкера с винтовками. Рощину казалось, что маленький Дундич — впереди него, — задрав нос, отчетливо позвякивая шпорами, — идет слишком медленно... Ненужная и глупая бравада!..

Наверху, на втором этаже, раздался резкий, хриплый крик... Дундич и Рощин вышли в подъезд, где к ним с тротуара кинулся Теплов, — дряблое лицо его с висячими усами жаждало шампанского, романсов и девочек...

— Ну, слава богу, господа... Едем...

Засунув сапог в стремя, он запрыгал на одной ноге около заартачившейся лошади. Рощин был уже в седле. Дундич вынул портсигар, закурил, — смуглые, сухие пальцы его слегка дрожали, — он бросил горящую спичку, взял у Латугина повод и — резко:

— В первый переулок, налево, рысью — марш!

До первого переулка было всего десяток домов; Латугин, Гагин и Задуйвитер, цокая копытами по булыжнику, первые свернули туда; Теплов завопил, сдерживая лошадь и оборачиваясь:

— Господа, господа, следующий — направо...

Но лошадь его занесла вместе со всеми налево. Рощин, сворачивая, на углу обернулся и видел, как из подъезда гостиницы выбегали юнкера, торопливо оглядываясь и щелкая затворами.

— Рощин, что за черт! — едва не плача, кричал Теплов, переходя со всеми в галоп. Дундич на скаку плотно прижал к нему коня, перегнувшись, крепко схватил его за кисть руки и, обрывая шнур, выдернул у него из кобуры револьвер.

— Шампанское за мной! — крикнул он ему, скаля зубы. Теперь уже и он, и Рощин, и трое бойцов мчались по кривому переулку во весь опор мимо домишек, заборов, старых лип, которые цеплялись голыми сучьями за их шапки. Позади слышались выстрелы. Не сбавляя хода, они проскакали поле, близ моста опять перешли на рысь и уже шагом подъехали к предмостным окопам. Дундич позвал, похлопывая коня по дымящейся шее:

— Старший унтер-офицер Гвоздев! — И когда тот, пряча в руках папиросу, подошел: — Штаб-ротмистр Теплов просил меня передать, что вернется через полчаса. Двадцать четвертого утром мы опять будем здесь, так вы нас пулеметами не пугайте...

— Слушаюсь, господин подполковник...

Когда мост остался далеко позади и были уже сумерки и взмыленным коням, начавшим спотыкаться, дали передышку, — Дундич сказал Рощину:

— Мне очень неприятно перед вами и перед товарищами... Много раз я ругал себя за щегольство... Опасность пьянит, ум обостряется, влюблен в самого себя, забываешь о цели и ответственности... И потом всегда раскаиваешься... Если бы сейчас товарищи слезли с коней, стащили меня за ногу и отколотили, — я бы не обиделся, даже почувствовал бы облегчение...

Рощин закинул голову и громко захохотал, — ему тоже нужно было освободить себя от длительного, сдавившего его всего напряжения.

— А и верно, Дундич, стоило вас хорошенько отдубасить — особенно за ту папиросочку в подъезде...

Хитрость Буденного удалась. Мамонтов и Шкуро, прочтя его письмо, переданное с таким неслыханным нахальством лично им в руки, пришли в неописуемую ярость. Чтобы так писать, да еще назначить день и час взятия Воронежа, — нужна уверенность. Значит, она была у Буденного. Генералы потеряли чувство равновесия.

Его план поражения белой конницы строился на контратаке всеми своими сосредоточенными силами последовательно против трех колонн донских и кубанских дивизий, стремившихся окружить его. Они медлили с наступлением и ограничивались разведкой. Теперь он был уверен, что они бросятся на него очертя голову.

В ночь на девятнадцатое октября разведка донесла, что началось движение противника. Час кровавой битвы наступил. Семен Михайлович, сидевший со своими начдивами при свече над картой, сказал: «В час добрый», — и отдал приказ по дивизиям, по полкам, по эскадронам: «По коням!»

В темной ли избе, или в поле, в окопчике, прикрытом ветвями и сеном, или просто под стогом зазвонили полевые телефоны. Связисты услышали в наушники то, что все ждали с часу на час. Вестовые, кинувшись на коней, на скаку заправляя стремя, помчались в темноту. Бойцы, спавшие не раздеваясь в эту черную, как вражья могила, безветренную ночь, пробуждались от протяжного крика: «По коням!», вскакивали на ноги, стряхивая сон, кидались к коновязям и торопливо седлали, подтягивали подпруги так, что лошади шатались.

Эскадроны съезжались на поле, по крикам команды, перекатывающимся по фронту, находя в темноте свое место. Строились и долго ожидали, поглядывая в сторону, где должна вот-вот забрезжить заря. По-ночному тяжело вздыхали кони. Промозглый холодок пробирался под стеганые куртки, полушубки и тощие солдатские шинелишки. Молчали, не курили.

И вот далеко раздался первый булькающий выстрел. Послышались голоса комиссаров: «Товарищи, Семен Михайлович приказал вам разбить противника... Наемники буржуазии рвутся к Москве, — смерть им! Покройте славой революционное оружие».

Заря не осветила поля. Лежал туман. С тяжелым топотом — стремя к стремени — мчалась развернувшаяся на версты лава восьми буденновских полков. В густом тумане было видно только — товарищ справа, да товарищ слева, да впереди конские зады, прыгающие в зыбком молоке.

Противник был близко — на сближении. Уже слышались его беспорядочные выстрелы. Уже бойцы, все посылая, все посылая коней, вытягивали шеи, силясь увидеть его... И вот по всей лаве прокатился крик, — громче, злее, яростнее. Передние увидели его...

Из тумана стали вырастать тени заворачивающих всадников. Не выдержало сердце у донских казаков. Они такой же лавой мчались навстречу... Да, видно, черт занес их так далеко от родных станиц — рубиться с этими красными дьяволами. Услышали, как гудит и дрожит все поле, поняли — какая страшная сила сшибет вот-вот коней и людей, смешает, закрутит, и повалятся горы окровавленных тел... Было бы за что! И понадеялись казаки на резвых донских скакунов, — стали осаживать, поворачивать... Разве только несколько самых отчаянных, пьяных от удали, врезались в буденновскую лаву, рубя шашками сплеча и наотмашь...

Не спасли донские скакуны. Те, кто уже повернул, сталкивались с тем, кто еще стремился вперед... Свои сшибали своих... Наскакивающие буденновцы рубили, и топтали, и гнали... Начались дикие крики... В тумане только и видно было — прильнувшего к гриве всадника и другого, настигающего его, завалясь в седле, для удара шашкой... Визжали, хватая зубами, взбесившиеся кони...

Теперь уже все казачьи полки повернули наутек. Но глубоко с фланга им путь преградили пулеметные тачанки и огнем отбросили их в сторону. А там, в смешавшиеся в беспорядке кучки скачущих казаков, врезались свежие буденновские эскадроны.

До белого света продолжалось преследование двух мамонтовских дивизий. Тысячи трупов в синих казачьих бешметах, в шароварах с красными лампасами лежали на поле, и носились испуганные кони без ездоков.

В обед буденновцы огромным табором на ровном поле толпились у хороших, из чистой меди, походных кухонь, отбитых у неприятеля. В них дымился кулеш, как полагается, из пшена с салом, и на этот раз с добавкой макарон, рису, бобов, солонины, и много еще такого для вкуса было намешано туда кашеварами.

Плотно поев, бойцы курили и хвалились друг перед другом: кто оружием, добытым в бою, — кавалерийской шашкой в серебре, японским карабином, — кто донским скакуном, — рыжим, с лысиной, в чулках.

Возбуждение от боя не улеглось, — куда там! Повсюду заиграли гармонии. Гаркнули голоса с подголосками: «Все тучки, тучки понависли, на поле пал туман...» А кое-где под треньканье балалайки пошли стучать каблуками, под присвист — взмахивать руками, как лебедь крыльями, — дробно бить землю вприсядку.

Но вот протяжно заиграли рожки. Снова — в бой, на трудную работу! Вдали шагом проехал Буденный, в бурке и серебристой папахе, и с ним оба начдива. И снова начали строиться полки, и в гуще их поплыли, колыхаясь, восемь красных знамен.

Страшный разгром первой колонны заставил белых приостановить окружение Буденного, — первоначальный план был сорван, и он сейчас же воспользовался этим замешательством противника. В ту же ночь на рассвете буденновцы атаковали вторую колонну мамонтовцев, она также не выдержала удара и отступила к железнодорожному полотну, под охрану бронепоезда. Он шел из Воронежа, тяжело громыхая через мосты. Под стальными башнями его у шестидюймовок и пулеметов артиллеристы-офицеры всматривались в медленно редеющий туман. Время от времени впереди на полотне появлялся машущий флажком связист. На минуту бронепоезд приостанавливался, принимая сведения. Так стало известно о тяжелом состоянии второй колонны, которую буденновцы гнали к полотну.

Бронепоезд развил скорость. Не умолкая, ревел хриплый гудок на его паровозе, давая знать своим о близкой помощи.

Артиллеристы, глядевшие в башенные щели, различили неясную в тумане тень, — она неслась по полотну навстречу бронепоезду. Он застопорил и дал задний ход. По быстро вырастающей тени ударили из пушки. Но было уже поздно. Большой товарный паровоз, пущенный без людей, на полных парах налетел на передний стальной вагон бронепоезда. Паровоз был весь — спереди и с боков — обложен динамитом. Раздался взрыв. Тотчас от детонации рванулись снаряды в броневагоне. В вихре земли, песка, огня, дыма, пара броневагон стал торчком и опрокинулся, раздавливая и увлекая под откос всю великолепную стальную черепаху.

Вторая колонна мамонтовцев бежала на Воронеж. Туда же — без боя — начала отступать и третья колонна. Но ее заставили принять бой — на четвертые сутки этого неслыханного побоища — и наголову разбили ее, устилая на версты поля и холмы порубленными станичниками.

Растрепанные, потерявшие в иных полках до половины состава, все донские и кубанские дивизии ушли за реку. Туда же, — рано утром двадцать четвертого, — подступили главные силы буденновцев. Деревянный мост, охранявшийся поповской командой и тепловскими юнкерами, был брошен невзорванным. Со стороны города стреляло несколько батарей, взметая столбы грязи и воды... Буденный подъехал к мосту и увидел, что он построен на живую нитку. Он вызвал музыкантов с серебряными трубами и приказал им перейти на ту сторону реки и там играть самое веселое — забористое — марши и польки. Ученики консерватории, — как были тогда взяты; в куцых шинелишках, с желто-красными нашивками на плечах, — побежали через мост, и — едва только успели перебраться — в него ударил снаряд, и он рухнул. Под грохот взрывов, полуживые от страха, музыканты задудели и заревели в серебряные трубы...

Каждому конному бойцу был дан в руки артиллерийский снаряд. «Вперед, вперед!» — закричали комиссары и командиры и впереди эскадрона кинулись в ледяную воду, кипящую и взбаламученную от рвущихся снарядов. На глубине люди соскальзывали с седел и плыли, держась одной рукой за гриву, другой придерживая снаряд. Поскакали в сердитую реку артиллерийские запряжки, волоча пушки по дну. Переправившиеся буденновцы, злые и мокрые, на мокрых конях, горячо атаковали Воронеж. Но и здесь дивизии Мамонтова и Шкуро не приняли боя и поспешно ушли за Дон, в сторону Касторной.

Разгром лучшей конницы белых и занятие Воронежа входило одной из начальных операций в грандиозный военный план, созданный новым руководством Южного фронта.

Листки этого плана, на синеватой бумаге, подписанные Сталиным, были получены командармами, комкорами, начдивами, комбригами и командирами полков. В нем предусматривались в подробностях — понятные каждому красноармейцу и на деле осуществимые — операции всех частей Южного фронта, начиная от района Орла и Кром, откуда, под ударами особой группы, руководимой Серго Орджоникидзе, отступала растрепанная деникинская гвардия с генералом Кутеповым, поклявшимся первым ворваться в Москву, — от операций в районе Воронежа и Касторной, где корпусу Буденного была поставлена задача — рассечь белый фронт на стыке Донской и Добровольческой армий, кончая занятием Ростова-на-Дону, путь на который лежал в образовавшийся прорыв через пролетарский шахтерский Донбасс.

Неожиданно для всех, — кто в проплеванных гостиницах сидел уже налегке, с уложенными чемоданами, уверенный, что к Новому году в Москву французы привезут шампанское, устрицы и даже пармские фиалки, и для тех, кто в Париже, бывало, часами дожидался в приемной у властителя Европы, а теперь с поднятым челом и почти, вот-вот уже, с конституционной Россией за плечами, не задерживаясь, входил в кабинет Жоржа Клемансо, где трещал камин и маленький, сгорбленный, с седыми бровями, нависшими над проектом мировой могильной тишины, сидел диктатор, и француз вставал, а русский в восторге сжимал его узловатые пальцы; наконец, неожиданно для самого Антона Ивановича Деникина, который давно уже бросил играть по пятницам в винт и, будучи слабым, как все люди, начал верить в свое избрание свыше, — большевики, дышавшие на ладан, что-то такое сделали непонятное: в разгар сыпного тифа, острейшего голода и окончательной хозяйственной разрухи организовали мощное контрнаступление, — и пошла трещать вся мировая политика удушения и расчленения красной России, этой необъятной страны, представлявшейся — по правде говоря — загадкой для западноевропейских умов.

Загадкой казались источники воодушевления русского народа. Идеи всеобщего счастья и справедливого общественного порядка, — казалось бы, навсегда погребенные под грудами тел мировой войны, — перекинулись, как будто вихрем взнесенные семена райского дерева, в нищую, разоренную Россию, где неграмотные мужики все еще рассказывали друг другу сказки про Ивана-дурака, бабу Ягу и ковры-самолеты, и слепые старики и старухи пели тягуче-эпические поэмы о битвах, пирах и свадьбах богатырей.

Эти идеи приобрели у народов России упругость и силу стального клинка. Мужики, рассказывающие сказки, и рабочие с давно уже переставших дымить, полуразвалившихся фабрик, преодолевая голод, сыпной тиф и полнейшее хозяйственное разорение, бьют и гонят первоклассную армию Деникина, остановили у самых ворот Петрограда и погнали назад в Эстонию ударную армию Юденича, разгромили и рассеяли в сибирских снегах многочисленную армию Колчака и самого правителя всея России схватили и расстреляли, бьют и теснят японцев на Дальнем Востоке и, одушевленные идеями Ленина, — одними только идеями, потому что в России нечего кушать и не во что одеваться, — верят, что они сильнее всех на свете и что на развалинах нищего их государства они устроят в самом ближайшем времени справедливое коммунистическое общество.

20

Кате казалось, что желудок у нее теперь, наверное, не больше маленького кошелечка для мелочи. Туда помещалась как раз осьмушка хлеба, кусочек вареной воблы и несколько ложек супа. Беда была с юбками, они сваливались, перешивать было нечем и некогда. Зато Катины глаза стали вдвое больше, чем прошлой осенью, когда Матрена нарочно откармливала ее жирными лепешками.

Девочки в школе, умильно морща голодные рты, иногда говорили ей:

«Тетя Катя, какая вы хорошенькая...»

Это Кате доставляло удовольствие, потому что вся жизнь была в будущем. Единственная память — изумрудное колечко, зелененький огонек, подарок Вадима, затерялось еще в селе Владимирском. Дорогие тени, населявшие этот ветхий дом в Староконюшенном, ей больше не вспоминались. А будущее, куда устремлены все надежды, все помыслы людей, измученных голодом, стужей, разорением, войной, — представлялось Кате широкой дорогой, сверкающей, как стекло под солнцем, среди зеленых лугов и дымных озер с томящимися кущами деревьев, — дорога уводила к очертаниям голубоватого города, сложного, пышного, прекрасного, где все найдут счастье.

Однажды Катя рассказала об этом на уроке. Дети слушали затихнув. Сентиментальным девочкам особенно понравилось, что дорога в будущее вьется мимо зеленых лугов, где можно побегать за бабочками и собрать букетики крошечных цветов — в виде звездочек. Мальчики нашли рассказ неудовлетворительным: Катя ничего не сказала о поездах, мчащихся повсюду по этим лугам, мимо семафоров, через решетчатые мосты и туннели, не упомянула о громадных трубах, из которых весело валит дым. Все согласились на том, что город будущего — конечно, голубой, с такими домами, за которые задевают облака, со страшно быстрыми трамваями, с качелями на всех бульварах и лотками, где раздают булки и колбасу. Катя спросила: «А мороженое?» Но, оказывается, никто из детей никогда мороженого не пробовал, — может быть, и пробовали, когда были маленькими, но забыли.

Кате приходилось очень беречь силы. Недавно она несла на двор полное ведро и почувствовала, что не может его удержать, поставила на пол, — пришлось прислониться к стене, преодолевая темноту в глазах. К счастью, чтения лекций об искусстве так и не состоялись: Москва совсем опустела, — можно было пройти от Арбата до Страстной, не встретив прохожего. Но зато каждый день теперь в «Известиях» печатались победные военные сводки. Красные армии через разрыв фронта под Касторной широким потоком вливались на Донбасс, и в тылу у белых полыхали крестьянские восстания. Теперь-то уже виделся конец войне и бедствиям.

Часов около восьми вечера Катя сидела дома, не зажигая коптилки. Топившаяся пчелка давала достаточно света через полураскрытую дверцу. Сидя на низенькой скамеечке, Катя осторожно подкладывала лучинки, они ярко загорались и весело потрескивали, потому что были из той самой солнечной энергии, про которую Катя рассказывала в школе.

Катя читала «Преступление и наказание». Боже мой, до чего безысходна была та жизнь! Положив руку на книгу, Катя смотрела на огонь. До чего страшна ночь, проведенная Свидригайловым в деревянном трактире, на Большом проспекте. Это был тот самый ресторан, где Катя всего один, всего один только раз за свою жизнь, была вдвоем с Бессоновым, и, может быть, в той самой комнате, где Свидригайлов оттягивал время, час за часом, уже зная, что не преодолеет ужаса и отвращения к жизни.

Это проклятие разбито, сожжено, развеяно. И можно — вот так сидеть, спокойно читать о прошлом, подкладывать лучинки и верить в счастье.

По коридору вразнобой затопали шаги, — должно быть, опять к Маслову пришли совещаться: за последнее время к нему постоянно в сумерки приходили какие-то люди, и злые голоса их слышались даже в Катиной комнате. Когда бы ни кончалось совещание, Маслов, проводив до кухни людей, осторожно стучался к Кате:

«Неужели спать легли? Стыдно, стыдно рано заваливаться... А еще современная женщина... Ай, ай, ай...»

Он настойчиво вертел дверную ручку, и Катю трясло от негодования: Маслов был упрям и чудовищно самонадеян, он мог до утра стоять за дверью.

«Екатерина Дмитриевна, да хочу всего-навсего тихо посидеть около вашей печурочки... Расходились нервы... Пустите по-товарищески...»

Было глупо отмалчиваться, и Катя в конце концов отворяла дверь. Он садился перед пчелкой, подкладывал чурбашки, — а каждый такой чурбашек был дороже золота, — и, загадочно усмехаясь и протягивая узенькие ладошки над раскаленным железом, пускался в рассуждения о грозном, как космос, влечении полов... В послушании этому влечению — красота! Все остальное — гнусное пуританство. К тому же Катя — красива, одинока и «свободна от постоя», как он выражался. Он был непоколебимо уверен, что она не сегодня-завтра пустит его под свое одеяло...

Сегодня, начитавшись Достоевского, Катя с тоской прислушивалась к голосам в комнате Маслова. Там раздавались яростные восклицания и падали — время от времени — какие-то предметы, будто на пол швыряли книги. Уж сегодня-то он непременно явится за успокоением...

В дверь поскреблись, в дверную скважину прошептал голосок: «Тетя Катя, вы дома?» Это была Клавдия, в огромных, обвязанных бечевками, валенках.

— Чесночиха за вами прислала, у нее сидит Рощин с фронта.

— А что, — холодно на улице?

— Ужас, тетя Катя, ветрило так и порошит в глаза, хоть бы — снег, да вот нет и нет снегу... Что за зима скаженная. А у вас тепло, тетя Катя...

Кате очень не хотелось выходить на холод и тащиться к Чесночихе на Пресню, но еще более утомительным представился неизбежный ночной разговор. Она надела пальто и поверх на голову накинула теплую шаль. Осторожно, чтобы не услышал Маслов, они с Клавдией вышли на улицу. Ночной ветер рванулся на них из темного переулка с такой силой, что Катя прикрыла девочку концами платка. Пыль колола лицо, громыхали железные крыши. Ветер выл и свистал так, будто Катя и Клавдия последние люди на земле, — все умерло, и солнце больше никогда не взойдет над миром...

Около тускло освещенного окошка деревянного домика Катя повернулась к ветру спиной, чтобы передохнуть. В щель между неплотно задвинутыми занавесками она увидела комнату, заставленную вещами, черную трубу, протянутую коленом в камин, посреди комнаты — огонек пчелки и в креслах — несколько человек. Все они, подперев головы, слушали юношу, стоявшего перед ними, — гордо приподняв вздернутый нос, он читал что-то по тетради. На нем было ветхое пальто, раскрытое на голой груди, и обмотанные бечевками валенки, такие же, как у Клавдии. По движению его руки и по тому, как он героически встряхивал нечесаными густыми волосами, Катя поняла, что юноша читает стихи. Ей стало тепло на сердце, улыбаясь она повернулась к ветру и, не выпуская Клавдию из-под платка, побежала к Арбату.

У Чесночихи было много народу, — всё жены рабочих, ушедших на фронт, и несколько стариков, сидевших в почете около стола, где приезжий рассказывал о военных делах. Сейчас его спрашивали, перебивая друг друга, о том — скоро ли полегчает с хлебом, можно ли рассчитывать к рождеству на подвоз в Москву топлива, о том — выдают ли в частях валенки и полушубки. Называли фамилии мужей и братьев, — живы ли, здоровы ли они? — как будто этот военный мог знать по именам все тысячи рабочих, дравшихся на всех фронтах.

Катя не могла протискаться в комнату и осталась в дверях. Поднимаясь на цыпочки, она мельком увидела, что приезжий что-то записывает на бумажке, опустив голову, забинтованную марлей.

— Все вопросы, товарищи? — спросил он, и Катя задрожала так, будто этот негромкий, строгий голос вошел в нее, разрывая сердце. Она сейчас же повернулась, чтобы уйти. Ничто, оказывается, не забылось... Звук голоса, похожий на тот, родной, навсегда замолкший, встревожил в ней прежнюю тоску, прежнюю боль, ненужную, напрасную... Так одинокому человеку придет во сне давно изжитое воспоминание, — увидит он никогда им не виданный домик в лесу, освещенный пепельным светом, и около домика — свою покойную мать, — она сидит и улыбается, как в далеком детстве: он хотел бы к ней потянуться, вызвать ее из сна в жизнь, и не может ее коснуться, она молчит и улыбается, и он понимает, что это только сон, и глубокие слезы поднимают грудь спящего.

Должно быть, у Кати было такое лицо, что одна из женщин в дверях сказала:

— Гражданки, пропустите учительницу-то вперед, затолкали ее совсем...

Катю пропустили вперед, в комнату. Она вошла, и тот человек у стола поднял голову, обвязанную марлей, — она увидела его суровое лицо. Прежде чем радость осветила, расширила его темные глаза, Катя покачнулась, у нее закружилась голова, в ее сознании все сдвинулось, поднявшийся гул голосов ушел вдаль, свет начал темнеть, так же как тогда в сенях, когда едва не уронила ведро... Катя, виновато улыбаясь, часто задышала, бледнея — стала опускаться...

— Катя! — крикнул этот человек, расталкивая людей. — Катя!

Несколько рук подхватило ее, — не дали ей упасть на пол. Вадим Петрович взял в ладони ее поникшее, милое, очаровательное лицо, с похолодевшим полуоткрытым ртом, с глазами, закаченными под веки.

— Это моя жена, товарищи, это моя жена, — повторял он трясущимися губами...

Они шли, ветер дул им в спину. Вадим Петрович прижимал к себе Катю за слабые плечи. Она всю дорогу плакала, останавливалась и целовала Вадима. Он начал было ей рассказывать, — почему его все считают мертвым, тогда как он целый год по всей России ищет Катю. Но это вышло путано, длинно, да и совсем сейчас было не нужно. Катя иногда говорила: «Постой, мы совсем не туда зашли...» Они поворачивали и блуждали по темным и пустынным переулкам, где скрипели ржавые флюгера на трубах, скрежетали полуоторванные листы железа или с надрывающим воем размахивала из-за разрушенного забора черными ветвями липа, помнившая, как здесь, быть может, в такую же ночь, боясь чертей, во взвивающейся шинели пробегал Николай Васильевич Гоголь.

На Староконюшенном Катя сказала:

— Вот наш дом, ты вспоминаешь? Но только ты приходил с парадного. Я живу в той же комнате, Вадим.

Они пробежали через дворик. Дверь на кухне была заперта.

— Ах, неприятно... Придется стучать... Стучи как можно громче...

Катя засмеялась, потом немножко заплакала, поцеловала Вадима и опять засмеялась. Вадим Петрович громыхнул в дверь обоими кулаками.

— Кто там? Кто там? — встревоженно спросил Маслов за дверью.

— Отворите, это я, Катя.

Маслов отворил, в его руке дрожала жестяная коптилка со стеклянным пузырем. Увидев позади Кати военного, — он отшатнулся, щеки его собрались продольными морщинами, глаза ненавистно сузились...

— Спасибо, — сказала Катя и побежала к себе, не выпуская руки Вадима.

Они вошли в комнату, где еще не остыло тепло. Катя шепотом спросила:

— Спички у тебя есть?

Он был так взволнован, что ответил тоже шепотом:

— Есть...

Она зажгла свет, маленький огонек в баночке, которого было вполне достаточно, чтобы всю ночь глядеть друг на друга. Разматывая шаль, она не сводила глаз с Вадима: он был совсем седой, даже в бровях — несколько седых волосков; его лицо возмужало, в нем было незнакомое ей выражение суровости и спокойствия. Это очаровывало ее, — он был моложе, и мужественнее, и красивее, чем тот, кого она помнила в Ростове. Она увидела его повязку, приоткрыла рот и вздохнула:

— Ты ранен?

— Царапина... Но из-за нее получил двухнедельный отпуск в Москву... Я знал, что ты здесь... Но как бы я тебя нашел? (Она радостно и лукаво улыбнулась, приподняв уголки рта.) Ты знаешь — я едва ведь не застал тебя в том селе... Я гнался за Красильниковым... (У Кати дрогнул подбородок, она сердито затрясла головой.) Катя, я его убил... (Она опустила веки и наклонила голову.) Катя, я начал тебе рассказывать — как это вышло, что ты получила известие о моей смерти... В сущности, моя смерть была... (Катя с тревогой начала глядеть на него, и опять ее большие глаза налились слезами.) Я ехал ночью в вагоне, — мне больше незачем было жить, я ошибся в главном, мне было ясно, что подлежу уничтожению или самоуничтожению... Катя, прости, это — тяжело, трудно, но я хочу рассказать... Только мысль о тебе, не любовь, нет, — любить уже нечем было, — но напряженная мысль о тебе, как о том, чего нельзя разорвать, отбросить, забыть, нельзя предать, — только это связывало меня. Эта ночь в вагоне была крушением всего себя... Сейчас, когда на конце мушки я узнаю знакомые лица, я понимаю — в какую черную, опустошенную душу я посылаю пулю...

Катя положила руки ему на плечи и щекой прижалась к его сильно и часто бьющемуся сердцу. Они продолжали стоять посреди комнаты, — он в расстегнутой шинели, она в шубке. Она понимала, что он говорит сейчас о самом главном... Дорогой, прекрасный человек... Он хочет поскорее оправдаться, чтобы она любила в нем его новое, честное, суровое, страстное... Когда он в Ростове сходил с ума и бросил ее, она знала, что он будет жестоко страдать и все поймет... Прижавшись к нему, она слушала его слова, неясные и отрывистые, будто он наспех чертил иероглифы своих огромных переживаний... Но и без слов Катя все понимала...

— Катя, задача непомерная... Нам не снилось, что мы будем ее осуществлять... Ты помнишь — мы много говорили, — какой утомительной бессмыслицей казался нам круговорот истории, гибель великих цивилизаций, идеи, превращенные в жалкую пародию... Под фрачной сорочкой — та же волосатая грудь питекантропа... Ложь! Пелена содрана с глаз... Вся наша прошлая жизнь — преступление и ложь! Россией рожден человек... Человек потребовал права людям стать людьми. Это — не мечта, это — идея, она на конце наших штыков, она осуществима... Ослепительный свет озарил полуразрушенные своды всех минувших тысячелетий... Все стройно, все закономерно... Цель найдена... Ее знает каждый красноармеец... Катя, теперь ты немножко понимаешь меня?.. Я бы хотел передать тебе всего себя... Моя радость, мое сердце, возлюбленная моя, звезда моя...

Он внезапно так стиснул ее в объятиях, что у Кати хрустнули все косточки, и она лишь крепче прижалась к его сердцу. В дверь постучали, и — голос Маслова:

— Екатерина Дмитриевна, можно вас на минуточку... — И, так как никто ему не ответил, он принялся, как всегда, вертеть ручку двери. — Дело в том, что вам известно чрезвычайное положение в городе. У вас мужчина после десяти часов... Так как я ответственен....

— Подожди, — я с ним сейчас поговорю, — сказал Рощин, снимая с плеч Катины руки.

— Вадим, не сходи с ума, я сама поговорю... Умоляю тебя, пожалуйста...

Она сейчас же вышла за дверь, притворив ее за собой. Маслов стоял, усмехаясь, все так же с коптилкой в руке.

— Ко мне нельзя, товарищ Маслов, — сказала она твердо, как никогда с ним не говорила. Он начал, поманивая ее, пятиться от двери, глядя на Катю истерически пристально. Она, идя за ним, спросила:

— Ну? Что вам нужно? — не понимаю...

— Хочу предупредить, Екатерина Дмитриевна: чтобы вы не придавали особого значения моей катастрофе... Ее нет... Вам уже сообщили, конечно... По всему району — ликование и торжество... Рано, рано торжествовать и ликовать...

— Ничего не понимаю, — сердито ответила Катя. — Одним словом, прошу не стучать ко мне...

— Не врите! Все понимаете... Ах, как я вас проверил! Так вот, первое: продолжайте разговаривать со мной так, будто партийный билет у меня не отобран... Так будет дальновиднее... (У Маслова клокотало в горле, хотя говорил он тихо и даже вяло.) Ничего не изменилось, Екатерина Дмитриевна!.. Второе: ваш ночной гость сейчас уйдет... Вы хотите спросить — почему я настаиваю на этом? Вот мой ответ... (Он запустил руку в боковой карман засаленного, с оборванными пуговицами пиджака, вытащил плоский «парабеллум» и, держа его на ладони, показал Кате.) Затем, будем продолжать наши прежние отношения...

Катя была так потрясена, что только медленно моргала. Толкнув дверь, вышел Рощин:

— Что вам нужно от моей жены?

Лицо Маслова сморщилось до самых ушей, он присел, чтобы поставить коптилку на пол, револьвер вертелся у него в руке.

— Э, бросьте, — сказал Рощин, подходя к нему, дернув, вытащил у него из руки револьвер и положил в карман шинели. — Завтра я сдам его в районную Чека, там его можете получить. Если еще раз подойдете к нашей двери, я вам сломаю хребет...

Они вернулись в комнату. Катя молча хрустела пальцами. Рощин снял с нее шубку.

— Катя, все понятно, и он больше сюда не сунется. Должно быть, про этого Маслова я слыхал на фронте. Это из тех, кто разваливал армию...

Он снял шинель и опустился около Кати, растерянно сидевшей в кресле, — положил голову ей на колени. Ее руки стали скользить по его волосам, щеке, шее. Оба они сейчас же забыли глупую историю с Масловым. Они молчали. Новое волнение, — могущественное, всегда неизведанное, с девственной силой поднималось в них, — в нем радость желания ее, в ней — радость ощущения его радости...

— В миллион раз сильнее, Катя, — сказал он.

— Я тоже... Хотя я — всегда, всегда, Вадим...

— Тебе холодно?..

— Нет, нет... Просто слишком тебя люблю...

Он сел рядом с ней в старое широкое кресло и целовал ее глаза, ее рот, уголки ее губ. Он поцеловал ее в грудь, и Катя вспомнила, что на левой груди у нее — родимое пятнышко, которым он почему-то восхищался. Она расстегнула шерстяную кофточку, чтобы он поцеловал пятнышко.

Печурка действительно остывала, и в комнате становилось холодно. Вадим, все время поглядывая на Катю и открывая улыбкой ровные зубы, присел над пчелкой, раздувая угли и подкладывая чурбашки, напиленные из ножек и спинок кресел красного дерева. Снова стало тепло. Раздеваясь, Катя покраснела, и он засмеялся и, взяв в ладони ее лицо, целовал его.

Всю ночь ветер выл в трубе и громыхал железом. Катя несколько раз вставала, как Психея, поправляла огонек в коптилке и не отрываясь глядела на лицо спящего Вадима. Она была переполнена счастьем и знала, что и он полон счастьем, и поэтому лицо его так спокойно и серьезно.

— Катя! Катя! — закричала Даша, врываясь в кухню. — Катя, моя Катя! — кричала она, топая обмерзшими валенками по коридору. Она налетела на Катю, схватила ее, целовала, отстраняя, — глядела неистово и опять прижимала и гладила. От Даши пахло снегом, овчиной, черным хлебом. Она была в нагольном полушубке, в деревенском платке, за спиной ее висел узел.

— Катя, голубка, милая, сестра моя... До чего я тосковала, мечтала о тебе... Нет, ты только представь, — мы идем пешком с Ярославского вокзала. Москва — как деревня: тишина, галки, снег, по улицам протоптаны тропинки... Далища, ноги подкашиваются... А у Кузьмы Кузьмича два пуда муки... Добрались до Староконюшенного... Не могу найти дома! Три раза из конца в конец проходили весь переулок... Кузьма Кузьмич говорит, не тот переулок... Я просто в ярости, — забыла дом!.. И вдруг... Нет, ты представь! Из-за угла появляется человек, военный... Я — к нему: «Послушайте, товарищ...» А он на меня во все глаза уставился... А я только разинула рот и села в снег... Вадим! Думаю, — с ума спятила, покойники в Москве по переулкам стали ходить... Он как захохочет, да — целовать... А я встать не могу... Катя, красивая, умная моя... Ведь нам рассказывать друг другу нужно десять ночей... Господи, узнаю комнату... И кровать, и Сирин с Алконостом... Вадим рассказал мне про Ивана. Я решила: на днях отправляется в их часть санитарный поезд, — еду санитаркой, и Анисья, и Кузьма Кузьмич со мной... Одного его мы здесь не оставим, избалуется... Катя, во-первых, хотим есть... Ставь чайник... Потом — мыться... Мы от Ярославля ехали в теплушке неделю... Все это с нас надо снять, осмотреть. Мы пока в комнату к тебе заходить не будем, мы на кухне... Идем, я тебя познакомлю с моими друзьями... Это такие люди, Катя! Я им обязана жизнью и всем... Мы сами и плиту затопим, и воды накипятим, там куча всякой мебели... Катя, да неужели у тебя нет седых волос? Боже мой, ты моложе меня на десять лет... Я верю — скоро, скоро настанет день, когда мы все будем вместе...

В Москве по карточкам выдавали овес. Никогда еще столица республики не переживала такого трудного времени, как в зиму двадцатого года. Наступление красных армий поглощало все жизненные силы. Захваченные у белых запасы хлеба и угля быстро растаяли. Богатые губернии, по которым прошлись казаки и добровольцы, были разорены. Продовольственные рабочие отряды находили там лишь жалкие излишки хлеба.

В годовщину Ледового похода Добрармия бежала на Новороссийск, устилая непролазные кубанские грязи брошенными обозами, экипажами с имуществом, завязшими пушками и конской падалью. Все было кончено. Антон Иванович Деникин, поседевший, ссутулившийся, отплыл на французском миноносце в эмиграцию — писать свои мемуары. Жалкие остатки добровольческих полков на транспортах переправлялись в Крым. Донское и кубанское казачество поняло наконец, что его жестоко одурачили, и они своими безвестными могилами, — от Воронежа до Новороссийска, — заплатили за свое упрямство.

В Москве все еще стояла зима. Мартовские бури завалили снегами город. В пчелках уже были сожжены все заборы и лишняя мебель. Фабрики и заводы стояли. В учреждениях служащие, сидя в шубах, дули на распухшие пальцы, чтобы как-нибудь удержать в руке карандаш, — чернила в чернильницах наотказ замерзли до теплых дней. Люди ходили медленно, не расставаясь с заплечными мешками, и мало кто мог пройти от своего дома до места службы, не отдохнув в сугробе или — за ветром — прислонясь в воротах. Голод был ужасен, — люди видели во сне отварного поросенка на блюде, с петрушкой в смеющейся морде, во сне пустыми зубами жевали жирную ветчину и крутые яйца. Но мысли у всех были возбуждены: упорная, кровавая, удушающая злоба контрреволюции была сломлена, жизнь шла на подъем, еще немного месяцев лишений и страданий, и будет новый хлеб, и демобилизованные красные армии займутся мирным трудом, — восстановлением всего разрушенного и строительством того нового, в чем забудутся все страдания, вся горечь вековых обид...

Дашино желание сбылось, — они все были снова вместе. Иван Ильич и Рощин, получив короткий отпуск, приехали в Дашином санитарном поезде в Москву — хмурым мартовским утром, когда над городом клубились сырые тучи, снег съезжал с крыш, падали огромные сосульки и тяжелый воздух был пахуч и тревожен.

Катя встречала их. Вадим Петрович первый увидел ее с площадки вагона и спрыгнул на ходу. Катя, светясь радостью, — глазами, улыбкой, — бежала к нему сквозь паровозный дым, путающийся между железными колоннами. Она показалась ему еще милее, чем в ту встречу в декабре. Вся их любовная жизнь была в таких коротких встречах. Они сейчас же отошли в сторону, под часы. Но ревнивая Даша подтащила к ним своего Телегина. Ей было необходимо, чтобы сестра громко восхищалась Иваном Ильичом.

— Катя, гляди же на него... Ты замечаешь, как он переменился? В Петербурге у него в лице было что-то недоделанное... У него и глаза другие... Прости, Иван, но когда мы ехали в Самару на пароходе — у тебя были светло-голубые глаза, даже глуповатые, и меня это даже смущало... Теперь — как сталь...

Иван Ильич стоял перед Катей и сдержанно вздыхал от полноты чувств. Кате он тоже показался очень привлекательным, — родственный, спокойный, тяжеловесный...

— И вот тебе весь его портрет, Катя... Во время походов, — нет, ты вдумайся! — даже когда он верхом преследовал Мамонтова, он возил с собой в заседельном мешке, — угадай, что? — вот такие маленькие фарфоровые кошечку и собачку, которые он мне подарил в день нашей второй свадьбы в Царицыне... Потому что, видишь ли, они мне очень нравились...

Подбежал к Кате Кузьма Кузьмич, на минутку выскочивший из вагона. Обеими руками он долго тряс Катину руку, наголо обритое, красное лицо его лоснилось от удовольствия и преданности; в белом халате он казался до того раздобревшим, что проходившие по перрону худые люди враждебно оглядывали его...

— Полюбил вас за короткие дни тогда, Екатерина Дмитриевна, не меньше, чем Дарью Дмитриевну... Всегда говорю, нет прекраснее женщин, чем русские женщины... Честны в чувствах, и самоотверженны, и любят любовь, и мужественны, когда нужно... Всегда к вашим услугам, Екатерина Дмитриевна... Вот — только управлюсь, — в обед забегу, занесу кое-какие приношения из Ростова... У нас там весна... А все-таки на севере — слаще сердцу... Ну, извините...

Подошла Анисья, тоже в халате. Большеглазое лицо ее было разочарованное: ей хотелось с этим рейсом остаться в Москве, но старший врач, — прямо уже не по-советски, — даже не захотел ее слушать: «Какие там еще театральные училища! Скоро опять большие бои, подсыпят раненых... Не пущу!»

— Что ж, подожду до осени, — сказала она Даше и концом косынки вытерла носик. — Года идут, года теряю, вот что обидно... Латугин здесь, пришел меня встречать, — тоже чертушка... Приехал делегатом на съезд. Гордый стал, серьезный... Третий день, говорит, бегаю на вокзал — встречаю ваш санитарный... Пошел уламывать старшего врача, чтобы отпустил меня на сутки... Дарья Дмитриевна, он про Агриппину рассказал: она в Саратове, родила, мальчика ли, девочку, — не знает. Долго хворала... Вернулась с ребенком в полк... Жалко ее, тяжелый характер у нее, — однолюбка...

С вокзала пошли пешком через всю Москву на Староконюшенный, — там для Даши и Телегина была приготовлена комната, где раньше жил Маслов. Вот уже два месяца его больше не было, — сначала он увез книги, потом исчез сам... Шли медленно из-за Кати. Вадиму Петровичу хотелось бы взять ее на руки и нести под этими весенними лохматыми тучами, клубившимися над Москвой. Телегин и Даша немного отставали, чтобы не мешать им. Даша говорила:

— Я боюсь за Катю. Москва и эта школа ее доконают. Она ничего не ест... За три месяца стала совсем прозрачная... Ее нужно к нам в поезд... Я бы ее подкормила... А то — живет одним духом, на что это похоже...

Телегин, — тихо и значительно:

— Да и Вадим без нее тает, вот что...

Их скоро догнали Латугин и Анисья. Она была уже без халата, и щеки ее розовели. Латугин, нахмуренный, серьезный, сдержанно поздоровался и вынул из-за обшлага шинели четыре билета для гостей в Большой театр, на самый верхний ярус.

— Да, на фронте легче, чем у вас в Москве, — сказал он, раздавая билетики, — крупный бой пришлось выдержать из-за этой петрушки... Хорошо — комендант попался наш морячок, с крейсера «Аврора»... Так что, не опаздывайте, заседание важное сегодня. Ну, Анисья, пойдемте...

В пятиярусном зале Большого театра, в тумане, надышанном людьми, едва светились сотни лампочек красноватым накалом. Было холодно, как в погребе. На огромной сцене, с полотняными арками в кулисах, сбоку, близ тусклой рампы, сидел за столом президиум. Все они, повернув головы, глядели в глубь сцены, где с колосников свешивалась карта Европейской России, покрытая разноцветными кружками и окружностями, — они почти сплошь заполняли все пространство. Перед картой стоял маленький человек, в меховом пальто, без шапки; откинутые с большого лба волосы его бросали тень на карту. В руке он держал длинный кий и, двигая густыми бровями, указывал время от времени концом кия на тот или иной цветной кружок, загоравшийся тотчас столь ярким светом, что тусклое золото ярусов в зале начинало мерцать и становились видны напряженные, худые лица, с глазами, расширенными вниманием.

Он говорил высоким голосом в напряженной тишине:

— У нас в одной Европейской России — десятки триллионов пудов воздушно-сухого торфа. Запасами его мы обеспечены на столетия. Торф есть топливо на местах. С одной десятины торфяного болота получается в двадцать пять раз больше энергии, чем с десятины леса. Торф — в первую голову, за ним — белый уголь и черный уголь решают стоящую перед нами проблему революционного строительства. Ибо революция, которая победила только на поле брани и не перешла к реальному осуществлению своих идей, утихает, как налетевшая буря. Сидящий здесь, среди нас, Владимир Ильич Ленин, вдохновитель моего сегодняшнего доклада, указал генеральную линию созидающей революции: коммунизм — это советская власть плюс электрификация...

... — Где Ленин? — спросила Катя, вглядываясь с высоты пятого яруса. Рощин, державший, не отпуская, ее худенькую руку, ответил также шепотом:

— Тот, в черном пальто, видишь — он быстро пишет, поднял голову, бросает через стол записку... Это он... А с краю — худощавый, с черными усами — Сталин, тот, кто разгромил Деникина...

Докладчик говорил:

— Там, где в вековой тишине России таятся миллиарды пудов торфа, там, где низвергается водопад или несет свои воды могучая река, — мы сооружаем электростанции — подлинные маяки обобществленного труда. Россия освободилась навсегда от ига эксплуататоров, наша задача — озарить ее немеркнущим заревом электрического костра. Былое проклятие труда должно стать счастьем труда.

Поднимая кий, он указывал на будущие энергетические центры и описывал по карте окружности, в которых располагалась будущая новая цивилизация, и кружки, как звезды, ярко вспыхивали в сумраке огромной сцены. Чтобы так освещать на коротенькие мгновения карту, — понадобилось сосредоточить всю энергию московской электростанции, — даже в Кремле, в кабинетах народных комиссаров, были вывинчены все лампочки, кроме одной — в шестнадцать свечей.

Люди в зрительном зале, у кого в карманах военных шинелей и простреленных бекеш было по горсти овса, выданного сегодня вместо хлеба, не дыша, слушали о головокружительных, но вещественно осуществимых перспективах революции, вступающей на путь творчества...

Телегин тихонько говорил Даше:

— Дельный доклад. Я этого инженера Кржижановского хорошо знаю. Вот кончим войну, — вернусь на завод, у меня тоже кое-какие соображения... Ужасно хочется, Дашенька, работать... Если они такую электрическую базу подведут, — ужас что можно развернуть... Черт знает — какие у нас богатства! Поднять на настоящую работу такую махину, — что тебе Америка! — Мы богаче... Поедем с тобой на Урал...

Даша — ему:

— Будем жить в бревенчатом доме, чистом-чистом, с капельками смолы, с большими окнами... В зимнее утро будет пылать камин...

Рощин — Кате на ухо шепотом:

— Ты понимаешь — какой смысл приобретают все наши усилия, пролитая кровь, все безвестные и молчаливые муки... Мир будет нами перестраиваться для добра... Все в этом зале готовы отдать за это жизнь... Это не вымысел, — они тебе покажут шрамы и синеватые пятна от пуль... И это — на моей родине, и это — Россия...

— Жребий брошен! — говорил человек у карты, опираясь на кий, как на копье. — Мы за баррикадами боремся за наше и за мировое право — раз и навсегда покончить с эксплуатацией человека человеком.

Содержание

По вопросам оптовой покупки книг
издательства АСТ обращаться по адресу:
Звездный бульвар, дом 21, 7-й этаж
Тел. 615-43-38, 615-01-01, 615-55-13

Книги издательства АСТ можно заказать по адресу:
***107140, Москва, а/я 140*, АСТ – «Книги по почте»**

Литературно-художественное издание

Толстой Алексей Николаевич
Хождение по мукам

Трилогия

Художественный редактор О.Н. Адаскина
Компьютерная верстка: Л.О. Огнева
Технический редактор О.В. Панкрашина
Младший редактор Е.В. Демидова

Общероссийский классификатор продукции
ОК-005-93, том 2; 953000 — книги, брошюры

Санитарно-эпидемиологическое заключение
№ 77.99.02.953.Д.003857.05.06 от 05.05.06 г.

ООО «Издательство АСТ»
170002, Россия, г. Тверь, пр. Чайковского, 27/32
Наши электронные адреса:
WWW.AST.RU E-mail: astpub@aha.ru

ООО Издательство «АСТ МОСКВА»
129085, г. Москва, Звездный б-р, д. 21, стр. 1

ООО «ХРАНИТЕЛЬ»
129085, г. Москва, пр. Ольминского, д. 3а, стр. 3

Издано при участии ООО «Харвест».
Лицензия № 02330/0056935 от 30.04.04.
Республика Беларусь, 220013, Минск, ул. Кульман,
д. 1, корп. 3, эт. 4, к. 42.

Открытое акционерное общество
«Полиграфкомбинат им. Я. Коласа».
Республика Беларусь, 220600, Минск, ул. Красная, 23.